VERSCHEURD DOOR HET VERLEDEN

Judith McNaught

VERSCHEURD DOOR HET VERLEDEN

ZUID-HOLLANDSCHE UITGEVERSMAATSCHAPPIJ

Dit boek is met liefde en begrip opgedragen aan die miljoenen Amerikaanse vrouwen die dit of welk ander boek niet kunnen lezen. Vrouwen die door omstandigheden in hun jeugd het plezier en de waardigheid te kunnen lezen, hebben moeten ontberen. En het is opgedragen aan de speciale, zorgzame mensen die hun tijd en inspanning hebben gegeven aan het programma 'Alfabetisme. Geef het door.'

Oorspronkelijke titel
Perfect
Uitgave
Pocket Books, New York
© 1993 by Eagle Syndication, Inc.

Vertaling
Karina Zegers de Beijl
Omslagontwerp
Julie Bergen
Omslagdia
Tony Stone / World View

ISBN 90 5112 496 1   CIP   NUGI 340

Dankbetuigingen

Mijn naam verschijnt op de omslag van dit boek, maar achter iedere scène bevindt zich een groep mensen die belangeloos heeft bijgedragen door middel van hun tijd, begaafdheid, steun en vriendschap. Ieder van deze mensen heeft, op de een of andere manier, het boek wat u op het punt staat te lezen, verrijkt en ook mijn leven verrijkt. Mijn innige dank aan...

Ron Bellisario, en de cast en personeel van *Quantum Leap*.

Gerald Schnitzer, die zijn dertig jaar lange ervaring in de filmwereld deelde en optrad als 'technisch adviseur' bij iedere aspect in dit boek wat met film te maken had.

Susan Spangler – secretaresse, wetenschappelijk onderzoekster en vriendin – die een nieuwe betekenis geeft aan de woorden *kundigheid, toewijding* en *samenwerking*.

Nancy Williams – nationaal programmaleider van Coors' 'Alfabetisme. Geef het door' – vanwege haar nauwe betrokkenheid bij het leren lezen van vrouwen en het zelfverzekerde optimisme dat diende als voortdurende aanmoediging terwijl ik aan dit boek werkte.

Pat en Terry Barcelo, die de afzondering van hun boerderij aanboden, opdat ik in alle rust kon werken, en een overvloed aan liefde en vriendschap die hiermee gepaard gingen.

Lloyd Stansberry, voor zijn herhaaldelijke hulp bij de juridische details die in de roman voorkwamen.

William C. McCord, voor de tientallen gunsten die het hele leven van een jongeman verbeterd hebben – en nog zullen verbeteren.

Debby Brown, omdat zij zo'n toonbeeld van vriendelijkheid is.

Pauline Marr, wier generositeit en onbaatzuchtigheid een geschenk is voor haar beroep... en voor haar vrienden.

Amnon Benjamini, die ons voorzag van geweldige juwelen en onschatbaar advies.

En als laatstgenoemde, maar niet minder belangrijk, Linda Marrow – uitgever, adviseur en vriendin.

Proloog

1976

Margaret Stanhope stond bij de deuren van de veranda en keek met een ijzig gezicht naar haar butler die haar kleinkinderen, die zojuist voor de zomervakantie van hun respectievelijke internaten waren teruggekeerd, een dienblad met drankjes voorhield. Achter de veranda zag ze het weelderig groene dal met de stad Ridgemont, Pennsylvania, een stad met bochtige, bomenrijke straten, een keurig onderhouden park en een schilderachtig winkelcentrum. Rechts ervan lagen de golvende heuvels van de Ridgemont Country Club. Midden in het hart van Ridgemont lag een uitgebreid complex van uit rode baksteen opgetrokken gebouwen die met elkaar de Stanhope Industries vormden die, direct of indirect, verantwoordelijk waren voor de welvaart van de meeste inwoners van de stad. Zoals in de meeste kleine gemeenschappen het geval is, heerste er ook in Ridgemont een gevestigde maatschappelijke hiërarchie waarbij de Stanhopes, wier indrukwekkende huis op Ridgemonts hoogste heuveltop gebouwd was, onbetwist aan de top stonden.

Vandaag echter, was Margaret Stanhope met haar gedachten niet bij het uitzicht vanaf haar veranda en evenmin bij de voorname maatschappelijke positie die ze bij haar geboorte had meegekregen en via haar huwelijk nog verder had verbeterd; ze was met haar gedachten bij de klap die ze op het punt stond haar drie onuitstaanbare kleinkinderen toe te brengen. De jongste van de twee jongens, Alex van zestien, zag haar naar hen kijken en nam met tegenzin een glas ijsthee van het zilveren blad in plaats van de champagne die hij veel liever had gedronken. Hij en zijn zus waren één pot nat, dacht Margaret vol minachting terwijl ze haar blikken over het tweetal liet gaan. Beiden waren verwend en slap. Ze hielden er willekeurige seksuele relaties op na en hadden geen greintje gevoel voor verantwoordelijkheid. Ze dronken te veel, gaven te veel geld uit en speelden te veel. Ze hadden altijd in alles hun zin gekregen en wisten niet wat zelfdiscipline was. Maar aan dat alles zou weldra een einde komen.

Haar blik volgde de butler die Elizabeth het blad voorhield. Haar kleindochter droeg een nauwsluitende gele zonnejurk met een diep decolleté. Toen de zeventienjarige Elizabeth haar grootmoeder zag kijken, wierp ze haar een hooghartige, uitdagende blik toe en pakte, in een typisch gebaar van kinderlijk verzet, twéé glazen champagne van het blad. Margaret Stanhope zag het, maar zei niets. Het meisje was het evenbeeld van haar moeder – een oppervlakkige, oversekste, frivole zuiplap die acht jaar geleden gestorven was nadat de door Margarets zoon bestuurde sportwagen op een stuk bevroren wegdek geslipt was, waarbij hij en zijn vrouw om het leven waren gekomen en hun vier kinderen ouderloos waren achtergebleven. Uit het politierapport bleek dat beiden te veel gedronken hadden en dat ze met veel te hoge snelheid gereden hadden.

Zes maanden geleden was Margarets eigen echtgenoot verongelukt toen hij, zonder rekening te houden met zijn leeftijd en de slechte weersomstandigheden, met zijn vliegtuig op weg was naar Cozumel, zogenaamd om er te gaan vissen. Het vijfentwintigjarige fotomodel dat ook aan boord had gezeten, was zeker meegegaan om als aas te dienen, dacht ze met een voor haar ongebruikelijke botheid en ongeïnteresseerdheid. Deze fatale ongelukken waren illustratief voor de liederlijkheid en de zorgeloosheid waardoor het leven van alle mannen binnen het geslacht van de Stanhopes gekenmerkt was. Stuk voor stuk waren ze arrogant, roekeloos en knap geweest, en stuk voor stuk hadden ze hun leven geleefd alsof ze onverwoestbaar, en niemand enige verantwoording schuldig waren.

Het gevolg daarvan was dat Margaret zich haar leven lang had vastgeklampt aan haar zwaar aangetaste waardigheid en zelfbeheersing, terwijl haar losbandige echtgenoot een vermogen verspilde aan zijn grillen en zijn kleinzoons leerde hoe ze precies zo moesten leven als hij. Vorig jaar had hij, terwijl zij boven lag te slapen, twee prostituées in huis gehaald die hij en de jongens met elkaar hadden gedeeld. Allemaal, behalve Justin. Haar dierbare Justin...

Justin, een zachtaardige, intelligente en vlijtige jongen, had als enige van haar drie kleinzoons op de mannen van Margarets kant van de familie geleken, en ze had met hart en ziel van hem gehouden. En nu was Justin dood, terwijl zijn broer Zachary springlevend was en haar met zijn vitaliteit bespotte. Ze keek opzij en zag Zachary lenig de treden van de veranda op komen. De intense haat die de lange, donkerharige, achttienjarige jongen in haar opriep, was nagenoeg ondraaglijk. Ze greep het glas in haar hand steviger beet en moest zich beheersen om het hem niet naar zijn zongebruinde gezicht te slingeren, om dat gezicht van hem niet met haar nagels open te krabben.

Zachary Benedict Stanhope III, die vernoemd was naar Margarets man, leek als twee druppels water op zijn naamgenoot op dezelfde leeftijd, maar dat was niet de reden waarom ze hem zo haatte. Daar had ze een veel betere reden voor, en Zachary wist precíes wat die reden was. Maar nu, over enkele minuten, zou hij eindelijk boeten voor wat hij had gedaan – al zou zijn straf in feite veel zwaarder moeten zijn. Ze zou hem dolgraag zwaarder hebben gestraft, maar ze verachtte haar eigen hulpeloosheid bijna evenzeer als ze hem verachtte.

8

Ze wachtte tot de butler hem een glas champagne had gegeven, en toen slenterde ze de veranda op. 'Jullie vragen je waarschijnlijk af waarom ik jullie vandaag heb laten komen,' zei ze. Zachary observeerde haar stilzwijgend en met een uitdrukkingsloos gezicht vanaf zijn plekje bij de balustrade, maar Margaret zag hoe Alex en Elizabeth, die aan de tafel met de parasol zaten, een onderlinge ongeduldige en verveelde blik wisselden. Waarschijnlijk popelden ze om terug te keren naar hun vrienden, tieners die net zo waren als zij – immorele jonge lieden die voortdurend op zoek waren naar spanning en avontuur, slappe wezens die precies deden waar ze zin in hadden omdat ze wisten dat eventuele onplezierige gevolgen met het geld van hun familie zouden worden afgekocht. 'Ik zie dat jullie ongeduldig zijn,' zei ze tegen het tweetal dat aan tafel zat, 'dus ik zal er niet omheen draaien. Ik weet zeker dat jullie geen moment hebben stilgestaan bij zoiets aards als jullie financiële status, maar het is een feit dat jullie grootvader het te druk had met zijn "sociale bezigheden" en dat hij te zeer overtuigd was van zijn eigen onsterfelijkheid om jullie geldzaken na de dood van jullie ouders op een behoorlijke wijze voor jullie te regelen. Het gevolg daarvan is dat ik het nu aangaande de financiën volledig voor het zeggen heb. Voor het geval jullie je afvragen wat dat betekent, zal ik jullie dat meteen uitleggen.' Ze glimlachte voldaan en vervolgde: 'Zolang jullie op school blijven, betere cijfers halen en jullie je gedragen op een wijze die mijn goedkeuring kan wegdragen, zal ik jullie schoolgeld blijven betalen en mogen jullie je dure sportwagens houden. Punt.'

Elizabeths eerste reactie was niet zo zeer schrik als wel verbazing. 'En hoe staat het met mijn toelage en mijn onkosten wanneer ik volgend jaar ga studeren?'

'Onkosten zul je niet hebben. Je komt hier wonen en kunt hier naar het junior college gaan! Pas als je gedurende twee jaar bewezen hebt dat je mijn vertrouwen waard bent, kun je ergens anders naartoe gaan om verder te studeren.'

'Het junior college,' herhaalde Elizabeth woedend. 'Dat meen je toch zeker niet!'

'En óf ik dat meen, Elizabeth. Doe je niet wat ik van je verlang, dan gaat de kraan dicht. En komt mij ook nog maar íets ter ore over jullie zuipfeesten, jullie drugsgebruik en seksuele uitspattingen, dan zul je van je leven geen cent meer zien.' Ze keek naar Alexander en voegde eraan toe: 'Voor het geval je het nog niet begrepen had, dit geldt ook voor jou. Daarbij ga je na de vakantie niet terug naar Exeter, maar kun je je middelbare school hier afmaken.'

'Dit kun je ons niet aandoen!' riep Alex uit. 'Grootvader zou dit nooit goed hebben gevonden!'

'Je hebt het recht niet om ons te zeggen hoe we moeten leven,' jammerde Elizabeth.

'Als mijn aanbod je niet bevalt,' liet Margaret haar op ijzige toon weten, 'dan adviseer ik je om een baantje als serveerster te nemen of een pooier te zoeken, want dat zijn de enige twee baantjes waar je op dit moment voor deugt.'

Ze zag de beide kinderen bleek wegtrekken en knikte tevreden. Toen vroeg Alexander: 'En Zack? Hij haalt geweldige cijfers op Yale. Je wilt hem toch zeker niet dwingen om ook hier te komen wonen, wel?'

Het moment waar ze op gewacht had, was aangebroken. 'Nee,' zei ze. 'Dat zal ik niet doen.'

Ze draaide zich helemaal naar Zachary om zodat ze zijn gezicht goed kon zien, en snauwde: 'Duvel op! Verlaat dit huis en kom nooit meer terug. Ik wil je nooit meer zien en je naam nooit meer horen.'

Had ze hem niet even met zijn kaakspieren zien trekken, dan zou ze gezworen hebben dat haar woorden geen enkele uitwerking op hem hadden gehad. Hij vroeg niet om een uitleg, want die had hij niet nodig. Waarschijnlijk had hij dit al voelen aankomen vanaf het moment waarop ze begonnen was zijn zus haar ultimatum te geven. Zonder iets te zeggen, zette hij zich af tegen de balustrade, en stak zijn hand uit naar de autosleutels die hij op tafel had gegooid. Maar toen hij ze wilde pakken, siste Margaret: 'Laat liggen! Het enige dat je meeneemt, zijn de kleren die je draagt.' Hij trok zijn hand terug en keek naar zijn broer en zus alsof hij half en half verwachtte dat ze iets zouden zeggen, maar beiden gingen óf te zeer op in hun eigen ellende, óf waren te bang dat hen hetzelfde lot zou wachten wanneer ze het voor hem opnamen.

Hoewel Margaret hen aan de ene kant minachtte om hun lafheid en gebrek aan loyaliteit, wilde ze er aan de andere kant voor zorgen dat geen van beiden later eventueel alsnog iets van moed zou laten blijken. 'Als één van jullie beiden ooit contact met hem opneemt, of hem contact met jullie laat opnemen,' dreigde ze terwijl Zachary zich omdraaide en naar de stoeptreden van de veranda liep, 'als jullie het ooit wagen om naar een feest te gaan waar hij toevallig ook één van de genodigden is, dan kunnen jullie ook vertrekken. Is dat duidelijk?'

Haar vertrekkende kleinzoon kreeg een andere waarschuwing mee: 'Zachary, als je soms van plan mocht zijn om je heil te zoeken bij een van je vrienden, dan kun je je die moeite besparen. Stanhope Industries is de grootste werkgever van Ridgemont, en het bedrijf is tot en met de laatste baksteen van mij. Er is hier geen mens die je zal willen helpen, aangezien hij of zij op die manier het risico loopt zich daarmee mijn woede op de hals te halen – en zijn of haar baan kwijt te raken.'

Zachary, die inmiddels de onderste trede van de stoep had bereikt, draaide zich om en keek haar met zo'n intense minachting aan, dat ze zich te laat realiseerde dat het nooit bij hem zou zijn opgekomen om zijn vrienden om hulp te vragen. Maar wat vooral haar aandacht trok, was de emotie die ze in zijn ogen zag vlak voordat hij zijn hoofd afwendde. Wat was het geweest, pijn? Of woede? Of verdriet? Ze hoopte vurig dat het een combinatie van al die drie dingen was.

De verhuiswagen kwam langzaam tot stilstand naast de eenzame figuur die, met een sportjack over zijn schouder geslagen en met gebogen hoofd alsof hij tegen een harde wind op tornde, over de vluchtstrook van de snelweg liep. 'Hé,' riep Charlie Murdock hem toe, 'wil je een lift?'

Verdwaasde, lichtbruine ogen keken Charlie aan, en even maakte de jongen een volkomen gedesoriënteerde indruk alsof hij langs de snelweg had lopen slaapwandelen, en toen knikte hij. Terwijl zijn passagier zich in de cabine hees, zag Charlie dat zijn bruine spijkerbroek van een duur merk was, dat zijn sokken bij de broek pasten en dat zijn prijzige leren instappers glanzend waren gepoetst. Charlie nam onmiddellijk aan dat hij te maken had met een beginnend student die, om welke reden dan ook, een lift nodig had. 'Op welke universiteit zit je?' vroeg hij om een praatje te maken.

De jongen slikte alsof hij een brok in de keel had, wendde zijn gezicht af en zei toen op ijzige toon: 'Op geen enkele.'

'Heeft je auto het soms begeven?'

'Nee.'

'Heb je hier familie in de buurt wonen?'

'Ik heb geen familie.'

Ondanks de korzelige toon van zijn passagier, had Charlie, die zelf drie volwassen zoons had, sterk het gevoel dat de jongen verschrikkelijk zijn best deed om zijn emoties onder controle te houden. Hij wachtte even, en vroeg toen: 'Hoe heet je?'

'Zack...' antwoordde hij, om er na enige aarzeling aan toe te voegen: 'Benedict.'

'Waar ga je naartoe?'

'Waar u naartoe gaat.'

'Ik ben op weg naar de westkust. Los Angeles.'

'Uitstekend,' zei hij op een toontje dat duidelijk maakte dat hij verder geen behoefte had aan een gesprek. 'Dat is best.'

Twee uur later nam de jongeman voor het eerst uit zichzelf het woord. 'Heeft u straks, in Los Angeles, hulp nodig bij het uitladen van deze kar?'

Charlie keek hem van terzijde aan, en herzag zijn eerdere oordeel over Zack Benedict. Hij droeg de kleren van een rijk joch en sprak als een rijk joch, maar dit rijke joch had kennelijk geen rooie cent. Hij was aan zichzelf overgeleverd en was niet in zijn element. Bovendien was hij volkomen bereid om zich over zijn trots heen te zetten en ongeschoold werk te doen, waarvoor, meende Charlie, toch de nodige dosis lef vereist was. 'Je ziet eruit alsof je sterk genoeg bent om zware dingen te tillen,' zei hij, nadat hij zijn blik even snel over Benedicts lange, gespierde lichaam had laten gaan. 'Heb je aan gewichtheffen gedaan, of zo?'

'Ik heb gebokst toen ik op de – Ik heb gebokst,' corrigeerde hij zichzelf.

Universiteit zat, maakte Charlie zijn eerste zin in gedachten af. Misschien kwam het doordat Benedict hem op de een of andere manier aan zijn eigen jongens deed denken toen ze van zijn leeftijd waren, of anders kwam het mogelijk ook wel doordat hij aanvoelde dat Zack Benedict ernstige problemen had, hoe dan ook, hij besloot hem met het lossen te laten helpen. Toen Charlie dat besluit had genomen, stak hij zijn hand uit. 'Ik heet Murdock, Charlie Murdock. Ik kan je niet veel betalen, maar je krijgt in ieder geval de kans om een echte filmstudio te zien wanneer we in Los Angeles zijn. Deze wagen zit vol met attributen die het eigendom zijn van de Empire Studios. Ik heb een contract om een deel van hun vrachtjes voor hen te rijden, en daar zijn we nu mee bezig.'

Benedicts grimmige onverschilligheid op die informatie sterkte Charlie in zijn overtuiging dat zijn passagier niet alleen platzak was, maar er waarschijnlijk ook geen flauw idee van had hoe hij dat probleem in de toekomst verder moest oplossen. 'Als je goed je best voor me doet, dan kan ik misschien wel een goed woordje voor je doen bij personeelszaken van de studio – tenminste, als je er geen bezwaar tegen hebt om een bezem te hanteren of te sjouwen.'

Opnieuw wendde zijn passagier zijn gezicht af en keek naar buiten. Net toen Charlie zijn mening opnieuw had herzien en tot de conclusie was gekomen dat Benedict zich te goed voelde voor ongeschoold werk, gaf de jongen antwoord. Zijn stem klonk schor van opluchting en beschaamde dankbaarheid. 'Graag. Daarmee zou u mij een groot plezier doen.'

Hoofdstuk 1

1978

'Ik ben mevrouw Borowski van het LaSalle Opvangtehuis,' zei de vrouw van middelbare leeftijd terwijl ze, met een plastic boodschappentasje van Woolworth aan haar arm, over het oosterse tapijt naar de receptioniste liep. Met een gebaar naar het elfjarige meisje dat haar met tegenzin volgde, voegde ze er op kille toon aan toe: 'En dit is Julie Smith. Ze komt voor dr. Theresa Wilmer. Als ik klaar ben met winkelen, kom ik haar weer halen.'

De receptioniste keek het meisje glimlachend aan. 'Dr. Wilmer komt je zo halen, Julie. Terwijl je op haar wacht, kun je daar gaan zitten en deze kaart zo ver mogelijk invullen. Ik had hem je de vorige keer toen je hier was al moeten geven, maar dat was ik vergeten.'

Julie, die zich scherp bewust was van haar armoedige spijkerbroek en haar smoezelige jack, keek verlegen de chique wachtkamer rond. Op een lage, antieke tafel stonden breekbare porseleinen beeldjes, en hier en daar stonden kostbare bronzen sculpturen op een marmeren voet. Met een wijde boog om de tafel heen lopend, ging ze op weg naar een stoel naast een reusachtig aquarium waarin exotische goudvissen met golvende vinnen tussen kantachtige waterplanten zwommen. Achter haar stak mevrouw Borowski haar hoofd nog even om het hoekje van de deur. 'Julie gapt alles wat los en vast zit. Ze doet het onopvallend en is razend vlug, dus als ik u was, dan zou ik haar maar heel goed in de gaten houden.'

Julie probeerde niets van haar woede en vernedering te laten blijken, en ging zitten. Ze strekte haar benen voor zich uit om de indruk te wekken dat die vreselijke opmerking van mevrouw Borowski haar absoluut koud liet, maar het effect werd tenietgedaan door de beschaamde blos op haar wangen en het feit dat de stoel zo hoog was dat ze niet met haar voeten bij de grond kon.

Even later ging ze rechtop zitten en keek met angst naar de kaart die de receptioniste haar had gegeven om in te vullen. Hoewel ze wist dat ze de woorden toch niet zou kunnen lezen, probeerde ze het toch. Met het puntje van haar tong tussen haar tanden, concentreerde ze zich met heel haar wezen op de drukletters op de kaart. Het eerste woord begon met een N, zoals het woordje NIET op de bordjes met NIET ROKEN die je in openbare gebouwen wel tegenkwam. Ze wist wat er op die bordjes stond, want dat had een van haar vrienden haar verteld. De volgende letter op de kaart was een *a*, zoals in het woordje *kat*, maar het woord was niet *kat*. Ze greep het potlood steviger beet en probeerde haar gevoelens van frustratie en wanhoop de baas te blijven. Dit soort gevoelens overvielen haar altijd wanneer ze iets moest lezen. Het woordje *kat* had ze in de eerste klas geleerd, maar dat woord kwam ze nooit ergens tegen! Terwijl ze geërgerd naar de onbegrijpelijke woorden op de kaart keek, vroeg ze zich af hoe het toch kwam dat onderwijzers kinderen stomme woordjes als *kat* leerden, terwijl je dat soort woordjes alleen maar tegenkwam in stomme leesboekjes voor eersteklassers.

Maar die boekjes waren niet stom, wist Julie, en de onderwijzers waren dat ook niet. Andere kinderen van haar leeftijd konden dit soort kaartjes ongetwijfeld moeiteloos lezen! Zij was degene die er niet uit kon wijs worden, en als er iemand stom was, dan was zíj het wel.

Aan de andere kant, probeerde Julie zich gerust te stellen, wist zij een heleboel van dingen waar andere kinderen niets vanaf wisten, want zij probeerde altijd overal op te létten. En één van de dingen die haar was opgevallen, was dat als mensen je iets gaven om in te vullen, ze meestal van je verwachtten dat je er je naam op schreef…

Zo netjes als ze maar kon schreef ze in blokletters J-u-l-i-e-S-m-i-t-h op de bovenste helft van de kaart. Wat ze verder moest schrijven, wist ze niet. Ze voelde dat ze weer boos begon te worden, en in plaats van zich druk te maken over zo'n stom kaartje, besloot ze om aan iets leuks te denken, zoals het gevoel van het voorjaarsbriesje in haar gezicht. Ze stelde zich voor dat ze onder een grote boom lag en naar de eekhoorntjes keek die boven haar hoofd op de takken speelden, maar juist op dat moment hoorde ze de stem van de receptioniste.

'Is er iets met het potlood, Julie?'

Julie drukte de punt hard tegen haar broek zodat hij afbrak. 'De punt is gebroken.'

'Hier heb je een andere –'

'Mijn hand doet pijn vandaag,' loog ze, en sprong op. 'Ik heb geen zin in schrijven. En ik moet naar de wc. Waar is die?'

'Naast de lift. Dr. Wilmer komt je zo halen. Blijf niet te lang weg.'

'Ik ben zo terug,' antwoordde Julie braaf. Nadat ze de deur van het kantoor achter zich had dichtgedaan, keek ze op het naambordje. Ze bestudeerde de eerste paar letters, zodat ze deze deur, wanneer ze terugkwam, zou kunnen herkennen. 'P,' fluisterde ze hardop opdat ze het niet zou vergeten. 'S. Y.' Tevreden liep ze de lange, van vloerbedekking voorziene gang af, sloeg aan het einde links, en bij het fonteintje rechtsaf, maar toen ze eindelijk bij de lift was, zag ze dat er twee deuren waren met een woord erop. Ze was er nagenoeg zeker van dat dit de toiletten waren, want het was haar opgevallen dat de deuren van de toiletten in grote gebouwen doorgaans andere knoppen hadden dan die welke op de deuren van de kantoorruimtes zaten.

14

Het probleem was alleen dat er niet MEISJES of JONGENS op deze deuren stond – twee woorden die ze herkende – en dat er ook niet van die handige stickers van een mannetje of een vrouwtje op zaten zodat je meteen kon zien welke wc je hebben moest. Behoedzaam legde Julie haar hand op één van de deuren, duwde hem op een kiertje open en gluurde naar binnen. Ze deed meteen een stapje achteruit toen ze die vreemde wc's aan de muur zag, want er waren nog meer dingen die ze wist en waarvan ze betwijfelde of er nog andere meisjes waren die dat wisten: mannen gebruikten heel vreemd uitziende wc's, en ze werden hysterisch als een meisje de deur opendeed wanneer ze stonden te plassen. Julie deed de andere deur open en ging de goede wc in.

In het besef dat ze moest opschieten, haastte ze zich de gang weer af totdat ze bij het gedeelte was gekomen waar het kantoor van dr. Wilmer zou moeten zijn, en ze keek naar de naambordjes op de deuren. De naam van dr. Wilmer begon met P-S-Y. Op de tweede deur zag ze P-E-T staan, en bedacht dat ze zich de letters waarschijnlijk verkeerd herinnerd had. Snel duwde ze de deur open. Een vrouw met grijs haar die ze nog nooit eerder had gezien, keek op van haar schrijfmachine. 'Ja?'

'Oei, neemt u me niet kwalijk, ik ben verkeerd,' mompelde Julie. 'Weet u ook waar ik dr. Wilmer kan vinden?'

'Dr. Wilmer?'

'Ja, u weet wel, Wilmer, dat begint met P-S-Y!'

'P-S-Y... O, je bedoelt het Psychologisch Adviesbureau! Dat is op nummer twintig-vijf-zestien, een stukje verder.'

Normaal gesproken zou Julie gedaan hebben alsof ze het meteen begrepen had, en alle kantoren zijn afgegaan totdat ze het juiste te pakken had, maar nu was ze bang om te laat te komen. 'Wilt u dat nog een keertje zeggen, één voor één?'

'Wat bedoel je?'

'De cijfers!' riep ze wanhopig. 'Of u ze wilt herhalen, maar dan zo: drie-zes-negen-vier-twee.'

De vrouw keek haar aan alsof ze achterlijk was. Julie wíst dat ze dat was, maar vond het verschrikkelijk wanneer mensen dat merkten. De vrouw slaakte een geïrriteerd zuchtje, en zei: 'Dr. Wilmer zit op twee-vijf-één-zes.'

'Twee-vijf-één-zes,' herhaalde Julie.

'Dat is de vierde deur links.'

'Goh!' riep Julie geërgerd uit. 'Waarom zegt u dat dan niet meteen!'

De receptioniste van dr. Wilmer keek op toen Julie binnenkwam. 'Was je verdwaald, Julie?'

'Ik? Natuurlijk niet,' loog Julie, en keerde terug naar haar plaatsje. Zonder te weten dat ze geobserveerd werd door wat eruitzag als een gewone spiegel, richtte ze haar aandacht op het aquarium naast haar.

Het eerste wat haar opviel was dat één van de prachtige vissen dood was, en dat twee andere eromheen zwommen alsof ze van plan waren hem op te eten. Zonder erbij na te denken tikte ze tegen het glas om ze weg te jagen, maar even later kwamen ze weer terug. 'Eén van de vissen is dood,' zei ze tegen de receptioniste, waarbij ze haar best deed om vooral niet al te bezorgd te klinken. 'Als u wilt, dan haal ik hem er wel uit.'

'Dat doen de mensen van de schoonmaakdienst vanavond wel, maar bedankt voor het aanbod.'

Julie vond het onnodig wreed voor de dode vis, maar ze slikte haar boosheid in. Het was niet juist dat zoiets wonderlijk moois en hulpeloos daar zo moest blijven liggen. Ze pakte een tijdschrift van de lage tafel, deed alsof ze erin las, maar bleef ondertussen vanuit haar ooghoeken op de twee hongerige vissen letten. Telkens wanneer ze terugkeerden naar hun dode kameraad en hem dreigden aan te vallen, wierp Julie een tersluikse blik op de receptioniste om zich ervan te overtuigen dat deze niet keek, waarna ze zo onopvallend mogelijk op het glas tikte om ze weg te jagen.

Een paar meter verder, in haar spreekkamer aan de andere kant van de spiegel die geen echte spiegel maar een raam was, zat dr. Wilmer glimlachend naar Julie te kijken, en zag hoe ze een poging deed de dode vis te beschermen terwijl ze, voor de receptioniste, deed alsof hetgeen er in het aquarium gebeurde haar volkomen onverschillig liet. Met een blik op de man naast haar, een andere psychiater die sinds kort ook deelnam aan haar speciale project, zei dr. Wilmer grimmig: 'Daar heb je haar, "Julie de verschrikkelijke", de jonge puber die door vooraanstaande lieden binnen de pleegzorg niet alleen wordt omschreven als "niet in staat om te leren", maar ook als onhandelbaar, onruststookster en als kandidaat voor jeugdcriminaliteit. Wist je,' vervolgde ze terwijl er iets van bewondering en geamuseerdheid in haar stem doorklonk, 'dat ze in LaSalle een hongerstaking heeft georganiseerd? Ze heeft vijfenveertig kinderen, waarvan de meesten ouder dan zijzelf, ertoe weten over te halen om met haar mee te doen in haar protestactie voor beter eten.'

Dr. John Frazier keek door het raam naar het meisje. 'En dat heeft ze waarschijnlijk gedaan omdat ze een onbewuste behoefte heeft om in verzet te komen tegen autoriteit?'

'Nee,' antwoordde dr. Wilmer op droge toon. 'Ze heeft het gedaan omdat ze een onbewuste behoefte had aan lekkerder eten. Het eten dat ze bij LaSalle krijgen is voedzaam, maar het smaakt naar niets. Ik heb het zelf geproefd.'

Frazier keek zijn associée geschrokken aan. 'En hoe zit het met dat stelen van haar? Zoiets valt toch niet te negeren.'

Terry leunde met haar schouder tegen de muur, en knikte in de richting van het kind in de wachtkamer. Glimlachend zei ze: 'Heb je wel eens van Robin Hood gehoord?'

16

'Natuurlijk. Hoezo?'

'Omdat je op dit moment zit te kijken naar een hedendaagse, jonge versie van Robin Hood. Julie is zo snel dat ze je gouden kronen uit je mond kan stelen zonder dat je het merkt.'

'Dat lijkt me nu niet écht een aanbeveling om haar naar je nietsvermoedende familie in Texas te sturen, hetgeen je, voor zover ik begrepen heb, van plan bent.'

Dr. Wilmer haalde haar schouders op. 'Julie steelt eten en kleren en speelgoed, maar ze houdt er niets van. Ze geeft haar buit aan de jongere kinderen van LaSalle.'

'Weet je dat zeker?'

'Heel zeker. Ik heb het nagegaan.'

John Frazier observeerde het meisje. Rond zijn mondhoeken speelde een aarzelend glimlachje. 'Ze heeft meer van Peter Pan dan van Robin Hood. Na het lezen van haar dossier had ik heel anders verwacht.'

'Ik was ook verbaasd,' bekende dr. Wilmer. Volgens Julie's dossier vond de directeur van het LaSalle Opvangtehuis waar het meisje momenteel woonde, het kind ongehoorzaam. Julie werd beschreven als een spijbelaarster, een onruststookster en een dievegge, en daarbij zou ze zich bovendien ophouden met oudere jongens wier gedrag niet door de beugel kon. Na al die negatieve aantekeningen in Julie's dossier had dr. Wilmer een agressief, hard meisje verwacht dat, doordat ze zich voortdurend ophield in het gezelschap van oudere jongens, psychisch ver ontwikkeld was en waarschijnlijk ook al seksuele relaties had. Op grond daarvan was haar mond bijna opengevallen van stomme verbazing toen Julie twee maanden geleden haar spreekkamer was binnengeslenterd. Wat dr. Wilmer toen zag, was een meisje dat eruitzag als een smoezelig elfje in een spijkerbroek en een rafelig sweatshirt met kortgeknipte, donkere krulletjes. In plaats van de ontluikende femme fatale die dr. Wilmer had verwacht, bleek Julie Smith een verleidelijk, ondeugend smoeltje te hebben, dat gedomineerd werd door schitterende, enorme, diepblauwe ogen met prachtige lange wimpers. Contrasterend met dat smoeltje en die onschuldige ogen van haar, had ze, zoals ze met haar kinnetje omhoog en de handen in de achterzakken van haar broek voor dr. Wilmers bureau had gestaan, een bravourachtige indruk getracht te maken.

Theresa was vanaf het eerste moment door haar gecharmeerd geweest, maar haar interesse voor het meisje was niet nieuw. Vanaf de dag waarop ze haar dossier had doorgelezen en de uitslagen van de tests had bestudeerd die deel uitmaakten van het evaluatieproces dat Theresa zelf ontwikkeld had, was ze in het kind geïnteresseerd geweest. Toen ze alles had doorgelezen, had ze een goed inzicht gekregen in het functioneren van het slimme denkwezen van het kind, evenals in de omvang van haar verdriet en de details van haar leventje die haar gemaakt hadden tot wat ze nu was. Julie, die bij haar geboorte door haar ouders te vondeling was gelegd en was afgewezen door twee pleeggezinnen, was gedwongen haar jonge jaren door te brengen aan de rand van de achterbuurten van Chicago waar ze van het ene overvolle weeshuis naar het andere was gestuurd. Het gevolg daarvan was dat de enige menselijke warmte die ze kende, de vriendschap en steun was die ze van haar vrienden en vriendinnen ontving – kinderen die er net als zijzelf slordig en onverzorgd bij liepen, kinderen met wie ze zich identificeerde en die haar leerden om uit winkels te stelen en later om samen met hen van school te spijbelen. Haar intelligentie en rappe vingers hadden haar in beide opzichten tot zo'n uitblinker gemaakt, dat ze, hoe vaak ze ook van het ene weeshuis naar het andere werd overgeplaatst, altijd meteen weer vriendjes maakte en respect afdwong. Dat ging zelfs zover dat een aantal jongens haar een paar maanden geleden hadden ingewijd in de technieken van het inbreken in auto's en het starten ervan zonder sleuteltje. Die demonstratie had ertoe geleid dat de hele groep, met inbegrip van Julie die alleen maar had staan kijken, door een oplettende agent gearresteerd was.

Dat was de dag geweest waarop Julie voor het eerst in aanraking was gekomen met de wet, maar tevens ook de dag die, hoewel Julie het zelf niet wist, haar eerste 'grote kans' was geweest omdat het incident haar onder dr. Wilmers aandacht had gebracht. Nadat Julie – niet helemaal terecht – gearresteerd was voor een poging tot autodiefstal, was ze verwezen naar dr. Wilmers nieuwe experimentele behandeling, een project dat bestond uit talloze psychologische en intelligentietests, plus persoonlijke gesprekken en evaluaties die werden uitgevoerd door dr. Wilmers groep van vrijwillige psychologen en psychiaters. Het programma was bedoeld om te voorkomen dat aan de zorg van de staat toevertrouwde jongeren terecht zouden komen in criminele kringen.

In Julie's geval had dr. Wilmer zich voorgenomen om succes te boeken, en zoals iedereen die haar een beetje kende, wist, zou ze daarin slagen. Terry Wilmer was een vrouw van vijfendertig die plezierig was in de omgang, vaak lachte en een ijzeren willetje had. Behalve haar indrukwekkende verzameling titels en diploma's en een familiestamboom om 'u' tegen te zeggen, had ze ook nog drie andere eigenschappen in overvloed, namelijk intuïtie, medeleven en volledige toewijding. Met het onvermoeibare vuur van een ware evangeliste die zichzelf tot taak had gesteld om kinderzieltjes op het rechte pad te krijgen, had Theresa Wilmer haar bloeiende privé-praktijk de rug toegekeerd, en wijdde ze zich nu met hart en ziel aan het proberen te redden van de hulpeloze jonge slachtoffers van de overbelaste, ondergefinancierde nationale pleegzorg. Om haar doelen te bereiken, schroomde dr. Wilmer niet om elk gereedschap dat tot haar beschikking stond te benutten, met inbegrip van het inroepen van hulp van collega's zoals John Frazier. In Julie's geval had ze zelfs een beroep gedaan op de hulp van een verre neef en zijn vrouw, die allesbehalve veel geld hadden, maar wel plaats in huis, en hopelijk ook in hun harten, hadden voor een bijzonder meisje.

'Ik wil dat je haar bekijkt,' zei Terry. Ze stond op en wilde net het gordijn voor het spiegelraam sluiten, toen Julie opeens opstond, wanhopig naar het aquarium keek en haar beide handen in het water stak.

'Wel heb je –' begon John Frazier, waarna hij met stomheid geslagen naar het meisje keek dat, met de dode vis in haar beide druipende handen, naar de drukke receptioniste liep.

Julie wist dat ze het tapijt niet nat zou mogen maken, maar ze kon het niet aanzien dat die mooie vis met zijn lange, golvende vinnen door de andere werd aangevallen. Niet wetend of de receptioniste haar wel of niet zag, of dat ze haar gewoon negeerde, ging ze vlak achter haar stoel staan. 'Pardon,' zei ze veel te luid, en stak haar beide handen uit.

De receptioniste, die volledig opging in haar typewerk, schrok op, draaide zich met een ruk om en slaakte een gilletje bij het zien van de glanzende, druipnatte vis zo vlak voor haar neus.

Julie deed voor de zekerheid een stapje achteruit, maar hield voet bij stuk. 'Hij is dood,' zei ze dapper, en deed haar best om vooral niet te laten blijken hoe zielig ze het voor de vis vond. 'De andere vissen staan op het punt hem op te eten, en ik heb geen zin om daar naar te moeten kijken. Dat is walgelijk. Als u mij een stukje papier geeft, dan doe ik hem erin en kunt u hem weggooien in uw prullenbak.'

De receptioniste, die inmiddels hersteld was van de schrik, onderdrukte een glimlach, trok een la van haar bureau open en haalde er een paar tissues uit die ze aan het kind gaf. 'Wil je hem niet meenemen om hem thuis te begraven?'

Julie had niets liever willen doen dan dat, maar ze meende een lach in de stem van de vrouw te horen, en daarom pakte ze de vis snel in en gaf hem aan de vrouw. 'Zo idioot ben ik nu ook weer niet. Het is maar een vis, geen konijn of iets anders bijzonders.'

Aan de andere kant van het spiegelraam stond Frazier zachtjes te grinniken. 'Ze snakt ernaar om die vis een behoorlijke begrafenis te geven, maar ze is te trots om het toe te geven.' Hij werd ernstig en voegde eraan toe: 'En hoe staat het met haar leerachterstand? Voor zover ik me herinner heeft ze het niveau van een tweedeklasser.'

Dr. Wilmer snoof onelegant en pakte een bruine map van haar bureau waarin de uitslagen zaten van de tests die Julie onlangs had gemaakt. Ze gaf hem het opengeslagen dossier aan en zei glimlachend: 'Moet je eens kijken hoe ze scoort wanneer de intelligentietests mondeling worden afgenomen en ze niet hoeft te lezen.'

John Frazier deed wat hem gevraagd was, en lachte zacht. 'Dat kind heeft een hoger IQ dan ik!'

'Julie is in meerdere opzichten een heel bijzonder kind, John. Ik had al een vermoeden toen ik met haar dossier bezig was, maar toen ik haar persoonlijk leerde kennen, wíst ik het meteen. Ze is uitbundig, moedig, gevoelig en uitermate slim. Achter die branie van haar schuilt een zeldzame tederheid en een eeuwig optimisme waar ze zich aan vast blijft klampen hoewel de lelijke realiteit haar telkens harde lessen leert. Aan haar eigen leven kan ze niet veel verbeteren, en daarom heeft ze zichzelf onbewust tot taak gesteld om de andere kinderen van de tehuizen waarin ze geplaatst wordt, te beschermen. Ze steelt voor ze en liegt voor ze en laat ze een hongerstaking houden, en ze doen alles wat ze zegt en volgen haar alsof ze de Rattenvanger van Hameln is. Met haar elf jaar is ze een geboren leider, maar als ze niet snel hulp krijgt dan komt ze met haar streken in een jeugdgevangenis, en uiteindelijk in een echte gevangenis terecht. En dat is op dit moment nog niet eens haar grootste probleem.'

'Hoe bedoel je?'

'Wat ik bedoel is dat dat kind, ondanks al die schitterende eigenschappen van haar, een verschrikkelijk lage dunk van zichzelf heeft. Omdat ze niet geadopteerd is, is ze ervan overtuigd dat ze waardeloos is en dat de mensen niet van haar houden. Omdat ze niet zo goed kan lezen als haar leeftijdgenoten, is ze ervan overtuigd dat ze volkomen achterlijk is en niet kan leren. En het ergste is nog wel dat ze op het punt staat het op te geven. Ze is een dromer, maar haar dromen hangen aan een zijden draadje.' Ongewild fel besloot Terry: 'En ik wéiger om Julie's potentieel, haar hoop en haar optimisme naar de Filistijnen te laten gaan.'

Dr. Frazier trok zijn wenkbrauwen op. 'Je moet het me maar vergeven dat ik dit zeg, Terry, maar ben jij niet degene die ons altijd heeft voorgehouden dat we ervoor moeten oppassen dat we niet persoonlijk betrokken raken bij de patiënten?'

Dr. Wilmer glimlachte berouwvol en leunde tegen haar bureau. Ze ontkende het niet. 'Het was gemakkelijker om me aan die regel te houden toen ik alleen nog maar met kinderen van rijke ouders werkte, kinderen die denken dat ze iets te kort komen wanneer ze op hun zestiende verjaardag geen sportwagen van vijftigduizend dollar cadeau krijgen. Wacht maar tot je wat langer hebt gewerkt met kinderen zoals Julie – kinderen die afhankelijk zijn van het "systeem" dat we hebben opgericht om hen te helpen, maar die op de een of andere manier door de mazen van datzelfde systeem zijn geglipt. Je zult er wakker van liggen.'

'Je zult wel gelijk hebben,' verzuchtte hij, en gaf haar het dossier terug. 'Alleen maar even uit nieuwsgierigheid, maar waarom is ze eigenlijk niet geadopteerd?'

Theresa haalde haar schouders op. 'Dat is grotendeels een kwestie van pech en slechte timing. Volgens haar dossier van de Kinderbescherming is ze achtergelaten in een steegje toen ze nog maar een paar uur oud was. Uit de gegevens van het ziekenhuis blijkt dat ze tien weken te vroeg is geboren, en op grond van dat feit, plus de slechte conditie waar ze in verkeerde toen ze naar het ziekenhuis werd gebracht, is ze tot haar zevende jaar veel en vaak ziek geweest. Ze is in die periode regelmatig opgenomen geweest en was erg zwak.

De Kinderbescherming had pleegouders voor haar gevonden toen ze twee jaar oud was, maar halverwege de adoptieprocedure besloot het stel te gaan scheiden, en ging de hele zaak niet door. Een paar weken later werd ze opnieuw in een zorgvuldig gescreend gezin geplaatst, maar Julie kreeg longontsteking en het nieuwe echtpaar – dat hun eigen dochtertje had verloren toen het zo oud was als Julie – stortte volledig in en trok zich terug. Daarna werd ze voor tijdelijk bij een pleeggezin gezet, maar een paar weken later kreeg Julie's maatschappelijk werkster een ernstig ongeluk en is nooit meer teruggekomen op haar werk. Vanaf dat moment ging er echt van alles mis. Julie's dossier raakte kwijt –'

'Wat?' viel Frazier haar ongelovig in de rede.

'Oordeel niet te hard over de mensen van de Kinderbescherming. Het zijn voor het grootste gedeelte zeer toegewijde mensen, maar dat zijn het, mensen. Ze kampen met een voortdurend personeelstekort en te weinig geld, en ik sta er nog van te kijken wat ze allemaal klaarspelen. Hoe dan ook, en om een lang verhaal kort te maken, het pleeggezin had een huis vol kinderen om voor te zorgen, en ze wisten niet beter dan dat de Kinderbescherming geen adoptieouders voor haar kon vinden omdat ze niet erg gezond was. Tegen de tijd dat ze bij de Kinderbescherming merkten dat Julie in het gedrang onder de voet was gelopen, was ze vijf en daarmee te oud om nog langer aantrekkelijk te zijn voor adoptie. Daarbij was haar gezondheid nog steeds niet best, en toen ze van het ene pleeggezin naar het andere werd overgeplaatst, kreeg ze meteen een aantal astma-aanvallen. Ze miste grote gedeelten van de eerste en tweede klas, maar ze was "zo'n lief meisje" dat de leraren haar toch maar van de eerste naar de tweede, en van de tweede naar de derde klas lieten overgaan. Haar nieuwe pleegouders hadden al drie lichamelijk gehandicapte kinderen in huis, en ze hadden het zo druk met die kinderen dat ze niet merkten dat Julie het op school niet kon bijbenen, vooral ook omdat ze gewoon overging. In de vierde klas begon Julie zelf te beseffen dat ze het niet aankon, en ze begon te doen alsof ze ziek was zodat ze thuis kon blijven. Toen haar pleegouders het doorhadden, stonden ze erop dat ze gewoon naar school zou gaan, en toen deed ze dus wat voor de hand lag – ze begon te spijbelen en met andere kinderen over straat te zwerven. Zoals ik al eerder zei, ze is uitbundig, moedig en snel, en die

21

kinderen leerden haar hoe ze, zonder gepakt te worden, winkeldiefstalletjes kon plegen.

De rest is je bekend: ze werd uiteindelijk opgepakt voor spijbelen en winkeldiefstal, en werd naar het LaSalle Opvangtehuis gestuurd, waar alle kinderen die het in pleeggezinnen niet goed doen, terechtkomen. Een paar maanden geleden werd ze – volgens mij onterecht – gearresteerd samen met een groep oudere jongens die bezig waren om haar te demonstreren hoe je een auto aan de praat moet krijgen zonder sleutels.' Terry lachte zacht, en besloot: 'Julie was slechts een aandachtig toeschouwster, maar ze kan het. Ze heeft aangeboden om mij te laten zien hoe het moet. Stel je voor, dat kleine meiske met die reusachtige, onschuldige ogen kan je auto starten zonder daar een sleutel voor nodig te hebben! Maar ze was niet van plan hem te stelen. Zoals ik al zei, ze steelt alleen maar dingen die de kinderen van LaSalle kunnen gebruiken.'

Met een veelbetekenende grijns knikte Frazier in de richting van het raam. 'Ik neem aan dat ze wel wat zullen hebben aan een rood potlood, een balpen en een handvol snoep.'

'Wat?'

'Terwijl je me dat allemaal zat te vertellen, heeft die sterpatiënt van je al die dingen uit de wachtkamer gegapt.'

'Lieve help!' riep dr. Wilmer niet echt bezorgd uit, terwijl ze door het raam naar Julie keek.

'Ze is snel genoeg om vals te kunnen spelen bij het kaarten,' voegde Frazier er half en half bewonderend aan toe. 'Als ik jou was, dan zou ik haar maar snel binnen laten komen, voor ze nog een manier verzint om dat aquarium de deur uit te krijgen. Ik weet zeker dat de kinderen van LaSalle een paar tropische vissen schitterend zouden vinden.'

Met een blik op haar horloge zei dr. Wilmer: 'Ik verwacht op dit moment een telefoontje van de Mathisons uit Texas. Ze zouden bellen om me te vertellen wanneer ze haar kunnen nemen. Ik wil Julie graag alles kunnen vertellen wanneer ze zo binnenkomt.' Op dat moment zoemde de intercom op haar bureau, en de receptioniste meldde dat mevrouw Mathison aan de telefoon was.

'Daar heb ik op zitten wachten,' zei Terry blij.

John Frazier keek op zijn eigen horloge. 'Ik heb over enkele minuten mijn eerste gesprek met Cara Peterson.' Hij liep naar de deur van zijn spreekkamer, en zei lachend met een hand op de deurknop: 'Ik realiseer me zojuist dat je het werk hier wel erg oneerlijk verdeelt. Jij kunt je uitleven op een meisje dat pennen en snoep gapt om aan de armen te kunnen geven, terwijl je mij opzadelt met Cara Peterson die geprobeerd heeft haar pleegvader te vermoorden.'

'Ach, jij bent nu eenmaal dol op uitdagingen,' reageerde Theresa Wilmer lachend, maar toen ze de telefoon pakte, voegde ze eraan toe: 'Ik ga de Kinderbescherming vragen of ze mevrouw Borowski willen overplaatsen naar een afdeling die alleen met baby's en kleuters werkt. Ik heb al eerder met haar gewerkt, en ze is geweldig met kleintjes omdat die zich laten knuffelen en geen dingen doen die niet door de beugel kunnen. Grotere kinderen zijn niets voor haar. Ze kan geen onderscheid maken tussen puberaal verzet en jeugdcriminaliteit.'

'Dat zeg je toch niet toevallig omdat ze tegen je receptioniste heeft gezegd dat ze alles zou stelen wat ze maar te pakken kon krijgen?'

'Nee,' antwoordde dr. Wilmer terwijl ze de hoorn van het toestel pakte. 'Maar dat was een goed voorbeeld van wat ik bedoelde.'

Toen dr. Wilmer klaar was met haar gesprek, stond ze op en liep naar de wachtkamer, waarbij ze zich verheugde op de verrassing die ze voor Julie Smith in petto had.

Hoofdstuk 2

'Julie,' zei ze vanuit de deuropening, 'zou je alsjeblieft binnen willen komen?' Toen Julie de deur achter zich dichtdeed en de spreekkamer in kwam, voegde Terry er vrolijk aan toe: 'Je bent klaar met de tests. De uitslagen zijn binnen.'

In plaats van dat haar jonge patiënt op een stoel ging zitten, ging ze, met de voetjes een eindje uit elkaar en de handen in de achterzakken van haar spijkerbroek, voor Terry's bureau staan. Ze haalde onverschillig haar schouders op en vroeg niet naar de uitslagen, omdat ze, zoals Terry wel wist, bang was om die te horen. 'Die tests waren stom,' zei ze in plaats daarvan. 'Dit hele project is stom. Hoe kun je nu, met een paar testjes en een paar gesprekjes iets over iemand te weten komen?'

'Ik ben, in die paar maanden dat we elkaar nu kennen, een heleboel over jou te weten gekomen. Zal ik je dat bewijzen door te vertellen wat ik ontdekt heb?'

'Nee.'

'Toe, laat me je vertellen wat ik denk.'

Ze zuchtte, grinsde en zei: 'Dat zult u toch wel doen, of ik het nu horen wil of niet.'

'Heel goed,' beaamde dr. Wilmer, en deed haar best om niet om die slimme opmerking te lachen. De botte methode die ze voor Julie in gedachten had was heel anders dan die welke ze normaal gebruikte, maar Julie was zo scherpzinnig en slim dat je haar met halve waarheden en zoete woordjes toch niets kon wijsmaken. 'Ga zitten, alsjeblieft,' zei ze, en toen Julie onderuitgezakt in de stoel tegenover haar bureau was gaan zitten, stak dr. Wilmer van wal. 'Ik heb ontdekt dat je, hoewel je altijd heel flink doet, in werkelijkheid elk moment van de dag doodsbang bent, Julie. Je weet niet wie je bent en niet wat er van je terecht zal komen. Je kunt niet lezen en schrijven, en dus ben je ervan overtuigd dat je dom bent. Je gaat niet meer naar school omdat je de andere kinderen van je leeftijd niet kunt bijhouden, en het doet je erg veel verdriet wanneer je in de klas wordt uitgelachen. Je voelt je hopeloos en hebt het gevoel dat je geen kant uit kunt, en je hebt een verschrikkelijke hekel aan dat gevoel.

Je weet dat je, toen je jonger was, voor adoptie bent afgewezen, en dat je moeder je in de steek heeft gelaten. Lang geleden al ben je tot de conclusie gekomen dat de reden waarom je echte ouders je niet wilden hebben, en het echtpaar dat je zou adopteren zich heeft teruggetrokken, was dat ze tot de ontdekking waren gekomen dat je toch "niet deugde" en omdat je niet slim en mooi genoeg was. En daarom draag je een jongenskapsel, wil je geen meisjeskleren aan en steel je, maar daarmee voel je je nog steeds niet gelukkiger. Wat je ook doet, het schijnt geen enkel verschil te maken, en daar gaat het om: het maakt niet uit wat je doet – behalve wanneer je jezelf in de nesten werkt – niemand trekt zich iets van je aan, en je kunt jezelf niet uitstaan want je wilt belangrijk zijn, je wilt meetellen.'

Dr. Wilmer zweeg even om die laatste woorden goed tot haar te laten doordringen, en om er vervolgens nog een schepje bovenop te doen. 'Je wilt meetellen, Julie. Je wilt dat er van je gehouden wordt. Als je een wens zou mogen doen, ééntje maar, dan zou dát je wens zijn.'

Julie's ogen schoten vol tranen van vernedering terwijl ze de ene na de andere waarheid incasseerde, maar ze deed haar best om ze de baas te blijven.

Dat nam niet weg dat Terry het had gezien. Ze beschouwde Julie's tranen als het bewijs dat hetgeen ze gezegd had gevoelige plekken had geraakt. Wat zachter vervolgde ze: 'Je hebt een hekel aan hopen en dromen, maar je kunt het niet laten, en daarom verzin je prachtige verhalen en die vertel je aan de kinderen van LaSalle – verhalen over eenzame, lelijke kinderen die vroeg of laat een gezin vinden en gelukkig worden.'

'U heeft het helemaal mis!' riep Julie vurig uit, waarbij ze een hoogrode kleur kreeg. 'Zoals u dat zegt lijkt het wel alsof ik het een of andere zachte ei ben. Ik heb helemaal niemand nodig die van me zou houden, en de andere kinderen van LaSalle ook niet. Ik heb het niet nodig, en ik wil het niet! Ik ben gelukkig –'

'Dat is niet waar. We gaan elkaar vandaag de volledige waarheid vertellen, en ik ben nog niet helemaal klaar.' Ze keek het meisje strak aan en zei nadrukkelijk: 'De waarheid is, Julie, dat we, gedurende de tijd dat we je getest hebben, ontdekt hebben dat je een dapper, heel lief en uitermate slim meisje bent.' Ze glimlachte om Julie's verbaasde gezicht, en vervolgde: 'De enige reden waarom je niet hebt leren lezen en schrijven, is dat je door ziekte zo veel van school hebt gemist dat je het later niet meer kon inhalen. Dat heeft niets te maken met je vermogen om te leren, wat iets is dat jij slim noemt, en wij intelligent noemen. Het enige dat je nodig hebt om die achterstand in te lopen, is iemand die je gedurende een poosje wil helpen. En behalve slim,' ging ze verder, en veranderde enigszins van onderwerp, 'heb je ook een volkomen normale behoefte dat er van je gehouden wordt om wat je bent. Je bent heel erg gevoelig, en daarom voel je je ook zo snel gekwetst. Om dezelfde reden kun je het ook niet aanzien dat andere kinderen worden gekwetst, en doe je zo je best om ze een plezier te doen met je verhaaltjes en door dingen voor ze te stelen. Ik weet dat je het verschrikkelijk vindt dat je zo gevoelig bent, maar je kunt rustig van me aannemen dat het één van je mooiste eigenschappen is. Het enige dat we nu moeten doen, is je in een omgeving plaatsen waar ze je kunnen helpen om uit te groeien tot een pracht van een jonge vrouw...'

Julie verbleekte. Het woordje 'omgeving' klonk haar in de oren als een inrichting, misschien zelfs wel de gevangenis.

'Toevallig ken ik twee mensen die de ideale pleegouders voor je zouden zijn, James en Mary Mathison. Mevrouw Mathison is onderwijzeres geweest, en ze wil je dolgraag helpen om weer bij te komen. Meneer Mathison is dominee –'

Julie vloog op van haar stoel alsof ze haar billen had gebrand. 'Een dominee!' riep ze hoofdschuddend uit, en moest meteen denken aan de preken over hel en verdoemenis die ze zo vaak in de kerk had gehoord. 'Nee, dank u, dan ga ik liever de bak in.'

'Je hebt nog nooit in de bak gezeten, dus je weet helemaal niet waar je het over hebt,' zei dr. Wilmer, en ging verder met over het pleeggezin te vertellen alsof Julie absoluut niets in de kwestie te zeggen had, hetgeen ze, begreep Julie, ook inderdaad niet had. 'James en Mary Mathison zijn een paar jaar geleden verhuisd naar een klein stadje in Texas. Ze hebben twee zoons die vijf en drie jaar ouder zijn dan jij, en in tegenstelling tot de andere pleeggezinnen waar je in gezeten hebt, zul jij daar het enige pleegkind zijn. Je zult deel uitmaken van een écht gezin, Julie. Je zult zelfs een eigen kamer krijgen, en dat zijn alle twee dingen die volkomen nieuw voor je zijn. Dat weet ik. Ik heb met James en Mary over je gesproken, en ze willen dolgraag dat je bij hen komt.'

'Voor hoelang?' vroeg Julie. Ze deed haar best om vooral niet opgewonden te raken, aangezien het toch maar om iets tijdelijks zou gaan.

'Voorgoed, aangenomen dat het je daar bevalt en je bereid bent je te houden aan één heel belangrijke regel die ze er voor zichzelf en hun kinderen op na houden: eerlijkheid. Dat betekent geen stelen meer, geen liegen meer en geen spijbelen meer. Het enige dat er van je verlangd wordt, is dat je eerlijk tegen ze bent. Ze gaan ervan uit dat je dat zult zijn, en ze willen dolgraag dat je deel van hun gezin komt uitmaken. Ik heb zojuist een telefoontje van mevrouw Mathison gehad, en ze is nu de stad in om dingen voor je te kopen waarmee ze je zo snel mogelijk kan helpen leren lezen en schrijven. Ze hoopt dat je gauw zult komen, om dan samen met haar dingetjes uit te kiezen voor je kamer, die je precies zo mag inrichten als je zelf graag wilt.'

Julie, die haar best deed om zich vooral niet echt opgetogen te voelen, vroeg: 'Ze weten zeker niet dat ik ben opgepakt, hè? Ik bedoel, voor spijbelen.'

'Voor spijbelen,' zei dr. Wilmer met klem, 'én voor een poging tot het stelen van een auto. Ja, ze weten alles.'

'En toch willen ze dat ik bij hen kom?' vroeg Julie verbaasd. 'Dan doen ze het waarschijnlijk voor het geld dat ze ervoor krijgen.'

'Geld heeft er niets mee te maken!' verklaarde dr. Wilmer streng. 'Het zijn heel bijzondere mensen. Ze zijn niet rijk wat geld betreft, maar ze voelen zich rijk in andere opzichten – en ze willen die rijkdom graag delen met een kind dat dat verdient.'

'En ze denken dat ík dat verdien?' hoonde Julie. 'Niemand wilde me voordat ik een strafblad had. Waarom willen ze me nu opeens wel?'

Dr. Wilmer negeerde haar retorische vraag, stond op en liep om haar bureau heen. 'Julie,' zei ze warm, en wachtte tot het meisje haar met tegenzin aankeek, 'ik geloof dat ik nog nooit eerder de eer heb gehad om een meisje te leren kennen dat zo veel verdient als jij.' Het onverwachte, enorme compliment werd gevolgd door een van de weinige liefdevolle gebaren die Julie ooit ontvangen had: dr. Wilmer legde haar hand tegen Julie's wang en zei: 'Ik weet niet hoe je het voor elkaar hebt gekregen om zo lief en bijzonder te blijven als je bent, maar je kunt me rustig geloven wanneer ik zeg dat je alle hulp verdient die ik je kan geven, en alle liefde waarvan ik vermoed dat je die bij de Mathisons zult vinden.'

Julie haalde haar schouders op en probeerde zich schrap te zetten tegen de onvermijdelijke teleurstelling, maar toen ze opstond blonk er toch een sprankje hoop in haar hart. 'Daar zou ik maar niet op rekenen, dr. Wilmer.'

Dr. Wilmer glimlachte. 'Ik reken op jóu. Je bent een buitengewoon intelligent en intuïtief meisje, en op grond daarvan zul je onmiddellijk weten of hetgeen je gevonden hebt de moeite waard is.'

'U bent vast erg goed in uw werk,' zei Julie met een zucht die een mengeling was van hoop en angst voor de toekomst. 'Want zoals u de dingen zegt, ga ik ze nog bijna geloven ook.'

'Ik ben inderdaad héél erg goed in mijn werk,' gaf dr. Wilmer toe. 'En het was heel intelligent en intuïtief van je om je dat te realiseren.' Glimlachend gaf ze een tikje op Julie's kin en zei plechtig: 'Zou je me af en toe eens willen schrijven om me te laten weten hoe het met je gaat?'

'Best,' zei Julie, en haalde opnieuw haar schouders op.

'Wat je in het verleden hebt gedaan kan de Mathisons niet schelen – ze vertrouwen erop dat je van nu af aan eerlijk tegen hen zult zijn. Ben jij ook bereid om het verleden te vergeten en hun een kans te geven om je te helpen het fantastische mens te worden dat je kunt zijn?'

Julie giechelde verlegen in reactie op zo veel onverwachte complimentjes. 'Ja, dat wil ik.'

Omdat ze wilde dat Julie echt zou begrijpen hoe belangrijk deze kans voor haar was, vervolgde Theresa ernstig: 'Stel je voor, Julie. Mary Mathison heeft altijd al een dochter willen hebben, maar jij bent het enige meisje dat ze ooit gevraagd heeft om bij haar te komen wonen. Vanaf dit moment begin je met een schone lei en je eigen familie. Je bent weer helemaal zuiver en nieuw, net als een pasgeboren babytje. Begrijp je wat ik daarmee wil zeggen?'

Julie deed haar mond open om ja te zeggen, maar ze had opeens een vreemd gevoel in haar keel, dus daarom volstond ze met een knikje.

Theresa Wilmer keek diep in de enorme blauwe ogen die haar aankeken vanuit dat ondeugende gezichtje, en ze had zelf ook een brok in de keel toen ze met haar vingers door Julie's warrige bruine krullen streek. 'Misschien besluit je ooit nog eens om je haar te laten groeien,' zei ze zacht. 'Het zal prachtig en dik zijn.'

Eindelijk had Julie haar stem weer gevonden, en op haar voorhoofd verscheen een bezorgde rimpel. 'Die mevrouw – mevrouw Mathison – u denkt toch niet dat ze wil dat ik er pijpekrullen in doe, en strikken of zo, of meer van dat soort tuttige dingen?'

'Niet als jij dat niet wilt.'

Met iets van weemoed zag Theresa Julie vertrekken. Toen ze zag dat ze de deur van het kantoor op een kiertje had laten staan en zich realiseerde dat de receptioniste was gaan lunchen, stond ze op om de deur zelf dicht te toen. Net toen ze de deurknop wilde pakken, zag ze Julie vlak langs de lage tafel naar de balie van de receptioniste lopen.

Toen ze weg was lag er een hand vol snoep op de tafel, en op de balie lagen een potlood en een balpen.

Theresa had het gevoel dat ze echt iets bereikt had, en ze was trots. Met schorre stem mompelde ze het kind na: 'Je wilde je schone lei met niets bederven, hè, liefje? Zo mag ik het zien!'

Hoofdstuk 3

De schoolbus stopte voor het gezellige Victoriaanse huis dat Julie in de afgelopen drie maanden sinds ze bij de Mathisons woonde als haar huis was gaan beschouwen. 'Je bent er weer, Julie,' zei de aardige chauffeur, maar toen Julie uitstapte riep geen van haar nieuwe vriendinnen haar een groet na, zoals ze dat gewoonlijk deden. Hun kille, achterdochtige stilzwijgen maakte haar angst er nog groter op. Met lood in de schoenen liep ze over de besneeuwde stoep. Geld, dat in Julie's klas was opgehaald voor het middageten van die week, was van het bureau van de juf gestolen. Alle kinderen van de klas waren over de diefstal aan de tand gevoeld, maar het was Julie geweest die tijdens de pauze binnen was gebleven om de laatste hand aan haar aardrijkskundewerkstuk te leggen. Julie was de hoofdverdachte, niet alleen omdat ze de gelegenheid had gehad om het geld te gappen, maar ook omdat ze de nieuwkomer, het buitenbeentje, het kind uit de grote, slechte stad was. Daarbij kwam dat er, voordat ze hier op school was gekomen, nog nooit zoiets als dit was gebeurd. Die middag, terwijl ze voor het kantoortje van het hoofd stond te wachten, had ze meneer Duncan tegen zijn secretaresse horen zeggen dat er voor hem niets anders op zat dan meneer en mevrouw Mathison te bellen om hun over het gestolen geld te vertellen. Kennelijk had meneer Duncan dat ook gedaan, want de auto van de dominee stond op de oprit, en hij was zelden zo vroeg thuis.

Toen ze bij het poortje in het witte houten hek dat om de tuin heen stond was gekomen, bleef ze even staan om naar het huis te kijken. Bij de gedachte dat ze hier weggestuurd zou worden, begonnen haar knieën zo erg te knikken dat ze tegen elkaar sloegen. De Mathisons hadden haar een eigen kamer gegeven met een hemelbed en een gebloemde sprei, maar die dingen zou ze niet half zo erg missen als hun omhelzingen. En hun lachen. En hun prachtige stemmen. O, ze hadden allemaal van die zachte, lieve, blijde stemmen. Alleen al de gedachte dat ze James Mathison nooit meer 'Welterusten, Julie, vergeet niet te bidden, liefje,' zou horen zeggen, was voldoende om Julie wanhopig te maken. En hoe moest ze verder leven als ze Carl en Ted, die ze intussen al was gaan beschouwen als haar eigen grote broers, nooit meer zou horen vragen of ze zin had in een spelletje, of mee wilde naar de film? Nooit meer zou ze met haar nieuwe familie naar de kerk gaan en samen met hen op de voorste bank zitten om te luisteren hoe dominee Mathison vol warmte en liefde over 'de Heer' sprak, terwijl de hele gemeente vol respect luisterde naar alles wat hij te zeggen had. Dat naar de kerk gaan had ze in het begin niet fijn gevonden, het leek wel alsof die diensten nooit ophielden, en de banken waren keihard. Maar toen was ze gaan luisteren naar wat dominee Mathison zei. Na een paar weken was ze bijna gaan gelóven dat er echt een lieve, barmhartige God bestond die van iedereen hield, zelfs van zulke waardeloze kinderen als Julie Smith. Terwijl ze zo in de sneeuw naar het huis stond te kijken, fluisterde ze heel zachtjes: 'Alsjeblieft,' tegen dominee Mathisons God, maar ze wist dat het zinloos was.

Ze had kunnen weten dat dit allemaal te mooi was om te kunnen blijven duren, realiseerde Julie zich bitter, terwijl de tranen haar in de ogen sprongen. Even stond ze zichzelf toe om te hopen dat ze alleen maar een pak slaag zou krijgen in plaats van dat ze teruggestuurd zou worden naar Chicago, maar in haar hart wist ze wel beter. Om te beginnen geloofden haar pleegouders niet in slaag, maar waren liegen en stelen ernstige overtredingen die voor 'de Heer' en henzelf absoluut onaanvaardbaar waren. Julie had hun beloofd dat ze geen van beide zou doen, en ze hadden haar hun onvoorwaardelijke vertrouwen geschonken.

De riem van haar nieuwe nylon schooltas gleed van haar schouder en de tas viel in de sneeuw, maar Julie voelde zich te ellendig om zich daar druk over te kunnen maken. De tas aan de andere riem achter zich aan slepend, liep ze schoorvoetend naar de achterdeur.

Chocoladekoekjes, Julie's lievelingskoekjes, lagen op een rooster in de keuken af te koelen. Normaal gesproken kreeg Julie water in de mond bij het ruiken van de heerlijke geuren, maar vandaag maakte het aroma haar misselijk omdat ze wist dat Mary Mathison ze nooit meer speciaal voor haar zou bakken. Vreemd genoeg was er niemand in de keuken, en toen ze om het hoekje van de deur van de zitkamer keek, bleek daar ook niemand te zijn. Wel hoorde ze de stemmen van haar broers vanuit hun kamer aan het einde van de gang. Met trillende handen hing Julie haar schooltas over een van de haakjes naast de keukendeur, hing haar gevoerde winterjack op, en liep de gang af in de richting van de jongenskamer.

Carl, haar pleegbroer van zestien, zag haar op de drempel staan en sloeg een arm om haar schouders. 'Hé, Julie-Bob,' zei hij plagend. 'Hoe vind je onze nieuwe poster?' Anders moest ze altijd glimlachen wanneer Carl haar zo noemde, maar nu kon ze wel janken omdat ze ook dat nooit meer zou horen. Ted, die twee jaar jonger was dan Carl, keek haar grinnikend aan en wees op de poster van de filmster waar ze de laatste tijd helemaal gek van waren, Zack Benedict. 'Vind je hem niet fantastisch, Julie? Later koop ik net zo'n motor als Zack Benedict heeft.'

Julie keek met wazige ogen naar de levensgrote foto van een lange, breedgeschouderde man die met een ernstig gezicht naast een motorfiets stond. Hij hield zijn armen over elkaar geslagen voor zijn brede, diepgebruinde en behaarde borst. 'Hij is het einde,' gaf ze zonder veel enthousiasme toe. 'Waar zijn jullie vader en moeder?' voegde ze er mat aan toe. Hoewel haar pleegouders haar meteen gevraagd hadden om hen mam en pap te noemen en zij daar gretig op in was gegaan, wist Julie dat dat voorrecht nu ingetrokken zou worden. 'Ik moet met ze spreken.' Haar stem was al schor van de nog ongeweende tranen, maar ze had zich voorgenomen om de onvermijdelijke confrontatie niet langer uit te stellen dan nodig was omdat ze deze angst geen moment langer kon verdragen.

'In hun slaapkamer. Ik weet niet waar ze het over hebben, maar het schijnt nogal belangrijk te zijn,' zei Ted, terwijl hij vol bewondering naar de poster keek. 'Carl en ik gaan morgenavond naar Zack Benedicts nieuwste film. We hadden je mee willen nemen, maar hij is voor boven de dertien vanwege het vele geweld, en mam heeft gezegd dat je niet mee mag.' Met moeite maakte hij zijn blik los van zijn idool en keek naar Julie's verdrietige gezichtje. 'Hé, joh, kijk niet zo treurig. Je mag mee naar de eerste film die –'

De deur aan de andere kant van de gang ging open, en Julie's pleegouders kwamen hun slaapkamer uit. Hun gezichten stonden grimmig. 'Ik dacht al dat ik je hoorde, Julie,' zei Mary Mathison. 'Wil je eerst even een hapje eten voordat we aan je huiswerk beginnen?' Dominee Mathison zag Julie's strakke gezichtje, en zei: 'Volgens mij is Julie veel te gespannen om huiswerk te kunnen maken.' Tegen haar zei hij: 'Wil je er voor, of ná het eten over praten?'

'Nu,' fluisterde ze. Carl en Ted wisselden een verbaasde en bezorgde blik en wilden hun kamer uit gaan, maar Julie schudde haar hoofd om hun duidelijk te maken dat ze moesten blijven waar ze waren. Het zou beter zijn als iedereen erbij was, vond ze. Toen haar pleegouders op Carls bed waren gaan zitten, begon ze met een bibberig stemmetje: 'Er is vandaag geld gestolen op school.'

'Ja, dat is ons bekend,' zei dominee Mathison op effen toon. 'Het schoolhoofd heeft ons al gebeld. Meneer Duncan en je juf schijnen te denken dat jij het geld hebt weggenomen.'

Op weg naar huis had Julie zich al voorgenomen dat ze, hoe pijnlijk of onterecht de dingen ook waren die ze tegen haar zouden zeggen, ze niet zou gaan smeken of zich op enige andere wijze zou verlagen. Alleen had ze geen rekening gehouden met het feit dat het zo verschrikkelijk veel pijn zou doen dat ze haar nieuwe familie zou moeten verlaten. Ze stak haar handen in de achterzakken van haar spijkerbroek en begon, tot haar ontzetting, zo heftig te huilen dat ze haar tranen weg moest vegen met haar mouw.

'Heb je het geld gestolen, Julie?'

'Nee!' riep ze gekweld uit.

'Nu, dat is dan dat.' Dominee Mathison en zijn vrouw stonden prompt op alsof ze besloten hadden dat ze, behalve een dief, ook nog eens een leugenaarster was, en ondanks haar voornemen om niet te smeken, deed Julie dat toch. 'Ik z-zweer dat ik dat geld niet heb gepakt,' snikte ze wild, waarbij ze de zoom van haar trui tussen haar handen wrong. 'Ik heb jul-jullie toch be-beloofd dat ik nooit meer zou liegen en stelen, en dat heb ik ook niet gedaan. Echt niet! O, geloven jullie mij toch, alsjeblieft! Alsje-'

'We geloven je, Julie.'

'Ik ben veranderd, écht waar, en –' Ze zweeg en keek hen met grote, ongelovige ogen aan. 'Jullie... wat?' vroeg ze fluisterend.

'Julie,' zei haar pleegvader terwijl hij zijn hand tegen haar wang legde, 'toen je bij ons kwam wonen, hebben we je gevraagd of je ons wilde beloven dat je nooit meer zou liegen en stelen. Toen jij ons dat beloofde, hebben wij jou ons vertrouwen geschonken, weet je nog?'

Julie knikte. Ze kon zich het moment in de zitkamer nog glashelder herinneren, en toen keek ze naar haar pleegmoeders lachende gezicht en vloog haar om de hals. Mary sloot haar in de armen en omhulde haar met de geur van anjers en de stilzwijgende belofte op een heel leven van kusjes voor het slapengaan en gedeelde vreugde.

De tranen stroomden Julie over de wangen.

'Kom, kom, je maakt jezelf nog ziek,' zei James Mathison, terwijl hij over Julie's hoofd glimlachend naar zijn vrouw keek die ook vochtige ogen had. 'Laat je moeder voor het eten zorgen, en vertrouw erop dat de goede Heer de kwestie van het gestolen geld tot een oplossing zal brengen.'

Toen Julie de woorden 'de goede Heer' hoorde, verstijfde ze, en rende het volgende moment de kamer uit. Voor ze het huis verliet, riep ze nog dat ze op tijd terug zou zijn om de tafel te dekken.

In de stilte die op Julie's onstuimige vertrek volgde, zei dominee Mathison bezorgd: 'Ze zou nu nergens naartoe moeten gaan. Ze is erg van streek en het wordt zo donker. Carl,' voegde hij eraan toe, 'ga haar achterna en kijk wat ze doet.'

'Ik ga ook,' zei Ted, die al bezig was zijn jas te pakken.

Twee straten verder pakte Julie de ijskoude koperen deurknoppen beet en slaagde erin de zware deur van de kerk open te trekken waarvan haar pleegvader dominee was. Bleek winterlicht viel door de hoge vensters naar binnen terwijl ze over het middenpad naar voren liep. Aarzelend, omdat ze niet goed wist hoe ze onder dit soort omstandigheden moest handelen, sloeg ze haar glanzende ogen op naar het houten kruis. Even later zei ze met een zacht, verlegen stemmetje: 'Ontzettend bedankt dat U ervoor hebt gezorgd dat de Mathisons mij geloofden. Ik bedoel, ik weet dat U daarvoor hebt gezorgd, want het is echt een wonder. U zult er geen spijt van hebben,' beloofde ze. 'Ik zal zo'n goed mens worden dat iedereen trots op me kan zijn.' Ze draaide zich om, maar wendde zich toen opnieuw tot het kruis. 'O, en als U tijd hebt, kunt U er dan ook voor zorgen dat meneer Duncan ontdekt wie dat geld wèl gestolen heeft? Anders krijg ik er toch nog voor op mijn kop, en dat is niet eerlijk.'

Die avond, na het eten, ruimde Julie haar al opgeruimde kamer op, en maakte alles schoon. Toen ze in bad ging, waste ze zich twee keer achter haar oren. Ze had zich met zo'n vastberadenheid voorgenomen om een goed mens te worden, dat toen Ted en Carl haar vroegen of ze voor het slapengaan nog zin had in een partijtje Scrabble – een spel dat ze op haar niveau speelden om haar te helpen bij het oefenen met lezen – het niet eens bij haar opkwam om naar de cijfertjes onder aan de letters te kijken om te zien welke haar de meeste punten zouden opleveren.

De maandag van de week daarop werd Billy Nesbitt, een jongen uit de zevende klas, in de middagpauze betrapt met een pak van zes blikjes bier dat hij deelde met een paar van zijn klasgenoten. In het lege karton stak een bruine enveloppe met daarop de woorden 'Lunchgeld – Klas: juffrouw Abbot.'

Julie's juf haalde haar in de klas naar voren om haar ten overstaan van alle kinderen haar excuses aan te bieden, en meneer Duncan bood haar eveneens zijn excuses aan, maar hij deed het met een zuur gezicht en terwijl er niemand bij was.

Die middag na schooltijd stapte Julie voor de kerk uit de bus. Nadat ze een kwartier in de kerk was geweest, rende ze naar huis om haar nieuwtje te vertellen. Met een rood gezicht van het koude weer vloog ze naar de keuken waar Mary Mathison bezig was met de voorbereidingen voor het avondeten. 'Ik kan bewijzen dat ik dat geld niet gestolen had!' riep ze buiten adem uit, waarbij ze afwachtend van haar moeder naar haar broers keek.

Mary Mathison keek haar met een raadselachtig glimlachje aan, en ging toen verder met het schillen van de wortels boven het aanrecht; Carl keek nauwelijks op van de plattegrond van een huis die hij aan het tekenen was voor zijn ontwerpproject op school; en Ted schonk haar een afwezig lachje waarna hij meteen weer verder ging met het lezen van het filmblad dat een foto van Zack Benedict op de omslag had. 'We weten toch dat jij dat geld niet had gestolen, liefje,' zei mevrouw Mathison ten slotte. 'Dat had je ons toch gezegd?'

'Ja, je hebt ons gezegd dat je het niet had gestolen,' bracht Ted haar in herinnering, en sloeg een bladzijde om.

'Ja, maar-maar nu kunnen jullie er echt helemaal zeker van zijn. Ik bedoel, ik kan het bewíjzen!' riep ze uit, terwijl ze van het ene uitdrukkingsloze gezicht naar het andere keek.

Mevrouw Mathison legde de wortelen opzij en begon Julie's jack open te maken. Met een warm glimlachje zei ze: 'Dat heb je al bewezen – je hebt ons je woord gegeven, weet je nog?'

'Ja, maar mijn woord is geen echt bewijs. Dat is niet goed genoeg.'

Mevrouw Mathison keek Julie recht in de ogen. 'Ja, Julie,' zei ze met klem, 'dat is het wel. Absoluut. Als je altijd net zo eerlijk tegen iedereen bent als tegen ons, dan zal het niet lang duren voor de hele wereld je op je woord gelooft.'

'Billy Nesbitt had het geld gegapt om bier te kunnen kopen voor zijn vrienden,' hield Julie vol. Zo'n anticlimax als dit was wel het laatste wat ze had verwacht. En toen, omdat ze het niet laten kon, vroeg ze: 'En hoe wéét je eigenlijk zo zeker dat ik altijd de waarheid vertel en geen dingen meer steel?'

'Dat weten we omdat we jóu kennen,' zei haar pleegmoeder met klem. 'We kennen je, we vertrouwen je en we houden van je.'

'Ja, kleintje, dat doen we,' voegde Ted er grijnzend aan toe.

'Inderdaad,' deed ook Carl nog een duit in het zakje, terwijl hij opkeek van zijn plattegrond.

Tot haar ontzetting voelde Julie de tranen in haar ogen springen en ze haastte zich de keuken uit, maar die dag was een keerpunt in haar leven. De Mathisons hadden haar hun huis geboden, haar hun vertrouwen geschonken en ze hielden van háár, niet van het een of andere gelukkige kind. Deze wonderbaarlijke, lieve mensen waren voor altijd haar familie, niet alleen maar voor een poosje. Ze wisten alles van haar af, en toch hielden ze van haar.

Julie bloeide op; ze bloeide op in de warmte van deze heerlijke ontdekking zoals een tere bloesem die zijn blaadjes voor het zonlicht spreidt. Ze stortte zich met nog meer overgave op haar huiswerk, en stond ervan te kijken hoe weinig moeite het leren haar kostte. Toen de zomer aanbrak vroeg ze of ze naar zomerschool mocht om nog meer gemiste lessen in te halen.

De daaropvolgende winter werd Julie gevraagd om naar de zitkamer te komen, waar ze, in het bijzijn van haar stralende familieleden, haar eerste in feestelijk papier ingepakte verjaardagscadeautjes openmaakte. Toen het laatste pakje was uitgepakt, gaven James en Mary Mathison, en Ted en Carl haar het allermooiste geschenk.

Het kwam in een lange, saai uitziende, bruine enveloppe. Erin zat een lang vel papier waar met krullende letters op stond: VERZOEK OM ADOPTIE.

Julie drukte het papier tegen haar borst en de tranen sprongen haar in de ogen. 'Ik?' vroeg ze met een klein stemmetje.

Ted en Carl vatten haar tranen verkeerd op, en begonnen tegelijk te praten. 'Wij, wij allemaal, wilden het alleen maar officieel maken, Julie, dat is alles, zodat je jezelf Mathison zou kunnen noemen, net als wij,' zei Carl. En Ted voegde eraan toe: 'Ik bedoel, als jij het niet zo'n goed idee vindt, dan hoeft het natuurlijk niet, maar –' Hij zweeg toen Julie hem zo wild om de hals vloog dat hij bijna achteroverviel.

'Het is een heerlijk idee,' riep ze verrukt uit. 'Heerlijk, heerlijk, heerlijk!'

Niets kon voor haar de pret nog drukken. Die avond, toen haar broers haar vroegen of ze met hen en een paar van hun vrienden mee wilde naar een film van hun idool, Zack Benedict, riep ze meteen ja, hoewel ze eigenlijk niet goed begreep wat haar broers in hem zagen. Stralend van geluk zat ze op de derde rij in het Bijou Theater tussen haar broers in afwezig naar een film te kijken waarin de hoofdrol werd gespeeld door een lange, donkerharige man die niet veel anders deed dan op motorfietsen rijden, vechten en verveeld en... wat kil voor zich uitkijken.

'Hoe vond je de film? Is Zack Benedict niet het einde?' vroeg Ted toen ze de bioscoop verlieten te midden van een groep tieners die allemaal zo ongeveer hetzelfde zeiden als Ted.

Julie's voornemen om volkomen eerlijk te zijn, won het maar net van haar verlangen om het in alles met haar geweldige broers eens te zijn. 'Hij is... nou ja, ik vind hem een beetje óud,' zei ze, en keek naar de drie tienermeisjes die met hen mee waren gegaan in de hoop dat ze haar commentaar zouden onderschrijven.

Ted kon zijn oren niet geloven. 'Oud! Hij is nog maar ééntwintig, maar hij heeft echt geleefd! Ik bedoel, ik heb in een filmblad gelezen dat hij met zijn zesde jaar al op eigen benen stond, in het Westen leefde en om de kost te verdienen op ranches werkte. Je weet wel, paarden temmen. Later heeft hij in rodeo's gereden. Hij heeft een poosje bij een motorbende gezeten... en heeft door het hele land gezworven. Zack Benedict,' besloot Ted op een dromerig toontje, 'is een échte vent.'

'Ja, maar hij lijkt zo... koud,' zei Julie. 'Koud en ook een beetje gemeen.'

De meisjes lachten. 'Julie,' zei Laurie Paulson grinnikend, 'Zachary Benedict is absoluut fantastisch en waanzinnig sexy. Dat vindt iedereen.'

Julie, die wist dat Carl in het geheim verliefd was op Laurie Paulson, zei meteen heel loyaal: 'Nou, dat vind ik niet. Zijn ogen bevallen me niet. Ze zijn bruin en gemeen.'

'Zijn ogen zijn niet bruin, maar góud! Hij heeft onvoorstelbaar sexy ogen, dat zal iedereen je bevestigen.'

'Julie kan dat soort dingen niet goed beoordelen,' kwam Carl tussenbeide. 'Daar is ze nog te jong voor.'

'Ik ben niet te jong om dat soort dingen te kunnen weten,' verklaarde Julie zelfvoldaan terwijl ze haar broers, die aan weerszijden van haar liepen, elk een arm gaf. 'En wat ik ook weet, is dat Zack Benedict niet half zo knap is als jullie twee!'

Bij het horen van dat compliment keek Carl Laurie Paulson over Julie's hoofd met een superieur glimlachje aan. 'Maar Julie is wel heel erg ríjp voor haar leeftijd.'

Ted was met zijn gedachten nog helemaal in de sfeer van de film. 'Stel je voor dat je als kind helemaal alleen bent, op een ranch werkt, met paarden kunt werken en met stieren...'

Hoofdstuk 4

1988

'Haal die verrekte stieren hier weg! De stank is om van te kotsen!' Zachary Benedict snauwde het bevel vanaf zijn houten, met zwart canvas beklede regisseursstoel, en keek met een ongedurig gezicht naar de dieren die heen en weer liepen op het weitje dat tijdelijk voor hen was afgezet, vlak bij een bungalowachtige, in modernistische stijl gebouwde ranch. Het volgende moment ging hij weer verder met het maken van aantekeningen op zijn script. Het luxueuze huis met zijn met bomen omzoomde oprijlaan, grote paardenstal en velden met olieboortorens, was gehuurd van een Texaanse miljardair. Het diende als locatie voor de film *Destiny*, een film die, volgens het gezaghebbende filmblad *Variety*, Zack een volgende Academy Award zou opleveren voor zowel de Beste Acteur, als voor de Beste Regisseur. Maar dan moest de film, waar volgens iedereen een vloek op rustte, wel af komen.

Tot gisterenavond had Zack gemeend dat het onmogelijk nog erger kon: de film had een oorspronkelijk budget van vijfenveertig miljoen dollar en zou in vier maanden klaar moeten zijn. Intussen lag *Destiny*, als gevolg van een opvallend groot aantal produktieproblemen en ongelukjes waar ze van begin af aan mee te kampen hadden gehad, een maand achter op schema en was het budget al met zeven miljoen overschreden.

Nu, na maanden van uitstel en tegenspoed, moesten er nog maar twee scènes worden opgenomen. Maar in plaats van dat Zack zich opgetogen voelde omdat het werk er eindelijk bijna op zat, was hij woedend. Hij was zo woedend dat het hem de grootste moeite kostte om zich in te houden en zich te concentreren op de wijzigingen die hij in de volgende scène wilde aanbrengen.

Rechts van hem, niet ver van de doorgaande weg, werd een camera in positie gebracht voor het filmen van wat een indrukwekkende zonsondergang beloofde te worden. De staldeuren stonden open, en Zack zag de grips hooibalen neerleggen terwijl de jongens van het licht bezig waren om, op aanwijzingen van de cameraman, de spots te controleren. Achter de stal, en ver uit het zicht van de camera, waren twee stuntmannen doende om een aantal van emblemen van de Texas State Highway Patrol voorziene auto's in positie te brengen voor een achtervolgingsscène die morgen gedraaid zou worden. Aan de rand van het gazon, onder een groepje hoge eiken, stonden de trailers voor de belangrijkste acteurs in een grote, halve cirkel. De zonneblinden waren dicht en de airconditioners werkten op volle toeren om de meedogenloze hitte buiten te houden. De wagens van de caterer stonden ernaast, en het personeel voorzag de zwetende crewleden en oververhitte acteurs van koele drankjes.

De cast en de crew waren stuk voor stuk doorgewinterde profs, mensen die het gewend waren om uren achtereen te wachten om uiteindelijk voor vijf minuutjes opname in actie te komen. Normaal gesproken heerste er een opgewekte stemming, terwijl de sfeer op de voorlaatste dag altijd regelrecht uitgelaten was. Normaal gesproken zouden de mensen die nu in zenuwachtige groepjes bij de wagen van de caterer stonden, zich in Zacks onmiddellijke omgeving bevinden en grapjes maken over alles wat ze in de afgelopen maanden samen beleefd hadden, en zouden er plannen worden gemaakt voor een feestje om de voltooiing van de opnamen te vieren. Maar na wat er gisteravond was gebeurd, liep iedereen met een zo wijd mogelijke boog om hem heen en was er van een feestje geen sprake meer.

Vandaag werd Zack gemeden en ontzien, en iedereen hield zijn hart vast voor de komende paar uur. Het gevolg daarvan was dat orders die anders op een normale manier gegeven werden, nu ongeduldig geschreeuwd en gesnauwd werden, terwijl opdrachten die anders moeiteloos en zonder problemen werden uitgevoerd, nu misgingen of onnodig lang duurden.

Zack kon de emoties om zich heen bijna voelen; het medeleven van diegenen die hem mochten, de voldane spot van diegenen die een hekel aan hem hadden of bevriend waren met zijn vrouw, en de brandende nieuwsgierigheid van diegenen die geen specifieke band met een van beiden hadden.

Toen het tot hem was doorgedrongen dat niemand zijn bevel om de stieren weg te halen gehoord had, keek hij om zich heen of hij de regieassistent ergens zag. De man stond op het gazon en keek de helikopter na die, zoals elke dag, de opnamen van de vorige dag naar Dallas bracht waar ze in het lab ontwikkeld zouden worden. Het opstijgende toestel zorgde voor een hoop opwaaiend stof, en de harde wind deed de stank van koeiemest Zacks kant op waaien. 'Tommy!' riep hij geïrriteerd.

Tommy Newton draaide zich om en kwam op een holletje naar Zack toe, terwijl hij het stof van zijn kakishort sloeg. De vijfendertigjarige regieassistent had, hoewel hij met zijn kleine verschijning, zijn kalende kruin en uilebril een saaie en geleerde indruk maakte, een waanzinnig gevoel voor humor en een onuitputtelijke energie. Maar vandaag slaagde zelfs Tommy er niet in een luchtig toontje aan te slaan. Hij haalde zijn clipboard onder zijn arm vandaan voor het geval hij aantekeningen moest maken, en vroeg: 'Riep je mij?'

Zonder op te kijken antwoordde Zack kortaf: 'Laat iemand die stieren ergens anders zetten. Ik zit midden in de stank.'

'Komt in orde, Zack.' Hij draaide het volumeknopje van het zendertje aan zijn broekriem een stukje verder open, trok de microfoon van zijn koptelefoon voor zijn mond en wendde zich tot Doug Furlough, de key-grip, die bezig was om zijn jongens aanwijzingen te geven bij het bouwen van een houten hek rond de stal dat morgen, bij de laatste opname, in beeld zou komen. 'Doug,' zei Tommy in de microfoon.

'Ja, Tommy?'

'Vraag de staljongens of ze de stieren naar die andere wei willen brengen.'

'Ik dacht dat Zack ze nu nodig had.'

'Hij heeft iets anders bedacht.'

'Oké, komt in orde. Kunnen we beginnen met het opruimen van de set in het huis, of heeft hij die nog nodig?'

Tommy aarzelde, keek naar Zack en herhaalde de vraag.

'Alles laten staan,' antwoordde Zack kortaf. 'Niet aankomen totdat ik morgen de dailies heb bekeken. Mocht er iets niet mee in orde zijn, dan wil ik niet meer dan tien minuten spenderen aan het voorbereiden van een nieuwe take.'

Toen hij het antwoord aan Doug Furlough had doorgegeven, wilde hij weggaan, maar hij aarzelde. 'Zack,' zei hij ernstig, 'je bent waarschijnlijk niet in de stemming om dit nu te willen horen, maar het zal vanavond wel... druk worden, en daarna heb ik misschien geen kans meer om het te zeggen.'

Zack deed zijn best om een geïnteresseerde indruk te maken. Hij keek op terwijl Tommy aarzelend vervolgde: 'Je verdient een stel Oscars voor deze film. Een aantal van je scènes – en sommige waarin je het uiterste uit Rachel en Tony hebt weten te halen – hebben de hele crew kippevel bezorgd, en dat is niet overdreven.'

Alleen al het horen van de naam van zijn vrouw, en helemaal samen met die van Tony Austin, deed Zacks woede weer in alle hevigheid oplaaien. Hij stond met een ruk op. 'Bedankt voor het compliment,' zei hij. 'We hebben nog ongeveer een uur voor het donker genoeg is voor het shooten van de volgende scène. Als alles klaar is in de stal, laat de crew dan maar even pauzeren om wat te eten, en dan loop ik alles ondertussen nog even na. Daarna ga ik nog even iets drinken, en zoek ik een plekje waar ik mij kan concentreren.' Met een knikje in de richting van de eikebomen aan de rand van het gazon, voegde hij eraan toe: 'Mocht je me nodig hebben, dan kun je me daar vinden.'

Hij was op weg naar de wagen van de caterer, toen de deur van Rachels trailer openging en ze, juist op het moment waarop hij langsliep, naar buiten kwam. Ze keken elkaar aan, gesprekken om hen heen verstilden, iedereen keek en de sfeer was op slag geladen. Maar er gebeurde niets. Zack liep met een boog om zijn vrouw heen, en vervolgde zijn weg naar de caterer. Daar maakte hij een praatje met

Tommy Newtons assistente en groette de beide stuntmannen. Zijn optreden, waarvoor een bovenmenselijke wilskracht vereist was, was een Oscar waardig, want hij kon niet naar Rachel kijken zonder haar zich te herinneren zoals hij haar de vorige avond had gezien, toen hij onverwacht was teruggekeerd naar hun suite in het Crescent Hotel en haar daar met Tommy Austin had aangetroffen...

Eerder die dag had hij haar gezegd dat hij die avond nog een bespreking wilde hebben met de cameraploeg en de regieassistenten om een aantal nieuwe ideeën door te nemen, en dat hij daarna op de set zou blijven en in zijn trailer zou slapen. Maar toen ze bij elkaar waren gekomen, ontdekte Zack dat hij zijn aantekeningen in zijn hotel in Dallas had laten liggen, en in plaats van er iemand heen te sturen om ze te halen, besloot hij tijd te sparen door met het hele stel naar het Crescent te gaan. Opgewekt en vrolijk, omdat het eind van de klus in zicht was, waren de zes mannen de donkere suite binnengegaan, en had Zack het licht aangedaan.

'Zack!' riep Rachel, terwijl ze zich van de naakte man liet glijden die op de bank lag, en wild om zich heen kijkend naar haar peignoir greep. Tony Austin, die samen met haar en Zack de hoofdrol in *Destiny* vervulde, schoot overeind. 'Rustig, Zack, blijf kalm –' smeekte hij, waarna hij opsprong en, toen Zack op hem afkwam, zijn heil zocht achter de ronde bank. 'Blijf van mijn gezicht af,' waarschuwde hij hysterisch toen Zack over de rugleuning van de bank dook. 'Ik moet nog twee scènes doen en –' De vijf crewleden waren nodig om Zack van hem af te trekken.

'Zack, gebruik je hersens!' riep Doug Furlough buiten adem, en probeerde hem in bedwang te houden. 'Als je zijn gezicht verpest, dan kan hij de film niet afmaken!'

Zack wierp de beide kleinere mannen van zich af en brak, voordat ze hem weer vast zouden grijpen, twee van Tony's ribben. Hijgend, niet zozeer van de inspanning als wel van woede, zag Zack hoe ze met z'n allen de naakte, hinkende Austin de suite uit hielpen. Een aantal gasten, ongetwijfeld aangetrokken door Rachels geschreeuw dat Zack moest ophouden, hadden zich voor de open deur op de gang verzameld. Zack deed een paar nijdige stappen in hun richting en smeet de deur voor hun neus dicht.

Toen draaide hij zich om naar Rachel, die inmiddels haar perzikkleurige peignoir had aangetrokken, ging op haar af en probeerde zijn verlangen om ook haar te lijf te gaan, te onderdrukken. 'Donder op!' riep hij terwijl ze achteruitdeinsde. 'Duvel op, voor ik jou ook nog iets aandoe!'

'Waag het niet mij te dreigen, ingebeelde klootzak die je bent!' riep ze op zo'n triomfantelijk en minachtend toontje uit, dat hij ervan verstijfde. 'Waag het niet om ook maar één vinger naar me uit te steken, want dan zullen mijn advocaten geen genoegen nemen met de helft van alles wat je bezit, maar zullen ze net zo lang knokken tot ik álles heb! Heb je gehoord wat ik zeg, Zack? Ik ga bij je weg. Mijn scheidingsverzoek wordt morgen ingediend! Tony en ik gaan trouwen!'

Het besef dat zijn vrouw en haar minnaar achter zijn rug om een relatie hadden gehad en ondertussen doodleuk plannen hadden gemaakt om verder te leven van het geld waar Zack zo hard voor had gewerkt, deed hem zijn zelfbeheersing verliezen. Hij greep haar bij haar armen en duwde haar met een ruwe zet tegen de deur van de zitkamer. 'Ik vermoord je nog voordat ik je er met de helft vandoor laat gaan! En nu donder je op!'

Ze viel op haar knieën, kwam overeind en keek hem opnieuw triomfantelijk aan. 'Als je soms denkt dat je mij of Tony morgen van de set kunt houden, dan kun je dat meteen vergeten. Je bent alleen de regisseur maar. De studio heeft een vermogen in deze film gestoken. Ze zullen je dwingen om hem af te maken, en ze zullen je een proces aandoen als je ook maar iets uithaalt om de boel nog verder te vertragen of te saboteren. Wat je ook doet,' besloot ze met een boosaardig lachje terwijl ze de deur opentrok, 'je trekt hoe dan ook aan het kortste eind. Maak je de film niet af, dan kom je aan de grond te zitten. Doe je het wel, dan is de helft van wat je ervoor krijgt voor mij!' Ze smeet de deur zo hard dicht dat het kozijn ervan kraakte.

Ze had gelijk wat het afmaken van *Destiny* betrof. Hoe woedend hij ook was, hij wist het. Er moesten nog maar twee scènes worden opgenomen, en één ervan was met Tony en Rachel. Zack kon niet anders dan zijn overspelige vrouw en haar minnaar toelaten op de set. Hij liep naar de bar, schonk een stevige whisky in, dronk hem in een paar grote teugen op en nam er nog een. Met zijn glas in de hand liep hij naar het raam en keek uit over de lichtjes van de stad. Langzaam maar zéker voelde hij de woede en de pijn minder worden. Hij zou morgen meteen naar zijn advocaten bellen en hun zeggen dat ze met de onderhandelingen over de scheiding konden beginnen, maar dan wel op zíjn en niet op háár voorwaarden. Hoewel hij als acteur een niet gering vermogen had verdiend, had hij zijn fortuin door investeringen vele malen verdubbeld. Het geld was zodanig geïnvesteerd dat Rachel er maar moeilijk aan zou kunnen komen. Hij verslapte zijn greep op het glas. Hij had zichzelf alweer in de hand; hij zou dit overleven en verder gaan. Hij wist dat hij het kon – en dat het hem zou lukken. Dat wist hij, want lang geleden, toen hij achttien was, was hij geconfronteerd met een veel ingrijpender verraad dan dat van Rachel, en hij had ontdekt dat hij in staat was om iemand die hem verraden had de rug toe te keren en nooit van zijn leven meer achterom te kijken.

Hij draaide zich om, ging naar de slaapkamer, haalde Rachels koffers uit de kast, propte al haar kleren erin en pakte de telefoon die naast het bed stond. 'Wilt u iemand naar de Royal Suite sturen voor een paar koffers?' vroeg hij aan de telefoniste. Toen er even later werd aangeklopt, gaf Zack de man de koffers waar aan alle kanten kleren uit hingen. 'Brengt u deze naar de suite van meneer Austin, alstublieft.'

Als Rachel op dat moment was teruggekomen en hem gesmeekt had om haar terug te laten komen, als ze in staat geweest zou zijn om te bewíjzen dat ze tot over haar oren onder de drugs zat en niet had geweten wat ze zei of deed, dan zou het nog te laat zijn geweest, zelfs al had hij haar geloofd.

Want voor hem was ze al dood.

Even dood als de grootmoeder van wie hij ooit eens had gehouden, en zijn zus en broer. Het was bepaald niet gemakkelijk geweest om hen uit zijn hart en geest te bannen, maar het was hem gelukt.

Hoofdstuk 5

Terwijl Zack de herinneringen aan dat wat er de vorige avond was gebeurd van zich afzette, ging hij onder een boom zitten op een plekje van waaraf hij de anderen kon observeren zonder zelf gezien te worden. Hij trok zijn knie op, legde zijn pols erop, en zag Rachel Tony Austins trailer binnengaan. De nieuwsuitzendingen van die ochtend hadden bol gestaan van verslagen over wat er zich in de hotelsuite had afgespeeld. De details waren naar alle waarschijnlijkheid afkomstig van de hotelgasten die op de gang hadden gestaan. Inmiddels was de pers hen op het spoor, en Zacks bewakers waren druk in de weer om hen bij het grote hek tegen te houden en te beloven dat Zack later een verklaring zou afleggen. Rachel en Tony hadden dat al gedaan, maar Zack was absoluut niet van plan om hen te woord te staan. Het feit dat de pers 'voor zijn deur' stond liet hem even onverschillig als het bericht dat hij die ochtend had ontvangen, dat Rachels advocaten de scheiding hadden ingediend. Het enige dat aan zijn zelfbeheersing vrat, was het feit dat hij over enkele minuten een scène tussen Rachel en Tony zou moeten regisseren. Het ging om een hartstochtelijke, gewelddadige scène, en hij vroeg zich af of hij daar, onder het toeziend oog van de hele crew, wel toe in staat zou zijn.

Had hij die hindernis eenmaal genomen, dan zou het hem veel minder moeite kosten om Rachel uit zijn leven te verbannen dan hij gisteravond had gedacht, want, zo durfde hij zichzelf nu wel te bekennen, hetgeen hij voor haar gevoeld had toen ze drie jaar geleden getrouwd waren, was snel daarna al verdwenen. Sindsdien hadden ze niets anders gedaan dan in bed en op het maatschappelijke vlak van elkaar profiteren. Zonder Rachel zou zijn leven niet leger, zinlozer of oppervlakkiger zijn dan het tijdens het grootste gedeelte van de afgelopen tien jaar was geweest.

Terwijl hij fronsend naar een klein beestje keek dat erg zijn best deed om tegen een grassprietje vlak bij zijn heup op te klimmen, vroeg hij zich af waar het toch aan lag dat zijn leven hem zo vaak zo waanzinnig doelloos voorkwam. Zo was het niet altijd geweest, herinnerde hij zich...

Toen hij aan boord van Charlie Murdocks vrachtwagen in Los Angeles was gearriveerd, was het overleven op zich een uitdaging geweest, en was het baantje dat hij met Charlie's hulp als losser bij de Empire Studio's had gekregen hem voorgekomen als een reusachtige overwinning. Een maand later was een regisseur op het studioterrein bezig geweest met het maken van een low-budget film over een straatbende die een middelbare school terroriseerde. De man had op een gegeven moment gevonden dat hij in een bepaalde scène wat meer mensen nodig had, en hij had Zack een rolletje gegeven. Hij hoefde niets anders te doen dan stoer tegen een muur leunen. Het extra geld dat hij daar die dag mee had verdiend, had hem een vermogen toe geschenen. Hij had zijn geluk niet op gekund toen de regisseur hem een paar dagen later bij zich had laten komen en had gezegd: 'Zack, m'n jongen, je hebt datgene wat wij uitstraling noemen. De camera houdt van je. Vanaf het witte doek kom je over als een hedendaagse James Dean, behalve dat je langer en knapper bent dan hij was. Je hebt die scène waarin je tegen die muur stond geleund, helemaal gemaakt. Als je kunt acteren, dan kun je een rol krijgen in een western die we binnenkort gaan maken. O ja, en je hebt een verklaring van de vakbond nodig.'

Zack was niet zozeer onder de indruk van het feit dat hij een rol in een film zou krijgen, als wel van het geld dat hij ermee zou verdienen. En dus ging hij zijn verklaring bij de vakbond halen en leerde acteren.

Acteren was helemaal niet zo'n probleem voor hem geweest. Aan de ene kant had hij al jaren 'toneelgespeeld' voordat hij het huis van zijn grootmoeder verlaten had. Hij was een kei in het doen alsof dingen die voor hem belangrijk waren, hem absoluut niet interesseerden. Aan de andere kant had hij een doel: hij was vastbesloten om zijn grootmoeder en iedereen in Ridgemont te bewijzen dat hij in staat was om in zijn eentje te overleven en veel geld te verdienen. Om dat doel te bereiken was hij bereid om bijna alles te doen, ongeacht de inspanning die ervoor nodig was.

Ridgemont was een groot dorp, en Zack twijfelde er niet aan dat de details van zijn oneervolle vertrek meteen als een lopend vuurtje door de stad waren gegaan. Bij het verschijnen van zijn eerste en tweede film had hij zijn fanmail aandachtig doorgewerkt in de hoop dat iemand die hij van vroeger kende, hem herkend had. Maar mocht dat zo geweest zijn, dan had diegene niet de moeite genomen om hem te schrijven.

Een tijdje daarna had hij ervan gedroomd om met zo veel geld naar Ridgemont terug té keren dat hij Stanhope Industries zou kunnen kopen, maar tegen de tijd dat hij vijfentwintig was en het vereiste geld bij elkaar had, was hij intussen ook zo volwassen geworden dat hij begreep dat het opkopen van de hele verrekte stad met alles erop en eraan, niets zou veranderen. Tegen die tijd had hij al een Oscar gewonnen, had hij eindexamen gedaan aan de theaterschool en werd hij een levende legende genoemd. Hij kon zijn hoofdrollen zelf uitkiezen, had een vermogen op de bank en wat zijn toekomst betrof zat hij op rozen.

Hij had de hele wereld bewezen dat Zachary Benedict niemand nodig had om te kunnen overleven. Hij had niets meer te wensen, niets meer te bewijzen en het gevolg daarvan was dat hij zich vreemd hol en leeg voelde.

Nu hij geen doel meer in het leven had, begon hij zich met andere dingen bezig te houden. Hij bouwde grote huizen, kocht jachten en reed raceauto's; hij escorteerde beeldschone vrouwen naar grote feesten, en nam ze daarna mee naar bed. Hij genoot van hun lichaam en vaak ook van hun gezelschap, maar nam ze vrijwel nooit serieus, en dat verwachtten ze meestal ook niet. Zack was een seksuele trofee geworden, vrouwen en meisjes vonden het een eer om met hem naar bed te mogen. Vooral actrices sloofden zich uit om door hem uitgenodigd te worden, in de hoop dat hij met zijn invloed en connecties een goed woordje voor hen zou kunnen doen. Net als alle supersterren en seksssymbolen voor hem, werd Zack een slachtoffer van zijn eigen succes: hij kon geen lift uit stappen of in een restaurant gaan eten zonder lastig te worden gevallen door fans; vrouwen stopten hem sleutels van hotelkamers in de hand, en kochten receptionisten om om ze in zijn kamer te laten. Echtgenotes van producers nodigden hem bij zich thuis uit voor feesten en weekendparty's, en verlieten hun echtelijk bed om bij hem onder de wol te kruipen.

Hoewel hij zich regelmatig te goed deed aan hetgeen hem van alle kanten werd aangeboden, was er altijd een stukje in hem – zijn geweten, of een latent trekje van yankee-moraliteit – dat walgde van de oppervlakkigheid en de losbandigheid, van de junks en flikflooiers en narcisten, van alles wat Hollywood op een menselijk riool deed lijken, een riool dat van een lekker luchtje was voorzien om het gevoelige publiek niet te kwetsen.

Hij was op een ochtend wakker geworden met het gevoel dat hij het zat was. Hij had zijn buik meer dan vol van betekenisloze seks, van luidruchtige feesten, van neurotische actrices en ambitieuze starlets, en walgde van het leven dat hij leidde.

Hij ging op zoek naar een andere manier om zijn dagen te vullen, naar een nieuwe uitdaging en een betere reden om te bestaan. Omdat acteren niet langer een uitdaging voor hem was, begon hij zich te interesseren voor de regie. Zou hij het als regisseur niet weten te maken, dan zou hij verschrikkelijk afgaan, maar zelfs het risico van het op het spel zetten van zijn reputatie had een stimulerende uitwerking op hem. Het idee van een film te regisseren – een idee dat al veel langer in zijn achterhoofd had gespeeld – begon zijn nieuwe levensdoel te worden, en Zack zette zich er met heel zijn wezen voor in. Irwin Levine, de president van de Empire Studio's, probeerde hem op andere gedachten te brengen, hij smeekte Zack zelfs om het niet te doen, maar uiteindelijk capituleerde hij, precies zoals Zack van tevoren had geweten dat hij zou doen.

De film die Levine hem liet regisseren, was een low-budget thriller met de titel *Nightmare*. De film had twee hoofdrollen, de ene voor een meisje van negen, de andere voor een vrouw. Voor de rol van het kind wilde Empire dat Zack Emily McDaniels zou nemen, een voormalig kindsterretje met kuiltjes in de wangen dat inmiddels dertien was maar voor negen kon doorgaan en nog steeds bij hen onder contract stond. Emily's carrière was al over zijn hoogtepunt heen, en dat gold ook voor de carrière van Rachel Evans, de glamourvolle blondine die ze voor de andere rol hadden gecast. In haar eerdere films had Rachel alleen maar minder belangrijke rollen gespeeld, en in niet één ervan had ze van enig indrukwekkend acteertalent blijk gegeven.

Zacks studio had hem de beide dames in de schoenen geschoven omdat ze hem kennelijk een lesje wilden leren. Ze wilden hem duidelijk maken dat hij zich aan het acteren moest houden, en het regisseren aan anderen moest overlaten. Men ging ervan uit dat de produktiekosten van de film met een beetje geluk net terugverdiend zouden kunnen worden, en de studiobazen hoopten ermee te bereiken dat hun beroemdste ster zijn kwaliteiten niet langer áchter de camera's zou willen verkwanselen wànneer hij ervóór veel meer geld in het laatje kon brengen.

Dat had Zack allemaal geweten, maar hij had zich er niet door laten weerhouden. Voor ze in produktie gingen, zat hij thuis weken achtereen naar oude films van Rachel en Emily te kijken, en hij wist dat er – weliswaar korte – momenten waren waarop Rachel Evans inderdaad blijk gaf van enig echt talent. Daarnaast had Emily's kinderlijke aandoenlijkheid intussen plaats gemaakt voor charme, een kinderlijk soort charme dat het goed deed op het doek omdat het echt was.

Gedurende de acht weken die de opnamen in beslag namen, slaagde Zack erin zijn beide hoofdrolspeelsters een indrukwekkende prestatie te laten leveren. Zijn eigen vaste voornemen om er een succes van te maken werkte aanstekelijk, en naast een uitstekende timing en belichting was het vooral zijn intuïtie die hem ingaf hoe hij het beste wat Emily en Rachel in huis hadden naar voren kon halen. Rachel was woedend geweest over zijn gezeur en de talloze takes die er voor een scène gemaakt moesten worden, maar toen hij haar de rushes van de eerste week liet zien, had ze hem met grote, bewonderende ogen aangekeken, en zachtjes gezegd: 'Dank je, Zack. Voor het eerst van mijn leven lijkt het alsof ik echt, maar dan ook echt kan acteren.'

'En het lijkt alsof ik echt, maar dan ook echt kan regisseren,' had hij plagend opgemerkt, maar hij was opgelucht geweest en liet het ook blijken.

Rachel was verbaasd. 'Wil je daarmee zeggen dat je daaraan getwijfeld had? Ik had juist de indruk dat je volkomen zeker was van wat we deden!'

'Ik wil je best bekennen dat ik, vanaf het moment waarop we met filmen begonnen zijn, geen nacht rustig heb kunnen slapen,' gaf Zack toe. Het was voor het eerst in jaren dat hij iemand durfde te bekennen dat hij onzeker was in zijn werk, maar dat was dan ook een bijzondere dag. Hij had zojuist het bewijs gezien dat hij talent had voor regisseren. Zijn talent zou bovendien van invloed zijn op de verdere carrière van de kleine Emily McDaniels. Zack was zo op Emily gesteld geraakt, dat hij, door het werken met haar, zelf naar een kind was gaan verlangen. Bij het zien hoe het meisje omging met haar vader – die altijd op de set was om voor haar te zorgen – had Zack opeens beseft dat hij een eigen gezin wilde. Dát was hetgeen er in zijn leven ontbrak – een vrouw en kinderen om zijn succes mee te delen, om mee te lachen en zijn best voor te doen.

Rachel en hij vierden het succes die dag met een etentje bij hem thuis. De stemming van eerlijkheid en openheid die eerder was begonnen toen ze elkaar hun twijfels hadden bekend, duurde voort en leidde tot een ontspannen intimiteit die voor Zack even nieuw als therapeutisch was. In zijn zitkamer in Pacific Palisades die uitkeek over de zee, spraken ze eindeloos met elkaar. Tot Zacks opluchting gingen hun gesprekken niet over 'het vak', want hij had zijn buik vol van wanhopige actrices die het over niets anders konden hebben. De avond eindigde in bed, waar ze verder gingen met van elkaars gezelschap te genieten. Rachels hartstocht leek oprecht, en geen beloning voor het feit dat hij haar zo knap had geregisseerd, en ook dat beviel hem. Alles bij elkaar had hij, toen ze in zijn bed lagen, over alles een tevreden gevoel – de rushes, Rachels passie, haar intelligentie en haar gevoel voor humor.

Ze lag naast hem en hees zich op een elleboog. 'Zack,' vroeg ze, 'wat verlang je in werkelijkheid van het leven? Ik bedoel, wat wil je écht?'

Hij antwoordde niet meteen. Maar toen, misschien omdat hij moe was van de vele uren vrijen, of misschien ook wel omdat hij het zat was om te doen alsof het leven dat hij nu leidde datgene was waarvan hij altijd had gedroomd, antwoordde hij: 'Het Kleine Huis op de Prairie.'

'Wat? Bedoel je dat je een hoofdrol wilt in een dergelijk soort film?'

'Neé, wat ik bedoel is dat ik het wil ondergáán. Maar het huis hoeft niet op de prairie te staan. Ik dacht eigenlijk eerder aan een ranch ergens in de bergen.'

Ze schaterde het uit. 'Een ranch! Je haat paarden en je kunt koeien niet uitstaan, dat weet toch iedereen. Tommy Newton heeft het me zelf verteld,' zei ze, en doelde op de beginnende regieassistent van *Nightmare*. 'Hij heeft als grip gewerkt bij je eerste western, die waarin Michelle Pfeiffer je vriendinnetje speelde.' Glimlachend streek ze met haar wijsvinger over zijn lippen. 'Wat heb je eigenlijk tegen paarden en koeien?'

Hij hapte speels in haar vinger en zei: 'Ze luisteren niet naar de aanwijzingen van de regisseur, en rennen altijd de verkeerde kant op. Dat heb ik bij die film zelf meegemaakt – de stieren draaiden om en kwamen regelrecht op ons af.'

'Michelle zegt dat je die dag haar leven hebt gered. Je hebt haar opgetild en haar naar een plek gedragen waar het veilig was.'

Zack liet zijn hoofd zakken en grinnikte. 'Ik móest wel. Ik rende voor mijn leven naar de rotsen, de stieren zaten vlak achter mij aan. Michelle bevond zich op mijn pad. Ik heb haar opgetild om door te kunnen.'

'Wees niet zo bescheiden. Ze zegt dat ze voor haar leven rende, en dat ze als een gek om hulp schreeuwde.'

'Ik ook,' zei hij plagend. Toen werd hij ernstig, en voegde eraan toe: 'We waren toen allebei nog kinderen. Het lijkt wel honderd jaar geleden.'

Ze ging op haar zij liggen en rekte zich uit waarbij ze met haar wijsvinger een spoor van zijn schouder tot aan zijn navel trok. 'Waar kom je eigenlijk echt vandaan? En zeg nu alsjeblieft niet dat je echt in je eentje bent opgegroeid, met rodeopaarden hebt gewerkt en met motorbendes door de States hebt gezworven, want dat is onzin.'

Zacks vertrouwelijke stemming ging niet zover dat hij bereid was om over zijn verleden te spreken. Dat had hij nog nooit eerder gedaan, en zou hij ook nooit doen. Toen hij achttien was en de afdeling publiciteit van de studio hem die vraag had gesteld, had hij ze op kille toon laten weten dat ze zelf maar iets moesten bedenken. En dat hadden ze. Zijn echte verleden was dood, en er werd niet over gesproken. Op ontwijkende toon zei hij: 'Ik kom niet van één speciale plek.'

'Maar je bent geen kind dat gezworven heeft zonder geleerd te hebben welke vork je moet gebruiken, dat weet ik wel,' drong ze aan.

'Tommy Newton heeft me verteld dat je op je achttiende al klasse had, dat je wist wat manieren waren en uit je gedrag bleek dat je een keurige opvoeding had gehad. Dat is het enige dat hij van je weet, en hij heeft al heel wat films met je gemaakt. Ook van de vrouwen die met je gewerkt hebben, is er niet één die meer van je weet. Glenn Close en Goldie Hawn, Lauren Hutton en Meryl Streep – allemaal zeggen ze dat je geweldig bent om mee te werken, maar dat je je privé-leven met niemand wilt delen.'

Zack probeerde niet om zijn ergernis te verbergen. 'Als je denkt dat ik die nieuwsgierigheid van je vleiend vind, dan vergis je je.'

'Ik kan er niets aan doen,' zei ze lachend, en drukte een kusje op zijn wang. 'Alle vrouwen dromen van u, meneer Benedict, en u bent het raadsel van Hollywood. Het is een overbekend feit dat geen van de vrouwen die vóór mij dit bed met je hebben gedeeld je zover hebben kunnen krijgen dat je ze iets persoonlijks wilde vertellen. En aangezien ik nu met je in dit bed lig, en we vanavond al over een heleboel persoonlijke dingen hebben gesproken, dacht ik dat... dat ik je ofwel op een zwak moment heb getroffen, of dat... nu ja... dat je me misschien een beetje aardiger vindt dan mijn voorgangsters. Hoe dan ook, ik moet iets van je aan de weet zien te komen dat geen andere vrouw ontdekt heeft. Dat moet ik, want het gaat om mijn vrouwelijke trots, begrijp je?'

Zack moest lachen, en hij was niet echt boos meer. 'Als je wilt dat ik je aardiger blijf vinden dan de anderen,' zei hij niet onvriendelijk maar wel ernstig, 'hou dan op met nieuwsgierig te zijn en praat over iets leukers.'

'Iets leuks...' Ze ging half op zijn borst liggen, keek hem plagend aan en liet haar vingers door zijn borstharen gaan. Zack verwachtte dat ze iets verleidelijks zou zeggen, maar het onderwerp dat ze koos maakte hem aan het lachen. 'Eens kijken... Ik weet inmiddels dat je een hekel hebt aan paarden. Maar je houdt wel van motorfietsen en snelle auto's. Hoe komt dat?'

'Dat komt,' zei hij, terwijl hij zijn vingers door de hare vlocht, 'omdat die dingen zich niet met hun vriendjes in kudden verzamelen wanneer je ze ergens geparkeerd hebt, en ze je niet proberen plat te rijden zodra je je eenmaal hebt omgedraaid. Zíj gaan tenminste die kant op die jij wilt dat ze op gaan.'

'Zack,' fluisterde ze, waarna ze haar mond naar de zijne bracht. 'Motorfietsen zijn niet de enige dingen die de kant op gaan die jij wilt dat ze op gaan. Ik doe dat ook.'

Zack begreep precies wat ze bedoelde. Hij wees. Ze liet zich zakken en boog haar hoofd.

De volgende ochtend maakte ze het ontbijt voor hem klaar. 'Ik zou nog één film willen maken – om de wereld te bewijzen dat ik echt kan acteren,' zei ze, terwijl ze een aantal Engelse muffins in de oven stopte.

Zack zag haar met een verzadigd en ontspannen gevoel door zijn keuken heen en weer lopen. Ze droeg een geruite broek en een shirt dat ze had opgeknoopt. Zonder sexy kleren en overdreven lagen make-up vond hij haar veel aantrekkelijker en lieftalliger. Daarbij was ze, zoals hij inmiddels al ontdekt had, ook intelligent, sensueel en grappig. 'En wat dan?' vroeg hij.

'Dan zou ik er ermee op willen houden. Ik ben dertig. Net als jij verlang ik naar een echt leven, een zinvol bestaan met iets meer om me druk over te maken dan mijn figuur en of ik wel of niet een rimpeltje krijg. Het leven heeft meer te bieden dan deze glamourvolle, oppervlakkige fantasiewereld waar wij in leven.'

Deze volkomen onverwachte uitspraak had op Zack de uitwerking van een verfrissende voorjaarsbries. En aangezien ze wilde ophouden met werken, leek het alsof hij in haar een vrouw had ontmoet die echt in hém geïnteresseerd was en niet in wat hij voor haar carrière zou kunnen betekenen. Daar zat hij over te denken toen Rachel zich over de keukentafel heen boog en zachtjes vroeg: 'En hoe doen mijn dromen het in vergelijking met de jouwe?'

Ze deed hem een aanbod, begreep Zack, en ze deed het zonder spelletjes op een manier waar moed voor nodig was. Hij keek haar even stilzwijgend aan, en vroeg toen heel nadrukkelijk: 'Komen er in jouw dromen ook kinderen voor, Rachel?'

Zonder aarzelen vroeg ze op haar beurt: 'Jouw kinderen?'

'Mijn kinderen.'

'Wat zou je ervan zeggen om daar nu meteen mee te beginnen?'

Zack schaterde het uit om haar onverwachte reactie, maar toen ze zich op zijn schoot liet vallen werd hij meteen weer ernstig. Gevoelens van tederheid en hoop, waarvan hij gemeend had dat die sinds zijn achttiende voorgoed tot het verleden behoorden, welden in hem op. Zijn handen kropen onder haar shirt, en tederheid vermengde zich met hartstocht.

Ze trouwden vier maanden later in het bevallige prieel in de tuin van Zacks huis in Carmel, onder het toeziend oog van een duizendtal genodigden, waaronder een aantal gouverneurs en senatoren. Ook aanwezig, hoewel onuitgenodigd, waren tientallen helikopters die boven de tuin heen en weer vlogen en voor een hinderlijke, harde wind zorgden die de rokken van de dames liet opwaaien en pruiken en toupetjes van de plaats woei. De verslaggevers en fotografen die de helikopters bemanden, richtten hun camera's op de festiviteiten op de grond. Zacks getuige was zijn buurman, de industrieel Matthew Farrell, die op een gegeven moment met een oplossing voor de hinderlijke pers kwam. Met een woedende blik op de helikopters boven hun hoofd, zei hij: 'Dat verrekte Eerste Gebod zou afgeschaft moeten worden.'

Zack grijnsde. Het was zíjn trouwdag, en hij voelde zich zeldzaam opgewekt en optimistisch. Hij fantaseerde al over gezellige avonden met kinderen op zijn schoot en het soort van gezinsleven dat hij nooit had gekend. Rachel had deze grootse bruiloft gewild, en hij had erin toegestemd, ofschoon hij veel liever met een paar vrienden naar Tahoe was gevlogen. 'Ik zou natuurlijk iemand naar huis kunnen sturen om een paar geweren te halen,' zei hij bij wijze van grap.

'Uitstekend idee. We gebruiken het prieel als bunker, en schieten die schoften neer,' reageerde hij op dezelfde toon.

De beide mannen lachten, en vervielen vervolgens in een vriendschappelijk stilzwijgen. Ze hadden elkaar drie jaar geleden leren kennen, toen een groep fans van Zack over het beveiligde hek rond zijn huis was geklommen, en bij hun vlucht het alarm van beide huizen in werking had gesteld. Die avond waren Zack en Matt tot de ontdekking gekomen dat ze een aantal dingen met elkaar gemeen hadden, met inbegrip van hun liefde voor zeldzame oude whisky, een neiging tot botheid, het niet kunnen uitstaan van mensen die de gewoonte hadden om te doen alsof en een bepaalde filosofie ten aanzien van financiële investeringen. Het gevolg daarvan was dat ze nu niet alleen vrienden, maar ook zakelijke partners waren.

Nightmare leverde Zack geen Oscar en zelfs geen nominatie op, maar de film kreeg uitstekende kritieken, maakte een gezonde winst en zorgde voor een kentering in de carrières van zowel Rachel als Emily. Emily was hem verschrikkelijk dankbaar, en haar vader ook. Rachel daarentegen kwam opeens tot de ontdekking dat ze er nog helemaal niet aan toe was haar carrière op te geven, en ook niet om de baby te krijgen waar Zack zo naar verlangde. De carrière waarvan ze beweerd had die niet te willen, bleek in feite een allesoverheersende obsessie van haar te zijn. Er ging geen 'belangrijke' party voorbij, of ze was erbij, en ze liet geen enkele kans op publiciteit, hoe klein ook, onbenut voorbijgaan. Ze snakte op zo'n wanhopige manier naar roem en erkenning, dat ze een actrice die bekender was dan zij bij voorbaat al niet kon uitstaan, en ze was daarnaast zo onzeker wat haar eigen talent aanging, dat ze alleen maar onder Zacks regie wilde werken.

Het optimisme dat Zack op zijn trouwdag had gevoeld, bezweek onder de druk van de realiteit. Hij had zich laten beetnemen en tot een huwelijk laten verleiden door een slimme, ambitieuze actrice die ervan overtuigd was dat hij de enige was die haar rijk en beroemd kon maken. Zack wist het, maar hij nam het zichzelf nog meer kwalijk dan haar. Ze was uit ambitie met hem getrouwd, en hoewel hij begrip kon opbrengen voor haar motief, kon hij geen bewondering hebben voor haar methoden. Zelf had hij zich ook eens gedreven gevoeld om zich te bewijzen. Hij daarentegen had willen trouwen op grond van een voor hem ongewoon en beschamend naïef verlangen dat hem, weliswaar gedurende korte tijd, had laten dromen van een toegewijde echtgenote en gelukkige kindertjes met roze wangetjes die hem smeekten om nog een verhaaltje voor het slapengaan. Zoals hij op grond van zijn eigen ervaringen had kunnen weten, waren dergelijke gezinnen niet meer dan fabeltjes die door dichters en filmmakers in stand werden gehouden. Zacks leven strekte zich voor hem uit als een eindeloos, monotoon geheel.

Onder diegenen die in Hollywood onder eenzelfde soort verveling te lijden hadden, gold dat men afleiding zocht in een lijntje coke, een verscheidenheid aan verdovende middelen, al dan niet legaal, of anders tweemaal daags een fles sterke drank. Zack daarentegen had net als zijn grootmoeder een enorme hekel aan zwak gedrag, en hij weigerde aan dat soort dingen mee te doen. Hij loste zijn probleem anders op, op de enige manier die voor hem in aanmerking kwam: elke ochtend ging hij hard aan het werk, en bleef daar net zo lang mee doorgaan tot hij 's avonds uitgeput in bed viel. In plaats van te scheiden, bedacht hij dat zijn huwelijk, hoewel niet idyllisch, in ieder geval stukken beter was dan dat van zijn grootouders was geweest en dat het zeker niet slechter was dan de vele andere huwelijken die hij kende. En dus stelde hij Rachel voor een keuze: ze kon óf een scheiding van hem krijgen, of ze kon haar ambitie vergeten en voor een gezinsleven kiezen, waarbij hij, op zijn beurt, aan haar wens gehoor zou geven en nog een film met haar zou maken. Rachel koos wijselijk voor de tweede mogelijkheid, en dus voerde Zack zijn werktempo nog wat verder op om zich aan zijn deel van de afspraak te kunnen houden. Na het succes van *Nightmare* wilde Empire niets liever dan dat hij een film zou regisseren waarin hij zelf de hoofdrol zou spelen, en Zack mocht zelf kiezen welke film dat zou worden. Zack vond een script, *Winner Take All*, dat hem ideaal leek voor een thriller met veel actie. Er zaten hoofdrollen in voor hemzelf en Rachel, en Empire kwam met het geld. Met een combinatie van geduld, grappenmakerij, bijtende kritiek en zo af en toe een flinke driftbui, wist hij Rachel en de rest van de ploeg zodanig te bewerken dat ze hem gaven wat hij hebben wilde, en daarna deed hij hetzelfde met de jongens van het licht.

Het resultaat was spectaculair. Rachel werd genomineerd voor een Oscar voor haar rol in *Winner Take All*. Zack won een Oscar voor de Beste Acteur en de Beste Regisseur. De laatste betekende alleen maar een bevestiging van wat de grote bazen van Hollywood al hadden opgemerkt: Zack was een geboren regisseur. Hij voelde intuïtief aan hoe je van een spannend shot een shot kon maken waarvan je kippevel kreeg, hij kon het publiek laten schaterlachen om wat op papier slechts een flauwe grap was, en bij zijn liefdesscènes sloeg de damp van het doek. En het belangrijkste was nog wel dat hij dat alles kon en daarbij binnen het budget bleef.

Zack was geweldig trots op zijn Oscars, maar ze brachten hem geen innerlijke voldoening. Het deed hem niet veel. Hij was niet langer op zoek naar iets wat hem bevrediging kon schenken, en hij werkte met opzet zo hard dat het gemis aan voldoening hem niet echt opviel. In de daaropvolgende twee jaar maakte hij nog twee films waarin hij zelf een hoofdrol speelde, een erotische actiefilm/thriller met Glenn Close, en een actie/avonturenfilm met Kim Bassinger.

Toen die films klaar waren en hij op zoek was naar een nieuwe uitdaging, vloog hij naar Carmel om een zakelijke onderneming rond te maken waar hij samen met Matt Farrell was ingestapt. Laat die avond ging hij op zoek naar iets om te lezen, en vond het boek dat door de een of andere logée was achtergelaten. Lang voordat hij het boek tegen de ochtend uit had, wist Zack dat *Destiny* zijn volgende film zou worden.

De volgende dag liep hij het kantoor van de president van de Empire Studio's binnen en gaf hem het boek. 'Dit is mijn volgende film, Irwin.'

Irwin Levine las de tekst op de omslag, leunde achterover in zijn comfortabele leren stoel en zuchtte. 'Dit riekt naar zwaar drama, Zack. Ik zou je voor de verandering eens iets luchtigs willen zien doen.' Met een ruk draaide hij zijn stoel, pakte een script van de glazen tafel achter zijn glazen bureau, en gaf het met een gretig glimlachje aan Zack. 'Dit heb ik van iemand onder de tafel toegeschoven gekregen. Er is al een koper voor, maar als jij zegt dat je het doen wilt, dan valt erover te onderhandelen. Het is een romantisch verhaal. Een sterk verhaal. Grappig. Zo'n film als deze is er al in geen tientallen jaren meer gemaakt, en volgens mij heeft het publiek er zin in. Je bent ideaal voor de hoofdrol en die rol is zo gemakkelijk dat je hem slapend zou kunnen spelen. De film kan met weinig geld en middelen worden gemaakt, maar ik voel gewoon aan dat het een topper zal worden.'

Het script, dat Zack beloofde die avond nog te lezen, bleek een luchtige, voorspelbare romance te zijn waarin ware liefde het leven verandert van een succesvolle zakenman die daarna nog lang en gelukkig leeft met zijn beeldschone vrouw. Zack vond het een walgelijk geheel, gedeeltelijk omdat de hoofdrol absoluut niets van hem zou eisen, maar vooral omdat het hem deed denken aan de dwaze fantasieën van liefde en huwelijk die hij als jongen gekoesterd had en waar hij als volwassene gehoor aan had gegeven. De volgende ochtend mikte hij het script van *Pretty Woman* op Levine's bureau en zei vol minachting: 'Ik ben als acteur en als regisseur niet goed genoeg om dit suikerzoete verhaaltje tot een geloofwaardig geheel te maken.'

'Je bent een cynicus geworden,' zei Levine hoofdschuddend. 'Ik ken je al zo lang, en ik hou van je alsof je mijn eigen zoon was. Het spijt me dat het zover met je is gekomen. Ik vind het jammer.'

Zack reageerde op die sentimentele uitspraak door zijn wenkbrauwen op te trekken en geen woord te zeggen; Levine hield van hem als van zijn eigen bankrekening, en hij was teleurgesteld omdat Zack weigerde om *Pretty Woman* te doen. Maar Levine drong niet verder aan. De laatste keer dat hij dat had gedaan, was Zack zijn kantoor uit gelopen en had een film voor Paramount, en daarna eentje voor Universal gemaakt.

'Je was nooit een dromerige tiener,' zei hij in plaats daarvan. 'Je was hard en realistisch, maar een cynicus was je niet. Maar sinds je met Rachel bent getrouwd, ben je veranderd.' Hij zag Zacks gezicht verstrakken, en voegde er haastig aan toe: 'Goed, goed, genoeg sentimentaliteit. Laten we het over zaken hebben. Wanneer wil je met de opnamen van *Destiny* beginnen, en wie heb je in gedachten voor de hoofdrollen?'

'Ik speel de echtgenoot, en als Diana Copeland beschikbaar is, dan zou ik haar voor de echtgenote willen hebben. Emily McDaniels voor de dochter.'

Levine trok zijn wenkbrauwen op. 'Rachel wordt woedend als je haar met een minder belangrijke rol probeert af te schepen.'

'Laat Rachel maar aan mij over,' zei Zack. Rachel en Levine konden elkaar niet uitstaan, hoewel ze daar geen van beiden ooit een reden voor hadden genoemd. Zack vermoedde dat ze jaren geleden een relatie hadden gehad en ze op een nare manier uit elkaar waren gegaan.

'Als je voor die zwerver nog niemand in gedachten had,' vervolgde Levine na even geaarzeld te hebben, 'dan zou ik je om een gunst willen vragen. Zou je Tony Austin ervoor in overweging willen nemen?'

'Dat kun je vergeten,' zei Zack meteen. Austin was berucht om zijn verslaving aan drank en drugs, en daarbij was hij volkomen onbetrouwbaar. Zijn laatste overdosis aan het begin van een film die hij voor Empire aan het maken was, had hem voor zes maanden in een afkickcentrum doen belanden, en men had een andere acteur voor zijn rol moeten zoeken.

'Tony wil weer werken om zichzelf te bewijzen,' vervolgde Levine geduldig. 'Zijn artsen hebben me verzekerd dat hij van zijn verslavingen af is en dat hij als herboren is. Ditmaal ben ik geneigd hen te geloven.'

Zack haalde zijn schouders op. 'Wat is er zo anders aan ditmaal?'

'Omdat hij deze keer, toen ze hem met spoed naar Cedars-Sinai brachten, bij aankomst al de pijp uit was. Ze hebben zijn hart weer aan de praat gekregen, maar hij is zich het apezuur geschrokken en hij is nu eindelijk zover dat hij volwassen wil worden en aan het werk wil gaan. Ik zou hem die kans, een nieuwe start, graag geven.' Levine's stem kreeg een hypocriete klank. 'Dat is toch wel het minste wat je als fatsoenlijk mens voor een ander kunt doen, Zack. Wij mensen hebben de plicht om elkaar te helpen waar we kunnen. We moeten Tony weer aan werk helpen omdat hij volkomen aan de grond zit en omdat –'

'Omdat hij je een flinke smak geld schuldig is voor die film die hij nooit heeft voltooid,' verklaarde Zack op effen toon.

'Nou, ja, hij is ons voor die film een aardig bedragje schuldig,' gaf Levine met tegenzin toe. 'Maar hij is bij ons gekomen en heeft gevraagd of we werk voor hem hadden zodat hij zijn schuld kon betalen. Maar aangezien een emotioneel verzoek je zo te zien ijskoud laat, bekijk het dan eens van de praktische kant: ondanks al zijn slechte publiciteit is het publiek nog steeds dol op hem. Hij is hun stoute, op een dwaalspoor gebrachte, knappe jongen, de man die door elke vrouw getroost wil worden.'

Zack aarzelde. Als Austin inderdaad genezen was, dan was hij geknipt voor de rol. Hij was drieëndertig, knap, blond en zijn gezicht was getekend door een frivool en losbandig bestaan, wat hem er in de ogen van de vrouwen op de een of andere manier alleen maar nog aantrekkelijker op maakte. Austins naam was op zich een garantie voor een indrukwekkend kassucces. En dat gold ook voor de naam van Zack; samen hadden ze de kans om records te breken. Aangezien Zack van plan was om een deel in de winst te eisen, was dat een factor die van aanzienlijk belang was. Dat gold ook voor het feit dat Austin, zelfs wanneer hij dronken was, een betere acteur was dan het grootste gedeelte van hun collega's, en hij was écht geknipt voor de rol. Aan de andere kant betekende het inhuren van Austin dat Zack Empire een gunst bewees, en dat betekende weer dat hij daarvoor in ruil concessies kon eisen. Om die reden deed hij alsof het idee hem absoluut niet aansprak, en zei: 'Ik zal hem auditie laten doen, maar ik heb er echt heel weinig zin in om op een junkie te moeten passen, genezen of niet. Ik laat mijn agent je morgen wel bellen,' voegde hij eraan toe, terwijl hij opstond om weg te gaan, 'en dan kunnen jullie samen aan het contract beginnen.'

'Het maken van die film gaat een vermogen kosten, met al die lokaties die erin voorkomen,' bracht Irwin hem in herinnering, en het was duidelijk dat hij nu al opzag tegen het bedrag dat Zack van hem zou verlangen, om nog maar te zwijgen over de gunsten die hij zou eisen voor het feit dat hij bereid was om met Austin te werken. Hoewel hij enthousiast was voor het project, deed hij zijn best om daar niets van te laten blijken. Hij stond op en gaf Zack een hand. 'Ik laat je deze film alleen maar maken omdat je er zo'n zin in hebt. Maar ik bid op mijn blote knieën dat het ons geen geld zal kosten.'

Zack onderdrukte een wetend glimlachje. De onderhandelingen waren begonnen.

Diana Copeland kon de rol niet nemen omdat ze al andere verplichtingen had, en dus gaf Zack hem aan Rachel die zijn tweede keus was geweest. Een paar weken later bleek Diana toch te kunnen, maar intussen zat Zack in moreel en legaal opzicht al vast aan Rachel. Tot Zacks verbazing vroeg Diana toen in plaats van de hoofdrol om de minder belangrijke rol van zijn voormalige geliefde. Emily McDaniels was dolblij met de rol van de tienerdochter, en Tony Austin kreeg de rol van de zwerver. De minder belangrijke rollen werden zonder enig probleem bezet, en Zacks favoriete team werd aangetrokken voor de realisatie van het project.

Een maand nadat de opnamen van *Destiny* begonnen waren, werd bekend dat hoewel het project geplaagd werd door ongelukjes en vertragingen, de rushes – die stukjes film die na afloop van elke werkdag voor ontwikkeling naar het lab werden gestuurd – fantastisch waren. De roddelpers begon te voorspellen dat ook deze film zeker de nodige nominaties voor een Oscar in de wacht zou weten te slepen.

Hoofdstuk 6

Een zacht ruisen van het gras deed Zack opschrikken uit zijn overpeinzingen. Toen hij achteromkeek, zag hij Tommy Newton in het zwakke licht van de avondschemering naar zich toe komen. 'De crew is aan het eten, en in de stal is alles gereed,' zei hij.

Zack stond op, 'Mooi. Ik loop het nog even na.' Dat had hij die dag al eerder gedaan, maar hij wilde nu eenmaal niets aan het toeval overlaten, en daarbij gaf het hem een uitstekend excuus om nog even alleen te kunnen zijn. 'Er wordt vanavond niet gerepeteerd,' voegde hij eraan toe. 'We beginnen meteen vanaf de eerste keer te filmen.'

Tommy knikte. 'Ik geef het door.'

In de stal liet Zack zijn blik over het decor voor de laatste belangrijke scène gaan. In de afgelopen maanden was het verhaal, dat nog spannender geworden was dan hij aanvankelijk voor mogelijk had gehouden, voor de camera's tot leven gekomen. Het ging over een vrouw die gevangen zat tussen de liefde voor haar dochter, voor haar man, een verstrooide magnaat, en de knappe zwerver met wie ze een hartstochtelijke verhouding had. Haar geliefde had haar zo nodig dat hij op een gevaarlijke manier van haar geobsedeerd was geraakt. Zack had de rol gespeeld van de echtgenoot, een man wiens financiële imperium op instorten staat en die overweegt een deal te sluiten met drugkoeriers om te voorkomen dat zijn vrouw en dochter er in levensstijl op achteruit zullen gaan. Emily McDaniels speelde de tienerdochter die absoluut niet geïnteresseerd is in het luxeleventje dat haar ouders haar bieden, en die alleen maar meer naar meer aandacht van hen snakt. Het was een goed plot, maar wat het verhaal er echt goed op maakte, was de manier waarop de verschillende karakters en de menselijke zwakheden waren uitgewerkt. Er waren geen 'slechteriken' in *Destiny*; elk karakter was zodanig geportretteerd dat Zack wist dat het filmpubliek er diep van onder de indruk zou zijn.

De meeste scènes waren zoals gewoonlijk niet in de uiteindelijke volgorde opgenomen, maar het kwam toevallig zo uit dat de laatste twee scènes die vandaag opgenomen werden, ook de twee laatste scènes van de film waren. In de scène waar ze vanavond mee zouden beginnen, ontmoet Rachel haar geliefde in de stal, waar de twee elkaar in het verleden al vaker heimelijk hebben ontmoet. Omdat ze hem 'voor de laatste keer' wil zien, aangezien hij gedreigd heeft om, als ze niet komt, alles aan haar man en dochter te onthullen, heeft Rachel een revolver in de stal verstopt die ze wil gebruiken om hem zo bang te maken dat hij niet meer terugkomt. Wanneer hij haar dwingt om seks met hem te hebben, dreigt ze hem met de revolver, en in de worsteling die daarop volgt raken ze alle twee gewond. Het was de bedoeling dat het een agressieve en erotische scène zou worden, en Zack was van plan om er een zéér agressieve en zéér erotische scène van te maken.

Om zich heen kijkend, liep hij de gang af die midden door de zwak verlichte stal liep. Alles was precies zoals hij het hebben wilde: de paarden stonden in hun boxen langs de linkerkant. Teugels en zadels hingen op haken aan de rechtermuur, en borstels, kammen en andere voorwerpen die voor de verzorging van paarden nodig waren, lagen keurig op hun plaats op de tafel tegen de buitenste muur van de tuigkamer.

Het belangrijkste focuspunt tijdens de scène was die tafel aan het einde van de gang. Het was hier, bij de tafel met de balen hooi ernaast, waar de worsteling tussen de beide hoofdrolspelers plaats zou vinden. De balen lagen op hun plaats, en de revolver die in de scène gebruikt zou worden lag op de tafel, half verborgen achter een aantal borstels en flesjes. Boven, aan de balken van de zoldering, hing een tweede camera die gericht was op de dubbele deur waardoorheen Emily binnen zou komen nadat ze een schot had gehoord.

Met zijn knie schoof Zack de tafel een centimetertje naar links. Toen verplaatste hij een paar flesjes en verschoof de kolf van de revolver zodat het wapen gedurende een fractie van een seconde in beeld zou komen. Hij deed het niet zozeer uit noodzaak, als wel uit een zeker gevoel van onrust. Sam Hudgins, de opnameleider, en Linda Tompkins die voor de rekwisieten zorgde, waren er zoals gewoonlijk in geslaagd om Zacks ideeën voor de scène op optimale wijze in de set te realiseren. Na nog een laatste maal om zich heen gekeken te hebben, had Zack opeens zin om de opnamen zo snel mogelijk achter de rug te hebben. Hij draaide zich om en liep de stal uit.

De zijtuin, waar de crew aan eenvoudige picknicktafels of gewoon in het gras zat te eten, werd door schijnwerpers verlicht. Tommy zag Zack aankomen en knikken, en riep meteen: 'Ziezo, jongens, over tien minuten gaan we aan de slag.'

Er werd meteen gereageerd. Iedereen stond op; sommigen gingen naar de stal, anderen liepen naar het buffet om gauw nog iets fris te drinken te halen. In een poging het budget niet verder onnodig te belasten, had Zack die mensen wier aanwezigheid niet strikt noodzakelijk was, met inbegrip van meerdere produktieassistenten, al naar huis teruggestuurd, maar ondanks het gebrek aan extra hulp slaagde Tommy Newton er uitstekend in om de boel even efficiënt als anders draaiende te houden.

Zack zag hoe hij zijn enige assistent naar Austins trailer stuurde, en hij zag Austin en Rachel, gevolgd door hun kappers en visagisten, even later naar buiten komen. Austin zag er niet bepaald uit alsof hij zich fit en helemaal op zijn gemak voelde; Zack hoopte dat zijn ribben flink pijn deden. Rachel daarentegen liep met trots opgeheven hoofd langs Zack en de crew – een vorstin die niemand enige verantwoording schuldig was. Emily McDaniels liep voor haar vader heen en weer, en nam haar tekst met hem door. Met haar Shirley Temple-look zag ze er, hoewel ze al zestien was, niet ouder uit dan elf. Net toen Rachel langs haar heen liep keek ze op, en ze zette meteen een afkeurend gezicht. Toen keek ze weer naar haar vader en ging verder met repeteren. Aangezien Emily aanvankelijk dol op Rachel was geweest, schreef Zack de plotseling veranderde houding van het kind toe aan het feit dat ze duidelijk partij voor hem had gekozen, en dat besef ontroerde hem even. Hij wilde net een broodje met rosbief van het buffet pakken, toen de zachte, bezorgde stem van Diana Copeland hem deed opschrikken. 'Zack?'

Hij draaide zich om en keek haar verbaasd aan. 'Wat doe jíj hier? Ik dacht dat je vanmorgen terug zou gaan naar Los Angeles.'

In haar witte short, rode topje en met haar lange, kastanjebruine haar in een Franse vlecht, zag ze er beeldschoon uit. Toch maakte ze een onzekere indruk. 'Dat was ik ook van plan, maar toen ik hoorde wat er gisteravond in het hotel was gebeurd, besloot ik om nog een dagje langer te blijven om vanavond in de buurt te kunnen zijn.'

'Hoezo?' vroeg Zack bot.

'Om twee redenen,' zei Diana. Ze deed verschrikkelijk haar best om hem te laten blijken dat haar bedoelingen oprecht waren. 'De ene is dat ik in de buurt wilde zijn voor het geval je morele steun nodig mocht hebben.'

'Dat heb ik niet,' zei Zack met klem. 'En wat is de tweede reden?'

Diana keek hem aan, keek naar zijn trotse, harde gezicht en zijn prachtige bruine ogen met de lange wimpers en begreep uit de kille manier waarop hij haar aankeek dat ze klonk alsof ze medelijden met hem had. Van haar stuk gebracht door zijn strakke blik en aanhoudende stilzwijgen, zei ze: 'Ik weet niet goed hoe ik dit moet zeggen... maar ik-ik vind Rachel een stommeling. En als er iets mocht zijn waarmee ik je zou kunnen helpen, zeg dan alsjeblieft niet nee. En Zack,' besloot ze warm, 'ik – ben altijd bereid om waar dan ook en wanneer dan ook, ongeacht de rol die je voor me hebt, voor je te werken. Dat wilde ik je ook alleen maar even laten weten.'

Ze zag de ondoorgrondelijke blik in zijn ogen omslaan in een uitdrukking van grimmige geamuseerdheid, en besefte te laat dat haar woorden van medeleven hadden geklonken alsof ze in feite alleen maar waren voortgekomen uit ambitie.

'Dank je wel, Diana,' zei hij zo ernstig en beleefd, dat ze zich op slag nog dwazer voelde. 'Ze maar tegen je agent dat hij me over een paar maanden moet bellen, wanneer ik voor mijn volgende film op zoek ben naar een nieuwe cast.'

Hij draaide zich om en liep weg. Diana keek hem na. Ze keek naar zijn zelfverzekerde manier van lopen, naar zijn lange benen, naar zijn donkerblauwe poloshirt dat zijn schouders nog breder deed lijken dan ze al waren, naar de kakishort die strak om zijn smalle heupen sloot... naar zijn lenige, gespierde lichaam... Zijn hele voorkomen en manier van doen deden haar denken aan een leeuw... een man die zich bewoog met de gratie van een leeuw, en die even trots was als de koning der dieren. Het enige opzicht waarin die vergelijking niet opging, dacht Diana, was zijn haar. Zack had prachtig dik donker haar, zo donker dat het bijna zwart leek. Met een verslagen en beschaamd gevoel liet ze zich tegen de boom aan leunen die achter haar stond, en keek toen naar Tommy die alles gehoord had wat ze tegen Zack had gezegd. 'Deze keer heb ik het echt verpest, hè, Tommy?' vroeg ze.

'Laat ik zeggen dat ik je nog nooit zo slecht heb zien acteren.'

'Hij denkt dat ik alleen maar een rol in zijn volgende film wil.'

'Nou, is dat dan niet zo?'

Diana wierp hem een moordlustige blik toe, maar Tommy keek intussen al naar Tony Austin en Rachel. Even later vroeg ze: 'Hoe is het in godsnaam mogelijk dat ze de voorkeur geeft aan Tony Austin boven Zack? Hoe kán ze?'

'Misschien houdt ze van het gevoel dat iemand haar nodig heeft,' antwoordde Tommy. 'Zack heeft niemand nodig, niet echt. Tony heeft iedereen nodig.'

'Hij gebrúikt iedereen,' corrigeerde Diana hem op minachtende toon. 'Die blonde Adonis is in werkelijkheid een vampier – hij verslindt mensen, zuigt ze leeg en zodra hij niets meer aan ze heeft, laat hij ze vallen.'

'Jij kunt het weten,' zei hij, maar sloeg een troostende arm om haar schouders en trok haar even tegen zich aan.

'Hij had de gewoonte om me naar zijn drugsdealer te sturen. Een van die keren ben ik opgepakt en gearresteerd wegens het in bezit hebben van verdovende middelen, en toen ik hem vanuit de gevangenis belde om hem te zeggen dat hij me eruit moest halen en de borgsom moest betalen, werd hij woedend en hing op. Ik was zo bang, dat ik toen naar de studio heb gebeld, en zíj hebben me eruit gehaald en ervoor gezorgd dat er niets over in de pers kwam. Daarna hebben ze me de kosten in rekening gebracht.'

'Toch moet hij iets gehad hebben waardoor je op hem viel.'

'Ik was twintig en was diep van hem onder de indruk,' zei ze. 'En wat is jouw excuus?'

'Midlife-crisis?' zei hij in een poging tot humor.

'Het is echt verdomde jammer dat ze hem bij zijn laatste overdosis in het ziekenhuis weer hebben opgelapt.'

Binnen in de stal gingen de lichten aan, en hij knikte in die richting. 'Kom mee – het is show time.'

Diana sloeg een arm om zijn middel en ze liepen naar de stal. 'Je weet toch wat ze zeggen,' zei ze, 'boontje komt om zijn loontje.'

'Ja, maar het duurt meestal wel erg lang voor het zover is.'

Zack was naar zijn eigen trailer gegaan, waar hij zijn gezicht en borst snel even met koud water waste, een schoon shirt aantrok en op weg ging naar de stal. Toen hij Emily's vader voor hun trailer heen en weer zag lopen, bleef hij staan. 'Is Emily al in de stal?'

'Nee, nog niet, Zack. Ze heeft al een paar dagen erge last van de hitte,' zei George McDaniels. 'Je had haar ook niet zo lang in de zon moeten laten werken. Kan ze niet binnen blijven, waar het koel is, totdat je haar nodig hebt? Ik bedoel, het zit er dik in dat je eerst een paar takes met Rachel en Austin moet doen voordat Emily aan de beurt is.'

Onder andere omstandigheden zou het verzoek aan een regisseur of hij op iemand van de cast wilde wachten omdat ze nog wat langer van een beetje comfort wilde genieten McDaniels een woedende reactie hebben opgeleverd, maar omdat Zack, net als de rest van de wereld, een zwak plekje voor Emily had, zei hij alleen maar: 'Dat gaat niet, en dat weet je best, George. Emily kan echt wel tegen een stootje. De hitte zal haar heus niet schaden terwijl ze op haar beurt staat te wachten.'

'Maar – goed, ik ga haar wel roepen,' herstelde hij zich, toen hij Zacks gezicht zag verstrakken.

Normaal gesproken voelde Zack niets dan minachting voor de opdringerige ouders van kindsterretjes, maar Emily's vader was anders. Zijn vrouw had hem in de steek gelaten toen Emily nog een baby was. Door een zuiver toeval had Emily de aandacht getrokken van een producer toen hij haar, als een liefallig kind met kuiltjes in de wangen, met haar vader in het park had zien spelen. Toen diezelfde producer Emily een filmrol had aangeboden, had haar vader zijn werk overdag opgezegd om haar overdag op de filmset te kunnen begeleiden, en had een baantje voor in de avonduren gezocht. McDaniels had het idee gehad dat het kind in moreel opzicht minder te lijden zou hebben wanneer hij haar 's avonds thuis liet met een oppas, dan wanneer hij haar overdag zou laten bewaken door een betaalde chaperonne. Dat op zich zou nooit voldoende zijn geweest om de man in Zacks ogen bijzonder te maken, maar het was daarnaast een overbekend feit dat hij elke cent die Emily verdiende voor haar op de bank zette. Het ging hem zuiver en alleen om haar welzijn, en zijn instelling had vruchten afgeworpen: Emily was een schat van een kind, en dat was voor een kindsterretje in Hollywood iets bijzonders. Ze rotzooide niet met drank en drugs, ze hield er geen talloze vriendjes op na en was beleefd en goedgemanierd, en Zack wist dat dat allemaal te danken was aan haar vader die zijn uiterste best deed om dat zo te houden.

Emily kwam achter hem aangerend toen hij bijna bij de stal was, en hij riep haar over zijn schouder toe: 'Ga op dat paard zitten en laten we dit zo snel mogelijk afwerken!'

Ze rende langs hem heen, gekleed in de rijbroek en de blazer die haar kostuum waren voor deze scène. 'Je zegt maar wanneer je me nodig hebt, Zack, ik ben klaar,' riep ze, waarbij ze hem vol medeleven aankeek omdat ze zich voor kon stellen hoe moeilijk de komende uren voor hem zouden zijn. Even later verdween ze de hoek om, waar de twee grips klaarstonden om haar op het paard te helpen.

Zack wist dat de kans uitermate gering was dat hij de scène meteen al de eerste keer goed zou krijgen, maar met het oog op alles wat er de vorige avond was gebeurd, wilde hij er zo min mogelijk tijd aan besteden. Daarbij zou de geladen sfeer tussen zijn vrouw, haar minnaar en hemzelf er alleen maar erger op worden naarmate hij ze de erotische scène vaker zou laten overdoen.

Vanuit de struiken bij de deur kwam een schaduw op hem af, en Zack verstijfde bij het horen van Austins stem. 'Luister, Zack,' zei hij op een verzoenend toontje, 'deze scène is al moeilijk genoeg zonder dat wij ook nog eens nijdig op elkaar zijn over die kwestie met Rachel.' Hij kwam in het licht. 'Jij en ik weten wat er op de wereld te koop is, we zijn geen kinderen meer. Laten we ons ook zo gedragen.' Hij bood Zack zijn rechterhand.

Zack keek vol minachting van de hand naar de man zelf. 'Krijg de kolere.'

Hoofdstuk 7

De spanning in de stal was te snijden toen Zack tussen de boxen en de tuigkamer door liep naar de in schaduwen gehulde set aan het einde van de gang. Sam Hudgins had zijn positie achter de camera op de grond al ingenomen, en Zack bleef staan om via de aan de camera bevestigde monitors te kijken naar wat de beide camera's in beeld hadden. Hij knikte naar Tommy, en het werk kon beginnen.

'Belichting!' riep de regieassistent op scherpe toon.

Er klonk een metaalachtig geluid van schakelaars die werden aangezet. Grote, sterke lampen begonnen te branden en hulden de stal in een helder wit licht. Zack stak zijn handen in de zakken van zijn broek, en keek nogmaals naar het beeld op de beide monitors. Er werd niet gesproken, er werd niet gekucht en iedereen stond roerloos, maar hij was zich slechts vagelijk bewust van de ongewone stilte. Al jarenlang compenseerde hij de dingen die in zijn leven ontbraken door volledig op te gaan in zijn werk en alles wat daar niet rechtstreeks mee te maken had, buiten te sluiten. Hij had zich dat zo aangewend dat hij het nu onbewust deed. Op dit moment was er maar één ding dat belangrijk was, en dat was de scène die nu gefilmd moest worden; de scène was zijn oogappel, zijn geliefde en zijn toekomst ineen, en hij bestudeerde het beeld op de beide monitors terwijl hij het resultaat in gedachten op het grote bioscoopdoek voor zich zag.

Op de balken van de zoldering zaten een paar jongens van de belichting te wachten voor het geval er iets veranderd moest worden. De hoofd belichter stond achter Sams vloercamera op aanwijzingen te wachten, en tussen hem en de dolly in stonden nog twee hulpjes naar de tweede cameraman te kijken die zes meter boven de set zat om de scène vanuit die invalshoek te kunnen filmen. Grips stonden klaar om, wanneer Zack dat wilde, wijzigingen in het decor aan te brengen; de geluidsman had zijn koptelefoon om zijn nek hangen om hem op te zetten wanneer het moment daar was, en de script supervisor hield het script in haar ene, en een stopwatch in haar andere hand. Naast haar stond een produktieassistent de clappers in te vullen die gebruikt zouden worden om de scène te markeren zodra Zack het teken had gegeven dat er gedraaid kon worden. Tony en Rachel stonden opzij van de set te wachten.

Zack knikte tevreden en keek naar Sam. 'Wat vind jij?'

Zoals hij die dag al vaker had gedaan, keek de opnameleider voor de laatste keer door de camera. Zonder zijn oog van de lens te halen, zei hij: 'Die tafel bevalt me niet helemaal, Zack. Laten we hem iets dichter naar de hooibalen schuiven.'

Hij had het nog niet gezegd, of twee grips sprongen naar voren, pakten de tafel op en verschoven hem centimeter voor centimeter totdat Sam, die door de camera was blijven kijken, zijn hand opstak. 'Ja, daar, zo is het goed.'

Zack, die nu echt wilde beginnen, keek naar de cameraman op de dolly. 'Les? Hoe ziet het er vanaf daarboven uit?'

'Goed, Zack.'

Zack keek voor een laatste keer om zich heen, en gaf Tommy een teken. Tommy riep uit gewoonte om stilte en aandacht, hoewel je op de set een speld kon horen vallen. 'Stilte, graag! Op de plaatsen. Dit is géén repetitie. We beginnen meteen met een take.'

Tony en Rachel gingen op de voor hen op de vloer gemarkeerde plaatsen staan, en terwijl de visagist snel nog even wat poeder op Tony's bezwete voorhoofd deed en het meisje van de kostuums het lijfje van Rachels jurk aftrok, gaf Zack, zoals gebruikelijk, een korte samenvatting van de scène die gefilmd zou worden. 'Goed,' begon hij kortaf en zakelijk, 'het verhaal en de afloop ervan zijn jullie bekend. Met een beetje geluk hebben we het er in één keer op. Zo niet, dat gebruiken we deze keer als repetitie.' Hij keek naar Rachel, maar sprak haar, zoals hij meestal deed, aan met de naam van haar rol. 'Johanna, jij komt de stal binnen. Je weet dat Rick ergens hier binnen moet zijn. Je weet wat hij van je wil. Je bent bang voor hem, maar je bent ook bang voor jezelf. Wanneer hij je probeert te verleiden, dreig je even voor hem te vallen, maar dat duurt niet lang – het zijn harts-tochtelijke momenten,' besloot Zack. Het leek hem niet nodig om verder in te gaan op het soort van hartstocht dat hij tussen haar en haar echte minnaar wilde zien. 'Begrepen?' vroeg hij. 'Zéér harts-tochtelijk.'

'Begrepen,' zei ze, terwijl aan haar oogopslag heel even te zien was dat ze zich slecht op haar gemak voelde ten aanzien van wat ze nu, voor een ruimte vol mensen, zou moeten doen.

Zack wendde zich tot Tony die op zijn plaatsje bij de deur was gaan staan. 'Je hebt hier ruim een uur op Johanna staan wachten,' bracht hij hem op een bijna snauwerige toon in herinnering. 'Je bent bang dat ze niet zal komen, en je kunt het niet uitstaan van jezelf dat je zo naar haar verlangt. Je bent door haar geobsedeerd, en je overweegt om naar het huis te gaan om haar dochter en huishoudster en wie het verder nog maar horen wil, te vertellen dat jullie samen naar bed zijn geweest. Je voelt je vernederd omdat ze je de laatste tijd ontloopt en omdat ze hier in de stal met je heeft afgesproken terwijl haar man in haar bed ligt te slapen. Wanneer ze binnenkomt en die deur passeert zonder je te zien, komt al die frustratie en woede die je maandenlang hebt lopen op te kroppen, tot uitbarsting. Je grijpt haar beet, maar zodra je haar vast hebt, begeer je haar opnieuw, en je neemt je voor haar zover te krijgen dat ze ook jou begeert. Je dwingt haar om je kus te beantwoorden, en je merkt dat ze opgewonden begint te raken.

Wanneer ze van gedachten verandert en zich begint te verzetten, ben je al te ver heen om te kunnen geloven dat ze echt wil dat je ophoudt. Je gelooft het pas wanneer ze die revolver pakt en op je richt, en dan ben je woedend. Je verliest je zelfbeheersing. Je probeert haar het wapen af te pakken, en wanneer ze op je schiet ben je te zeer buiten jezelf van woede om in te kunnen zien dat het per ongeluk was. Al die hartstocht en die obsessie die je voor haar voelt, slaan om in woede wanneer je in een worsteling probeert haar het wapen afhandig te maken. Het wapen gaat een tweede keer af, Rachel zakt in elkaar en je laat het wapen vallen – je bent misselijk van spijt en angst wanneer het tot je doordringt dat ze zwaar gewond is. Je hoort Emily – je aarzelt, en dan smeer je hem.' Niet in staat zijn walging te verbergen, voegde Zack er op ijzige toon aan toe: 'Denk je dat je dat kunt?'

'Ja, hoor,' zei Austin op een sarcastisch toontje, 'dat denk ik wel.'

'Doe het dan, zodat we een punt achter deze misselijkmakende vertoning kunnen zetten,' beet Zack hem toe voordat hij het in had kunnen slikken. Hij wendde zich opnieuw tot Rachel en voegde eraan toe: 'Je bent geen moment van plan geweest om die revolver te gebruiken, en als het ding afgaat dan wil ik aan je zien dat je diep geschokt bent, zo geschokt dat je niet snel genoeg reageert wanneer de loop op jou wordt gericht.'

Zonder op een teken van Rachel te wachten waaruit zou blijken dat ze zijn instructies begrepen had, wendde Zack zich tot Emily en vervolgde op vriendelijker toon: 'Emily, je hoort de schoten en komt de stal binnenrijden. Je moeder is gewond maar bij bewustzijn, en je beseft dat haar verwondingen niet fataal zijn. Je raakt in paniek. Haar minnaar is rennend op weg naar zijn bestelbusje, en jij grist de telefoon in de tuigkamer van de haak, belt eerst een ambulance en vervolgens je vader. Heb je dat?'

'En Tony dan, ik bedoel Rick? Moet ik hem niet een paar stappen achterna rennen of de revolver oppakken, alsof ik in eerste instantie van plan ben om me op hem te wreken?'

Normaal gesproken zou hij dit soort varianten tijdens een repetitie hebben uitgeprobeerd, en Zack realiseerde zich dat het waanzin van hem was geweest om te denken dat ze de repetitie als take zouden kunnen gebruiken, te meer daar hij sinds gisteren met de gedachte had gespeeld dat het misschien helemaal wel niet zo'n goed idee was om Rachel als eerste te laten schieten, hoewel dat wel zo in het script stond. Na een korte aarzeling schudde hij het hoofd. 'Laten we ons de eerste keer aan het script houden. Daarna kunnen we, als het nodig is, altijd nog improviseren.' Hij keek naar de leden van de cast en de crew. 'Nog vragen?'

Hij gunde ze een fractie van een seconde om met vragen te komen, en wendde zich toen tot Tony. 'We beginnen.'

'Airconditioning uit!' riep Tony, en even later zwegen de zoemende motoren. De geluidsman zette zijn koptelefoon op, beide cameramannen bogen zich naar voren, en Zack ging tussen de camera en de monitors in staan, op een plek waar hij het beeld op de monitors, en het spel voor zich kon volgen.

'Rood licht, graag,' riep hij, ten teken dat iemand de rode lamp buiten de stal moest aandoen om duidelijk te maken dat er binnen gefilmd werd. 'Camera's draaien.' Hij wachtte tot de cameramannen en de man van het geluid hem een teken hadden gegeven dat alles op juiste snelheid liep.

'Klaar!' riep de cameraman vanaf de dolly.

'Klaar!' riep ook Sam Hudgins.

'Snelheid!' riep de man van het geluid.

'Clapper!' beval Zack, en de produktieassistent stapte snel voor Sams camera en hield de zwart-witte clappers in beeld waarop het nummer van de scène in kwestie, en het aantal takes stonden vermeld. 'Dit is scène 126,' kondigde hij aan, herhalend wat er op de klappers stond, 'take één.' Hij klapte de clappers dicht ten behoeve van de editors die de gegevens later zouden gebruiken om het geluid en het beeld synchroon met elkaar te laten lopen, en deed toen snel weer een stapje opzij.

'Actie!' riep Zack.

Rachel kwam de stal binnen. Ze keek zenuwachtig om zich heen. Haar gezicht stond angstig en opgewonden tegelijk. 'Rick?' riep ze met onvaste stem, en toen de hand van haar minnaar haar vanuit een lege box opeens beetgreep, slaakte ze een perfecte gesmoorde kreet.

Vanaf zijn plekje naast de camera sloeg Zack de scène met de armen over de borst gekruist en een volkomen uitdrukkingsloos gezicht gade, maar toen Austin Rachel begon te kussen en te strelen, en hij haar op de hooibalen probeerde te trekken, ging alles mis. Austin voelde zich duidelijk gegeneerd en acteerde onhandig. 'Cut!' brulde Zack. Het besef dat hij, als Austin zo doorging, waarschijnlijk talloze malen zou moeten aanzien hoe de man zijn vrouw kuste en betastte, maakte hem woedend. Hij stapte in het licht en trakteerde de acteur op zijn meest minachtende blik. 'Gisteren heb ik je haar heel anders zien kussen, Austin, toen had je gedrag niets van een onschuldig knulletje. Laat ons in plaats van dit geklungel maar eens zien hoe je dat gisteravond deed.'

Austins gezicht, dat op grond van zijn jongensachtige uitstraling wel met dat van Robert Redford was vergeleken, werd vuurrood. 'Jezus, Zack, waarom kun je hier niet een beetje meer volwassen over doen –'

Zack negeerde hem, wendde zich tot Rachel, en vervolgde onverwacht wreed: 'En jij – jij wordt geacht geil te zijn, en niet aan het vijlen van je nagels te denken terwijl hij je staat af te lebberen.'

De volgende twee takes waren uitstekend, en de hele crew wist het,

62

maar beide keren liet Zack de boel stoppen nog voordat Rachel de revolver had kunnen pakken. Hij liet het ze telkens overdoen, deels omdat hij opeens een perverse voldoening beleefde aan het feit dat hij hen kon dwingen om nu openlijk hetzelfde overspelige gedrag tentoon te spreiden op grond waarvan hij de vorige dag voor gek was komen te staan, maar vooral omdat hij het gevoel had dat er iets aan de scène niet klopte. 'Cut!' riep hij, en onderbrak daarmee de vierde take. Hij liep naar voren.

Austin krabbelde woedend overeind van de hooibalen en sloeg een arm om Rachel die inmiddels niet weinig beschaamd en minstens even woedend was. 'Moet je nou eens even goed naar me luisteren, vuile sadist die je bent,' ging Austin tekeer. 'Er was helemaal niets mis met die laatste twee takes, en dat weet je best. Ze waren perfect!' tierde Austin verder, maar Zack negeerde hem en besloot de scène te proberen zoals hij hem de vorige dag in gedachten had gehad.

'Hou je kop en luister,' snauwde hij, 'we gaan het op een andere manier proberen. Ongeacht wat de schrijver dacht toen hij deze scène schreef, is het een feit dat Johanna wanneer ze op haar geliefde schiet, ook al is het per ongeluk, op slag onze sympathie verliest. De man is in emotioneel en seksueel opzicht door haar geobsedeerd, en zij gebruikt hem om haar eigen behoeften te bevredigen. Ze heeft evenwel nooit de intentie gehad om haar man voor hem in de steek te laten. Ze moet eerder door dat wapen gewond worden dan hij, want anders wordt hij het enige slachtoffer van deze film terwijl het er juist om gaat dat iederéén slachtoffer is.'

Zack hoorde een goedkeurend en verbaasd gemompel achter zich, maar nam niet de moeite om zijn argument nog eens te onderstrepen. Hij wist dat hij gelijk had. Hij voelde het met dezelfde intuïtie als die op grond waarvan hij een nominatie voor een Oscar had gekregen voor een film waar niets bijzonders aan leek totdat hij de regie op zich had genomen. Hij wendde zich tot Rachel en Tony die, weliswaar schoorvoetend, toch zichtbaar onder de indruk waren van de verandering, en zei kortaf: 'Nog een laatste keer, en dan hebben we het wel, denk ik. Het enige dat jullie moeten doen, is de afloop van de worsteling veranderen zodat Johanna als eerste gewond raakt.'

'En wat dan?' wilde Tony weten. 'Wat doe ik nadat ik mij gerealiseerd heb dat ze gewond is?'

Zack dacht even na, en zei toen op overtuigende toon: 'Laat haar het wapen van je afpakken. Je had niet echt op haar willen schieten, maar dat weet zij niet. Je deinst achteruit, maar zij heeft de revolver en houdt hem op je gericht. Ze huilt, om zichzelf, maar ook om jou. Je begint achteruit de deinzen, Rachel,' zei hij tegen haar. 'Ik wil je zien snikken. Dan knijp je je ogen dicht en haalt de trekker over.'

Zack ging weer op zijn plaats staan. 'Cutter!'

De camera-assistente hield de clappers voor de camera. 'Scène 126, take vijf!'

'Actie!'

Dit zou de laatste, de perfecte take worden, Zack vóelde het gewoon terwijl hij zag hoe Austin Rachel beetgreep en haar, terwijl hij haar met zijn handen en mond verslond, op de hooibalen trok. Er was nu geen dialoog, maar de achtergrondgeluiden zouden achteraf worden ingedubd, dus toen Rachel de revolver probeerde te pakken, vuurde Zack haar aan om zich feller te verzetten. 'Vooruit, bijt van je af!' blafte hij, en voegde er op ironische toon aan toe: 'Doe maar gewoon alsof ik het ben!' Het werkte, want ze ging als een bezetene tegen Tony tekeer, stompte hem waar ze maar kon, en kreeg de revolver te pakken.

Later zou het geluid van een revolverschot in de plaats komen van de zachte 'plop' van de losse flodder die nu in de revolver zat. Zack keek naar Tony die haar het wapen afhandig probeerde te maken, en wachtte op het juiste moment in de worsteling waarop hij 'Schiet!' zou kunnen roepen zodat Tony de trekker over zou halen, de losse flodder af zou vuren, Rachel achterover in het hooi zou vallen en het zakje met nepbloed bij haar schouder kapot zou drukken. Dit was het moment! '*Schiet!*' riep hij uit, en Rachel schokte over haar hele lichaam terwijl de luide knal van het revolverschot door de holle ruimte van de stal weerkaatste.

Iedereen verstijfde, was verlamd van de onverwacht luide knal op het moment waarop ze alleen maar een zachte 'plop' van de losse flodder hadden verwacht. Rachel zakte langzaam uit Tony's armen op de vloer, maar er was geen nepbloed dat zich vanuit haar nepschouderwond over haar arm verspreidde.

'Wel heb ik –' begon Zack, en snelde op haar toe. Tony stond over haar heen gebogen, maar Zack duwde hem opzij. 'Rachel?' zei hij, en draaide haar op haar zij. Er zat een klein gaatje in haar borst, en er sijpelde een heel dun straaltje bloed uit. Zacks eerste coherente gedachte, terwijl hij riep dat iemand de ambulance moest bellen en hij koortsachtig probeerde om haar hartslag te voelen, was dat dit wondje onmogelijk fataal zou kunnen zijn: Rachel bloedde amper, de wond zat dichter in de buurt van haar sleutelbeen dan in die van haar hart, en bovendien zou de dokter er zo zijn. Opeens begonnen de vrouwen te krijsen, de mannen te schreeuwen en verdrong iedereen zich om Rachel heen. 'Achteruit!' brulde Zack, en omdat hij geen hartslag kon vinden, begon hij haar mond-op-mondbeademing te geven.

Zack stond een uur lang in zijn eentje buiten de stal te wachten tot hij eindelijk iets zou horen van het medisch personeel en de politie die binnen bij Rachel waren. Het gazon en de oprijlaan stonden vol met politie-auto's en ambulances, en hun griezelige blauwe zwaailichten schenen in de stille, vochtige nacht.

Rachel was dood. Hij voelde het, hij wist het. Hij had de dood al eens eerder gezien; hij wist nog hoe hij eruitzag. Toch kon hij het niet geloven.

De politie had Tony en de cameraman al ondervraagd. Nu waren ze bezig met alle anderen te verhoren die tijdens het incident binnen in de stal waren geweest. Maar niemand wilde van Zack weten wat hij had gezien. Ondanks het feit dat het hem de nodige moeite kostte om helder na te denken, vond hij het toch vreemd dat niemand met hem wilde praten.

Boven zijn hoofd zag hij een licht naderbij komen, en hij hoorde het zoemen van een helikopter. Bij het zien van het rode kruis op de zijkant van de helikopter, haalde hij opgelucht adem; kennelijk waren ze van plan om Rachel naar het dichtstbijzijnde ziekenhuis te brengen, en dat kon alleen maar betekenen dat de medische staf haar hart weer aan de praat had gekregen. Net toen hij aan die geruststellende gedachte begon te wennen, zag hij iets dat zijn bloed in ijswater deed veranderen: de agenten die de omgeving afgezet hielden, gingen opzij om een zwarte auto door te laten. Het licht van de helikopter scheen op het portier. Op het portier stonden de woorden: Gemeentelijke Lijkschouwer.

Alle anderen zagen het ook. Emily stortte zich snikkend in de armen van haar vader. Zack hoorde Austin vloeken, en hoorde hoe Tommy hem vervolgens troostend toesprak. Diana keek met een strak, bleek gezicht naar de zwarte auto, en alle anderen keken alleen maar naar elkaar.

Maar niemand keek naar hem, of probeerde toenadering tot hem te zoeken. In zijn verdwaasde toestand vond hij dat vreemd, hoewel hij het eigenlijk wel best vond.

Hoofdstuk 8

De volledige cast en crew kregen de volgende dag huisarrest in hun hotel om door de politie ondervraagd te worden. Zack bracht de tijd in rusteloze verdwazing in zijn hotelkamer door, en terwijl de politie weigerde om hem ook maar iets van de ontwikkelingen te vertellen, hielden de nieuwsmedia het hele land van de laatste nieuwtjes op de hoogte. Volgens het middagjournaal van de NBC was de revolver geladen geweest met een dumdumkogel, een type kogel dat bij binnendringing van het lichaam in talloze kleine scherfjes uiteenspat en erop gericht is het lichaam te vernietigen in plaats van er dwars doorheen te gaan. Dat zou de verklaring zijn voor het feit dat Rachel op slag dood was geweest. Het 'CBS Evening News' had een deskundige op het gebied van de ballistiek naar de studio laten komen. De man stond voor een ezel waarop een tekening van Rachels lichaam was bevestigd, en met behulp van een aanwijsstok legde hij heel Amerika uit welke schade de kogel had aangericht en welk gedeelte van haar lichaam precies beschadigd was. Zack gaf een mep op het aan-en-uit-knopje van de afstandsbediening, ging naar de badkamer en gaf over. Rachel was dood, maar ondanks het feit dat er binnen hun huwelijk geen sprake van echte warmte was geweest, ondanks het feit dat ze voor Tony van hem had willen scheiden, kostte het hem verschrikke-lijk veel moeite om haar dood, en de verschrikkelijke manier waarop ze aan haar einde was gekomen te accepteren. Het Tien Uur Journaal van de ABC verkocht Zack een verbale klap toen de presentator meldde dat Rachel Evans Benedict volgens het autopsierapport zes weken zwanger was geweest.

Zack liet zich achterovervallen op de bank, sloot zijn ogen, slikte bittere gal terug en had een gevoel alsof hij zich midden in een orkaan bevond en alle kanten op werd geslingerd. Rachel was zwanger ge-weest. Maar niet van hem. Ze waren al in maanden niet meer met elkaar naar bed geweest.

Ongeschoren, en niet in staat om ook maar een hap door zijn keel te krijgen, ijsbeerde hij door zijn hotelsuite terwijl hij zich van tijd tot tijd afvroeg of iedereen onder arrest stond en zo ja, waarom niemand dan naar zijn suite was gekomen om te praten of om de tijd te doden. De telefooncentrale van het hotel stond roodgloeiend van mensen uit Hollywood die hem probeerden te bereiken, maar hij wist dat het merendeel van de opbellers niet zozeer belde om hem hun medeleven te betuigen, als wel uit regelrechte sensatiezucht. En dus weigerde hij om de gesprekken aan te nemen, met uitzondering van die van Matt Farrell. Ondertussen vroeg hij zich af wie er in godsnaam zo'n hekel aan Rachel gehad kon hebben dat hij of zij haar uit de weg had willen ruimen. Met het verstrijken van de uren verdacht hij om beurten iedereen die op de set aanwezig was geweest, waarna hij die verden-king dan weer van zich afzette omdat de argumenten regelrecht be-spottelijk en vergezocht waren.

In zijn achterhoofd was hij zich ervan bewust dat de politie motie-ven te over moest hebben om hem te verdenken, maar tegelijkertijd was dat zo'n belachelijke gedachte dat hij ervan overtuigd was dat de politie dat zou inzien.

Twee dagen na de moord op Rachel werd er op de deur van zijn suite geklopt. Zack deed open en stond oog in oog met de twee lange, grimmig kijkende rechercheurs die hem de vorige dag ondervraagd hadden. 'Meneer Benedict,' begon één van hen, maar Zack was in-tussen aan het einde van zijn geduld.

'Waarom blijven jullie ellendelingen je tijd met mij verspillen!' riep hij uit. 'Ik sta erop dat jullie mij nu zeggen welke vorderingen jullie hebben gemaakt in het onderzoek naar de moord op mijn vrouw –'

Hij was zo buiten zichzelf van woede, dat hij er absoluut niet op was voorbereid toen één van de twee mannen, die de suite binnen was gekomen en achter hem was gaan staan, hem opeens tegen de muur aan duwde en zijn handen achter op zijn rug trok. Zack voelde het koele staal van de handboeien om zijn polsen, precies op hetzelfde moment waarop de ander zei: 'Zachary Benedict, u staat onder arrest wegens verdenking van de moord op Rachel Evans. U hebt het recht om te zwijgen, u hebt het recht om een advocaat te bellen. Kunt u geen advocaat betalen –'

Hoofdstuk 9

'Dames en heren van de jury, u heeft de schokkende getuigenverklaring gehoord en het onweerlegbare bewijs gezien...' Alton Peterson, de openbare aanklager, stond roerloos en keek de twaalf juryleden doordringend aan. Dit was het moment waarop de jury een beslissing moest nemen over de afloop van een rechtszaak die, met zijn schandalige onthullingen over overspel en moord onder een aantal van Hollywoods supersterren, voor een holocaust aan publieke belangstelling had gezorgd.

De gangen van de rechtbank stonden afgeladen vol met verslaggevers van over de hele wereld die in spanning wachtten op de laatste ontwikkelingen in het proces tegen Zachary Benedict. Er was een tijd geweest waarin de pers aan Zacks voeten lag, maar nu schepte diezelfde pers er groot genoegen in om het geboeide Amerikaanse publiek, sappig detail voor sappig detail, te melden hoe de alom bewonderde ster steeds verder van zijn voetstuk viel.

'U heeft het bewijs gehoord,' bracht Peterson de juryleden tijdens zijn slotbetoog met nog meer nadruk in herinnering, 'het onweerlegbare bewijs van tientallen getuigen, waarvan sommigen zelfs met Zachary Benedict bevriend waren. U weet dat Zachary Benedict, op de avond voor de dag waarop Rachel Evans vermoord is, haar naakt heeft aangetroffen in de armen van Anthony Austin. U weet dat Zachary Benedict zo buiten zichzelf was van woede dat hij Austin aanviel en er meerdere mensen nodig waren om hem van Austin te scheiden. U heeft getuigenverklaringen gehoord van enkele hotelgasten die zich op de gang voor Benedicts suite bevonden en die daarna een felle ruzie hebben gehoord. Van die getuigen weet u dat Rachel Evans tegen Benedict heeft gezegd dat ze van plan was om van hem te scheiden om met Anthony Austin te trouwen, en dat ze van zins was om bij die scheiding de helft van Zachary Benedicts vermogen op te eisen. Diezelfde getuigen hebben ons verteld dat Benedict zijn vrouw waarschuwde, haar dreigde met de woorden, ik citeer...' Peterson keek in zijn aantekeningen, maar dat was alleen maar om het effect te verhogen, aangezien niemand in de rechtszaal dat dreigement vergeten was. Zijn stem verheffend, herhaalde hij: '*Ik vermoord je nog voordat ik je er met de helft vandoor laat gaan!*'

Hij greep zich vast aan de reling voor het vak van de jury, en keek elk van de twaalf gezworenen om beurten aan. 'En hij hééft haar vermoord, dames en heren. Hij heeft haar in koelen bloede vermoord, samen met het onschuldige, ongeboren kind dat zij in haar schoot droeg! U weet dat hij het heeft gedaan, en ik weet dat hij het heeft gedaan. Maar het is vooral de manier waaróp hij het heeft gedaan dat deze misdaad zo laag, zo weerzinwekkend maakt, want het laat ons zien wat voor soort koelbloedig monster Zachary Benedict in feite is.' Hij draaide zich om, begon heen en weer te lopen en herhaalde hoe de moord zich precies voltrokken had. En toen was hij toe aan zijn conclusie: 'Zachary Benedict is met voorbedachten rade te werk gegaan. Hij heeft vierentwintig uur gewacht zodat hij zijn troetelkind, zijn dierbare film eerst kon voltooien, en pas toén heeft hij gekozen voor een methode van wraak nemen die zo bizar, zó koelbloedig is dat ik ervan moet kokhalzen! Hij heeft de revolver geladen met dumdumkogels, en tijdens het laatste moment waarop ze het einde van de film aan het opnemen waren, bracht hij opeens een verandering aan in het script, zodat zijn vrouw, en niet Anthony Austin tijdens hun gespeelde worsteling neergeschoten zou worden!'

Alton bleef staan en pakte de reling opnieuw beet. 'Niets van wat ik u hier verteld heb is ontsproten aan mijn fantasie. U heeft de getuigenverklaringen die het bewijs vormen gehoord: tijdens de middag voor de moord is Zachary Benedict, terwijl de rest van de crew pauzeerde, alleen de stal binnengegaan, zogenaamd om een aantal dingen op de set te veranderen. Een aantal mensen hebben hem daar naar binnen zien gaan – hij heeft het bovendien zelf toegegeven – maar niemand van de crew kon zich herinneren dat er later, toen ze allemaal weer op de set waren teruggekeerd, ook maar iets aan het decor gewijzigd was. Wat deed hij daarbinnen? U weet wat hij daarbinnen deed! Hij was naar binnen gegaan om de onschadelijke losse flodders, die door een van de produktieassistenten in het magazijn waren gestopt, te verwisselen voor dodelijke kogels. Ik wijs u er nogmaals op dat Benedicts vingerafdrukken op de revolver zaten. De enige vingerafdrukken op de revolver waren die van Zachary Benedict, en hij heeft ze er waarschijnlijk per vergissing op achtergelaten nadat hij het wapen had afgeveegd. En heeft hij de moord daarna toen zo snel mogelijk gepleegd zoals een gewone moordenaar gedaan zou hebben? Nee, niet Zachary Benedict. In plaats daarvan,' Alton wendde zich tot de verdachte en keek deze met onverhulde walging aan, 'stond Zachary Benedict naast de cameraman, keek toe terwijl zijn vrouw en haar geliefde elkaar kusten en betastten, en liet hen die scène *keer op keer overdoen!* Telkens liet hij hen ophouden op het moment waarop zijn vrouw op het punt stond de revolver te pakken. En pas toen, nadat hij zich voldoende "geamuseerd" had, nadat hij zich voldoende op ziekelijke wijze op hen had gewroken en hij het moment niet langer uit kon stellen waarop het script vermeldde dat zijn vrouw de revolver moest pakken om op Tony Austin te schieten, toen besloot Zachary Benedict opeens om *het script te wijzigen!*'

Hij draaide zich om en stak een beschuldigende vinger naar Zack uit. Op een toon die vervuld was van walging, vervolgde hij: 'Zachary Benedict is zo door zijn roem en rijkdom gecorrumpeerd dat hij zich boven elke wet achtte, elke wet die geldt voor u en voor mij. Hij was ervan overtuigd dat u hem hier ongestraft vanaf zou laten komen! Kijk naar hem, dames en heren van de jury –'

Alle aanwezigen in de zaal keken naar de man die aan de tafel van de verdediging zat. De advocaat die rechts van Zack zat, siste hem toe: 'Verdomme, Zack, kijk die jury aan!'

Zack gehoorzaamde automatisch, maar hij betwijfelde of dit gebaar zou helpen om de jury van mening te laten veranderen.

'Kijk naar hem, dames en heren,' herhaalde Alton Peterson vol vuur, 'en u ziet de ware Zachary Benedict – een man die zich schuldig heeft gemaakt aan moord met voorbedachten rade! Dit is de uitspraak, de énige uitspraak die u in dit geval kunt doen wanneer u wilt dat er recht geschiedt!'

De volgende ochtend trok de jury zich terug om te overleggen, en Zack, die na betaling van een borgsom van één miljoen dollar in vrijheid was gesteld, keerde terug naar zijn suite in het Crescent Hotel waar hij afwisselend overwoog om naar Zuid-Amerika te ontsnappen of om Tony Austin te vermoorden. In zijn ogen was Tony de meest voor de hand liggende verdachte, maar niemand, noch Zacks advocaten noch de privé-detectives die ze hadden ingehuurd, had ook maar iets kunnen ontdekken waarmee zijn schuld bewezen kon worden, behalve dan dat hij er nog steeds een kostbaar verslavingsgedrag op na hield – een gedrag waar hij meer aan toe had kunnen geven wanneer Rachel nog geleefd zou hebben en na haar scheiding van Zack met hem getrouwd was. Sterker nog, als Zack niet op het allerlaatste moment besloten zou hebben om het script te wijzigen, dan zou Tony, en niet Rachel het slachtoffer zijn geweest. Zack probeerde zich te herinneren of hij er ooit met Tony over had gesproken dat het einde zoals het in het script stond hem niet beviel, en dat hij het eigenlijk wilde veranderen. Het overkwam hem wel eens dat hij hardop over de dingen nadacht en met anderen over zijn ideeën sprak, waar hij zich dan achteraf niets meer van herinnerde. Hij had aantekeningen gemaakt op zijn script over de manier waarop hij het einde had willen veranderen, en had zijn script rond laten slingeren, maar geen van de getuigen had zich daar, volgens hun uitspraak, iets van kunnen herinneren.

Als een gekooide tijger liep hij in zijn suite heen en weer, het lot, Rachel en zichzelf vervloekend. Keer op keer liep hij in gedachten de conclusie van zijn eigen advocaat na en probeerde zichzelf ervan te overtuigen dat Arthur Handler in staat was geweest om de jury aan te tonen dat hij vrijspraak had verdiend. Handlers enige, geloofwaardige argument was geweest dat Zack wel dommer dan dom geweest zou moeten zijn om zo'n bizarre misdaad te plegen wanneer hij van tevoren had kunnen weten dat uit elk stukje bewijs zou blijken dat hij de dader was. Toen tijdens de zitting naar voren kwam dat Zack een grote collectie wapens bezat en hij alles af wist van de verschillende soorten revolvers en munitie, had Handler proberen aan te voeren dat Zack, aangezien dit waar was, echt wel in staat zou zijn geweest om de patronen te verwisselen zonder vingerafdrukken op het wapen na te laten.

Zack bleef met het idee spelen om naar Zuid-Amerika te vluchten en dan te verdwijnen, maar het was een waardeloos idee en dat wist hij. Om te beginnen zou de politie, wanneer hij vluchtte, onmiddellijk aannemen dat hij schuldig was. Ten tweede was zijn gezicht, en helemaal nu na alle publiciteit die de zaak had gekregen, zo bekend dat hij overal waar hij ook maar naartoe zou gaan, meteen herkend zou worden. Het enige positieve waar hij op kon rekenen, was dat Tony Austin nooit meer in een film zou spelen, niet nu al zijn verslavingen en perverse afwijkingen uitgebreid in de media waren besproken.

Toen er de volgende ochtend op zijn deur werd geklopt, was hij tot het uiterste gespannen. Hij rukte de deur open en keek verbaasd naar de enige vriend die hij ooit onvoorwaardelijk had vertrouwd. Zack had niet gewild dat Matt Farrell bij het proces aanwezig was, want hij wilde niet dat de beroemde zakenman op enigerlei wijze betrokken zou worden bij alles wat er over Zack werd gezegd en geschreven. Aangezien Matt tot gisteren in Europa was geweest om onderhandelingen te voeren over een bedrijf dat hij wilde kopen, was het voor Zack niet moeilijk geweest om optimistisch te klinken toen zijn vriend had gebeld. Nu hoefde Zack maar één blik op het grimmige gezicht van zijn vriend te werpen, om te begrijpen dat hij de onthutsende waarheid inmiddels al kende en alleen daarom naar Dallas was gekomen.

'Naar je gezicht te oordelen, ben je niet echt blij mij te zien,' zei Matt op droge toon, terwijl hij de suite binnenging.

'Ik heb je toch gezegd dat je niet hoefde te komen,' zei Zack, en deed de deur dicht. 'De jury is aan het beraadslagen. Alles komt goed.'

'In dat geval,' zei Matt die zich door de niet bijster enthousiaste begroeting niet uit het veld liet slaan, 'kunnen we de tijd doden met het spelen van een partijtje poker. O'Hara is de auto aan het wegzetten en reserveert kamers voor ons,' voegde hij er, refererend aan zijn chauffeur/lijfwacht, aan toe. Hij trok zijn jasje uit, wierp een blik op Zacks oververmoeide gezicht en pakte de telefoon. 'Je ziet er allerbelabberdst uit,' zei hij, waarna hij voor hen drieën bij room service een uitgebreid ontbijt bestelde.

'Dit is mijn geluksdag,' zei Joe O'Hara zes uur later, terwijl hij een handvol dollarbiljetten van het midden van de tafel pakte. De reusachtige man, met het uiterlijk van een worstelaar, verborg zijn eigen zorgen over Zacks toekomst achter een overdreven vrolijk gezicht waar niemand intrapte maar dat wel zorgde voor een minder gedrukte stemming.

'Help me onthouden dat ik je salaris kort,' zei Matt met een zure blik op de almaar hoger wordende stapel biljetten die de chauffeur bij zijn elleboog had liggen. 'Het feit dat je mee kunt doen in een spel met dit soort hoge inzetten, betekent dat je te veel verdient.'

'Dat zeg je altijd wanneer ik het met kaarten van jou en Zack win,' antwoordde O'Hara vrolijk, en begon de kaarten te schudden. 'Dit heeft wel iets van vroeger, van de tijd dat we nog regelmatig in Carmel speelden. Alleen deden we het toen altijd 's nachts.'

En Zacks leven stond niet op het spel...

De onuitgesproken gedachte hing zwaar in het vertrek, en werd doorbroken door het schrille rinkelen van de telefoon.

Zack nam op, luisterde en stond op. 'De jury heeft een uitspraak bereikt. Ik moet gaan.'

'Ik ga met je mee,' zei Matt.

'Ik rij de auto wel voor,' zei O'Hara, en haalde de autosleutels al uit zijn zak.

'Dat is niet nodig,' zei Zack. Hij moest verschrikkelijk zijn best doen om het gevoel van paniek dat hem dreigde te overweldigen, te onderdrukken. 'Mijn advocaten komen me halen.' Hij wachtte tot O'Hara hem een hand had gegeven en weg was gegaan, en toen keek hij naar Matt en liep naar het bureau. 'Ik moet je om een gunst vragen.' Hij haalde een officieel uitziend document uit de la en gaf het aan zijn vriend. 'Ik heb dit laten opstellen voor het geval er iets mis zou gaan. Het is een volmacht waarmee je het volste recht krijgt om namens mij op te treden in zaken die met mijn vermogen of bezit te maken hebben.'

Matt Farrell bekeek het papier en hij trok bleek weg in het besef dat Zack er rekening mee hield dat hij veroordeeld zou worden.

'Het is maar een formaliteit. Ik weet zeker dat je er nooit een beroep op zult hoeven doen,' loog Zack.

'Ik ook,' loog ook Matt.

De beide mannen keken elkaar aan. Ze waren bijna even lang, hadden nagenoeg dezelfde bouw en kleur haar, en zelfs hun trotse, door vals vertrouwen gekenmerkte gezichtsuitdrukkingen leken op elkaar. Toen Zack zijn jasje pakte, schraapte Matt zijn keel en vroeg met tegenzin: 'Als... als ik hier toch een beroep op moet doen, wat wil je dan dat ik doe?'

Zack ging voor de spiegel staan om zijn das te strikken, en zei in een niet erg geslaagde poging om grappig te zijn: 'Probeer alleen maar te voorkomen dat ik failliet ga, dat is alles.'

Een uur later, in de rechtszaal, zag Zack de deurwaarder binnenkomen en het oordeel van de jury aan de rechter overhandigen. Alsof de woorden van heel ver kwamen, hoorde hij de rechter zeggen:

'– schuldig bevonden aan moord met voorbedachten rade...'

Na enig overleg over het vaststellen van de straf, hoorde hij een oordeel dat nog veel ingrijpender was dan het eerste: 'De straf is vastgesteld op vijfenveertig jaar hechtenis in de strafgevangenis van Amarillo... Het verzoek tot vrijlating op borgtocht is afgewezen op grond van het feit dat er sprake is van een inhechtenisneming van langer dan vijftien jaar...

Zack weigerde om ook maar een krimp te geven, weigerde om ook maar iets te doen waaruit de waarheid zou kunnen blijken: innerlijk schreeuwde hij het echter uit.

Hij stond kaarsrecht, zelfs toen iemand hem bij de polsen greep, ze ruw achter zijn rug trok en hem in de boeien sloeg.

Hoofdstuk 10

1993

'Pas op, juf!' De schrille waarschuwing van de jongen in de rolstoel kwam te laat; Julie dribbelde de basketbal voor zich uit, draaide zich lachend om om de bal naar de basket te gooien, en bleef met haar enkel haken achter de voetsteun van een rolstoel. Ze viel achterover en belandde hard op haar stuitje.

'Juf, juffie Mathison!' weerklonk het geschrokken uit de monden van de gehandicapte kinderen van de gymklas die Julie na schooltijd, wanneer haar vaste rooster erop zat, nog een extra les gaf. Kinderen in rolstoelen en op krukken verdrongen zich om haar heen. 'Hebt u zich pijn gedaan, juf?' vroegen ze in koor. 'Hebt u zich bezeerd?'

'Dat niet,' zei Julie terwijl ze overeind begon te krabbelen en haar haren uit haar ogen streek, 'maar mijn trots is diep gekrenkt.'

Willie Jenkins, de negenjarige macho van de school die als lijnrechter was opgetreden, stak zijn handen in zijn zakken, keek haar met een verbaasde grijns aan en zei met zijn zware kikkerstem: 'Hoe kan uw trots nu gekrenkt zijn als u op uw ko-'

'Het ligt er maar aan hoe je de dingen bekijkt, Willie,' viel Julie hem lachend in de rede. Ze was bijna overeind, toen een paar glanzende bruine schoenen, bruine sokken en bruine broekspijpen haar gezichtsveld binnenkwamen.

'Juffrouw Mathison!' blafte het hoofd van de school, terwijl hij met een bedenkelijk gezicht naar de wielsporen op de vloer van de gymzaal keek. 'Dit ziet er niet echt uit als een partijtje basketbal. Wat voor spel bent u hier aan het spelen?'

Hoewel Julie al drie jaar lesgaf op de lagere school van Keaton, was haar relatie met het schoolhoofd er nauwelijks op verbeterd sinds hij haar, vijftien jaar geleden, ervan beschuldigd had dat ze het lunchgeld van de klas had gestolen. Hoewel hij inmiddels niet langer aan haar integriteit twijfelde, ergerde hij zich nu groen en blauw aan het feit dat ze de gewoonte had om het, ten behoeve van haar leerlingen, niet al te nauw te nemen met de regels van de school. En dat was niet het enige. Ze viel hem voortdurend lastig met nieuwe ideeën, en wanneer hij te kennen had gegeven dat hij niets van die plannen wilde weten, wist ze de rest van het stadje voor haar ideeën te winnen en slaagde ze er, wanneer er geld nodig was, in om dat geld van de bevolking te krijgen. Het gevolg van een van haar plannen was, dat de school sinds enige tijd over een speciale gymles en faciliteiten voor lichamelijk gehandicapte kinderen beschikte. En de gymlessen waren nog niet goed en wel van start gegaan, of Julie Mathison was weer met een nieuw project gekomen: het uitroeien van het analfabetisme onder de vrouwelijke bevolking van Keaton en omstreken. Het was allemaal begonnen met de ontdekking dat de vrouw van de conciërge niet kon lezen. Julie Mathison had de vrouw gevraagd om bij haar thuis te komen, en was begonnen haar daar les te geven. Al snel bleek dat de vrouw nog een andere vrouw kende die ook niet kon lezen, en die vrouw kende ook weer iemand. Binnen de tijd van een paar weken had ze een groepje van zeven vrouwen om zich heen verzameld, en juffrouw Mathison had hem gevraagd of ze 's avonds van een klaslokaal gebruik mocht maken.

Toen meneer Duncan bezwaar had gemaakt en haar had gewezen op de extra kosten die verbonden waren aan het buiten normale schooluren openhouden van een lokaal, had ze liefjes geglimlacht en gezegd dat ze het dan wel aan de rector van de middelbare school zou vragen. Liever dan de indruk te wekken dat hij een harteloos monster was wanneer de rector wel gevoelig zou blijken te zijn voor haar blauwe ogen en lieve glimlachje, had meneer Duncan uiteindelijk toegegeven. En daarmee was de zaak nog niet klaar geweest. Het irritante mens was tot de conclusie gekomen dat ze speciale leermiddelen nodig had om het leerproces van 'haar' volwassenen te versnellen. Zoals hij inmiddels wel wist, rustte Julie Mathison, wanneer ze eenmaal ergens haar zinnen op had gezet, niet voor ze haar doel had bereikt. In de overtuiging dat ze gelijk had en dat het om een belangrijk principe ging, bleek Julie Mathison niet alleen koppig te zijn, maar vooral ook over een grenzeloze energie en optimisme te beschikken. Hij vond die trekjes van haar even bewonderenswaardig als irritant.

Ze was ten aanzien van haar gehandicapte kinderen al waanzinnig vastberaden geweest, maar dit alfabetiseringsproject was een persoonlijke kruistocht voor haar, en ze liet zich er dan ook op geen enkele manier vanaf brengen. Ze had zich voorgenomen om de speciale leermiddelen die ze nodig had hoe dan ook te krijgen, en hij wist zeker dat het feit dat ze per se twee dagen vrij wilde hebben om naar Amarillo te gaan iets te maken had met het geld dat ze nodig had om het materiaal te bekostigen. Hij had gehoord dat ze de vermogende grootvader van een van haar gehandicapte leerlingen – een man die toevallig in Amarillo woonde – had overgehaald om geld te schenken voor materiaal dat nodig was voor het gehandicaptenproject. Het zou meneer Duncan niets verbazen als ze opnieuw een bezoek aan de nietsvermoedende man wilde brengen om hem om geld te vragen voor haar vrouwenklasje.

Het was met name die 'inzamelingsgeest' van haar die meneer Duncan uitermate gênant vond. Hij vond het verlagend dat ze bij rijke mensen langsging en om geld bedelde. In de drie jaar dat Julie nu op de lagere school lesgaf, had ze het voor elkaar gekregen om de spreekwoordelijke nagel aan zijn doodkist te worden. Dat was dan ook de reden waarom hij absoluut ongevoelig was voor haar lieftallige verschijning terwijl ze nu overeind krabbelde en haar leerlingen naar de kleedkamers stuurde. Met haar onopgemaakte gezicht en haar schouderlange, kastanjebruine haren in een strakke paardestaart, straalde ze die jeugdige vitaliteit uit die hem indertijd, toen hij haar had aangenomen, had laten denken dat ze lief, knap en ongecompliceerd was. Ze was lang en slank, en had een mooi gezichtje met een goedgevormde neus, hoge jukbeenderen en een volle, zachte mond. Onder haar mooi gevormde wenkbrauwen keek ze met grote, stralend blauwe ogen met lange wimpers, schijnbaar onschuldig en vriendelijk de wereld in. Maar zoals hij tot zijn ergernis had ontdekt, was het alleen haar koppige kinnetje met dat onvrouwelijke kuiltje erin, dat verried hoe haar werkelijke karakter was.

Ongeduldig wachtte hij tot deze jonge onruststookster klaar was met haar 'team', haar trainingspak had uitgetrokken en met haar vingers door haar haren had gekamd. Toen pas verwaardigde hij zich haar te vertellen waarom hij op dit ongebruikelijke uur buiten schooltijd naar de gymzaal was gekomen. 'Ik ben opgebeld door je broer Ted. Er was verder niemand meer boven om de telefoon op te nemen,' voegde hij er geïrriteerd aan toe. 'Hij heeft me verzocht of ik je wilde zeggen dat je moeder wil dat je om acht uur komt eten, en dat je Carls auto kunt krijgen voor je reis. Hij, eh, zei dat je naar Amarillo zou gaan. Dat had je mij er niet bij verteld, toen je vroeg of je om persoonlijke redenen twee dagen vrij kon krijgen.'

'Ja, ik ga naar Amarillo,' beaamde Julie met een stralende onschuldige glimlach waarvan ze vergeefs hoopte dat dat voldoende zou zijn om hem het zwijgen op te leggen.

'Heb je daar vrienden wonen?' vroeg hij met opgetrokken wenkbrauwen.

Julie ging naar Amarillo om een bezoek te brengen aan de vermogende grootvader van een van haar gehandicapte leerlingen, in de hoop dat hij bereid zou zijn om geld te geven voor haar alfabetiseringsproject... en ze had het akelige voorgevoel dat meneer Duncan dat al min of meer vermoedde. 'Ik mis maar twee schooldagen,' antwoordde ze ontwijkend, 'en ik heb al voor vervanging gezorgd.'

'Amarillo is honderden kilometers rijden; daar moet je wel een belangrijke reden voor hebben.'

In plaats van antwoord te geven en de man te vertellen wat ze in Amarillo van plan was, schoof ze haar mouw op, keek op haar horloge, en zei op een gehaast toontje: 'Lieve help! Het is al halfvijf! Ik mag wel opschieten als ik nog naar huis wil om te douchen en iets anders aan te trekken, voordat ik om zes uur weer hier moet zijn voor mijn les!'

Toen Julie de school uit liep, stond Willie Jenkins bij haar auto op haar te wachten. Op zijn voorhoofd lag een diepe rimpel. 'Ik hoorde meneer Duncan zeggen dat u naar Amarillo gaat,' zei hij met zijn vreemde, raspende stem. 'En ik vroeg me af, juf – Ik bedoel, mag ik nu zingen of niet, op het Winterfeest?' Julie deed haar best om haar gezicht in de plooi te houden. Net als zijn oudere broers was Willie een eerste klas sporter, en hij werd altijd het eerste uitgekozen voor een team; hij was het populairste jochie van de onderbouw, en daarom stak het hem verschrikkelijk dat hij, wanneer het om iets ging dat met muziek te maken had, altijd als láátste werd gekozen. De reden waarom hij nooit een rol kreeg waarbij gezongen moest worden, was dat het publiek, zodra hij zijn mond maar opendeed, meteen al dubbel lag van de lach.

'Daarvoor moet je niet bij mij zijn, Willie,' zei Julie, terwijl ze haar tas op de achterbank van haar oude Fordje gooide. 'Ik heb dit jaar niet de leiding over het Winterfeest.'

Hij grijnsde het soort schaapachtige grijns van een man die intuïtief aanvoelt dat een vrouw een zwak voor hem heeft – en dat had Julie ook voor hem. Ze hield van zijn optimisme en zijn gevoel voor humor, en vooral van de manier waarop hij omging met Johnny Everett, een van de gehandicapte jongetjes in haar klas. 'Ik bedoel, als u wèl de leiding gehad zou hebben, zou u mij dan wel laten zingen?'

'Willie,' zei Julie glimlachend, en startte de motor, 'op de dag waarop ik mag beslissen wie er zingt, mag jíj van mij zingen.'

'Belooft u dat?'

Julie knikte. 'Kom maar eens een keertje naar de kerk, en dan zal ik het je bewijzen. Je mag van mij in het jeugdkoor zingen.'

'Mijn ouders zijn niet zo voor de kerk.'

'Tja, Willie, dat is een dilemma,' zei Julie. Ze reed langzaam achteruit en sprak tegen hem door het open raampje.

'Wat is dat, een di-lemma?'

Ze woelde met haar vingers door zijn haar. 'Zoek dat maar op in het woordenboek.'

Op haar weg naar huis kwam ze door het 'centrum' van Keaton, een handjevol winkels en bedrijfjes op het plein waar ook het statige oude gemeentehuis stond. Toen ze als kind naar Keaton was gekomen – een klein Texaans stadje zonder brede boulevards, wolkenkrabbers of achterbuurten – had ze het allemaal heel vreemd gevonden. Het had evenwel niet lang geduurd voor ze van de rustige straten en de vriendelijke sfeer was gaan houden. Het was in de afgelopen vijftien jaar nauwelijks veranderd. Keaton was grotendeels nog wat het altijd was geweest, een schilderachtig plaatsje met een witte muziekkapel midden in het park, en klinkerstraatjes met keurig onderhouden huizen. Hoewel het inwonertal van drie- naar vijfduizend was gestegen, hadden de nieuwe bewoners zich aan de sfeer aangepast in plaats van de oorspronkelijke bewoners hun manier van leven op te leggen. De meeste bewoners gingen nog steeds op zondag naar de kerk, de mannen gingen nog steeds elke eerste vrijdag van de maand naar de Elk's Club, en zomerse feestdagen werden nog altijd, compleet met de plaatselijke fanfare, op het feestelijk versierde stadsplein gevierd. Vroeger waren de burgers met paard en wagen, of gewoon te paard naar dit soort feesten toe gekomen. Nu kwamen ze met pick-ups of met de auto, maar er werd nog steeds evenveel gelachen en gezongen als weleer. De kinderen speelden nog steeds tikkertje, of liepen aan de hand van hun ouders met een ijsje door het park. Hun grootouders zaten op de bankjes en haalden herinneringen op aan vroeger. Het was een stadje waar oude vriendschappen, tradities en herinneringen in ere werden gehouden. Het was ook een stadje waar iedereen alles van elkaar wist.

Julie maakte daar intussen deel van uit; ze voelde zich hier geborgen, en ze was hier thuis, en sinds haar elfde had ze ervoor gewaakt om ook maar iets te doen waarover geroddeld zou kunnen worden.

Als tiener was ze alleen maar uitgegaan met die jongens waar door niemand iets op aan te merken was geweest, en ze ging alleen maar naar openbare bijeenkomsten wanneer haar ouders daar ook naartoe gingen. Ze kwam nooit te laat thuis, overtrad nooit verkeersregels en deed nooit iets wat niet door de beugel kon. Tijdens haar opleiding bleef ze thuis wonen, en toen ze uiteindelijk en jaar geleden zelfstandig was gaan wonen in een huurhuis aan de rand van de stad, hield ze dat huis altijd keurig schoon en opgeruimd en liet ze na donker geen mannen meer binnen die geen familie waren. Andere, in de tachtiger jaren opgroeiende vrouwen zouden zich onder dergelijke, al dan niet zelfopgelegde, beperkende omstandigheden ongelukkig hebben gevoeld, maar Julie niet. Ze had een echt thuis gevonden, liefhebbende ouders en broers die haar respecteerden en vertrouwden, en ze had zich vast voorgenomen om hen nooit teleur te stellen. Haar inspanningen leidden ertoe dat Julie Mathison, als volwassene, als een voorbeeld, als een modelburger van Keaton werd beschouwd. Behalve dat ze lesgaf op de lagere school, en met gehandicapte kinderen en vrouwen werkte die niet konden lezen, gaf ze ook nog eens les op de zondagsschool, zong ze in het koor, bakte ze koekjes voor de kerk en maakte ze kleden om geld op te halen voor een nieuwe brandweerkazerne.

Zorgvuldig had ze alle sporen uitgewist van het roekeloze straatschoffie dat ze ooit eens was geweest. Toch kreeg ze voor elke opoffering die ze maakte zo veel terug, dat ze altijd weer het gevoel had dat ze een bevoorrecht mens was. Ze vond het heerlijk om met kinderen te werken, en het lesgeven aan de vrouwen gaf haar een kik. Ze had zich een volmaakt plaatsje binnen de maatschappij verworven. Maar toch had ze soms, wanneer ze 's avonds alleen in bed lag, wel eens vagelijk het gevoel dat er iets was dat niet helemaal klopte. Er was iets wat niet helemaal was zoals het behoorde te zijn. Dan had ze het gevoel alsof ze een bepaald soort rol aan het spelen was, en wist ze niet goed wat haar volgende stap zou moeten zijn.

Een jaar geleden had Julie's vader hulp gekregen van Greg Howley, een jonge dominee. Toen had Julie opeens begrepen wat er aan haar leven ontbrak: ze had inmiddels behoefte aan een man en eigen kinderen. Greg had daar net zo over gedacht. Ze hadden het over trouwen gehad, maar Julie had willen wachten tot ze helemaal zeker van haar gevoelens was, en inmiddels zat Greg in Florida, had hij zijn eigen gemeente, en wachtte hij nog steeds tot ze eindelijk eens een besluit zou nemen. De roddeltantes van het stadje, die de knappe jonge dominee een uitstekende partij voor Julie hadden gevonden, waren teleurgesteld geweest toen Greg een maand na Kerstmis vertrokken was zonder zich eerst met Julie verloofd te hebben. Ook Julie zelf vond dat Greg een goede partij was. Behalve 's avonds, in bed, wanneer die vage, onbestemde twijfels de kop opstaken...

Hoofdstuk 11

Julie stond met haar heupen tegen haar bureau geleund, en keek glimlachend naar de zeven vrouwen – waarvan de jongste twintig, en de oudste zestig was – die bezig waren om te leren lezen. Ze was diep onder de indruk van hun vastberadenheid, hun moed en de overgave waarmee ze zich op het werk stortten, en langzaam maar zeker begon ze ze ook een beetje te leren kennen. Ze had nog een kleine twintig minuten voor ze thuis, bij haar ouders werd verwacht, en hoewel ze het naar vond, zou ze nu toch een einde aan de les moeten maken. Ze keek met tegenzin op haar horloge, en zei: 'Zo, jongens, dat was het wel voor vandaag. Hebben jullie nog vragen over het huiswerk voor volgende week, of wil iemand misschien nog iets zeggen?'

Zeven ernstige gezichten keken haar aan. Rosalie Silmet, een ongehuwde moeder van vijfentwintig, stak haar hand op en zei verlegen: 'Wij – allemaal – zouden je willen zeggen hoe dankbaar we je voor deze lessen zijn. Ze hebben mij aangewezen om het woord te voeren, omdat ik tot dusver het verste ben met lezen. We wilden je zeggen hoeveel je voor ons hebt gedaan, alleen al door ons in onszelf te laten geloven. Sommigen van ons,' ze aarzelde en keek naar Pauline Perkins die onlangs, op Rosalie's aandringen, bij het groepje was gekomen, 'geloven niet dat je ons kunt leren lezen en schrijven, maar we zijn bereid je een kans te geven.'

Julie keek naar de donkerharige, ernstige vrouw van een jaar of veertig, en vroeg vriendelijk: 'Pauline, hoe komt het dat je denkt dat je het niet kunt leren?'

De vrouw stond op alsof ze het tegen iemand van groot aanzien had, en bekende: 'Mijn man zegt dat ik, als ik niet stom zou zijn, als kind wel geleerd zou hebben om te lezen en te schrijven. Mijn kinderen zeggen hetzelfde. Ze zeggen dat ik uw tijd verspil. Ik ben ook alleen maar hier omdat Rosalie zegt dat ze heel snel leert en ook altijd gedacht had dat ze het nooit zou kunnen. Ik heb gezegd dat ik het wel een paar weekjes wilde proberen.'

De andere vrouwen knikten instemmend, en Julie sloot haar ogen voordat ze hun de waarheid bekende die ze zo lang verzwegen had. 'Ik wéét dat jullie het kunnen leren. En ik weet uit eigen ervaring dat het niet kunnen lezen en schrijven helemaal niet wil zeggen dat iemand dom is. En dat kan ik bewijzen.'

'Hoe dan?' vroeg Pauline.

Julie haalde diep adem en zei: 'Ik weet het zo zeker omdat ik, toen ik naar Keaton kwam, in de vierde klas zat en nog niet half zo goed kon lezen als Rosalie nu al doet na een paar lessen. Ik weet hoe het voelt om te denken dat je te stom bent om te leren. Ik weet hoe het voelt om over een gang te lopen en de bordjes op de toiletten niet te kunnen lezen. Ik ken alle trucs die jullie bedacht hebben om het feit dat jullie niet kunnen lezen en schrijven voor anderen te verbergen opdat je niet uitgelachen zult worden. Ik lach jullie niet uit. Dat zal ik nooit doen. Want er is nog iets dat ik weet... ik weet hoeveel moed ervoor nodig is om hier twee keer per week naartoe te komen.'

De vrouwen keken haar stomverbaasd aan, en toen vroeg Pauline: 'Is dat echt waar? Kon u echt niet lezen?'

'Het is echt waar,' zei Julie zacht, en keek haar strak aan. 'En daarom geef ik jullie ook les. Daarom is mij er ook zo veel aan gelegen om het nieuwe materiaal te kopen dat tegenwoordig beschikbaar is om volwassenen te leren lezen. Jullie kunnen erop vertrouwen,' zei ze, 'dat ik dat nieuwe materiaal zal krijgen, en daarvoor ga ik morgenochtend naar Amarillo. Het enige dat ik op dit moment van jullie vraag, is of jullie een beetje vertrouwen in mij willen hebben. En in jullie zelf.'

'Ik heb wel meer dan een beetje vertrouwen in u,' zei Peggy Listrom terwijl ze opstond en haar schrift en pen bij elkaar pakte. 'Maar van mijzelf kan ik dat niet zeggen.'

'Ik kan niet geloven dat je dat echt hebt gezegd,' zei Julie plagend. 'Heb ik je aan het begin van de les niet horen opscheppen dat je van de week een paar straatnamen hebt kunnen lezen?'

Toen Peggy grinnikte en het kindje oppakte dat voor haar op de stoel lag te slapen, werd Julie ernstig en begreep dat ze de groep een beetje moed moest inspreken. 'Misschien is het zinnig dat jullie je, voordat jullie naar huis gaan, nog eens even goed realiseren waaróm jullie zo graag wilden leren lezen. Rosalie, hoe staat het met jou?'

'Dat is niet moeilijk. Ik wil naar de stad waar genoeg werk te krijgen is, want ik wil geen bijstand meer. Maar ik kan geen baan krijgen omdat ik geen sollicitatieformulier kan invullen. En zelfs al zou ik daar een manier op weten te vinden, dan zou ik nog steeds geen behoorlijke baan kunnen krijgen omdat ik niet kan lezen.'

Twee andere vrouwen knikten instemmend, en Julie keek naar Pauline. 'Pauline, waarom wil jij zo graag leren lezen en schrijven?'

Ze grijnsde schaapachtig. 'Ik zou mijn man wel eens willen laten zien dat hij het mis heeft. Ik zou hem zo graag, al was het maar voor één keertje, willen bewijzen dat ik níet stom ben. En dan...'

'En dan?' drong Julie vriendelijk aan.

'En dan,' vervolgde ze met een dromerige zucht, 'zou ik mijn kinderen met hun huiswerk willen kunnen helpen.'

Julie keek naar Debby Sue Cassidy, een vrouw van tweeëndertig met stijl bruin haar en mooie bruine ogen die, omdat haar ouders zo vaak verhuisd waren, regelmatig van school was gehaald en er in de vijfde klas helemaal mee was opgehouden. Met name van haar had Julie het gevoel dat ze uitgesproken intelligent en creatief was, en dat ze een grote woordenschat had. Ze werkte als dienstmeisje; ze had het voorkomen van een bibliothecaresse. Aarzelend bekende ze: 'Als ik eenmaal kan schrijven, dan is er één speciaal ding dat ik graag zou willen doen.'

'En dat is?' vroeg Julie glimlachend.

'Niet lachen, hoor, maar ik zou graag een boek willen schrijven.'

'Ik lach niet,' zei Julie warm.

'Ik heb het gevoel dat het me ooit nog wel eens zal lukken. Ik bedoel, ik heb een heleboel goede ideeën voor verhalen. Ik – ik luister naar boeken die op bandjes zijn ingesproken – u weet wel, voor de blinden, hoewel ik helemaal niet blind ben. Maar soms heb ik wel eens het gevoel dat ik dat wel ben. Dan is het alsof ik in een lange, donkere tunnel ben die geen uitgang heeft. Alleen lijkt het alsof die uitgang er nu wel is. Als ik echt kan leren lezen.'

Deze bekentenissen hadden weer andere bekentenissen tot gevolg, en Julie begon een duidelijker beeld te krijgen van het soort leven dat deze vrouwen leidden. Wat ze allemaal misten, was een gevoel van eigenwaarde; het was duidelijk dat ze zich lieten overheersen door hun mannen, en dat ze allemaal het gevoel hadden dat ze niets beters verdienden. Toen ze ten slotte de deur van de klas achter zich dichttrok, was ze tien minuten te laat voor het eten, maar wist ze dat ze tot het uiterste zou gaan om de leermiddelen te krijgen die nodig waren om deze vrouwen zo snel mogelijk te leren lezen.

Hoofdstuk 12

Teds patrouilleauto stond al voor het huis van haar ouders, en Carl liep, tegen hem pratend, de oprit af. Carls blauwe Blazer, de auto waarvan hij had gezegd dat ze die moest nemen om naar Amarillo te gaan omdat haar eigen oude Fordje niet zo betrouwbaar was, stond op de oprit. Julie zette haar auto naast de Blazer en stapte uit. Beide mannen draaiden zich om en bleven op haar wachten, en zelfs na al deze jaren voelde ze nog steeds iets van trots en verbazing over het feit dat ze zulke knappe broers had die nog steeds evenveel van haar hielden als in het begin. 'Hallo, zus!' zei Ted, en hij omhelsde haar.

'Hallo,' zei ze. 'Hoe staat het met de handhaving van de wet?' Ted was hulpsheriff van Keaton, maar hij had zijn rechtenstudie zojuist voltooid en wachtte op de uitslag van zijn laatste tentamens.

'Uitstekend,' zei hij lachend. 'Ik heb mevrouw Herkowitz vanmiddag op de bon geslingerd voor oversteken naast het zebrapad, en je snapt dat mijn dag toen niet meer stuk kon.' Hoewel hij zijn best deed om een grapje te maken, getuigde zijn opmerking toch duidelijk van het cynisme had hij zich, sinds zijn kortstondige huwelijk met de dochter van de rijkste inwoner van Keaton drie jaar geleden op de klippen was gelopen, eigen had gemaakt. Hij was kapot geweest van de scheiding en was er een verbitterd man door geworden, en dat vonden ze thuis allemaal verschrikkelijk.

Carl daarentegen was sinds zes maanden getrouwd, en hij straalde terwijl hij haar omhelsde. 'Sara kan vanavond niet komen. Ze is nog steeds wat grieperig,' zei hij.

Het licht op de veranda brandde, en Mary Mathison verscheen, met een schort om haar middel gebonden, in de deuropening. Behalve een paar grijze haren in haar donkere krullen, en het feit dat ze sinds haar hartaanval alles wat rustiger aan was gaan doen, was ze nog even knap en levenslustig als altijd. 'Kinders,' riep ze, 'opschieten! Het eten staat koud te worden.'

Dominee Mathison stond achter haar. Hij was nog steeds lang en rijzig, maar hij was inmiddels een bril gaan dragen en zijn haar was bijna helemaal grijs. 'Vlug,' zei hij, waarna hij Julie omhelsde en de jongens op hun schouders klopte terwijl ze hun jassen weghingen.

Het enige dat in de loop der tijd, sinds de kinderen allemaal de deur uit waren en zelfstandig waren gaan wonen, aan de maaltijden bij de Mathisons thuis veranderd was, was dat Mary Mathison tegenwoordig liever van de eetkamer gebruik maakte en deze etentjes als iets bijzonders was gaan beschouwen. De maaltijden zelf waren evenwel nog steeds wat ze altijd waren geweest: een moment van gezellig samenzijn, een moment waarop gelachen kon worden en waarop over problemen kon worden gesproken waarvoor gezamenlijk oplossingen werden gezocht. 'Hoe staat het met de bouw van het huis van de Addlesons?' vroeg Julie's vader aan Carl toen ze klaar waren met het gebed.

'Niet zo best. Sterker nog, ik word er gek van. De loodgieter heeft de warmwaterleidingen aangesloten op de koudwaterkranen, en de elektricien heeft het licht van de veranda aangesloten op de schakelaar boven de afvalverwerker, dus wanneer je de afvalverwerker aanzet, dan gaat het licht op de veranda aan –'

Julie was doorgaans zeer begaan met de problemen die haar broer in zijn werk tegenkwam, maar wat hij vandaag vertelde maakte haar aan het lachen. 'En waar heeft hij de schakelaar voor de afvalverwerker geplaatst?' vroeg ze plagend.

'Die heeft Herman aangesloten op de ventilator van de oven. Hij is echt weer eens goed bezig geweest. Volgens mij is hij zo blij dat hij werk heeft, dat hij de boel met opzet verkeerd doet zodat hij wat langer aan de slag kan blijven.'

'In dat geval zou ik maar uitkijken dat hij de droger niet op iets anders heeft aangesloten. Ik bedoel, het zou toch jammer zijn als de burgemeester straks in zijn nieuwe huis trekt, de droger aanzet en zijn ingebouwde magnetrons uit elkaar barsten.'

'Zo grappig is het niet, Julie. Addlesons notaris heeft een speciale clausule aan het bouwcontract toegevoegd. Als het huis in april niet klaar is, dan zou me dat wel eens honderdvijftig dollar per dag kunnen gaan kosten, of er moet een wondertje gebeuren.'

Julie deed haar best om haar gezicht in de plooi te houden, maar in gedachten moest ze toch vreselijk lachen bij het idee dat de burgemeester het licht op zijn veranda wilde aandoen en dat zijn afvalverwerker dan begon te draaien. Behalve dat Edward Addleson burgemeester van Keaton was, was hij ook eigenaar van de bank, van de Ford-garage en de ijzerwinkel, en bezat hij bovendien een flinke portie land ten westen van Keaton. Herman Henkleman was in Keaton eveneens een bekende figuur; hij was elektricien van beroep, vrijgezel omdat hij nooit had willen trouwen, en excentriek omdat zijn vader dat ook was geweest. Net als zijn vader, woonde Herman alleen in een klein huisje aan de rand van de stad. Hij werkte wanneer hij daar zin in had, zong wanneer hij een slok op had, en wist, wanneer hij nuchter was, alles van geschiedenis. 'Ik denk niet dat je bang hoeft te zijn dat Addleson je die boete zal laten betalen,' zei Julie vrolijk. 'Herman op zich kan alleen al doorgaan voor een wondertje. Hij is net als een orkaan of een aardbeving – onvoorspelbaar en niet te controleren. Dat weet toch iedereen.'

Carl moest lachen. 'Dat is waar,' zei hij. 'En mocht Addleson mij voor de rechter slepen, dan zou de plaatselijke jury altijd nog mijn partij kiezen.'

Er volgde een moment van stilte dat zich kenmerkte door onderling, onuitgesproken begrip. Toen zuchtte Carl en zei: 'Ik weet werkelijk niet wat die Herman bezielt. Als hij wil, dan is hij een van de beste elektriciens die ik ooit heb gezien. Ik had hem een kans willen geven om weer vast aan de slag te komen en wat geld te verdienen, en ik had verwacht dat hij daar wel blij mee zou zijn.'

'De burgemeester zal je heus geen proces aandoen als dat huis van hem een paar dagen te laat klaar is,' merkte dominee Mathison op. Met een goedkeurend glimlachje schepte hij zichzelf een portie rosbief op. 'Hij is een goed mens. Hij weet dat jij de beste bouwer aan deze kant van Dallas bent en dat je hem waar voor zijn geld geeft.'

'Je hebt gelijk,' zei Carl. 'Maar laten we het nu eens over iets leuks hebben. Julie, je doet al weken zo vaag. Ga je nu nog met Greg trouwen of niet?'

'O!' riep ze uit. 'Nou, ik... we...' De hele familie keek geamuseerd toe toen ze begon om het bestek naast haar bord netjes recht te leggen, en toen ze daarmee klaar was, schoof ze de schaal met aardappelpuree zo dat het motiefje precies in het midden stond. Ted schaterde het uit, en ze kreeg een kleur. Als kind had ze zich aangewend om telkens, wanneer ze zich onzeker voelde of zich ergens zorgen om maakte, iets op te ruimen of recht te leggen. Dat kon zover gaan dat ze haar kast of de keukenkastjes netjes opruimde, of het bestek keurig recht legde. Ze glimlachte verlegen. 'Ik geloof van wel. Het zal er ooit wel eens van komen.'

Ze geloofde het nog steeds, toen ze met z'n drietjes het huis verlieten en Herman Henkleman schaapachtig en verontschuldigend grijnzend, en met zijn hoed in zijn hand, de stoep kwam afgelopen. Hij was lang en mager, maar wanneer hij, zoals hij nu deed, zijn schouders rechtte en zijn hoofd ophief, dan straalde hij een onmiskenbare waardigheid uit die Julie altijd even ontroerend vond. 'Goedenavond, mensen,' zei hij tegen het groepje dat zich op de veranda verzameld had. Toen wendde hij zich tot Carl en zei: 'Ik kan best begrijpen dat je me eruit hebt gegooid, Carl, maar ik wilde je toch vragen of ik die klus bij de Addlesons, waar ik zo'n zootje van heb gemaakt, in orde mag maken. Meer vraag ik niet van je. Ik wil er helemaal geen geld voor hebben, maar ik heb je teleurgesteld en daar wil ik graag wat aan doen.'

'Herman, het spijt me, maar ik kan echt niet –'

De oudere man stak een hand op, en Julie verbaasde zich over zijn aristocratisch lange vingers. 'Carl, ik ben de enige die weet hoe de boel daar hoort te zitten. Ik heb me de hele week niet zo best gevoeld, maar daar wilde ik je niets van zeggen omdat ik bang was dat je zou denken dat ik oud en ziekelijk was en je me eruit zou zetten. Ik ben niet echt ziek, ik was alleen maar een beetje grieperig. Je nieuwe electriciën denkt waarschijnlijk dat hij precies weet wat ik verkeerd heb gedaan, maar als er straks, als de muren klaar zijn, toch nog iets niet in orde blijkt te zijn, dan kun je, een week nadat de Addlesons erin zijn getrokken, meteen weer beginnen te breken. Je weet heus wel dat je niet midden in een klus van electriciën kunt veranderen zonder daar achteraf door in de problemen te komen.'

Carl aarzelde en Ted en Julie trokken zich terug om hem de gelegenheid te geven om de kwestie verder alleen met Herman te regelen. Ze namen afscheid en liepen door naar Carls Blazer.

'Er zijn zware sneeuwstormen voorspeld,' zei Ted, en rilde in zijn dunne jas. 'Als je straks in de Panhandle zit en de bui eenmaal is losgebarsten, zul je blij zijn dat je een auto hebt die voor- en achterwielaandrijving heeft. Jammer dat Carl niet zonder zijn autotelefoon kan. Ik zou er een stuk geruster op zijn geweest als hij hem in de Blazer had laten zitten.'

'Ik red me wel,' zei Julie opgewekt, en ze gaf hem een zoen op de wang. Terwijl ze wegreed keek ze hem in de achteruitkijkspiegel na. Hij stond met de handen in zijn zakken op de stoep, een lange, slanke, knappe man met blond haar en een kille, eenzame uitdrukking op zijn gezicht. Hoe vaak had ze hem, sinds zijn scheiding van

Katherine Cahill, al niet zo zien kijken? Katherine was haar beste vriendin geweest en was dat nog steeds, ondanks het feit dat ze intussen naar Dallas was verhuisd. Katherine noch Ted sprak tegen Julie slecht over elkaar, en ze kon niet begrijpen hoe het mogelijk was dat twee mensen waar ze zo veel van hield, niet van elkaar konden houden. Nadat ze die verdrietige gedachte van zich af had gezet, dacht ze aan haar reis naar Amarillo. Ze hoopte maar dat het niet zou sneeuwen.

'Hé, Zack,' zei een zachte fluisterstem, 'wat doe je als het overmorgen gaat sneeuwen? Het weerbericht heeft sneeuw voorspeld.' Dominic Sandini lag over de rand van het bovenste stapelbed gebogen en keek naar de man die onder hem lag en afwezig naar het plafond staarde. 'Zack, hoor je me?' vroeg hij iets luider.

Zack zette de eindeloze gedachten aan zijn aanstaande ontsnapping en de daaraan verbonden risico's van zich af, en wendde zich langzaam tot de pezige man met de olijfkleurige huid die in de gevangenis van Amarillo zijn celmaatje was. Dominic was op de hoogte van zijn plannen omdat hij er zelf ook een rol in speelde. Een ander die er een belangrijke rol in speelde, was Dominics oom – een gepensioneerde bookmaker van wie beweerd werd dat hij connecties had met de mafia van Las Vegas. Zack had Enrico Sandini een vermogen betaald voor zijn hulp, maar dat had hij alleen maar gedaan nadat Dominic hem de verzekering had gegeven dat zijn oom een 'volkomen betrouwbaar mens' was. Of dat inderdaad zo was, en of het geld dat Matt Farrell namens hem had overgemaakt naar Sandini's Zwitserse bankrekening niet voor niets was betaald, dat zou hij pas over een paar uur weten. 'Ik red me wel,' zei hij op effen toon.

'Terwijl je "je redt", vergeet dan niet dat je me tien dollar schuldig bent. We hebben vorig jaar gewed om de uitslag van die partij met de Bears, en je hebt verloren, weet je nog?'

'Je kunt je geld krijgen zodra ik hieruit ben.' Voor het geval iemand meeluisterde, voegde hij eraan toe: 'Wanneer dat dan ook mag zijn.'

Sandini leunde met een samenzweerderige grijns achterover, stak zijn duim onder de flap van de enveloppe die hij eerder die dag had gekregen, sloeg zijn voeten over elkaar en begon te lezen.

Tien waardeloze dollars... dacht Zack grimmig, en dacht terug aan de tijd waarin hij links en rechts fooitjes van tien dollar gaf alsof het speelgoedgeld was. Hier, in deze hel, sloegen mannen elkaar voor zo'n bedrag de hersens in. Met tien dollar kon je hier alles kopen, zoals een handvol stickies, een vuist vol speed of kalmerende pillen en seksblaadjes. En dat waren nog maar enkele voorbeelden van de 'luxe'-artikelen die hier te krijgen waren. Normaal gesproken probeerde hij zo min mogelijk te denken aan zijn vroegere leven, want dergelijke gedachten maakten deze kleine cel met zijn wasbak, wc en twee bedden alleen maar nog ondraaglijker, maar nu hij het besluit had genomen om te ontsnappen, of bij die poging om het leven te komen, deed het hem juist goed om aan vroeger te denken. De herinneringen sterkten hem in zijn voornemen om, ongeacht het risico en de kosten, te ontsnappen. Hij wilde zich herinneren hoe woedend hij was geweest, die eerste dag toen de deur van de cel achter hem in het slot was gevallen, en de dag daarop, toen hij op de binnenplaats bedreigd was door een bende misdadigers die hem hadden uitgedaagd tot een knokpartij. Hij kon ze nog horen jauwen: 'Kom op dan, filmster, laat maar eens zien hoe je al die knokpartijen in de film hebt gewonnen!' Met blinde woede had hij zich op de grootste van het stel gestort. Het had hem niet kunnen schelen of het gevecht hem het leven zou kosten, maar hij zou niet sterven voordat hij deze kwelgeest zo veel mogelijk pijn had bezorgd. Hij had gevochten als een bezetene. Hij was goed in vorm geweest, en al die bewegingen die hij geleerd had voor de nepgevechten in zijn filmrollen, waren hem uitstekend van pas gekomen. Na afloop van de vechtpartij had Zack drie gebroken ribben en een beschadigde nier gehad, maar een groot deel van zijn tegenstanders was er ernstiger aan toe geweest.

Zijn overwinning had hem een week isolatie gekost, maar sindsdien liet iedereen hem met rust. Onder de gevangenen verspreidde zich het gerucht dat hij waanzinnig was, en zelfs de meest beruchte bullebakken liepen met een grote boog om hem heen. Hij was tenslotte een moordenaar, en niet zomaar een dief of een oplichter. Het feit dat hij hier als moordenaar zat, leverde hem het nodige respect op. Het had drie jaar geduurd totdat hij tot het inzicht was gekomen dat het veel gemakkelijker was om te proberen in het gevlei te komen en een vertrouweling te worden, hetgeen betekende dat hij vooral heel braaf en gehoorzaam moest zijn. Dat had hij gedaan, en uiteindelijk had hij zelfs een vorm van vriendschap met enkele van zijn medegevangenen gesloten, maar zijn innerlijke onrust was gebleven. Innerlijke rust was iets dat je alleen maar kon krijgen door je bij je lot neer te leggen, maar hij was nooit, zelfs geen enkel moment, in staat geweest om datgene te doen wat men de gevangenen adviseerde te doen: je neerleggen bij je straf en de tijd uitzitten. Hij leerde het spel te spelen en te doen alsof hij zich had 'aangepast', maar in werkelijkheid was juist het tegenovergestelde het geval. In werkelijkheid was het zo dat hij, elke ochtend wanneer hij zijn ogen opendeed, aan een innerlijke strijd begon die net zo lang voortduurde totdat hij uiteindelijk weer in slaap viel. Hij moest hier weg voordat hij gek zou worden, en hij had een uitstekend plan: elke woensdag moest hoofdbewaker Hadley, die de gevangenis dreef alsof het zijn persoonlijke Stalag 17 was, voor een stafbespreking naar Amarillo. Tijdens die uitstapjes was Zack zijn chauffeur en Sandini zijn hulpje. Vandaag was het woensdag, en alles wat Zack nodig had gehad om zijn ont-snapping te realiseren stond in Amarillo op hem te wachten, maar op het laatste moment had Hadley, die deze vergadering moest leiden, Zack meegedeeld dat de bijeenkomst tot vrijdag was uitgesteld. Zack spande zijn kaken. Als die vergadering gewoon was doorge-gaan, dan zou hij nu vrij zijn geweest. Of dood. Nu moest hij tot over-morgen wachten, en hij vroeg zich af of hij de spanning wel de baas zou kunnen.

Hij sloot zijn ogen en liep het plan nog eens door. Het zat vol met valkuilen, maar Dominic Sandini was te vertrouwen en dat bete-kende dat hij hulp had van binnenuit. De volgende fase van het wel-slagen van het plan was afhankelijk van Enrico Sandini – het geld, het transport en een nieuw identiteit. Daarna hing alles van Zack zelf af. Wat hem op dit moment de meeste zorgen baarde, waren die dingen die hij niet zelf in de hand had, zoals het weer en mogelijke wegver-sperringen. Ook al plande hij alles nog zo zorgvuldig, er waren altijd duizenden dingen die mis konden lopen. Het was een gigantisch ri-sico, maar dat kon hem niet schelen. Niet echt. Hij kon maar uit twee dingen kiezen: in deze hel blijven en gek worden, of het risico lopen dat hij bij een aanhouding zou worden doodgeschoten. En wat hem betrof was hij veel liever dood dan hier te moeten wegrotten.

En ook al zou zijn ontsnappingspoging slagen, dan nog zouden ze altijd op hem blijven jagen. Gedurende de rest van zijn leven – de waarschijnlijk zeer korte rest van zijn leven – zou hij voortdurend op zijn hoede moeten blijven, waar ter wereld hij ook was. Maar dat was het allemaal waard. Alles was het waard.

'God allemachtig!' riep Sandini opgetogen uit. 'Gina gaat trou-wen!' Hij zwaaide met de brief waarin hij had zitten lezen, en toen Zack hem met nietszeggende ogen aankeek, vroeg hij een beetje lui-der: 'Zack, heb je niet gehoord wat ik zei? Mijn zus Gina gaat over twee weken trouwen! Ze trouwt met Guido Dorelli.'

'Dat lijkt me een verstandige keuze,' zei Zack op droge toon. 'Aan-gezien hij degene is die haar zwanger heeft gemaakt.'

'Ja, maar ik heb je toch verteld dat mama niet wilde dat ze met hem zou trouwen.'

Zack dacht even na, en probeerde zich te herinneren wat hij van Guido wist. 'Ja, omdat hij een zwendelaar is,' zei hij toen.

'Nee, hoor. Ik bedoel, je zult toch op de een of andere manier de kost moeten verdienen, en dat begrijpt mama best. Guido leent al-leen maar geld aan mensen die geld nodig hebben, dat is alles.'

'En als ze hem niet terug kunnen betalen, dan breekt hij hun be-nen.'

Zack zag Sandini's gezicht betrekken en had onmiddellijk spijt van zijn sarcastische opmerking. Ondanks het feit dat Sandini, die nu achtentwintig was, al zesentwintig auto's had gestolen en zestien keer gearresteerd was, had het kleine, magere Italiaantje toch iets heel kinderlijk ontroerends. Hij was, net als Zack, een vertrouweling, maar zijn straf zou er over vier weken op zitten. Hij was een echt haantje, was altijd in voor een knokpartij en hij was Zack, van wie hij een groot fan was, door dik en dun trouw. Hij had een uitgebreide, kleurrijke familie die hem regelmatig opzocht in de gevangenis. Toen ze hoorden dat Zack zijn celgenoot was, waren ze diep onder de indruk geweest, maar toen ze ontdekten dat Zack nooit bezoek kreeg, vergaten ze meteen wie hij was en adopteerden hem alsof hij iemand van de familie was. Zack had gemeend dat hij alleen wilde zijn, en wanneer hij echt niet onder hun gezelschap uit kon, maakte hij hun dat duidelijk door hen zo veel mogelijk te negeren. Hij had zich de moeite kunnen besparen. Hoe meer hij zijn best deed om niets met hen te maken te hebben, des te harder zij hun best deden om hem op te nemen in hun vrolijke groep. Voor hij goed en wel in de gaten had hoe het gebeurd was, werd hij innig omhelsd door de dikke mama Sandini en Dominics zussen en nichten. Donkerharige peuters met lollies, kleverige handjes en hartveroverende glimlachjes werden bij Zack op schoot gezet terwijl hun moeders uitgebreid over de verschillende gebeurtenissen binnen de grote familie spraken en Zack niet alleen zijn best deed om al hun namen te onthouden, maar ook trachtte om de lollies in de gaten te houden die op de een of andere manier toch altijd in zijn haar terechtkwamen. Het was zelfs een keertje gebeurd dat een mollige Sandini-peuter op de binnenplaats van de gevangenis zijn eerste onzekere stapjes had gedaan en met uitgestrekte armpjes niet op een Sandini, maar op hèm was toegelopen.

Ze omhulden hem met hun warmte, en als ze er niet waren, dan stuurden ze hem, net als Dominic – keurig twee keer per maand – Italiaanse koekjes en in vlekkerig bruin vetvrij papier verpakte salami. Hoewel hij er buikpijn van kreeg, at hij altijd een stuk van de salami en alle koekjes, en toen Sandini's nichtjes en tantes hem briefjes begonnen te sturen en om handtekeningen vroegen, voldeed Zack braaf aan ieder verzoek. Sandini's mama stuurde Zack verjaardagskaarten en briefjes waarin ze hem schreef dat hij te mager was. En op die zeldzame momenten waarop Zack de behoefte voelde om te lachen, was dat altijd om iets wat Sandini zei of deed. Hoe gek het ook was, hij voelde zich op de een of andere bizarre manier meer verwant met Sandini en zijn familie, dan hij zich ooit met zijn eigen familie verwant had gevoeld.

In een poging zijn laatste veroordelende opmerking over Sandini's toekomstige zwager weer goed te maken, zei Zack plechtig: 'Bij nader inzien zijn banken geen haar beter. Banken zetten weduwen en wezen op straat als ze niet kunnen betalen.'

'Precies!' riep Sandini triomfantelijk knikkend uit, en hij was meteen weer in een opperbeste stemming.

In het besef dat het een opluchting was om even niet te hoeven denken aan zijn ontsnapping en aan alles wat er fout zou kunnen gaan, concentreerde Zack zich op Sandini's nieuws en vroeg: 'Als je moeder dan geen bezwaar had tegen Guido's beroep of het feit dat hij al zo vaak in de gevangenis heeft gezeten, waarom wilde ze dan niet dat Gina met hem trouwde?'

'Dat heb ik je toch al verteld,' zei Sandini met een ernstig gezicht. 'Guido is al een keer getrouwd geweest – voor de kerk – en hij is nu gescheiden, dus hij is geëxcommuniceerd.'

Zack deed zijn best om niet te lachen, en zei: 'O, ja, dat was ik even vergeten.'

Sandini keerde terug tot zijn brief. 'Je krijgt veel liefs van Gina. En van mama. Mama zegt dat je haar te weinig schrijft en dat je niet genoeg eet.'

Zack keek op het plastic horloge, het enige dat hij in de gevangenis mocht dragen, en stond op. 'Opstaan, Sandini, het is weer tijd voor een gevangenentelling.'

Hoofdstuk 13

Julie's oude buurvrouwen, de dames Eldridge, zaten op de schommelbank op de veranda, hun lievelingsplekje waarvan af ze in staat waren het grootste gedeelte van Elm Street te overzien. Op dit moment zagen de ongehuwde dametjes hoe Julie haar weekendtas achter in de Blazer zette.

'Goedemorgen, Julie,' riep Flossie Eldridge uit. Julie keek met een ruk om, en zag tot haar verbazing dat de beide dames al op waren, hoewel het nog maar zes uur was.

'Goedemorgen, juffrouw Flossie,' riep ze zachtjes terug, waarna ze plichtsgetrouw over het nog bedauwde gazonnetje naar hen toe liep om hen beleefd te begroeten. 'Goedemorgen, juffrouw Ada.'

Hoewel de dames, die een tweeling waren, de zeventig al ruimschoots waren gepasseerd, leken ze nog steeds op elkaar, een gelijkenis die onderstreept werd door het feit dat ze, zoals ze hun leven lang al hadden gedaan, dezelfde jurken droegen. Daarmee hield hun gelijkenis evenwel op, want Flossie was mollig, lief, onderdanig en vrolijk, terwijl haar zus mager, zuur, dominant en nieuwsgierig was. Men beweerde dat Flossie in haar jonge jaren verliefd was geweest op Herman Henkleman, maar dat Ada een spaak in het wiel van hun huwelijksplannen had gestoken door haar onderdanige zus ervan te overtuigen dat Herman, die een aantal jaren jonger was dan Flossie, alleen maar geïnteresseerd was in Flossie's deel van hun bescheiden erfenis en dat hij al haar geld aan drank zou uitgeven waarna Flossie door iedereen zou worden uitgelachen.

'Wat een schitterende ochtend, niet?' zei juffrouw Flossie, terwijl ze haar sjaal wat dichter om zich heen trok. 'Dit soort zachte dagen die we af en toe hebben, maken de winter er een heel stuk aangenamer op, niet, Julie?'

Voor Julie antwoord had kunnen geven, nam juffrouw Ada het woord. 'Ga je alweer weg, Julie? Je bent een paar weken geleden net teruggekomen.'

'Ik ga maar twee daagjes weg.'

'Alweer voor zaken? Of gaat het ditmaal om een plezierreisje?' drong Ada aan.

'Voor zaken, zou je kunnen zeggen.' Ada trok haar wenkbrauwen op en vroeg stilzwijgend om nadere informatie. Julie, die niet onbeleefd wilde zijn, verklaarde: 'Ik ga naar Amarillo om met iemand te praten die misschien wel geld wil geven voor een project op school.'

Ada verwerkte de informatie en knikte. 'Ik heb me laten vertellen dat je broer problemen heeft met de afbouw van het huis van burgemeester Addleson. Nogal stom van hem om met Herman Henkleman in zee te gaan. Die man is een hopeloze nietsnut.'

Julie onderdrukte het verlangen om naar juffrouw Flossie te kijken om te zien hoe zij op deze veroordelende woorden reageerde, en zei tegen juffrouw Ada: 'Carl is de beste bouwer aan deze kant van Dallas. Daarom heeft de architect van de burgemeester hem ook aangewezen. Alles in dat huis moet op maat worden gemaakt. Daar is veel tijd en geduld voor nodig.' Ada deed haar mond open om verder te gaan met vragen, maar Julie was haar voor door op haar horloge te kijken en er haastig aan toe te voegen: 'Ik moet weg. Amarillo is een heel eind rijden. Dag, juffrouw Flossie, dag, juffrouw Ada.'

'Wees voorzichtig,' zei juffrouw Flossie. 'Ik heb gehoord dat we hier, vanuit Amarillo over één of twee dagen een koufront krijgen. Daar in de Panhandle kan het goed sneeuwen. Je wilt toch zeker niet vast komen te zitten in een sneeuwstorm, wel?'

Julie glimlachte warm naar de mollige tweelingzus. 'Maakt u zich geen zorgen. Ik ga met Carls Blazer. Bovendien, het weerbericht zegt dat er maar twintig procent kans op sneeuw is.'

De twee oude dametjes keken Julie na totdat ze was weggereden, en toen slaakte Flossie een dromerige zucht. 'Julie heeft toch zo'n avontuurlijk leven. Ze is vorig jaar met alle leraren naar Parijs geweest, en het jaar daarvoor was ze in de Grand Canyon. Ze doet niets anders dan reizen.'

'En dat doen zwervers ook,' luidde Ada's zure commentaar. 'Als je het mij vraagt, dan kan ze veel beter thuisblijven en met die jonge dominee trouwen die een oogje op haar heeft, voor hij haar straks niet meer wil.'

In plaats van haar eigenwijze zus tegen te spreken, deed Flossie wat ze altijd deed: ze veranderde van onderwerp. 'Dominee Mathison en zijn vrouw zijn vast erg trots op hun kinderen.'

'Dat zullen ze heus wel niet meer zijn als ze eenmaal te horen krijgen dat Ted tot in de kleine uurtjes bij dat meisje blijft waar hij nu mee omgaat. Irma Bauder vertelde me dat ze zijn auto twee dagen geleden pas om vier uur 's ochtends heeft horen wegrijden!'

Flossie keek dromerig voor zich uit. 'O, maar Ada, ze hebben vast een heleboel om over te praten. Ik weet zeker dat ze verliefd zijn!'

'Verliefd? Ze zijn gewoon hitsig!' snauwde Ada terug. 'En jij bent nog steeds een romantische dwaas, precies zoals je moeder. Papa heeft het altijd al gezegd.'

'Ze was ook jouw moeder, Ada,' merkte Flossie op.

'Ja, maar ik lijk op mijn vader. Ik ben heel anders dan zij.'

'Ze is gestorven toen we peuters waren, dus dat kun je helemaal niet zeker weten.'

'Ik weet het wel zeker, want papa heeft het altijd gezegd. Hij zei dat jij net zo'n idioot was als zij, en dat ik even sterk was als hij. En dat is dan ook de reden waarom hij mij heeft belast met de zorg van het geld, zoals je je misschien nog wel herinnert – omdat jij niet voor jezelf kunt zorgen, en daarom moest ik dat doen.'

Flossie beet op haar lip, en veranderde toen opnieuw van onderwerp. 'Het huis van burgemeester Addleson wordt schitterend. Ik heb me laten vertellen dat er zelfs een lift in komt.'

Ada zette zich af tegen de vloer van de veranda, en de schommel zwaaide met een ruk naar voren. 'Met Herman Henkleman als elektricien, mag de burgemeester al blij zijn als de lift niet op zijn commode is aangesloten!' verklaarde ze op minachtende toon. 'Die man is een hopeloze nietsnut, precies als zijn vader, en zijn grootvader ook. Ik heb het je nog voorspeld.'

Flossie keek naar haar mollige handen die in elkaar geslagen op haar schoot lagen. Ze zei niets.

Hoofdstuk 14

Zack stond voor de kleine scheerspiegel boven de wastafel in de douche. Hij keek met nietsziende ogen naar zijn spiegelbeeld en probeerde te geloven dat Hadley zijn plannen vandaag niet opnieuw zou wijzigen. Op dat moment kwam Sandini binnen. Voor hij de deur achter zich dichtdeed, keek hij eerst nog even de gang af. Pas nadat hij zich ervan overtuigd had dat niemand hen zou kunnen horen, ging hij vlak bij Zack staan en fluisterde hem opgewonden in het oor: 'Hadley heeft laten zeggen dat hij vanmiddag om drie uur naar Amarillo wil vertrekken! Het gaat gebeuren!'

Zack had al zo lang onder de spanning geleden, dan hij maar amper in staat was om te geloven dat het nu eindelijk zover was: twee lange jaren waarin hij gedaan had alsof hij het eens was met het systeem, waarin hij verschrikkelijk zijn best had gedaan om een modelgevangene te zijn zodat hij tot vertrouweling werd uitverkoren met de daarbij behorende privileges, alle maanden van plannen bedenken en regelen, en nu zou hij dan eindelijk zijn beloning krijgen. Over een paar uur zou hij, als het uitstel zijn plannen niet in de war had geschopt, in een gehuurde auto en met een nieuwe identiteit onderweg zijn. Zijn route was uitgestippeld, de vliegtickets zaten in zijn zak, en de autoriteiten zouden er geen idee van hebben waar hij zat.

Sandini, die voor de wastafel naast hem stond, zei: 'Jezus, ik wou dat ik met je mee kon. Dan zou ik naar Gina's bruiloft kunnen gaan!'

Zack boog zich voorover en waste zijn gezicht. De onderdrukte opwinding in Sandini's stem was hem niet ontgaan, en hij was ervan geschrokken. 'Als je het maar uit je hoofd laat! Over vier weken ben je vrij,' voegde hij eraan toe, en rukte een handdoek van het rek.

'Ja,' zei hij. 'Je hebt gelijk. Hier, pak aan,' zei hij, en stak zijn hand uit.

'Wat is het?' vroeg Zack, terwijl hij zijn gezicht afdroogde. Hij liet de handdoek vallen en keek naar het papiertje in Sandini's uitgestoken hand.

'Mama's adres en telefoonnummer. Als er iets mis mocht gaan dan als de sodemieter naar mama, en dan zorgt zij er wel voor dat je bij mijn oom komt. Mijn oom heeft overal connecties,' voegde hij er opscheppertig aan toe. 'Ik weet wel dat je zo je twijfels hebt of hij wel alles gedaan zal hebben wat hij beloofd heeft, maar over een paar uur zul je zien dat alles in Amarillo op je ligt te wachten, precies zoals je wilde. Hij is echt een fantastische kerel,' besloot Sandini trots.

Afwezig rolde Zack zijn hemdsmouwen af. Hij deed zijn best om niet vooruit te denken, maar toen hij de manchetknopen van zijn witte gevangenishemd wilde dichtdoen, merkte hij dan zijn handen trilden. Hij nam zich voor om rustig te blijven en om zich op het gesprek te concentreren. 'Er is iets dat ik je al een hele tijd heb willen vragen, Dom,' begon Zack aarzelend. 'Als hij zo'n fantastische kerel is en hij zo veel "connecties" heeft, waarom heeft hij dan niet wat invloed uitgeoefend om ervoor te zorgen dat je niet in de gevangenis kwam?'

'O. Dat. Ik heb een stomme fout gemaakt, en oom Enrico vond dat ik een lesje nodig had.'

Sandini klonk zo verdrietig, dat Zack hem verbaasd aankeek. 'Hoezo?'

'Omdat één van de auto's die ik de laatste tijd gestolen had, van hem was.'

'Dan bof je dat je nog leeft.'

'Dat zei hij ook al.'

Zack lachte, maar doordat hij zo gespannen was, kwam het als een vreemd geluid over zijn lippen.

'Hij komt beslist op Gina's bruiloft. Goh, wat vind ik het jammer dat ik daar niet bij kan zijn.' Hij veranderde van onderwerp en zei: 'Het is maar goed dat Hadley het zo fijn vindt dat de mensen je herkennen wanneer je hem rondrijdt. Als je je haar net zo kort had moeten knippen als de rest van ons hier, dan zou je straks veel meer opvallen. Dat beetje extra haar van je zal ervoor zorgen dat je straks –'

Beide mannen keken op toen een andere vertrouweling de doucheruimte binnenkwam. Hij wees met zijn duim op de deur. 'Opschieten, Sandini,' snauwde hij. 'En jij ook, Benedict. Hadley wil over vijf minuten vertrekken.'

Hoofdstuk 15

'Goedemorgen, Benedict,' zei Hadley nadat Zack op de deur van de dienstwoning van de hoofdbewaker bij de poort van het gevangenisterrein had geklopt. 'Ik zie dat je zoals gewoonlijk weer eens een pestbui hebt. Voor we gaan,' voegde hij eraan toe, 'wil ik dat je Hitler eerst nog even uitlaat.' Terwijl hij dat zei, gaf hij Zack de riem die al was vastgemaakt aan de halsband van de grote dobermann.

'Ik ben je verrekte bediende niet,' snauwde Zack.

Hadley grijnsde sadistisch en vroeg: 'Heb je soms genoeg van je bevoorrechte positie van vertrouweling? Heb je soms zin in een speciale sessie in mijn spreekkamer?'

Zack had er onmiddellijk spijt van dat hij juist vandaag, deze dag waarop hij zo veel te verliezen had, niet in staat was geweest om zijn intense haat voor de man te onderdrukken. 'Niet echt,' haastte hij zich te zeggen, waarbij hij zijn schouders ophaalde en de riem pakte. Hadley had, hoewel hij slechts één meter drieënzestig lang was, een reusachtig ego. Onder zijn beschaafde uiterlijk ging een uiterst sadistisch mens schuil, en het vreemde was dat iedereen dat wist behalve, naar het scheen, de Overkoepelende Raad voor het Gevangeniswezen. De dames en heren van die instantie wisten het echt niet, of ze trokken zich gewoon niets aan van het hoge sterftecijfer dat werd toegeschreven aan 'vechtpartijen onder de gedetineerden' en 'ontsnappingspogingen' in zijn gevangenis. De 'spreekkamer' was in werkelijkheid een geluiddichte ruimte die aan Hadley's kantoor grensde. Was er een gevangene wiens gedrag hem niet beviel, dan werd deze schoppend en slaand van angst naar de 'spreekkamer' gesleurd; kwam hij er na een poos weer uit, dan werd hij meteen overgebracht naar de ziekenboeg of naar het lijkhuis. Hadley schepte er een sadistisch genoegen in om een gevangene te laten kronkelen en kruipen; en in werkelijkheid was het niet Zacks goede gedrag dat hem ertoe had gebracht om hem tot vertrouweling te kiezen, maar het was zijn ego. De kleine hoofdbewaker vond het een heerlijk gevoel om Zachary Benedict voor zijn hulpje te laten spelen. Zack zelf vond het nogal ironisch dat zijn ontsnapping aan Hadley's ego te danken was. Hij was net bij de hoek van het huis gekomen, toen Hadley hem nariep: 'Benedict, vergeet niet om achter Hitler op te ruimen.'

Zack keerde terug, rukte de grommende hond met zich mee, en pakte het schepje dat Hadley bij zijn voordeur had staan. Hij knoopte zijn jasje dicht en keek omhoog naar de lucht; het was koud en de hemel was loodgrijs. Het zou gaan sneeuwen.

Hoofdstuk 16

Wayne Hadley stopte zijn aantekeningen terug in zijn aktentas, trok zijn stropdas los, strekte zijn benen en keek, onder het slaken van een voldane zucht, naar de twee vertrouwelingen die op de voorbank van de auto zaten. Sandini was een kruimeldief, een mager scharminkel, een nul; de enige reden waarom hij vertrouweling was, was dat iemand van zijn criminele familieleden invloed had bij iemand binnen het systeem, en die iemand had een memo gestuurd met de mededeling dat Sandini vertrouweling moest worden. Sandini verschafte Hadley geen plezier, geen afleiding en geen enkel prestige; hij vond er niets aan om Sandini uit te dagen. Maar Benedict was een heel ander verhaal. Benedict de filmster, het sekssymbool, de rijke magnaat die vroeger zijn eigen vliegtuigen en limousines met chauffeur had gehad. Benedict was wereldberoemd geweest, en nu moest hij allerlei nare en vervelende klusjes voor Wayne Hadley opknappen. Er was gerechtigheid in de wereld, dacht Hadley. Echte gerechtigheid. Er waren zelfs momenten waarop Hadley het voor elkaar kreeg om hem, ondanks zijn dikke olifantshuid, te kwetsen en hem te laten snakken naar wat hij niet kon hebben, maar echt gemakkelijk was dat niet. Zelfs wanneer hij Benedict dwong om naar de nieuwste films op video, en naar de Oscaruitreiking op de televisie te kijken, kon Hadley nooit helemaal met zekerheid zeggen of hij inderdaad een gevoelige plek bij de man had weten te raken. Met die gedachte in het achterhoofd, begon hij te verzinnen waar hij het nu weer eens over zou kunnen hebben, en zijn keuze viel op het onderwerp seks. Toen de auto voor een verkeerslicht stopte, vroeg hij op beminnelijke toon: 'Ik durf te wedden dat de vrouwen je smeekten om met je naar bed te mogen toen je nog rijk en beroemd was, niet, Benedict? Denk je nog wel eens aan ze, aan hoe ze voelden, roken en smaakten? Waarschijnlijk hield je wel helemaal niet zo veel van seks. Als je ook maar een beetje goed in bed was geweest, dan zou die beeldschone blonde teef waar je mee getrouwd was het waarschijnlijk nooit hebben aangelegd met die ander, die Austin, wel?'

Via de achteruitkijkspiegel zag Hadley met genoegen hoe Benedict zijn kaken spande. 'Als je ooit voorwaardelijk vrijkomt – en op mijn aanbeveling hoef je niet te rekenen – zul je het met tippelaarsters moeten doen. Alle vrouwen zijn hoeren, maar zelfs een hoer heeft nog enige scrupules, en ze houden niet van smerige ex-gevangenen in hun bed, wist je dat?' Ondanks het feit dat hij ernaar streefde om in het bijzijn van zijn gevangenen altijd de schijn van een glad soort welgemanierdheid op de houden, had hij er toch altijd moeite mee om zijn woede de baas te blijven. En ook nu voelde hij zich nijdig worden. 'Geef antwoord op mijn vragen, klootzak die je bent, of je krijgt een maand eenzame opsluiting van me.' In het besef dat zijn zelfbeheersing hem even in de steek had gelaten, vervolgde hij bijna vriendelijk: 'Ik wed dat je vroeger, in de goede oude tijd, je eigen chauffeur had, klopt dat? En nu, ach, moet je je nu toch eens zien – nu ben je mijn chauffeur. God bestaat werkelijk.' Ze naderden het gebouw waar ze zijn moesten, en Hadley ging rechtop zitten terwijl hij zijn das rechttrok. 'Vraag je je ooit wel eens af wat er met al je geld is gebeurd? Met wat er nog van over was nadat je al je advocaten had betaald, bedoel ik?'

Bij wijze van antwoord trapte Benedict zo hard op de rem dat de auto met een schok voor het gebouw tot stilstand kwam. Zachtjes vloekend raapte Hadley de papieren op die op de grond waren gegleden, en wachtte ondertussen vergeefs tot Zack zou uitstappen. 'Onbeschofte vlegel die je bent! Ik weet werkelijk niet wat je vandaag bezielt, maar denk maar niet dat je hier zomaar ongestraft vanaf zult komen. Wacht maar tot we weer terug zijn! En zou je nu als de sodemieter willen uitstappen en mijn portier willen opendoen?'

Zack stapte uit. Hij schonk geen aandacht aan de snerpend koude wind die dwars door zijn dunne witte jasje blies, maar maakte zich zorgen om het feit dat het inmiddels flink was gaan sneeuwen. Nog vijf minuten, en hij zou op de vlucht zijn. Met spottende, overdreven gebaren rukte hij het achterportier open en maakte een weids gebaar. 'Kunt u zelf uitstappen, of moet ik u dragen?'

'Dit is de laatste keer geweest dat je een dergelijke toon tegen mij aanslaat,' waarschuwde Hadley, terwijl hij uitstapte en zijn tas van de bank griste. 'Zodra we weer terug zijn, zal ik je wel eens een lesje leren.' Hij beheerste zich en keek naar Sandini die, zich van den domme houdend, quasi ongeïnteresseerd voor zich uit stond te kijken. 'Je hebt je lijstje met boodschappen, Sandini. Doe wat je moet doen, en kom dan meteen weer hier. En jij,' vervolgde hij op bevelende toon tegen Zack, 'ga naar die kruidenier daar aan de overkant, en koop wat lekkere buitenlandse kaas en fruit voor me. Daarna blijf je in de auto wachten. Over ongeveer anderhalf uur ben ik klaar, en ik verwacht dat de auto dan warm is!'

Zonder op een antwoord te wachten, liep Hadley naar de ingang van het gebouw. De beide mannen keken hem na en wachtten tot hij naar binnen was gegaan. 'Wat een schoft,' zei Sandini zacht, en wendde zich toen tot Zack. 'Het is zover. Ik wens je verschrikkelijk veel geluk.' Hij wierp een blik op de donkere sneeuwwolken. 'Volgens mij krijgen we een heuse sneeuwstorm.'

Zack negeerde de kwestie van het weer, en zei snel: 'Je weet wat je te doen staat. Hou je precies aan het plan en denk erom dat je bij je verhaal blijft. Als je het precies zo speelt als ik je heb gezegd, dan houden ze je voor een held, in plaats van voor de medeplichtige die je bent.'

Zack schrok van iets aan Sandini's trage grijns en zijn onrustige houding. Duidelijk herhaalde hij het plan waarover ze het tot nu toe alleen maar fluisterend hadden kunnen hebben. 'Dom, je doet wat we hebben afgesproken. Je legt Hadley's boodschappenlijstje op de vloer van de auto. Doe een uur over de dingen die je moet doen, en zeg dan tegen de verkoopster dat je je lijstje in de auto hebt laten liggen en dat je gelooft dat je nog iets vergeten bent. Je zegt haar dat je het even gaat halen, en gaat terug naar de auto. De auto zit dan op slot.' Terwijl hij sprak had hij het lijstje uit Sandini's hand gepakt en het rechts voorin op de vloer van de auto laten dwarrelen. Toen deed hij het portier op slot. Met een uiterlijke kalmte die hij helemaal niet voelde, pakte hij Sandini bij de arm en trok hem met een ruk mee in de richting van de straathoek.

Ze wachtten tot het voetgangerslicht op groen was gesprongen, en staken vervolgens ongehaast over – twee mannen die eruitzagen als doodgewone Texanen die het over de huidige economie, of over de uitslag van een sportwedstrijd hadden – behalve dat ze witte broeken en witte jasjes droegen, waarop, met grote zwarte letters, de initialen van de gevangenis waren gedrukt. Zack vervolgde zacht: 'Als je bij de auto komt en ontdekt dat het portier op slot zit, steek je over naar de kruidenier, kijkt even rond en vraagt dan aan het personeel of ze iemand hebben gezien die op mij lijkt. Als ze nee zeggen, ga je naar de drogist en de boekhandel en vraagt daar of ze mij misschien hebben gezien. Wanneer ook zij je ontkennend hebben geantwoord, ga je rechtstreeks dat gebouw binnen en trek je alle deuren open om te vragen waar die vergadering is. Zeg er overal bij dat je misschien wel een ontsnapping te melden hebt. De verkoopsters in de winkels waar je eerder bent geweest zullen je verhaal onderschrijven, en aangezien je Hadley, een half uur voordat hij terug zou komen en zelf ontdekt zou hebben dat ik verdwenen ben, persoonlijk op de hoogte brengt van mijn vermissing, zal hij ervan overtuigd zijn dat jij zo onschuldig bent als een lam. Het zit er dik in dat hij je vervroegd ontslaat en dat je alsnog naar Gina's bruiloft kunt.'

Sandini grijnsde en stak, in plaats van hem een hand te geven, zijn duimen op. 'Maak je over mij nu maar geen zorgen, en schiet op.'

Zack knikte, draaide zich om, en wendde zich toen opnieuw tot zijn vriend. 'Sandini?' zei hij ernstig.

'Ja?'

'Ik zal je missen.'

'Ja, dat weet ik.'

'Doe vooral mama de heel hartelijke groeten, en zeg maar tegen je zussen dat ze altijd mijn favoriete hoofdrolspeelsters zullen zijn,' zei Zack, waarna hij zich opnieuw omdraaide en snel wegliep.

De kruidenierszaak was op de hoek, met één ingang aan de straat tegenover het gebouw waarin Hadley zich bevond, en een andere die uitkwam op een zijstraat. Zack ging, precies volgens plan, de hoofdingang binnen. Voor het geval Hadley hen vanachter het venster observeerde, wat hij wel eens deed, bleef hij even in het portiek staan en telde langzaam tot dertig.

Vijf minuten later was hij een paar straten verder. Hij was haastig, met zijn gevangenisjasje onder zijn arm geklemd, op weg naar zijn doel – het herentoilet van het benzinestation op Court Street. Met angstig kloppend hart stak hij bij rood licht Court Street over, en ontweek een taxi en een sleepwagen die vaart hadden geminderd om rechtsaf te slaan. En toen zag hij wat hij zocht – een onopvallende zwarte auto met een kenteken van Illinois, die op de afgesproken plek stond geparkeerd. De auto stond er nog steeds, hoewel Zack twee dagen te laat was.

Met voorovergebogen hoofd en de handen in zijn zakken, vertraagde hij zijn pas tot normaal. Het begon harder te sneeuwen toen hij langs de rode Corvette liep die bij een van de benzinepompen stond. Zonder op of om te kijken liep hij rechtstreeks door naar het herentoilet. Hij wilde de deurknop draaien, maar die zat vast. De wc was bezet! Het liefste had hij de deur meteen ingetrapt, maar hij beheerste zich en begon in plaats daarvan wild met de deurknop te rammelen. Een nijdige mannenstem riep: 'Nog even ophouden, wil je? Ik ben zo klaar.'

De man die de wc bezet had gehouden, kwam een paar minuten later eindelijk naar buiten. Hij keek het halletje rond, en liep toen naar de rode Corvette bij de pomp. Achter hem kroop Zack achter de vuilnisbak vandaan, ging de wc in en deed de deur zorgvuldig achter zich op slot. Met grote ogen keek hij naar de uitpuilende afvalbak die in de hoek stond. Als iemand die bak in de afgelopen twee dagen geleegd had, dan had hij pech gehad.

Hij pakte de bak op en keerde hem om. Er vielen een paar papieren handdoekjes en bierblikjes op de grond. Hij schudde de bak wat heen en weer, en er viel nog wat afval op de grond. En toen vielen er, met een doffe bons, twee nylon tassen op het vuile zeil van de vloer. Terwijl hij met zijn ene hand de eerste tas openritste, begon hij met de andere de knoopjes van zijn hemd open te maken. De tas bevatte een zwarte spijkerbroek in zijn maat, een onopvallende zwarte trui, een doodgewoon spijkerjack, laarzen in zijn maat en een zonnebril in pilotenmodel. In de andere tas zat een kaart van Colorado waarop zijn route met rood was aangegeven, een met de schrijfmachine geschreven routebeschrijving naar zijn uiteindelijke bestemming – een huis dat ver verscholen in de bergen van Colorado lag – twee dikke bruine enveloppen, een automatisch pistool kaliber .45, een doos kogels, een stiletto en sleuteltjes waarvan hij wist dat ze in het contact van de zwarte auto aan de overkant zouden passen. Hij was verbaasd over de stiletto. Kennelijk was Sandini van mening dat de goedgeklede, ontsnapte gevangene niet buiten een stiletto kon.

Zo snel als hij kon verruilde Zack zijn gevangenisklof voor zijn nieuwe kleren, propte de oude kleren in een van de tassen, en deed het afval weer terug in de bak. Zijn toekomstige veiligheid hing af van het zorgvuldig uitwissen van ieder spoor. Hij maakte de dikke enveloppen open en controleerde de inhoud. De eerste bevatte vijfentwintigduizend dollar en een paspoort op naam van Alan Aldrich; de tweede bevatte een aantal vliegtickets naar verschillende steden; sommige op naam van Alan Aldrich, andere met een andere naam erop voor het geval de autoriteiten erachter kwamen welke alias hij gebruikte. Voorlopig was het nog veel te riskant om naar een vliegveld te gaan; hij zou eerst een poosje moeten wachten totdat de jacht op hem wat verslapt was. Op dit moment richtte hij zijn hoop op een plan dat hij naar beste kunnen in zijn cel had bedacht en had laten uitvoeren, gebruik makend van de kostbare kennis van een van Sandini's contacten die, als alles gegaan was zoals gepland was, iemand had ingehuurd die op Zack leek – een man die in een hotel in Detroit op een telefoontje van Zack zat te wachten. Zodra Zack hem gebeld had, zou hij een auto huren op naam van Benedict Jones en later vanavond bij Windsor de grens van Canada over rijden.

Als de politie erin tuinde, dan zou de klopjacht vooral op Canada worden geconcentreerd en niet op deze omgeving, waardoor Zack op een later tijdstip naar Mexico, en vervolgens naar Zuid-Amerika zou kunnen vluchten.

Diep in zijn hart had Zack zo zijn twijfels over het welslagen van het plan. Hij vreesde dat de andere man snel gevonden zou worden, en dat het hem nooit zou lukken om zijn eerste bestemming levend te bereiken. Maar dat alles was op dit moment niet van belang. Het enige dat nu telde, was dat hij op dít moment vrij was, en dat hij zo goed als op weg was naar de honderdveertig kilometer verder gelegen grens tussen Texas en Oklahoma. Als hij die grens wist te bereiken, dan was de kans groot dat hij via de Panhandle ook de grens van Colorado haalde. In Colorado, ergens hoog in de bergen, lag zijn eerste reisdoel – een huis dat diep verscholen in de bossen lag en dat hij, zoals men hem lange tijd geleden al verzekerd had, gerust en wanneer hij maar wilde als tijdelijke schuilplaats zou kunnen gebruiken.

Vanaf dit moment tot aan dat waarop hij het huis bereikte, was zijn enige zorg het oversteken van de beide grenzen en het ongezien bereiken van zijn schuilplaats. Eenmaal daar zou hij geduldig moeten wachten tot zijn ontsnapping oud nieuws was geworden en er minder fanatiek naar hem gezocht werd. Dan pas zou hij aan de uitvoering van fase twee van zijn plan kunnen beginnen.

Hij pakte het pistool, laadde het, keek of het veiligheidspalletje erop zat en stopte het wapen, samen met een stapeltje geld, in zijn zak. Toen pakte hij de tassen en de autosleuteltjes, en deed de deur open. Het zou hem lukken, zijn tocht was begonnen.

Hij liep de hoek van het gebouw om en stapte de stoep af op weg naar zijn auto, maar bleef toen opeens stokstijf staan. Hij kon zijn ogen niet geloven. De sleepwagen die hij een paar minuten geleden bij het oversteken naar het benzinestation ontweken had, reed langzaam weg. Aan de ketting en de haak hing de zwarte auto met het kenteken van Illinois.

Zack bleef roerloos staan en keek de auto na. Achter zich hoorde hij een van de pompbedienden tegen een ander roepen: 'Ik zei je toch al dat die auto daar gewoon was achtergelaten? Hij stond er al drie dagen.'

Zack schrok wakker uit zijn gedachten. Hij kon twee dingen doen: teruggaan naar de wc, zijn gevangenisklof weer aantrekken, alles achterlaten en proberen om alles voor een volgende keer opnieuw geregeld te krijgen, of hij kon improviseren. Er was in feite geen sprake van een keus. Hij peinsde er niet over om terug te gaan naar de gevangenis; dan was hij liever dood. Toen hij zich dat eenmaal gerealiseerd had, deed hij het enige dat hem te binnen wilde schieten – hij rende naar de hoek, op zoek naar het enige andere zekere vervoermiddel om de stad mee uit te komen. Er kwam een bus aan. Hij griste een krant uit een afvalbak, hield er de bus mee aan en stapte in. Met de krant voor zijn gezicht, alsof hij diep geconcentreerd een artikel aan het lezen was, liep hij langs een horde schoolkinderen naar de achterbank. Gedurende twintig tergend langzaam verstrijkende minuten sukkelde de bus door het verkeer, en sloeg toen uiteindelijk rechtsaf een provinciale weg op die naar de snelweg leidde. Tegen de tijd dat de snelweg in zicht kwam, was het grootste gedeelte van de passagiers al uitgestapt. Het handjevol schoolkinderen dat nog over was, stond op toen de bus de halte bij een wegrestaurant naderde.

Zack had geen keus; hij stapte samen met hen uit en ging lopend op weg naar het kruispunt anderhalve kilometer verder. Liften was zijn enige keus, een keus die goed was voor maximaal een half uur. Zodra Hadley eenmaal in de gaten had dat hij ervandoor was, zou er door elke agent in de wijde omgeving naar hem worden gezocht.

De sneeuw plakte aan zijn haren en dwarrelde rond zijn voeten terwijl hij met voorovergebogen hoofd tegen de wind in liep. Een aantal vrachtwagens denderden aan hem voorbij; niemand sloeg acht op zijn opgestoken duim. Zack begon het somber in te zien. Er was verkeer genoeg, maar iedereen had kennelijk haast om voor de sneeuwstorm thuis te zijn. Ginds, bij de kruising, was een ouderwets benzinestation met een cafeetje erbij. Op de parkeerplaats stonden twee auto's – een blauwe Blazer en een bruine stationwagon. Hij liep erheen, liep langs het café en keek wie er binnen zaten. Aan één van de tafeltjes zat een vrouw alleen, aan een ander tafeltje zat een moeder met twee jonge kinderen. Hij vloekte zacht in het besef dat beide auto's van een vrouw waren. Vrouwen hielden er niet van om lifters mee te nemen. Zonder zijn pas te vertragen liep hij door naar de parkeerplaats achter het gebouw. Hij bekeek de auto's en vroeg zich af of de sleuteltjes in de contacten zaten. Maar zelfs áls dat zo was, dan zou het nog waanzin zijn om een van beide auto's te stelen, want de weg die van de parkeerplaats naar de snelweg liep, liep langs het venster van het café. Stel dat hij een van de beide auto's zou stelen en daarmee langs het venster zou rijden, dan zou de eigenaresse van de auto onmiddellijk naar de politie bellen. Sterker nog, vanaf deze plek was duidelijk te zien welke richting hij nam wanneer hij de snelweg op reed. Misschien moest hij dan maar proberen om een van de vrouwen, wanneer ze naar buiten kwam, geld aan te bieden in ruil voor een lift.

Als het hem niet met geld zou lukken, dan zou hij het nog met zijn revolver kunnen proberen. Jezus! Er zou toch een betere manier moeten zijn om hier weg te komen dan zo.

Hij keek van de langsrazende vrachtwagens op zijn horloge. Inmiddels was er bijna een uur verstreken sinds Hadley het gebouw binnen was gegaan. Hij durfde niet meer naar de weg te gaan om te liften. Als Sandini zich aan de instructies gehouden had, dan had Zack nog pakweg vijf minuten voor de plaatselijke politie naar hem op zoek zou gaan. Juist terwijl hij dat dacht, kwam er een politieauto vanaf de andere kant de oprit af, minderde vaart en reed de parkeerplaats op. Hij stuurde rechtstreeks af op de plek waar Zack zich schuilhield.

Zonder erbij na te denken boog Zack zich voorover en deed alsof hij één van de banden van de Blazer controleerde. Toen opeens kreeg hij een idee – een beetje te laat misschien, maar misschien ook niet. Hij pakte de stiletto uit de tas, stak hem met kracht in de zijkant van de band van de Blazer, en dook opzij voor de explosie van ontsnappende lucht. Vanuit zijn ooghoeken zag hij de politieauto achter zich tot stilstand komen. In plaats van te vragen wat Zack daar deed met zijn tassen voor de ingang van het café, draaide de plaatselijke sheriff zijn raampje open en zei wat voor de hand lag: 'Zo te zien hebt u een lekke band –'

'Daar heeft het inderdaad alle schijn van,' beaamde Zack, en sloeg tegen de zijkant van de band waarbij hij met opzet strak voor zich uit bleef kijken. 'Mijn vrouw heeft me er nog voor gewaarschuwd dat deze band lucht verloor –' De rest van zijn woorden ging verloren toen de politieradio opeens met luid gekraak tot leven kwam. Zonder verder nog iets te zeggen, gaf de agent vol gas, keerde en reed met loeiende sirene de parkeerplaats af. Het volgende moment hoorde Zack van alle kanten politiesirenes loeien, en hij zag de politieauto's naar de kruising rijden.

Zack begreep dat inmiddels bij de autoriteiten bekend was dat er een gevangene was ontsnapt. De jacht was begonnen.

Binnen, in het café, dronk Julie haar koffie op en pakte haar portemonnee om te betalen. Haar bezoek aan meneer Vernon was beter verlopen dan ze had durven hopen, en toen hij haar had uitgenodigd om nog wat langer bij hem en zijn vrouw te blijven, had ze niet kunnen weigeren. Ze had nog een rit van vijf uur voor de boeg, misschien nog wel langer met al die sneeuw, maar ze had een dikke cheque in haar portemonnee en was zo opgewonden dat de kilometers voorbij zouden vliegen. Ze keek op haar horloge, pakte de thermosfles op die ze had meegenomen om met koffie te laten vullen, glimlachte naar de kinderen die met hun moeder aan het tafeltje naast het hare zaten te eten, en liep naar de kassa om te betalen.

Toen ze naar buiten stapte, keek ze verbaasd naar de politieauto die vlak voor haar neus met gierende banden een scherpe bocht maakte, de sirene aanzette en vol gas van de parkeerplaats reed. Pas toen ze bijna bij de Blazer was, zag ze de man die naast het linkervoorwiel zat gehurkt. Hij stond meteen op en stak met kop en schouder boven haar uit. Als vanzelf deed ze meteen een stapje achteruit. 'Wat doet u daar?' vroeg ze geschrokken, terwijl ze naar haar eigen spiegelbeeld keek dat in de lenzen van de zonnebril weerkaatst werd.

Zack slaagde er zowaar in iets van een glimlach te produceren, want opeens wist hij precies hoe hij het zou aanpakken om haar zover te krijgen dat ze hem een lift aanbood. Het was voornamelijk aan zijn fantasie en improvisatietalent te danken geweest dat hij indertijd zo'n succesvol regisseur was geweest. Hij knikte in de richting van haar platte achterband, en zei: 'Ik wil uw band wel verwisselen, als u tenminste een krik heeft.'

Julie haalde diep adem. 'Neemt u me niet kwalijk dat ik zo onbeleefd was, maar u heeft me laten schrikken. Ik keek niet naar mijn auto, maar naar die politieauto die hier net met zo'n snelheid de parkeerplaats af reed.'

'Dat was Joe Loomis, een agent van hier,' improviseerde Zack moeiteloos, en hij kreeg het voor elkaar om de indruk te wekken dat de agent een vriend van hem was. 'Joe kreeg een oproep en moest weg, want anders zou hij me wel geholpen hebben met het verwisselen van uw band.'

Julie was haar schrik volkomen te boven, en ze keek hem glimlachend aan. 'Dat is heel vriendelijk van u,' zei ze, terwijl ze de achterbak van de Blazer opendeed om de krik te pakken. 'Deze auto is van mijn broer. De krik moet hier ergens liggen, maar ik weet niet precies waar.'

'Daar,' zei Zack. Hij had de krik al gezien en pakte hem. 'Dit gaat maar een paar minuutjes duren,' voegde hij eraan toe. Hij had haast, maar was zijn gevoel van paniek inmiddels alweer de baas. De vrouw dacht echt dat hij bevriend was met die agent, en op grond daarvan nam ze automatisch aan dat hij te vertrouwen was. Als hij haar band eenmaal had verwisseld, dan móest ze hem wel een lift aanbieden. Eenmaal op de snelweg zou er niet op hen worden gelet, want de politie was op zoek naar een man alléén. Op dit moment zou hij worden aangezien voor een doodnormale echtgenoot die, onder het toeziend oog van zijn vrouw, een lekke band verwisselde. 'Waar gaat u heen?' vroeg hij.

'In oostelijke richting naar Dallas, en dan naar het zuiden,' zei Julie, en ze bewonderde het gemak waarmee hij werkte. Hij had een ongewoon plezierige stem, warm en diep, en een mooi, krachtig profiel. Zijn donkerbruine haar was opvallend dik maar slecht geknipt, en ze vroeg zich vagelijk af hoe hij eruit zou zien zónder die zonnebril. Heel knap, besloot ze, maar toch was het niet zijn uiterlijk dat haar keer op keer naar zijn profiel deed kijken. Het kwam door iets anders, iets wat haar niet te binnen wilde schieten. Julie zette het gevoel van zich af, klemde de thermosfles onder haar arm en begon aan een beleefd praatje. 'Werkt u hier ergens in de omgeving?'

'Niet meer. Ik zou morgen aan een nieuwe klus beginnen, maar ik moet daar morgenochtend om zeven uur zijn, want anders geven ze het werk aan iemand anders.' Hij had de auto opgekrikt en begon met het losdraaien van de bouten van het wiel. Hij knikte naar de twee nylon tassen die Julie nog niet eerder had gezien omdat ze half onder de auto stonden geschoven. 'Een vriend van me zou me hier twee uur geleden hebben opgepikt om me een lift te geven,' voegde hij eraan toe. 'Maar er zal wel iets tussen zijn gekomen, en ik denk niet dat hij nog komt.'

'Wilt u daarmee zeggen dat u hier twee uur heeft staan wachten?' riep Julie uit. 'U zult wel bevroren zijn!'

Hij hield zijn gezicht afgewend en deed alsof hij zich op de band concentreerde, en Julie onderdrukte een vreemd soort verlangen om voorover te buigen om hem eens wat beter te bekijken. 'Hebt u misschien zin in een kopje koffie?'

'Dat lijkt me heerlijk.'

In plaats van de inhoud van de thermos aan te spreken, besloot Julie om de koffie in het café te gaan halen. 'Ik haal het wel even voor u. Hoe drinkt u het?'

'Zwart,' zei Zack, en hij deed zijn best om vooral niets van zijn frustratie te laten blijken. Zij was op weg in zuidelijke richting, terwijl hij juist naar het noordwesten moest. Hij keek op zijn horloge en begon nog sneller te werken. Intussen was het bijna anderhalf uur geleden dat hij bij Hadley's auto was weggelopen, en hoe langer hij in de buurt van Amarillo bleef, des te groter werd het risico dat hij gepakt zou worden. Welke kant de vrouw ook op ging, hij moest met haar mee. Op dit moment ging het erom om zo snel mogelijk uit de buurt van Amarillo te komen. Hij kon een uurtje of zo met haar meerijden, en dan later via een andere route teruggaan.

De serveerster moest een nieuwe pot koffie zetten, en tegen de tijd dat Julie met een dampend bekertje bij de auto terugkwam, was de man bijna klaar met het verwisselen van de band. Er lag intussen al zeker vijf centimeter sneeuw, en het was een stuk harder gaan waaien. Ze zag hem in zijn koude handen wrijven en dacht aan de nieuwe baan die morgen op hem wachtte – vooropgesteld dat hij tijdig op de plaats van bestemming zou kunnen zijn. Ze wist dat in Texas de banen, en zeker de kantoorbanen, niet voor het oprapen lagen, en aangezien hij geen auto had, betekende dat waarschijnlijk dat hij het geld hard nodig had. Toen hij opstond viel haar blik op de keurige plooi in zijn spijkerbroek, en ze besefte dat de broek nieuw moest zijn. Hij had hem waarschijnlijk gekocht om een goede indruk op zijn nieuwe baas te maken, bedacht ze, en die gedachte riep een gevoel van sympathie bij haar op.

Julie had nog nooit van haar leven een lifter meegenomen; het risico was veel te groot. Maar ze besloot voor deze keer een uitzondering te maken, niet alleen omdat hij haar band had verwisseld en omdat hij zo aardig leek, maar ook vanwege die spijkerbroek – die nieuwe spijkerbroek. Een nieuwe spijkerbroek die kennelijk was gekocht door een man zonder werk die met heel zijn hart hoopte op een betere toekomst die geen waarheid zou worden tenzij iemand hem, al was het maar een gedeeltelijke, een lift gaf op weg naar de plaats van zijn bestemming.

'Zo te zien bent u klaar,' zei Julie, en liep naar hem toe. Ze stak het bekertje met koffie naar hem uit, en hij pakte het aan met handen die rood zagen van de kou. Hij had iets afstandelijks op grond waarvan ze aarzelde om hem geld aan te bieden, maar uitgaande van de mogelijkheid dat hij dat misschien liever had dan een lift, zei ze toch maar: 'Ik zou u graag betalen voor het verwisselen van mijn band.' Toen hij zijn hoofd schudde, voegde ze eraan toe: 'Kan ik u in dat geval dan misschien een lift aanbieden? Ik neem de Interstate in oostelijke richting.'

'Met een lift zou u mij een groot plezier doen,' zei hij glimlachend, waarna hij zich bukte om de tassen onder de auto uit te halen. 'Ik ga ook naar het oosten.'

Toen ze in de auto zaten, vertelde hij haar dat hij Alan Aldrich heette. Julie stelde zichzelf voor als Julie Mathison, maar om hem goed duidelijk te maken dat ze hem alleen maar een lift aanbood en verder niets, bleef ze hem met meneer aanspreken. Hij volgde haar voorbeeld, en sprak haar aan met mevrouw.

Daarna ontspande Julie zich. Het feit dat hij er geen moeite mee had om haar met mevrouw aan te spreken, stelde haar gerust. Maar toen hij vanaf dat moment verder helemaal niets meer zei, had ze er spijt van dat ze hem zo nadrukkelijk met meneer had aangesproken. Ze wist dat ze niet goed was in het verbergen van haar gedachten, en daardoor had hij waarschijnlijk meteen begrepen dat ze hem op zijn plaats zette – een onnodige belediging, aangezien hij zich alleen maar als een heer gedragen had door het verwisselen van haar band.

Hoofdstuk 17

Pas toen ze ongeveer tien minuten onderweg waren, voelde Zack de wurgende spanning in zijn borst langzaam maar zeker verdwijnen, en hij haalde lang en diep adem – zijn eerste ontspannen ademhaling sinds uren. Nee, sinds maanden. Hij had zo lang geleden onder gevoelens als doelloosheid en hulpeloosheid, dat hij zich nu, zonder die emoties, bijna lichthoofdig voelde. Een rode auto haalde hen met hoge snelheid in, sneed hen over hun weghelft heen naar de uitrit die ze op dat moment passeerden, slipte en miste de Blazer op een haar na – en alleen maar dankzij het feit dat de jonge vrouw naast hem een uitstekende chauffeur bleek te zijn. Helaas reed ze ook te snel. Ze had een roekeloze rijstijl, een manier van rijden die je, voor zover hij had kunnen vaststellen, alleen maar in Texas tegenkwam.

Hij vroeg zich af of er misschien een manier was waarop hij haar voor kon stellen om van plaats te verwisselen, maar juist op dat moment zei ze op geamuseerde toon: 'Rustig maar. Ik heb wat gas teruggenomen. Het was niet mijn bedoeling om u bang te maken.'

'Ik was helemaal niet bang,' zei hij snauweriger dan zijn bedoeling was.

Ze keek hem van terzijde aan en glimlachte. 'U houdt zich met beide handen aan het dashboard vast. Dat is toch meestal een duidelijk teken van angst.'

Er waren twee dingen die Zack zich op dat moment realiseerde. Hij had zo lang in de gevangenis gezeten dat hij volledig verleerd was om een gezellig gesprekje te voeren met volwassen leden van de andere sekse, en Julie Mathison had een adembenemend glimlachje. Wanneer ze lachte, dan lachten haar ogen mee een straalde haar hele gezicht waarbij ze, in plaats van gewoon alleen maar knap, opeens een regelrechte schoonheid werd. Aangezien hij veel beter aan haar kon denken dan aan dingen die hij toch niet in de hand had, besloot hij om zich met zijn gedachten op haar te concentreren. De enige make-up die ze droeg was een klein beetje lippenstift. Ze had iets verfrissends, iets eenvoudigs. Dat, plus de manier waarop ze haar dikke, glanzende bruine haren droeg, deed hem vermoeden dat ze een jaar of twintig was. Aan de andere kant echter maakte ze een veel te zelfverzekerde indruk voor iemand van die leeftijd. 'Hoe oud bent u?' vroeg hij botweg, en had onmiddellijk spijt van zijn tactloze vraag. Wanneer hij niet opnieuw gearresteerd, en teruggestuurd werd naar de gevangenis, dan zou hij echt zijn best moeten doen om bepaalde dingen, waarvan hij altijd gedacht had dat het aangeboren eigenschappen van hem waren geweest, weer aan te leren – dingen als beleefdheid en het voeren van een beschaafd gesprekje met vrouwen.

In plaats van geïrriteerd te zijn, schonk ze hem opnieuw zo'n betoverend glimlachje en zei half lachend: 'Zesentwintig.'

'God allemachtig!' hoorde Zack zichzelf uitroepen, en hij sloot zijn ogen uit ergernis over zijn werkelijk meer dan knullige reactie. 'Ik bedoel,' voegde hij er haastig aan toe, 'dat u er veel jonger uitziet.'

Ze scheen zich ervan bewust te zijn dat hij zich nogal slecht op zijn gemak voelde, want ze lachte zacht en zei: 'Dat komt waarschijnlijk doordat ik nog maar net, sinds een paar weken, zesentwintig ben.'

Omdat hij niet iets spontaans terug durfde te zeggen, keek hij naar de ruitewissers die ritmisch over de voorruit heen en weer bewogen. Ondertussen dacht hij na over zijn volgende vraag. 'Wat doet u voor werk?'

'Ik ben onderwijzeres.'

'Daar ziet u helemaal niet naar uit.'

Opnieuw zag hij de lach in haar ogen, maar ze deed haar best om haar gezicht in de plooi te houden. Zack, die zich door haar onvoorspelbare reacties van zijn stuk gebracht voelde, vroeg een tikkeltje kortaf: 'Heb ik soms iets grappigs gezegd?'

Julie schudde haar hoofd en zei: 'Nee, hoor, helemaal niet. Maar zo'n reactie krijg ik meestal van oudere mensen.'

Zack wist niet zeker of ze hem onder de categorie van 'ouder' rangschikte omdat ze echt vond dat hij oud was, of dat ze het als een grapje bedoelde. Hij zat erover na te denken toen ze hem vroeg wat hij voor de kost deed, en hij zei het eerste het beste wat hem te binnen schoot.

'Ik zit in de bouw.'

'O, ja? Mijn broer zit ook in de bouw, hij is aannemer. Wat voor werk doet u?'

Zack wist amper het verschil tussen een hamer en een spijker, en hij had er onmiddellijk spijt van dat hij niet een ander soort werk had genoemd of, beter nog, helemaal zijn mond had gehouden. 'Muren,' antwoordde hij ontwijkend. 'Ik maak muren.'

Ze haalde haar blik van de weg, waarvan hij schrok, en keek hem doordringend aan, waarvan hij nog meer schrok. 'Muren?' herhaalde ze op verbaasde toon. Toen verduidelijkte ze: 'Ik bedoelde of u ook een specialiteit hebt.'

'Ja. Muren,' zei Zack kortaf. Hij kon het niet uitstaan van zichzelf dat hij hierover begonnen was. 'Dat is mijn specialiteit. Ik maak muren.'

Julie realiseerde zich dat ze hem verkeerd begrepen moest hebben. 'U bouwt stapelmuurtjes!' riep ze uit.

'Precies.'

'In dat geval verbaast het me dat het zo moeilijk voor u is om werk te vinden. Goede bouwers van stapelmuurtjes zijn doorgaans heel moeilijk te vinden.'

'Ik ben dus géén goede bouwer van stapelmuurtjes,' verklaarde Zack op effen toon, waarmee hij duidelijk maakte dat hij geen zin had om dit gesprek verder voort te zetten.

Julie had het liefste om zijn uitspraak en toon willen lachen, maar ze beheerste zich en concentreerde zich op de weg. Hij was echt een heel apart mens. Ze wist niet of ze hem aardig moest vinden, en of ze blij moest zijn met zijn gezelschap. En daarbij had ze nog steeds dat akelige gevoel dat hij haar aan iemand deed denken. Ze wou dat hij die zonnebril eens afzette. Ze hadden de stad inmiddels ver achter zich gelaten, en de hemel werd donker. Er werd niet gesproken in de auto en de sneeuw sloeg in plakkerige vlokken tegen de voorruit. Ze hadden ongeveer een half uur gereden toen Zack in de buitenspiegel aan zijn kant keek, en verstijfde. Achter hen, op zo'n kilometer afstand, naderde een politieauto met blauw zwaailicht.

Het volgende moment begon de sirene te loeien.

De vrouw naast hem had het ook gehoord. Ze keek in de achteruitkijkspiegel, haalde haar voet van het gas en week uit naar de vluchtstrook. Zack stak zijn hand in de zak van zijn jack, en zijn vingers sloten zich rond de revolver, hoewel hij er geen idee van had wat hij precies zou doen wanneer de politie zou proberen om hen aan te houden. Ze waren inmiddels vlakbij, en hij zag twee agenten op de voorbank zitten. Ze haalden de Blazer in...

En reden door.

'Er zal daar verderop wel een ongeluk zijn gebeurd,' zei ze, toen ze op het hoogste punt van een heuvel waren gekomen en aansloten in wat eruitzag als een lange file op de besneeuwde snelweg. Even later schoten er twee ambulances voorbij.

Zacks plotselinge opwinding had plaats gemaakt voor een doodmoe gevoel. Hij voelde zich al met al veel te opgefokt, en dat kwam natuurlijk door de spanning die het gevolg was geweest van het feit dat Hadley zijn tochtje naar Amarillo met twee dagen had uitgesteld. Alles wat er tot nu toe was misgelopen in zijn plannen, was daar het gevolg van. Hij wist niet eens of zijn contact nog wel in het hotel in Detroit op zijn telefoontje zat te wachten. Ze waren nu nog zo dicht in de buurt van Amarillo, dat hij nu nog niet durfde te stoppen om te bellen. Daarbij reed hij nu ook nog eens de verkeerde kant op. Misschien moest hij maar eens op zijn kaart kijken en zijn tijd nuttig besteden met uit te zoeken of er vanaf hier naar zijn bestemming in Colorado een goede weg was. Hij boog zich naar achteren en zei: 'Ik denk dat ik maar eens op de kaart ga kijken.'

Julie nam aan dat hij de route naar zijn bestemming in Texas wilde nagaan. 'Waar moet u precies zijn?' vroeg ze.

'In Ellerton,' antwoordde hij met een glimlachje, terwijl hij zijn tas pakte. 'Ik heb in Amarillo een sollicitatiegesprek gehad, maar in Ellerton zelf ben ik nog nooit geweest,' voegde hij eraan toe opdat ze verder geen vragen over het plaatsje zou stellen.

'Ik geloof niet dat ik ooit van Ellerton heb gehoord.' Een paar minuten later, toen hij de kaart met de getypte routebeschrijving erop netjes dichtvouwde, vroeg Julie: 'En, hebt u Ellerton gevonden?'

'Nee.' Om te voorkomen dat ze nog meer over het niet bestaande stadje zou vragen, zwaaide hij even met het getypte vel, waarna hij zich weer naar achteren boog om de kaart en het vel weer in zijn tas te stoppen. 'Ik heb de routebeschrijving erbij gekregen, dus ik zal het wel vinden.'

Ze knikte, maar keek naar het bord voor hen dat een afrit aankondigde. 'Ik geloof dat ik er hier maar af ga, en via de parallelweg langs het ongeluk probeer te komen.'

'Goed idee.' De afrit bleek een landelijk weggetje te zijn dat eerst met de snelweg meeliep, maar er daarna flauw naar rechts vanaf begon te wijken. 'Misschien dat het achteraf toch niet zo'n goed idee was,' zei ze even later toen de weg steeds verder uit de buurt van de snelweg kwam.

Zack antwoordde niet meteen. Bij de kruising die ze naderden lag een verlaten benzinestation en aan de rand van de lege parkeerplaats stond een telefooncel. 'Als u er geen bezwaar tegen hebt om even te stoppen, dan zou ik graag even telefoneren. Het duurt niet lang.'

'Daar heb ik geen enkel bezwaar tegen.' Julie parkeerde de Blazer onder een straatlantaarn bij de telefooncel, en keek hem na terwijl hij door de lichtbundels van de koplampen naar de telefoon liep. Het was inmiddels bijna donker, en het zag ernaar uit dat ze door de sneeuwstorm zouden worden ingehaald. Ze besloot haar dikke winterjack te verruilen voor een wollen vest omdat dat haar bij het rijden minder in de weg zou zitten, zette de radio aan in de hoop dat ze een weerbericht zouden uitzenden, stapte uit en liep naar de achterbak om haar vest te pakken.

Ze deed de achterbak open, trok haar jas uit, pakte haar bruine mohair vest uit haar koffertje en keek naar de kaart die uit zijn tas stak. Aangezien ze zelf geen kaart bij zich had en niet precies wist waar deze weg heen zou gaan en of ze haar passagier niet zo ver uit de buurt van zijn bestemming bracht dat hij misschien beter met een ander mee zou kunnen liften, besloot ze op zijn kaart te kijken. Ze keek naar hem in de telefooncel met het idee om de kaart op te houden en om zijn toestemming te vragen, maar hij stond half van haar afgedraaid en was in gesprek. Ervan uitgaande dat hij er onmogelijk bezwaar tegen kon hebben, vouwde Julie het getypte vel opzij en vouwde de kaart open. Ze legde de kaart in de achterbak neer en hield de zijkanten vast om ervoor te zorgen dat de wind hem niet op zou waaien. Het duurde een paar seconden voor het tot haar was doorgedrongen dat dit geen kaart van Texas, maar van Colorado was. Nieuwsgierig keek ze naar de getypte routebeschrijving die aan de voorkant van de kaart was vastgeniet. 'Precies 37,6 kilometer na het uitrijden van Stanton,' stond er, 'kom je bij een kruising waar geen borden staan. Even later krijg je rechts een smal pad dat zo'n vijftien meter vanaf de weg in het bos verdwijnt. Het huis staat aan het einde van dat pad, ongeveer acht kilometer vanaf de weg, en het is vanaf de weg en vanaf de omliggende bergen niet te zien.'

Julie was verbaasd. Was hij dan niet op weg naar een klus in Ellerton, maar naar een huis in Colorado?

Het vrolijke nummer op de radio was afgelopen, en de stem van de omroeper zei: '*Over enkele ogenblikken krijgt u van ons het laatste nieuws over de sneeuwstorm, maar eerst volgt een mededeling van de politie...*'

Zijn woorden drongen amper tot Julie door. Ze keek met grote ogen naar de man in de telefooncel, en weer kreeg ze dat akelige gevoel... dat ze hem ergens van kende. Hij stond nog steeds met zijn schouder naar haar toe, maar hij had zijn zonnebril afgedaan en hield hem nu in zijn hand. Alsof hij voelde dat ze hem observeerde, draaide hij zich naar haar om en keek haar aan. Ze zag hoe hij zijn ogen vernauwde toen hij zag dat ze zijn kaart vast had.

'*Om ongeveer vier uur vanmiddag,*' zei de stem op de radio, '*heeft het personeel van de strafgevangenis in Amarillo vastgesteld dat Zachary Benedict, die op beschuldiging van moord een straf van vijfenveertig jaar uitzat, tijdens een bezoek aan de stad ontsnapt is –*'

Als verlamd keek Julie naar zijn knappe gezicht.

En ze herkende het.

'Nee!' riep ze, toen hij de telefoon liet vallen en naar haar toe kwam gerend. Ze vloog naar haar portier, rukte het open, sprong in de auto en ramde het knopje van het andere portier omlaag... een fractie van een seconde nadat hij het had opengerukt en haar pols beetpakte. Ze slaagde erin zich los te rukken en aan haar kant weer uit de auto te springen. Ze gleed uit, sloeg met haar heup tegen de grond, krabbelde overeind en ging ervandoor. Hoewel ze zich realiseerde dat niemand haar zou horen, riep ze luidkeels om hulp. Ze had nog geen vijf meter afgelegd, toen hij haar vastgreep, haar terugtrok naar de auto en haar tegen de motorkap drukte. 'Sta stil en hou je mond!'

'U kunt de auto krijgen!' riep Julie. 'Neem de auto, maar laat mij hier.'

Hij negeerde haar, keek over zijn schouder naar de kaart van Colorado die, nadat ze hem had laten vallen, was weggewaaid en nu tegen een roestige afvalbak aan hing. Als in slow motion zag Julie hem een glanzend zwart voorwerp uit zijn zak halen en op haar richten, terwijl hij achteruit naar de afvalbak liep om de kaart te halen. Een revolver. Goeie God, hij had een revolver!

Trillend over haar hele lichaam luisterde ze ongelovig naar wat de woordvoerder van de politie verder nog te melden had. *'We gaan ervan uit dat Benedict een wapen bij zich heeft en gevaarlijk is. Getuigen wordt verzocht onmiddellijk contact op te nemen met de politie van Amarillo. Blijft u uit zijn buurt. Een tweede gevangene, Dominic Sandini, is aangehouden en opnieuw in verzekerde bewaring gesteld...'*

Haar knieën dreigden onder haar gewicht te bezwijken toen ze hem, met de revolver in zijn ene, en de kaart in zijn andere hand, weer naar zich toe zag komen. Achter hen kwam een auto aan, en hij stak de revolver terug in zijn zak om te voorkomen dat iemand hem zou zien, maar hij bleef het wapen vasthouden. 'Stap in,' beval hij.

Julie keek snel even achterom naar de naderende auto, en vroeg zich af of het haar zou lukken om de aandacht van de bestuurder te trekken. 'Als je het maar uit je hoofd laat,' hoorde ze hem waarschuwen.

Met wild kloppend hart zag ze de auto bij de kruising linksaf slaan. Ze had de auto voorbij laten rijden zonder iets te doen. Dit was nog niet het moment om iets te proberen, wist ze. Deze weg was te stil en te verlaten, en de kans dat ze een ontsnapping zou overleven, was te gering.

'Vooruit, opschieten!' Hij pakte haar bij de arm en trok haar mee naar haar openstaande portier. Julie Mathison liep op trillerige benen mee met de moordenaar die haar onder schot hield. Ze had het akelige gevoel dat ze bezig waren om een scène uit een van zijn films te spelen – die scène waarin de gijzelaar wordt neergeschoten.

Hoofdstuk 18

Haar handen beefden zo erg dat ze moeite had om het contactsleuteltje te pakken, en toen ze de auto probeerde te starten, scheelde het een haar of ze had de motor verzopen omdat het haar niet lukte om haar knieën onder controle te houden. Hij sloeg haar, vanaf zijn plaats naast haar, met volkomen gevoelloze ogen gade. 'Rijden,' beval hij toen de motor eindelijk was aangeslagen. Julie kreeg het voor elkaar om de auto te keren en naar het einde van de parkeerplaats te rijden, maar toen ze bij de weg was gekomen bleef ze staan. Ze was zo verlamd van angst dat haar hersens niet meer werkten en ze niet in staat was om de voor de hand liggende vraag te stellen.

'Ik zei, rijden!'

'Welke kànt?' kwam het met een angstig piepstemmetje over haar lippen. Ze kon het niet uitstaan van zichzelf dat ze zo angstig klonk, en haatte het beest dat naast haar zat voor het feit dat hij haar dit aandeed.

'Dezelfde weg terug.'

'Te-terug?'

'Versta je me soms niet?'

Het drukke verkeer op de snelweg kroop vooruit. De stilte en de spanning in de auto waren te snijden. Julie deed wanhopig haar best om haar zenuwen zo veel mogelijk onder controle te krijgen, terwijl ze nadacht over een mogelijkheid om te ontsnappen. Ze bracht een trillende hand naar het knopje van de radio om een andere zender op te zoeken, en rekende erop dat hij haar zou bevelen om dezelfde zender aan te laten staan. Toen hij niets zei, draaide ze het knopje tot ze iets van muziek had gevonden.

Julie keek naar de inzittenden van de andere auto's, mensen die na een lange werkdag op weg waren naar huis. De man in de auto naast haar luisterde naar dezelfde zender, en tikte het ritme van de muziek mee op zijn stuur. Hij keek haar kant op, knikte vriendelijk, en keek toen weer voor zich uit. Ze begreep dat hem niets abnormaals was opgevallen. En zo van de buitenkant zag alles er ook volkomen normaal uit. Alles was normaal.

Behalve één ding.

Naast haar op de voorbank zat een ontsnapte moordenaar die haar onder schot hield. Het was de uiterlijke gezelligheid die zo scherp contrasteerde met de verschrikkelijke realiteit van de situatie, die Julie opeens uit haar staat van verdwazing wakker schudde. Het verkeer kwam weer in beweging, en haar wanhoop maakte plaats voor inspiratie. Ze waren al meerdere auto's gepasseerd die van de weg af waren geraakt en in de berm lagen. Als ze een slip naar rechts kon forceren en het stuur, op het moment dat ze de berm in vlogen, met een ruk naar links trok, dan zou haar portier bruikbaar blijven en dat van hem naar alle waarschijnlijkheid klem komen te zitten. Bij haar eigen auto zou het zeker lukken, maar ze wist niet zeker hoe deze Blazer zou reageren.

Zack zag haar herhaaldelijk naar de kant van de weg kijken. Hij was zich bewust van haar groeiende paniek en begreep dat er een grote kans was dat haar angst haar tot iets wanhopigs zou drijven. 'Ontspan je!' beval hij.

Van het ene moment op het andere sloeg Julie's angst om in woede. 'Moet ik me ontspánnen!' riep ze uit met trillende stem, waarbij ze hem met grote ogen aankeek. 'Hoe stelt u zich zoiets voor, wanneer u mij voortdurend onder schot houdt?'

Daar had ze gelijk in, vond Zack, en voor ze nog iets zou proberen wat hem zijn vrijheid zou kunnen kosten, besloot hij dat het in hun beider belang was wanneer hij haar wat op haar gemak probeerde te stellen. 'Gewoon rustig blijven,' zei hij.

Julie keek recht voor zich uit. Het was intussen iets minder druk op de weg geworden, er werd weer wat harder gereden, en ze begon te overwegen om tegen een of meer andere auto's aan te rijden waardoor er een flinke file zou ontstaan. Het was in ieder geval een manier om de aandacht van de politie te trekken.

Het zat er evenwel dik in dat zij en de andere autobestuurders die erbij betrokken waren, door Zack Benedict werden neergeschoten.

Niet zo'n best idee, dus.

Net toen ze zich zat af te vragen of zijn revolver met negen kogels geladen was, en of hij daadwerkelijk in staat zou zijn om onschuldige mensen neer te knallen, zei hij opeens op kalme toon: 'Er zal je heus niets gebeuren, Julie. Als je maar doet wat ik je zeg, dan is er niets aan de hand. Ik heb vervoer nodig naar de staatsgrens, en jij hebt een auto, zo simpel ligt dat. Tenzij deze auto je zo veel waard is dat je je leven wilt riskeren om mij eruit te krijgen, raad ik je aan om zo onopvallend mogelijk door te rijden. Trek je de aandacht van de politie, dan volgt er een schietpartij waar jij dan middenin zit. Dus, wees een gehoorzaam meisje en ontspan je.'

'Als u wilt dat ik mij ontspan,' zei ze, 'laat u míj die revolver dan vasthouden, en dan zult u wel eens zien hoe makkelijk het voor mij is om mij te ontspannen!' Ze zag hem zijn voorhoofd fronsen, maar toen hij verder doodstil bleef zitten, begon ze bijna te geloven dat hij echt niet van plan was om haar iets aan te doen – zolang ze zijn vrijheid maar niet op het spel zette. Die gedachte had een enigszins kalmerende uitwerking op haar zenuwen, maar op hetzelfde moment voelde ze zich verschrikkelijk nijdig worden om wat hij haar tot dusver had aangedaan. 'En verder,' vervolgde ze boos, 'ben ik geen kind meer, hoeft u niet zo'n betuttelend toontje tegen mij aan te slaan en zou ik het waarderen wanneer u mij niet Julie noemde! Toen ik nog dacht dat u een aardige, fatsoenlijke man was die op zoek was naar werk en die verrekte sp-spijkerbroek had gekocht om indruk te m-maken op uw b-baas, toen kon u mij nog wel aan-aanspreken met me-mevróuw! En als u die verrekte sp-spijkerbroek niet aan had gehad, dan zou ik n-nu gewoon op w-weg zijn naar huis –' Tot Julie's ontzetting voelde ze opeens tranen opkomen, en dus wierp ze hem een naar ze hoopte minachtende blik toe en keek vervolgens weer strak voor zich uit.

Zack trok zijn wenkbrauwen op en keek haar zonder iets te zeggen aan, maar innerlijk was hij stomverbaasd en ook wel onder de indruk van haar onverwachte vertoon van moed. Nadat hij zijn blik weer had afgewend, keek hij voor zich uit, naar het verkeer en de dikke sneeuwvlokken die hem een paar uur geleden nog een vloek hadden geleken maar uiteindelijk een zegen waren gebleken. De politie had het veel te druk met het verkeer en gestrande bestuurders om uitgebreid naar hem op zoek te gaan. En uiteindelijk was hij zelfs blij dat hij die zwarte, kleine huurauto op het laatste moment was misgelopen, want anders had hij nu niet in deze veel zwaardere auto met vierwielaandrijving gezeten. Hij zag in dat alle tegenslag en het oponthoud van de laatste twee dagen in feite in zijn voordeel hadden gewerkt. Hij zou zijn einddoel in Colorado bereiken, en dat alleen maar dankzij Julie Mathison. Mevróuw Mathison, corrigeerde hij zijn gedachten, en leunde heimelijk grijnzend ontspannen achterover. Zijn vrolijkheid was evenwel van korte duur, want er was iets aan dat nieuwsbericht dat ze eerder op de radio hadden gehoord, dat steeds meer aan hem begon te knagen. Ze hadden het over Dominic Sandini gehad als over een 'andere ontsnapte gevangene', die 'was aangehouden en opnieuw in verzekerde bewaring was gesteld'. Als Sandini zich aan het plan gehouden had, dan zou Hadley juist heel blij moeten zijn geweest met de trouw van een van zijn vertrouwelingen, en zou hij het tegenover de pers hebben uitgekraamd.

Zack hield het erop dat de pers gewoon verkeerd geïnformeerd was, en hij dwong zich zich te concentreren op de boze schooljuffrouw aan zijn zijde. Ofschoon hij haar en haar auto op dit moment dringend nodig had, betekende zij toch ook een ernstige complicatie wat zijn plannen betrof. Ze wist waarschijnlijk dat hij op weg was naar Colorado; en het zat er dik in dat ze voldoende van die kaart en de routebeschrijving had gezien om de politie te kunnen vertellen in welke omgeving hij zich schuilhield. Liet hij haar vrij op de grens van Texas en Oklahoma, of een stukje noordelijker, op de grens van Oklahoma en Colorado, dan zou ze de autoriteiten precies kunnen vertellen welke kant hij op reed en welke auto hij bestuurde. Intussen was zijn gezicht waarschijnlijk al zo vaak en uitgebreid op de televisie vertoond, dat hij geen andere auto kon huren zonder herkend te worden. Bovendien wilde hij de politie in de waan laten dat hij naar Detroit was gevlogen en de Canadese grens over was gestoken.

Julie Mathison betekende zowel een godsgeschenk als een ernstige kink in de kabel van zijn plannen. In plaats van het lot te vervloeken omdat hij nu met haar zat opgezadeld en zij een ernstige bedreiging voor zijn vrijheid betekende, besloot hij het lot een kans te geven om dit probleem op te lossen. Hij stak zijn hand over de rugleuning naar achteren om de thermosfles te pakken, dacht terug aan haar laatste opmerkingen en bedacht iets wat waarschijnlijk een goed begin voor een leuk gesprek was. Zijn best doend om opgewekt en zo min mogelijk bedreigend te klinken, vroeg hij vriendelijk: 'Wat mankeert er aan mijn broek?'

Ze keek hem met open mond en niet-begrijpende ogen aan. 'Wat?'

'U zei iets over mijn verrekte spijkerbroek, en dat u mij, als ik die broek niet had aan gehad, nooit een lift zou hebben aangeboden,' verklaarde hij, terwijl hij koffie in het bekertje van de thermosfles schonk. 'Wat mankeert er aan mijn broek?'

Julie onderdrukte een hysterisch lachje. Zíj maakte zich zorgen om haar leven, en híj had het over zijn broek!

'Wat,' herhaalde hij met klem, 'bedoelde u daar precies mee?'

Ze stond op het punt een nijdig antwoord te geven, toen haar op hetzelfde moment twee dingen te binnen schoten – dat ze wel gek moest zijn om een gewapend man tegen zich in het harnas te jagen, en dat als ze hem, via een gezellig babbeltje, zover zou kunnen krijgen dat hij zich wat ontspande en haar niet meer zo scherp in de gaten hield, ze een grotere kans zou hebben om te ontsnappen en om het hier levend vanaf te brengen. Ze haalde diep adem en zei, zonder haar ogen van de weg af te halen: 'Het viel me op dat u een nieuwe spijkerbroek aan had.'

'En wat heeft dat te maken met uw beslissing om mij een lift te geven?'

Bitter, omdat ze zo naïef was geweest, antwoordde ze: 'Aangezien u geen auto had en liet doorschemeren dat u zonder werk zat, nam ik aan dat u het financieel moeilijk had. Toen zei u dat u op een baantje hoopte, en zag ik de vouw in uw broek...' Ze zweeg in het besef dat ze hem had aangezien voor een arme sloeber terwijl hij in werkelijkheid een multimiljonair was.

'Gaat u verder,' drong hij aan.

'Nou, de conclusie lag voor de hand! Ik nam aan dat u die broek had gekocht om een goede indruk op uw nieuwe baas te maken, en ik kon me helemaal voorstellen hoe belangrijk die baan voor u was en met hoeveel illusie u die broek moest hebben gekocht. Ik-ik vond het een verschrikkelijke gedachte dat al uw hoop de bodem in geslagen zou worden als ik u die lift niet aanbood. En hoewel ik van mijn leven nog nooit iemand een lift heb gegeven, vond ik u zo zielig dat ik besloot om het er maar op te wagen.'

Zack was niet alleen stomverbaasd, hij was ook nog eens ontroerd. Gedurende al die jaren die hij in de gevangenis had gezeten, was hij een dergelijke vriendelijkheid, een vriendelijkheid waarbij ook nog eens sprake was van een zeker persoonlijk risico of opoffering, niet tegengekomen. En daarvoor zelfs ook niet, besefte hij. Hij zette die onplezierige gedachte van zich af en vroeg: 'En dat leidde u allemaal af van die vouw in mijn spijkerbroek? Ik moet zeggen, u heeft een rijke fantasie,' voegde hij er hoofdschuddend aan toe.

'En daarbij ontbreekt het mij kennelijk ook aan de nodige mensenkennis,' zei Julie bitter. Vanuit haar ooghoeken zag ze zijn linkerarm haar kant op zwaaien, ze schrok en kon nog net een gil onderdrukken toen ze zag dat hij haar alleen maar een kop koffie uit de thermosfles aanbood. Zachtjes, verontschuldigend bijna, zei hij: 'Ik dacht dat dit misschien wel zou helpen.'

'Als u soms bang bent dat ik achter het stuur in slaap val, dan heeft u het mis.'

'Drink er toch maar wat van,' beval Zack. Hij wilde iets doen om haar minder bang te laten zijn, hoewel hij zich terdege realiseerde dat hij de oorzaak was van haar angst. 'Dan...' Hij aarzelde, zocht naar de juiste woorden, en besloot: 'Dan lijkt het allemaal een beetje normaler.'

Julie keek hem stomverbaasd aan. Kennelijk vond ze zijn 'bezorgdheid' om haar niet alleen uiterst weerzinwekkend, maar ook volslagen waanzinnig. Het lag op het puntje van haar tong om hem dat te zeggen, maar toen dacht ze opeens weer aan de revolver in zijn zak. Met onvaste hand nam ze het bekertje van hem aan, nipte van de koffie en bleef strak voor zich uitkijken.

Zack zag hoe haar hand beefde, telkens wanneer ze het bekertje aan haar lippen zette. Hij was zich bewust van een krankzinnig verlangen om haar zijn excuses aan te bieden, om haar te zeggen dat het hem verschrikkelijk speet dat ze door zijn toedoen zo bang was. Ze had een prachtig profiel, dacht hij, terwijl hij haar in het licht van het dashboard bestudeerde. Hij keek naar haar kleine neus, haar koppige kinnetje en haar hoge jukbeenderen. Ze had ook schitterende ogen, besloot hij, zich herinnerend hoe ze hem met vonkende ogen had aangekeken. Spectaculaire ogen. Hij voelde zich echt schuldig over het feit dat hij dit onschuldige meisje dat hem alleen maar had willen helpen, moest gebruiken en zo bang maakte. Daarbij was hij hoe dan ook van plan om haar te blijven gebruiken, en hij voelde zich als het beest waar iedereen hem voor uitmaakte. Om zijn geweten te sussen, nam hij zich voor om het er voor haar zo gemakkelijk mogelijk op te maken, en dat zou hij doen door verder met haar te praten.

Het was hem opgevallen dat ze geen trouwring droeg, en dat betekende dat ze niet getrouwd was. Hij probeerde zich te herinneren wat mensen – beschaafde mensen die níet in de gevangenis zaten – tegen elkaar zeiden om een beleefd gesprekje te voeren, en vroeg: 'Vindt u dat leuk, lesgeven?'

Opnieuw draaide ze zich naar hem toe en keek hem met grote, bijna vijandige ogen aan. 'Dacht u nu echt,' begon ze ongelovig, 'dat ik zin heb om het met u over koetjes en kalfjes te hebben?'

'Ja!' snauwde hij, onverwacht nijdig omdat ze hem niet in staat stelde om het goed te maken. 'Inderdaad. Vertel op!'

'Ja, ik vind lesgeven leuk,' gehoorzaamde Julie met onvaste stem. Ze kon het niet uitstaan van zichzelf dat ze zich zo door hem liet intimideren. 'Hoe ver wilt u dat ik u rij?' vroeg ze toen ze een bord waren gepasseerd waarop stond dat het tot de grens van Oklahoma nog dertig kilometer was.

'Tot Oklahoma,' loog Zack.

Hoofdstuk 19

'We zijn in Oklahoma,' meldde Julie op het moment dat ze het grensbord passeerden.

Hij keek haar geamuseerd aan. 'Ja, dat zie ik ook.'

'Nou, waar wilt u uitstappen?'

'Rijdt u nog maar even door.'

'Moet ik nog verder rijden?' riep ze zenuwachtig en boos tegelijk. 'Nou moet u toch eens even goed naar me luisteren, stuk ellendig – Ik ben écht niet van plan om helemaal naar Colorado te rijden!'

Zack wist wat hij weten wilde; ze wist waar hij heen ging.

'Dat doe ik écht niet!' herhaalde Julie met onvaste stem, zonder te beseffen dat ze zojuist haar eigen lot had bezegeld. 'Dat kan ik niet.'

Zack slaakte een innerlijke zucht bij de gedachte aan wat er komen ging, en zei: 'Jawel, mevrouw Mathison, dat kunt u wel. En u zult het doen ook.'

Zijn onverstoorbare kalmte was de laatste druppel. 'Loop naar de hel!' riep Julie hard uit, waarbij ze het stuur wild naar rechts rukte, de vluchtstrook op reed en hard op de rem trapte. 'Neem de auto!' smeekte ze. 'Neem hem en laat mij hier achter. Ik zal aan niemand vertellen dat ik u heb gezien en waar u naartoe op weg bent. Ik zweer het, ik vertel het aan niemand.'

Zack probeerde kalm te blijven en de situatie met humor op te lossen. 'In films zeggen mensen altijd hetzelfde,' merkte hij op, terwijl hij over zijn schouder naar de langsflitsende auto's keek. 'Ik heb dat altijd bijzonder stompzinnig gevonden.'

'Dit is geen film!'

'Maar u bent vast wel met mij eens dat het een absurde belofte is,' hield hij glimlachend vol. 'Dat weet je best. Geef het maar toe, Julie.'

Julie, geschokt dat hij haar kennelijk probeerde te plágen alsof ze vrienden waren, keek hem woedend aan. Ze wist best dat hij gelijk had, maar weigerde het toe te geven.

'Je kunt toch niet echt verwachten dat ik geloof dat je je woord zult houden? Klinkt een dergelijke belofte jou zelf ook niet een beetje dwaas in de oren?'

'En verwacht u echt van mij dat ik daar uitgebreid op in ga terwijl mijn leven op het spel staat?' vroeg ze op haar beurt.

'Ik begrijp best dat je bang bent, maar je leven staat niet op het spel zolang je je maar rustig houdt. Je verkeert absoluut niet in gevaar, tenzij je iets doms doet.'

Misschien kwam het doordat ze moe was, of door de warme, zachte klank van zijn stem of de manier waarop hij haar doordringend aankeek, maar bij het zien van zijn ernstige gezicht, geloofde ze hem bijna.

'Ik wil helemaal niet dat je iets overkomt,' vervolgde hij, 'en dat zal ook niet gebeuren zolang je maar niets doet wat de aandacht van de politie trekt –'

'En doe ik dat wel,' viel Julie hem opeens weer fel in de rede, 'dan schiet u mij overhoop. Dat is een uiterst troostende gedachte, meneer Benedict, dank u wel.'

Zack slaagde erin kalm te blijven, en verklaarde: 'Als de politie me te pakken krijgt, dan zullen ze me dood moeten schieten omdat ik niet van plan ben mij over te geven. Gegeven de nogal twijfelachtige mentaliteit van de meeste politieagenten, bestaat er een grote kans dat je bij een dergelijke schietpartij gewond zult raken, of misschien ook wel doodgeschoten wordt. En dat wil ik voorkomen. Kun je dat begrijpen?'

Julie, die zichzelf wel voor de kop kon slaan omdat ze zich zo makkelijk liet inpakken door de loze, vriendelijke woorden van een gewetenloze moordenaar, wendde zich van hem af en keek door de voorruit naar buiten. 'Dacht u echt dat u mij ervan kunt overtuigen dat u een galante ridder bent in plaats van een regelrecht monster?'

'Kennelijk niet,' antwoordde hij geïrriteerd.

Toen ze weigerde om hem opnieuw aan te kijken, slaakte Zack een ongeduldige zucht en zei kortaf: 'Hou op met pruilen en rij verder. Ik moet iemand bellen, en zoek een telefoon.'

Bij het horen van de kille klank van zijn stem begreep Julie meteen hoe dom ze was geweest om zijn 'vriendelijkheid' te negeren en af te wijzen. Waarschijnlijk, bedacht ze toen ze weer verder reed, zou het veel verstandiger zijn wanneer ze deed alsof ze bereid was zijn spelletje mee te spelen. Terwijl ze naar de sneeuwvlokjes keek die in het licht van haar koplampen dansten, begon ze wat te kalmeren. Ze had intussen wel begrepen dat het meer dan waarschijnlijk was dat hij haar zou dwingen om helemaal naar zijn eindbestemming te rijden. Ze moest nu toch echt iets verzinnen om van hem af te komen. Om dat te bereiken, realiseerde ze zich, zou ze haar uiterste best moeten doen om vriendelijk tegen hem te zijn en hem niet te laten blijken hoe bang ze was. En dat moest ze toch wel kunnen, bedacht ze om zichzelf moed in te spreken. Ze was tenslotte geen verwend kasplantje. Ze had de eerste elf jaren van haar leven op de straten van Chicago gesleten, en ook daar had ze altijd het hoofd boven water weten te houden! Ze beet op haar onderlip en nam zich voor om te doen alsof deze hele situatie alleen maar een plot was in een van de detectiveromans die ze zo graag las. Ze had altijd gevonden dat de heldinnen in dergelijke verhalen uitzonderlijk stomme wezens waren, en zij was net zo stom geweest door haar ontvoerder tegen zich in het harnas te jagen. Een beetje slimme heldin zou juist het tegenovergestelde doen, bedacht ze, en dingen verzinnen om Benedict af te leiden. Deed ze dat, dan zouden haar kansen op een ontsnapping – en om hem terug te krijgen in de gevangenis waar hij thuishoorde – aanzienlijk groter worden. Om dat te bereiken zou ze er wijs aan doen om deze nachtmerrie als een avontuur te beschouwen. Misschien kon ze zelfs doen alsof ze hem juist wilde helpen. Dat zou een grotere inspanning vereisen, maar ze was bereid het te proberen.

Ondanks het feit dat ze zo haar twijfels over het welslagen van haar plan had, voelde Julie zich opeens een stuk kalmer. Nu ze minder bang was, kostte ook het rustig nadenken haar minder moeite. Ze wachtte een poosje om te voorkomen dat haar capitulatie hem al te onverwacht en daarmee verdacht voor zou komen, en toen zei ze: 'Meneer Benedict, ik ben blij dat u gezegd heeft dat u niet wilt dat mij iets overkomt. Het was niet mijn bedoeling om sarcastisch te zijn. Ik was alleen maar bang.'

'En dat ben je nu niet meer?' vroeg hij ongelovig.

'Ja, dat wel,' haastte Julie zich hem te verzekeren, 'maar lang niet meer zo erg. Dat bedoelde ik.'

'En mag ik misschien ook weten waar die plotselinge verandering aan te danken is? Waar dacht je net aan, toen je zo stil was?'

'Een boek,' zei ze, omdat haar dat een veilig antwoord leek. 'Een politieroman.'

'Eentje die je gelezen hebt, of eentje die je van plan bent te schrijven?'

Ze deed haar mond open, maar er kwamen geen woorden uit, en toen realiseerde ze zich dat hij haar ongewild een perfect antwoord had toegespeeld. 'Ik heb altijd al een detective willen schrijven,' verzon ze. 'En ik heb bedacht dat ik dit alles zou kunnen gebruiken als, nou ja, als research uit de eerste hand.'

'Aha.'

116

Ze keek hem van terzijde aan en verbaasde zich over de warmte van zijn glimlach.

'Je bent een opmerkelijke moedige jonge vrouw, Julie.'

Ze wilde hem zeggen dat hij haar mevrouw Mathison moest noemen, maar slikte de woorden nog net op tijd in. 'Nou, eigenlijk loopt er op de hele wereld geen grotere lafaard rond dan ik, meneer –'

'Ik heet Zack,' viel hij haar in de rede. Hij zei het op zo'n effen toon dat ze onmiddellijk het gevoel had dat hij haar niet geloofde.

'Zack,' zei ze snel. 'Je hebt gelijk. We kunnen elkaar maar beter bij de voornaam noemen aangezien we voorlopig nog wel samen zijn, zeker de eerstkomende...?'

'Tijd,' zei hij, en Julie moest verschrikkelijk haar best toen om niet te laten blijken hoe woedend zijn ontwijkende antwoord haar maakte.

'De eerstkomende tijd,' herhaalde ze op een zo effen mogelijke toon. 'Nou, dat is dan waarschijnlijk lang genoeg voor jou om me bij wat voorbereidend onderzoek te helpen.' Ze aarzelde, en probeerde iets te bedenken wat ze aan hem zou kunnen vragen. 'Zou je, zou je me misschien willen vertellen hoe het is om in de gevangenis te zitten? Dat zou me een reuze-eind op weg helpen bij mijn verhaal.'

'O, ja?'

Hij maakte haar doodsbang met die manier waarop hij, heel subtiel, telkens een andere klank aan zijn stem gaf. Nog nooit eerder had ze iemand gekend die zo veel kon zeggen door uitsluitend te spelen met de klank van zijn of haar stem. Zijn volle bariton klonk het ene moment beleefd, en dan opeens weer geamuseerd, ijzig of ronduit dreigend. Julie knikte heftig in antwoord op zijn vraag, en probeerde zijn sceptische toon teniet te doen door zelf juist zo energiek en overtuigend mogelijk te klinken. 'Nou en of.' Ze moest hem ervan zien te overtuigen dat ze in hem geloofde en zijn partij had gekozen. 'Ik heb me laten vertellen dat er heel wat onschuldige mensen naar de gevangenis worden gestuurd. Is dat met jou ook het geval geweest?'

'Elke veroordeelde beweert dat hij onschuldig is.'

'Ja, maar ik heb het over jou. Ben jij onschuldig?' Ze hoopte vurig dat hij ja zou zeggen, zodat ze kon doen alsof ze hem geloofde.

'Volgens de jury ben ik schuldig.'

'Jury's vergissen zich wel vaker.'

'Twaalf eerlijke, oprechte burgers,' zei hij vol walging, 'hebben uitgemaakt dat ik schuldig ben.'

'Ik ben ervan overtuigd dat ze hun best hebben gedaan om objectief te zijn.'

'Ach, hou toch op!' riep hij zo fel uit, dat ze het stuur onbewust steviger vastgreep. 'Ze hebben me niet veroordeeld voor een moord, maar omdat ik rijk en beroemd was!' snauwde hij. 'Ik heb naar ze gekeken, naar hun gezichten, en hoe meer de openbare aanklager vertelde over mijn bevoorrechte leven en de in Hollywood heersende immoraliteit, des te meer de brave juryleden ervan overtuigd raakten dat ik moest hangen! Het hele verrekte, schijnheilige, godvrezende stel wist dat er een redelijke kans bestond dat ik het niet had gedaan, en daarom hebben ze zich ook niet uitgesproken voor de doodstraf. Ze hadden allemaal te veel naar Perry Mason gekeken – ze gingen ervan uit dat ik, als ik het niet had gedaan, moest kunnen bewijzen wie dan wel de dader was.'

Hij klonk zo intens woedend, zo furieus, dat Julie er vochtige handen van kreeg. Ze besefte nu meer nog dan tevoren dat het van het grootste belang was dat ze hem het gevoel gaf dat ze hem geloofde. 'Maar je hebt het niet gedaan, wel? Je kon alleen maar niet bewijzen wie het wèl heeft gedaan.'

'Ach, dat maakt toch geen enkel verschil,' snauwde hij.

'V –voor mij w –wel.'

Even sloeg hij haar stilzwijgend gade, en toen zei hij, alweer op een plotseling totaal andere toon: 'Als het voor jou echt verschil uitmaakt, dan wil ik je wel zeggen dat ik haar niet heb vermoord.'

Hij loog natuurlijk. Dat kon niet anders. 'Ik geloof je.' In een poging hem nog verder voor zich te winnen, voegde ze eraan toe: 'En als je onschuldig bent, dan heb je het volste recht om uit de gevangenis te ontsnappen.'

Zijn antwoord was een ongemakkelijk, langdurig stilzwijgen waarin hij haar aandachtig observeerde. Toen zei hij opeens: 'Volgens dat bord moet daar ergens een telefoon zijn. Als je hem ziet, stop dan.'

'Goed.'

De telefoon stond bij een afslag langs de kant van de weg, en Julie stopte op de afslag. Ze keek in de buitenspiegel in de hoop dat er een vrachtwagen of een auto langs zou komen die ze zou kunnen aanhouden, maar er was nauwelijks verkeer op de besneeuwde weg. Zijn stem deed haar met een ruk omkijken op het moment waarop hij het sleuteltje uit het contact trok. 'Ik hoop,' zei hij op ironische toon, 'dat je niet zult denken dat ik aan je woorden heb getwijfeld, toen je zei dat je in mijn onschuld geloofde en mijn ontsnapping terecht vond. Ik neem het sleuteltje alleen maar mee omdat ik van nature een nogal achterdochtig mens ben.'

Julie stond van zichzelf te kijken over de manier waarop ze haar hoofd schudde en op overtuigende wijze zei: 'Dat neem ik je niet kwalijk.' Hij glimlachte kort, stapte uit, maar hield zijn hand in de zak waarin hij zijn revolver had. Hij liet ook het portier openstaan, waarschijnlijk omdat hij haar in de gaten wilde houden terwijl hij telefoneerde. Julie zag in dat ontsnappen op dit moment onmogelijk was, maar dat betekende nog niet dat ze haar tijd niet zou kunnen benutten met plannen voor de toekomst te maken. Toen hij was uitgestapt, vroeg ze zo gedwee als ze maar kon: 'Zou je er bezwaar tegen hebben als ik een pen en papier uit mijn tas pakte om, terwijl je aan het telefoneren bent, een paar aantekeningen te maken? Ik wil graag een paar indrukken opschrijven die ik later voor mijn boek kan gebruiken.' Hij zag eruit alsof hij wilde weigeren, maar om hem voor te zijn, boog ze zich naar achteren om haar tas te pakken, en voegde er haastig aan toe: 'Je kunt mijn tas rustig nakijken, als je dat wilt. Dan kun je met eigen ogen zien dat ik geen reservesleutels en ook geen wapens' bij me heb.' Om haar woorden kracht bij te zetten, deed ze haar tas open en gaf hem aan hem. Hij keek haar op een ongeduldige, bezorgde manier aan, waarmee hij haar het gevoel gaf dat hij absoluut niets van haar verhaal geloofde en dat hij haar spelletje alleen maar meespeelde om zich van haar medewerking te verzekeren.

'Ga je gang,' zei hij, en gaf haar de tas weer terug.

Toen hij zich had omgedraaid, pakte Julie een klein notitieblokje en een pen. Ondertussen zag ze hem naar de telefooncel lopen en een paar muntjes in de gleuf stoppen. Snel schreef ze dezelfde boodschap op drie afzonderlijke velletjes: BEL DE POLITIE. IK BEN ONTVOERD. Vanuit haar ooghoeken zag ze hoe hij haar in de gaten hield, en ze wachtte tot hij zich had afgewend om te praten met wie hij dan ook aan de lijn mocht hebben. Toen scheurde ze de eerste drie velletjes af, vouwde ze dubbel en stopte ze in het buitenvakje van haar tas waar ze er gemakkelijk bij kon. Het volgende moment kreeg ze een beter idee. Ze haalde een van de velletjes weer uit haar tas en vouwde het in een briefje van tien dollar dat ze in haar portemonnee had zitten.

Ze had een plan, ze was bezig met de uitvoering ervan, en de wetenschap dat haar lot nu niet meer volledig in zijn handen lag had een positieve uitwerking op haar knagende angst en paniek. De rest van haar plotselinge kalmte was toe te schrijven aan het gevoel dat ze had dat tenminste één ding dat Zachary Benedict gezegd had, waar was. Hij wilde niet dat haar iets zou overkomen. Op grond daarvan wist ze zeker dat hij haar nooit in koelen bloede zou neerschieten. Sterker nog, als ze nu zou proberen te ontsnappen, dan zou hij haar wel achternagaan, maar zou hij niet op haar schieten tenzij het ernaar uitzag dat ze van plan was om een langsrijdende auto aan te houden. Aangezien er geen auto's aankwamen, leek het haar zinloos om te proberen er op dit moment vandoor te gaan. Hij kon sneller rennen dan zij, en het enige dat ze ermee zou bereiken was dat hij haar geen moment meer zou vertrouwen. Het was veel beter om braaf en gehoorzaam te zijn. Ze had zich tot nu toe aangesteld als een angstig, laf vrouwtje, en dat was ze niet. Er was een tijd in haar leven geweest, bracht ze zichzelf in herinnering, waarin ze uitsluitend van haar verstand afhankelijk was geweest. Terwijl hij een verwend tieneridool was, had zij liegend en stelend en over de straten zwervend het hoofd boven water

weten te houden! Als ze zich dat nu maar goed voor ogen bleef houden, dan zou het hem echt niet lukken om haar klein te krijgen, dat
wist ze zeker! Nou ja, bíjna zeker. Zolang als ze maar goed en rustig
bleef nadenken, had ze een grote kans om hem uiteindelijk te slim af
te zijn. Ze pakte haar pen weer op, en begon suikerzoete aantekeningen over haar ontvoerder te maken, voor het geval hij zou willen zien
wat ze had opgeschreven. Toen ze klaar was, las ze haar absurde commentaar nog eens door:

> Zachary Benedict is op de vlucht voor een onterechte detentie
> die hij te danken heeft aan een bevooroordeelde jury. Hij maakt
> de indruk van een intelligent, vriendelijk, en warm mens – een
> slachtoffer van de omstandigheden. Ik geloof in hem.

Het commentaar was, concludeerde ze, wel het meest beroerde
stukje pure fictie dat ooit geschreven was. Ze ging zo helemaal op in
haar gedachten, dat ze schrok toen hij opeens weer in de auto stapte.
Ze klapte haar bloknootje dicht, stak het terug in haar tas en vroeg:
'En, heb je degene die je wilde spreken ook te pakken gekregen?'
   Hij vernauwde zijn ogen in reactie op haar glimlach, en ze was bang
dat ze een beetje te ver was gegaan met haar 'kameraadschappelijke'
gedoe. 'Nee, hij is er nog wel, maar hij is niet op zijn kamer. Over een
half uurtje of zo probeer ik het nog wel eens.' Julie dacht na over zijn
woorden, toen hij haar tas pakte en haar notitieblokje eruit pakte.
'Bij wijze van voorzorgsmaatregel,' zei hij op een ironisch toontje
terwijl hij het blokje opensloeg. 'Dat begrijp je toch zeker wel, hè?'
   'Ja, dat begrijp ik,' antwoordde Julie, en zag zijn mond openzak-
ken toen hij las wat ze had geschreven.
   'Nou?' vroeg ze, en keek hem met grote, onschuldige ogen aan.
'Wat vind je ervan?'
   Hij klapte het blokje dicht en stopte het terug in haar tas. 'Als je
werkelijk gelooft wat je daar hebt geschreven, dan ben je veel te naïef
voor deze wereld.'
   'Ik bèn naïef, ja,' haastte ze zich hem te verzekeren, waarna ze de
motor startte en wegreed. Als hij haar stom en naïef vond, dan was
dat alleen maar meegenomen.

Hoofdstuk 20

Gedurende het daaropvolgende half uur reden ze in stilte, terwijl Julie de kant van de weg in de gaten hield in afwachting van een reclame-

bord dat haar in staat zou stellen haar plan ten uitvoer te brengen. Elk reclamebord waarop werd aangekondigd dat ze een zelfbedienings-restaurant naderden, kwam in aanmerking. Toen ze er eindelijk een zag, begon haar hart twee keer zo snel te slaan als normaal. 'Ik kan me voorstellen dat je geen zin hebt om ergens te stoppen en iets te eten,' zei ze opgewekt, haar woorden met zorg kiezend, 'maar ik rammel van de honger. Volgens dat bord komen we zo bij een drive-in van McDonald's. We zouden iets bij het afhaalloket te eten kunnen halen.'

Hij keek op de klok en begon zijn hoofd te schudden, en dus haastte ze zich eraan toe te voegen: 'Ik moet om de paar uur iets eten, want ik heb...' Ze aarzelde en probeerde de juiste medische term te verzinnen voor een aandoening die ze niet had. 'Hypoglycemie! Het spijt me, maar als ik niet iets eet, dan word ik beroerd en duizelig en...'

'Goed, dan stoppen we.'

Julie onderdrukte een jubelkreet toen ze de afrit naar de McDonald's op reed. Het restaurant bevond zich tussen twee parkeerplaatsen met een speeltuintje. 'We hadden hier niet veel langer mee moeten wachten,' zei ze, 'want ik ben al flink duizelig.'

Ze negeerde zijn achterdochtige blik, en volgde de bordjes naar de ingang. Ondanks het slechte weer stonden er toch een aantal auto's op de parkeerplaats, hoewel het er lang niet zo veel waren als Julie had gehoopt. In de eetzaal van het restaurant zag ze enkele gezinnen aan de tafeltjes zitten. Ze reed achter het restaurant om en stopte bij het kastje met de luidspreker. 'Wat wil jij?' vroeg ze.

Voor zijn gevangenname zou Zack nog liever een hele dag niets gegeten hebben dan bij zo'n soort tent als deze te stoppen. Nu realiseerde hij zich dat het water hem al in de mond liep bij de gedachte aan iets simpels als een hamburger en patat. Dat hoorde bij het gevoel van vrijheid, besloot hij, nadat hij Julie had gezegd wat hij hebben wilde. Vrijheid zorgde ervoor dat de lucht frisser rook en eten lekkerder leek. Waar het ook voor zorgde, dat was achterdocht, want er was iets aan die stralende glimlach van zijn gevangene die hem op zijn hoede deed zijn. Ze leek heel onschuldig en naïef met die grote blauwe ogen en die stralende glimlach van haar, maar voor zijn gevoel was die verandering in haar houding toch net íets te plotseling gekomen.

Julie herhaalde hun bestelling in de microfoon: twee cheeseburgers, twee patat, twee cola.

'Dat wordt dan vijf dollar en negen cent,' zei de stem door de luidspreker. 'Rijdt u alstublieft verder tot aan het eerste loket.'

Toen ze bij het eerste loket stopte, zag ze hem zijn hand in zijn zak steken om geld te pakken, maar ze schudde haar hoofd en pakte haar portemonnee. 'Ik trakteer,' zei ze, en kreeg het voor elkaar om hem recht in de ogen te kijken. 'Ik fuif, en daar sta ik op.'

Na even geaarzeld te hebben, haalde hij zijn hand weer uit zijn zak, maar hij keek haar verbaasd aan. 'Dat is bijzonder sportief van je.' 'Zo ben ik nu eenmaal. Ik ben sportief. Dat zeggen ze altijd,' kwebbelde ze er op los, terwijl ze het biljet van tien dollar met het opgevouwen briefje erin uit haar portemonnee haalde. Toen wendde ze zich tot het meisje achter het loket, een opgeschoten puber die haar ongeduldig aankeek. Volgens het kaartje op haar borst heette ze Tiffany.

'Dat wordt vijf dollar en negen cent,' zei Tiffany.

Julie gaf haar de tien dollar en keek haar daarbij doordringend en smekend aan. Haar leven hing af van deze verveeld kijkende tiener met haar gepermanente haren. Als in slow motion vouwde Tiffany het biljet open... Het briefje dwarrelde op de grond... Tiffany bukte zich om het op te rapen, en blies een bel in haar kauwgum... Ze kwam overeind... Keek naar Julie... 'Is dit van u?' vroeg ze, terwijl ze het briefje omhooghield, en in de auto keek zonder eerst gelezen te hebben wat erop stond.

'Ik weet niet,' zei Julie, en probeerde het meisje te dwingen om het briefje te lezen. 'Misschien wel. Wat staat erop –' begon ze, en onderdrukte een schreeuw toen Zachary Benedict haar hard bij haar arm greep en de loop van de revolver in haar zij drukte. 'Laat maar, Tiffany,' zei hij vriendelijk, en boog zich met uitgestoken hand voor Julie langs. 'Dat briefje is van mij, het is een grap.' Het meisje bekeek het briefje, maar het was niet te zeggen of ze ook werkelijk las wat erop stond. Het volgende moment gaf ze het aan Benedict. 'Alstublieft, meneer,' zei ze. Zachary beloonde haar met een waarderende valse glimlach waar ze een kleur van kreeg, en ze begon met het tellen van het wisselgeld. 'Hier is uw bestelling,' zei ze. Julie nam de witte zakken met hun eten en drinken automatisch aan. Opnieuw keek ze het meisje smekend aan in de hoop dat ze de politie zou bellen, of op z'n minst de manager zou roepen! Zonder Benedict aan te kijken gaf ze hem de zakken aan. Haar handen beefden zo erg dat ze de cola's bijna liet vallen. Toen ze wegreed bij het loket, verwachtte ze de een of andere reactie van hem. Ze hoefde niet lang te wachten.

'Stomme trut die je bent,' siste hij haar woedend toe, 'wíl je soms dood? Rij de parkeerplaats op, daar, waar ze ons kan zien. Ze kijkt.'

Julie gehoorzaamde blindelings. 'Eten,' beval hij, en hield de cheeseburger voor haar neus. 'En glimlach bij elke hap, want anders...'

Opnieuw gehoorzaamde Julie zonder erbij na te denken. Ze kauwde zonder iets te proeven en deed ondertussen verschrikkelijk haar best om haar zenuwen onder controle te krijgen. De gespannen sfeer in de auto was om te snijden. Omdat ze de stilte niet langer kon verdragen, vroeg ze: 'M- mag ik m-mijn cola?' Ze boog zich opzij om de witte zak bij zijn voeten te pakken. Hij greep haar pols zo stevig beet dat ze vreesde dat hij haar botten zou breken. 'Je doet me pijn!'

riep Julie uit, en raakte opnieuw in paniek. Hij verstevigde zijn greep nog even alvorens haar plotseling los te laten. Ze veerde achteruit in haar stoel en legde haar hoofd tegen de hoofdsteun. Met gesloten ogen masseerde ze haar pijnlijke pols. Dit was de eerste keer dat hij haar fysiek pijn had gedaan, en tot op dit moment was ze erin geslaagd zichzelf wijs te maken dat hij helemaal geen gevaarlijke moordenaar, maar een man was die slechts in een vlaag van jaloerse verstandsverbijstering wraak had willen nemen op zijn vrouw. Hoe had ze zo stom kunnen zijn om te geloven dat hij het niet in zijn hoofd zou halen om ook haar, en een onschuldige tiener die de politie wilde waarschuwen, te vermoorden? Ze hoefde niet lang na te denken om te weten waar dat aan lag. Ze had zich laten misleiden door haar herinnering – de herinnering aan al die glamour-verhalen die ze over hem in tijdschriften had gelezen, en herinneringen aan de talloze uren die ze met haar broers in de bioscoop had doorgebracht om naar zijn films te kijken. Er was zelfs een tijd geweest waarin ze heimelijk over hem had gefantaseerd. Toen ze elf was, had ze niet kunnen begrijpen wat haar broers en hun vrienden in Zack Benedict zagen, maar een paar jaar later had ze dat wel geweten. Benedict was knap, onbereikbaar, sexy, cynisch, keihard en had gevoel voor humor. En aangezien Julie tijdens het beroemde proces met zomerkamp in Europa was geweest, had ze niets meegekregen van de smerige details en had het beeld dat ze vóór de moord van hem had gehad, niet geleden onder alles wat er tijdens de rechtszaak naar boven was gekomen. En het erge, het beschamende, was nog wel dat ze, toen hij had gezegd dat hij onschuldig was, ook nog geloofd had dat hij de waarheid sprak omdat het op die manier logisch was dat hij ontsnapt was om zijn onschuld te bewijzen. Om de een of andere onbegrijpelijke reden was er nog steeds een stukje in haar dat zich aan die mogelijkheid vastklampte – waarschijnlijk omdat het haar hielp de angst de baas te blijven – maar het maakte haar wanhopige verlangen om te ontsnappen er niet minder op. Zelfs al wás hij niet schuldig aan de misdaad waarvoor hij naar de gevangenis was gestuurd, dan wilde dat nog helemaal niet zeggen dat hij niet alsnog een moord zou plegen om te voorkomen dat hij opnieuw achter slot en grendel werd gezet.

Ze schrok toen ze het zakje op de vloer hoorde kraken. 'Hier,' snauwde hij, en hield een beker met cola voor haar neus.

Zonder hem aan te kijken pakte ze de beker aan. Ze had haar eerste kans op ontsnappen verpest, en ze begreep dat hij moest beseffen dat ze wanhopig genoeg was om het nog een keer te proberen. Hij zou erop wachten. Dus als ze het een tweede keer probeerde, dan mocht ze geen fouten meer maken, want fouten maken betekende dat er slachtoffers zouden vallen.

'Vooruit, we gaan,' beet hij haar toe.

Zonder iets te zeggen startte Julie de motor en reed de parkeerplaats af.

123

Een kwartier later beval hij haar opnieuw om bij een telefoon aan de kant van de weg te stoppen. Dat was het enige dat hij in al die tijd had gezegd, en Julie vermoedde dat hij wist dat zijn stilzwijgen meer aan haar zenuwen vrat dan wat dan ook. Toen hij ditmaal uitstapte om te telefoneren, bleef hij haar voortdurend in de gaten houden. Even later was hij weer terug, en bij het zien van zijn volkomen uitdrukkingsloze gezicht wist ze dat ze dit geen minuut langer kon uithouden. Ze keek hem hooghartig aan, knikte in de richting van de telefoon, en zei: 'Slecht nieuws, hoop ik?'

Zack deed zijn best om niet te grijnzen om haar starre verzet. Haar lieve gezichtje was in tegenspraak met haar koppige moed en wrange humor waardoor hij zich steeds weer verrast voelde. Stilzwijgen was iets waar ze absoluut niet tegen kon, was hem opgevallen. 'Rijden,' zei hij, terwijl hij achteroverleunde, zijn benen strekte en afwezig naar haar mooie handen op het stuur keek.

Over enkele uren zou een man die uiterlijk sterk op Zack leek, vanuit Detroit via de Windsor Tunnel Canada binnenrijden. Bij de grens zou hij zich zodanig zenuwachtig gedragen, dat de douanebeambten zich hem achteraf zouden kunnen herinneren. Na een dag of twee zouden diezelfde douanebeambten, wanneer hij nog maar steeds niet gevonden was, zich die man herinneren en de Amerikaanse autoriteiten melden dat hun ontsnapte gevangene zich naar alle waarschijnlijkheid in Canada bevond. Daarna zou er vooral in Canada naar Zack Benedict worden gezocht, waarmee hij minder moeite zou hebben met de uitvoering van de rest van zijn plan. Voorlopig had hij, tot en met de volgende week, niets anders te doen dan ontspannen genieten van het feit dat hij weer vrij was. Het leek een heerlijke gedachte, ware het niet dat hij behoorlijk in zijn maag zat met zijn lastige gijzelaar. Door haar zou er van dat ontspannen genieten niet veel terechtkomen. Hij had aanvankelijk gedacht dat ze veel onderdaniger zou zijn, maar dat bleek een vergissing te zijn geweest. Op dit moment reed ze onnodig langzaam en draaide zich om de haverklap met een nijdig gezicht naar hem toe. 'Problemen?' vroeg hij kortaf.

'Het probleem is dat ik naar de wc moet.'

'Later!'

'Maar –' Hij keek haar aan en Julie begreep meteen dat het zinloos was om ertegenin te gaan.

Een uur later reden ze de grens van Colorado over, en toen zei hij voor het eerst weer iets. 'Daarginds is een parkeerplaats voor vrachtwagens. Rij ernaartoe, en als het er goed uitziet, dan stoppen we daar.'

De parkeerplaats was te druk naar zijn smaak, en ze moesten nog een half uur rijden voor hij een benzinestation vond dat hem beviel. Er waren bijna geen klanten, de kassa bevond zich op het stoepje tussen de pompen in zodat hij niet naar binnen hoefde om te betalen, en de toiletten waren aan de buitenkant van het gebouw. 'Hier kun je naar de wc,' zei hij, om er, toen ze uitstapte, aan toe te voegen: 'Ik loop met je mee.' Hij pakte haar bij de elleboog en begeleidde haar naar de wc. Hun schoenen kraakten in de verse sneeuw. Toen ze bij de wc waren gekomen, liet hij haar niet los, maar trok de deur voor haar open.

Julie was op slag woedend. 'Wil je soms mee naar binnen om te kijken?' riep ze uit in een mengeling van boosheid en ongeloof.

Hij negeerde haar, inspecteerde de kleine ruimte – ze nam aan dat hij zich ervan wilde overtuigen dat er geen raam in zat – en liet haar toen pas los. 'Opschieten, en, Julie, doe geen domme dingen.'

'Zoals wat?' vroeg ze. 'Mezelf ophangen aan een stuk wc-papier? Duvel toch op, verdorie.' Toen ze de deur achter zich dichtdeed, schoot haar de meest voor de hand liggende oplossing te binnen. Ze hoefde de deur alleen maar op slot te doen en binnen te blijven zitten. Ze wilde het slot erop doen, maar op de een of andere manier wilde het slot niet pakken. Even later begreep ze dat hij de knop aan de buitenkant tegenhield om te voorkomen dat zij hem op slot zou draaien.

Op dat moment draaide hij vanaf de buitenzijde aan de knop, en zei op geamuseerde toon: 'Je hebt anderhalve minuut, en dan maak ik de deur open, Julie.'

Geweldig. Waarschijnlijk was hij nog pervers ook, dacht ze terwijl ze haastig afmaakte waarvoor ze in de eerste plaats naar binnen was gegaan. Ze was net bezig om haar handen met ijskoud water te wassen, toen hij de deur opendeed en zei: 'Je tijd zit erop.'

In plaats van in de Blazer te stappen, bleef hij bij de achterkant van de auto staan, hield zijn hand in de zak met de revolver, en beval: 'Vul de tank.' Hij sloeg haar gade terwijl ze gehoorzaamde. 'Betalen,' luidde zijn volgende bevel toen zij klaar was. Al die tijd hield hij zijn gezicht afgewend van de pompbediende achter de kassa.

Julie was op dat moment meer boos dan bang, en ze wilde net bezwaar maken toen ze zag dat hij haar een briefje van twintig dollar voorhield. Ze werd nog bozer toen ze zag dat hij zijn best deed om niet te lachen. 'Volgens mij begin je hier steeds meer plezier in te krijgen,' snauwde ze op bittere toon, terwijl ze het geld uit zijn hand griste.

Toen ze naar de kassa liep en hij haar nakeek, bedacht hij dat hij er waarschijnlijk toch verstandiger aan zou doen om, zoals hij al eerder van plan was geweest, te proberen deze vijandigheid van haar wat te neutraliseren. En dus lachte hij zacht en zei: 'Ja, je hebt gelijk, ik ga dit steeds leuker vinden.'

'Schoft,' luidde haar reactie.

In het oosten begon het alweer een beetje licht te worden toen Julie het vermoeden kreeg dat hij in slaap was gevallen. Hij liet haar via achterafweggetjes rijden en wilde niet dat ze de snellere, doorgaande routes nam. Het gevolg daarvan was dat ze regelmatig stukken door een dik pak verraderlijk gladde sneeuw had moeten rijden en soms niet harder had gekund dan zo'n zestig kilometer per uur. Drie keer hadden ze in een file gezeten als gevolg van een ongeluk, maar hij had van geen stoppen willen weten. Gedurende de hele nacht hadden ze op de radio nieuwsberichten over zijn ontsnapping gehoord, maar hoe verder ze Colorado in reden, des te minder er over zijn verdwijning gesproken werd. Dat kwam waarschijnlijk omdat niemand er rekening mee hield dat hij naar het noorden was getrokken. Anderhalve kilometer geleden was Julie een bord gepasseerd waarop werd aangekondigd dat ze een parkeerplaats met picknickgelegenheid naderden, en Julie hoopte dat er ook hier, net als op de andere parkeerplaatsen die ze gepasseerd waren, een paar vrachtwagens zouden staan. Ze had intussen een ander plan bedacht. Ze wilde een parkeerplaats op rijden, en wanneer ze vlak naast een groepje vrachtwagens was, opeens hard op de rem trappen, uit de auto springen en zo hard om hulp roepen dat de in de cabine slapende chauffeurs haar wel moesten horen. In gedachten zag ze het al helemaal voor zich: een aantal stevige, gespierde vrachtwagenchauffeurs zouden wakker schrikken, uit hun cabines springen en haar te hulp schieten. Ze zouden Zack, met Julie's hulp, overmeesteren, hem zijn wapen afnemen en de politie waarschuwen.

Dat was het meest ideale scenario, dat wist Julie, maar zelfs wanneer er ook maar een klein gedeelte van uitkwam – als er maar één chauffeur wakker werd en naar buiten kwam om te kijken wie er zo gilde – dan nog steeds was ze er zo goed als zeker van dat ze van Zachary Benedict verlost zou worden. Want vanaf het moment waarop ze alarm sloeg en de aandacht trok, zat er voor hem maar één verstandige keuze op, en dat was er zo snel mogelijk met de Blazer vandoor gaan. Met ter plekke te blijven en haar en de chauffeurs neer te schieten, schoot hij niets op, vooral ook omdat zijn eerste schot voldoende zou zijn om de andere chauffeurs te wekken. Elke poging van zijn kant om de laatste scène van *The Gunfight at OK Corral* in praktijk te brengen zou alleen maar stom zijn, en stom was Benedict zeker niet.

Julie was daar zo zeker van, dat ze bereid was haar leven erom te verwedden.

Ze keek hem nogmaals van terzijde aan om zich ervan te overtuigen dat hij sliep. Hij had zijn armen over zijn borst gekruist, hij hield zijn lange benen voor zich uitgestrekt en zijn hoofd rustte tegen het zijraampje. Zijn ademhaling was regelmatig en ontspannen.

Hij sliep.

Opgetogen haalde Julie haar voet heel voorzichtig van het gaspedaal. Ze zag de kilometerteller heel langzaam van zeventig naar vijfenzestig en van vijfenzestig naar zestig zakken. Om zonder een al te groot verschil in snelheid de parkeerplaats op te kunnen rijden, zou ze, wanneer ze bij ze afrit kwam, niet meer dan vijfenveertig kilometer per uur mogen rijden. Ze bleef een volle minuut zestig rijden, en haalde haar voet toen weer een stukje van het gas. De snelheid zakte naar vijfenvijftig kilometer per uur. Om het gebrek aan motorherrie in de auto te compenseren, zette ze de radio aan.

De parkeerplaats, die in een bosje verscholen lag, was nog bijna een kilometer rijden. Toen ze de afrit aan zag komen, bracht ze haar snelheid terug naar vijfenveertig kilometer per uur. Ze reed de afrit op en hoopte vurig dat er vrachtwagens op de parkeerplaats zouden staan. Met ingehouden adem reed ze om een groepje bomen, en toen deed ze snel een dankgebedje. Er stonden drie vrachtwagens bij het gebouwtje van de toiletten, en hoewel ze niemand zag lopen, meende ze te horen dat een van de vrachtwagens zijn motor aan had staan. Om haar plan een zo groot mogelijke kans van slagen te geven, moest ze echt doorrijden tot ze vlak bij de vrachtwagens was, zodat ze, voordat Benedict haar te pakken zou kunnen krijgen, bij het portier van een van de trucks zou kunnen komen.

Toen ze de eerste vrachtwagen op vijftien meter genaderd was, wist ze zeker dat ze de motor ervan hoorde lopen. Voorzichtig bracht ze haar voet naar de rem, en ze was zo op de cabine van de vrachtwagen gefixeerd dat ze een gilletje slaakte toen Zachary Benedict opeens rechtop ging zitten. 'Waar ben je godver –' begon hij, maar Julie gaf hem geen kans om uit te spreken. Ze trapte hard op de rem, pakte de portierhendel beet, gooide het portier open en liet zich uit de rijdende auto vallen. Ze viel hard op haar heup in de sneeuw. In een waas van pijn en angst zag ze het wiel van de Blazer vlak langs haar hand rijden, en even later tot stilstand komen. 'HELP!' riep ze, terwijl ze overeind probeerde te krabbelen. 'HELP!'

Ze was overeind gekomen en ging rennend op weg naar de cabine van de dichtstbijzijnde vrachtwagen, toen Zachary Benedict uit de Blazer sprong, erachter langsschoot en op haar afrende. Julie veranderde van richting om hem te ontwijken. 'HELP! WIE HELPT MIJ!' schreeuwde ze, terwijl ze zo snel mogelijk door de dikke sneeuw verder rende in een poging bij de wc te komen en de deur achter zich op slot te doen. Links van zich zag ze het portier van een vrachtwagen opengaan. De chauffeur kwam naar buiten en keek met een bedenkelijk gezicht om zich heen. Vlak achter zich hoorde ze Benedicts rennende voetstappen in de sneeuw. 'HELP!' schreeuwde ze tegen de chauffeur, en toen ze over haar schouder keek, zag ze nog net hoe Benedict een handvol sneeuw van de grond pakte.

Een sneeuwbal sloeg hard tegen haar schouder, en ze rende verder terwijl ze riep: 'HOU HEM TEGEN, HIJ IS –'

Zachary Benedicts luide lach overstemde haar woorden, en hij riep: 'HOU JE MOND, Julie.' Op hetzelfde moment dook hij lachend boven op haar. 'JE MAAKT IEDEREEN WAKKER!'

Julie landde languit in de sneeuw, en hij viel boven op haar. De lucht werd uit haar longen geperst, en haar doodsbange blauwe ogen bevonden zich vlak bij zijn woedende ogen. Hij hield zijn tanden op elkaar geklemd en probeerde, om de chauffeur te misleiden, te doen alsof hij glimlachte. Hijgend wendde Julie haar gezicht af om het op een schreeuwen te zetten, maar juist op dat moment drukte hij een handvol natte sneeuw in haar gezicht. Ze proestte en kuchte terwijl hij haar polsen beetpakte en ze boven haar hoofd tegen de grond drukte. 'Als hij dichterbij komt, dan schiet ik hem dood,' siste hij, en verstevigde zijn greep op haar polsen. 'Verdomme, waarom laat je het hier op aankomen? Moet er voor jou iemand sterven?'

Julie kon niets terugzeggen, ze was alleen nog maar in staat om zachtjes te jammeren. Ze schudde haar hoofd maar hield haar ogen stijf dicht omdat ze de aanblik van haar ontvoerder niet kon verdragen. Het was haar bijna gelukt, ze was bijna vrij geweest, en dat alles voor niets – alleen om languit in de sneeuw te belanden met hem boven op zich terwijl haar heup pijn deed van haar val uit de auto. Ze hoorde zijn adem stokken, en hij siste: 'Hij komt hierheen. Kus me en zorg ervoor dat het echt lijkt, want anders is hij er geweest!'

Voor ze de tijd had gehad om te reageren, drukte hij zijn lippen op de hare. Julie's ogen schoten open en ze keek naar de chauffeur die aarzelend op hen toekwam. 'Verdomme, sla je armen om me heen!'

Zijn mond hield de hare gevangen, de revolver in zijn zak drukte pijnlijk hard in haar maag, maar haar polsen waren intussen weer vrij. Ze kon zich verzetten, en dan zou de chauffeur met zijn joviale gezicht en zijn pet waar PETE op stond, begrijpen dat er iets niet in orde was en haar te hulp komen.

En dat zou zijn dood betekenen.

Benedict had gezegd dat ze haar armen om hem heen moest slaan en ervoor moest zorgen dat hun kus echt leek. Als een marionet hees ze haar loodzware polsen uit de sneeuw en liet ze zwaar op zijn schouders vallen, maar tot meer dan dat was ze niet in staat.

Zack proefde haar onwillige lippen onder de zijne, hij voelde haar stokstijve lichaam onder het zijne en hij nam aan dat ze bezig was om kracht te verzamelen voor het volgende moment waarop ze, met de hulp van drie vrachtwagenchauffeurs, een einde zou maken aan zijn kortstondige vrijheid en zijn leven. Vanuit zijn ooghoeken zag hij de chauffeur aarzelen, maar hij kwam nog steeds dichterbij en sloeg hen met een achterdochtige en sceptische blik gade. Dat alles en nog meer schoot hem binnen de tijd van drie seconden door het hoofd terwijl ze daar lagen en – op niet bijster overtuigende wijze – deden alsof ze elkaar kusten.

In een laatste hulpeloze poging om het onvermijdelijke lot te keren, haalde Zack zijn lippen van de hare, bracht ze naar haar oor en fluisterde één enkel woord dat hij zichzelf in jaren niet meer had toegestaan te gebruiken: 'Alsjeblíeft!' Hij drukte haar inniger tegen zich aan, en fluisterde het nogmaals op smekende toon: 'Alsjeblíeft, Julie...'

Met het gevoel alsof de wereld opeens op zijn kop stond, hoorde Julie haar ontvoerder haar smeken, en er, op het moment waarop zijn lippen opnieuw bezit namen van de hare, op gekwelde toon aan toevoegen: 'Ik heb niemand vermoord, dat zweer ik je.' De smekende toon en zijn wanhoop kwamen levendig tot uitdrukking in zijn kus, en hij bereikte ermee wat hij met zijn dreigementen en woede niet had kunnen bereiken. Julie aarzelde en begon te twijfelen, en uiteindelijk geloofde ze hem.

Als verdoofd door de verwarrende boodschappen die door haar hoofd flitsten, offerde ze haar onmiddellijke toekomst voor het leven van een vrachtwagenchauffeur. Gedreven door de behoefte om het leven van de man te sparen en door nog iets anders waar ze absoluut geen verklaring voor had, slikte Julie haar machteloze tranen terug, legde haar handen aarzelend op Zacks schouders en gaf zich over aan zijn kus. Op het moment waarop ze dat deed, was Zack zich bewust van haar overgave. Hij huiverde en zijn kus verzachtte. Julie, die zich niet bewust was van de voetstappen die in de sneeuw tot stilstand waren gekomen, liet hem haar lippen vaneen duwen, en als vanzelf gingen haar vingers omhoog en kropen in zijn dikke donkere haar. Ze voelde zijn adem stokken toen ze zijn kus aarzelend beantwoordde, en opeens werd alles anders. Hij kuste haar nu echt. Zijn handen gingen strelend over haar schouders, gleden in haar natte haren en tilden haar hoofd op om haar gezicht dichter bij zijn gretige, zoekende mond te brengen.

Ergens ver boven haar vroeg een man in een zwaar Texaans accent: 'Mevrouwtje, heb je nou nog hulp nodig of niet?'

Julie hoorde hem en ze probeerde haar hoofd te schudden, maar de mond die de hare gevangen hield maakte het haar onmogelijk om iets te zeggen. In haar achterhoofd wist ze wel dat dit alleen maar toneelspel voor de chauffeur was, dat wist ze even duidelijk als ze wist dat ze niet anders kon dan meedoen aan dit spel. Maar als dat waar was, waarom was ze dan niet in staat om op z'n minst haar hoofd te schudden of haar ogen open te doen?

'Nou, ik neem aan van niet,' zei de mannenstem grinnikend. 'En jij, jongen? Kan jij nog hulp gebruiken bij waar je mee bezig bent? Ik wil je best helpen hoor...'

Zack haalde zijn mond net ver genoeg van de hare om het contact tussen hun lippen te verbreken. Met hese stem zei hij half lachend tegen de man: 'Zoek je eigen vrouw. Deze hier is van mij.' Het volgende moment eiste hij haar lippen weer op en trok haar dicht tegen zich aan. Zacht kreunend gaf Julie zich over aan dat wat de meest hartstochtelijke kus was die ze ooit gekregen had.

Vijftig meter verder ging een portier van één van de andere vracht-wagens open, en een nieuwe mannenstem riep: 'Hé, Pete, wat is daar aan de hand?'

'Nou, man kun je dat niet zien? Een man en een vrouw die als pu-bers met sneeuwballen gooien en liggen te vrijen in de sneeuw.'

'Nou, als ze zo doorgaan, dan komt er nog een kind van, als je het mij vraagt.'

Misschien kwam het door de nieuwe mannenstem, of door het plotselinge besef dat haar ontvoerder lichamelijk opgewonden be-gon te raken, of door het dichtslaan van een portier en het daaropvol-gende motorgeronk, maar opeens drong het tot Julie door waar ze eigenlijk mee bezig was. Ze probeerde Zack van zich af te duwen, maar erg overtuigend deed ze het niet. 'Hou op!' riep ze zacht. 'Hou op, hij is weg!'

Zack schrok van de huilerige klank van haar stem. Hij hief zijn hoofd op en keek met een honger die hij maar nauwelijks de baas kon naar haar dauwzachte huid en mond. Haar zoete overgave, de manier waarop ze in zijn armen voelde en de tederheid van haar aanraking, maakten het idee van vrijen in de sneeuw opeens heel aannemelijk. Langzaam keek hij om zich heen om te zien waar ze waren, en met tegenzin kwam hij overeind. Hij begreep niet helemaal waarom ze op een gegeven moment had besloten om de chauffeur niet te waarschu-wen, maar wat haar redenen ook geweest mochten zijn, hij was haar meer verschuldigd dan een poging tot verkrachting in de sneeuw. Zonder iets te zeggen stak hij zijn hand naar haar uit, en glimlachte toen dezelfde vrouw die zich zo net nog aan hem had overgegeven nu opeens in de verdediging schoot, met nadruk zijn gebaar afwees en zelfstandig overeind krabbelde. 'Ik ben drijfnat,' klaagde ze, waarbij ze met opzet niet naar hem keek en haar haren in model duwde, 'en ik zit onder de sneeuw.'

Zonder erbij na te denken stak Zack zijn hand uit om de sneeuw van haar af te kloppen, maar ze sprong bij hem vandaan en begon zichzelf af te kloppen.

'Je moet niet denken dat wat er zojuist gebeurd is je het recht geeft om mij aan te raken!' waarschuwde ze hem, maar Zack had alleen maar oog voor het resultaat van hun kus. Haar grote ogen met de schitterend lange wimpers straalden en haar porseleinachtige huid had een blos gekregen. Zoals ze er nú uitzag, was Julie Mathison zon-der meer een adembenemende schoonheid. En daarbij was ze ook nog eens dapper en heel lief, want terwijl ze ongevoelig was gebleven voor zijn dreigementen en wrede opmerkingen, had ze wel gehoor gegeven aan de wanhopige klank van zijn smekende woorden.

'Ik heb je me alleen maar laten kussen omdat ik opeens besefte dat je gelijk had – het is niet nodig dat er iemand sterft alleen omdat ik bang ben. En laten we nu maar weer gaan, want hoe eerder we dit achter de rug hebben, hoe beter.'

Zack zuchtte. 'Mag ik op grond van uw zure toon aannemen dat we weer tegenstanders zijn, mevrouw Mathison?'

'Natuurlijk zijn we dat,' antwoordde ze. 'Ik zal je zonder verdere trucs naar je eindbestemming brengen, maar laat me één ding heel duidelijk stellen: zodra we daar zijn laat je me gaan, goed?'

'Goed,' loog Zack.

'Schiet op, dan.'

Zack sloeg de sneeuw van de mouwen van zijn jack en liep achter haar aan terug naar de auto. Hij keek naar haar haren die opsprongen in de wind, en naar het sierlijke heen en weer bewegen van haar smalle heupen. Te oordelen naar wat ze zojuist had gezegd en haar strakke schouders, was het duidelijk dat ze zich steevast had voorgenomen dat er tussen hen verder geen romantische confrontaties meer zouden plaatsvinden.

In dat opzicht, evenals in alle andere opzichten, had Zack hele andere plannen dan zij. Hij had haar lippen geproefd en had ze gewillig op de zijne voelen reageren. Zijn uitgehongerde zintuigen snakten naar de rest van wat ze te bieden had.

Aan de ene kant realiseerde hij zich best dat een seksuele relatie met zijn gevangene waanzin was. Het zou alles er onnodig gecompliceerd op maken, en complicaties had hij al meer dan genoeg.

Aan de andere kant gaf zijn lichamelijke opwinding hem in dat een seksuele relatie met haar juist heel slim zou zijn. Per slot van rekening was het nu eenmaal zo dat tevreden gevangenen uiteindelijk zo goed als medeplichtigen werden. En daarbij waren ze ook nog eens stukken aangenamer gezelschap.

Zack besloot dat hij zou proberen om haar te verleiden, maar niet omdat ze innemende eigenschappen had die hem intrigeerden, en ook niet omdat hij zich bijzonder sterk tot haar aangetrokken voelde en ook niet omdat hij een ontluikende genegenheid voor haar voelde.

In plaats daarvan, hield hij zichzelf voor, zou hij Julie Mathison verleiden omdat dat praktisch was. En daarbij natuurlijk ook uiterst plezierig.

Met een hoffelijkheid die er voor hun kus niet geweest was en waarvan Julie het gevoel had dat het volkomen belachelijk was – en bovendien ook verontrustend onder deze nieuwe, gewijzigde omstandigheden – liep hij met haar mee om de auto heen, maar hij hoefde het portier niet voor haar open te doen; het stond nog open van haar mislukte ontsnappingspoging. Hij deed het portier achter haar dicht en liep om de voorkant van de auto naar zijn eigen portier, maar toen hij instapte zag hij haar van pijn vertrokken gezicht. 'Wat is er?'

'Ik heb mijn been bezeerd toen ik uit de auto ben gesprongen, en daarna nog een keer, toen je mij tackelde,' antwoordde Julie op bittere toon. Ze kon het niet uitstaan van zichzelf dat ze van zijn kus genoten had. 'Ik hoop dat je je schuldig voelt.'

'Ja, dat doe ik,' antwoordde hij zacht.

Snel wendde ze haar blik af van zijn spijtige gezicht. Ze was ervan overtuigd dat hij loog, en weigerde te geloven dat hij het wel eens zou kunnen menen. Hij was een moordenaar, en dat was iets dat ze niet nog eens zou mogen vergeten. 'Ik heb honger,' verklaarde ze, omdat dat het eerste was wat haar te binnen schoot, maar toen ze hem naar haar lippen zag kijken, begreep ze meteen dat ze beter iets anders had kunnen zeggen.

'Ik ook.'

Ze stak haar neus in de lucht en startte de motor.

Zijn reactie was een zacht grinniken.

Hoofdstuk 21

'Waar kan ze nu toch zijn?' Carl Mathison ijsbeerde door de kleine ruimte die zijn broer op het politiebureau van Keaton als kantoorruimte tot zijn beschikking had. 'Jij bent hulp-sheriff, en zij is een vermist persoon, dus dóe iets, verdomme.'

'Je kunt pas van een officiële vermissing spreken als iemand minstens vierentwintig uur vermist wordt,' zei Ted, maar zijn gezicht stond bezorgd toen hij eraan toevoegde: 'Je weet best dat ik tot op dat moment niets officieels kan doen.'

'En jíj weet best,' wierp Carl nijdig tegen, 'dat het helemaal niets voor Julie is om zomaar opeens haar plannen te wijzigen. En áls ze niet anders kon en haar plannen heeft moeten wijzigen, dan zou ze altijd nog hebben gebeld. Daarbij wist ze dat ik mijn auto vanmorgen nodig had.'

'Dat is zo.' Ted liep naar het raam. Met zijn hand op de kolf van de 9-millimeter revolver die hij aan zijn broekriem had hangen, keek hij afwezig naar de auto's die buiten op het plein stonden geparkeerd. Toen hij opnieuw het woord nam, sprak hij aarzelend alsof het hem moeite kostte zijn gedachten hardop uit te spreken. 'Zachary Benedict is gisteren uit de gevangenis ontsnapt.'

'Ja, dat heb ik op het nieuws gehoord. En waar slaat dat op?'

'Benedict, of in ieder geval een man die op hem lijkt, is gisteren bij een wegrestaurant in de buurt van de Interstate gesignaleerd.'

Langzaam en uiterst voorzichtig legde Carl de presse-papier die hij tussen zijn handen heen en weer had gerold terug op het bureau, en keek zijn jongere broer met grote ogen aan. 'Ga verder.'

'Benedict is gesignaleerd in de onmiddellijke nabijheid van een auto waarvan de beschrijving beantwoordt aan jouw Blazer. De caissière van het restaurant gelooft dat ze hem in de auto heeft zien stappen met een vrouw die binnen was geweest voor een kop koffie en een broodje.' Ted draaide zich om naar zijn broer en keek hem met tegenzin aan. 'Ik heb een paar minuten geleden met de caissière gesproken – niet officieel, natuurlijk. Zoals ze de vrouw die samen met Benedict is weggereden beschreef, kan het alleen maar Julie zijn geweest.'

'O, God!'

De agente achter de balie, een vrouw van middelbare leeftijd met dun grijs haar en het gezicht van een boze bulldog, had naar het gesprek tussen de beide broers geluisterd, terwijl ze bezig was geweest met het invullen van een aantal formulieren. Nu keek ze op van haar werk, en haar blik dwaalde af naar een glanzende, rode BMW-coupé die naast Teds patrouilleauto parkeerde. Toen er een beeldschone blonde vrouw van een jaar of vijfentwintig uitstapte, vernauwde Rita haar ogen tot spleetjes en ze wendde zich tot de beide mannen in het kantoor. 'Moeten jullie nu toch eens zien wie weer terug is,' zei ze tegen hen. 'Onze rijke juffrouw in hoogst eigen persoon.'

Ofschoon Ted zijn best deed om geen enkele reactie te tonen bij het zien van zijn ex-vrouw, kon hij er niets aan doen dat zijn gezicht verstrakte. 'Europa zal wel saai zijn in deze tijd van het jaar,' zei hij, terwijl hij zijn blik zonder enige schaamte over haar perfecte figuur en lange, sierlijke benen liet gaan.

Ze verdween in het naaiatelier aan de overkant van het plein, en Rita vervolgde: 'Ik heb me laten vertellen dat Flossie en Ada Eldridge haar bruidsjapon gaan maken. De zijde en de kant komen per vliegtuig uit Parijs, maar onze rijke juffrouw wilde dat de jurk door de tweeling gemaakt zou worden omdat niemand zo netjes en keurig werkt als zij.' Nu pas drong het tot haar door dat Ted wel eens helemaal niet geïnteresseerd zou kunnen zijn in de extravagante trouwplannen van zijn ex-vrouw. Ze boog zich weer over haar werk. 'Het spijt me,' zei ze. 'Dat was stom van me.'

'Je hoeft je niet te verontschuldigen. Het kan me geen barst schelen wat ze doet,' zei Ted, en hij meende het. Het nieuws dat Katherine Cahill van plan was om opnieuw in het huwelijk te treden – ditmaal met Spencer Hayward, een vijfendertigjarige, vooraanstaande en puissant rijke inwoner van Dallas – liet Ted absoluut ijskoud en hij had er ook niet van opgekeken. Hij had erover in de krant gelezen, en het had hem volkomen onverschillig gelaten. 'Kom, laten we naar vader en moeder gaan,' zei hij, terwijl hij zijn jasje aantrok en de deur openhield voor Carl. 'Ze weten dat Julie gisteravond niet thuis is gekomen en ze maken zich verschrikkelijke zorgen. Misschien weten ze meer van Julie's plannen dan ze aan ons heeft verteld.'

Ze waren net overgestoken, toen de deur van het naaiatelier van de Eldridge-tweeling openging, en Katherine naar buiten kwam. Ze bleef staan toen ze haar ex-man zag, maar Ted knikte haar alleen maar toe alsof ze een vage bekende was en maakte het portier van zijn patrouilleauto open. Katherine had evenwel een andere opvatting over hoe gescheiden echtparen met elkaar om behoren te gaan wanneer zij elkaar voor het eerst na hun echtscheiding tegenkomen. Ze weigerde zich te laten negeren, deed een stapje in zijn richting en zei: 'Ted?' Nadat ze ook even naar Carl had geglimlacht, wendde ze zich opnieuw tot haar ex-man, en voegde eraan toe: 'Was je echt van plan om weg te rijden zonder me te groeten?'

'Inderdaad, ja,' antwoordde hij op volkomen effen toon.

Ze ging voor hem staan en stak haar hand naar hem uit. 'Je ziet er... goed uit,' besloot ze een beetje mat toen Ted haar hand negeerde. Toen hij weigerde te antwoorden, wendde ze zich tot Carl. 'En jij ook, Carl. Ik heb me laten vertellen dat je met Sara Wakefield bent getrouwd, klopt dat?'

Achter haar gluurde Ada Eldridge door een kier in de rolluiken naar buiten, en in de kapperszaak ernaast hadden ze de aandacht getrokken van de twee meest beruchte roddeltantes van het stadje. Teds geduld was op. 'Ben je klaar? Je zorgt nog voor een oploop.'

Katherine keek naar de etalage van de kapper, maar liet zich, hoewel ze een kleur kreeg, niet intimideren door de minachtende houding van haar ex. 'Julie schreef me dat je klaar bent met je studie.'

Hij draaide zich met zijn rug naar haar toe en trok het portier van zijn auto open.

Ze stak haar kin in de lucht. 'Ik ga trouwen – met Spencer Hayward. Juffrouw Flossie en juffrouw Ada maken mijn bruidsjapon.'

'Ik twijfel er niet aan dat ze blij zijn met een opdracht, zelfs wanneer die van jou komt,' zei Ted, en stapte in. Ze legde haar hand op het portier om te voorkomen dat hij hem dicht zou slaan.

'Je bent veranderd,' zei ze.

'Jij niet.'

'Ja, ik ook.'

'Katherine,' verklaarde hij, 'het kan me geen barst schelen of je veranderd bent of niet.'

Hij trok het portier voor haar neus dicht, startte de motor en reed weg. Via zijn achteruitkijkspiegel zag hij hoe ze haar schouders rechtte en zich met een trotse houding omdraaide naar de gezichten achter het raam van de kapper. Als hij haar niet zo intens minachtte, dan zou hij respect hebben gehad voor haar manier van reageren, en daarbij liet het feit dat ze zou hertrouwen hem absoluut onverschillig. Het enige dat hij voelde was een vaag soort medelijden met de man die op het punt stond te trouwen met een vrouw die niets meer was dan een ornament – mooi, leeg en broos. Zoals Ted inmiddels uit eigen ervaring wist, was Katherine Cahill Mathison een verwend, onvolwassen, egoïstisch en ijdel wezen.

Katherine's vader was de eigenaar van verscheidene oliebronnen en een grote veehouderij, maar hij was het liefste in Keaton waar hij geboren was en groot aanzien genoot. Katherine was ook in Keaton opgegroeid, maar vanaf haar twaalfde had ze op dure kostscholen gezeten. Ted en Katherine hadden elkaar pas leren kennen toen ze negentien was, en voor de zomervakantie naar huis was gekomen. Haar ouders, die de zomermaanden in Europa doorbrachten, hadden erop gestaan dat ze thuis zou blijven bij wijze van straf omdat ze zo vaak van haar colleges gespijbeld had dat ze bijna van de universiteit was gestuurd. In een kinderlijke reactie had Katherine besloten om dan maar twintig studiegenoten van haar uit te nodigen om een maand bij haar te komen logeren. Tijdens één van de dagelijkse braspartijen werd er geschoten, en Katherine belde de politie.

Ted was met een collega gaan kijken wat er precies aan de hand was. Katherine zelf had de voordeur opengedaan. Het eerste wat Ted aan haar was opgevallen waren haar grote angstige ogen, en het tweede wat zijn aandacht had getrokken, was haar mooie figuur dat nauwelijks bedekt werd door een piepkleine bikini. 'Ik heb u gebeld,' vertelde ze, en wees op de achterkant van het huis waar openslaande deuren toegang gaven tot meerdere terrassen en een zwembad. 'Mijn vrienden zijn in de tuin, maar het feest is een beetje uit de hand gelopen en ze willen de geweren van mijn vader niet terugzetten. Ik ben bang dat er gewonden zullen vallen!'

Ted had zijn best gedaan om niet naar haar mooie ronde billen te kijken, en was haar door de zitkamer met de mooie Perzische tapijten en antieke meubels naar de tuin gevolgd. Wat hij en zijn collega hadden aangetroffen, waren een stuk of twintig, merendeels naakte jonge volwassenen die ofwel dronken, ofwel stoned waren. Sommigen waren in het zwembad aan het dollen, anderen schoten er met de geweren van Cahill in het wilde weg op los. Het was niet moeilijk geweest om de feestvierders tot rust te krijgen. Op het moment waarop één van de zwemmers uitriep: 'O, God, de smerissen zijn er!' was iedereen op slag rustig. De zwemmers kwamen uit het zwembad, de schutters legden, met uitzondering van één van hen, de wapens neer. Die uitzondering was een jongen van drieëntwintig die een flinke hoeveelheid marihuana had gerookt en besloten had om, met Ted als tegenstander, voor Rambo te spelen. Toen hij het geweer op Ted had gericht, had Katherine het op een krijsen gezet en had Teds collega zijn revolver getrokken, maar Ted had hem gebaard dat hij zijn wapen weg moest doen. 'Hou je toch rustig, jongen, er is niets aan de hand,' had hij tegen de jongen gezegd, en er al improviserend aan toegevoegd: 'Mijn partner en ik komen alleen maar gezellig meefeesten. Katherine heeft ons uitgenodigd.' Hij keek haar aan en glimlachte warm. 'Zeg hem dat het waar is, Kathy, dat jij ons hebt uitgenodigd.'

Waarschijnlijk kwam het door het koosnaampje dat hij gebruikt had dat de jongen tot de conclusie kwam dat Ted inderdaad een vriend van de familie was, en hij liet zijn wapen een stukje zakken. Katherine, die nooit anders dan bij haar volle voornaam was aangesproken, had Teds woorden onderstreept door naar hem toe te snellen en een arm om hem heen te slaan. 'Natuurlijk heb ik hem uitgenodigd, Brandon!' zei ze tegen de jongeman, waarbij ze angstig naar zijn geladen geweer keek.

Om mee te spelen sloeg Ted een arm om haar smalle middel, en boog zich naar haar toe om iets in haar oor te fluisteren. Opzet of niet, Katherine vatte zijn gebaar verkeerd op, ging op haar tenen staan en kuste hem vol op de mond. Teds lippen gingen van verbazing vaneen, maar hij drukte haar automatisch dichter tegen zich aan waarop zij zich helemaal naar hem toe draaide en haar kus verdiepte. Even vanzelf beantwoordde hij haar onverwachte hartstocht, en zijn lichaam werd hard van begeerte. Hij liet zijn tong tussen haar gretige lippen doorgaan en beantwoordde haar kus onder het toeziend oog van een stel joelende, dronken, stoned en rijke kinderen, en dat van een ander joch, Brandon, die zijn geladen geweer op hen hield gericht.

'Goed, goed, hij hoort erbij,' riep Brandon. 'Kom op, we gaan weer verder met schieten!'

Ted liet Katherine los, produceerde een vals glimlachje en slenterde ontspannen naar de jongen toe. 'Hoe zei je dat je heette?' vroeg Brandon toen Ted bijna bij hem was.

'Mathison,' snauwde Ted, terwijl hij het geweer uit de handen van de jongen rukte, hem omdraaide en hem de handboeien omdeed. 'En jij?'

'Brandon Barrister III,' luidde het verontwaardigde antwoord. 'Mijn vader is senator Barrister.' Zijn stem kreeg iets jankerigs. 'Moet je luisteren, Mathison. Jij doet me die handboeien af en maakt dat je wegkomt, en dan zal ik niets tegen mijn vader zeggen over de manier waarop je ons hier vanavond behandeld hebt. We zullen doen alsof dit misverstand nooit heeft plaatsgevonden.'

'Ik doe je een tegenvoorstel,' zei Ted, en duwde de jongen voor zich uit naar het huis. 'Jij zegt me waar je je voorraadje hebt, en ik laat je een gezellig, rustig avondje in onze cel doorbrengen zonder je officieel te arresteren voor de tien overtredingen die me zo al, op het eerste gezicht, te binnen schieten en die je vader wel eens ernstig in verlegenheid zouden kunnen brengen.'

'Brandon,' smeekte een van de meisjes toen Brandon in verzet kwam, 'dat is echt heel sportief van hem. Doe nu maar wat hij zegt.'

Ted wilde het er niet bij laten, en zei: 'Dit geldt trouwens voor jullie allemaal. Ga naar binnen, haal alle stuff en andere rommel die jullie hebben, en breng het spul naar de zitkamer.' Hij wendde zich tot Katherine die hem met een vreemd soort glimlachje observeerde. 'En dat geldt ook voor u, juffrouw Cahill.'

Haar glimlach werd breder en ze klonk bijna verlegen toen ze zei: 'Ik vond Kathy veel leuker klinken dan juffrouw Cahill.'

Ze zag er zo verrukkelijk uit, zoals ze daar stond met haar lange blonde haren, haar sexy bikini en haar madonna-glimlachje, dat Ted echt zijn best moest doen om zichzelf ervan te overtuigen dat ze niet alleen te jong voor hem was, maar ook te rijk en te verwend. In de dagen die daarop volgden vond hij het steeds moeilijker worden om zich dat te blijven voorhouden, want Katherine Cahill bezat alle vasthoudendheid van haar voorouders die als pioniers het halve continent over waren getrokken om hun stukje Texaanse olievelden op te eisen. Waar Ted ook naartoe ging, en hoe kil en afstandelijk hij haar ook behandelde, hij zag haar overal. Ze liep opeens naast hem wanneer hij 's avonds het bureau verliet om naar huis te gaan, ze vroeg hem of hij wilde komen eten, ze kwam naar het bureau om hem advies te vragen over welke auto ze het beste kon kopen; ging hij lunchen, dan schoof ze bij hem aan tafel en deed alsof het toeval was dat ze hem was tegengekomen. Nadat ze hem zo drie weken achterna was gelopen en geen succes had gehad, kwam ze met een laatste, uit wanhoop geboren plan. Nadat ze zich ervan verzekerd had dat Ted dienst had, belde ze om tien uur 's avonds naar het bureau om te zeggen dat er bij haar thuis was ingebroken.

Toen hij bij haar huis kwam, ontving ze hem in een verleidelijke peignoir van zwarte zijde. In haar ene hand hield ze een schaaltje met lekkere hapjes, en in de andere een drankje dat ze voor hem had gemaakt. Toen Ted zich realiseerde dat die inbraak alleen maar een smoes was geweest om hem naar haar huis te lokken, knapte er iets in hem. Aangezien hij geen misbruik mocht maken van hetgeen ze hem op een presenteerblaadje aanbood, en het niet uitmaakte hoe graag hij dat wel zou doen of hoezeer hij van haar gezelschap genoot, werd hij boos. 'Verdomme, Katherine, wat wil je eigenlijk van me?'

'Dat je binnenkomt en geniet van het lekkere eten dat ik voor je heb klaargemaakt.' Ze deed een stapje opzij en wees hem op de met kaarsen verlichte eettafel die gedekt was met fonkelend kristal en glanzend zilver.

Tot zijn eigen verbazing en ontzetting overwoog hij zowaar om te blijven. Hij wilde niets liever dan aan die tafel gaan zitten, haar gezicht in het licht van de kaarsen zien en genieten van de wijn die in de zilveren koeler op hem stond te wachten; hij wilde langzaam en genietend eten in de wetenschap dat zij zijn toetje zou zijn. Hij verlangde zo vurig naar haar dat hij het bijna ondraaglijk vond om daar te blijven staan zonder haar in zijn armen te nemen. In plaats daarvan probeerde hij haar te kwetsen. 'Hou toch eens op met je aan te stellen als een rijk, verwend nest!' snauwde hij, en negeerde de pijnlijke steek in zijn hart toen ze achteruitdeinsde alsof hij haar geslagen had. 'Ik weet werkelijk niet wat je van me wilt of wat je met deze hele toestand denkt te kunnen bereiken, maar dit is zonde van je tijd, en van de mijne.'

Ze was zichtbaar onthutst, maar bleef hem strak aankijken. Ted had bewondering voor haar moed. 'Ik ben verliefd op je geworden, die avond toen je bent gekomen om een einde aan ons feestje te maken,' bekende ze hem.

'Onzin! Mensen worden niet binnen vijf minuten verliefd.'

Ze glimlachte met trillende lippen. 'Toen je me die avond kuste, voelde je ook iets voor mij, iets dieps en bijzonders en –'

'Wat ik voelde, was niets anders dan ordinaire begeerte,' snauwde Ted, 'dus hou op met deze kinderlijke fantasieën en laat me met rust. Heb je me begrepen, of moet ik nog duidelijker zijn?'

Ze gaf zich over en schudde haar hoofd. 'Nee,' fluisterde ze met onvaste stem. 'ik heb je begrepen.'

'Vaarwel, dus,' zei hij kortaf.

'Kus me ten afscheid, en dan ben ik bereid je te geloven. Dat is de voorwaarde die ik je stel.'

'God allemachtig nog aan toe!' riep hij uit, maar gaf zich over aan haar eis. Of beter gezegd, aan zijn eigen verlangen. Hij trok haar in zijn armen en kuste haar opzettelijk zo ruw en wild als hij maar kon. Hij wist dat hij haar pijn deed, en duwde haar toen van zich af terwijl hij in zijn hart vreselijk spijt had van wat hij had gedaan – en van wat hij zichzelf daarmee te kort had gedaan.

Ze drukte haar vingers tegen haar gezwollen lippen en keek hem bitter en verwijtend aan. 'Leugenaar,' zei ze. En sloot de deur.

In de daaropvolgende twee weken keek hij voortdurend of hij haar ergens zag, en telkens wanneer er weer een dag voorbij was gegaan en hij haar of haar witte Corvette niet had gezien, dan voelde hij zich... teleurgesteld. Leeg. Hij kwam tot de conclusie dat ze niet meer in Keaton was, en vertrokken was naar waar rijke meisjes naartoe gingen wanneer ze zich in de zomer verveelden. Pas een week daarna, toen er een inbreker in buurt van haar huis was gesignaleerd, besefte hij hoe geobsedeerd hij door haar was. Zich voorhoudend dat het zijn plicht was om die heuvel op te rijden die geen enkele inbreker die ook maar een beetje goed bij zijn hoofd was te voet zou beklimmen, ging Ted naar haar huis – om zich ervan te verzekeren dat alles goed was. In een kamer aan de achterzijde van het huis brandde licht, en hij stapte uit. Zijn bewegingen waren langzaam, traag, alsof zijn benen begrepen wat zijn verstand ontkende – dat zijn aanwezigheid hier langdurige en rampzalige gevolgen zou kunnen hebben.

Hij hief zijn hand op om aan te bellen, maar liet hem weer vallen. Dit was waanzin, besloot hij en draaide zich om. Op dat moment werd de deur opengerukt en zag hij haar. Zelfs in een eenvoudig roze topje en een witte short was Katherine Cahill zo beeldschoon dat hij op slag niet meer helder kon denken. Toch was ze anders vanavond – haar gezicht stond strak en ze deed geen enkele poging om met hem te flirten. 'Wat kan ik voor u doen, meneer Mathison?'

Ted was niet alleen overdonderd door haar afstandelijke gedrag, maar daarbij had hij ook nog eens het gevoel dat hij volkomen voor gek stond. 'Er is ingebroken,' zei hij, 'niet ver van hier. Ik ben naar je huis gekomen om te kijken of –'

Tot zijn ongeloof begon ze de deur voor zijn neus dicht te doen, en hij hoorde zichzelf haar naam zeggen. Hij floepte het eruit voordat hij zich er bewust van was. 'Katherine, niet –'

De deur ging weer open. Ze hield haar hoofd schuin en rond haar mondhoeken speelde een flauw glimlachje. 'Wat kom je hier zoeken?' vroeg ze nu.

'Jezus! Ik weet niet –'

'Ja, dat weet je best. En verder,' zei ze op een plagend toontje, 'vind ik eigenlijk niet dat je als zoon van dominee Mathison over je gevoelens zou mogen liegen, of de naam van de Heer mag misbruiken.'

'Aha, dus dát is het, hè?' snauwde Ted. Hij wist werkelijk niet meer waar hij aan toe was, hij voelde zich als een drenkeling die op het punt stond te verdrinken in zijn lot. 'Geeft het je een kick om de zoon van een dominee te verleiden? Wil je soms weten hoe wij vrijen?'

'Wie heeft het hier over seks, meneer de agent?'

'Nu snap ik het,' zei hij. 'Je valt op smerissen, is dat het? Je denkt dat ik Bruce Willis ben en je denkt dat het, om met hem naar bed te gaan –'

'Nu heb je het alweer over seks. Is dat het enige waar je aan kunt denken?'

Uit het veld geslagen, en woedend op zichzelf, stak hij zijn handen in zijn zakken en keek haar fel aan. 'Als het je er niet om te doen is om met mij naar bed te gaan, wat had je dan voor plannen met mij?'

Ze deed een stapje naar voren, zag er wereldser uit dan hij zich voelde, maar toch pakte hij haar bij de armen en trok haar begerig tegen zich aan. Zachtjes zei ze: 'Trouwplannen. En niet meteen gaan vloeken, alsjeblieft.'

'Trouwplannen!' riep Ted uit.

'Je klinkt alsof je geschokt bent, liefste.'

'Je bent gek.'

'Op jou,' beaamde ze. Ze ging op haar tenen staan, sloeg haar armen om zijn hals, en Teds lichaam stond meteen in vuur en vlam. 'Je krijgt de kans om die laatste kus van je, toen je me zo'n pijn hebt gedaan, goed te maken. Ik kan niet zeggen dat ik dat echt leuk vond.'

Machteloos bracht Ted zijn mond naar de hare en liet zijn tong over haar lippen gaan. Ze kreunde, en het geluid was voldoende om hem zijn zelfbeheersing te laten verliezen. Hij trok haar heupen dicht tegen de zijne en verdiepte zijn kus. Ze proefde hemels en voelde al net zo. Haar borsten zwollen in zijn handen, en haar lichaam paste in het zijne alsof ze voor elkaar geschapen waren. Het duurde vele minuten tot hij eindelijk in staat was zijn mond van de hare te halen en iets te zeggen, maar zijn stem was schor van verlangen en het lukte hem niet zijn handen van haar middel te halen. 'Gek zijn we allebei.'

'Op elkaar,' verklaarde ze. 'September lijkt mij de ideale maand voor een bruiloft, jou niet?'

'Nee.'

Ze maakte zich een stukje van hem los om hem aan te kunnen kijken, en Ted hoorde zichzelf zeggen: 'Ik persoonlijk geef de voorkeur aan augustus.'

'We zouden in augustus kunnen trouwen op de dag van mijn twintigste verjaardag, maar in augustus is het zo heet.'

'Niet half zo heet als ik op dit moment.'

Ze probeerde hem berispend aan te kijken, maar moest in plaats daarvan giechelen. 'Foei, foei, wat een taal voor een domineeszoon,' zei ze plagend.

'Ik ben een doodnormale man, Katherine,' waarschuwde hij haar, maar hoopte toch heimelijk dat ze dat niet zou geloven. Aan de andere kant vond hij het niet onverstandig om met trouwen tot september te wachten, want dan had ze nog wat langer de tijd om hem wat beter te leren kennen. 'Ik vind september eigenlijk wel een goed idee.'

'Ik niet,' zei ze, en keek hem met een plagend glimlachje aan. 'Ik bedoel, je vader is dominee, en dat betekent waarschijnlijk dat je wilt wachten tot ná we getrouwd zijn.'

Ted kreeg het voor elkaar om een volkomen onschuldig en nietbegrijpend gezicht te trekken. 'Wachten? Met wat?'

'Met met elkaar naar bed gaan.'

'Ik ben geen dominee, maar mijn vader.'

'Ga dan met me naar bed.'

'Niet zo snel!' Het overdonderde hem allemaal een beetje. Een uur geleden had hij nog helemaal niet aan trouwen gedacht. 'Ik weiger om ook maar een cent van je vaders geld te accepteren. Als we trouwen, dan ben je de vrouw van een simpele politieagent tot de dag waarop ik afstudeer.'

'Best.'

'Je ouders zullen hier helemaal niet blij mee zijn.'

'Het is voor hen gewoon een kwestie van wennen.'

En daar bleek ze gelijk in te hebben, ontdekte Ted. Katherine wist precies hoe ze iemand om haar vingertje moest winden. Iedereen, met inbegrip van haar ouders, legde zich zomaar bij haar willetje neer. Iedereen, behalve Ted. Na zes maanden huwelijk was hij nog steeds niet gewend aan het wonen in een huis dat nooit werd schoongemaakt, en het eten van maaltijden die voor het grootste gedeelte uit blik kwamen. En waar hij nog het meeste moeite mee had, dat waren haar stemmingen of irrationele eisen.

Ze had nooit een ware echtgenote voor Ted willen zijn, en wat ze helemaal niet wilde, was moeder worden. Ze was woedend geweest toen ze twee jaar nadat ze getrouwd waren tot de ontdekking was gekomen dat ze zwanger was, en toen ze een miskraam had gehad was ze dolblij geweest. Voor Ted was haar manier van reageren op haar zwangerschap de laatste druppel geweest, en ten slotte had hij toegestemd in de scheiding waar ze hem telkens, wanneer hij weigerde haar haar zin te geven, mee dreigde.

Zijn gedachten werden onderbroken door Carls stem. 'Het heeft geen enkele zin om tegen vader en moeder iets over Benedict te zeggen. Als Julie in gevaar verkeert, dan is het beter om dat zo lang mogelijk voor hen te verzwijgen.'

'Dat ben ik met je eens.'

Hoofdstuk 22

'We zijn verdwaald, ik weet het zeker! Waar zijn we in vredesnaam? Ik weet zeker dat dit pad alleen maar uitkomt bij een verlaten houthakkerskamp.' Julie's stem trilde van de zenuwen terwijl ze naar de sneeuw keek die tegen de voorruit sloeg. Ze waren vanaf de snelweg een stijl oplopend weggetje ingeslagen dat met talloze haarspeldbochten de berg op kronkelde; haarspeldbochten waar ze in de zomer al zenuwachtig van zou zijn geworden. En net toen ze dacht dat het niet erger kon, had hij haar gezegd dat ze rechtsaf een pad in moest slaan dat zo smal was dat de takken van de dikke pijnbomen aan weerskanten langs de auto schuurden.

'Ik weet dat je moe bent,' zei haar passagier. 'Als ik er zeker van zou kunnen zijn dat je niet zou proberen om uit de auto te springen, dan zou ik zelf wel gereden hebben om je wat te laten rusten.'

Sinds hun kus, inmiddels bijna twaalf uur geleden, had hij haar uiterst vriendelijk en voorkomend behandeld. Julie wist zich geen raad met deze houding van hem, en ze had sterk het gevoel dat hij zijn plannen ten aanzien van haar gewijzigd had. Het gevolg daarvan was dat ze al zijn aardige opmerkingen en gespreksopeningen met een snauwerig en kattig antwoord teniet had gedaan, en ze zich een kreng voelde. En ook dat was iets wat ze hem verweet.

Ze negeerde zijn opmerking en haalde haar schouders op. 'Volgens de kaart en de routebeschrijving gaan we goed, maar er stond nergens bij dat deze weg recht naar boven ging! Dit is een auto, en geen vliegtuig of een sneeuwploeg!'

Hij gaf haar het blikje frisdrank aan dat ze bij een benzinestation hadden gekocht waar ze gestopt waren om de tanken, en waar hij opnieuw met haar was meegegaan naar de wc. Net als de keer ervoor had hij de ruimte eerst gecontroleerd om te zien of ze er niet uit kon ontsnappen, en daarna had hij haar weer niet de deur op slot laten doen. Toen hij verder niet inging op haar opmerking over de verraderlijke toestand van de weg, hield ook zij haar mond. Onder normale omstandigheden zou ze diep onder de indruk zijn geweest van de prachtige uitzichten en de met een dikke laag sneeuw bedekte pijnbomen, maar het was onmogelijk om van de natuur te genieten wanneer ze al haar aandacht nodig had om de auto op de weg te houden. Omdat ze inmiddels al zeker twintig minuten op dit pad reden, nam ze aan dat ze hun bestemming bijna genaderd moesten zijn. De sneeuwstorm woedde om hen heen, en het pad was nauwelijks breder dan de auto. 'Ik kan alleen maar hopen dat degene die je die kaart en de routebeschrijving gegeven heeft, wist wat hij deed,' zei ze.

'Echt?' vroeg hij plagend. 'Ik had gedacht dat je veel liever verdwaald zou zijn.'

Ze schonk geen aandacht aan de geamuseerde klank van zijn stem. 'Ik had veel liever gehad dat jíj verdwaald zou zijn, maar ik voel er niets voor om samen met jou te verdwalen! Ik heb nu al langer dan vierentwintig uur achter elkaar in de sneeuw over nagenoeg onbegaanbare wegen gereden, en ik ben doodmoe –' Ze zweeg geschrokken bij het zien van het houten bruggetje voor hen. Tot voor twee dagen was het in Colorado ongewoon warm geweest, en de smeltende sneeuw had ervoor gezorgd dat kleine beekjes, zoals deze hier, waren uitgegroeid tot woest kolkende miniriviertjes die buiten hun oevers waren getreden. 'Die brug ziet er niet erg betrouwbaar uit. Het water staat veel te hoog –'

'We hebben geen andere keus.' De bezorgde klank van zijn stem ontging haar niet, en ze trapte op de rem. 'Ik vertik het om die brug over te rijden.'

Zack was te ver gekomen om nu nog om te kunnen draaien, en daarbij was keren op dit smalle pad ook gewoon onmogelijk. Net zo onmogelijk was het om het besneeuwde bergpad met zijn haarspeldbochten achteruit af te rijden. Het pad was zeer onlangs sneeuwvrij gemaakt – waarschijnlijk die ochtend – alsof Matt Farrell van Zacks ontsnapping had gehoord en hij begrepen had waarom

Zack weken geleden iemand had laten bellen met het verzoek om een gedetailleerde routebeschrijving naar het huis in de bergen. Maar ondanks het feit dat Matt de weg sneeuwvrij had laten maken, zag de brug er inderdaad allesbehalve betrouwbaar uit. 'Stap uit,' zei hij even later.

'Moet ik uitstappen? Wil je soms dat ik doodvries? Was je dat soms van begin af aan al van plan, om me tot hier te laten rijden en me dan in de sneeuw te laten doodvriezen?'

Gedurende de hele dag had hij met humor op haar venijnige opmerkingen gereageerd, maar nu knapte hij. 'Stap uit,' snauwde hij op ijzige toon. 'Ik rij de auto over de brug. Als blijkt dat hij het houdt, dan kun je eroverheen lopen en aan de andere kant weer instappen.'

Dat hoefde hij geen twee keer te zeggen. Julie trok haar vest strak om zich heen, deed het portier open en stapte uit, maar haar opluchting over het feit dat haar tenminste niets zou overkomen sloeg om in iets anders, in iets wat gegeven de omstandigheden volslagen absurd was: toen ze hem over de voorbank achter het stuur zag schuiven, voelde ze zich schuldig over het feit dat ze was uitgestapt. Ze schaamde zich over haar eigen lafheid en vroeg zich bezorgd af of hij de overkant wel zou halen. En dat was vóórdat hij zich naar de achterbank boog, haar jas en twee van Carls dekens pakte en haar die door het open portier aangaf, terwijl hij zei: 'Als die brug het niet mocht houden, pak je hiermee dan goed in en zoek een smallere plaats waar je naar de overkant kunt waden. Boven op de berg vind je een huis met een telefoon en meer dan voldoende te eten. Je kunt er om hulp bellen en er blijven totdat ze je komen halen.'

Hij had 'als de brug het niet mocht houden' zonder ook maar een greintje emotie gezegd, en Julie huiverde in het besef dat Zachary Benedict er kennelijk geen moeite mee had om zijn eigen leven te riskeren. Hield de brug het niet, dan zou hij, samen met de zware Blazer, in de gezwollen, ijzige beek terechtkomen. Ze hield het portier tegen om te voorkomen dat hij het zou sluiten. 'Als de brug het niet mocht houden,' zei ze, 'dan gooi ik je wel een touw of een tak toe, iets waarmee je op de kant kunt komen.'

Zonder iets terug te zeggen trok hij het portier dicht, en Julie bleef rillend staan met de jas en de dekens dicht tegen zich aan gedrukt. De banden van de Blazer slipten in de sneeuw, vonden houvast en de auto begon te rijden. Ze hield haar adem in, stamelde een paar onsamenhangende schietgebedjes en strompelde door de sneeuw naar de brug. Toen ze bij de oever kwam bleef ze staan om te proberen schatten hoe diep het water was. Nadat ze even naar het wilde water en de in hoog tempo langsdrijvende boomstammen en takken had gekeken, pakte ze een tak van meer dan twee meter lang en stak hem in het water. Toen het uiteinde van de tak de bodem niet raakte, sloeg haar angst om in paniek. 'Wacht!' schreeuwde ze in een poging om boven de huilende wind uit te komen. 'We kunnen de auto toch hier laten en het laatste stuk lopen!' Als hij haar gehoord had, dan negeerde hij haar. Langzaam reed hij de brug op. Julie kon de planken luid horen kraken. 'Blijf staan! Die brug houdt het niet! Stap uit! Maak dat je uit die auto komt –'

Het was te laat. De auto was inmiddels met alle vier de wielen op de brug.

Met de dekens tegen haar borst gedrukt bleef Julie, hulpeloos en verlamd van angst, staan kijken naar dat wat ze niet kon voorkomen.

Pas toen de auto en zijn chauffeur veilig de overkant hadden bereikt, haalde ze weer adem. Het volgende moment voelde ze zich verschrikkelijk boos worden over het feit dat hij haar opnieuw doodsangsten had laten uitstaan. Met nijdige stappen liep ze over de brug, trok het portier open en stapte in.

'We zijn er,' zei hij.

Julie wierp hem een moordlustige blik toe. 'Waar zijn we?'

Het antwoord op die vraag kwam enkele minuten later toen ze boven op de berg de laatste haarspeldbocht hadden genomen. Daar, op een open plek te midden van het dichte pijnbomenwoud, stond een schitterend, uit steen en hout opgetrokken huis met talloze terrassen en enorme ramen. 'Hier,' zei hij.

'Wie bouwt er nu in vredesnaam een huis op deze plek? Een kluizenaar?'

'Iemand die duidelijk behoefte heeft aan privacy en eenzaamheid.'

'Is het van iemand van je familie?' vroeg ze, opeens achterdochtig.

'Nee.'

'Weet de eigenaar dat je van plan bent zijn huis te gebruiken terwijl de politie naar je op zoek is?'

'Je moet niet zo veel vragen,' zei hij, waarna hij de auto naast het huis zette en uitstapte. 'Maar het antwoord is nee.' Hij liep om de auto heen naar haar kant en trok het portier voor haar open. 'Kom mee.'

'Wat?' riep Julie uit. 'Je zei dat ik kon gaan, nadat ik je hier had afgeleverd.'

'Dat was een leugen.'

'Jij – schoft dat je bent! En ik heb je nog wel geloofd toen je dat zei!' riep ze uit, maar zij loog ook. Gedurende de hele dag had ze geprobeerd te ontkennen wat haar nuchter verstand haar ingaf. Hij wilde haar niet laten gaan omdat hij bang was dat ze de politie zou vertellen waar hij was. Liet hij haar nu gaan, dan zou niets haar ervan weerhouden om hem te verraden.

'Julie,' zei hij op een geforceerd geduldig toontje, 'maak dit alsjeblieft niet moeilijker voor jezelf dan het al is. Je zult hier een paar dagen moeten blijven, en je kunt niet zeggen dat het zo'n vreselijke plek is om een paar dagen door te moeten brengen.' Met die woorden boog hij zich voor haar langs, trok het sleuteltje uit het contact en liep met grote stappen naar het huis. Even was ze te boos en te teleurgesteld om zich te kunnen verroeren, maar toen slikte ze haar tranen van machteloosheid terug en stapte uit. Rillend in de ijskoude wind en sneeuw liep ze achter hem aan. Met haar armen om zich heen geslagen zag ze hem de deurknop proberen. De deur zat op slot. Hij rammelde er hard aan. Toen liet hij de deurknop los, zette zijn handen in zijn zij en keek peinzend om zich heen. Julie begon te klappertanden. 'En w-wat nu?' vroeg ze. 'H-hoe b-ben je van p-plan om b-binnen te komen?'

Hij keek haar ironisch aan. 'Hoe dacht je?' Zonder op een antwoord te wachten, draaide hij zich om en liep naar het terras aan de voorzijde van het huis. Julie liep hem achterna. 'Je bent zeker van plan om een raam in te slaan, niet?' Ze keek naar de enorme vensters die vanaf de begane grond doorliepen naar het hoogste punt van het dak. 'Als je dat met deze ramen doet, dan krijg je al het glas over je heen en kom je onder de snijwonden te zitten.'

'Je kunt je die hoopvolle toon besparen,' zei hij, en liep verder naar een paar hoopjes sneeuw tegen de pui. Het was duidelijk dat er zich iets onder moest bevinden en dat de sneeuw er tegenop was gewaaid. Hij begon in één van de hoopjes te graven en haalde een grote bloempot te voorschijn die hij oppakte en meenam naar de achterdeur.

'Wat doe je nu?'

'Drie keer raden.'

'Hoe moet ik nu weten wat je van plan bent?' snauwde Julie. 'Jij bent hier de crimineel.'

'Ja, maar ik heb gezeten op verdenking van een moord, en niet omdat ik ingebroken zou hebben.'

Ze zag hoe hij in de bevroren aarde in de pot probeerde te graven, waarna hij de pot tegen de zijgevel van het huis aan scherven sloeg en de aarde op de sneeuw bij de deur viel. Zonder iets te zeggen ging hij op zijn hurken zitten en begon met zijn blote vuisten op de klompen aarde te slaan. 'Last van een driftbuitje?' vroeg ze.

'Nee, Julie,' verzuchtte hij alweer op die overdreven geduldige toon, terwijl hij een stukje aarde oppakte en het verkruimelde. 'Ik ben op zoek naar een sleutel.'

'Ik kan me niet voorstellen dat iemand die voldoende geld heeft om zo'n huis als dit te bouwen en er een privé-weg naartoe aan te leggen, zo naïef is om de sleutel in een bloempot te verstoppen. Dit is zonde van je tijd.'

'Ben je altijd zo krengerig?' informeerde hij.

'Ik, krengerig?' riep ze nijdig uit. 'Je steelt mijn auto, ontvoert me, bedreigt me met de dood, liegt tegen me, en nu heb je ook nog eens het gore lef om kritiek te hebben op mijn manieren?' Ze zweeg toen hij een met aarde aangekoekt zilverkleurig voorwerp ophield en in het sleutelgat stak.

Met een overdreven hoffelijk gebaar maakte hij haar duidelijk dat ze naar binnen kon. 'We waren het er al over eens dat ik ten aanzien van jou alle regels van de etiquette met voeten treed. Ga nu maar vast naar binnen, dan kun je wat rondkijken terwijl ik onze spullen uit de auto haal. Waarom probeer je je niet een beetje te ontspannen,' voegde hij eraan toe. 'Rust wat uit, geniet van het uitzicht. Beschouw dit als een vakantie.'

Julie keek hem met open mond aan en snauwde toen: 'Ik ben niet met vakantie! Ik word gegijzeld en denk maar niet dat ik dat ook maar één moment zal vergeten!'

Hij reageerde met een lijdzame blik alsof hij wilde zeggen dat hij haar onmogelijk lastig vond, en daarom draaide ze zich om en ging het huis binnen. De inrichting hield het midden tussen rustiek en verrassend luxueus. Het was gebouwd rond een reusachtige, zeshoekige kamer in het midden waar drie deuren op uitkwamen die toegang gaven tot grote slaapkamers met bijbehorende badkamers. De hoge, houten plafonds werden ondersteund door uit ruw cederhout gehouwen balken, terwijl een wenteltrap naar boven voerde naar een zolderverdieping waar langs de wanden plafondhoge boekenkasten stonden. Vier van de zes wanden waren volledig van glas, en boden een uitzicht op het omliggende berglandschap. De vijfde muur was van natuursteen en was voorzien van een grote, open haard. Tegenover de haard stond een grote, L-vormige bank die was bekleed met boterzacht, zilverachtig leer. Naast de bank stonden twee gemakkelijke leunstoelen met voetenbankjes die bekleed waren met een zilver met groen gestreepte stof die ook weer gebruikt was voor de kussentjes op de bank en bij de haard. Voor de haard, op de parketvloer van donker hout, lag een dik kleed in dezelfde kleuren. Voor een van de vensters stonden nog twee stoelen, een in een hoek waar twee van de glazen wanden samenkwamen, stond een bureautje. Normaal gesproken zou Julie diep onder de indruk zijn geweest van dit schitterende huis, maar ze was te zeer van streek en had een te grote honger om er echt aandacht voor te kunnen hebben.

Ze draaide zich om en liep de moderne, open keuken in die met een eetbar van de zitkamer was afgescheiden. Haar buik rommelde bij het zien van de eikehouten kastjes en de ijskast, maar haar uitputting begon het al van haar honger te winnen. Met het gevoel alsof ze een insluiper was, trok ze een kastje open waarin borden en glazen stonden, en toen nog eentje dat vol stond met conserven. Met het idee om snel even iets van een broodje te maken en dan naar bed te gaan, stak ze haar hand uit om een blikje tonijn te pakken, juist op het moment waarop Zack de achterdeur opendeed en haar zag. 'Mag ik op basis hiervan hopen,' zei hij, terwijl hij zijn laarzen uitschopte, 'dat je huishoudelijk bent ingesteld?'

'Bedoel je of ik kan koken?'

'Inderdaad.'

'Niet voor jou.' Julie zette het blikje tonijn terug en deed het kastje dicht. Op hetzelfde moment liet haar maag een luid protest horen.

'Jezus, ben jij even koppig!' Zijn ijskoude handen wrijvend liep hij naar de thermostaat aan de muur, zette de verwarming hoger, liep naar de ijskast en trok de deur van de diepvries open. Julie keek over zijn schouder mee en zag tientallen dikke biefstukken en lamskoteletten, rollades en meerdere plastic diepvriesdozen met groenten. Het totaal aanbod deed niet onder voor dat van een delicatessenzaak. Het water liep haar in de mond toen ze hem een dikke biefstuk zag pakken, maar tegelijkertijd realiseerde ze zich dat ze zo moe was dat ze amper nog op haar benen kon staan. Het besef dat ze eindelijk in een warm huis, en niet meer in de auto zat, en dat ze na een eindeloze, zenuwslopende rit eindelijk op hun plaats van bestemming waren gekomen, deed haar knieën knikken, en ze wist dat ze veel meer behoefte had aan een douche en een bed, dan aan eten.

'Ik moet naar bed,' zei ze, en het kostte haar verschrikkelijk veel moeite om kil en afstandelijk te klinken. 'Waar kan ik slapen?'

Ze zag zo bleek en haar ogen waren zo zwaar van de slaap, dat hij besloot om het haar verder niet lastig te maken. 'Deze kant op,' zei hij, en ging haar voor naar één van de deuren die uitkwamen op de zitkamer. Toen hij het licht aan had gedaan, zag Julie een reusachtige slaapkamer met een open haard. De badkamer die eraan grensde was een combinatie van zwart marmer en spiegelwanden. Op hetzelfde moment als hij zag ze de telefoon die op het nachtkastje stond. 'Er is een aparte badkamer bij,' zei hij volkomen overbodig, terwijl hij naar het nachtkastje liep, het snoer van de telefoon uit het stopcontact trok en het toestel onder zijn arm nam.

'Maar geen telefoon, zie ik,' voegde ze er met iets van bitterheid aan toe, nadat ze weer naar de zitkamer was gegaan om haar koffertje te pakken.

Achter haar controleerde hij de deuren van de slaapkamer en de badkamer, en toen pakte hij haar bij de arm. 'Luister,' zei hij, 'we kunnen maar beter meteen een aantal vaste regels afspreken. Dit is de situatie: er zijn geen andere huizen op deze berg. Ik heb de autosleutels, dus de enige manier waarop je hier weg zou kunnen komen is te voet. Te voet ontsnappen betekent dat je halverwege de snelweg bent doodgevroren. De deur van de slaapkamer en van de badkamer hebben een waardeloos slot dat iedereen vanaf de buitenkant met een haarspeld kan openmaken. Ik raad je dus af om jezelf in één van beide ruimtes op te sluiten, want dat is zonde van de energie. Volg je me?'

Julie probeerde vergeefs om haar arm los te rukken. 'Ik ben niet achterlijk.'

'Mooi. Dan heb je waarschijnlijk al begrepen dat je in huis vrij kunt rondlopen –'

'Ach, wat aardig, net als een keurig afgerichte beagle, niet?'

'Nee, dat zou ik niet zo willen zeggen,' zei Zack, en grijnsde kort terwijl hij zijn blik bewonderend over haar dikke, kastanjebruine krullen en haar slanke, onrustige gestalte liet gaan. 'Meer als een nerveuze Ierse setter,' corrigeerde hij haar.

Julie deed haar mond open om hem een kattig antwoord te geven, maar in plaats daarvan moest ze geeuwen.

Hoofdstuk 23

Julie werd wakker van het verrukkelijke aroma van bakkende biefstuk. Met het vage gevoel dat het enorme bed waar ze op sliep te groot was om haar eigen bed te kunnen zijn, ging ze, niet wetende waar ze was, op haar rug liggen. De kamer was donker. Rechts van zich zag ze een smalle, flauwe streep licht, en ze begreep dat het de maan was die door een kier in de gordijnen naar binnen scheen. Heel even verkeerde ze in de gelukzalige illusie dat ze ergens op vakantie was en zich in een luxueus hotel bevond.

Ze keek op de wekker die op het nachtkastje stond. Waar ze ook zijn mocht, de plaatselijke tijd was twintig uur twintig. En het was kil in de kamer, zo kil dat ze in haar slaperigheid tot de conclusie kwam dat ze beslist niet in Californië of Florida was. Toen drong het opeens tot haar door dat het in hotelkamers nooit naar eten rook. Ze was ergens in een huis, niet in een hotel, en in de kamer naast de hare hoorde ze voetstappen.

Zware mannenvoetstappen...

Plotseling wist ze waar ze was, en ze schoot recht overeind. Ze was meteen klaar wakker. Haastig deed ze een stap naar het raam, en was meteen weer bezig met het verzinnen van ontsnappingsplannen, maar het duurde nog geen seconde voor haar nuchtere verstand opnieuw de overhand kreeg. Haar benen voelden koud, en toen ze omlaagkeek zag ze dat ze een mannen-T-shirt droeg dat ze, voordat ze naar bed was gegaan, uit een van de laden had gepakt. Ze moest automatisch denken aan de waarschuwende woorden van haar ontvoerder: *'Ik heb de sleutels van de auto, en er zijn geen andere huizen op deze berg. Als je te voet probeert te ontsnappen vries je dood... De deursloten stellen niets voor en kunnen met een haarspeld vanaf de buitenkant worden opengemaakt... je kunt je vrij bewegen in huis.'*

'Rustig blijven,' hield Julie zichzelf hardop voor. Maar ze was nu uitgerust en klaar wakker, en hoewel het ene na het andere ontsnappingsplan haar door het hoofd flitste, waren ze geen van alle bruikbaar. Daarbij rammelde ze van de honger. Eerst eten, besloot ze, en daarna zou ze wel een manier verzinnen om hier weg te komen.

Uit haar koffertje haalde ze de spijkerbroek die ze in Amarillo had gedragen. Voor ze naar bed was gegaan had ze een douche genomen en haar ondergoed uitgewassen, maar dat was nog drijfnat. Ze trok haar broek aan en stapte de enorme kast binnen. In het verlangen naar iets schoons om aan te trekken, liet ze haar blik over de planken met keurig opgevouwen herentruien gaan. Ze pakte een grofgebreide Ierse visserstrui en hield hem voor. Hij hing tot op haar knieën. Nadat ze schouderophalend tot de conclusie was gekomen dat het haar niet kon schelen hoe ze eruitzag, en dat het met die dikke trui niet te zien zou zijn dat ze geen beha droeg, trok ze hem aan. Voor ze naar bed ging had ze haar haren gewassen en geföhnd, dus ze hoefde het nu alleen nog maar te borstelen. Nadat ze haar schouderlange krullen in model had geborsteld, stond ze op het punt om haar lippenstift te pakken, maar ze bedacht zich. Je mooi maken voor een ontsnapte gevangene was niet alleen volkomen overbodig, maar zou daarbij ook nog wel eens een grote vergissing kunnen blijken te zijn gezien de kus van vanochtend vroeg in de sneeuw.

Die kus...

Het leek niet uren, maar weken geleden sinds ze zich door hem had laten kussen, en nu Julie uitgerust was, was ze er zo goed als zeker van dat zijn enige interesse in haar zijn eigen vrijheid was. Ze kon zich niet voorstellen dat hij seksueel in haar geïnteresseerd zou zijn.

Nee, dat was onmogelijk.

Alsjeblieft, God, laat er alsjeblieft geen seksuele interesse in het spel zijn.

Ze bekeek zichzelf in de spiegels van de badkamer en voelde zich gerustgesteld. Ze had het altijd te druk gehad om zich veel met haar uiterlijk bezig te houden. Die weinige keren dat ze zich de tijd had gegund om zichzelf wat beter te bekijken, had ze zichzelf nooit knap kunnen vinden. Ze vond dat ze veel te grote ogen had, veel te prominente jukbeenderen en dan was er dat absurde kuiltje in haar kin dat sinds haar dertiende alleen maar groter was geworden. Op dit moment echter had ze niet gelukkiger met haar uiterlijk kunnen zijn. In haar spijkerbroek met die hansop van een trui, met haar haren los en zonder iets van make-up op haar gezicht, zou geen enkele man haar seksueel aantrekkelijk vinden, en zeker niet een die met honderden beeldschone en beroemde vrouwen naar bed was geweest. Nee, hij zou zich beslist niet seksueel door haar geprikkeld voelen, besloot Julie zelfverzekerd.

Nadat ze diep had ademgehaald, pakte ze de deurknop beet en stelde zich in op een nieuwe confrontatie met haar ontvoerder– en hopelijk een verrukkelijk maaltje. De deur van de slaapkamer was niet op slot. Ze kon zich nog heel duidelijk herinneren dat ze de deur, vóór ze naar bed was gegaan, uit principe op slot had gedaan.

Zo geruisloos mogelijk deed ze de deur open en stapte de zitkamer in. Even was ze zo onder de indruk van wat ze zag, dat het niet tot haar doordrong waar ze was. In de open haard brandde een laaiend vuur, de lampen aan de plafondbalken waren gedimd, en op de lage tafel stonden kaarsen te branden waarvan de lichtjes weerkaatsten in de kristallen wijnglazen naast de linnen placemats. Misschien kwam het door de wijnglazen en de kaarsen dat Julie opeens het gevoel had dat ze in een verleidingsscène was gestapt, of anders kwam het misschien wel door het gedimde licht en de zachte muziek die uit de geluidsinstallatie kwam. In een poging kortaf en zakelijk te klinken, wendde ze zich tot Zachary Benedict die met zijn rug naar haar toe voor het fornuis in de keuken aan het werk was. 'Verwachten we bezoek?'

Hij draaide zich om, glimlachte traag en liet zijn blik ongehaast van top tot teen over haar gestalte gaan. Julie had het onthutsende en onmogelijke gevoel dat hij zowaar onder de indruk was van wat hij zag, een indruk die nog versterkt werd door de manier waarop hij zijn wijnglas hief en zei: 'Op de een of andere manier staat die veel te grote trui je aanbiddelijk.'

In het plotselinge besef dat hij, na vijf jaar in de gevangenis gezeten te hebben, elke vrouw waarschijnlijk aantrekkelijk zou vinden, deed ze haastig een stapje achteruit. 'Er voor jou aantrekkelijk uitzien is wel het laatste wat ik wil. Ik trek nog liever mijn eigen kleren aan, ook al zijn die dan niet fris meer,' zei ze, en draaide zich om.

'Julie!' blafte hij.

Ze draaide zich met een ruk om en schrok ervan hoe zijn stemming van het ene op het andere moment zo volledig kon omslaan. Ze deed nog een stapje achteruit toen hij met grote stappen, en met in elke hand een wijnglas, naar haar toe kwam. 'Drink op, verdomme!' Hij deed zichtbaar zijn best om wat vriendelijker te klinken toen hij eraan toevoegde: 'Dat helpt je te ontspannen.'

'Waarvoor zou ik me moeten ontspannen?' vroeg ze koppig.

Ondanks haar koppige houding bespeurde Zack iets van angst in haar stem, en hij was zijn boosheid meteen vergeten. Ze was zo dapper geweest, had gedurende vierentwintig uur zo onvermoeibaar haar best gedaan, en ze had zich met zo'n energie tegen hem verzet dat hij zowaar gemeend had dat ze het merendeel van de tijd niet eens echt bang was geweest. Maar nu hij naar haar gezichtje keek, zag hij dat de beproeving die hij haar had laten doorstaan voor blauwe kringen onder haar prachtige ogen had gezorgd en dat ze opvallend bleek was. Ze was een verbazend wezen, stelde hij vast; dapper, lief en kranig als de pest. Als hij niet zo van haar onder de indruk was geweest, misschien dat het hem dan niets zou hebben uitgemaakt dat ze hem aankeek alsof hij een gevaarlijk beest was. Hij onderdrukte het verlangen om zijn hand tegen haar wang te leggen om te proberen haar op die manier gerust te stellen, en deed in plaats daarvan iets anders

150

waarvan hij zich had voorgenomen om dat niet meer te doen. Hij probeerde haar van zijn onschuld te overtuigen. 'Ik vroeg je om je te ontspannen, en –' begon hij, maar ze viel hem in de rede.

'Dat heb je me bevolen.'

Hij glimlachte met tegenzin. 'En nu vraag ik het je.'

Julie, die zich geen raad wist met de vriendelijke manier waarop hij dat zei, nam een slokje van haar wijn om tijd te winnen. Hij stond vlak bij haar, en opeens drong het tot haar door dat hij zich, terwijl zij had liggen slapen, gedoucht en geschoren had en dat hij schone kleren had aangetrokken... en dat hij, in een donkergrijze broek en zwarte trui veel knapper was dan hij er op de film ooit had uitgezien. Hij steunde met zijn hand vlak boven haar schouder tegen de muur, en vervolgde op dezelfde warme toon: 'In de auto heb je me tweemaal gevraagd of ik de moord waar ik voor veroordeeld ben gepleegd had of niet. De eerste keer heb ik je een vaag antwoord gegeven, en de tweede keer was ik boos. Nu zal ik je uit eigen vrije wil de waarheid vertellen...'

Julie keek strak naar de rode wijn in haar glas en hield haar hart vast voor wat er komen ging. Ze was bang dat ze, vermoeid en verzwakt als ze was, niet de kracht zou hebben om aan zijn leugen te twijfelen.

'Kijk me aan, Julie.'

Ze gehoorzaamde met tegenzin en keek in zijn bruine ogen.

'Ik heb mijn vrouw niet vermoord. Ik ben naar de gevangenis gestuurd voor een moord die ik niet heb gepleegd. Ik zou graag willen dat je ten minste bereid bent te geloven dat er een kans bestaat dat ik je de waarheid vertel.'

Ze keek hem volkomen uitdrukkingsloos aan, maar moest ondertussen denken aan wat er op die gammele brug was gebeurd: in plaats van erop te staan dat ze samen met hem over de brug zou rijden, had hij haar laten uitstappen en haar de dekens gegeven opdat ze zich warm zou kunnen houden voor het geval de brug het mocht begeven, en hij verdronk nadat hij met de auto in die ijskoude, snelstromende, diepe beek was gestort. Ze herinnerde zich de wanhopige klank van zijn stem toen hij haar in de sneeuw had gekust, en hij haar gesmeekt had om mee te werken zodat hij niet gedwongen zou zijn om de vrachtwagenchauffeur neer te schieten. Hij had een revolver op zak gehad, maar hij had er geen gebruik van gemaakt. En toen dacht ze terug aan zijn kus – die dwingende, hongerige kus die opeens teder en sensueel was geworden. Ze had haar best gedaan om die kus te vergeten, maar nu kwamen de herinneringen daaraan in alle heftigheid terug.

'Dit is voor mij de eerste normale avond sinds vijf jaar,' vervolgde hij zacht. 'Als de politie mij dicht op de hielen zit, dan zal het mijn laatste normale avond zijn. Ik zou er graag van genieten en reken daarbij op jouw medewerking.'

Julie was bereid om hem die medewerking te geven. Aan de ene kant was ze, hoewel ze geslapen had, geestelijk aan het einde van haar Latijn en niet in staat om met hem te bekvechten; daarbij had ze ook nog eens een verschrikkelijke honger en was ze het meer dan zat om bang te zijn. Maar de herinnering aan die kus had niets met haar capitulatie te maken. Absoluut helemaal niets, hield ze zichzelf voor. En het had evenmin iets te maken met het feit dat ze er opeens volkomen zeker van was dat hij écht onschuldig was!

'Ik heb niets met die moord te maken gehad,' herhaalde hij met klem, en bleef haar daarbij doordringend aankijken.

Hoewel ze hem in emotioneel opzicht geloofde, bleef haar verstand zich verzetten.

'En als je niet in staat bent om dat te geloven,' verzuchtte hij, 'zou je dan misschien toch zo goed willen zijn om, al is het alleen maar voor vanavond, te dóen alsof je me gelooft en mee te werken?'

Hoewel ze wilde knikken, beheerste ze zich en vroeg: 'Meewerken? Waaraan?'

'Het enige dat ik van je vraag is je bereidheid tot een gesprek,' zei hij. 'Luchtige conversatie met een intelligente vrouw is voor mij een genot dat ik in jaren niet meer heb mogen smaken. En dat geldt evenzeer voor behoorlijk eten, een open haard, het licht van de maan dat door het venster naar binnen schijnt, goede muziek, deuren in plaats van tralies en het gezelschap van een knappe vrouw.' Half lachend voegde hij eraan toe: 'En als tegenprestatie ben ik bereid om voor het eten te zorgen.'

Julie aarzelde en voelde zich even overdonderd door het feit dat hij haar een knappe vrouw had genoemd. Het volgende moment begreep ze dat hij dat alleen maar had gedaan omdat hij iets aardigs had willen zeggen. Wat hij haar voorstelde was een avond zonder spanning en angst, en haar gemangelde zenuwen schreeuwden om een beetje rust. Wat stak er voor kwaad in zijn verzoek? En helemaal wanneer hij werkelijk onschuldig was? 'Beloof je dat je voor het eten zult zorgen?' vroeg ze.

Hij knikte en grijnsde in het besef dat ze op het punt stond zijn verzoek in te willigen. Het zien van zijn glimlachende gezicht en schitterende witte tanden, deed haar hart sneller kloppen. 'Goed dan,' gaf ze toe, 'maar alleen op voorwaarde dat je na het eten ook de afwas doet.'

Daar moest hij om lachen. 'Je vraagt wel veel, maar ik ga ermee akkoord. Ga zitten, dan zet ik het eten op tafel.'

Julie gehoorzaamde en ging zitten op een van de krukken aan de eetbar die de open keuken van de zitkamer scheidde.

'Vertel me wat over jezelf,' zei hij, terwijl hij een gepofte aardappel uit de oven haalde.

Ze nam nog een slokje van haar wijn om moed te vergaren. 'Wat wil je horen?'

'Om te beginnen iets algemeens,' zei Zack. 'Je hebt me al verteld dat je niet getrouwd bent. Ben je gescheiden?'

Ze schudde haar hoofd. 'Ik ben nooit getrouwd geweest.'

'Verloofd?'

'Greg en ik hebben het erover.'

'Wat valt daarover te praten?'

Julie verslikte zich in haar wijn. Ze onderdrukte een beschaamd lachje en zei: 'Ik geloof niet dat die vraag onder het hoofdstuk algemene informatie valt.'

'Nee, waarschijnlijk niet,' gaf hij grijnzend toe. 'Dan zal ik hem anders stellen. Wat staat jullie verloving in de weg?'

Tot haar ergernis voelde Julie dat ze een kleur kreeg, maar ze slaagde erin om uiterst kalm te antwoorden: 'We willen er zeker van zijn dat we echt bij elkaar passen.'

'Als je het mij vraagt, dan klinkt dat naar uitstel. Wonen jullie samen?'

'O, nee,' antwoordde Julie op afkeurende toon, en hij trok zijn wenkbrauwen op alsof hij haar amusant vond.

'Deel je een flat met andere vrouwen?'

'Ik woon alleen.'

'Geen echtgenoot en geen andere dames in huis,' zei hij, terwijl hij haar glas bijschonk. 'Mag ik daaruit afleiden dat er op dit moment dan niemand is die je mist, die zich afvraagt waar je zou kunnen zijn?'

'O, ik weet zeker dat er een heleboel mensen zijn die zich zorgen maken.'

'Zoals wie?'

'Om te beginnen mijn ouders. Ik weet zeker dat ze op dit moment volkomen in paniek zijn en stad en land afbellen om te vragen of iemand mij soms heeft gezien. De eerste die ze zullen bellen, is mijn broer Ted. Carl is zonder enige twijfel ook naar mij op zoek. Die auto waar ik in rij is van hem, en ik weet zeker dat mijn twee broers inmiddels een klopjacht op touw hebben gezet.'

'Is Ted je broer die in de bouw zit?'

'Nee,' zei Julie grijnzend en met iets van voldoening, 'Ted is mijn broer die sheriff van Keaton is.'

Zijn reactie stelde haar niet teleur. 'Sheriff!' riep hij fel uit, en nam een slok wijn als om de onaangename informatie weg te spoelen. Toen vroeg hij op een toon waar de ironie vanaf droop: 'En je vader is zeker rechter?'

'Nee. Mijn vader is dominee.'

'God allemachtig!'

'Inderdaad. Dat is zijn baas. God.'

'Van alle vrouwen die er in Texas rondlopen,' zei hij hoofdschuddend, 'moet ik er uitgerekend eentje ontvoeren die de zus van een sheriff, en de dochter van een dominee is. Wat zullen de media daarvan smullen, zodra ze er eenmaal achter zijn.'

Het gevoel van macht dat Zacks schrik Julie bezorgde, steeg haar nog meer naar het hoofd dan de wijn. Ze knikte blij en voorspelde: 'De politie zal geen moment rusten, en godvrezende Amerikanen zullen ervoor bidden dat je zo snel mogelijk gevonden wordt.'

Zack schonk het laatste restje wijn uit de fles in zijn glas. 'Geweldig.'

De ontspannen sfeer tussen hen was verdwenen, en Julie deed haar best om iets te verzinnen om de plotselinge spanning te doorbreken. 'Wat eten we?' vroeg ze ten slotte.

Die vraag maakte een einde aan zijn gepeins, en hij keerde terug naar het fornuis. 'Iets eenvoudigs,' zei hij. 'Ik ben niet zo'n geweldige kok.' Julie keek afwezig naar de manier waarop de zwarte trui om zijn brede schouders spande. Hij was verbazingwekkend gespierd, net alsof hij vele uren had doorgebracht in de sportzaal van de gevangenis. De gevangenis. Ze had ooit eens ergens gelezen dat een groot deel van de mensen die in de gevangenis terechtkwamen in werkelijkheid onschuldig was, en ze hoopte heimelijk dat dat wat Zachary Benedict betrof, ook het geval was. Zonder zich om te draaien zei hij: 'Ga maar vast op de bank zitten. Ik kom eraan met het eten.'

Julie knikte, liet zich van de kruk af glijden en stelde vast dat het tweede glas wijn haar een wat al te ontspannen gevoel bezorgde. Gevolgd door Zack die de borden droeg, liep ze naar de bank en ging zitten bij een van de linnen placemats die hij op de lage tafel voor de open haard had gelegd. Hij zette twee borden neer. Op een van de borden lag een sappige biefstuk met een gepofte aardappel.

Op haar placemat zette hij een bord met de inhoud van een blikje tonijn erop. Dat was alles. Geen groente, geen blaadje sla of een tomaatje, niets.

Met stomme verbazing keek ze naar het kleurloze hoopje vis. Ze had zich nog wel zo verheugd op een lekkere biefstuk, en nu kreeg ze dit! Woedend keek ze hem aan, en deed haar mond open om te protesteren.

'Dat wilde je toch?' vroeg hij onschuldig. 'Of geef je de voorkeur aan de lekkere biefstuk die nog in de keuken ligt?'

De combinatie van zijn hartverwarmende grijns en zijn lachende ogen zorgde ervoor dat Julie tot haar eigen verbazing begon te giechelen. En toen lachte ze. Haar schouders schokten nog na van de lach toen hij terugging naar de keuken, terugkwam met een bord met een biefstuk erop en dat voor haar neerzette.

'Beter?'

'Dat je me ontvoerd hebt en me met de dood hebt bedreigd kan ik je nog vergeven,' zei ze, en deed haar best om streng te klinken, 'maar dat je mij dat hoopje tonijn gaf terwijl jíj je te goed wilde doen aan die biefstuk, dát ging me toch wel een beetje al te ver.'

Toen ze haar eerste hapje van de biefstuk sneed, zag hij de blauwe

154

plek op haar pols, en hij vroeg haar hoe ze eraan gekomen was. 'Dat is een sportblessure,' vertelde ze.

'Een wat?'

'Vorige week ben ik tijdens een partijtje rugby getackeld.'

'Door de een of andere uit de kluiten gewassen halfback?'

'Nee, door een klein jochie en een grote rolstoel.'

'Wat?'

Het was duidelijk dat hij echt zo hevig naar conversatie snakte als hij beweerde, en Julie deed hem, onder het eten, in het kort verslag van wat er was gebeurd. 'Het was mijn eigen schuld,' besloot ze, glimlachend bij de herinnering. 'Ik ben gek op basketbal, maar van rugby heb ik nooit iets begrepen. Dat spel slaat werkelijk nergens op.'

'Waarom zeg je dat?'

Ze zwaaide met haar vork. 'Neem, om te beginnen, de spelers. Je hebt een "fullback" en een "halfback", maar van een "driekwart-back" heeft niemand ooit nog gehoord. En dan heb je een "tight end" – een "strak eind", dus – maar waarom is er dan niet ook een "los einde"?' Hij schaterde het uit terwijl zij besloot: 'Nee, het is duidelijk niet mijn sport, maar dat geeft niet, want mijn kinderen zijn er dol op. Eén van mijn jongens doet dit jaar waarschijnlijk mee aan de Olympische Spelen voor Gehandicapten.'

Het viel Zack meteen op met hoeveel warmte ze over 'mijn jongens' sprak, en hij zag haar ogen stralen. Hij keek haar glimlachend aan en verbaasde zich erover hoe lief ze was. Omdat hij niet wilde dat ze zou ophouden met praten, zocht hij naar een ander onderwerp, en vroeg: 'Wat deed je in Amarillo, op de dag waarop we elkaar ontmoet hebben?'

'Ik was naar Amarillo gegaan om een bezoek te brengen aan de grootvader van één van mijn gehandicapte leerlingen. De man hoeft niet op een dubbeltje te kijken, en ik hoopte dat hij wat geld zou willen schenken voor een alfabetiseringsproject voor volwassenen waar ik op school mee bezig ben.'

'En, heb je wat van hem gekregen?'

'Ja. Zijn cheque zit in mijn tas.'

'Wat heeft je ertoe doen besluiten om in het onderwijs te gaan?' vroeg hij. Hij begreep dat hij het juiste onderwerp had gekozen, want ze schonk hem een hartverwarmend glimlachje, en ging er echt voor zitten om hem verder te vertellen.

'Ik hou van kinderen, en onderwijzer is een oud en respectabel beroep.'

'Respectabel?' herhaalde hij met iets van bevreemding. 'Dat is toch iets waar tegenwoordig niemand zich nog aan stoort. Hoe komt het dat het voor jou wel belangrijk is?'

Julie haalde haar schouders op en antwoordde ontwijkend: 'Ik ben de dochter van de dominee, en Keaton is een gat.'

155

'Ik begrijp het,' zei hij, maar eigenlijk begreep hij het maar half. 'Er zijn nog andere beroepen te bedenken die minstens even respectabel zijn.'

'Ja, maar dan zou ik nooit gewerkt hebben met mensen als Johnny Everett en Debby Sue Cassidy.'

Haar gezicht begon weer te stralen bij het noemen van Johnny's naam, en Zack was prompt nieuwsgierig naar de man die meer voor haar leek te betekenen dan haar bijna-verloofde. 'Wie is Johnny Everett?'

'Hij is een van mijn leerlingen – een van mijn lievelingetjes, om precies te zijn. Hij is vanaf zijn middel verlamd. Toen ik in Keaton met lesgeven begon, wilde hij niet praten en was hij zo moeilijk te handhaven, dat meneer Duncan hem naar een speciale school voor geestelijk gehandicapte kinderen wilde sturen. Zijn moeder bezwoer ons dat hij kon praten, maar niemand had hem ooit iets horen zeggen, en aangezien ze hem nooit op straat of bij andere kinderen liet spelen, kon niemand er zeker van zijn dat ze dat niet alleen maar zei om haar zoon... normaler te laten lijken. In de les deed Johnny weinig anders dan storen. Hij gooide zijn boeken op de grond of versperde de deur wanneer het pauze was – kleine dingetjes – maar hij ging er maar mee door en meneer Duncan wilde hem van school sturen.'

'Wie is meneer Duncan?'

Ze trok haar neus op en zette zo'n vies gezicht dat Zack erom moest grijnzen. 'Het hoofd van onze school.'

'Begrijp ik het goed dat je niet echt dol op hem bent?'

'Hij is geen slecht mens, maar hij is gewoon een beetje te streng. Hij hoort meer thuis in het onderwijs van honderd jaar geleden, toen een leerling die onder de les zijn mond opendeed nog geslagen werd.'

'En Johnny was doodsbang voor hem, ja?'

Ze giechelde vrolijk en schudde haar hoofd. 'Nee, juist niet. Heel toevallig kwam ik erachter dat Johnny het verschrikkelijk vond om met fluwelen handschoentjes te worden aangepakt. Hij wílde juist straf hebben.'

'En hoe kwam je daarachter?'

'Op een dag, na schooltijd, werd ik zoals gewoonlijk weer eens door meneer Duncan op het matje geroepen.'

'Heb je problemen met je baas?'

'Voortdurend,' antwoordde ze ontwijkend, maar haar glimlach was als pure zonneschijn. 'Hoe dan ook, uitgerekend op die dag stond Johnny op zijn moeder te wachten die hem zou komen halen, en hij hoorde wat er aan de hand was. Toen ik uit het kantoortje van meneer Duncan kwam, zat hij daar in zijn rolstoel en keek me van oor tot oor grijnzend aan alsof ik de een of andere heldin was. Toen zei hij: "Moet u voor straf nablijven, juffrouw Mathison?"

Ik schrok zo toen ik hem hoorde praten, dat ik de stapel boeken die ik vast had bijna liet vallen. Toen ik hem vertelde dat ik niet voor straf hoefde na te blijven, had ik sterk het gevoel dat hij in mij teleurgesteld was. Hij zei dat dat waarschijnlijk was omdat meisjes nooit straf kregen, alleen maar jongens. Normale jongens. En toen wist ik het!' Toen Zack haar niet-begrijpend aankeek, haastte Julie zich het hem uit te leggen. 'Je moet begrijpen dat hij door zijn moeder zo beschermd was opgevoed dat hij ervan droomde om als een normaal kind naar school te gaan, maar het probleem was dat hij door de andere leerlingen noch door de leraren als een normale leerling behandeld werd.'

'En wat heb je toen gedaan?'

Ze leunde achterover, trok een been onder zich en zei: 'Ik deed het enige dat erop zat: de volgende dag hield ik hem nauwlettend in de gaten, en op het moment waarop hij een potlood gooide naar een meisje dat voor hem zat, ben ik tegen hem tekeergegaan alsof hij een grote misdaad had begaan. Ik zei hem dat hij voor straf gedurende de pauze binnen moest blijven en dat hij van nu af aan precies zo behandeld zou worden als iedereen. Daarna liet ik hem niet één, maar twee dagen binnen blijven.'

Nadat ze haar hoofd tegen de rugleuning had gelegd, keek ze hem glimlachend aan en zei: 'Toen hij met de andere kinderen die ook binnen moesten blijven in het straflokaal zat, hield ik hem in de gaten. Hij maakte een gelukkige indruk, maar toch had ik zo mijn twijfels. Die avond kreeg ik een telefoontje van zijn moeder die tegen me tekeerging over wat ik had gedaan. Ze zei dat hij door mijn schuld ziek was en dat ik harteloos en gemeen was. Ik probeerde het uit te leggen, maar ze had al opgehangen. De volgende dag was hij niet op school.'

Toen ze niet verder vertelde vroeg Zack zacht: 'Wat heb je toen gedaan?'

'Ik ben na schooltijd naar zijn huis gegaan om met zijn moeder te praten. En ik deed nog iets anders, iets wat me op het laatste moment opeens te binnen schoot. Ik nam een andere leerling mee, Willie Jenkins. Willie is het typische macho-kind, de grote bek en de held van de klas. Hij is overal goed in, van rugby tot cricket en vloeken, in alles, behalve,' ze grijnsde, 'zingen. Wanneer Willie praat klinkt hij als een kikker, en als hij zingt maakt hij luide, kwakende geluiden waar iedereen verschrikkelijk om moet lachen. Hoe dan ook, ik besloot, in een opwelling, om Willie mee te nemen, en toen we bij Johnny's huis kwamen zat hij in een rolstoel in de achtertuin. Willie had zijn rugbybal meegenomen – volgens mij slaapt hij met dat ding – en hij bleef buiten. Nadat ik naar binnen was gegaan, probeerde Willie Johnny zover te krijgen dat hij de bal wilde vangen, maar hij wilde het niet eens proberen. Hij keek naar zijn moeder en bleef gewoon zitten. Ik heb een half uur lang met mevrouw Everett gesproken. Ik heb haar

157

gezegd dat ik er echt van overtuigd was dat Johnny het helemaal niet prettig vond om behandeld te worden als een teer poppetje. Ik was uitgesproken en had haar nog steeds niet kunnen overtuigen, toen we in de achtertuin opeens gegil en een enorme herrie hoorden. We vlogen erop af. Je had Willie moeten zien,' zei Julie, en haar ogen straalden bij de herinnering. 'Hij lag languit op zijn rug te midden van een stel omgevallen vuilnisemmers met zijn bal tegen de borst gedrukt en een grijns van oor tot oor. Het bleek dat Johnny niet erg goed was in het vángen van de bal, maar dat hij – volgens Willie – nog beter wierp dan John Elway! Johnny straalde en Willie zei dat hij hem in zijn team wilde hebben, maar dat ze wel eerst moesten trainen omdat Johnny ook moest leren vangen.'

Toen ze zweeg, vroeg Zack zacht: 'En, trainen ze?'

Ze knikte opgetogen. 'Er wordt dagelijks getraind met het team. Daarna gaan ze naar Johnny's huis waar Jóhnny Wíllie met zijn huiswerk helpt. Het bleek dat Johnny, hoewel hij in de klas helemaal niet meedeed, zich de stof aldoor zonder enige moeite had eigen gemaakt. Hij is opvallend intelligent, en nu hij iets heeft om zijn best voor te doen, blijft hij zich inspannen. Ik heb nog nooit iemand gezien met zo veel moed – met zo veel vastberadenheid.' Een beetje beschaamd omdat ze zich zo had laten gaan, zweeg ze en ging verder met eten.

Hoofdstuk 24

Toen hij klaar was met eten, leunde Zack gemakkelijk achterover tegen de leuning van de bank, sloeg zijn benen over elkaar en keek naar de vlammen in de open haard, terwijl hij Julie de kans gaf om verder ongestoord haar bord leeg te eten. Hij probeerde zich te concentreren op de volgende fase van zijn reis, maar zijn gedachten dwaalden voortdurend af naar de verbazingwekkende – en perverse – wending van het lot die ervoor gezorgd had dat Julie Mathison op dit moment tegenover hem zat. Gedurende de eindeloze weken dat hij over zijn ontsnappingsplan en zijn eerste nacht hier in huis had nagedacht, was het nooit, echt niet een enkele maal bij hem opgekomen dat hij wel eens niet alleen zou kunnen zijn. Hij kon zo honderden redenen bedenken waarom hij veel beter wél alleen had kunnen zijn, maar nu ze er was, kon hij haar onmogelijk in een kamer opsluiten, haar eten brengen en doen alsof ze er niet was. Maar na dit laatste uur in haar gezelschap was de verleiding om dat juist wél te doen erg groot, want ze dwong hem om na te denken over al die dingen die hij

in de afgelopen vijf jaar had moeten ontberen, en die hij in de toekomst zou blijven ontberen. Over een week zou hij hier weggaan en
opnieuw op de vlucht zijn, en daar waar hij heen ging waren geen
luxueuze huizen in de bergen met gezellige open haarden; daar waren
geen gesprekken met kuise schooljuffrouwen met engelachtige ogen
en hartverwarmende glimlachjes die vertelden over gehandicapte
jongetjes. Hij had nog nooit een vrouw gezien die zo kon stralen als
zij, toen ze het over die kinderen had gehad! Hij had ambitieuze
vrouwen gezien die begonnen te stralen bij de kans op een filmrol of
een sieraad, en hij had de beste actrices ter wereld gezien – in bed en
erbuiten – die overtuigende voorstellingen van hartstocht en liefde
hadden gegeven, maar het échte, het wáre, dat was hij nog nooit eerder tegengekomen.

Toen hij als achttienjarige jongen in de cabine van die vrachtwagen
op weg naar Los Angeles was gereden en bijna niet had kunnen praten van de tranen die in zijn ogen brandden en waarvan hij zichzelf
gezworen had dat hij ze nooit zou laten vloeien, had hij zich heilig
voorgenomen om nooit achterom te kijken, om zich nooit af te vragen hoe zijn leven had kunnen zijn als 'alles anders was geweest'. Nu
was hij vijfendertig en door en door gehard door de dingen die hij had
gedaan en gezien, maar wanneer hij naar Julie Mathison keek
waagde hij het zich over te geven aan een gevoel van verwondering.
Hij bracht het glas met cognac naar zijn lippen, zag een verkoold
houtblok door het rooster van de open haard vallen en vroeg zich af
wat er gebeurd zou zijn als hij in zijn jonge jaren iemand zoals zij was
tegengekomen. Zou zij in staat zijn geweest om hem te leren wat vergeving was, en om de lege plekken in zijn leven te vullen? Zou zij in
staat zijn geweest om hem bij te brengen dat er in het leven belangrij-
ker dingen waren dan het vergaren van geld, macht en roem? Zou hij,
met iemand als Julie in zijn bed, iets ervaren hebben dat dieper, ingrijpender en langduriger was dan slechts het genieten van een kort-
stondig orgasme?

Het duurde even voor hij zich realiseerde hoe dom die gedachten
van hem waren. Waar had hij iemand als Julie Mathison ooit moeten
tegenkomen? Tot zijn achttiende was hij omringd geweest door be-
dienden en familieleden, wier aanwezigheid op zich al voldoende was
om hem voortdurend van zijn maatschappelijk bevoorrechte positie
bewust te laten zijn. In die tijd zou de dochter van een dominee uit
een klein plaatsje, zoals Julie, nooit in zijn kennissenkring zijn voorgekomen.

Nee, in die tijd zou hij haar nooit hebben leren kennen, en later, in
Hollywood, al helemaal niet. Maar stel dat hij Julie daar, door de een
of andere malle speling van het lot, toch was tegengekomen? Zou ze
hem echt zijn opgevallen, of zou ze volledig overschaduwd zijn door
de meer glamourvolle, opzichtige en wereldse vrouwen? Als ze zijn

kantoor was binnengelopen en hem om een screentest gevraagd zou hebben, zouden hem dat fijne, lieftallige gezichtje, die prachtige ogen en dat slanke, lenige lichaam van haar zijn opgevallen? Of zou hij dat alles over het hoofd hebben gezien omdat ze geen spectaculaire schoonheid was en niet het lichaam van een overvolle zandloper had? Als ze hem daar, zoals ze vanavond had gedaan, gedurende een uur van alles verteld zou hebben, zou hij dan waardering hebben gehad voor haar gevoel voor humor, haar intelligentie en haar openheid? Of zou hij haar hebben weggestuurd omdat ze het niet over 'de business' had en niet had laten blijken dat ze dolgraag met hem naar bed wilde?

Zack draaide het glas in zijn handen en dacht zo eerlijk mogelijk na over zijn antwoorden op deze retorische vragen. Even later kwam hij tot de conclusie dat haar schoonheid hem wel degelijk zou zijn opgevallen. Hij was immers een deskundige op dat gebied. En ja, hij zou ook waardering hebben gehad voor haar openheid en gevoel voor humor, en hij zou even ontroerd zijn geweest door haar medeleven en haar goedheid als hij vanavond was geweest. Maar hij zou haar géén screentest hebben gegeven.

En hij zou haar ook niet hebben aangeraden om naar een goede fotograaf te gaan die haar geholpen zou hebben om een bekend fotomodel te worden.

In plaats daarvan zou hij haar geadviseerd hebben om naar huis te gaan en met haar bijna-verloofde te trouwen, zijn kinderen te krijgen en een leven te leiden dat zinvol was. Want zelfs op zijn meest negatieve en harteloze momenten zou hij nooit hebben gewild dat iemand die zo puur en onbedorven was als Julie Mathison door Hollywood of door hem verpest en gecorrumpeerd zou worden.

Maar stel dat ze toch in Hollywood had willen blijven, zou hij dan in een later stadium, wanneer ze dat gewild had, met haar naar bed zijn gegaan?

Nee.

Zou hij dat gewild hebben?

Nee!

Zou hij haar vriendschap op prijs hebben gesteld, zo af en toe eens met haar zijn gaan lunchen of met haar naar een feestje zijn gegaan?

Jezus, nee!

Waarom niet?

Zack wist precies waarom niet, maar hij liet zijn blik even over haar gestalte gaan als om zijn gevoelens bevestigd te krijgen. Zoals ze daar naar dat schilderij aan de muur zat te kijken, met haar voeten onder zich getrokken en de gloed van het vuur die op haar glanzende haren weerkaatste, zag ze eruit als het toonbeeld van sereniteit en onschuld. En dat was de reden waarom hij voor zijn verblijf in de gevangenis geen contact met haar gehad zou willen hebben, en waarom hij dat nu ook eigenlijk niet wilde.

Hoewel hij feitelijk maar negen jaar ouder was dan zij, was hij wat levenservaring betrof eeuwen ouder. In vergelijking met haar jeugdige idealisme voelde Zack zich stokoud.

Het feit dat hij haar op dit moment, ondanks die vormeloze, veel te grote trui, ongelooflijk sexy en begeerlijk vond, en het feit dat hij op dit moment een erectie had, gaven hem het gevoel dat hij een walgelijke, vieze oude vent was.

Aan de andere kant had ze hem vanavond ook aan het lachen gemaakt, en dat had hem goedgedaan, bedacht hij, terwijl hij nog een slok cognac nam. Hij leunde voorover, glimlachte afwezig voor zich heen en speelde met zijn lege glas. Hij vroeg zich af of hij ooit nog naar een verslag van een rugbywedstrijd zou kunnen luisteren zonder aan haar opmerking over het gebrek aan een 'driekwart-achter' te moeten denken.

Opeens realiseerde hij zich dat ze hem geen enkele vraag had gesteld naar zijn vroegere leven in de filmbusiness. Hij kon zich niet herinneren ooit iemand ontmoet te hebben die niet beweerd had dat Zack zijn of haar favoriete filmster was, en hem vervolgens had bedolven onder een lawine van persoonlijke vragen over hemzelf en andere sterren die ze bewonderden. Normaal gesproken had hij die nieuwsgierigheid alleen maar lastig en irritant gevonden, maar nu stoorde het hem dat het wel leek alsof Julie Mathison nog nooit van hem had gehoord. Misschien hadden ze wel geen bioscoop in dat gat waar ze woonde, besloot hij. Misschien had ze van haar hele beschermde leventje nog wel nooit een film gezien.

Misschien... God allemachtig, misschien... ging ze alleen maar naar films voor alle leeftijden! Tot zijn ergernis schaamde Zack zich opeens voor het soort films dat hij gemaakt had, en dat was meteen nog een reden waarom hij het gezelschap van een vrouw als zij nooit vrijwillig verkozen zou hebben.

Hij was zo diep in gedachten verzonken, dat hij schrok toen ze met een aarzelend glimlachje zei: 'Zo te zien geniet je niet echt van je avond.'

'Ik zat me net af te vragen of ik het journaal even aan zou zetten,' antwoordde hij ontwijkend.

Julie, die zich slecht op haar gemak had gevoeld in zijn stilzwijgende nabijheid, greep de kans om iets anders te doen dan zich af te vragen of hij nu wel of niet schuldig was aan die moord, met beide handen aan. 'Dat is een goed idee,' zei ze, terwijl ze opstond en haar bord van tafel pakte. 'Waarom zet jij de televisie niet aan, en dan doe ik ondertussen de afwas.'

'Om dan achteraf van je te horen te moeten krijgen dat ik me niet aan mijn deel van de afspraak heb gehouden? Vergeet het maar. Afwassen, dat doe ík.'

Julie sloeg hem gade terwijl hij de tafel afruimde en naar de keuken liep.

Tijdens het afgelopen uur had ze zich, wanneer ze niet bezig was om zijn vragen te beantwoorden, voortdurend beziggehouden met de vraag of hij wel of niet schuldig was. Ze herinnerde zich de woedende toon waarop hij haar verteld had over de jury die hem naar de gevangenis had gestuurd. Ze herinnerde zich de diepe wanhoop in zijn stem toen hij haar in de sneeuw had gesmeekt om hem te kussen om de vrachtwagenchauffeur te misleiden.

Dat was het moment geweest waarop ze voor het eerst ernstig aan zijn schuld was gaan twijfelen, en nu, zeventien uur later, twijfelde ze nog steeds. Ze voelde zich op onverklaarbare wijze tot hem aangetrokken, en ze moest ook steeds maar denken aan zijn hongerige kus, aan hoe ze hem had voelen huiveren toen ze zich uiteindelijk aan hem had overgegeven, en hoe hij zich vanaf dat moment had ingehouden. Alles bij elkaar had hij zich vanaf het eerste moment ingehouden, en haar over het algemeen beleefd en keurig netjes behandeld.

Voor de zoveelste keer in het afgelopen uur kwam ze tot de conclusie dat een echte moordenaar beslist niet de moeite zou hebben genomen om een vrouw teder te kussen of om haar zo vriendelijk en netjes te behandelen als Zack haar over het algemeen behandeld had.

Haar verstand zei haar dat ze wel gek moest zijn om het oordeel van een jury in twijfel te trekken; maar nu had ze, telkens wanneer ze naar hem keek, toch heel sterk het gevoel dat hij echt onschuldig was.

Hij kwam de zitkamer weer binnen, deed de televisie aan en ging tegenover haar zitten. 'Na het journaal mag jij beslissen waar we naar kijken,' zei hij, en hield zijn blik al op het scherm gericht.

'Best,' zei Julie. Ze observeerde hem zo onopvallend mogelijk. Zijn knappe gelaatstrekken getuigden van een onmiskenbare trots, vastberadenheid en intelligentie. Lang geleden las ze alles wat er in de pers over hem geschreven werd. Vaak werd hij vergeleken met andere beroemde sterren die voor hem aan de top hadden gestaan. Ze herinnerde zich ooit eens een commentaar van iemand gehoord te hebben dat Zachary Benedict de dierlijke aantrekkingskracht had van een jonge Sean Connery, het talent van Paul Newman, het charisma van Costner, het rauwe machismo van een jonge Eastwood, de wereldsheid van Warren Beatty en de veelzijdigheid van Michael Douglas.

Nu, na bijna twee dagen in de onmiddellijke omgeving van de man te hebben doorgebracht, kwam Julie tot de conclusie dat geen van de artikelen die ze gelezen had hem ooit had beschreven zoals hij in werkelijkheid was, terwijl geen enkele camera hem ooit echt recht had gedaan. Ze meende ook te begrijpen hoe dat kwam. In het dagelijkse leven straalde hij een afstandelijke kracht, een indrukwekkend charisma uit dat helemaal niets te maken had met zijn lange gestalte, zijn brede schouders of dat beroemde, cynische lachje van hem. En dat was nog niet alles... los van zijn gevangenschap had Zachary Benedict al alles gedaan en gezien wat er op de wereld te koop was, en al die ervaringen had hij weggestopt achter een dikke muur van welgemanierdheid en charme. Zijn eigen ik was zo diep weggestopt dat geen enkele vrouw erbij kon.

En daarin, begreep Julie, lag het ware geheim van zijn aantrekkingskracht. Ondanks alles wat hij haar in de afgelopen twee dagen had aangedaan, had hij in haar – en waarschijnlijk in elke andere vrouw die hem had gekend of zijn films had gezien – het verlangen gewekt om achter die barricade van hem te komen, om te ontdekken hoe hij diep vanbinnen was, om dat cynisme van hem teniet te doen, om het jongetje te zoeken dat hij ooit eens geweest moest zijn, om de man die hij geworden was te laten schaterlachen en hem tot een liefhebbende, tedere minnaar te maken.

In gedachten riep Julie zichzelf tot de orde. Dat had er allemaal niets mee te maken! Waar het om ging was of hij schuldig was aan die moord of niet. Ze wierp nog een heimelijke blik op zijn profiel en voelde hoe haar hart zich samenbalde.

Hij was onschuldig. Ze wist het gewoon. Ze voelde het. En de gedachte aan het feit dat al die mannelijke schoonheid en intelligentie gedurende vijf lange jaren achter slot en grendel hadden gezeten, bezorgde haar een brok in de keel.

De stem van de lezer van het journaal schudde haar wakker uit haar overpeinzingen. 'U krijgt van ons regionaal en plaatselijk nieuws en we melden u het laatste over de voorspelde sneeuwstorm, maar eerst schakelen we voor het speciale nieuws over naar Tom Brokaw.'

Julie, die opeens te zenuwachtig was om stil te kunnen blijven zitten, stond op. 'Ik ga even een glaasje water halen,' zei ze, en was al halverwege de keuken toen Tom Brokaws stem haar deed verstijven.

'Goedenavond, dames en heren. Twee dagen geleden is Zachary Benedict, ooit eens een van onze meest bekende filmacteurs en begaafd regisseur, ontsnapt uit de strafgevangenis van Amarillo, waar hij een straf van vijfenveertig jaar uitzat voor de machiavellistische moord op zijn vrouw, Rachel Evans, in 1988.'

Julie draaide zich om en zag nog net een foto op het scherm van Zack in een gevangenispak met een aantal nummers op zijn borst. Als betoverd door de monsterlijkheid van wat ze zag, hoorde en voelde, liep ze de zitkamer weer in, terwijl Tom Brokaw vervolgde: 'Algemeen wordt aangenomen dat Benedict reist in het gezelschap van deze vrouw...'

Julie slaakte een gesmoorde kreet toen er een foto van haar, een foto die vorig jaar met haar klas was genomen, op het scherm verscheen. Ze droeg een jurkje met een lage taille en een kuis wit kraagje.

'De politie van Texas meldt dat de vrouw, Julie Mathison van zesentwintig jaar, het laatst is gesignaleerd in Amarillo, waar een man wiens *signalement beantwoordt aan dat van Zachary Benedict, samen met haar in de blauwe Chevrolet Blazer is gestapt. Aanvankelijk nam de politie aan dat mevrouw Mathison tegen haar wil gegijzeld was....'*

'Aanvankelijk?' riep Julie uit, en keek naar Zack die langzaam opstond. 'Wat bedoelt hij met "aanvankelijk"?'

Ze hoefde niet lang op het antwoord te wachten, toen Brokaw vervolgde: *'Dat het niet om een gijzeling gaat werd vanmiddag duidelijk toen Pete Golash, een vrachtwagenchauffeur, melding maakte van het feit dat hij een man en een vrouw, wier signalement overeenstemt met dat van Benedict en Mathison, vanochtend vroeg bij een wegrestaurant heeft gezien...'*

Pete Golash' vrolijke gezicht kwam in beeld. Wat hij op de videoband vertelde deed Julie een kleur krijgen van woede en schaamte. *'Ze waren een sneeuwbalgevecht aan het houden; het waren net kleine kinderen. Toen viel die vrouw – Julie Mathison – ik weet het zeker, ik bedoel, verdorie, ze was het echt! Hoe dan ook, ze struikelde en viel, en Benedict dook boven op haar, en het volgende moment waren ze elkaar aan het kussen. Als hij haar gegijzeld heeft, dan zag het daar in ieder geval niet naar uit.'*

'O, lieve God!' riep Julie uit. Ze sloeg haar armen om zich heen en slikte de opkomende misselijkheid terug. Binnen de tijd van enkele seconden was de lelijke realiteit de gezellige sfeer van dit mooie huis binnengedrongen, en ze wendde zich tot de man die haar hiernaartoe had gebracht. Ze zag hem zoals hij op de televisie verschenen was, als een gevangene in een gevangenisuniform met cijfers op zijn borst. Voor ze van de schrik had kunnen bekomen, verschenen er nog ergere, nog kwellender beelden op het scherm, en Brokaw zei: *'Onze verslaggever Phil Morrow is in Keaton, Texas, waar Mathison woonde en lesgaf op de lagere school. Het is hem gelukt om een kort gesprek te hebben met haar ouders, dominee Mathison en zijn vrouw –'*

Een schreeuw van ontkenning ontsnapte aan Julie's lippen bij het zien van het ernstige, waardige gezicht van haar vader. Hij maakte een kalme, vertrouwenwekkende indruk en deed zijn best om de wereld van haar onschuld te overtuigen. *'Als het inderdaad Julie is, die in het gezelschap van Benedict is, dan wordt ze tegen haar wil vastgehouden. Die vrachtwagenchauffeur die het tegendeel beweerde, heeft niet goed gekeken,'* besloot hij met een strenge, afkeurende blik op de verslaggevers die hem vragen begonnen te stellen. *'Meer heb ik niet te zeggen.'*

Misselijk van schaamte keek Julie van het scherm naar Zachary Benedict, en zag hem door een waas van tranen naar zich toekomen. 'Schoft die je bent!' kwam het half verstikt over haar lippen, terwijl ze achteruitdeinsde.

'Julie,' zei Zack, en wilde haar bij de schouders pakken in een hulpeloze poging haar te troosten.

'Raak me niet aan!' schreeuwde ze, en probeerde zijn handen van zich af te duwen. 'Mijn vader is dominee!' snikte ze. 'Hij is een gerespecteerde figuur, en je hebt zijn dochter tot slet gemaakt! Ik ben onderwijzeres!' brulde ze hysterisch huilend. 'Ik geef les aan kleine kinderen! Dacht je echt dat ze me terug zouden laten komen op school nu ik een nationaal schandaal ben dat met ontsnapte moordenaars in de sneeuw ligt te dollen?'

Het besef dat ze waarschijnlijk gelijk had, sneed Zack als een vlijmscherp mes door het hart, en hij verstevigde de greep op haar armen. 'Julie –'

'De afgelopen vijftien jaar van mijn leven heb ik nog wel zo mijn best gedaan om volmaakt te zijn. En het was me gelukt!' ging ze huilend verder. Zack voelde haar pijn alsof het de zijne was, al begreep hij niet precies waarom ze zo verdrietig was. 'En nu-nu is het allemaal voor niets geweest!'

Alsof ze ten slotte was uitgeput, liet ze haar hoofd naar voren zakken en hield op zich te verzetten, maar haar schouders bleven schokken van het snikken. 'Ik heb zo mijn best gedaan,' ging ze met verstikte stem verder. 'Ik ben onderwijzeres geworden opdat zij trots op me zouden kunnen zijn. Ik-ik ga naar de kerk en geef les op de zondagsschool. En nu zullen ze me vast geen les meer laten geven –'

Voor Zack kwam het moment waarop de last van haar verdriet en zijn eigen schuld hem te groot werd. 'Hou op, alsjeblieft,' fluisterde hij gekweld. Hij sloot haar in zijn armen, legde zijn hand rond haar achterhoofd en hield haar gezicht tegen zijn borst gedrukt. 'Ik begrijp wat je doormaakt en het spijt me verschrikkelijk. Zodra dit eenmaal achter de rug is, zal ik ze duidelijk maken hoe het in werkelijkheid is gegaan.'

'Je begrijpt het helemaal niet!' riep ze bitter uit, waarbij ze haar betraande gezichtje ophief en hem verwijtend aankeek. 'Hoe kan iemand als jíj nu begrijpen wat ik voel!' Iemand als hij. Zo'n monster als hij.

'O, en óf ik het begrijp!' snauwde hij. Hij hield haar van zich af en schudde haar door elkaar totdat ze hem eindelijk aankeek. 'Ik weet precies hoe het voelt om veracht te worden voor iets wat je niet hebt gedaan!'

Julie schrok bij het zien van zijn woedende gezicht en de gekwelde blik in zijn ogen. Hij hield haar armen zo stevig vast dat het pijn deed, en zijn stem klonk rauw van de emotie: 'Ik heb niemand vermoord! Heb je me gehoord? Lieg tegen me en zeg dat je me gelooft! Zeg het! Ik wil het iemand horen zeggen!'

Julie, die zojuist een beetje gevoeld had hoe het voor hem moest zijn wanneer hij werkelijk onschuldig was, kromp ineen in het besef hoe het voor hem moest zijn. Als hij echt onschuldig was... Ze slikte, liet haar blik over zijn vertrokken, knappe gezicht gaan en zei hardop wat ze dacht: 'Ik geloof je.' Opnieuw vulden haar ogen zich met tranen. 'Ik geloof je.'

Zack hoorde aan de oprechte klank van haar stem dat ze het meende; in haar blauwe ogen bespeurde hij iets van beginnend begrip. Diep binnen in hem begon de muur van ijs die hij jarenlang rond zijn hart had gehad, een heel klein beetje te ontdooien. Hij hief zijn hand op, legde hem tegen haar zachte wang en streek met zijn duim haar hete tranen weg. 'Je moet niet huilen om mij,' kwam het schor over zijn lippen.

'Maar ik gelóóf je!' herhaalde ze met zo veel overtuiging, dat Zack er een brok van in de keel kreeg. Hij bleef roerloos staan, verlamd door wat hij zag, hoorde en voelde. De tranen stroomden over haar wangen, plakten aan haar lange wimpers en dropen over zijn hand; haar ogen deden hem denken aan bedauwde viooltjes, en ze beet op haar onderlip om het trillen ervan tegen te gaan.

'Toe, niet huilen alsjeblieft,' fluisterde hij met gebroken stem, terwijl hij zijn mond naar de hare bracht om het trillen van haar lip tot bedaren te brengen. 'Alsjeblieft, niet doen...' Toen zijn lippen de hare beroerden verstijfde ze en hij hoorde haar adem stokken. Hij wist niet of die reactie voortkwam uit angst, of uit het feit dat ze dit niet had verwacht. Hij wist het niet en het kon hem op dat moment ook niet schelen. Hij wilde maar één ding, en dat was haar in zijn armen voelen, genieten van het heerlijke gevoel dat zich sinds jaren weer van hem meester maakte en het met haar delen.

Terwijl hij zich voorhield om het rustig aan te doen, om niet verder te gaan dan zij bereid was om toe te staan, liet Zack zijn lippen over de omtrek van de hare heen en weer gaan en proefde hij het zout van haar tranen. Hij nam zich voor om haar niet te haasten, niet te dwingen, maar terwijl hij zich dat voornam, was hij er al mee bezig. 'Toe, kus me,' drong hij aan, en schrok van de tedere klank van zijn stem. 'Kus me,' herhaalde hij, en liet zijn tong over haar onderlip gaan. 'Doe je lippen van elkaar,' drong hij aan. Toen ze deed wat hij wilde en zich tegen hem aan liet leunen, kreunde Zack het bijna hardop uit van genot. Een primitief en allesoverheersend verlangen maakte zich van hem meester, en helder nadenken werd hem van het ene op het andere moment onmogelijk. Hij drukte haar heupen tegen de zijne, duwde haar lippen verder vaneen en liet zijn tong haar mond binnendringen. Hij duwde haar met haar rug tegen de muur en kuste haar vol overgave. Nadat hij zijn handen strelend over haar rug had laten gaan, liet hij ze onder haar trui omhoogkomen en op zoek gaan naar haar borsten. Julie drukte zich dichter tegen hem aan en kreunde toen zijn handen haar borsten vonden. Hij verdiepte zijn kus en zijn vingers betastten elke vierkante centimeter van haar borsten en tepels.

Wat hij deed kwam op Julie over alsof ze gevangen zat in een cocon

166

van gevaarlijke, angstaanjagende erotiek waarbinnen ze absoluut niets meer over iets te zeggen had. En dan met name niet over zichzelf. Zonder dat ze er iets aan kon doen, begonnen haar borsten pijnlijk te zwellen van verlangen, zonder dat ze er iets aan kon doen, drukte ze haar verhitte lichaam tegen de verharde omtrekken van het zijne, en zonder dat ze er iets aan kon doen, genoot ze van zijn kus.

Zack voelde haar handen omhoogkruipen naar de zachte haartjes achter in zijn nek, en hij bracht zijn mond van haar lippen naar haar oor.

'God, wat ben je lief,' fluisterde hij, terwijl hij haar tepels tussen zijn vingers nam om ze tot kleine, harde knopjes te kneden. 'O, kleintje,' fluisterde hij met schorre stem, 'je bent zo beeldschoon...'

Misschien kwam het door het woord 'kleintje' dat hij gebruikt had – een woord waarvan ze zeker wist dat ze het hem ooit eens in een film had horen gebruiken – of misschien kwam het ook wel doordat hij haar zo bespottelijk 'beeldschoon' had genoemd, maar in ieder geval werd ze op dat moment wakker uit haar toestand van sensuele verdwazing. Opeens realiseerde ze zich dat ze hem deze zelfde scène al tientallen keren met tientallen werkelijk beeldschone actrices op het witte doek had zien spelen. Alleen was het déze keer háár naakte huid die hij zo deskundig betastte. 'Hou op!' riep ze op scherpe toon, terwijl ze zich van hem afduwde en haar trui naar beneden trok.

Zack bleef roerloos staan. Hij haalde diep adem en liet zijn armen zwaar omlaaghangen. Hij voelde zich volkomen gedesoriënteerd. Ze had een kleur van verlangen, en haar schitterende ogen stonden nog wazig, maar ze zag eruit alsof ze niet wist hoe snel ze ervandoor moest gaan. Zachtjes, alsof hij het tegen een schichtig veulen had, vroeg hij: 'Wat is er, klein –'

'Ik wil dat je er nu meteen mee ophoudt!' riep ze uit. 'Ik ben je "kleintje" niet – dat was een andere vrouw in een andere, overeenkomstige scène. En verder wil ik ook niet horen dat ik beeldschoon ben.'

Zack schudde zijn hoofd om helder na te kunnen denken. Nu pas drong het tot hem door dat ze snel en oppervlakkig ademhaalde en dat ze hem aankeek alsof ze half en half verwachtte dat hij haar zou bespringen, haar de kleren van het lijf zou rukken en haar zou verkrachten, en hij vroeg heel zacht: 'Ben je bang voor me, Julie?'

'Natuurlijk niet,' beet ze hem toe, maar ze had het nog niet gezegd of ze realiseerde zich dat het een leugen was. Toen ze met kussen begonnen waren, had ze intuïtief geweten dat die kus een soort van innerlijke reiniging voor hem betekende, en dat gunde ze hem. Maar toen haar hart die kus had opgevat als een dwingend verlangen om hem veel en veel meer te geven, was ze opeens doodsbang geworden. Juist omdat ze aan dat verlangen gehoor had willen geven. Ze wilde door hem gestreeld en bemind worden.

Intussen was zijn hartstocht kennelijk omgeslagen in woede, want zijn stem klonk niet langer warm en vriendelijk, maar kil en kortaf. 'Als je niet bang voor me bent, wat is het dan? Of is het soms dat je wel bereid bent een ontsnapte gevangene een beetje warmte te geven, maar dat je hem niet al te dichtbij wilt laten komen?'

Julie had de neiging om te stampvoeten uit pure frustratie over zijn beperkte logica en haar eigen stompzinnigheid dat ze het zover had laten komen. 'Met afkeer en walging heeft het niets te maken, als je dat soms bedoelt.'

Nu bespeurde ze iets van een verveelde klank in zijn stem. 'Wat is het dan? Of kan ik het maar beter niet vragen?'

'Ik begrijp niet dat je het niet gewoon snapt!' riep ze uit. Ze streek haar haren van haar voorhoofd en keek om zich heen naar iets wat ze zou kunnen doen, iets waarmee ze de wereld die ze opeens niet meer de baas kon, weer onder controle zou kunnen krijgen. 'Ik ben geen beest,' begon ze. Haar blik viel op een schilderij naast haar aan de muur dat een heel klein beetje scheef hing, en ze stapte erop af om het recht te hangen.

'En je vindt dat ik dat wel ben. Dat ik een beest ben. Ja?'

Ze had het gevoel dat ze klem zat tussen zijn vragen en zijn nabijheid, en toen ze over haar schouder keek zag ze een kussen op de grond liggen. 'Wat ik vind,' zei ze op effen toon terwijl ze naar het kussen liep, 'is dat je een man bent die gedurende vijf lange jaren geen vrouw heeft gehad.'

'Dat klopt. Dat ben ik. Nou en?'

Ze legde het kussen in een verticale hoek tegen de armleuning van de bank en begon zich, nu er een afstand tussen hen was, wat rustiger te voelen. 'En op grond daarvan,' zei ze, en slaagde er zowaar in om, vanaf de andere kant van de bank, een onpersoonlijk glimlachje op haar gezicht te toveren, 'begrijp ik dat elke vrouw voor jou een –'

Hij fronste zijn wenkbrauwen en keek haar bijna dreigend aan. Ze voelde zich meteen weer slecht op haar gemak en begon met het schikken van de andere kussens op de bank. Toen vervolgde ze: 'Omdat je zo lang in de gevangenis hebt gezeten, is het alleen maar logisch dat je naar een vrouw verlangt. Elke willekeurige vrouw moet een feestmaal voor je zijn,' zei ze met klem. 'Ik bedoel, ik vond het niet erg dat je me kuste als ik je daarmee kon helpen, als je je daardoor wat beter zou voelen.'

Zack voelde zich gekwetst, vernederd en boos tegelijk in het besef dat ze hem beschouwde als het een of andere beest dat ze een kruimeltje menselijkheid kon toewerpen, dat ze hem zag als een naar seks hongerende bedelaar die ze, zij het dan met de nodige tegenzin, wel bereid was om een kusje te geven. 'Wat nobel van u, mevrouw Mathison,' hoonde hij, en hoewel hij zag dat ze bleek wegtrok negeerde hij dat en vervolgde opzettelijk wreed: 'En dan te bedenken dat je je zelfs al tweemaal voor mij hebt opgeofferd. Toch is het, in tegenstelling tot wat jij denkt, echt wel zo dat zelfs een beest als ik echt nog wel in staat is tot de nodige zelfbeheersing en kritische opstelling. Kortom, Julie, je mag jezelf dan als een "feestmaal" beschouwen, maar deze man, hoezeer hij ook naar seks mag snakken, is echt wel in staat om met zijn vingers van je af te blijven.'

Julie ervoer zijn woedeuitbarsting als tastbaar, angstaanjagend en volkomen onbegrijpelijk. Ze deed een stapje achteruit, en sloeg haar armen om zich heen als om de pijn die hij haar opzettelijk toebracht, af te weren.

Zack zag in haar expressieve ogen precies wat er in haar omging, en toen hij tot zijn tevredenheid had vastgesteld dat hij haar niet dieper had kunnen kwetsen dan hij had gedaan, draaide hij zich om en liep naar de kast naast de televisie waar hij de titels van de videobanden op de planken begon te bekijken.

Julie wist dat hij haar had afgewezen, maar ze vertikte het om zich als een gewond dier in haar slaapkamer terug te trekken. Ze liep naar de tafel en begon de tijdschriften die erop lagen netjes te leggen.

'Ga naar bed!' beval hij opeens, en ze schoot met een ruk overeind. 'Wat ben je eigenlijk? Een geobsedeerde huisvrouw, of zo?'

Ze keek hem met grote ogen aan en de tijdschriften gleden uit haar handen. Toen gehoorzaamde ze hem.

Vanuit zijn ooghoeken zag Zack haar met hoog opgeheven hoofd de kamer uit gaan, en met de vaardigheid die hij op zijn achttiende vervolmaakt had, wendde hij zich zonder ook maar enig gevoel af en zette Julie Mathison uit zijn gedachten. Hij concentreerde zich op de nieuwsuitzending die Julie met haar uitbarsting onderbroken had. Hij kon bijna zweren dat Tom Brokaw, terwijl hij bezig was geweest met haar te troosten, iets over Dominic Sandini had gezegd. Hij ging op de bank zitten en keek met een gefronst voorhoofd naar de televisie. Het ergerde hem dat hij de rest van het bericht niet gehoord had. Over een uur of twee zou er weer een journaal zijn, en daar zou hij op wachten. Hij leunde achterover, legde zijn voeten op tafel en dacht aan Sandini. In al die jaren waren er in zijn leven maar twee mannen geweest die hij echt als vrienden was gaan beschouwen. De ene was Matt Farrell, en de ander was Dominic Sandini. Zack glimlachte in het besef dat beide mannen absoluut niets met elkaar gemeen hadden. Matt Farrell was een van de rijkste zakenmannen ter wereld; Zack en hij hadden vriendschap gesloten op basis van een aantal gemeenschappelijke interesses en een diep wederzijds respect.

Dominic Sandini was een eerste klas kruimeldief. Hij en Zack hadden absoluut niets met elkaar gemeen, en Zack had helemaal niets gedaan om Sandini's respect of loyaliteit te verdienen. Toch had Sandini hem beide ongevraagd en onvoorwaardelijk gegeven. Hij had Zacks eenzaamheid weten te doorbreken met flauwe grappen en amusante verhalen over zijn uitgebreide, onconventionele familie. En toen had hij Zack, zonder dat hij zich daarvan bewust was, bij die familie betrokken. Zijn familieleden kwamen naar de gevangenis en deden alsof de binnenplaats de meest normale plek was voor het houden van feestelijke familiereünies. Ze gaven hem hun baby's om vast te houden, en behandelden hem met evenveel luidruchtige warmte en bezorgdheid als ze Dom deden. Achteraf bezien realiseerde Zack zich hoeveel hun brieven en koekjes – en zelfs Mama Sandini's knoflookworst – voor hem betekend hadden. Hij zou ze allemaal veel meer missen dat hij gedacht had. Hij legde zijn hoofd tegen de rugleuning, sloot zijn ogen en voelde zich ineens, door al die herinneringen aan hen, weer een stuk beter. Hij zou een manier vinden om Gina een trouwcadeau te sturen, besloot hij. Een zilveren theeservies. En hij zou ook iets voor Dom kopen. Iets bijzonders. Maar wat kon hij voor hem in vredesnaam kopen dat hij nodig zou hebben en leuk zou vinden? Het meest voor de hand liggende cadeau deed Zack grinniken: een garage met tweedehands auto's!

Kort voor middernacht werd het journaal, compleet met Brokaws reportage en een korte video die Zack al eerder die dag had gezien, herhaald. Op de video was te zien hoe Dom, een uur na Zacks ontsnapping, met de handen in zijn nek, gefouilleerd werd, in de boeien werd geslagen en achter in de auto van de sheriff werd geduwd. Maar het waren vooral Brokaws woorden die bij Zack de nodige twijfel opriepen. '*De tweede ontsnapte gevangene, Dominic Sandini, is na een korte worsteling met de politie opnieuw gearresteerd en voor ondervraging overgebracht naar de gevangenis van Amarillo, waar hij een cel deelde met Benedict die nog steeds op vrije voeten is. Hoofdbewaarder Wayne Hadley omschrijft Sandini als uiterst gevaarlijk.*' Zack boog zich naar voren en tuurde naar het scherm. Tot zijn opluchting zag Dom er niet uit alsof hij door de politie van Amarillo in elkaar was geslagen. Dat nam evenwel niet weg, dat het niet klopte wat er werd gezegd. De media en Hadley hadden Dom moeten behandelen als een held – als een bekeerde vertrouweling die alarm had geslagen toen hij ontdekt had dat een medegevangene ontsnapt was. Gisteren, toen er in de nieuwsuitzendingen over Dom werd gesproken als over 'de tweede ontsnapte gevangene', had Zack aangenomen dat ze nog geen tijd hadden gehad om Hadley te interviewen en de feiten op een rijtje te krijgen. Intussen hadden ze daar meer dan voldoende tijd voor gehad, en stond inmiddels ook vast dat Hadley met de pers had gesproken. Maar Hadley omschreef Sandini als gevaarlijk. En waarom deed hij dat, vroeg Zack zich af, wanneer hij juist dolgelukkig moest zijn dat ten minste één van zijn vertrouwelingen zo eerlijk was?

Het eerste antwoord dat Zack op die vraag te binnen schoot was ondenkbaar en onverdraaglijk: Hadley had Doms verhaal niet ge-

170

loofd. Nee, dat kon niet waar zijn, besloot Zack, want hij had ervoor gezorgd dat er op Doms alibi absoluut niets aan te merken was geweest. En daarmee bleef er maar een enkele andere mogelijkheid over: Hadley had Doms verhaal wél geloofd, maar was zo woedend over Zacks ontsnapping dat hij zich niet kon voorstellen dat Dom onschuldig was. Dat was iets waar Zack geen rekening mee had gehouden; hij was ervan uitgegaan dat Hadley, met zijn reusachtige ego, Dom juist de hemel in zou prijzen, te meer daar het incident zo veel aandacht van de media had getrokken. Hij had nooit verwacht dat Hadley's gemeenheid groter zou zijn dan zijn ego of zijn nuchtere verstand, maar als dat wel zo was, dan zat het er dik in dat hij zich op meer dan wrede wijze op Dom zou wreken. Het wemelde binnen de gevangenis van gruwelijke verhalen over de martelpraktijken – waarvan sommige zelfs een fatale afloop hadden gehad – die zich in Hadley's beruchte spreekkamer hadden afgespeeld. Het vaste excuus dat Hadley pleegde te hanteren wanneer er weer eens iemand halfdood in de ziekenzaal werd afgeleverd of naar het lijkenhuis werd afgevoerd, was dat de betreffende gevangene tijdens een ontsnappingspoging betrapt was, zich verzet had en overmeesterd had moeten worden.

Zacks angstige voorgevoelens sloegen om in acute paniek toen de speciale verslaggever uit Colorado in beeld kwam en meldde: '*Er zijn nieuwe ontwikkelingen in de ontsnappingszaak van Benedict en Sandini. Volgens een verklaring die een uur geleden is afgelegd door de hoofdbewaarder van de gevangenis van Amarillo, heeft Dominic Sandini een tweede ontsnappingspoging gedaan toen hij ondervraagd werd over de rol die hij gespeeld heeft bij Benedicts ontsnapping. Sandini kon pas overmeesterd worden nadat hij drie bewakers had aangevallen. Hij is overgebracht naar de ziekenboeg van de gevangenis, en zijn toestand is kritiek.*'

Zack kreeg het op slag ijskoud van woede, zijn maag draaide zich om en hij leunde achterover. Hij keek naar het plafond boven zijn hoofd en slikte verkrampt bij de herinnering aan Dominics grijnzende, optimistische gezicht en aan zijn domme, dwaze grapjes.

De nieuwslezer ging verder, maar zijn woorden drongen nauwelijks tot Zack door:

'*Geruchten over een opstand onder de gedetineerden in de gevangenis van Amarillo zijn bevestigd, en Ann Richards, de gouverneur van Texas, heeft zich bereid verklaard om, indien nodig, troepen van de Nationale Garde naar Amarillo te sturen. De gevangenen, die kennelijk gebruik wilden maken van de publiciteit die het gevolg is van de ontsnapping van Benedict en Sandini, protesteren tegen wat zij de onterechte wreedheid van het gevangenispersoneel noemen, tegen de te volle cellen en tegen het slechte eten.*'

Nadat het televisiestation uit de lucht was gegaan, bleef Zack zitten waar hij was. Hij voelde zich zo ellendig en wanhopig dat hij de kracht niet kon opbrengen om op te staan. Zijn besluit om te ontsnappen en te overleven dat hem gedurende vijf jaar geestelijk en lichamelijk gezond had gehouden, begon te verbleken. Het leek wel alsof hij altijd al achtervolgd was door de dood, en opeens had hij er genoeg van om er altijd maar voor op de vlucht te gaan. Eerst waren zijn ouders gestorven, toen zijn broer, zijn grootvader en ten slotte zijn vrouw. Als Sandini doodging, dan was dat enkel en alleen zíjn schuld. Zack begon het gevoel te krijgen dat er een soort van macabere vloek op hem rustte waardoor iedereen van wie hij hield, moest sterven. Hij wist dat dergelijke gedachten gevaarlijk, labiel en waanzinnig waren. Maar hij had dan ook het gevoel dat zijn gezonde verstand op dat moment aan een heel dun draadje hing.

Hoofdstuk 25

Julie liep, met het stapeltje kleren dat ze zojuist uit de droger had gehaald, op blote voeten en met natte haren door de stille zitkamer naar de slaapkamer waar ze een nagenoeg slapeloze nacht had doorgebracht. Het was elf uur 's ochtends, en te oordelen naar het geluid van stromend water, nam ze aan dat Zack ook had uitgeslapen en nu onder de douche stond.

Ze pakte de föhn, probeerde haar zeurende hoofdpijn te negeren en begon haar haren te drogen. Toen ze klaar was borstelde ze het uit, en trok de trui en de spijkerbroek aan die ze drie dagen geleden, toen ze naar Amarillo was vertrokken, had aan gehad. Die ochtend leek weken geleden, omdat dat de laatste dag was waarop alles nog normaal was geweest. Nu leek niets normaal meer, en zijzelf al helemaal niet. Ze werd gegijzeld door een ontsnapte gevangene. Een normale vrouw zou haar ontvoerder gehaat hebben. Een normale vrouw van zesentwintig zou zich met hand en tand tegen Zachary Benedict hebben verzet, geprobeerd hebben om aan zijn klauwen te ontsnappen, zijn plannen te dwarsbomen en hem opnieuw in de gevangenis te krijgen waar hij thuishoorde! Dat waren de dingen die je van een normale, fatsoenlijke, godvrezende jonge vrouw zou mogen verwachten.

Maar dat was niet wat Julie Mathison had gedaan, dacht Julie bitter. Helemaal niet. Zíj had zich door haar ontvoerder laten kussen en strelen; erger nog, ze had er zelfs van genoten. Gisteravond had ze zichzelf proberen wijs te maken dat ze dat alleen maar had gedaan omdat ze medelijden met hem had, maar inmiddels wist ze dat dat een krasse leugen was. Als Zachary Benedict een lelijke oude vent was geweest, zou ze zich heus niet in zijn armen hebben gestort in een poging hem wat gelukkiger te maken. En ze zou ook niet zo gretig geloofd hebben dat hij onschuldig was! Waar het op neerkwam, was dat ze Zack geloofd had omdat ze hem wílde geloven, en daarna had ze hem 'getroost' omdat ze zich tot hem aangetrokken voelde. En in plaats van zich door die vrachtwagenchauffeur te laten helpen, had ze zich lekker in de sneeuw door hem laten kussen.

In Keaton was ze seksuele avances van keurige, fatsoenlijke mannen uit de weg gegaan, terwijl ze zichzelf, uiterst hypocriet, gelukwenste met de hoogstaande morele normen die haar ouders haar hadden bijgebracht. Maar nu was de waarheid even pijnlijk als duidelijk: ze had zich nooit aangetrokken gevoeld tot die keurige, fatsoenlijke mannen, en nu begreep ze ook waar dat door kwam. Dat kwam doordat ze zich alleen maar aangetrokken kon voelen tot mannen van haar eigen soort – maatschappelijke paria's zoals Zachary Benedict. Degelijkheid en fatsoen deden haar niets; maar geweld en gevaar en vrijen zonder met iemand getrouwd te zijn, gaven haar kennelijk een kick.

De misselijkmakende realiteit was dat Julie Mathison aan de buitenkant dan misschien een keurige vrouw was waar absoluut niets op aan te merken viel, maar dat ze in haar hart nog steeds Julie Smith was, het straatschoffie van onbekende afkomst. Toen had ze niet geweten wat fatsoen was, en kennelijk wist ze dat nu nog steeds niet. Mevrouw Borowski, de hoofdleidster van het LaSalle Opvangtehuis, had van begin af aan gelijk gehad. In gedachten kon ze de krengerige stem van de vrouw nog steeds horen, en het beeld van haar minachtende, wetende gezicht stond in haar geheugen gegrift. 'Een vos verleert zijn streken niet, en jij ook niet, Julie Smith. Je mag die verwaande psychiater dan iets wijs kunnen maken, maar ik trap er niet in. Er komt niets van je terecht, let op mijn woorden. Het is nu eenmaal onmogelijk om goede resultaten te bereiken met een mens van geringe kwaliteiten, en dat ben jij, een mens van geringe kwaliteiten. Soort zoekt soort, en daarom hang je altijd rond met die nietsnutten van achterbuurtkinderen. Ze zijn net zo als jij. Ze deugen niet. ZE DEUGEN NIET.'

Julie kneep haar ogen stijf dicht, probeerde de pijnlijke herinneringen van zich af te zetten en zich te concentreren op de lieve man die haar geadopteerd had. 'Je bent een goed meisje, Julie,' fluisterde hij in haar gedachten, zoals hij haar zo vaak had toegefluisterd sinds ze bij hem en zijn gezin was komen wonen. 'Een lief, goed meisje met een groot hart. Later zul je een lieve, goede vrouw zijn met een groot hart. Op een dag zul je trouwen met een goede, gelovige man en dan word je een geweldige echtgenote en moeder, precies zoals je nu een geweldige dochter bent.'

173

Verscheurd door de herinnering aan zijn misplaatste vertrouwen in haar, steunde ze met haar handen op de rand van de commode en liet haar hoofd hangen. 'Je hebt je vergist...' fluisterde ze met gebroken stem, want inmiddels was de waarheid haar wel duidelijk. Ze voelde zich helemaal niet aangetrokken tot goede en gelovige mannen, zelfs niet tot knappe, goede en gelovige mannen zoals Greg Howley. In plaats daarvan voelde ze zich aangetrokken tot mannen als Zack Benedict, die haar meteen al vanaf het moment waarop ze hem op die parkeerplaats had gezien, geboeid had. De walgelijke waarheid was dat ze gisteravond met hem naar bed had willen gaan, en dat hij dat ook gemerkt had. Soort zoekt soort, en hij had in haar zijn soort herkend. Dat, wist Julie, was de enige reden waarom hij kwaad was geweest toen ze hem van zich had afgeduwd en gezegd had dat hij moest ophouden. Hij had haar een lafaard gevonden. Vanaf het moment waarop hij begonnen was met haar te kussen en te strelen, had ze met hem naar bed gewild.

Een vos verleert zijn streken niet. Mevrouw Borowski had gelijk gehad.

Toch was dominee Mathison het daar niet mee eens geweest, herinnerde Julie zich opeens. Toen ze dat eens tegenover hem had aangehaald, had hij zijn hoofd geschud en gezegd: 'Dieren kunnen niet veranderen, maar mensen wel, Julie! Daarom heeft de Heer ons hersenen en wilskracht gegeven. Als je een goed meisje wilt zijn, dan hoef je dat echt alleen maar te wíllen. Neem de beslissing, en doe het!'

Neem een beslissing, Julie...

Langzaam hief Julie haar gezicht op en keek naar haar spiegelbeeld terwijl ze innerlijk een nieuwe kracht geboren voelde worden. Ze had nog niets gedaan dat echt onvergeeflijk was. Nog niet.

En voordat ze iets zou doen waarmee ze zichzelf en haar opvoeding zou verraden, zou ze als de sodemieter maken dat ze uit Zachary Benedicts klauwen kwam! Nee, corrigeerde ze zichzelf grimmig, zou ze als een háás maken dat ze uit zijn klauwen kwam. Vandaag nog. Ze moest vandaag zien te ontsnappen, voor ze zou bezwijken voor zijn gevaarlijke aantrekkingskracht. Als ze bleef, dan zou ze bovendien tot zijn medeplichtige, en daarmee tot een verachtelijk mens worden. Julie keek zichzelf diep in de ogen en bezwoer zich dat ze vandaag zou vluchten.

Ze liep naar het raam van de slaapkamer, trok de gordijnen open en keek naar de grauwe, niet veel goeds voorspellende ochtend. De lucht was zwaar bewolkt en de wind huilde door de pijnbomen. Terwijl ze in gedachten de weg naliep die ze gevolgd hadden om boven te komen, zag ze de eerste sneeuwvlokken langs het venster waaien, en ze trok een gezicht. Nog meer sneeuw! Twintig meter verder, naast het houten terras dat rondom het huis liep, had iemand een grote thermometer tegen een boom getimmerd. Het was vier graden onder nul, maar die temperatuur hield geen rekening met de ijzige wind.

Opeens hoorde ze het geluid van een radio, en ze keek op. De man die verantwoordelijk was voor de ellendige positie waarin ze verkeerde, was intussen kennelijk aangekleed en had in de zitkamer de radio aangezet in afwachting van het nieuws.

Ze overwoog de mogelijkheid om zich in deze mooie, warme kamer op te sluiten totdat hij uiteindelijk vertrokken was, maar dat was zowel ondoenlijk als onpraktisch. Ze zou moeten eten, en ook al lukte het haar dan misschien om de deur te barricaderen, met het raam zou haar dat nooit lukken. Daarbij kwam dat het, hoe langer ze bij hem bleef, des te moeilijker zou zijn om de politie en de burgers van Keaton ervan te overtuigen dan ze niet de medeplichtige en ook niet de bedpartner van een ontsnapte gevangene was.

Met een zenuwachtig zuchtje zag Julie het feit onder ogen dat haar enige ontsnappingsmogelijkheid buiten lag, en dat er niets anders op zat dan ofwel met de Blazer – als het haar lukte om de motor zonder contactsleuteltje aan de praat te krijgen – ofwel te voet de besneeuwde berg af te dalen. Als het te voet zou worden – en dat zat er dik in – dan was het eerste waar ze voor moest zorgen dat ze warm genoeg was aangekleed.

Ze liep naar de grote kast in de hoop daar warme kleren te vinden die ze zou kunnen 'lenen'. Even later slaakte ze een klein vreugdekreetje. Achter in de kast lagen twee dikke sneeuwpakken. Beide waren donkerblauw met rode en witte biezen. Ze haalde ze te voorschijn en bekeek ze. De ene was haar veel te groot, maar de andere leek ongeveer haar maat te zijn. Ze sloeg hem over haar arm en liep ermee naar de commode waarvan ze de laden doorzocht. Het duurde niet lang voor ze vond wat ze zocht: lang, dik ondergoed.

Het kostte haar de nodige moeite om haar spijkerbroek over het dikke ondergoed te krijgen, en toen ze de rits eenmaal dicht had, zat de broek zo strak dat ze haar knieën amper kon buigen, maar het stoorde Julie niet. Ze was veel te druk bezig met het verzinnen van een manier om Zachary Benedict zover te krijgen dat hij een poosje niet op haar zou letten. Dat was ook de reden waarom ze nog even wachtte met het aantrekken van het sneeuwpak. Voorlopig leek het haar beter om hem in de waan te laten dat ze alleen maar even naar buiten wilde om wat frisse lucht te scheppen.

Ze forceerde een beleefd, onpersoonlijk glimlachje op haar gezicht en trok de onderkant van haar eigen trui en jack over haar heupen. In de hoop dat hij niet zou zien dat haar benen eruitzagen als gestopte worsten, trok ze de deur open.

Haar blik ging automatisch naar de bank bij de open haard waar ze verwachtte dat hij zou zitten. In plaats daarvan stond hij met zijn rug naar haar toe voor het raam naar de vallende sneeuw te kijken. Ze bleef staan en zag hem afwezig zijn nekspieren masseren, en haar verraderlijke brein moest onmiddellijk weer denken aan hoe die mooie lange vingers van hem haar borsten hadden gestreeld en hoe heerlijk ze dat had gevonden. Op dat moment realiseerde ze zich dat ze eigenlijk wel dankbaar mocht zijn voor het feit dat hij haar wens om niet verder te gaan gerespecteerd had. Hij was even opgewonden geweest als zij, en de herinnering aan hoe zijn harde lichaam tegen het hare had gedrukt, bezorgde haar een kleur.

Ze had hem aangemoedigd, en hem vervolgens ongewild beledigd en boos gemaakt, en toch had hij niet geprobeerd om haar te verkrachten...

Hij draaide zijn hoofd opzij, en ze zag zijn trotse profiel en de beweeglijke mond die haar zo hartstochtelijk had gekust. Een man die tot een dergelijke tederheid in staat was en zich zelfs na vijf jaar zonder met een vrouw naar bed te zijn geweest had kunnen beheersen, kon toch onmogelijk een moordenaar zijn...

Meteen riep Julie zichzelf tot de orde. Daar ging ze weer, stommeling die ze was! Hoe kwam ze erbij om medelijden te hebben met die man, alleen omdat hij toevallig lang, knap en waanzinnig sexy was. 'Pardon,' zei ze kortaf, en luid genoeg om boven het geluid van de radio uit te komen.

Hij draaide zich om en keek bedenkelijk naar haar jack. 'Zou ik misschien even mogen weten waar je naartoe denkt te gaan?'

'Je hebt gezegd,' zei Julie even snauwerig als hij, 'dat ik vrij rond mocht lopen in huis. Ik word gek hier binnen. De tuin hoort ook bij het huis, en ik wil de tuin in om even wat frisse lucht te scheppen.'

'Het is ijskoud buiten.'

In het besef dat hij op het punt stond te weigeren, sloeg ze snel een ander toontje aan. 'Je hebt zelf gezegd dat ik dood zou vriezen als ik zou proberen om te voet te ontsnappen, en ik weet dat dat waar is. Ik heb alleen maar behoefte aan wat frisse lucht. Het enige dat ik wil doen is wat rondlopen in de tuin en –' ze aarzelde, maar toen opeens kreeg ze een idee. 'En ik wil een sneeuwpop maken! Toe, zeg nu ja, alsjeblieft,' zei ze bijna smekend. 'Ik heb al sinds jaren, sinds ik als klein meisje in Texas ben komen wonen, niet meer zo veel sneeuw gezien.'

Hij was niet onder de indruk en hij was niet vriendelijk. 'Je doet maar wat je niet laten kunt, maar ik wil dat je voor het raam blijft waar ik je kan zien.'

'Ja, baas!' snauwde Julie terug in reactie op zijn autoritaire toontje. 'Maar zo af en toe zal ik toch wel even het bos in moeten, om takjes en zo te zoeken die ik nodig heb. Mag dat?'

In plaats van antwoord te geven, trok hij zijn wenkbrauwen op en keek haar ijzig aan.

Julie besloot om zijn stilzwijgen op te vatten als goedkeuring, hoewel ze heel goed wist dat hij het zo niet bedoelde. Ze had besloten om te vluchten, en om dat doel te bereiken was ze tot alles, met inbegrip van smeken, in staat. 'Ik gaf mijn sneeuwpoppen vroeger altijd een neus van wortel,' zei ze, en voegde er glimlachend aan toe: 'Ik kijk wel even in de ijskast om te zien wat we hebben.'

De ijskast stond naast een la waarin ze de vorige avond een paar vreemdsoortige sleutels van speciale sloten had zien liggen. Met haar linkerhand deed Julie de ijskast open, en met haar rechter trok ze heel voorzichtig de la open waarna ze haar vingers tastend op zoek liet gaan naar de sleutels. 'Geen wortels,' zei ze over haar schouder, terwijl ze hem met nog een geforceerd glimlachje aankeek, en vervolgens even gauw in de la gluurde. Ze zag één van de sleutels en pakte hem, maar ze wist dat er meer moesten zijn dan deze ene. Toen zag ze ze, de andere sleutels die half onder een paar spatels en pollepels lagen. Met haar blik op de ijskast gericht, slaagde ze erin nog een sleutel te pakken, maar haar handen beefden zo erg en haar nagels waren zo lang, dat ze de andere twee onmogelijk geruisloos kon pakken zonder te kijken. Net toen ze toch nog een poging wilde wagen, hoorde ze zijn voetstappen, en toen ze opkeek zag ze hem naar zich toe komen. Snel trok ze haar hand uit de la en duwde hem dicht. De twee sleutels lagen veilig in de palm van haar hand. Met een van de zenuwen trillende stem vroeg ze: 'W-wat zoek je?'

'Iets om te eten, hoezo?'

'Ik vroeg het me alleen maar af, dat is alles.' Ze glipte langs hem heen toen hij om de hoek van de eetbar kwam. 'Ga je gang.'

Hij bleef staan en keek haar na toen ze naar de kast liep. 'Wat is er met je benen?'

Julie kreeg op slag een droge mond. 'Niets. Ik bedoel – ik heb een lange onderbroek in een van de laden gevonden, en die heb ik onder mijn broek aangetrokken opdat ik buiten niet zo'n last zou hebben van de kou.'

'Blijf in de buurt van het huis,' zei hij op waarschuwende toon. 'Ik heb geen zin om naar buiten te moeten om je te zoeken.'

'Best,' zei ze, terwijl ze de deur van de gangkast opentrok waarin ze eerder wanten en mutsen had zien liggen. 'Heb je enig idee wat ik voor zijn ogen en neus zou kunnen gebruiken?' vroeg ze, voortbabbelend over haar plan in de hoop dat hij zo genoeg van haar zou krijgen dat hij niet meer op zou letten.

'Geen idee, nee, en als ik eerlijk ben, dan kan het me ook geen barst schelen.'

Ze trok een enthousiast gezicht en keek hem even aan. 'Sneeuwpoppen gelden binnen bepaalde culturen als uiterst creatieve projecten,' liet ze hem weten, waarbij ze onbewust hetzelfde toontje aansloeg als waarmee ze haar leerlingen aansprak. 'Wist je dat?'

'Nee.'

'Er gaat ontzettend veel planning aan vooraf,' voegde ze eraan toe.

In plaats van antwoord te geven, sloeg hij haar even stilzwijgend gade, waarna hij zich onbeleefd omdraaide en terugliep naar de keuken.

Julie zou vanaf dat moment haar mond hebben gehouden, als haar niet net iets te binnen was geschoten waarmee ze een excuus zou hebben om vaker uit zijn blikveld te verdwijnen. Schaamteloos verzon ze er verder op los: 'Ik bedoel, in die culturen waarbinnen sneeuwpoppen als een belangrijke kunstuiting worden beschouwd, is een sneeuwpop echt wel meer dan twee grote sneeuwballen. Rond de sneeuwman worden hele taferelen gebouwd met takken, en bessen en grote stenen.' Ze trok een paar waterdichte skihandschoenen aan die ze onder in de kast had gevonden. Ze kwam overeind, deed de kastdeur dicht en voegde eraan toe: 'Is dat niet interessant?'

Hij pakte een mes uit de la met het bestek en trok een kastje open. 'Fascinerend,' reageerde hij spottend.

'Je klinkt anders niet erg gefascineerd,' klaagde Julie. Ze was bereid om net zo lang door te kwetteren tot hij zou zeggen dat ze naar buiten moest gaan en hem met rust moest laten. 'Ik bedoel, het minste wat je zou kunnen doen, is je op het project concentreren. Je hebt vast wel een paar goede ideeën die ik kan gebruiken. Stel je toch eens voor, hoe leuk het is als die sneeuwpop met alles eromheen straks –'

Hij smeet het kastdeurtje zo hard dicht dat Julie ervan schrok. Ze draaide zich met een ruk om, en haar blik werd getrokken door het mes in zijn hand. 'Julie,' kwam het dreigend over zijn lippen, 'hou nu toch eindelijk eens je waffel!'

Met dat mes in zijn hand, en zijn van boosheid en ergernis vonkende ogen, zag Zachary Benedict eruit alsof hij zonder meer in staat was tot het plegen van een koelbloedige moord.

Zack zag haar bleek wegtrekken, hij zag de manier waarop ze naar het mes keek, en hij wist precies wat ze op dat moment over hem dacht. Zijn smeulende boosheid sloeg om in woede. 'Inderdaad, ja,' zei hij uitdagend. 'Ik ben veroordeeld wegens moord.'

'M-maar je hebt gezegd d-dat je onschuldig bent,' bracht ze hem in herinnering, waarbij ze zonder succes kalm en overtuigd probeerde te klinken.

'Dat heb ik gezegd, ja,' reageerde hij op zo'n honend toontje dat de rillingen haar over de rug liepen, 'maar jij weet wel beter, niet, Julie?'

Ze slikte krampachtig en begon achterwaarts de korte gang af te lopen. 'Mag ik naar buiten?' Zonder op een antwoord van hem te wachten, pakte ze de deurknop blindelings beet en trok de deur open.

Zack bleef roerloos staan. Hij deed verschrikkelijk zijn best om zijn kalmte te herwinnen en om haar doodsbange gezicht uit zijn geheugen te bannen. Hij hield zichzelf voor dat het niet uitmaakte wat ze dacht, of dat ze er zo snoezig uit had gezien toen ze over de sneeuwpop babbelde, of dat ze lief en goed en zuiver was en dat hij zich, in vergelijking met haar, onmenselijk en smerig voelde.

Enkele minuten later begon de nieuwsuitzending op de radio, en zijn stemming ging er aanzienlijk op vooruit. Volgens de nieuwslezer was Sandini's toestand stabiel. Zack zocht een ándere zender, en vond er uiteindelijk een waarop alleen maar nieuws, en geen muziek werd uitgezonden. Hij wilde net de zitkamer weer binnengaan, toen de nieuwslezer meldde dat een man die door de Canadese politie voor Zachary Benedict werd gehouden, twee dagen geleden in een gehuurde zwarte auto bij Windsor de grens van Canada was overgegaan.

Hoofdstuk 26

'Verdorie,' zei Julie zacht terwijl ze uit de Blazer stapte die nog steeds, uit het zicht van de grote vensters, achter het huis stond geparkeerd. In de vijftien jaar sinds ze haar eerste en enige les had gehad in het starten van een auto zonder contactsleuteltje, was er in het systeem van de bedrading kennelijk heel wat veranderd, of anders was ze geen goede leerling geweest, want ze had er geen idee van welke draadjes van de vuistvol die ze onder het dashboard vandaan had getrokken, de juiste waren.

Krampachtig rillend, boog ze zich voorover en pakte de lading dennetakken op om vervolgens, door sneeuw en wind, naar de zijkant van het huis te rennen. Gedurende het volle kwartier dat ze nu buiten was, was hij voor het raam blijven staan en had als een uitdrukkingsloos beeld naar haar staan kijken. De zogenaamde behoefte aan attributen voor haar verzonnen sneeuwmantafereel stelde haar in staat om telkens gedurende enkele minuten uit het beeld te verdwijnen zonder dat hij achterdochtig werd. Tot nu toe was alles precies zo gegaan als ze gehoopt had, maar toch was ze bang dat ze deze keer te lang was weggebleven. Tot dusver was ze drie keer, en steeds langer weggebleven, en telkens, nadat ze geprobeerd had om de Blazer aan de praat te krijgen, was ze met dennetakken teruggekomen. Ze rekende erop dat hij haar binnenkort voor gek zou verklaren met haar malle sneeuwpopgedoe, en dat hij genoeg zou krijgen van zijn bewakersplicht.

Ze hief haar armen op, trok de gebreide skimuts die ze uit de kast had gepakt over haar oren, en begon met het rollen van de bal die de buik van de sneeuwman moest worden. Ondertussen dacht ze na over de haar resterende mogelijkheden om te ontsnappen. Weglopen zou pure zelfmoord zijn in deze kou, en dat wist ze. Ze zou doodgevroren zijn voor ze bij de doorgaande weg was. En als ze de weg toch nog levend haalde, dan zou ze alsnog doodvriezen in afwachting van een auto die langskwam. Op weg hiernaartoe waren ze gedurende zeker twee uur geen andere auto tegengekomen. De kans dat ze zou ontdekken waar hij de sleuteltjes van de Blazer bewaarde was al even gering, en zonder die sleuteltjes kon ze de auto niet starten.

'Er moet toch een manier zijn om hier weg te komen!' verzuchtte Julie hardop, terwijl ze de grote sneeuwbal naar de stapel dennetakken duwde. Achter het huis was een garage die met een hangslot was afgesloten. Zack had gezegd dat de Blazer daar niet binnen kon staan omdat de garage als opslagruimte werd gebruikt. Misschien loog hij wel. Misschien wist hij het ook wel niet zeker. Een van de sleutels in haar zak zag eruit alsof hij van een hangslot was, en het enige hangslot dat ze had gezien, was dat wat aan de garagedeuren hing. Van de mogelijkheid dat de eigenaar van het huis daar een auto had staan, werd ze op dit moment niet vrolijker. Gesteld dat ze de sleutels van die auto zou kunnen vinden en hem aan de praat zou kunnen krijgen, dan zou ze er nog niet mee weg kunnen omdat de Blazer ervoor stond.

En daarmee bleef er maar één mogelijkheid over. Zonder de garage vanbinnen te hebben gezien, had ze een vermoeden van wat ze er zou aantreffen:

Ski's.

Er stonden skischoenen in de kast van de slaapkamer, maar in huis zelf waren geen ski's, en dat betekende dat ze naar alle waarschijnlijkheid in de garage stonden.

Ze had van haar leven nog nooit geskied.

Ze was bereid het te proberen. En daarbij, ze had vaak naar skiën op de televisie gekeken, en het zag er helemaal niet moeilijk uit. Het zou heus wel meevallen. Kinderen konden het immers ook. Dus zij moest het ook kunnen.

En wie het ook kon, dat was Zachary Benedict, schoot het opeens door haar heen. Ze had hem zien skiën in een van zijn films, een film die zich in Zwitserland afspeelde. In die film had hij heel wat sterke staaltjes op de smalle latten getoond, maar waarschijnlijk had hij de echt acrobatische toeren door een stuntman laten doen.

Julie rolde de steeds groter wordende sneeuwbal zuchtend en steunend heen en weer, en tien minuten later besloot ze dat hij klaar was. Ze duwde hem naar de plaats waar ze de sneeuwpop hebben wilde, en legde, alsof ze volgens een vast plan te werk ging, de dennetakken er in een halve cirkel omheen. Daarna bleef ze staan en deed alsof ze het resultaat van haar inspanningen bewonderde. Vanuit haar ooghoeken wierp ze een heimelijke blik op het raam, en zag dat hij nog steeds onbeweeglijk naar haar stond te kijken.

Het was tijd, besloot ze, om eens in die garage te gaan kijken.

Met handen die stijf waren van de kou en de zenuwen, probeerde ze of de eerste van de buitgemaakte sleutels in het slot paste. Hij ging er niet in. Met ingehouden adem probeerde ze de tweede sleutel. Deze gleed er gemakkelijk in en het slot viel open. Nadat ze eerst even achterom had gekeken om zich ervan te verzekeren dat Zack niet net besloten had om ook naar buiten te gaan, stapte ze over de rand opgewaaide sneeuw de garage in, en deed de deur achter zich dicht.

Binnen was het aardedonker, maar nadat ze over een schep was gestruikeld en zich aan een onbekend voorwerp met reusachtige banden had gestoten, vond ze de lichtschakelaar en drukte erop. Het plotselinge licht was zo fel, dat Julie even tijd nodig had om haar ogen eraan te laten wennen. Ze keek met wild kloppend hart om zich heen. Ski's. Tegen een rek aan de achterste muur stonden verscheidene paren ski's met stokken. Links van haar stond een reusachtige tractor die was uitgerust met een apparaat om sneeuw weg te blazen. Julie probeerde zich voor te stellen hoe het zou zijn om op die tractor te zitten en daarmee die verraderlijke bergweg af te rijden. De mogelijkheid trok haar niet aan. Zelfs al zou het haar lukken om de Blazer opzij te duwen en met de tractor de garage uit te rijden, dan nog zou de tractor zo veel herrie maken dat Zack haar meteen zou horen. Daarbij zou het ding zo langzaam vooruitkomen dat Zack haar er zo vanaf zou kunnen trekken.

De andere helft van de dubbele garage stond vol met toebehoren van de tractor, sneeuwbanden, dozen en nog een andere machine die was afgedekt met een groot zwart zeil.

Ski's. Ze zou het met de ski's moeten doen. En dat betekende dat ze, als ze al niet door bevriezing om het leven kwam, waarschijnlijk alsnog door een gebroken nek in het hiernamaals zou belanden. Bovendien zou ze tot morgen of tot overmorgen moeten wachten, want de wind trok aan en het was intussen alweer flink gaan sneeuwen. Meer uit nieuwsgierigheid dan uit iets anders, tilde Julie een hoekje van het zeil op om te zien wat eronder zat. Ze kon haar ogen niet geloven, slaakte een vreugdekreetje en trok het zeil helemaal weg.

Onder het zeil stonden twee glanzende, donkerblauwe sneeuwscooters met een helm op de zitting.

Met bevende vingers probeerde ze of de andere sleutel misschien in het slot van de dichtstbijzijnde scooter paste. Hij gleed er moeiteloos in en ze kon hem draaien. Hij paste! Het was gelukt! Opgetogen rende ze de garage uit en trok de deur achter zich dicht. Het stoorde haar niet meer dat het harder was gaan waaien en sneeuwen. Over een half uurtje of minder – zodra ze dat sneeuwpak dat in haar kast lag aan had kunnen trekken en het huis uit kon sluipen – zou ze vertrokken zijn. Ze had nog nooit op een sneeuwscooter gereden, maar ze twijfelde er niet aan dat ze het zou kunnen, en dat het haar veel gemakkelijker af zou gaan dan de ski's. Snel pakte ze nog een paar takken bij elkaar, rende ermee naar de sneeuwpop en gooide ze neer, net alsof ze aldoor bezig was geweest met het verzamelen ervan. Zachary Benedict stond nog steeds voor het raam naar haar te kijken, en Julie dwong zichzelf om om zich heen te kijken alsof ze naar nog meer 'attributen' zocht die ze voor haar sneeuwtafereel zou kunnen gebruiken. Ondertussen dacht ze koortsachtig na over haar aanstaande ontsnapping. Het enige dat ze hoefde te doen, was zich verkleden, droge handschoenen aantrekken en de sleutel van de andere scooter pakken opdat hij haar, zodra het tot hem doordrong hoe ze gevlucht was, niet zou kunnen volgen.

Ze was klaar om te gaan. Niets kon haar nu nog tegenhouden, geen ontsnapte gevangene met een revolver, geen wind, geen sneeuw. Ze was zo goed als onderweg.

Vanachter het venster zag Zack haar de muts wat verder over haar oren trekken en weglopen op zoek naar wat ze verder nog nodig had voor het maken van haar 'sneeuwlandschapje'. De woede die hij eerder had gevoeld was inmiddels verdwenen. Het feit dat Sandini's conditie stabiel was had hem goedgedaan, en daarbij vond hij het, of hij wilde of niet, een amusant gezicht zoals Julie met die enorme bal aan het worstelen was terwijl ze zich, in die strakke spijkerbroek die ze droeg, nauwelijks kon bewegen. Meerdere malen had Zack op het punt gestaan om naar buiten te gaan en haar te helpen, maar hij wist van tevoren dat ze zijn hulp zou weigeren. Aan de andere kant zou hij haar, wanneer hij buiten was, ook niet meer zo goed kunnen observeren. Hij had nooit geweten dat het zo leuk kon zijn om naar een vrouw te kijken die een sneeuwpop aan het maken was. Maar aan de andere kant had hij ook nog nooit een volwassen vrouw gekend die het in haar hoofd haalde om in de sneeuw te spelen.

Ze was een raadsel, stelde hij vast terwijl hij stond te wachten tot ze opnieuw voor het venster zou verschijnen. Intelligent en naïef, vol medeleven en onstuimig, hartstochtelijk en schichtig – ze was één complex geheel van tegenstellingen, en elke eigenschap van haar was even aantrekkelijk. Toch was er één eigenschap van haar die hem in het bijzonder intrigeerde, en dat was haar pure, zuivere uitstraling. Aanvankelijk was hij er min of meer van overtuigd geweest dat hij zich die aura van kuise onschuld maar verbeeldde, maar gisteravond had hij ontdekt dat ze amper wist hoe ze moest kussen! Hij vroeg zich af wat er voor achterlijke mannen in Keaton woonden. En wat voor idioot moest die bijna-verloofde van haar wel niet zijn! Te oordelen naar haar geschrokken reactie toen hij haar borsten aanraakte, moest die man nog nooit met zijn handen aan haar lijf hebben gezeten! Het leek meer dan onwaarschijnlijk in deze tijd, maar het zou hem niets verbazen als bleek dat ze nog maagd was.

In het besef dat zijn gedachten een loopje met hem hadden genomen, vloekte hij zacht en draaide zich verbaasd om toen hij Julie door de achterdeur binnen hoorde komen.

'Ik-ik heb kleren nodig voor mijn sneeuwpop,' verklaarde ze met een stralende glimlach.

'Waarom laat je het er niet bij voor vandaag? Je kunt morgen verder gaan,' zei hij, en haar gezicht betrok.

'Maar ik – vind het zo leuk!' wierp ze bijna wanhopig tegen. 'Vind je het soms leuk om mij te verbieden iets te doen waar ik plezier in heb?'

'Ik ben heus geen monster!' snauwde Zack, geïrriteerd door de angstige en wantrouwende manier waarop ze hem aankeek.

'Laat me dan toch verder gaan!'

'Goed,' gaf hij zuchtend toe. 'Je gaat je gang maar.'

Ze lachte weer, en weer straalde haar hele gezicht. 'Dank je.'

Zack voelde zich smelten bij het zien van die glimlach. 'Graag gedaan,' zei hij, en verbaasde zich over de tedere klank van zijn stem. De stem op de radio in de keuken meldde dat er nieuwe ontwikkelingen waren in de ontsnappingszaak van Benedict en Sandini, en dat de luisteraars daar, na een korte pauze voor de reclame, van op de hoogte zouden worden gebracht. Zack knikte kort, zag haar naar de slaapkamer rennen, en liep naar de keuken om de radio wat harder te zetten.

Hij was bezig om voor zichzelf een kop koffie in te schenken, toen de nieuwslezer zei: *'Tien minuten geleden heeft een niet met name genoemde bron uit de ziekenboeg van de strafgevangenis van Amarillo naar de NBC-studio gebeld en meegedeeld dat Dominic Carlo Sandini, die twee dagen geleden samen met zijn celgenoot Zachary Benedict een ontsnappingspoging heeft gedaan, vanmorgen om kwart over elf overleden is, toen hij per ambulance werd overgebracht naar het St. Mark's Hospital. Sandini, die een neef was van de bekende onderwereldfiguur Enrico Sandini, is overleden aan de verwondingen die hij had opgelopen toen hij gisteren, tijdens een tweede ontsnappingspoging, twee bewakers had aangevallen....'*

Julie kwam, met de skikleren achter haar rug, de slaapkamer uit toen haar ontvoerder het opeens, in reactie op het nieuwsbericht, op een woedend brullen zette en zijn koffiemok tegen de tegelvloer van de keuken aan scherven smeet.

Ze bleef als verlamd staan terwijl Zachary Benedict alles wat hij maar te pakken kon krijgen, onder het schreeuwen van de meest verschrikkelijke vloeken en dreigementen, aan stukken gooide. De broodrooster sloeg tegen de vloer, gevolgd door de blender en de koffiepot, toen haalde hij zijn arm over het aanrecht en veegde de borden, kopjes en glazen die daar stonden, in één gebaar van het bovenblad op de kapotte keukenapparatuur. Hij vloekte en tierde nog steeds toen er niets meer kapot viel te smijten, maar even later was hij, even plotseling als zijn uitbarsting begonnen was, opeens weer stil. Alsof hij uitgeput was, steunde hij met zijn handen op het aanrechtblad. Hij liet zijn hoofd voorovervallen en sloot zijn ogen.

Julie begreep dat ze het sleuteltje van de andere scooter, dat in de la vlak naast hem lag, wel kon vergeten. Met haar rug tegen de muur gedrukt, sloop ze de gang af naar de deur. Toen ze de deur opentrok werd de angstaanjagende stilte in de keuken verbroken door zijn kreunende stem: 'Dom... het spijt me, Dom, o, het spijt me zo!'

Hoofdstuk 27

Met in gedachten nog de angstaanjagende beelden van de scène in de keuken, rende Julie door de dwarrelende sneeuw naar de garage en ging naar binnen. Zo snel als haar zenuwachtige vingers het maar toelieten, trok ze het skipak en de handschoenen aan en zette de helm op, waarna ze de scooter naar de deur sleepte. Ze durfde de motor niet aan te zetten omdat ze niet wist hoeveel lawaai hij zou maken. Buiten zwaaide ze haar been over het zadel en draaide het sleuteltje in het contact. De motor maakte veel minder lawaai dan ze gevreesd had, en even later vloog ze over de sneeuw naar de rand van het bos.

Rillend van de opwinding en de angst, gleed ze tussen de bomen door. Het kostte haar de nodige moeite om het apparaat onder controle te houden, en om de laaghangende takken te ontwijken. Zodra ze ver genoeg uit het zicht van het huis was, zou ze het bergpad, omlaag naar de doorgaande weg nemen, maar voorlopig moest ze nog in het bos blijven.

Vijf minuten werden tien, en het gevoel dat haar ontsnapping geslaagd was en dat ze vrij was, gaf haar moed. Aan de andere kant zette de herinnering aan de intens verdrietige man in het huis een domper op haar vreugde. Het leek haar onwaarschijnlijk dat een gewetenloze moordenaar zo verdrietig kon zijn over de dood van een celgenoot.

Ze keek achterom om zich ervan te verzekeren dat ze niet werd gevolgd, slaakte een kreet toen ze een boom op een haar na miste, en trok zo wild aan het stuur dat ze bijna omviel.

Zack hees zich overeind en keek lusteloos naar de ravage om zich heen. 'Verdomme,' zei hij op effen toon, en pakte de fles cognac. Hij schonk wat van de drank in een glas en dronk het in één teug leeg. De pijn in zijn borst werd er niet minder op. In gedachten hoorde hij Doms vrolijke stem toen hij hem de brief van zijn moeder had voorgelezen. *'Hé, Zack, Gina gaat trouwen! Wat zou ik daar graag bij willen zijn.'* En hij herinnerde zich andere dingen die Sandini had gezegd, zijn goede raad. *'Jongen, als je een vals paspoort wilt, dan ga je niet naar de een of andere klungelaar waar niemand ooit nog van heeft gehoord. Dan kom je bij mij, en ik breng je in contact met Wally de Wezel. Hij is de beste paspoortenvervalser ter wereld. Het wordt echt hoog tijd dat je je door mij laat helpen, hoor je, Zack...'*

Zack had zich door hem laten helpen, en als gevolg daarvan was Dom nu dood.

'Hé, Zack, wil je nog een stukje van Mama's salami? Ik heb nog zat.'

Terwijl hij voor het raam stond, van zijn cognac dronk en met nietsziende ogen naar Julie's sneeuwpop keek, kon hij Dom bijna naast zich voelen. Dom had altijd zo genoten van stomme kleine dingetjes. Hij zou het waarschijnlijk enig hebben gevonden samen met Julie die sneeuwpop te maken...

Zack verstijfde, en hij keek links en rechts de tuin in. Julie!

'Julie!' schreeuwde hij, terwijl hij met grote passen naar de achterdeur liep en hem openrukte. Wind en sneeuw sloegen hem in het gezicht. 'Julie, kom ogenblikkelijk binnen voor je nog doodvriest!' Met zijn blik strak op de voetstappen in de sneeuw gericht, volgde hij ze naar de garage aan de achterzijde van het huis.

'Julie!' blafte hij, terwijl hij de deur van de garage opengooide. 'Wat dóe je hier, verd –'

Zack bleef stokstijf staan en kon zijn ogen niet geloven. Het zeil was van de beide sneeuwscooters gehaald, en één van de scooters ontbrak. Bij de deur liep het spoor van de missende sneeuwscooter naar de rand van het bos.

Enkele minuten geleden had hij nog kunnen zweren dat hij niet in staat was om nog bozer en verdrietiger te zijn dan hij geweest was toen hij hoorde dat Dom niet meer leefde, maar wat hij nú voelde, overtrof alles.

Koud. Enkele minuten nadat ze de beschutting van het bos achter zich had gelaten en het steile bergpad was op gereden, had Julie het al door en door koud. Aan haar wimpers bij haar ooghoeken hingen kleine ijspegeltjes. De sneeuw sloeg haar in het gezicht en verblindde haar; haar lippen, armen en benen waren stijf. De scooter vloog over een greppel en slipte, maar toen ze probeerde om gas terug te nemen, waren haar ledematen zo stijf dat het gevaarlijke seconden duurde voor haar lichaam de opdracht van haar hersens gehoorzaamd had.

Het enige dat niet verdoofd was door de kou, was haar angst, de angst dat Zack haar zou inhalen en een streep door haar ontsnapping zou halen. Daarnaast was ze nu opeens ook bang dat ze, als hij dat niet zou doen, hier, op deze bergweg onder een dikke laag sneeuw zou doodvriezen. In gedachten zag ze al helemaal voor zich hoe er in het voorjaar naar haar gezocht zou worden, en dat ze haar keurig bewaard gebleven resten onder een hoopje half gesmolten sneeuw zouden aantreffen.

Ver onder zich, tussen de takken van de bomen door, ving ze een glimp op van de doorgaande weg die zich door de bergen slingerde. De helling was veel te steil om van hier af regelrecht naar beneden te suizen, en de kans dat ze de weg levend zou bereiken, was zo gering dat ze het niet aandurfde. Bovendien moest ze eerst die gezwollen bergbeek nog over. Ze probeerde zich te herinneren waar de brug was. Voor haar gevoel moest hij voorbij de eerstkomende haarspeld-bocht zijn, maar het was moeilijk te schatten omdat er van de 'weg' niet meer over was dan een smal pad tussen de hoog opgewaaide sneeuw.

Ze bedacht dat ze er waarschijnlijk verstandig aan zou doen om te stoppen en een paar gymnastiekoefeningen te doen om weer warm te worden, maar aan de andere kant durfde ze geen tijd te verliezen. Als de scootersporen van de garage naar de bosrand al waren volge-sneeuwd wanneer hij ontdekt dat ze verdwenen was, zou hij automa-tisch aannemen dat ze via het bergpad was gegaan, en dan zou hij haar veel sneller en gemakkelijker inhalen dan wanneer hij haar slinger-weg dwars door het bos zou proberen te volgen. Ze had niet over haar schouder gekeken omdat ze haar ogen niet van de weg durfde te ha-len, maar nu ze zich realiseerde dat alles afhing van de snelheid waar-mee haar sporen dichtsneeuwden, kon ze het opeens niet laten. Ze wierp een snelle blik achterom, en onderdrukte een schreeuw. Hoog boven zich zag ze een sneeuwscooter uit het bos te voorschijn schie-ten en lijnrecht afvliegen op de weg.

Doodsangst en woede deden haar de kou vergeten, en de adrena-line vloeide rijkelijk door haar aderen. In de hoop dat hij haar door de dichte rij bomen aan weerszijden van het smalle pad nog niet had gezien, zocht ze naar een plek waar ze zich zou kunnen verstoppen zodat hij haar voorbij zou snellen. Voor zich, achter de volgende haarspeldbocht, zag ze een kleine vlakte, maar er waren daar grote rotsblokken langs de kant van het pad gezet om te voorkomen dat de auto's uit de bocht zouden vliegen. Ze zou moeten proberen om tus-sen de rotsblokken door te sturen en gas terug te nemen voordat ze bij de rand van de vlakte was. Daarna zou ze een verstopplaatsje moeten zoeken tussen de bomen die links van de weg boven de zijkant van de weg uitstaken. Omdat er geen tijd was om een ander plan te verzin-nen, mikte Julie de scooter op een opening tussen twee schouderhoge rotsblokken, trapte op de rem en schoot over de rand van de berg.

De vlakte bleek veel smaller te zijn dan ze gedacht had, en gedu-rende enkele angstaanjagende seconden vloog ze door de lucht op de kruinen van een groepje pijnbomen af. Het volgende moment dook de scooter omlaag, raakte de grond, en schoot als een onbestuurbaar geworden raket op de bomen en, daarachter, de wilde bergstroom af. Julie zette het op een krijsen toen ze de scooter voelde kantelen. Ze zou een verschrikkelijke klap hebben gemaakt als ze niet juist op dat moment bij de bomen was gekomen die hun takken als armen naar haar uitgespreid hielden en haar van de scooter tilden. De scooter zelf vloog van de helling af, maakte een koprol en gleed over het ijs langs de oever, om uiteindelijk, met de voorzijde in de takken boven het woest kolkende water, tot stilstand te komen.

Verdoofd van de opluchting en een beetje versuft, lag Julie naast de boom die haar val had gebroken, en keek naar de scooter die half boven het water hing. En achter haar... Ze dwong zichzelf om zich op haar zij te draaien, op haar knieën te gaan zitten en onder een boom te kruipen. Zijn sneeuwscooter vloog door de lucht langs haar schuilplaats heen, en Julie kroop nog wat verder naar achteren. Ze had zich de moeite kunnen besparen, want hij keek haar kant niet eens uit. Hij zag haar scooter op het ijs liggen, en had nergens anders meer oog voor.

Ze zag Zack van zijn scooter springen en naar de beek toe rennen. 'JULIE!' schreeuwde hij keer op keer, en tot haar ongeloof zag ze hem het dunne ijs op lopen. Hij dacht kennelijk dat ze erdoorheen was gezakt, en ze nam aan dat hij blij was dat hij van haar af was.

Julie dacht dat hij alleen maar geïnteresseerd was in haar scooter, en ze keek naar zijn scooter die hij in de sneeuw had laten staan. Hij stond veel dichter bij haar dan bij hem; ze kon er eerder bij zijn dan hij. Als hij er niet in zou slagen haar scooter te redden, dan zou ze alsnog kunnen ontsnappen. Ze hield haar blik op zijn rug gericht, kroop onder de boom vandaan, kwam overeind en ging, van boom naar boom sluipend, op weg naar zijn scooter.

'JULIE, GEEF ANTWOORD, VERDOMME!' riep hij, terwijl hij zijn jack uittrok. Het ijs bij zijn voeten begon te kraken, en de achterkant van haar scooter kwam omhoog toen het apparaat in de beek zakte en verdween. In plaats van zo snel mogelijk terug te keren naar de veilige oever, zocht hij steun bij de takken van een omgevallen esdoorn en liet zich in het ijskoude water zakken.

Zijn schouders verdwenen, en vervolgens ook zijn hoofd, en Julie haastte zich naar de volgende boom. Hij kwam boven water om naar lucht te happen en haar naam te roepen, en nadat hij weer was ondergedoken, rende Julie naar de laatste boom. Op nog geen drie meter van zijn scooter en haar vrijheid, bleef ze staan en keek hulpeloos naar de beek waar hij verdwenen was. Haar verstand schreeuwde haar toe dat Zachary Benedict een moordenaar, een ontsnapte gevangene en een ontvoerder was, en dat ze nú moest ontsnappen zolang ze dat kon. Haar geweten schreeuwde haar toe dat als ze hem nu in de steek liet en zijn scooter pakte, hij dood zou vriezen omdat hij geprobeerd had haar te redden.

Op dat moment zag ze zijn donkere hoofd weer boven water komen, en een snik van opluchting kwam over haar lippen toen hij zich op de kant probeerde te hijsen. Zich verwonderend over zijn enorme wilskracht en spierkracht, zag ze hoe hij met moeite uit het water kwam en naar het jack strompelde dat hij eerder had uitgetrokken en had weggesmeten. In plaats van het aan te trekken, ging hij ernaast zitten, bij een met sneeuw bedekt rotsblok aan de oever van de beek.

Julie's innerlijke strijd escaleerde tot waanzinnige proporties. Hij was niet verdronken, hij had het overleefd. Als ze weg wilde, dan moest ze nú gaan, voor hij opkeek en haar zag.

Besluiteloos zag ze hem het jack optillen. De opluchting die ze voelde toen ze dacht dat hij het aan zou trekken, sloeg om in ontzetting toen ze hem het tegendeel zag doen: hij gooide het jack van zich af, deed de bovenste knoopjes van zijn hemd open, leunde met zijn hoofd tegen het rotsblok en sloot zijn ogen. Sneeuw dwarrelde om hem heen en plakte aan zijn natte haren en gezicht. Julie begreep dat hij niet eens wilde probéren om terug te keren naar huis! Hij dacht kennelijk dat ze verdronken was, en wilde zichzelf straffen omdat haar dood zijn schuld was.

'*Zeg me dat je gelooft dat ik onschuldig ben*,' had hij haar de vorige avond bevolen, en op dat moment wist Julie heel zeker dat hij de moord waarvan hij beschuldigd was, niet had gepleegd.

Zonder dat ze zich ervan bewust was dat ze huilde en dat ze rende, haastte Julie zich de helling af naar waar hij zat. Toen ze zo dichtbij was dat ze zijn gezicht kon zien, voelde ze zich zo ellendig dat ze het liefste in een klein hoekje was weggekropen. Zijn gezicht was een verwrongen masker van intense spijt.

De kou vergeten, pakte ze zijn jack op en hield het hem voor. Ze slikte en zei fluisterend: 'Je hebt gewonnen. Kom, we gaan naar huis.'

Toen hij geen antwoord gaf, liet Julie zich op haar knieën vallen en probeerde zijn slappe armen in de mouwen van het jack te duwen.

'Zack, wakker worden!' riep ze. Haar schouders schokten van de onderdrukte snikken. Ze trok hem in haar armen, wiegde zijn hoofd tegen haar borst en probeerde hem een beetje van haar warmte te geven. 'Toe!' drong ze aan, terwijl ze zich hysterisch voelde worden. 'Sta op alsjeblieft. Ik kan je niet tillen. Je moet me helpen, Zack, alsjeblieft. Weet je nog dat je zei ernaar te verlangen dat iemand tegen je zou zeggen dat hij geloofde dat je onschuldig was? Toen geloofde ik je maar half, maar nu ben ik ervan overtuigd. Ik zweer het. Ik wéét dat je niemand hebt vermoord. Ik geloof alles wat je me hebt verteld. Sta op! Alsjeblieft, sta op!'

Het leek wel alsof hij nog zwaarder werd, alsof hij volledig bewusteloos was geraakt, en Julie raakte in paniek. 'Zack, niet slapen alsjeblieft,' schreeuwde ze. Ze pakte zijn pols en begon zijn slappe arm in de mouw van het jack te duwen terwijl ze bedacht wat ze zou kunnen zeggen om hem zover te krijgen dat hij deed wat ze wilde. 'We gaan naar huis. We gaan met elkaar naar bed. Dat wilde ik gisteravond al, maar ik was bang. Help me je naar huis te brengen, Zack,' smeekte ze. Nadat ze zijn beide armen in de mouwen van het jack had geperst, trok ze de rits dicht. 'Wat zou je ervan zeggen om voor de haard te vrijen? Dat lijkt je vast wel wat, niet?'

Toen ze zijn jack dicht had, stond ze op, pakte hem bij zijn polsen en trok zo hard als ze maar kon, maar in plaats van dat ze hem overeind kreeg, gleed ze uit in de sneeuw en viel. Ze krabbelde weer overeind, rende naar zijn sneeuwscooter en duwde hem naar de plek waar hij lag. Ze boog zich over hem heen en schudde hem door elkaar. Hij werd niet wakker. Ze haalde diep adem, sloot haar ogen om moed te vergaren, en gaf hem vervolgens een keiharde mep in zijn gezicht. Hij deed zijn ogen open, maar het volgende moment vielen ze weer dicht. Ze negeerde de felle pijn die vanuit haar ijskoude vingers omhoogschoot door haar arm, en trok hem aan zijn polsen. 'Je moet me helpen om de weg terug naar huis te vinden,' zei ze, en rukte hem hard aan zijn armen. 'Als je me niet helpt om naar huis te komen, dan vriezen we hier alle twee dood. Wil je dat ik hier doodvries? Zack, help me, alsjeblieft,' riep ze. 'Laat me niet sterven!'

Het duurde even voor het tot haar was doorgedrongen dat hij niet meer zo loodzwaar was als eerst, en dat hij reageerde op iets wat ze had gezegd. Hij gebruikte het kleine beetje kracht dat hem nog restte om te proberen op te staan. 'Ja, goed zo,' hijgde Julie. 'Ga staan. Help me naar huis komen, waar het warm is.'

Zijn bewegingen waren angstaanjagend sloom en traag, en toen hij zijn ogen opendeed leek het alsof hij helemaal niets zag. Toch probeerde hij nu mee te werken. Na een aantal mislukte pogingen lukte het Julie eindelijk om hem overeind te krijgen, zijn arm om haar schouders te slaan en hem op de scooter te hijsen. Toen hij eenmaal op het zadel zat, zakte hij voorover over het stuur.

'Je moet me helpen met het evenwicht,' zei ze, nadat ze haastig achter hem was opgestapt. Ze keek naar het pad dat hij naar beneden had genomen, begreep dat het onmogelijk was om diezelfde steile helling weer op te komen, en besloot om het weggetje te volgen dat ze met de auto hadden genomen. Ze boog zich ver over hem heen om hem met haar lichaam tegen de ijzige wind te beschermen, startte de motor en ging op weg. 'Zack,' zei ze dicht bij zijn oor, 'je rilt nog steeds.' Ze wist dat ze tegen hem moest blijven praten om hem wakker te houden, en om haar eigen angst geen kans te geven. 'Rillen is goed. Dat betekent dat je lichaam nog niet helemaal onderkoeld is geraakt. Dat heb ik ooit eens ergens gelezen.' Julie stuurde de scooter in de richting van het smalle pad, en hoopte maar dat de motor van scooter sterk genoeg was om hen allebei de berg op de krijgen.

Hoofdstuk 28

Voordat Julie hem eindelijk naar haar slaapkamer had gekregen, waar ze zeker wist dat er hout in de open haard lag, was hij tweemaal op de gang in elkaar gezakt. Buiten adem van de inspanning, wankelde ze naar het bed en liet hem erop vallen. Zijn kleren waren stijf en zaten onder het ijs, en ze begon hem uit te kleden. Toen ze bezig was met zijn broek, mompelde hij: 'Douche. Hete douche.'

'Nee,' zei ze, en deed haar best om zo zakelijk en onpersoonlijk mogelijk te klinken, terwijl ze hem zijn ijskoude ondergoed begon uit te trekken. 'Nog niet. Mensen die onderkoeld zijn, moeten langzaam en niet met een directe warmtebron weer op temperatuur worden gebracht. Dat heb ik vroeger, op een E.H.B.O.-cursus geleerd. En je moet het maar niet erg vinden dat ik je uitkleed. Ik ben juffie, en voor mij ben je gewoon het zoveelste jongetje,' loog ze. 'Een juffie is eigenlijk een soort van verpleegster, wist je dat?' voegde ze eraan toe. 'Blijf wakker! Luister naar mijn stem!' Ze trok zijn boxershort over zijn gespierde benen, keek omlaag om te zien hoever ze gevorderd was, en werd vuurrood. Het schitterende mannenlijf dat voor haar op bed lag, zag eruit als de middenpagina van een Playgirl die ze vroeger ooit eens op school had gezien. Behalve dat dit schitterende mannenlijf blauw zag van de kou en rilde.

Ze pakte de dekens, dekte hem toe, wreef hem met de dekens en haalde toen nog eens vier dekens uit de kast die ze over hem heen legde. Nadat ze hem had ingestopt, haastte ze zich naar de open haard in de hoek en begon het vuur aan te steken. Pas toen het vuur goed brandde, gunde ze zich de tijd om haar skipak uit te trekken. Omdat ze hem niet alleen durfde te laten, bleef ze aan het voeteneinde van het bed staan en luisterde, terwijl ze het pak van zich afstroopte, naar zijn korte en oppervlakkige ademhaling. 'Zack, hoor je me?' vroeg ze, en hoewel hij geen antwoord gaf, begon ze er zomaar op los te babbelen om hèm moed te geven om er weer bovenop te komen, en zichzélf ervan te overtuigen dat hij weer beter zou worden. 'Je bent sterk, Zack, erg sterk. Dat was me al opgevallen toen ik je mijn band zag verwisselen, en ik heb het vandaag ook weer gezien, aan de manier waarop je je uit de beek hees. En je bent ook heel moedig. Er zit een jongetje in mijn klas – hij heet Johnny Everett – die ervan droomt om ontzettend sterk te worden. Hij is invalide en hij zit in een rolstoel, en ik heb verschrikkelijk met hem te doen, maar hij weet van geen ophouden. Ik heb je gisteravond over hem verteld, weet je nog?' Zonder zich bewust te zijn van de tedere klank van haar stem, vervolgde ze: 'Hij is verschrikkelijk moedig, net als jij. Mijn broers hadden vroeger posters van jou in hun kamer hangen. Heb ik je dat ooit verteld? Er is zo veel dat ik je zou willen vertellen, Zack,' zei ze met onvaste stem. 'En dat zal ik ook doen, maar je moet me beloven dat je blijft leven. En dan zal ik je alles vertellen wat je maar weten wilt.'

Ze begon in paniek te raken. Misschien moest ze nog meer haar best doen om hem warm te krijgen en wakker te houden. Wat als hij tengevolge van haar onwetendheid zou sterven? Ze haalde een dikke badjas uit de kast, trok hem aan en ging bij zijn heup op het bed zitten. Ze legde haar vingers op de kloppende ader in zijn nek en keek op de wekker die op het nachtkastje stond. Zijn hart sloeg veel te traag. Met bevende handen stopte ze de deken bij zijn schouders weer in, en zei met onvaste stem: 'Wat gisteravond betreft – Ik beken je hierbij dat ik het heerlijk vond om door je gekust te worden. Ik wilde niet dat het alleen bij die kussen zou blijven, en dat maakte me juist zo bang. Het had helemaal niets te maken met het feit dat je in de gevangenis hebt gezeten, het kwam alleen maar doordat ik... omdat ik mezelf niet meer in de hand had, en dat was me nog nooit eerder overkomen.' Ze wist dat hij waarschijnlijk niets hoorde van wat ze zei, en ze zweeg toen hij opnieuw krampachtig begon te rillen. 'Rillen is goed,' zei ze hardop, maar ondertussen probeerde ze wanhopig te bedenken wat ze verder nog voor hem zou kunnen doen. Opeens moest ze denken aan sint-bernardshonden met van die kleine houten vaatjes om hun hals. Ze knipte in haar vingers en stond op. Even later kwam ze terug met een glas cognac. Ze straalde als gevolg van iets wat ze in de keuken op de radio had gehoord. 'Zack,' zei ze met klem, terwijl ze naast hem ging zitten en zijn hoofd een stukje optilde opdat hij zou kunnen drinken, 'hier, drink een beetje, en probeer te begrijpen wat ik tegen je zeg. Ik heb zojuist op de radio gehoord dat die vriend van je, Dominic Sandini, in het ziekenhuis van Amarillo ligt. Het gaat goed met hem! Heb je me gehoord? Hij is helemáál niet dood. Hij is bij bewustzijn. Ze gaan ervan uit dat degene die de valse informatie verstrekt heeft zich vergist heeft, of het alleen maar heeft gezegd om de gevangenenopstand de kop in te drukken. Zack?'

Na enkele minuten van proberen had hij nog maar één enkel lepeltje cognac gedronken, en Julie gaf het op. Ze wist dat ze op zoek kon gaan naar de telefoon die hij had verstopt en dat ze een dokter zou kunnen bellen, maar de dokter zou hem meteen herkennen en de politie bellen. Dan zouden ze hem hier weghalen en terugbrengen naar de gevangenis, en hij had gezegd dat hij nog liever dood was dan terug te gaan naar de gevangenis.

De minuten kropen voorbij. Ze zat met ineengeslagen handen naast hem, en zo nu en dan biggelde er een traan van angst en uitputting over haar wang. Omdat ze niet wist wat ze anders nog kon doen, begon ze te bidden. 'Help me alstublieft, God,' bad ze. 'Ik weet niet wat ik moet doen. Ik weet niet waarom U ons beiden samen hebt gebracht. Ik begrijp niet waarom U mij deze gevoelens voor hem laat hebben, of waarom U wilt dat ik bij hem blijf, maar op de een of andere manier heb ik het gevoel dat dit allemaal Uw bedoeling is. Ik weet het, omdat... omdat ik, sinds U mij heel lang geleden de Mathisons hebt gegeven, niet meer zo sterk het gevoel heb gehad dat U naast mij staat.'

Julie haalde diep en haperend adem, en veegde een traan weg. 'Alstublieft, God, help ons,' besloot ze.

Het gebed had haar goedgedaan. Zack begon nog heftiger te rillen, en ze zag hem dieper onder de dekens kruipen. In het besef dat hij diep in slaap was en dat hij niet, zoals ze gevreesd had, bewusteloos was, drukte ze een luchtig kusje op zijn voorhoofd. 'Blijf rillen,' fluisterde ze teder. 'Rillen is goed.'

Toen Julie opstond en naar de badkamer ging om zich te douchen, zag ze niet dat hij zijn ogen opendeed, en even later weer sloot.

Hoofdstuk 29

Ze was bezig om haar badjas weer aan te trekken, toen ze bedacht dat ze die verstopte telefoon toch maar beter kon zoeken, al was het maar om haar ouders te bellen en hun te vertellen dat alles goed met haar was. Ze liep naar het bed, legde haar hand op Zacks voorhoofd, en keek naar hoe hij ademhaalde. Zijn temperatuur kwam al redelijk dicht in de buurt van normaal, en zijn ademhaling was dieper. Ze was zo opgelucht dat haar knieën ervan knikten, en ze knielde voor de haard om het vuur nog wat op te stoken. Toen de vlammen weer hoog oplaaiden, liet ze hem slapen, ging de kamer uit, trok de deur zachtjes achter zich dicht en ging op zoek naar de telefoon. Met het idee dat zijn slaapkamer de meest logische plaats was waar hij hem verstopt zou kunnen hebben, ging ze zijn kamer in. Vol verbazing keek ze naar de onvoorstelbare luxe om zich heen. Ze had gemeend dat haar eigen kamer, met zijn uit natuursteen opgetrokken open haard, de spiegeldeuren en de enorme badkamer het toppunt van luxe was, maar deze kamer was vier keer zo groot en vier keer zo luxueus. De hele muur links van haar was bezet met spiegels. Het plafond boven het enorme bed was voorzien van lichtkoepels, en tegenover het bed was een grote haard van wit marmer. De achterste muur bestond uit vensters, die uitliepen in een halve cirkel waardoor een nis ontstond waar, op een verhoging, een wit marmeren bad stond. Bij de open haard stonden twee half gebogen, met veelkleurige zijde beklede bankjes. Op de verhoging, aan weerszijden van het bad, stonden nog twee fauteuils die bekleed waren met dezelfde stof als die welke terugkwam in de quilt die op het bed lag.

Julie liep de kamer verder in. Haar voeten zakten weg in de dikke, lichtgroene vloerbedekking. Links van zich zag ze twee koperen hendels op twee van de spiegelpanelen zitten, en toen ze de deur had opengedaan, hield ze haar adem in bij het zien van de schitterende badkamer met het glazen plafond. De badkamer was door twee wastafels in tweeën gedeeld, en elke helft van de badkamer beschikte over een aparte douche en een apart marmeren bad met goudkleurige kranen.

Ze liep door de badkamer naar de grote kast die aansloot op de rechterhelft van de badkamer, en ging erin om de telefoon te zoeken. Nadat ze beide kasten aan weerszijden van de badkamer, en alle laden van de commode in de slaapkamer zonder succes had doorzocht, kon ze de verleiding niet weerstaan, en pakte een rode, zijden Japanse kimono uit de kast van de vrouw. Ze voelde de behoefte om er, wanneer Zack wakker zou worden, extra aantrekkelijk voor hem uit te zien. Ze strikte de ceintuur om haar middel en vroeg zich af waar Zack die telefoon in vredesnaam verstopt zou kunnen hebben, toen ze opeens aan de kast in de gang dacht, de kast die op slot zat. Ze liep erheen om te zien of hij nog steeds op slot zat, en toen dat het geval bleek te zijn, sloop ze op haar tenen terug naar haar eigen slaapkamer. Ze vond de sleutel waar ze vermoedde dat hij was: in de achterzak van zijn broek.

De gangkast bevatte een grote voorraad wijn en sterke drank, en vier telefoons.

Julie pakte één van de telefoons op en ging ermee naar de zitkamer waar ze hem aansloot. Nadat ze, met haar benen onder zich getrokken en het toestel op schoot op de bank was gaan zitten, voelde ze zich opeens vreemd zenuwachtig. Ze had het nummer al voor de helft gedraaid, toen ze opeens bedacht dat het bellen van haar ouders waarschijnlijk een ernstige vergissing was. Ze legde de hoorn terug en verbrak de verbinding. Aangezien ontvoering een strafbaar feit was – en Zack een ontsnapte gevangene was – was het niet ondenkbaar dat de FBI bij haar ouders in huis was en zat te wachten tot ze belde om na te kunnen gaan waar het telefoontje vandaan kwam. Zo ging het tenminste altijd in de film. Ze had al besloten om hier te blijven bij Zack, en om alles over te laten aan God, maar aan de andere kant móest ze haar ouders bellen om hen gerust te stellen. Aangezien ze niet iemand van de familie durfde te bellen, moest ze iemand anders bellen, iemand die ze onvoorwaardelijk zou kunnen vertrouwen, iemand die niet meteen de kluts kwijt zou raken wanneer hij of zij hoorde wie er aan de telefoon was.

Julie dacht aan haar collega's van school, maar wist meteen dat geen van hen in aanmerking kwam. Het waren geweldige vrouwen, maar voor dit soort dingen waren ze niet geschikt. Opeens wist ze het. Ze stond op om haar adresboekje uit haar tas te halen. Ze sloeg het open bij de C, trok de telefoon op haar schoot en las het telefoonnummer dat ze van Katherine Cahill had opgeschreven voordat ze de vrouw van Ted Mathison was geworden. Eerder die maand had Katherine haar een briefje gestuurd met het verzoek of ze, wanneer ze deze week voor een paar dagen in Keaton moest zijn, elkaar zouden kunnen treffen. Grinnikend realiseerde ze zich dat Ted woedend zou zijn omdat ze Katherine hierbij betrok. Katherine zou naar het huis van haar ouders gaan, en daar kon Ted niet om haar heen. En Katherine? Katherine zou haar daar innig dankbaar voor zijn. 'Katherine?' vroeg Julie nadat de andere vrouw in het huis van haar ouders had opgenomen. 'Je spreekt met Julie. Zeg niets als je niet alleen bent.'

'Julie! Grote goden! Ja, ik ben alleen. Mijn-mijn ouders zijn op de Bahamas. Waar ben je? Is alles goed met je?'

'Ja, met mij is alles goed, dat zweer ik je.' Ze haalde even diep adem om haar zenuwen onder controle te houden, en vroeg toen: 'Weet jij of er mensen – de politie of de FBI, bedoel ik – bij mijn ouders thuis zijn?'

'Ja, ze zijn bij je ouders, en overal in de stad. Iedereen wordt door ze aan de tand gevoeld.'

'Luister, je moet iets voor me doen, iets belangrijks. Wat ik je wil vragen is niet in strijd met de wet, maar je moet me beloven dat je niet tegen de politie zegt dat ik je gebeld heb.'

'Julie, voor jou doe ik àlles,' verklaarde Katherine met gevoel. 'Ik-ik voel me vereerd dat je mij belt, dat je me de kans geeft om iets terug te doen na alles wat je voor mij hebt gedaan toen Ted van me wilde scheiden, voor de manier waarop je altijd achter me hebt gestaan –' Ze zweeg net toen Julie op het punt stond haar in de rede te vallen. 'Wat wil je dat ik doe?'

'Ik wil dat je naar mijn ouders en mijn broers gaat en hun zegt dat ik je over een uurtje of zo terug zal bellen, en dat ik dan graag met ze zou willen praten. Katherine, zorg er alsjeblieft voor dat de FBI geen argwaan krijgt. Doe zo natuurlijk mogelijk, en zorg dat ze alleen zijn wanneer je ze mijn boodschap geeft. Je bent toch niet bang voor de FBI, hè?'

Katherine lachte verdrietig. 'Zoals Ted altijd terecht opmerkte, was ik een klein verwend prinsesje dat altijd precies kon doen waar ze zin in had. Het zal je toch duidelijk moeten zijn dat zo'n voormalig prinsesje heus niet onder de indruk is van een paar plebejische FBI-ers. En als ze toch vervelend mochten worden,' besloot ze lachend, 'dan laat ik pappie senator Wilkins wel even bellen.'

'Mooi zo, uitstekend,' zei Julie, maar haastte zich er aan toe te voegen: 'Nog iets. Zorg ervoor dat mijn ouders beseffen dat ik op dit moment absoluut niets te vrezen heb, maar dat mijn veiligheid op het

194

spel komt te staan als iemand nagaat waar ik vandaan bel. Ik-ik kan het je niet precies uitleggen, daar heb ik geen tijd voor, en al had ik dat wel –'

'Je hoeft mij niets uit te leggen. Ik hoor aan je stem dat alles goed met je is, en dat is het enige dat voor mij telt. Waar je zit, en met wie... Ik weet dat je, wat je ook doet, alleen maar iets zult doen waar je zelf helemaal achter staat. Je bent het beste mens dat ik ooit heb gekend, Julie. Nu, ik ga. Bel me over een uurtje terug.'

Julie stak de open haard in de zitkamer aan, en ijsbeerde ongeduldig door de kamer heen en weer tot het uur voorbij was. Eindelijk kon ze bellen, en voor de tweede maal draaide ze het nummer van de Cahills.

Haar anders altijd zo kalme vader griste de hoorn van het toestel. 'Ja? Met wie spreek ik?'

'Met Julie, pap,' zei ze, en greep de hoorn stevig beet. 'Alles is goed met me. Alles is best –'

'Godzijdank!' riep hij uit met een stem die schor was van de emotie. Toen riep hij: 'Mary, het is Julie, en alles is goed met haar. Ted, Carl– Julie aan de telefoon, en ze mankeert niets. Julie, we hebben gedaan wat je wilde, we hebben hier niets van tegen de FBI gezegd.'

Ruim vijftienhonderd kilometer verder kon Julie horen hoe er meerdere toestellen in het huis van de Cahills werden opgenomen. Iedereen begon tegelijk te praten, maar Teds geruststellende en autoritaire stem klonk boven alle andere uit. 'Stil, iedereen,' beval hij. 'Julie, ben je alleen? Kun je praten?' Voor ze antwoord kon geven, vervolgde hij: 'Die leerling van je, dat jongetje met die diepe stem – Joe Bob Artis – is helemaal ziek van de zorgen om je.'

Even begreep Julie niet wie hij bedoelde, maar toen realiseerde ze zich dat hij met opzet een verkeerde naam had gebruikt. 'O, je bedoelt Wíllie,' corrigeerde ze hem. 'Ja, en ik ben alleen, dat wil zeggen, op dit moment.'

'Godzijdank. Waar ben je, liefje?'

Julie deed haar mond open, maar er kwam geen geluid over haar lippen. Voor het eerst van haar leven zou ze tegen de Mathisons moeten liegen, en ze schaamde zich diep. 'Dat weet ik niet precies,' antwoordde ze ontwijkend. 'Maar het is hier wel... koud,' voegde ze er nog aan toe.

'Ben je in Canada?'

'Dat-dat kan ik niet zeggen.'

'Zeker omdat die Benedict daar bij je is, hè?' riep Ted woedend uit. 'Daarom kun je niet zeggen waar je bent. Ik wil nu meteen met die kerel spreken, Julie!'

'Dat gaat niet! Luister, allemaal, ik moet ophangen, maar jullie moeten geloven dat ik op geen enkele manier mishandeld word. Ted,' zei ze, tegen de enige van wie ze hoopte dat hij haar zou begrijpen, 'hij heeft niemand vermoord. Dat weet ik zeker. De jury heeft zich vergist, en op grond daarvan kun je het hem, kunnen wíj het hem niet kwalijk nemen dat hij ontsnapt is.'

'De jury heeft zich vergist!' blafte Ted. 'Julie, trap daar toch niet in! Hij is een moordenaar en een ontvoerder!'

'Nee! Hij heeft me helemaal niet willen ontvoeren. Hij wilde alleen maar een auto om weg te komen uit Amarillo, en nadat hij een lekke band van de Blazer voor me verwisseld had, heb ik hem een lift aangeboden. Hij was van plan om me te laten gaan, maar toen ik zijn kaart had gezien, kon hij me niet meer laten gaan –'

'Welke kaart heb je gezien, Julie? Een kaart van wat? Van welke streek?'

'Ik moet nu ophangen,' zei ze verdrietig.

'Julie!' hoorde ze de stem van haar vader. 'Wanneer kom je terug?'

'Zodra hij me laat gaan – nee, zodra ik kan. Ik-ik moet nu echt ophangen. Beloof me dat je niemand vertelt dat ik gebeld heb.'

'Dat beloven we. We houden van je, Julie,' verklaarde dominee Mathison kalm. 'De hele stad bidt voor je.'

'Pap,' vroeg ze, omdat ze zich niet kon inhouden, 'zou je de mensen willen vragen of ze ook voor hem kunnen bidden?'

'Ben je soms helemaal gek geworden!' brulde Ted. 'De man is een moorde –' Julie hoorde niet wat hij verder nog zei, want ze had al opgehangen. Ze slikte de opgekomen tranen terug. Doordat ze hun gevraagd had om voor haar ontvoerder te bidden, had ze haar ouders en broers ongewild de indruk gegeven dat ze Benedicts slachtoffer of medeplichtige was. Ze haalde diep adem en hield zich voor dat Zachary Benedict wel degelijk onschuldig was, en dat dát op dit moment het enige was dat telde. Het helpen van een onschuldig mens om uit de gevangenis te blijven, was niet immoreel en niet in strijd met de wet, en het betekende evenmin dat ze het vertrouwen van haar familie beschaamd zou hebben.

Ze stond op, legde vers hout op het vuur, ruimde de telefoon weer op in de kast, en ging vervolgens naar de keuken waar ze eerst alles opruimde en schoonmaakte, om vervolgens een stoofpot te maken voor haar patiënt wanneer deze wakker zou worden. Ze was bezig met het schillen van de aardappelen, toen het tot haar doordrong dat het, als hij erachter zou komen dat ze gebeld had, haar wel eens heel veel moeite zou kunnen gaan kosten om hem ervan te overtuigen dat haar familie en ex-schoonzusje volkomen te vertrouwen waren en echt niet aan de politie zouden vertellen dat ze hen had opgebeld. Aangezien hij al meer dan genoeg aan zijn hoofd had, besloot ze het hem niet te vertellen.

Toen ze klaar was, ging ze binnen op de bank zitten. Ze had de radio aan laten staan zodat ze het kon horen als er meer nieuws was dat Zack zou interesseren.

Het was grappig, ironisch bijna, dacht ze, dat ze al die jaren als een soort Mary Poppins door het leven was gegaan en nooit van het rechte pad was afgeweken, om dan nu in deze situatie terecht te komen. Op de middelbare school had ze een heleboel vrienden gehad, maar ze had ze altijd op een afstandje gehouden en op de een of andere manier waren ze bereid geweest om dat te accepteren. Ze haalden haar van huis om mee te gaan naar rugbywedstrijden, namen haar in de auto mee naar school en namen haar op in hun wilde, luidruchtige groepjes. Later, toen ze studeerde, was ze heimelijk smoorverliefd op Steve Baxter. Toch ging ze nooit met hem uit, want de knappe en populaire ster van het rugbyteam stond bekend als een flirter, en hij had de reputatie van vaker in bed te scoren dan op het rugbyveld. Om redenen die ze nooit had kunnen begrijpen, liep Steve haar twee jaar lang achterna, en zorgde er altijd voor om te zijn waar zij was. Hij deed erg zijn best om oprecht te zijn, en om haar ervan te overtuigen dat ze een speciaal plaatsje in zijn hart had. Ze lachten samen heel wat af en konden urenlang met elkaar praten, maar dat deden ze alleen in groepjes en met anderen erbij, want Julie wilde niets weten van een vaste relatie met hem.

Nu Julie haar saaie en keurige verleden vergeleek met de chaotische situatie waarin ze nu verkeerde en met haar onzekere toekomst, dan wist ze niet of ze moest lachen of huilen. Gedurende al die jaren had ze nooit iets gedaan dat niet door de beugel kon, want ze wilde niet dat haar ouders of de mensen van Keaton slecht over haar zouden denken. En nu ze dan eindelijk van het smalle rechte pad afweek, deed ze dat ook meteen niet zo'n heel klein beetje ook. Ze stond niet alleen op het punt om morele principes te overtreden, maar waarschijnlijk zou ze nog wetten overtreden ook!

Julie keek somber naar haar handen. Vanaf het moment waarop ze bij de Mathisons was ingetrokken, had ze een aantal 'offers' gemaakt. Tot die offers behoorde ook de beslissing om onderwijzeres te worden, want ze had veel liever een andere studierichting gekozen om een beroep te nemen waar meer geld mee te verdienen zou zijn. Maar toch had elk offer haar altijd weer zo veel voldoening gebracht, dat ze telkens weer het gevoel had dat ze veel meer ontving dan ze gaf.

Het was alsof ze op het moment was gekomen waarop ze moest betalen voor een leven lang van beloningen waar ze geen recht op had gehad. Zachary Benedict had die moord waarvan hij beschuldigd was niet gepleegd, en op de een of andere manier had ze het gevoel dat het aan haar was om hem te helpen.

Ze ging op haar zij liggen en keek naar de vlammen in de haard. Totdat bekend was wie de ware moordenaar was, zou niemand ter wereld, en zelfs haar ouders niet, kunnen goedkeuren wat ze van nu af aan deed. Maar zodra haar familie eenmaal had ingezien dat Zack onschuldig was, zouden ze achter haar staan. Dan zouden ze er geen moeite mee hebben dat ze binnen zo'n korte tijd verliefd op hem was geworden – als het inderdaad liefde was wat ze voor hem voelde – en zouden ze er ook geen bezwaar tegen hebben dat ze met hem naar bed was gegaan. Zenuwachtig, maar zich ook verheugend op wat er gebeuren zou, besefte Julie dat ze er niets aan kon doen dat ze verliefd was geworden. En dat ze met hem naar bed zou gaan, dat stond als een paal boven water, tenzij hij sinds de vorige avond opeens van gedachten veranderd was. Aan de andere kant was het wel zo dat ze heimelijk hoopte dat hij haar een paar dagen zou gunnen om hem eerst wat beter te leren kennen.

Buiten dat kon ze verder niets anders doen dan ervoor te zorgen dat ze zichzelf onnodige pijn zou besparen. Ze zou geen dingen moeten doen of zeggen waarmee ze zichzelf nog kwetsbaarder maakte dan ze nu al was. Ze was tenslotte niet helemaal van gisteren. Lang voordat Zachary Benedict naar de gevangenis was gestuurd, had hij geleefd in een luxewereldje dat gekenmerkt werd door losse zeden. Ze had voldoende over hem gelezen om te weten dat Zachary Benedict vroeger sprookjesachtige huizen en villa's had bezeten, waar hij overdadige feesten gaf die bezocht werden door andere beroemde filmsterren, vooraanstaande zakenlieden, leden van Europese vorstenhuizen en zelfs de president van de Verenigde Staten.

Hij was géén vriendelijke, eenvoudige dominee van een kerk in een kleine gemeenschap.

Julie wist dat ze, in vergelijking met hem, even naïef en onwerelds was als de spreekwoordelijke pasgeboren baby.

Hoofdstuk 30

Het was over tienen toen ze wakker schrok. Vanuit haar ooghoek zag ze links van zich iets bewegen, en net toen ze haar hoofd opzij draaide om te kijken wat het was, hoorde ze een geamuseerde mannenstem zeggen: 'Een verpleegster die haar patiënt in de steek laat en in slaap valt, hoeft niet te rekenen op de uitbetaling van haar volledige salaris.'

Julie's 'patiënt' stond nonchalant, de armen over elkaar geslagen, met zijn schouder tegen de schoorsteenmantel geleund, en liet zijn blik traag glimlachend over haar gestalte gaan. Met zijn haar dat nog nat was van de douche, en een crèmekleurig overhemd waarvan de bovenste knoopjes openstonden op een lichtbruine broek, zag hij er ongelooflijk knap en helemaal hersteld uit. Daarbij leek hij ergens over in zijn schik te zijn.

Terwijl ze het verraderlijke sprongetje van haar hart probeerde te negeren, ging ze snel zitten en zei: 'Je vriend, Dominic Sandini, is niet dood. Ze zeggen dat ze denken dat hij er wel weer bovenop komt.'

'Ja, dat heb ik gehoord.'

'Dat heb je gehoord?' vroeg Julie verbaasd, en nam aan dat hij onder het douchen iets op de radio gehoord moest hebben. Zo niet, dan betekende dat dat hij het van haar moest weten, dat hij haar verstaan moest hebben toen ze het aan hem verteld had in de veronderstelling dat hij diep in slaap en half bewusteloos was. En dát betekende weer dat hij zich ook andere dingen zou kunnen herinneren die ze tegen hem had gezegd. Ze wachtte in de hoop dat hij iets over de radio zou zeggen, maar hij bleef maar glimlachend naar haar staan kijken. Ze voelde hoe ze een kleur van schaamte kreeg. 'Hoe voel je je?' vroeg ze, en stond haastig op.

'Een heel stuk beter, nu. Toen ik wakker werd voelde ik me net een gepofte aardappel.'

'Wat? O, je bedoelt dat het te warm was in de slaapkamer?'

Hij knikte. 'Ik droomde maar steeds dat ik dood was en in de hel terecht was gekomen. Toen ik mijn ogen opendeed en de vlammen zag, geloofde ik het ook nog.'

'Dat spijt me,' zei Julie.

'Dat hoeft niet. Het duurde niet lang voor ik me realiseerde dat ik onmogelijk in de hel zou kunnen zijn.'

Zijn vrolijke stemming werkte zo aanstekelijk dat ze, zonder te beseffen wat ze deed, haar hand tegen zijn voorhoofd legde om zijn temperatuur te controleren. 'En hoe wist je zo zeker dat je niet in de hel zat?'

'Omdat,' zei hij zacht, 'er zo af en toe een engel tegen mij sprak.'

'Volgens mij heb je gewoon liggen ijlen,' zei ze lachend.

'Denk je?'

De schorre klank van zijn stem ontging haar niet, en ze liet haar hand snel weer zakken. 'Ik ben ervan overtuigd.'

Vanuit haar ooghoeken zag Julie opeens dat een porseleinen eendje op de schoorsteenmantel de verkeerde kant op keek, en ze haastte zich het recht te zetten.

'Julie,' zei hij met een diepe, fluweelachtige stem die vreemde dingen deed met het ritme van haar hart, 'kijk me aan.' Toen ze hem in de ogen keek, zei hij ernstig: 'Ik ben je dankbaar voor het feit dat je mijn leven hebt gered.'

Betoverd door zijn toon en de uitdrukking in zijn ogen, moest ze haar keel schrapen om haar stem vast te kunnen laten klinken. 'En ik ben je dankbaar voor het feit dat je geprobeerd hebt om het mijne te redden.'

Er veranderde iets in de onpeilbare diepten van zijn ogen. Hoewel ze er nu iets van hartstocht in meende te bespeuren, deed hij geen poging om haar aan te raken. In een poging de geladen stemming te doorbreken met iets praktisch, vroeg ze: 'Heb je honger?'

'Waarom ben je niet weggegaan?' vroeg hij.

Ze begreep uit de klank van zijn stem dat hij niet van onderwerp wilde veranderen voor hij wist wat hij weten wilde. Ze ging weer op de bank zitten, maar hield haar blik op het bloemstukje op tafel gericht omdat ze hem niet aan durfde te kijken. 'Ik kon je daar niet laten liggen, niet nadat je je leven op het spel had gezet in de veronderstelling dat ik verdronken was. Je zou gestorven zijn.' Ze zag dat twee van de witzijden magnolia's in het bloemstukje in een vreemde hoek zaten gebogen, en automatisch leunde ze voorover om ze goed te doen.

'Waarom ben je dan niet weggegaan toen je me veilig en wel in bed had gelegd?'

Julie had het gevoel alsof ze door een veld met landmijnen liep. Zelfs al zou ze de moed hebben gehad om hem aan te kijken en hem te bekennen wat ze voelde, dan kon ze er nog niet zeker van zijn hoe hij zou reageren. 'Om te beginnen is dat geen moment bij mij opgekomen, en daarbij,' voegde ze er na een plotselinge ingeving aan toe, 'had ik er geen idee van waar de autosleutels lagen!'

'Ze zaten in mijn broekzak. In de zak van de broek die je mij hebt uitgetrokken.'

'Nou, eerlijk gezegd heb ik... heb ik er helemaal geen moment aan gedacht om ze te zoeken. Ik denk dat ik me gewoon te veel zorgen om je maakte om helder te kunnen denken.'

'Vind je dat niet een beetje vreemd, gegeven de omstandigheden waaronder je hiernaartoe bent gekomen?'

Julie leunde voorover en pakte een tijdschrift op dat scheef op een stapeltje lag. Ze legde het netjes recht, en schoof vervolgens het bloemstukje naar het precieze midden van de tafel. 'Ik kan niet zeggen dat hetgeen zich in de afgelopen drie dagen heeft afgespeeld, normaal is,' zei ze ontwijkend. 'En ik heb er dan ook geen idee van wat onder deze omstandigheden normaal gedrag genoemd zou kunnen worden.' Ze stond op, en begon de kussens op de bank, die tijdens haar dutje verschoven waren, recht te leggen. Ze bukte zich om er eentje op de rapen die op de grond was gevallen, toen hij lachend vroeg: 'Is dat een tik van je, om alles netjes op te ruimen wanneer je je slecht op je gemak voelt?'

'Dat zou ik niet willen zeggen. Ik ben gewoon een heel ordelijk mens.' Ze kwam overeind en keek hem aan. Het kostte haar moeite om ernstig te blijven. Hij keek haar uitdagend en met iets van spot aan. 'Goed dan,' gaf ze lachend toe, 'ik geef het toe. Het ís een tik van me.' Toen de kussentjes allemaal weer netjes lagen, voegde ze er glimlachend aan toe: 'Toen ik eens een keertje heel erg zenuwachtig was voor een paar tentamens op school, heb ik de hele zolder opgeruimd, en daarna heb ik alle platen van mijn broers en de recepten van mijn moeder op alfabetische volgorde gerangschikt.'

Zijn ogen lachten, maar zijn stem klonk verbaasd en ernstig: 'Doe ik soms iets waar je zenuwachtig van wordt?'

Julie's mond viel open van verbazing, en toen lachte ze. 'Je bent al drie dagen bezig om dingen te doen waar ik verschríkkelijk zenuwachtig van word!'

Ondanks haar afkeurende toontje vervulden haar woorden hem met een onmiskenbaar gevoel van tederheid. Hij kon op dat lieve, expressieve gezichtje van haar geen spoor van angst, of walging of haat ontdekken, en hij kon zich niet herinneren dat iemand hem ooit zo had aangekeken. Zijn eigen advocaten hadden niet eens echt geloofd dat hij onschuldig was. Maar Julie wel. Haar gezicht op dit moment zou voldoende zijn geweest om hem daarvan te overtuigen, maar daarbij kon hij zich nog glashelder herinneren wat ze bij de beek tegen hem had gezegd. *Ik wéét dat je niemand hebt vermoord!'*

Ze had hem bij die beek aan zijn lot kunnen overlaten, of anders, wanneer zoiets voor de dochter van een dominee ondenkbaar was, had ze alsnog kunnen vertrekken nadat ze hem naar huis had gebracht en in bed had gelegd. Ze had de auto kunnen nemen, en naar de eerste de beste telefoon kunnen rijden om de politie te waarschuwen. Maar dat had ze niet gedaan. Omdat ze er echt van overtuigd was dat hij onschuldig was. Zack wilde haar dolgraag in zijn armen nemen en haar zeggen hoeveel dat voor hem betekende; hij wilde zich koesteren in die warme glimlach van haar, en haar aanstekelijke lach weer horen. Maar wat hij nog het liefste wilde, was haar mond op de zijne voelen, haar kussen en strelen tot ze beiden buiten zinnen waren, en haar vertrouwen vervolgens belonen door haar zijn lichaam te geven. Want dat was het enige dat hij haar kon bieden.

Hij wist dat ze zich bewust was van een verandering in hun relatie, en om de een of andere onbegrijpelijke reden maakte haar dat zenuwachtiger dan ze geweest was toen hij haar onder schot had gehouden. Dat wist hij even zeker als hij wist dat ze vanavond met elkaar naar bed zouden gaan en dat zij daar bijna evenzeer naar verlangde als hij.

Julie wachtte tot hij iets zou zeggen of om haar laatste opmerking zou lachen, en toen hij dat niet deed, deed ze een stapje achteruit en wees op de keuken. 'Heb je honger?' vroeg ze nog eens.

Hij knikte bedachtzaam, en bekende op veelzeggende toon: 'Ik ben uitgehongerd.'

Julie deed haar best om zich ervan te overtuigen dat hij dat woord niet met een extra bijbedoeling had gebruikt, en vroeg beleefd: 'Waar heb je zin in?'

'Wat heb je te bieden?' vroeg hij op zijn beurt, en keek haar doordringend aan.

'Ik heb het natuurlijk over eten.'

'O, natuurlijk,' zei hij met een ernstig gezicht, maar zijn ogen glommen van de pret.

'Over een stoofpot, om precies te zijn.'

'Het is van het grootste belang om precies te zijn.'

Julie wilde een eind maken aan dit vreemde, geladen gesprek, en ze begon achteruit te lopen naar de eetbar die de zitkamer van de keuken scheidde. 'Ik zet de borden wel even klaar, en dan kunnen we hier eten.'

'Laten we maar liever hier, bij de open haard eten,' zei hij zacht. 'Dat is gezelliger.'

Gezelliger... Julie kreeg een droge mond. In de keuken deed ze haar best om het eten zo efficiënt mogelijk op tafel te krijgen, maar haar handen beefden zo erg dat het haar de grootst mogelijke moeite kostte om de dikke soep zonder knoeien in de kommen te scheppen. Vanuit haar ooghoeken zag ze hem naar de stereo lopen, een paar CD's uitzoeken en ze in het laatje stoppen. Even later galmde de melodieuze stem van Barbra Streisand door de kamer. Van alle CD's die er in de kast stonden, had hij uitgerekend Barbra Streisand moeten kiezen.

Gezelliger.

Het woord echode door haar hoofd. Ze pakte twee servetten en legde ze op het blad. Toen ging ze, met haar rug naar de kamer toe, voor het aanrecht staan, leunde met haar beide handen erop, en haalde diep adem. Gezelliger. Ze wist heel goed dat hij in werkelijkheid 'intiemer' bedoelde. 'Romantischer.' Ze wist het zeker, net zo goed als ze zeker wist dat de situatie tussen hen onomkeerbaar veranderd was vanaf het moment waarop ze had besloten om bij hem te blijven in plaats van hem bij de beek achter te laten of hem hiernaartoe te brengen en de politie te bellen. En hij wist het ook. Dat was aan alles te merken. Ze merkte het aan de nieuwe, warme blik in zijn ogen wanneer hij naar haar keek, en aan zijn glimlachjes. Julie ging rechtop staan, en schudde haar hoofd. Ze hoefde zichzelf niets wijs te maken. De waarheid was duidelijk. De waarheid was dat ze naar hem verlangde. En dat hij naar haar verlangde. Zij wist het, en hij wist het ook.

Ze legde het bestek op het blad, wierp een heimelijke blik de kamer in, en keek snel weer voor zich. Hij zat op de bank, zijn armen lagen uitgestrekt over de leuning, hij had zijn benen nonchalant over elkaar geslagen, en hij observeerde haar. Hij maakte een ontspannen, toegeeflijke en vooral sexy indruk. Hij zou haar de tijd gunnen die ze nodig had en hij was in de verste verte niet zenuwachtig, maar hij was dan vast ook honderdduizenden keren met honderden beeldschone vrouwen naar bed geweest – allemaal vrouwen die veel knapper waren en ongetwijfeld veel meer ervaring hadden dan zij.

Julie onderdrukte een krampachtig verlangen om de keukenladen op te ruimen.

Zack zag haar terugkomen naar de bank en het blad op tafel zetten. Het viel hem op dat haar bewegingen sierlijk en onzeker waren, en ze deed hem denken aan een angstige gazelle. Het licht van het vuur speelde over haar dikke, kastanjebruine haren die aan één kant over haar schouder vielen. Haar lange, gitzwarte wimpers wierpen lange schaduwen over haar gladde wangen, en voor het eerst zag hij dat ze prachtige handen met mooie, slanke vingers had. Opeens herinnerde hij zich hoe die handen zijn gezicht hadden beetgepakt bij de beek, waarna ze hem in haar armen heen en weer had gewiegd en hem gesmeekt had om op te staan. Op dat moment had het een droom geleken waarin hij een afzijdig staande toeschouwer was geweest, maar daarna, nadat hij in bed was gevallen, waren zijn herinneringen duidelijker. Hij herinnerde zich hoe die handen de dekens over hem hadden gladgestreken, en hoe angstig die mooie stem van haar had geklonken... Hij keek naar haar en verbaasde zich opnieuw over de onschuld die ze uitstraalde, en toen, in het plotselinge besef dat Julie verschrikkelijk haar best deed om hem niet aan te kijken, onderdrukte hij een verbaasd glimlachje. De afgelopen drie dagen had ze zich tegen hem verzet en had ze hem uitgedaagd; vandaag was ze hem eerst te slim af geweest, en daarna had ze zijn leven gered. En toch was ze, nu de vijandige stemming tussen hen geweken was, ondanks haar moed en haar pit, verbazingwekkend verlegen. 'Ik ga wel even een wijntje halen,' zei hij. Voordat ze nee kon zeggen, stond hij op, en kwam even later terug met een fles en twee glazen.

'Ik heb er geen vergif in gedaan,' zei hij een paar minuten later, toen ze haar hand naar een glas uitstak, en die hand meteen weer terugtrok.

'Dat had ik ook niet verwacht,' zei ze met een schuldbewust lachje. Ze pakte het glas en nam een slokje. Zack zag dat haar hand beefde. Ze was bang om met hem naar bed te gaan, besefte hij. Ze wist dat hij het jaren zonder een vrouw had moeten stellen. Ze was waarschijnlijk bang dat hij haar meteen na het eten zou bespringen, en dat hij, zodra ze eenmaal begonnen waren, meteen klaar zou komen. Zack begreep niet waarom ze daar bang voor was; als iemand bang zou moeten zijn, dan was hij het wel. Wie zou zeggen of hij, na vijf jaar onthouding, nog wel een goede minnaar zou kunnen zijn?

En hij was ook bang.

Hij besloot haar gerust te stellen door een oppervlakkig, gezellig gesprekje met haar te voeren. In gedachten liep hij een aantal gespreksthema's door, en net toen hij besloten had om haar nog eens naar haar leerlingen te vragen, drong het tot hem door dat ze hem op een vreemde, onderzoekende manier zat aan te kijken. 'Wat is er?' vroeg hij.

'Ik zat me af te vragen,' zei ze, 'die dag, bij het wegrestaurant, had ik toen écht een lekke band?'

Zack deed zijn best om een schuldig glimlachje te onderdrukken. 'Dat héb je toch zelf gezien?'

'Wil je daarmee soms zeggen dat ik over een spijker of zo ben gereden en dat ik niet gemerkt heb dat mijn band aan het leeglopen was?'

'Dat hoor je mij niet zeggen.' Hij was er min of meer zeker van dat ze hem inmiddels verdacht, maar haar gezicht was zo volkomen uitdrukkingsloos dat hij er geen idee van had of ze een spelletje kat en muis met hem speelde of niet.

'Hoe zou jíj dan zeggen dat het gebeurd is?'

'Nou, als je het mij vraagt, dan is de zijkant van je band waarschijnlijk opeens in contact gekomen met een scherp, puntig voorwerp.'

Ze had haar eten op, leunde achterover en keek hem doordringend aan. Hij voelde zich net als een stout jongetje dat door zijn juf op het matje werd geroepen. 'Een scherp, puntig voorwerp?' herhaalde ze, en trok haar wenkbrauwen op. 'Zoals, bijvoorbeeld, een mes?'

'Ja, zoals een mes,' antwoordde Zack, en hij deed verschrikkelijk zijn best om zijn gezicht in de plooi te houden.

'Jouw mes?'

'Mijn mes.' Met een allesbehalve berouwvol glimlachje voegde hij eraan toe: 'Het spijt me, juffie.'

Julie speelde het spel voortreffelijk verder. Ze trok haar wenkbrauwen op en zei op een autoritair toontje: 'Dan verwacht ik van je dat je die band zult repareren, Zack.'

Het enige dat hem ervan weerhield om het uit te schateren van de lach, was het feit dat hij haar voor het eerst zijn naam hoorde noemen. 'Ja, juf,' zei hij. Het was niet te geloven, dacht Zack. Zijn hele leven stond op de kop, en het enige dat hij wilde was lachen en haar in zijn armen nemen. 'En dan hoef ik toch zeker geen opstel van drie kantjes te schrijven om uit te leggen waarom ik het heb gedaan, hè?' vroeg hij.

Met ogen die fonkelden van de ingehouden pret, keek ze strak naar de kom die hij opzij had geschoven. 'Nee,' zei ze, 'dat is niet nodig. Maar je moet vanavond wel voor straf afwassen.'

'Ah, juf!' protesteerde hij, waarna hij toch gehoorzaam opstond en zijn kom pakte. 'Je bent gemeen, juf.'

'En geen gejammer, ja?'

Zack kon er niets aan doen. Hij schaterde het uit, draaide zich om en verraste haar met een onverwacht kusje op haar voorhoofd. 'Dank je,' fluisterde hij.

'Waarvoor?'

Hij werd ernstig en keek haar recht in de ogen. 'Omdat je me aan het lachen hebt gemaakt. Omdat je gebleven bent en niet naar de politie bent gegaan. Omdat je moedig en grappig bent, en omdat je er onvoorstelbaar lief uitziet in die rode kimono. En voor het heerlijke eten dat je voor me hebt gekookt.' Hij kietelde haar even onder de kin om haar op te vrolijken, en realiseerde zich toen dat haar ernstige gezicht niets met verlegenheid te maken had.

'Ik help je wel,' zei ze, en maakte aanstalten om op te staan.

Zack legde een hand op haar schouder. 'Blijf nu maar rustig zitten en geniet van je wijn.'

Julie, die té gespannen was om stil te blijven zitten, stond op en liep naar het raam. Ze leunde met haar schouder tegen het glas en keek naar het indrukwekkende sneeuwlandschap. In de keuken draaide Zack aan de lichtschakelaar en dimde het licht in de zitkamer. 'Zo kun je meer zien,' zei hij, toen ze hem over haar schouder vragend aankeek. En daarbij, dacht Julie, was het ook veel gezelliger met het gedimde licht en de gloed van het vuur in de open haard. Heel gezellig en heel romantisch, helemaal met die muziek die hij had opgezet.

Hoofdstuk 31

Zack ging achter haar staan en zag haar schouders verstijven. Hij wist zich werkelijk geen raad met die onverwachte manier waarop ze telkens op hem reageerde. In plaats van haar naar zich toe te draaien en in zijn armen te nemen – wat hij met elke andere vrouw gedaan zou hebben die hij kende – koos hij voor een meer subtiele methode om haar daar te krijgen waar hij haar hebben wilde. Hij liet zijn handen in zijn broekzakken glijden, keek haar via het raam aan, knikte in de richting van de stereo en zei op gespeelde beleefde toon: 'Mag ik deze dans van u, mevrouw Mathison?'

Ze draaide zich naar hem om, keek hem verbaasd glimlachend aan, en Zack was opgetogen over het simpele feit dat ze blij was. Hij stak zijn handen nog wat dieper in zijn zakken om haar niet aan te hoeven raken, en zei toen grijnzend: 'De laatste keer dat ik een juffie ten dans vroeg, zag ik er aanmerkelijk beter gekleed uit. Ik had een wit hemd, een rode das en mijn mooiste blauwe pak aan. En toch zei ze nee.'

'Echt? Hoe kwam dat?'

'Ze vond waarschijnlijk dat ik te klein voor haar was.'

Julie lachte, want hij stak met kop en schouders boven haar uit. 'En was je dat echt?'

Hij knikte. 'Ja. Ze was ruim een halve meter langer dan ik. Toch vond ik dat indertijd geen enkel bezwaar, want ik was zwaar verliefd op haar.'

Ze begon het te begrijpen, en haar gezicht betrok. 'Hoe oud was je toen?'

'Zeven.'

Ze keek hem aan alsof ze begreep hoe vernederd hij zich toen had gevoeld, en zei: 'Ik zou nooit nee tegen je hebben gezegd, Zack.'

Zack had het bijna niet meer door de manier waarop ze dat zei, en hoe ze erbij keek. Als betoverd door de gevoelens die zich van hem meester maakten, stak hij, zonder iets te zeggen, zijn linkerhand naar haar uit en keek haar diep in de ogen. Ze legde haar hand in de zijne, en hij sloeg zijn arm rond haar smalle middel. Hij trok haar dicht tegen zich aan terwijl Streisands onvoorstelbare stem moeiteloos de eerste regels van 'People' zong.

Het was alsof hij onder stroom kwam te staan toen hij haar benen en dijen in contact voelde komen met de zijne, en toen ze haar wang tegen zijn borst legde, begon zijn hart veel te snel te slaan. Hij had haar nog niet eens gekust, en hij kon zijn verlangen naar haar nog maar amper de baas. Om zichzelf af te leiden, probeerde hij een gespreksonderwerp te bedenken dat hem dichter bij zijn uiteindelijke doel zou brengen zonder hem zelf nog meer op te winden dan al gebeurd was. In de herinnering dat het prettig was geweest om grapjes te maken over haar band die hij kapot had gestoken, besloot hij dat het hun beiden ten goede zou komen als ze zouden kunnen lachen over dingen die op het moment zelf allesbehalve grappig waren geweest. 'Tussen twee haakjes, juffie Mathison, wat betreft je ongeplande vlucht vandaag op de sneeuwscooter –'

Ze hoorde meteen aan de klank van zijn stem dat hij een grapje probeerde te maken, en keek hem met zulke grote, onschuldige ogen aan dat Zack zijn best moest doen om niet meteen al in de lach te schieten. 'Ja?' vroeg ze.

'Waar heb je je in vredesnaam schuilgehouden nadat je als een raket over de rand van die weg was geschoten?'

Haar schouders schokten van de lach. 'Nou, ik heb een schitterende landing gemaakt in de takken van een grote pijnboom.'

'Dat was wat je een uitstekende planning noemt,' zei hij plagend. 'Jíj bleef lekker droog, terwijl je mij als een dementerende zalm in die ijskoude beek liet duiken.'

'Dat gedeelte was niet leuk. Ik heb nog nooit iemand zoiets dappers zien doen als jij op dat moment.'

Het waren niet haar woorden, maar het was de manier waarop ze dat zei – de bewondering in haar ogen, en de verwondering in de klank van haar stem. Na het vernederende proces en de onmenselijke toestanden die hij in de gevangenis had meegemaakt, was het een bedwelmende ervaring om door iemand te worden aangekeken alsof hij een mens, en geen dier was. Het feit dat ze hem aankeek alsof hij moedig en dapper en een gentleman was, was voor hem het grootste geschenk dat hij ooit had gekregen. Hij wilde haar in zijn armen ver-pletteren, zichzelf verliezen in haar liefdevolle wezen, haar om zich heen wikkelen als een deken en zichzelf in haar begraven; hij wilde de beste minnaar zijn die ze ooit had gehad en deze uren voor haar net zo bijzonder maken als ze voor hem zouden zijn.

Julie zag hoe zijn blik afdwaalde naar haar lippen, en wachtte tot hij haar zou kussen. Toen duidelijk werd dat hij dat niet zou doen, probeerde ze haar teleurstelling te verbergen achter haar meest stralende glimlach en iets grappigs te zeggen. 'Mocht je ooit in Keaton komen en Tim Martin ontmoeten, zeg hem dan alsjeblieft niet dat ik vanavond met je heb gedanst.'

'Hoezo?'

'Omdat hij gevochten heeft met de laatste man met wie ik heb gedanst.'

Hoewel Zack wist dat het absurd was, voelde hij onbewust een steek van jaloezie. 'Is Martin een vriendje van je?'

Ze grinnikte om de felle blik in zijn ogen. 'Nee, hij is een van mijn leerlingen. Hij is het jaloerse type –'

'Feeks!' riep hij lachend uit, en trok haar wat dichter tegen zich aan terwijl John Denver op de stereo 'Annie's Song' inzette. 'Ik kan me helemaal voorstellen hoe dat arme joch zich gevoeld moet hebben.'

Ze rolde met haar ogen. 'Je wilt me toch zeker niet wijsmaken dat je echt jaloers was, zoëven, wel?'

Zack richtte zijn blik gretig op haar lippen. 'Vijf minuten geleden,' zei hij zacht, 'zou ik nog beweerd hebben dat ik niet in staat was tot het voelen van een dergelijke lage emotie.'

'O. Juist, ja,' zei ze grijnzend, en voegde er toen lachend aan toe: 'U overdrijft, meneer de filmster.'

Zack kreeg het op slag ijskoud. Hij had veel liever dat Julie hem zag als de ontsnapte gevangene, dan als de filmster. De eerste was tenminste echt, niet denkbeeldig, misselijkmakend en nep. Ruim tien jaar van zijn leven had hij geleefd met een image dat hem tot een erotische trofee had gemaakt. Net als beroemde voetballers en ijshockeyers, was hij voortdurend belegerd door vrouwelijke fans die niets anders wilden dan met Zachary Benedict naar bed gaan. De man zelf interesseerde hen niet. Het ging hen om het image. Vanavond had hij voor het eerst het gevoel gehad dat een vrouw hem begeerde om de eigenlijke mens die hij was, en het maakte hem nijdig om te denken dat dat wel eens niet zo geweest zou kunnen zijn.

'Waarom', vroeg ze behoedzaam, 'kijk je me zo aan?'

'Waarom vertel jíj me niet eerst,' zei hij, 'waarom je me uitgerekend op dit moment "filmster" hebt genoemd?'

'Het antwoord zal je niet bevallen.'

'Dat valt te bezien,' reageerde hij kortaf.

Ze vernauwde haar ogen. 'Best. Ik noemde je zo omdat ik een verschrikkelijke hekel heb aan alles wat onoprecht is.'

Zack fronste zijn wenkbrauwen. 'Zou je misschien een ietsje duidelijker kunnen zijn?'

'Natuurlijk,' zei Julie, en beloonde zijn sarcasme met een voor haar ongewoon soort botheid: 'Ik noemde je zo, omdat je deed alsof je jaloers was, en toen maakte je het nog erger door te doen alsof je je van je leven nog nooit zo gevoeld had. Ik vond dat niet alleen banaal, maar ook nog eens onoprecht, aangezien ik weet, en jij dat net zo goed weet, dat ik wel de meest onaantrekkelijke vrouw moet zijn met wie je ooit hebt geflirt! En verder zou ik het op prijs stellen wanneer je mij, aangezien ik je intussen al niet meer als een ontsnapte moordenaar behandel, niet behandelt als... als een van je stomme fans die al flauwvallen wanneer je ze één enkel, simpel complimentje geeft.'

Te laat zag ze zijn woedende gezicht, en ze keek naar zijn schouder. Ze schaamde zich ervoor dat ze zich zo had laten gaan, en zette zich schrap voor een tirade. Toen hij na een aantal seconden nog steeds niets had teruggezegd, voegde ze er met een klein, berouwvol stemmetje aan toe: 'Ik ben waarschijnlijk te ver gegaan. Het spijt me. Nu is het jouw beurt.'

'Mijn beurt?' herhaalde hij niet-begrijpend.

'Ja, om me te zeggen dat ik onbeleefd ben geweest.'

'Best. Dat was je.'

Hij was intussen blijven staan, en Julie haalde diep adem voor ze de moed had opgebracht om hem aan te kijken. 'Je bent boos, niet?'

'Dat weet ik niet zeker.'

'Hoe bedoel je, dat weet je niet zeker?'

'Wat ik bedoel is dat ik, sinds vanmiddag, ten aanzien van jou helemaal nergens meer zeker van ben, en die onzekerheid wordt met de minuut groter.'

Hij klonk zo vreemd... zo van zijn stuk gebracht... dat Julie er niets aan kon doen dat ze moest glimlachen. Ze betwijfelde ten zeerste of er in zijn leven ooit een vrouw was geweest, hoe knap ook, die hem zo'n onzeker gevoel had kunnen bezorgen. Hoe het gekomen was, dat wist ze niet precies, maar ze was wel trots. 'Als je me het eerlijk vraagt,' zei ze, 'dan geloof ik dat ik dat eigenlijk wel leuk vind.'

Hij kon er niet om lachen. 'Helaas denk ik daar anders over.'

'O.'

'Sterker nog, ik vind eigenlijk dat we eerst eens uit zouden moeten zoeken wat er tussen ons gaande is, en wat we precies willen dat er tussen ons gaande is.' In zijn achterhoofd wist Zack heel goed dat hij allesbehalve rationeel was, maar de combinatie van vijf jaar gevangenschap met de onthutsende emotionele en fysieke gebeurtenissen van de afgelopen dag en die van de afgelopen vierentwintig uur, zorgde ervoor dat hij niet meer in staat was om helder en nuchter te denken. 'Nou, wat vind jij daarvan?'

'Ik – ach, dat vind ik best.'

'Mooi. Zal ik beginnen, of begin jij?'

Ze slikte, en werd heen en weer geslingerd tussen angst en plezier.

'Begin jij maar.'

'De helft van de tijd heb ik het krankzinnige gevoel dat je helemaal niet echt bent... dat je veel te naïef bent voor een vrouw van zesentwintig... dat je een meisje van dertien bent dat voor vrouw speelt.'

Ze glimlachte, en was blij dat hij niets ergers had gezegd. 'En de andere helft van de tijd?'

'Geef je míj het gevoel dat ík dertien ben.' Hij zag aan het oplichten van haar ogen dat ze dat leuk vond, en opeens voelde hij de behoefte om wat ze nog aan illusies over hem koesterde, teniet te doen. 'Door wat er vandaag bij de beek is gevoeld, mag je dan misschien de illusie hebben dat ik een héér ben, maar dat ben ik echt niet. Ik ben géén filmster, en ik ben allesbehalve een naïeve, idealistische tiener! Wat ik bij mijn geboorte aan illusie en idealisme heb meegekregen, dat was ik allang kwijt voordat ik mijn maagdelijkheid heb verloren. Ik ben geen kind meer, en jij ook niet. We zijn volwassenen. We weten alle twee precies wat er op dit moment tussen ons gaande is, en we weten heel precies waar we nu mee bezig zijn en wat de gevolgen ervan zullen zijn.' De lach in haar ogen maakte plaats voor iets dat het midden hield tussen angst en woede. 'Zal ik het voor je spellen, opdat mijn motieven je volledig duidelijk zijn?' drong hij aan, en hij zag dat ze een kleur kreeg. Gekwetst, omdat de bekentenis dat hij met haar naar bed wilde haar glimlach had doen verdwijnen, deed hij er opzettelijk nog een schepje bovenop. 'Mijn beweegredenen zijn niet nobel, ze zijn volwassen en natuurlijk. We zijn geen dertien meer, en dit is geen schoolfeestje, en ik sta me echt niet af te vragen of ik je vanavond wel of geen kusje zal durven geven. Het staat al meer dan vast dat ik je vanavond zal kussen. Het is een feit dat ik je begeer, en het is evenzeer een feit dat jij mij begeert. Ik zweer je dat ik je daar, voor de avond om is, van heb kunnen overtuigen. En heb ik dat eenmaal gedaan, dan neem ik je mee naar bed, kleed je uit en zal de liefde met je bedrijven. Op dit moment wil ik graag met je dansen om je lichaam tegen het mijne te kunnen voelen. En onder het dansen fantaseer ik over alles wat ik straks, wanneer we in bed liggen, met je ga doen. Is dat duidelijk? Als er iets bij is wat je niet bevalt, dan kun je me nu zeggen wat je liever doet, en dan doen we dat. Nou?' snauwde hij ongeduldig toen ze niets zei en naar zijn schouder bleef kijken. 'Wat wil jíj dat we doen?'

Julie beet op haar trillende onderlip en keek hem aan met lachende, en van begeerte stralende ogen. 'Zou je er iets voor voelen om me te helpen bij het opruimen van de gangkast?'

'Heb je misschien nog een tweede keus?' vroeg hij, en was zo geïrriteerd dat het helemaal niet tot hem doordrong dat ze een grapje maakte.

'Nou, eigenlijk,' zei ze, terwijl ze haar voorhoofd fronste en naar zijn borst keek, 'was dat al mijn tweede keus.'

'Wat is dan, verdomme nog aan toe, je éérste keus? En doe nu alsjeblieft niet alsof ik je zo zenuwachtig maak dat je kasten wilt opruimen, want je wordt nog niet eens zenuwachtig wanneer ik je onder schot houd!'

Julie genoot van zijn opvliegendheid. Ze haalde haperend adem, en zei, zonder hem aan te kijken: 'Je hebt gelijk, na vandaag zou het je met geen mogelijkheid meer lukken om mij met je revolver zenuwachtig te maken, want ik weet dat je absoluut niet in staat bent om mij ook maar één haar te krenken. Maar je maakt me wel zenuwachtig door te doen wat je doet sinds ik vanavond wakker ben geworden en je bij de open haard zag staan.'

'En wat doe ik dan?' vroeg hij.

'Ervoor zorgen dat ik me voortdurend afvraag of je me ooit nog wel eens zo zult kussen als je gisterenavond hebt gedaan... En dat doe je, door me het ene moment het gevoel te geven dat je me wèl wilt kussen, om het dan even later toch weer niet –'

Zack nam haar gezicht tussen zijn handen, hief het op en smoorde de rest van haar woorden in een kus. En toen ze eenmaal bewezen had dat ze het meende, toen ze hem terugkuste en haar armen om zijn hals sloeg, voelde hij een ontluikend plezier en zo'n intense blijdschap dat het bijna ondraaglijk was.

In een poging zijn eerdere ruwheid goed te maken, haalde hij zijn lippen van de hare, drukte een kusje op haar wang en haar slaap, en kuste haar nogmaals, maar nu heel teder, op de mond. Hij liet het puntje van zijn tong tussen haar lippen doorgaan, duwde ze vaneen en verdiepte zijn kus – een naar hartstocht snakkende man die zijn honger probeerde te stillen. En de vrouw in zijn armen bleek een bereidwillige en leergierige leerling. Ze nestelde zich tegen hem aan, verwelkomde zijn tong en gaf hem de hare nadat hij haar duidelijk had gemaakt dat hij die wilde hebben.

Lange minuten later dwong Zack zichzelf om zijn mond van de hare te halen. Hij keek haar diep in de ogen en prentte het beeld van haar frisse, blozende gezichtje diep in zijn geheugen. Hij probeerde te glimlachen, legde zijn hand in haar nek en streek zijn duim over haar lippen. Het diepe blauw van haar ogen oefende een onweerstaanbare aantrekkingskracht op hem uit, en het volgende moment gaf hij opnieuw toe aan het verlangen om haar te kussen. Ze ging op haar tenen staan en leunde tegen hem aan, en de lichte druk die ze daarbij uitoefende op zijn erectie, zorgde ervoor dat zijn hart als een wilde begon te bonken en hij haar nog dichter tegen zich aan trok. Zijn handen gingen strelend over haar rug en de zijkant van haar borsten, waarna hij ze omlaagbracht naar haar billen en haar met kracht tegen zich aandrukte. Hij stond op het punt zijn zelfbeheersing te verliezen, en dat wist hij.

Zack hield zich voor dat hij het langzaam aan moest doen, beval zich om te stoppen voordat hij haar meteen al op de grond zou trekken en zich als een naar seks snakkende ex-gevangene zou laten gaan. Hij had haar beloofd dat hij het langzaam aan zou doen, en het was de gedachte aan die belofte die hem de kracht gaf om zich een beetje in te houden.

Hij haalde zijn handen van haar billen, en legde ze op haar heupen, maar Julie bleef zich aan hem vastklampen, drukte haar nagels in zijn rug en weigerde zijn lippen te laten gaan. Toen hij zijn mond ten slotte toch van de hare haalde, hoorde hij een kreunend geluid waarvan hij niet zeker wist of het van hemzelf, of van haar afkomstig was. Trillend als een riet legde ze haar voorhoofd tegen zijn borst. Met gesloten ogen en wild kloppend hart, haalde hij diep adem, sloeg een arm om haar heen en trok haar tegen zich aan. Maar het was zinloos – hij wilde haar hèlemaal, en hij wilde haar nu. Nadat hij nogmaals diep en haperend adem had gehaald, legde hij zijn hand onder haar kin en tilde haar gezichtje op. Ze hield haar ogen gesloten. Hij zag hoe haar lange wimpers op de gladde huid van haar wang lagen. Als vanzelf hief ze haar lippen op naar de zijne.

Op dat moment knapte er iets in Zack. Hij begon haar onstuimig te kussen, dwong haar lippen vaneen, rukte de ceintuur van haar zijden kimono los, trok de kimono open en van haar schouders en liet hem van haar af, op de grond glijden.

Julie voelde hoe hij haar, met zijn armen om haar heen, mee omlaagtrok naar de vloer, maar ze ontwaakte pas uit haar roes van gedachteloos genot toen hij haar losliet en zijn mond van de hare haalde. Ze deed haar ogen open, en zag hoe hij haastig zijn overhemd uittrok en het opzij gooide. Pas toen hij haar aankeek, begon ze iets van paniek te voelen. In het licht van de vlammen zag ze zijn blik koortsachtig over haar lichaam gaan; de hartstocht had zijn gezicht veranderd in een strak en intens masker, en toen ze haar arm beschermend over haar naakte borsten legde, snauwde hij: 'Laat dat.'

Ze huiverde bij het horen van die stem die de stem was van een onbekende, en bij het zien van het gezicht dat het gezicht was van een onbekende, en toen hij haar arm wegtrok en met zijn bovenlichaam op haar ging liggen, begreep ze ineens dat het voorspel voorbij was en dat hij haar, als ze niet snel iets deed om hem tegen te houden, binnen luttele momenten zou binnendringen. 'Zack,' fluisterde ze, 'wacht!'

Het woord zèlf drong niet tot hem door, maar waar hij zich wel vagelijk van bewust was, was de paniekerige klank van haar stem en het feit dat ze hem tegen zijn schouders duwde en tegen zijn dij lag te kronkelen op een manier die uitermate provocerend was.

'Zack!'

Zack wist dat hij te snel ging, dat hij te weinig tijd nam voor het voorspel, en hij veronderstelde dat dat hetgeen was waar ze bezwaar tegen maakte.

'Ik moet je iets vertellen!'

Met een haast bovenmenselijke krachtsinspanning dwong hij zich-zelf om op zijn zij te gaan liggen, maar toen hij zijn lippen naar haar borst bracht om haar haar zin te geven, pakte ze zijn gezicht met beide handen beet en dwong hem om haar aan te kijken.

'Alsjeblíeft!' smeekte Julie, en keek hem diep in zijn smeulende ogen. Ze spreidde haar vingers over zijn gespannen kaken, en toen hij zijn gezicht in haar handen draaide en de binnenkant van haar hand kuste, voelde ze haar hart zwellen in een mengeling van opluchting en tederheid. 'We moeten eerst praten.'

'Praat jij maar,' zei hij met schorre stem. Hij trok haar dichter te-gen zich aan, kuste haar mondhoek en haar hals, en liet zijn hand strelend over haar borst gaan. 'Ik luister,' loog hij. Zijn hand ging van haar borst omlaag, over haar vlakke buik naar het driehoekje van donkere krullen. Hij voelde haar schokken.

Ze pakte zijn hand beet, en stelde een vraag die, naar zijn idee, de meest stomme vraag was die een vrouw op een dergelijk moment kon stellen. 'Hoe oud was je toen je voor de eerste keer met een vrouw naar bed ging?'

Hij sloot zijn ogen en slikte. 'Twaalf,' snauwde hij kortaf.

'Wil je niet weten hoe oud ik was?'

'Nee,' zei hij kortaf, en bracht zijn lippen weer naar haar borst aan-gezien ze, om de een of andere reden die alleen háár maar bekend was, kennelijk niet wilde dat hij haar op een meer intieme wijze zou strelen. Zijn hele lichaam deed pijn van begeerte, en hij deed ver-schrikkelijk zijn best om haar aan te raken op die plaatsen waarvan hij zich herinnerde dat vrouwen daar het meeste plezier aan ontleen-den.

'Ik was zesentwintig,' kwam het met een hoog, paniekerig piep-stemmetje over haar lippen, op het moment waarop hij haar tepel tussen zijn lippen nam.

Het bloed suisde in zijn oren; hij hoorde wel wat ze zei, maar de betekenis van haar woorden drong niet tot hem door. Ze smaakte zo lekker, en ze voelde hemels. Haar borsten waren niet groot en zwaar, maar ze waren mooi klein en uitermate vrouwelijk, precies zoals ze zelf was, en als ze nu ook maar even ontvankelijk voor hem zou zijn als ze geweest wás voordat ze waren gaan liggen, dan zou hij haar nu een orgasme kunnen geven, voordat hij haar binnendrong, en daarna zou hij dan met haar vrijen zoals het hoorde. Hij had vijf jaar opge-kropt verlangen te vergeven, en hij zou de hele nacht lang met haar kunnen vrijen, als ze hem nu maar gewoon zijn gang zou laten gaan en nu eindelijk eens ophield met haar benen stijf tegen elkaar te houden, en niet zo zeurde over hoe oud ze was toen ze... voor het eerst... met iemand... naar bed...

Julie kon precies zeggen op welk moment de betekenis van haar

212

woorden tot hem doordrong, want hij haalde zijn lippen een fractie van een centimeter van haar borst, en zijn adem stokte. 'Dit is voor mij de eerste keer,' bekende ze met onvaste stem.

Hij liet zijn voorhoofd op haar borst vallen, kneep zijn ogen stijf dicht en vloekte. 'Jezus nog aan toe!'

Julie begreep onmiddellijk dat hij niet blij was met haar onthulling. Lange seconden later hief hij zijn hoofd op en keek haar doordringend aan alsof hij zichzelf ervan probeerde te overtuigen dat ze loog. Julie begreep dat hij boos was, en de moed zonk haar in de schoenen. Ze had niet gewild dat hij zou ophouden, ze had alleen maar gewild dat hij het wat langzamer aan zou doen, dat hij haar niet zou behandelen alsof... alsof haar lichaam er eentje was dat het gewénd was om behandeld te worden.

Zack was niet boos, hij was met stomheid geslagen. Hij was de kluts kwijt. Hij had nog nooit van zijn leven gehoord van een maagd van zesentwintig, laat staan van eentje die beeldschoon, amusant, intelligent en begerenswaardig was.

Langzaam maar zeker begon hem van alles duidelijk te worden. Hij herinnerde zich hoe ze de vorige avond, na het journaal, wanhopig had uitgeroepen dat haar vader dominee was, dat hij een gerespecteerd man was en dat ze de laatste vijftien jaar van haar leven haar best had gedaan om een leven te leiden waar niets op aan te merken viel. Hij herinnerde zich dat ze, toen hij haar had gevraagd of ze verloofd was, gezegd had dat ze 'daarover aan het praten' waren. Het was duidelijk dat ze heel wat gepraat, en nauwelijks gevrijd hadden. En gisteravond had hij zelf nog vastgesteld hoe onschuldig ze was.

Nu hij het verleden begreep, bracht het heden hem des te meer in verwarring. Kennelijk had ze haar maagdelijkheid bewaard voor haar vriendje, die, naar het scheen, van haar hield, haar eer wilde beschermen en haar een toekomst wilde bieden. Maar vanavond was ze evenwel bereid om haar maagdelijkheid te offeren aan een ontsnapte gevangene die niet in staat was om van iemand te houden en die haar absoluut niets te bieden had. Voor het eerst in jaren hoorde Zack op dat moment zijn geweten spreken. Julie's bijna-verloofde had haar niet verleid en de man had haar maagdelijkheid intact gelaten; als Zack ook maar een beetje scrupules en ook maar een greintje fatsoen had, dan zou hij met zijn handen van haar afblijven. Hij had haar al ontvoerd, haar verbaal mishandeld en haar blootgesteld aan de openbare censuur. Haar daarbij ook nog eens ontmaagden, zou onvergeeflijk zijn.

Het zwakke protest van zijn geweten was evenwel niet voldoende om hem te laten stoppen. Hij begeerde haar. Hij moest haar hebben. Het lot had hem zijn waardigheid, zijn vrijheid en zijn toekomst ontnomen, maar het had hem om de een of andere reden Julie gegeven gedurende deze korte dagen die naar alle waarschijnlijkheid het einde van zijn leven zouden betekenen. Zijn geweten noch iets anders zou hem beletten haar te nemen. Zonder zich bewust te zijn van het verstrijken van de tijd, keek hij haar met grote ogen aan totdat haar onvaste stem hem wakker schudde uit zijn gedachten. Haar woorden getuigden overduidelijk van haar gebrek aan ervaring met mannen. 'Ik had niet verwacht dat je boos zou zijn,' zei ze, waaruit bleek dat ze zijn stilzwijgen volkomen verkeerd had opgevat.

Hij zuchtte kort en zei: 'Ik ben boos op mijzelf, niet op jou.'

Julie keek hem onderzoekend aan. 'Hoezo?'

'Omdat,' antwoordde hij met schorre stem, 'ik mij er niet door zal laten weerhouden. Omdat het me geen barst kan schelen dat je dit nog nooit eerder hebt gedaan, zelfs niet met iemand die van je hield of die bij je zou kunnen blijven wanneer je zwanger raakt. Er is op dit moment niets wat mij interesseert...' fluisterde hij, en bracht zijn mond naar de hare, 'behalve dit...'

Toch was haar gebrek aan ervaring wel belangrijk. Het was belangrijk genoeg voor hem om zijn kus af te breken, zijn lust te onderdrukken en opnieuw te beginnen. 'Kom hier,' fluisterde hij, terwijl hij haar in zijn armen nam en op zijn zij ging liggen opdat hij haar aan kon kijken. Hij haalde een paar maal diep adem en wachtte tot zijn hartslag weer tot rust was gekomen, terwijl hij zijn hand strelend over haar rug liet gaan. Hij nam zich voor om ervoor te zorgen dat deze eerste keer een goede ervaring voor haar zou zijn, ook al betekende dat dan misschien dat hij daarbij zelf waanzinnig zou worden van onbevredigde begeerte. Op de een of andere manier moest hij haar opgewonden zien te krijgen zonder zelf nog opgewondener te raken dan hij op dit moment al was.

Julie lag in zijn armen. Ze begreep niets van zijn plotseling veranderde stemming, en was bang dat hij er, in tegenstelling tot wat hij gezegd had, nu helemaal geen zin meer in had om met haar te vrijen. Omdat ze het niet langer uithield, vroeg ze met een bibberstemmetje: 'Ik had er niet zo'n ophef over willen maken, dat dit voor mij de eerste keer is, bedoel ik. Ik hoopte alleen maar dat je het wat rustiger aan zou willen doen, niet dat je er helemaal vanaf zou zien.'

Zack begreep dat het haar de nodige moeite gekost moest hebben om dit te zeggen, en hij voelde een ongekende tederheid in zich opkomen. Hij hief haar gezichtje naar hem op en zei heel ernstig: 'Bederf het nu niet voor ons beiden door te doen alsof het niet belangrijk zou zijn. Ik wil je best bekennen dat ik nog nooit eerder het voorrecht heb gehad om als eerste man met een vrouw naar bed te gaan, dus dit is voor mij ook een primeur.' Hij streek een piek haren uit haar gezicht, kamde met zijn vingers erdoorheen, zag hem over haar linkerschouder vallen en dacht hardop: 'Ik weet zeker dat je de jongens van Keaton waanzinnig hebt gemaakt, en dat ze zich eindeloos hebben lopen afvragen hoe het zou zijn om met jou in bed te liggen.'

'Hoe bedoel je?'

Hij keek haar glimlachend aan. 'Wat ik daarmee bedoel, is dat ik er al sinds gisteren van droom om mijn vingers door dit schitterende haar van jou te halen, en dat terwijl ik er nog maar sinds twee dagen naar kijk.'

Julie voelde zich helemaal warm worden vanbinnen in reactie op zijn woorden, en Zack was zich onmiddellijk bewust van de verandering die zich in haar voltrok. Hij was helemaal vergeten dat het mogelijk was om een vrouw met woorden op te winden, en realiseerde zich nu dat dit de aangewezen manier was om haar daar te krijgen waar hij haar hebben wilde zonder zijn eigen begeerte geweld aan te doen. Zachtjes bekende hij: 'Weet je wat ik gisterenavond onder het eten zat te denken?'

Ze schudde haar hoofd.

'Ik vroeg me af hoe je mond zou proeven, en of je huid inderdaad zo zacht zou zijn als hij eruitziet.'

Julie voelde zichzelf langzaam maar zeker wegzakken in een verrukkelijke, diepe zinnelijke betovering toen hij zijn vingers over haar wang spreidde en zei: 'En je huid is zelfs nog zachter dan hij eruitziet.' Zijn duim ging strelend over haar lippen en hij keek ernaar. 'En je mond... God, je smaakt hemels.' Zijn hand ging van haar wang naar haar schouder, en vandaar naar haar borst. Julie's blik dwaalde af naar het dikke, donkere krulhaar op zijn borst.

'Niet wegkijken,' fluisterde hij, en ze dwong zichzelf om hem weer aan te kijken. 'Je hebt prachtige borsten.'

Dat was, naar Julie's idee, zo'n grove leugen dat ze onmiddellijk begon te twijfelen aan alle andere dingen die hij had gezegd. Hij zag de ongelovige blik in haar ogen, en glimlachte. 'Als dat niet waar was,' zei hij, en liet zijn duim heen en weer gaan over haar tepel, 'dan moet jij me maar eens vertellen hoe het komt dat ik ernaar snak ze aan te raken, naar ze te kijken en ze te kussen.' Haar tepel verhardde onder zijn duim tot een stevig klein knopje, en opnieuw voelde Zack hoe de begeerte bezit van hem nam. 'Je weet dat het waar is, Julie. Je ziet toch zelf aan mijn gezicht hoe verschrikkelijk ik naar je verlang.'

Ze zag het inderdaad – ze zag het aan de smeulende blik in zijn halfgesloten ogen.

Zack, die ernaar snakte om haar te kussen, haalde diep adem en bracht zijn lippen langzaam omlaag naar de hare. 'Je bent zo lief,' fluisterde hij. 'Zo verschrikkelijk lief.'

Het was niet Zack die als eerste zijn zelfbeheersing verloor, maar Julie. Zacht kreunend legde ze haar hand in zijn nek en kuste hem met alle passie die haar op dat moment te veel dreigde te worden. Ze drukte zich tegen hem aan, en genoot van de huivering die ze schokkend door zijn lichaam voelde trekken vlak voor zijn lippen de hare vonden. Met een intuïtie waarvan ze nooit geweten had dat ze die bezat, voelde ze hem een innerlijke strijd leveren om te voorkomen dat hun kus te erotisch zou worden. De tederheid die dat besef in haar opriep, was bijna ondraaglijk. Ze streek haar lippen over de zijne en probeerde hem er zo toe aan te zetten dat hij zijn kus zou verdiepen, maar toen dat niet het gewenste resultaat opleverde, kuste ze hem zoals hij haar eerder had gekust. Ze liet haar tong over zijn lippen gaan en voelde zijn adem stokken. Het volgende moment liet ze haar tong zijn mond binnendringen...

En bereikte haar doel.

Met een diep, kreunend geluid legde Zack haar op haar rug, en kuste haar met een gretigheid en een honger die haar aan de ene kant het gevoel bezorgde dat ze machteloos was, maar haar aan de andere kant ook juist het gevoel gaf dat ze macht over hem had. Zijn handen en mond eisten haar lichaam op, gingen strelend over haar borsten, haar middel en haar rug, en toen zijn lippen de hare opnieuw opeisten, begroef hij zijn vingers in haar haren en maakte haar daarmee tot een vrijwillige gevangene. Toen hij zijn lippen ten slotte van de hare haalde, stond haar lichaam in vuur en vlam van verlangen.

'Kleintje, doe je ogen open.'

Julie gehoorzaamde, en zag een brede, gespierde en dicht behaarde mannenborst. Die aanblik op zich was voldoende om haar hart op hol te laten slaan. Aarzelend liet ze haar blik omhooggaan. In zijn nek klopte een opgezwollen ader, zijn gezicht stond strak en zijn ogen waren donkerder dan ooit. Ze zag zijn zinnelijke lippen in beweging komen, en hoorde hem schor fluisteren: 'Streel me.' Het was een uitnodiging, een bevel en een smeekbede tegelijk.

Julie ging erop in. Ze legde haar hand tegen zijn wang. Zack draaide zijn gezicht in haar hand en kuste de binnenkant ervan. 'Streel me.'

Langzaam liet ze haar hand van zijn wang omlaaggaan naar zijn schouder, en zijn borst. Zijn huid voelde als satijn over graniet, en toen ze zich naar hem toe boog en zijn borst kuste, zag ze hem zijn spieren spannen. Dronken van macht kuste ze zijn kleine tepels, en trok vervolgens een spoor van kussen naar zijn middel. Een geluid dat het midden hield tussen een lach en een zacht kreunen, ontsnapte aan zijn lippen, waarna hij haar op haar rug legde, half op haar ging liggen en haar handen boven haar hoofd gevangen hield. Hij liet zijn tong haar mond binnendringen, trok hem terug en stak hem weer tussen haar lippen door, als om haar duidelijk te maken wat hij met haar lichaam wilde doen. Julie was buiten zinnen van verlangen, en het was alsof haar bloed als puur vuur door haar aderen kolkte. Ze trok haar handen los, draaide in zijn armen en beantwoordde zijn hemelse kussen, streelde zijn schouders en rug en kreunde van genot toen zijn lippen haar tepels vonden. Hij wist haar op zo'n vaardige wijze in vervoering te brengen, dat het amper tot haar doordrong dat hij zijn hand tussen haar dijen stak en haar op haar meest intieme plekje begon te strelen. Ze kneep haar ogen stijf dicht en probeerde haar schaamte de baas te blijven om zich geheel en al over te kunnen geven aan het subtiele genot dat zijn bedreven vingers haar bezorgden.

Zack keek naar haar gezicht en sloeg haar reacties gade terwijl ze zich liet gaan onder het onvertrouwde, intieme spel van zijn vingers. Elk geluid dat ze maakte, elke onrustige beweging van haar hoofd, elke huivering die door haar lichaam trok, bezorgde hem een gevoel van ongekende tederheid. Hij voelde hoe ze zich onder zijn vingers voor hem opende, en snakte ernaar haar tot de zijne te maken. Maar in plaats daarvan beheerste hij zich, en kuste haar innig en vurig terwijl hij zijn vinger verder bij haar naar binnen liet gaan. Ze sloeg haar armen om zijn schouders en rilde, en opeens moest hij denken aan wat ze eerder tegen hem had gezegd. 'Rillen is goed,' fluisterde hij, en drong nog wat verder bij haar naar binnen. Hij vond haar ongewoon nauw en smal, en was bang dat hij te groot voor haar zou zijn, dat zijn erectie haar pijn zou doen.

Haar strelingen waren intussen een stuk vrijmoediger geworden, en zijn adem stokte toen ze eindelijk genoeg moed had verzameld om zijn gezwollen lid beet te pakken. Op het moment waarop ze hem vastpakte, schoten haar ogen open en keek ze hem geschrokken aan. Als de situatie niet zo delicaat was geweest, dan zou Zack beslist om haar gezicht gelachen hebben. Maar hij was niet in de stemming om te lachen of om zich gevleid te voelen door het feit dat ze kennelijk 'onder de indruk' was van zijn formaat. Ze keek hem aan alsof ze iets verwachtte – een beslissing van hem, een beweging, en ondertussen maakte ze hem gek met haar vingers en vreesde hij ieder moment in haar hand te kunnen exploderen. Ze legde haar andere hand tegen zijn wang, en de woorden die ze fluisterde om de spanning te verbreken, deden hem vanbinnen smelten. 'Het is meer dan de moeite waard geweest om zesentwintig jaar op u te wachten, meneer Benedict.'

Zack kon zijn emoties niet langer de baas. Hij nam haar blozende gezichtje in zijn handen, bracht zijn lippen tot vlak bij de hare, en fluisterde eerbiedig en vol ontzag: 'Jezus...'

Terwijl het bloed in zijn oren suisde, ging hij op haar liggen en drong haar langzaam en voorzichtig binnen. Het was alsof haar warme, vochtige lichaam plaats voor hem maakte, alsof het speciaal voor hem openging. Toen hij tegen de tere barrière stootte, tilde hij haar smalle heupen een stukje op, hield zijn adem in en stootte. Julie verstijfde even van de pijn, maar voor hij kon reageren, had ze haar armen al om hem heen geslagen en liet hem binnen als een ontluikende bloem. Langzaam, om het orgasme dat hij aan voelde komen nog even te onderdrukken, bewoog hij op en neer, maar toen ze zijn bewegingen begon te volgen en zich aan hem vastklampte, kon hij zich niet langer inhouden. Hij kuste haar wild en onstuimig, versnelde zijn ritme en genoot van haar gesmoorde kreet toen ze haar nagels in zijn rug drukte en hij haar onder zich voelde schokken. Hij tilde haar heupen nog een stukje hoger en stootte nog dieper omdat hij, om de een of andere onverklaarbare reden zo diep mogelijk in haar wilde zijn wanneer hij klaarkwam. De explosie die volgde was zo heftig dat hij een kreun niet kon onderdrukken, en nog bleef hij bewegen alsof zij hem op de een of andere manier zou kunnen zuiveren van de verbittering van zijn verleden en de uitzichtloosheid van zijn toekomst. De tweede climax was zo allesoverdonderend dat hij er over zijn hele lichaam van schokte en zich vervolgens volkomen uitgeput voelde.

Loodzwaar liet hij zich op haar neervallen, en trok haar, zonder zich terug te trekken, mee op zijn zij. Buiten adem hield hij haar in zijn armen, streelde haar rug en probeerde niet na te denken. Hij deed zijn best om het heerlijke gevoel zo lang mogelijk vast te houden, om de realiteit niet toe te laten, maar merkte al na een paar minuten dat het zinloos was. Nu hij zijn opgekropte begeerte eindelijk kwijt was, was er geen barrière meer tussen zijn brein en zijn geweten, en terwijl hij in de vlammen keek, begon hij pas goed te beseffen wat hij in de afgelopen drie dagen eigenlijk had gedaan. Wat hij gedaan had, dat was een onschuldige vrouw met een revolver bedreigen en haar gijzelen; hij had haar laten geloven dat hij haar vrij zou laten als ze hem naar Colorado bracht; hij had haar met lichamelijk geweld bedreigd toen ze probeerde te ontsnappen, en toen ze het nog eens probeerde, had hij haar gedwongen om hem voor de ogen van een getuige te kussen, zodat de nationale pers haar nu voor zijn medeplichtige hield. De waarheid was dat hij er vanaf het eerste moment over gefantaseerd had om met haar naar bed te gaan, en dat hij elk middel dat binnen zijn bereik lag, van intimidatie tot flirten, gebruikt had om dat doel te bereiken. En de misselijkmakende waarheid was dat hij dat doel bereikt had: hij was erin geslaagd de maagdelijke dochter van een dominee te verleiden, een lieve, knappe, aantrekkelijke en onschuldige vrouw die hem voor al zijn wreedheden en onrechtvaardigheden beloond had door zijn leven te redden. En 'verleiden' was nog een mooi woord voor wat hij zojuist had gedaan, besloot Zack. Hij had haar hier op de vloer genomen, en niet eens in een bed! Zijn geweten knaagde. Hij was er zich van bewust dat hij veel te ruw met haar was omgesprongen, dat hij haar gedwongen had om twee orgasmen van hem te incasseren en dat hij haar, in plaats van zich een beetje in te houden, helemaal was binnengedrongen. Het feit dat ze het niet had uitgeschreeuwd, zich niet verzet had of op geen enkele wijze te kennen had gegeven dat hij haar pijn deed, maakte zijn schuldgevoel er niet minder op. Ze wist niet dat ze recht had op meer dan ze had gekregen, maar dat wist hij wel. Als tiener had hij al de nodige meisjes gehad, en als volwassen man had hij meer affaires gehad dan ze ooit zou kunnen vermoeden. Hij had niet alleen een puinzooi van Julie's leven gemaakt, maar daarnaast had hij haar ook nog eens een keer ontmaagd. Hij moest er niet aan denken wat er met haar zou gebeuren als achteraf bleek dat ze zwanger was geworden! Het zat er dik in dat de dochter van een dominee het waarschijnlijk niet in haar hoofd zou halen om een abortus te laten plegen. Dat betekende dat ze de keuze zou hebben tussen het op zich nemen van de schande van het ongehuwde moederschap, of het naar een andere stad verhuizen, of alsnog met haar bijna-verloofde te trouwen wanneer deze zich bereid zou verklaren om vader te zijn voor een kind dat niet van hem was.

Zack hield er ernstig rekening mee dat hij binnen enkele dagen, of zelfs uren nadat hij dit huis verlaten had zou worden doodgeschoten. Nu speet het hem verschrikkelijk dat hij niet eerder was doodgeschoten, nog voordat hij bij haar in de auto was gestapt. Voor hij in de gevangenis terecht was gekomen, zou het nooit bij hem zijn opgekomen om een onschuldig iemand bij zijn problemen te betrekken, laat staan om een wapen op haar te richten of haar zwanger te maken. Het was duidelijk dat de gevangenis hem gemaakt had tot een gewetenloos monster.

En doodschieten, zo realiseerde hij zich nu, was nog te goed voor het monster dat hij geworden was.

Hij ging zo volledig op in zijn eigen problemen, dat het nu pas tot hem doordrong dat de vrouw die in zijn armen lag, huilde, en dat het vocht op zijn borst niet zijn zweet was, maar haar tranen waren. Sprakeloos van berouw liet Zack haar los en legde haar op haar rug op de vloerbedekking, maar ze bleef zijn schouder stevig vasthouden, en hield haar betraande gezichtje tegen zijn borst gedrukt.

Steunend op zijn elleboog, probeerde hij haar te troosten door enkele pieken glanzend haar van haar wang te strijken. Hij wilde iets zeggen, realiseerde zich dat hij een brok in zijn keel had, slikte, en probeerde het nog eens. 'Julie,' fluisterde hij met schorre stem, 'als ik alles wat ik je heb aangedaan weer goed zou kunnen maken, dan zou ik dat doen. Tot aan vanavond heb ik al die dingen die ik gedaan heb, gedaan omdat ik niet anders kon... Maar dit –' Hij zweeg om nog eens te slikken en streek nog een piek van haar slaap. Omdat ze haar gezicht nog steeds tegen zijn borst hield gedrukt, kon hij niet zien hoe ze reageerde, behalve dan dat ze intussen helemaal stil lag. 'Maar wat ik je nu heb aangedaan,' vervolgde hij, 'is volkomen onvergeeflijk. Ik kan er verklaringen voor verzinnen, maar er is geen excuus voor. Je kunt toch niet zo naïef zijn dat je niet begrijpt dat een man, na vijf jaar in de gevangenis te hebben gezeten zonder...' Opeens zweeg hij in het besef dat hij het er met deze uitleg alleen nog maar erger op maakte. Zoals hij het zei, klonk het net alsof hij met elke vrouw genoegen zou hebben genomen. 'Dat is niet de reden waarom ik dit vanavond heb gedaan. Het was een deel van de reden. Het grootste gedeelte van de reden is dat ik al naar je verlangde vanaf het moment waarop...' Hij walgde zo van zichzelf dat hij er een bittere smaak van in zijn mond kreeg en niet verder kon spreken.

Nadat het even stil was, zei Julie ten slotte zacht: 'Ga verder.'

'Ga verder?' herhaalde hij.

Ze knikte, waarbij haar zachte gezicht tegen zijn huid streek. 'Ja. Het begon net leuk te worden.'

'Leuk?' herhaalde hij niet-begrijpend.

Ze keek hem aan, en hoewel haar ogen nog nat waren van de tranen, speelde er een dromerig glimlachje rond haar lippen dat Zacks hart als een wilde tegen zijn borstkas liet slaan. 'Je begon heel gemeen,' zei ze, 'door te zeggen dat je hier spijt van had. En toen maakte je het er nog erger op door te zeggen dat ik naïef ben en de indruk te wekken dat je na vijf jaar onthouding met elke vrouw genoegen zou hebben genomen –'

Hij keek haar met grote ogen aan, terwijl er zich langzaam maar zeker een enorme opluchting van hem meester maakte. Hij wist dat hij er veel te gemakkelijk vanaf kwam, maar hij greep deze onverwachte kans met beide handen aan. 'Heb ik dat gezegd?'

'Het kwam erop neer.'

Hij kon er niets aan doen dat haar aanstekelijke lach hem ook aan het lachen maakte. 'Wat lelijk van mij.'

'Inderdaad,' beaamde ze met gespeelde verontwaardiging.

Een minuut geleden had hij zich door haar wanhopig gevoeld, vijf minuten geleden had ze hem meegevoerd naar een hemels paradijs, en nu maakte ze hem aan het lachen. Ergens in zijn achterhoofd was Zack zich ervan bewust dat geen enkele vrouw ooit nog een dergelijke uitwerking op hem had gehad, maar het was een gedachte waar hij niet bewust bij stil wenste te staan. Voorlopig had hij er vrede mee om van het heden te genieten en weigerde hij te denken aan het beetje toekomst dat hem nog restte. 'Wat had je, gegeven de omstandigheden,' fluisterde hij, en glimlachte terwijl hij zijn knokkels over haar wang streek, 'dan van me willen horen?'

'Nou, zoals je weet, heb ik niet zo veel ervaring met dit soort momenten –'

'Helemaal geen ervaring, zul je bedoelen,' bracht hij haar in herinnering, en op de een of andere idiote manier deed dat besef hem ineens waanzinnig veel plezier.

'Maar ik heb stapels romans gelezen.'

'Dit is geen roman.'

'Dat is waar, maar toch zijn er een aantal sterke overeenkomsten.'

'Zoals?' vroeg hij, en hij besefte hoe heerlijk hij het vond om haar zo in zijn armen te hebben.

Tot zijn verbazing werd ze opeens ernstig, en keek ze hem met iets van verwondering diep in de ogen. 'Om te beginnen,' fluisterde ze, 'voelen de vrouwen in boeken vaak hetzelfde als wat ik voelde, toen je me binnendrong.'

'En wat voelde je dan?' vroeg hij, omdat hij het niet kon laten.

'Ik had het gevoel dat ik begeerd werd,' zei ze met onvaste stem. 'En dat je me nodig had. Dat je als een waanzinnige naar mij snakte. En ik voelde me heel, heel bijzonder. Ik voelde me – compleet.'

Zacks hart balde zich samen, en het was zo'n heftige emotie dat het pijn deed. 'Waarom huilde je dan?'

'Omdat,' fluisterde ze, 'hele mooie momenten me soms aan het huilen maken.'

Zack keek in haar stralende ogen, en zag zo veel schoonheid en moed, dat hij er bijna om moest huilen. 'Heeft iemand je ooit wel eens verteld,' fluisterde hij, 'dat je de glimlach van Michelangelo's Madonna hebt?'

Julie deed haar mond open om te protesteren, maar hij was haar voor en legde haar met een kus het zwijgen op. 'Vind je niet dat die opmerking,' vroeg ze ademloos toen hij even later zijn lippen van de hare haalde, 'dat die opmerking iets van heiligschennis heeft, met het oog op wat we zojuist hebben gedaan?'

Hij lachte. 'Nee, maar het heeft het waarschijnlijk wel met het oog op dat wat we nu gaan doen.'

'En dat is?'

Zijn schouders schokten van de lach, en hij trok een brandend spoor van kussen van haar schouder naar haar borsten. 'Wacht maar af.'

Julie's adem stokte en ze hief haar heupen op onder de sensuele aanval van zijn zoekende handen en mond.

Zacks lach maakte plaats voor iets veel diepers.

Hoofdstuk 32

Julie zat met haar rug in de dikke, veren kussens van het bed in de grote slaapkamer, en keek naar de borden op het lage tafeltje voor de open haard. Ze hadden daar laat ontbeten, en daarna had Zack haar meegenomen naar het bed en opnieuw de liefde met haar bedreven. Hij had haar het grootste gedeelte van de nacht wakker gehouden en met haar gevrijd. Julie had genoten van zijn liefdesspel, dat nu weer eens teder en dan weer dwingend en begerig was. Telkens wanneer hij klaarkwam, trok hij haar in zijn armen en hield haar, terwijl zij half in slaap viel, dicht tegen zich aangedrukt. Nu was het net middag, en ze zat lekker tegen hem aan genesteld. Hij hield zijn arm om haar schouders geslagen, en zijn hand ging afwezig strelend over haar arm. Helaas vond ze het bij daglicht veel moeilijker om vast te houden aan het fantasiebeeld dat dit een klein boerderijtje was waar ze lekker veilig in bed lag met een geweldige, doodgewone man die daarbij toevallig ook nog eens haar toegewijde minnaar was. Op dit moment was ze maar al te doordrongen van het feit dat de man die zo hartstochtelijk met haar gevrijd had, die haar het gevoel had gegeven dat ze de enige vrouw was met wie hij ooit de liefde had bedreven, met talloze filmsterren en bekende, sexy vrouwen naar bed was geweest. Die vrouwen waren zijn leven geweest – een druk bezet luxeleventje dat bevolkt werd door rijke, beeldschone en getalenteerde mensen met de juiste connecties.

Zo had zijn vroegere leven eruitgezien, en hoewel hij inmiddels alles kwijt was, twijfelde ze er niet aan dat hij, nu hij vrij was en op zoek kon gaan naar de echte moordenaar, zijn onschuld zou kunnen bewijzen. Als het aan haar lag, dan wilde ze niets liever dan hem helpen bij het zoeken naar de ware dader. En had hij die ware dader eenmaal gevonden, dan zou hij de draad van zijn vroegere bestaan weer kunnen opnemen, en zijn briljante carrière in Hollywood voortzetten. Dan zou hij haar niet meer nodig hebben. Op dat moment zou ze worden afgedankt als een 'oude vriendin' en ze wist dat de pijn dan ondraaglijk zou zijn.

Hij zou heus niet verliefd op haar worden en haar voor eeuwig trouw zweren. Hij had haar op dit moment nodig, en om de een of andere reden had God ervoor gezorgd dat ze bij hem was gekomen. Er zat voor haar niets anders op dan bij de dag, bij het moment te leven en van deze kostbare uren te genieten, want ze zou nog jaren op de herinnering hieraan moeten teren. Dat betekende dat ze hem nooit om meer zou moeten vragen dan hij zou kunnen geven, dat ze hem niet lastig zou moeten vallen met haar gevoelens, en dat ze haar hart zo veel mogelijk moest zien te sparen. En dát betekende weer dat ze de stemming zo luchtig en vrolijk moest zien te houden als ze maar kon. Ze betreurde het dat ze geen wereldse vrouw was die ervaring met mannen had, want op die manier zou alles veel gemakkelijker zijn geweest.

'Waar denk je aan?' vroeg Zack.

Ze keek hem aan en zag dat hij met een bezorgd gezicht naar haar zat te kijken. 'Ach, aan niets bijzonders,' zei ze, en slaagde erin een vrolijk lachje te produceren. 'Aan het leven in het algemeen.'

'Kun je wat specifieker zijn?'

Julie meed zijn onderzoekende blik, ging verzitten zodat zijn arm van haar schouders gleed, trok haar knieën op en sloeg haar armen eromheen. 'Het is de moeite van een gesprek niet waard.'

'Waarom laat je die beslissing niet aan mij over?'
Ze keek hem strak aan. 'Ben je altijd zo'n volhouder?'
'Dat is een van mijn minder aantrekkelijke eigenschappen,' verklaarde hij zonder ook maar een spoortje berouw. 'Dus, nogmaals, waar zat je aan te denken?'
Ze trok een gespeeld wanhopig gezicht, maar toen hij haar afwachtend bleef aankijken, gaf ze toe en vertelde hem een deel van de waarheid. 'Ik zat te denken aan hoe vreemd het leven is. Het ene moment denk je nog dat alles keurig voorspelbaar is, en dan opeens – in de tijd die nodig is om even langs de snelweg te stoppen voor een kopje koffie – ziet alles er heel anders uit.'
Zack leunde achterover in de kussens, sloot zijn ogen en haalde opgelucht adem. Hij had gedacht dat ze na had zitten denken over de manier waarop hij haar leven had verpest.
Vanuit haar ooghoeken wierp Julie een snelle blik op zijn gespannen gezicht, en de moed zonk haar in de schoenen. Wat hij van haar wilde, was vrolijkheid, een oppervlakkig gesprekje en vrijen. Hij zat echt niet te wachten op filosofische gedachten of iets dat ook maar iets met emoties te maken had, en ze nam zich voor om zich van nu af aan nooit meer voor een dergelijk gesprek te laten strikken.
Hij zuchtte diep en vroeg, zonder zijn ogen open te doen: 'Wil je hier bij me blijven, Julie?'
'Wil je daarmee zeggen dat je van plan bent om me echt te laten kiezen?' vroeg ze lachend. Toen ze zijn gezicht zag verstrakken, besefte ze dat hij een ander antwoord van haar had verwacht.
'Nee,' zei hij na een lange stilte, 'ik vrees van niet.'
'Ben je bang dat ik, als je me laat gaan, de politie zal vertellen waar je je schuilhoudt?'
'Nee. Als je me zou beloven dat je je mond zou houden, dan zou ik daar genoegen mee nemen.'
'En waarom wil je me dan niet laten gaan?'
'Omdat ik voorzie dat de politie je op meedogenloze wijze onder druk zal zetten. Zelfs al maak je ze wijs dat ik je hier geblinddoekt naartoe heb gereden, dan nemen ze daar geen genoegen mee en zullen ze door blijven vragen. Ze zullen je proberen te "helpen" met het herinneren van bepaalde dingen, en vroeg of laat zul je je dan ongewild of onbewust toch nog iets laten ontvallen waar zij iets mee kunnen doen.'
'In dat geval zit er dus niets anders op dan dat ik hier, in dit armzalige huisje blijf en me het gezelschap laat welgevallen van een autoritaire, humeurige man die niets anders wil dan met me vrijen. En àls ik hier uiteindelijk weg kan, dan zal ik waarschijnlijk niet eens meer zonder hulp op eigen benen kunnen staan.'
Hij hield zijn ogen gesloten, maar rond zijn mondhoeken speelde een glimlachje. 'Ik ben niet humeurig.'

'Maar autoritair ben je wel, en je zult moeten toegeven dat je wat vrijen betreft van geen ophouden weet,' reageerde ze. Ze lachte, en voelde zich intussen een stuk beter nu ze de situatie weer in de hand had. 'Kom, laten we naar buiten gaan.'

Zijn glimlach werd breder. 'Dat kun je vergeten. Het is veel te koud.'

'Dacht je soms dat ik niet van plan was om me eerst dik aan te kleden? Frisse lucht en in beweging blijven, dat is de beste remedie tegen alles.'

'Behalve tegen doodvriezen.'

Ze mepte hem met een kussen, lachte, en begon de dekens van zich af te trekken. 'Moet je altijd het laatste woord hebben?'

'Kennelijk.'

'Dan zul je het gesprek in je eentje verder moeten voeren,' zei ze, 'want ik ga naar buiten. Hoewel ik het heerlijk vind om hier zo wellustig met jou in bed te liggen, heb ik toch dringend behoefte aan een beetje frisse lucht. Als ik thuis was, dan zou het nu speelkwartier zijn, en zou ik met mijn kinderen buiten zijn.'

'Wellustig in bed liggen,' herhaalde hij grinnikend. 'Dat is leuk gezegd. Die uitdrukking bevalt me wel.'

'Dat verbaast me niets,' zei ze, en ging op weg naar de badkamer van haar eigen slaapkamer om zich te douchen.

Achter haar rug hoorde ze hem zeggen: 'Waarom neem je deze badkamer niet? Deze is veel mooier.'

Hoofdstuk 33

Julie stond voor de grote spiegel van de badkamer haar haren te föhnen, terwijl Zack zich voor zíjn kant van de spiegel stond te scheren. In plaats van haar kleinere badkamer te gebruiken, zoals ze gedacht had dat hij van plan was, had hij ook deze gebruikt. Ze stelde vast dat het delen van een badkamer met een man een bepaald soort intimiteit had, zelfs als die badkamer even groot was als de helft van haar huis en je er, zolang je maar aan jouw kant van de spiegels bleef, volledige privacy had. Maar de geluiden bleven – het geluid van de douche die werd aangezet terwijl zij onder de harę stond, en nu het geluid van de lopende kraan terwijl hij zich aan het scheren was. Voordat ze onder haar douche was gestapt, had ze een grote witte handdoek over het doorzichtige glazen scheidingswandje geslagen, en dat was een wijze voorzorgsmaatregel gebleken.

Ze had een ander groot badlaken om zich heen gewikkeld en wilde net op weg gaan naar haar slaapkamer om haar spijkerbroek aan te trekken, toen Zack haar riep. 'Waarom trek je niet iets aan uit de kast hier?'

Ze draaide zich naar hem om, en zag hem voor zijn wastafel staan. Hij had een handdoek om zijn smalle heupen geknoopt en de helft van zijn gezicht zat onder het scheerschuim. 'Nee,' zei ze. 'Dat heb ik gisteravond ook gedaan, en op de een of andere manier vond ik dat toch geen prettig gevoel.'

'En op de een of andere manier wist ik wel dat je daar moeilijk over zou doen,' reageerde hij, waarna hij zijn hoofd naar achteren boog en het scheermes langs de onderkant van zijn kin haalde.

Julie grijnsde. 'Wat is het toch heerlijk om zo af en toe eens een woordenwisseling van je te winnen.'

Ze liep de slaapkamer in naar de stoel waarop ze de vorige avond haar kleren had gelegd. Ze waren verdwenen. Met grote, nijdige stappen keerde ze terug naar de badkamer. Ze keek Zack uitdagend aan en verklaarde: 'Als je maar niet denkt dat ik iets aan zal trekken dat niet van mij is!'

Hij wierp haar een geamuseerde blik toe, en ging verder met scheren. 'Dat lijkt me een verrukkelijk vooruitzicht, ik bedoel, dat je dan naakt door het huis zult moeten lopen.'

Ze gebruikte haar onderwijzersstem, het koele, waarschuwende toontje dat ze zo nu en dan aansloeg wanneer één van haar leerlingen weigerde te gehoorzamen. 'Zack, ik doe verschrikkelijk mijn best om niet boos te worden –'

Zack deed zijn best om niet te lachen, want hij vond haar ronduit aanbiddelijk. Hij weigerde om antwoord te geven.

'Zack!' riep ze op autoritaire toon, en deed nog een stap in zijn richting. 'Ik weet niet waar je mijn kleren verstopt hebt, maar ik wil dat je ze nú gaat pakken.'

Zijn schouders begonnen te schokken van de lach. Hij boog zich voorover, spetterde wat water op zijn gezicht, haalde de handdoek van zijn schouders en droogde zijn wangen af. 'En als ik dat niet doe, juf?' vroeg hij. 'Wat gebeurt er dan? Moet ik dan voor straf binnen blijven?'

Julie had genoeg ervaring met opstandige pubers om te weten dat ze niets van haar ergernis moest laten blijken. Op een hooghartig toontje verklaarde ze: 'En denk vooral niet dat ik bereid ben om over dit onderwerp in discussie te gaan.'

Hij gooide de handdoek op een stoel en keek haar stralend aan. 'Je hebt een vocabulaire om u tegen te zeggen,' zei hij. 'Hoe komt het eigenlijk dat je helemaal geen Texaans accent hebt?'

Zijn woorden drongen amper tot Julie door. Ze keek als met stomheid geslagen naar de sexy man die ze talloze keren in films had gezien en die nu in levenden lijve voor haar stond. Tot op dat moment had de man Zachary Benedict nauwelijks geleken op de filmster Zachary Benedict, en het was dan ook niet moeilijk geweest om wie en wat hij geweest was te negeren. Vijf jaar gevangenschap had zijn gezicht tot een verouderd, verhard masker gemaakt, maar het leek wel alsof dat masker in de tijd van één nacht verdwenen was. Nu was hij uitgerust, in seksueel opzicht bevredigd en fris geschoren, en de gelijkenis was zo opvallend dat ze meteen een zenuwachtig stapje achteruit deed alsof ze opeens oog in oog stond met een onbekende.

'Waarom kijk je me opeens zo vreemd aan?'

De stem kwam haar vertrouwd voor. Ze kende die stem. Dat was geruststellend. In gedachten riep ze zich tot de orde, en hield zich voor dat ze zich niet zo moest aanstellen. Bovendien waren ze bezig met een discussie, een discussie die ze hoe dan ook moest zien te winnen. Ze sloeg haar armen over elkaar en zei op koppige toon: 'Ik wil mijn kleren terug.'

Hij ging met één bil op het puntje van de marmeren wastafel zitten, sloeg ook zijn armen over elkaar, en verklaarde grinnikend: 'Dat kun je vergeten, schattebout. Ik wil dat je iets aantrekt uit die kast.'

Hij maakte haar zo nijdig dat ze het liefste met haar voet op de grond had gestampt. 'Verdorie, ik wil mijn –'

'Toe,' viel hij haar zachtjes in de rede. 'Trek nu toch iets aan uit die kast.' Toen ze haar mond opendeed om hem opnieuw tegen te spreken, voegde hij er op effen toon aan toe: 'Ik heb je kleren in de open haard gegooid.'

Julie wist dat er voor haar nu niets anders meer op zat dan hem zijn zin te geven, maar de manier waarop hij haar hiertoe had gedwongen, maakte haar nog nijdiger dan ze al was. 'Mijn kleren mogen in de ogen van een voormalige filmster dan onbeduidende vodden hebben geleken,' snauwde ze, 'maar het waren míjn kleren. Ik heb hard moeten werken om ze te kunnen kopen, en ik vond ze mooi!'

Ze draaide zich met een ruk om en liep naar de kast, en had er geen idee van dat haar woorden pijnlijk doel hadden getroffen. Ze ging de kast in, negeerde de jurken en rokken die aan weerszijden van haar aan lange rekken hingen, en liep regelrecht door naar achteren waar ze de eerste de beste broek en trui van één van de planken griste. Ze hield ze voor om te zien of ze zouden passen, concludeerde dat ze min of meer van haar maat waren, en trok ze aan. De broek was van zachte, groene kasjmier, en in de wijde mouwen van de bijpassende coltrui waren kleine, lila viooltjes geweven. Ze liet de trui over de broek heen hangen, pakte een groene ceintuur, draaide zich om en wilde de kast weer uit lopen, toen ze bijna tegen Zack opbotste.

Hij stond in de deuropening van de kast en versperde haar de doorgang.

'Zou ik er even langs mogen?' vroeg ze zonder hem aan te kijken, en wilde hem opzij duwen.

Hij liet haar er niet langs, en zei: 'Het is mijn schuld dat je de afgelopen drie dagen steeds in dezelfde kleren hebt moeten lopen. Ik wilde alleen maar dat je iets anders zou aantrekken, opdat ik me niet steeds schuldig zou hoeven voelen bij het zien van je spijkerbroek.' Hoewel hij er daarnaast ook naar verlangd had om haar eens in iets moois te zien wat haar figuur en knappe gezichtje recht zou doen, was hij zo verstandig om dat er niet bij te zeggen. 'Zou je me alsjeblieft aan willen kijken, en het me laten uitleggen?'

Julie was koppig genoeg om zijn overredende toontje te weerstaan, maar ze was niet zo boos dat ze zijn logica niet kon volgen en daarbij wist ze ook dat het dom van haar was om hun kostbare, korte tijd met ruzie te bederven.

'Ik kan het niet uitstaan wanneer je me negeert en zo naar de vloer kijkt,' zei hij. 'Je geeft me het gevoel dat je denkt dat mijn stem afkomstig is van de een of andere kakkerlak die je daar ziet, en dat je zin hebt om het beest met je voet te vermorzelen.'

Julie kon niet op tegen zijn humor. Schuddend van de lach liet ze zich tegen het rek met kleren aan vallen. 'Je bent onverbeterlijk,' zei ze giechelend en keek hem stralend aan.

'En jij bent geweldig.'

Hij zei het met zo'n ernstig gezicht dat Julie's hart een slag miste, maar hij was een acteur, hield ze zich voor, en ze zou er verkeerd aan doen om te denken dat zijn complimentjes oprecht en gemeend waren.

Toen ze geen antwoord gaf, glimlachte Zack en liep de slaapkamer weer in. Over zijn schouder zei hij: 'Laten we een dik jack aantrekken en naar buiten gaan, als je daar tenminste nog steeds zin in hebt.'

Ze keek hem met open mond van verbazing na, volgde hem, spreidde haar armen en keek naar haar kleren. 'In deze kleren? Zie je ze soms vliegen? Deze wollen broek moet zeker... tweehonderd dollar hebben gekost!'

Zack, die zich nog kon herinneren wat Rachel aan haar kleren uitgaf, schatte de waarde van de broek eerder op zeshonderd dollar, maar dat zei hij niet. Hij wist dat ze dolgraag naar buiten wilde, en wilde niets liever dan haar haar zin geven. Hij legde zijn handen op haar schouders, schudde haar zachtjes door elkaar, en zei: 'Julie, deze kleren zijn van een vrouw die warenhuizen vol schitterende kleren heeft. Het kan haar echt niets schelen dat je haar kleren draagt –' Hij zweeg, en kon zich niet voorstellen dat hij zo stom was geweest om haar dit te vertellen. Julie's ogen waren groot van de schrik, en hij zag haar nadenken.

'Wil je daarmee zeggen dat je de eigenaars van dit huis kent? En vinden ze het dan goed dat je hier woont? Is dat geen reusachtig risico voor hen, ik bedoel, onderdak verlenen aan een ontsnapte gevangene –'

'Hou je mond!' beval hij feller dan hij wilde. 'Dat wilde ik er helemaal niet mee zeggen!'

'Maar ik probeer alleen maar te begrijpen –'

'Verdomme, ik wíl helemaal niet dat je het begrijpt.' In het besef dat hij geen enkel recht had om zijn woede op hemzelf op haar uit te leven, haalde hij zijn hand door zijn haar en zei met een ietsje meer geduld: 'Ik zal proberen om het je zo duidelijk mogelijk uit te leggen, en daarna wil ik er geen woord meer over horen.' Ze keek hem aan op een manier alsof ze hem wilde zeggen dat ze zijn houding en toon onredelijk en niet terecht vond, maar hield haar mond. Ze stak de handen in haar broekzakken, leunde met haar schouders tegen de muur van de slaapkamer, sloeg haar enkels over elkaar en keek hem strak aan.

'Als je straks weer thuis bent,' begon Zack, 'dan zal de politie je eindeloos verhoren. Ze zullen je aan de tand voelen over alles wat ik heb gezegd en gedaan toen we samen waren, om erachter te komen hoeveel hulp ik bij mijn ontsnapping heb gehad en wat mijn volgende reisdoel zal zijn. Ze zullen je zo eindeloos en keer op keer verhoren, tot je zo bekaf bent dat je niet meer helder kunt denken. Dat doen ze in de hoop dat er je iets te binnen schiet wat je vergeten was en wat voor hen van belang kan zijn. Zolang je hun dè waarheid, de hele waarheid zult kunnen vertellen – en dat adviseer ik je ook te doen als je hier weg bent – hoef je je nergens zorgen over te maken. Maar als je gaat proberen om mij te beschermen door iets voor hen te verzwijgen of te liegen, dan zul je jezelf uiteindelijk tegenspreken, en doe je dat, dan merken ze dat onmiddellijk en laten geen haar van je heel. Dan zullen ze denken dat je van begin af aan mijn medeplichtige bent geweest, en je als zodanig behandelen.

Ik wil je vragen om hen één, op zich onbeduidend leugentje te vertellen dat ons allebei ten goede zal komen, maar verder wil ik niet dat je iets voor ze verzwijgt. Vertel ze alles. Op dit moment weet je niets dat schadelijk voor mij zou kunnen zijn, of voor iemand die iets met mij te maken heeft. En zo wil ik het houden,' besloot hij met klem, 'om mijn eigen bestwil, en om het jouwe. Is dat duidelijk? Begrijp je nu waarom ik niet wil dat je verder nog vragen stelt?'

'En wat voor leugentje wil je dat ik ze vertel?'

'Ik wil dat je zegt dat je er geen idee van hebt waar dit huis precies is. Je vertelt ze dat ik je geblinddoekt heb nadat je op die parkeerplaats bijna ontsnapt was, en dat ik je gedurende het grootste gedeelte van de rit op de achterbank heb laten liggen om te voorkomen dat je opnieuw een ontsnappingspoging zou wagen. Dat is volkomen geloofwaardig en logisch, en ze zullen het accepteren. Bovendien zal het helpen om dat verhaal van die verrekte vrachtwagenchauffeur te ontzenuwen; zijn verhaal is de enige aanleiding die de politie heeft om aan te nemen dat je mijn medeplichtige zou kunnen zijn geweest.

Ik zou er alles ter wereld voor overhebben om je een leugen om mijn bestwil te besparen, maar dit is echt de beste oplossing.'

'En als ik weiger?'

Zijn gezicht veranderde van het ene op het andere moment in een strak, afstandelijk masker. 'Dat zul je natuurlijk zelf moeten beslissen,' zei hij op een ijzig beleefd toontje. Opeens besefte Julie hoeveel hij sinds de vorige dag ten opzichte van haar veranderd was. Zijn plagende, nonchalante houding en zijn tedere liefdesspel waren meer dan alleen maar een plezierige manier om de tijd samen door te komen. Die ontdekking deed haar zo'n plezier, dat zijn volgende woorden bijna niet tot haar doordrongen. 'Als je ervoor kiest om de politie te vertellen waar dit huis is, dan zou ik het op prijs stellen dat je erbij vertelde dat ik geen sleutel had en van plan was om in te breken wanneer ik geen sleutel zou kunnen vinden. Als je dat er niet bij vertelt, dan zouden de eigenaars van dit huis – mensen die even onschuldig zijn als jij wat mijn ontsnappingsplannen betreft – net zo door de politie verdacht worden als jij door wat die vrachtwagenschauffeur heeft verteld.'

Ze zag in dat het hem er helemaal niet om ging zichzelf te beschermen. Hij wilde alleen maar dat de eigenaars van het huis buiten schot bleven. En dat betekende dat hij ze kende. Ze waren vrienden, of waren dat geweest...

'En zou je me nu dan misschien willen vertellen wat je van plan bent te doen?' vroeg hij op datzelfde ijzige, afstandelijke toontje waar ze zo'n hekel aan had. 'Of wil je er liever nog even over denken?'

Julie had op haar elfde gezworen om nooit meer te liegen, en ze had zich gedurende vijftien jaar aan dat voornemen gehouden. Nu keek ze de man van wie ze hield aan, en zei zacht: 'Ik ben van plan om ze te vertellen dat je me geblinddoekt hebt. Hoe kom je erbij te denken dat ik ze iets anders zou willen vertellen?'

Tot haar intense opluchting zag ze de spanning uit zijn gezicht wegtrekken, maar in plaats van iets liefs te zeggen, verklaarde hij op afkeurende toon: 'Jou komt de eer toe, Julie, dat je de enige vrouw bent die er ooit in geslaagd is mij het gevoel te geven dat ik een emotionele jo-jo ben die aan het puntje van je vinger aan een touwtje op en neer danst.'

Julie moest haar best doen om niet te glimlachen. Ze vond het heerlijk om te weten dat ze hem meer deed dan welke andere vrouw hem ooit had gedaan. Ook al was hij daar dan zelf helemaal niet gelukkig mee. 'Het... het spijt me,' zei ze, hoewel dat helemaal niet zo was.

'Ha, maak dat de kat maar wijs,' gaf hij terug, maar zijn stem had de scherpe klank verloren en ze meende er zelfs iets van een lach in te horen. 'Dacht je soms dat ik niet zag hoeveel moeite het je kost om niet te lachen?'

Ze keek hem niet aan, maar hief haar hand op om haar vingers te bekijken. 'Niets bijzonders aan te zien,' zei ze. 'Doodnormale vingers.'

'Er is niets aan jou wat doodnormaal is, Julie Mathison,' verklaarde hij half ernstig en half lachend. 'God helpe de man met wie je zult trouwen, want ik weet zeker dat hij vroegtijdig aan zijn einde zal komen!'

Het feit dat hij ervan overtuigd scheen te zijn dat ze na hem nog iemand anders zou willen, en dan ook nog iemand anders met wie hij medelijden had, en dat hij daar absoluut geen moeite mee had, zette Julie in een harde klap met beide voeten op de grond. Ze nam zich heilig voor om alles wat hij zei en deed van nu af aan met een korreltje zout te nemen en haar emoties onder controle te houden. Ze glimlachte, knikte, zette zich af tegen de muur, en zei: 'Een-nul. Hierbij verklaar ik deze woordentwist voor gesloten en roep ik jou tot winnaar uit.'

Hoewel ze grappig probeerde te zijn, had Zack op de een of andere manier toch het gevoel dat hij haar had gekwetst. Even later volgde hij haar de gang op waar ze, voor de gangkast, bezig was het skipak aan te trekken dat ze de vorige dag gedragen had. 'Ik was dit pak even vergeten,' zei ze. 'Nu hoef ik niet bang te zijn voor die kleren die ik aan heb. Daar hangt een pak voor jou, dat ik bij mij uit de kast heb gehaald.' Ze wees op het skipak dat aan de deur hing.

Zack pakte het en begon het aan te trekken, en bedacht toen dat hun gesprek in de slaapkamer nog enige verduidelijking behoefde. 'Luister,' zei hij kalm, 'ik heb er geen zin in om ruzie met je te maken of te bekvechten. En waar ik helemaal geen zin in heb, dat is om mijn toekomstplannen of huidige problemen met jou te bespreken. Ik doe verschrikkelijk mijn best om me er zelf geen zorgen over te maken, en om gewoon te genieten van jouw onverwachte aanwezigheid. Probeer alsjeblieft te begrijpen dat de paar eerstkomende dagen de laatste "normale" dagen van mijn leven zullen zijn. Niet dat ik er ook maar enig idee van heb wat "normaal" is,' voegde hij eraan toe. 'Maar waar het om gaat is dat ik het, ook al weten we allebei dat dit een droomsituatie is die onmogelijk nog veel langer zal kunnen duren, toch heel fijn vind om deze paar idyllische dagen met jou te kunnen beleven. Het is iets waar ik later aan terug kan denken. Ik wil het niet bederven met gedachten aan de dag van morgen. Begrijp je een beetje wat ik je probeer te zeggen?'

Julie verstopte het medelijden en het verdriet dat zijn woorden in haar opriepen achter een warme glimlach en ze knikte. 'En zou ik misschien ook mogen weten hoe lang we hier nog samen blijven?'

'Dat heb ik nog niet besloten, maar langer dan een week zal het niet zijn.'

Ze moest haar best doen om niet te denken hoe kort dat was, en besloot te doen wat hij van haar verlangde. Toch was er nog iets dat ze van hem wilde weten. 'Voor we een punt achter deze hele discussie over de politie en zo zetten, zal ik je toch nog iets moeten vragen.' Zack zag hoe ze een kleur kreeg, haar hoofd liet zakken en een wollen muts opzette. 'Je zei dat ik alles aan de politie moest vertellen. Maar daarmee bedoel je toch zeker niet ook dat wat wij... wat jij... en ik...'

'Dat zijn de persoonlijke voornaamwoorden,' zei Zack plagend, ofschoon hij precies wist wat ze bedoelde. 'Denk je dat je er ook nog een werkwoord bij zou kunnen geven?'

Ze trok de handschoenen aan, zette haar handen in haar zij en keek hem afkeurend aan. 'U bent mij veel te glad, meneer Benedict.'

'Dat moet ik wel zijn, om jou bij te kunnen benen.'

Ze schudde haar hoofd en liep naar de achterdeur aan het einde van de korte gang. Zack, die geen spijt had van zijn antwoord maar wel van zijn timing, haalde haar in toen ze over de drempel naar buiten stapte. De lucht was stralend blauw, en hoewel het nog steeds koud was, was het minder koud dan de vorige dag, en de wereld buiten leek een wit sprookjesland. 'Het was niet mijn bedoeling om onverschillig op je laatste vraag te reageren,' zei hij, terwijl hij de deur achter zich dichtdeed, zijn handschoenen aantrok en in de sneeuw stapte. Ze bleef staan en wachtte tot hij bij haar was, maar bij het zien van haar stralende gezicht vergat hij even wat hij eigenlijk had willen zeggen. Met haar haren onder de muts en zonder make-up op haar gezicht, was ze een wonder van porseleinachtige huid en grote, saffierblauwe ogen omlijst door dikke, donkere wimpers en sierlijk gebogen wenkbrauwen. 'Natuurlijk bedoelde ik niet dat je maar moet vertellen dat we met elkaar naar bed zijn geweest. Dat gaat niemand iets aan behalve ons. Maar aan de andere kant,' vervolgde Zack, 'zullen ze als vanzelfsprekend aannemen dat ik, een moordenaar die in de gevangenis heeft gezeten, je op zijn minst verkracht heb. Ik weet hoe de politie denkt, en als je ontkent dat ik je ergens toe gedwongen heb, dan zullen ze net zo lang doorvragen totdat je bekent dat je wilde dat ik je zou neuken, en dat ik dat ook wilde.'

'Noem het niet zo!' zei ze met het gezicht van een kuise maagd hetgeen ze, bedacht Zack met een heimelijk glimlachje, eigenlijk ook was.

'Ik zeg het met hun woorden,' zei hij. 'Zodra je ook maar even iets te veel gevoel toont over iets wat mij persoonlijk betreft, dan denken ze meteen het ergste en vragen door. Toen ik je hier mee naartoe bracht, had ik er geen idee van dat ze zo'n goede reden zouden hebben om aan te nemen dat jij wel eens mijn medeplichtige zou kunnen zijn. En die reden zouden ze ook niet hebben gehad, als die verdomde vrachtwagenchauffeur niet –' Hij maakte zijn zin niet af en schudde zijn hoofd. 'Toen je op die parkeerplaats bijna ontsnapt was, wist ik maar één ding, en dat was dat ik je tegen moest houden. Ik kon me niet voorstellen dat die vrachtwagenchauffeur ons achteraf zou herkennen. Hoe dan ook, het kwaad is geschied en het heeft geen zin om stil te staan bij iets waar nu toch niets meer aan te veranderen is. Als de politie je naar die scène vraagt, dan vertel je ze precies hoe het is gegaan. Ze zullen je een heldin vinden. En dat was je ook.' Hij legde zijn handen op haar armen om zijn woorden te benadrukken, en zei: 'Luister goed, en daarna wil ik het hier niet meer over hebben. Als de politie je over onze relatie hier ondervraagt, als je op de een of andere manier mocht laten blijken dat we een intieme verhouding hebben gehad, dan moet je me iets beloven.'

'Wat dan?' vroeg Julie. Ze wilde zo snel mogelijk een eind maken aan dit gesprek, voordat het voor altijd een stempel op hun samenzijn zou drukken.

'Ik wil dat je me belooft dat je ze zegt dat ik je verkracht heb.'

Haar mond viel open van verbazing en ze keek hem met grote ogen aan.

'Ik ben al veroordeeld wegens moord,' zei hij. 'En je kunt rustig van mij aannemen dat mijn reputatie door de beschuldiging van verkrachting er niet nog slechter op zal kunnen worden. Maar jouw reputatie kan erdoor worden gered, en dat is het enige dat telt. Je begrijpt het toch, niet?' vroeg hij, toen hij zag hoe uitermate vreemd ze hem aankeek.

Heel zacht, en ongewoon onderdanig zei ze: 'Ja, Zack. Ik begrijp het. Wat ik begrijp is dat je... volkomen... geschift... bent!' Ze gaf hem een harde zet tegen zijn schouders, en hij viel achterover in een hoop opgewaaide sneeuw.

'Waar heb ik dat, verdomme nog aan toe, aan te danken?' vroeg hij, en probeerde uit de diepe sneeuw overeind te krabbelen.

'Dat heb je te danken aan het feit,' zei ze, en keek hem met haar meest engelachtige glimlachje aan, 'dat je het in je hersens durft te halen dat het ook maar bij mij op zou komen om wie dan ook te vertellen dat je mij verkracht zou hebben!'

Hoofdstuk 34

Zack stond op en klopte de sneeuw van zijn jack en benen. Dat nam niet weg dat hij het opeens heerlijk vond om buiten in de sneeuw te zijn, in het gezelschap van een jonge vrouw die wel zin leek te hebben in een stoeipartijtje. Grinnikend veegde hij het laatste restje sneeuw van zich af, en deed toen een paar stappen in haar richting. 'Dat was ontzettend kinderachtig,' zei hij.

Bij elke stap die hij naar haar toe deed, deed zij er eentje naar achteren. 'Je haalt het niet in je hoofd,' zei ze, en deed haar best om niet te lachen, 'hoor je?'

Zack dook op haar af, en Julie draaide zich razend snel om, haakte een been om zijn knieholte, en voor hij zich realiseerde wat er gebeurde, viel hij opnieuw achterover in de sneeuw. Hij landde vlak op zijn rug, en Julie schaterde het uit.

'Dat,' verklaarde Julie lachend, 'was een gedeeltelijke betaling voor de sneeuwbal die je op die parkeerplaats in mijn gezicht hebt gegooid.' Ze boog zich over hem heen en wachtte tot hij op zou staan, maar hij bleef doodgewoon liggen en keek met een vreemd, peinzend gezicht naar de helderblauwe lucht boven haar hoofd. 'Sta... sta je niet op?' vroeg ze even later.

Hij keek haar aan. 'Waarvoor zou ik opstaan?'

'Ik heb je toch geen pijn gedaan, hè?' vroeg ze een beetje angstig.

'Mijn trots ligt aan diggelen, Julie.'

In een flits dacht ze aan al die films waarin hij de bink had uitgehangen, en opeens begreep ze waarom hij nu zo'n beteuterde indruk maakte. En dat hij het echt meende, dat bleek wel uit de manier waarop hij daar lag, en uit de benepen klank van zijn stem. Ze begreep ook onmiddellijk dat hij al zijn vechtscènes door een dubbel had laten spelen, en het speet haar dat ze zich zo kinderachtig gedragen had. 'Dat was dom van mij. Toe, sta nu maar op.'

Hij kneep zijn ogen half dicht tegen de zon, en vroeg zacht: 'Ben je van plan om me opnieuw tackelen?'

'Nee, ik beloof je dat ik het niet meer zal doen. Je hebt gelijk. Het was heel kinderachtig van me.' Ze stak een hand naar hem uit om hem op te helpen, maar zette zich wel schrap omdat ze er in haar achterhoofd rekening mee hield dat dit een truc was en hij haar voorover wilde trekken, maar hij liet zich zonder verdere grappen overeind helpen.

'Ik ben te oud voor dit soort dingen,' klaagde hij, en masseerde zijn knieholte.

'Moet je kijken –' zei Julie, om hem over zijn schaamte heen te helpen. Ze wees op de sneeuwpop waar ze de vorige dag aan begonnen was, en waar, als gevolg van de wind en de sneeuw, niet veel meer van over was dan een hoop sneeuw. 'Heb je zin om hem samen met mij af te maken?'

'Best,' zei hij, en pakte haar hand. Als twee verliefde mensen liepen ze hand in hand door de sneeuw. 'Hoe heb je dat eigenlijk gedaan, toen je mij net tackelde?' vroeg hij vol bewondering. 'Was dat de een of andere karatetruc, of was het judo? Ik haal die twee altijd door elkaar.'

'Judo,' zei ze.

'Waarom heb je me toen op die parkeerplaats niet zo gevloerd, in plaats van er rennend vandoor te gaan?'

Ze keek hem beschaamd aan. 'Mijn broer Ted geeft les in zelfverdedigingssporten, maar ik vond dat bespottelijk in zo'n gat als Keaton en wilde er nooit heen. Maar die ene truc heeft hij me ooit eens thuis geleerd. Die dag was ik in paniek, en ben er gewoon vandoor gegaan. Ik was op dat moment helemaal vergeten dat ik die truc nog kon. Maar vandaag had ik het zorgvuldig gepland, en daarom kostte het me ook zo weinig moeite om je –' Ze zweeg in het besef dat ze al te ver was gegaan om zijn trots nog te kunnen sparen.

Ze waren bij de sneeuwpop gekomen. Hij liet haar hand los en keek met een bewonderend glimlachje op haar neer. 'Ken je nog meer van dat soort trucs?'

Julie kende er inderdaad nog een paar. 'Nee, dat was de enige.'

Hij keek nog steeds glimlachend op haar neer, en zei toen heel zacht en heel liefdevol: 'Laat mij je er dan nog eentje leren –' Hij bewoog zo snel dat Julie een geschrokken kreet slaakte op het moment waarop hij haar optilde en haar met een grote boog op haar billen in de zachte sneeuw deed belanden.

Ze keek hem met open mond aan, lachte hulpeloos om haar oneervolle landing in de sneeuw, en krabbelde overeind. 'Je bent echt walgelijk, wist je dat?' zei ze verwijtend, en deed alsof ze de sneeuw van haar pak sloeg terwijl ze koortsachtig nadacht over een manier om hem dit betaald te zetten. Ze keek hem aan met een onschuldig glimlachje, en liep toen naar hem toe.

'Genoeg gehad?' vroeg hij grinnikend.

'Ja. Jij hebt gewonnen. Ik geef het op.'

Maar deze keer zag Zack de fonkeling in die betoverende blauwe ogen van haar. 'Liegbeest,' zei hij lachend toen ze langzaam om hem heen begon te lopen op zoek naar een plek waarop ze hem zou kunnen treffen. Hij draaide met haar mee, en nu lachten ze alle twee. Zack was vastbesloten om zich niet nogmaals door haar te laten inpakken, en Julie wist precies wat ze moest doen om hem te krijgen waar ze hem hebben wilde.

'Time out,' zei ze lachend, terwijl ze bleef staan en deed alsof ze de rits, die ze een minuut tevoren open had getrokken, weer dicht wilde trekken. 'Geen wonder dat ik het zo koud heb. Die rits zakt maar steeds open.'

'Hier,' zei Zack die, precies zoals Julie gehoopt had, meteen bereid was om te helpen. 'Laat mij maar even.' Hij trok zijn rechterhandschoen uit en bekeek de rits. Op het moment waarop hij het lipje vastpakte, draaide Julie zich half opzij, en haalde met haar schouder krachtig uit naar zijn borst. Zack deed razend snel een stapje opzij, en Julie's schouder ramde niet zijn borst maar ijle berglucht, waardoor ze haar evenwicht verloor en met zo'n kracht languit voorover in de sneeuw viel, dat ze met kop en schouders in de opgewaaide sneeuw terechtkwam.

Lachend krabbelde ze overeind en keek naar Zack die heel droog opmerkte: 'Dit is echt de eerste keer dat ik een menselijke sneeuwboor aan het werk heb gezien. Interessante demonstratie. Denk je dat het een idee is dat aan een fabrikant te slijten zal zijn?'

Dat gaf de doorslag. Julie schoot in de lach en liet zich schaterend aan zijn voeten in de sneeuw vallen. Hij torende als een standbeeld van mannelijke superioriteit boven haar uit. 'Zodra je weer toe bent aan serieuze sneeuwpopzaken,' zei hij met hoog opgeheven kin, 'dan –'

Julie stak haar voet uit. Hij struikelde en stortte als een gevelde boom ter aarde. Gierend van de lach rolde ze zo snel mogelijk bij hem vandaan, krabbelde overeind en deinsde achteruit om buiten zijn bereik te blijven. 'Hoogmoed komt voor de val –' bracht ze hem giechelend in herinnering.

Hij glimlachte, maar er lag een gevaarlijke gloed in zijn ogen toen hij langzaam op haar toeliep. 'Nu is de maat vol,' zei hij zacht. 'Nu is de maat echt vol.'

'Als-als je maar niets doet waar je achteraf spijt van krijgt –' kwam het hulpeloos lachend over haar lippen. Ze stak haar handen uit als om hem af te weren, en week nog wat sneller achteruit. Hij versnelde zijn pas. 'Je waagt het niet,' dreigde ze met onvaste stem, 'hoor je, Zack, je waagt het niet!' Ze draaide zich om en ging er in de richting van het bos vandoor, juist op het moment waarop hij boven op haar dook. Hij tackelde haar met een arm rond haar middel, waardoor ze onder hem, op haar rug in de sneeuw terechtkwam en hij met gespreide benen boven op haar ging zitten.

Grinnikend om haar vergeefse pogingen om zich los te worstelen, greep hij haar beide polsen met één hand boven haar hoofd beet. 'Gemeen nest, dat je bent,' zei hij vrolijk, waardoor Julie nog harder moest lachen en nog meer haar best deed om los te komen. 'Geef je je over?'

'Ja, ja, ja!'

'Zeg "ik geef me over"!'

'Ik geef me over!' hikte ze. 'Ik geef me over!'

'Goed zo. En nu sluit je je ogen en geef je me een kus.'

Schokschouderend van de pret, sloot ze haar ogen en gaf hem met opzet een kinderlijk kusje op de wang. Wat ze terugkreeg, was een hand vol koude, natte sneeuw in haar gezicht. Hij peperde haar er zorgvuldig mee in terwijl zij tegenstribbelde en nog harder lachte. Zack stond op, stak een hand naar haar uit om haar te helpen, en vroeg als een grijnzende, zelfvoldane sultan: 'Weet je zéker dat je nu genoeg hebt gehad?'

'Ja, ja, het is genoeg,' antwoordde Julie lachend, en zag nu pas hoe jongensachtig blij en ontspannen hij eruitzag na hun stoeipartij in de sneeuw. De laatste sporen spanning waren van zijn knappe gezicht verdwenen, en ze voelde een mengeling van tederheid en verbazing over het feit dat hij zo veel plezier kon beleven aan zoiets simpels als een sneeuwgevecht. Natuurlijk, het sneeuwde niet in Los Angeles, dus misschien was dit ook wel iets volkomen nieuws voor hem. Hoe dan ook, één ding was duidelijk: hij had er gelijk in gehad met te zeggen dat ze van het heden moesten genieten en niet aan de toekomst moesten denken.

Ze liepen samen door de hoge sneeuw, en Zack ondersteunde haar. 'Zouden we nu dan eindelijk eens met die sneeuwpop kunnen beginnen?' vroeg hij, nadat ze waren blijven staan voor de vormeloze hoop sneeuw. Zack stond met zijn rug naar Julie toe, zette zijn handen in de zij en bestudeerde dat wat gisteren de buik van haar sneeuwpop had moeten worden. 'Het zal je inmiddels wel duidelijk zijn dat het heel dom is om iemand te provoceren die veel langer, sterker en intelligenter is dan jij. En nu ik je dan eindelijk zover heb dat je mij naar behoren respecteert, zou ik je een voorstel willen doen aangaande dit –'

Een grote sneeuwbal spatte oneerbiedig tegen zijn achterhoofd uiteen.

Hoog op die afgelegen bergtop in Colorado, werd die lange, winterse middag nog heel wat gelachen. Onder het toeziend oog van de geschrokken eekhoorns, speelden en dolden de man en de vrouw als twee kleine kinderen in de sneeuw, en bouwden een sneeuwpop die in de verste verte niets gemeen had met andere sneeuwpoppen die in de loop van de geschiedenis waar dan ook ter wereld gemaakt zijn.

Hoofdstuk 35

Julie en Zack zaten naast elkaar op de bank. Ze hadden hun benen uitgestrekt op de lage tafel liggen en zaten diep weggekropen onder de dikke wollen plaid. Julie keek afwezig door het grote raam naar buiten. Ze was doodmoe van hun lange dag in de frisse buitenlucht, een stevig maal en Zacks grondige liefdesspel op de bank. Zack zelf zat, met een arm om haar schouders geslagen en zijn hoofd tegen haar aangeleund, peinzend in de vlammen te staren. Ze vond het heerlijk om hem zo dicht tegen zich aan te voelen, maar op dit moment was ze met haar gedachten bij zijn 'sneeuwpop' in de tuin. Ze verbaasde zich over zijn rijke fantasie, en dacht glimlachend terug aan hoe de sneeuwpop langzaam maar zeker niet tot een standaardsneeuwman, maar tot een soort van loerende dinosaurus was geworden.

'Waar zit je aan te denken?' vroeg hij, en drukte een teder kusje op haar haren.

Ze keek naar hem op en grinnikte. 'Aan je sneeuwpop. Hebben ze je nooit verteld dat een sneeuwpop eigenlijk grappig behoort te zijn?'

'Dat,' zei hij, en keek trots door het raam naar zijn creatie, 'is ook geen sneeuwpop, maar een sneeuwmónster.'

'Als je het mij vraagt, dan heeft het meer iets weg van een monster dat aan het brein van Stephen King ontsproten is. Wat voor ontaarde jeugd heb je eigenlijk gehad?' vroeg ze plagend.

'Gewoon. Ontaard,' zei hij, terwijl hij glimlachte en haar wat dichter tegen zich aan trok. Hij leek, in bed en erbuiten, maar geen genoeg van haar te kunnen krijgen, en dat was voor hem een totaal nieuwe ervaring. Ze paste in het holletje van zijn arm alsof ze voor hem was gemaakt, en in bed was ze de verleidster, de engel en de courtisane. Een blik, een geluid, een aanraking was vaak voldoende om hem in extase te brengen. Buiten het bed was ze grappig, boeiend, koppig, amusant en intelligent. Eén enkel woord van haar kon voldoende zijn om hem woedend te maken, maar daarna was een simpel glimlachje vaak weer voldoende om hem te ontwapenen. Ze was werelds zonder gekunsteld te zijn, wilde zich op geen enkele manier beter of mooier voordoen dan ze was, en haar hart was zo boordevol liefde en leven, dat hij af en toe – zoals wanneer ze over haar leerlingen vertelde – volkomen in haar ban geraakte. Hij had haar ontvoerd, en daarvoor in ruil had ze zijn leven gered. Hij werd geacht de sluwe, berekenende gevangene te zijn, maar toch was ze zo slim en dapper geweest dat ze tot twee keer toe op een haar na vlak voor zijn neus ontsnapt was. Daarna had ze hem haar maagdelijkheid geofferd, en dat met zo veel liefde gedaan dat de gedachte eraan hem nog altijd een vreemd soort beklemmend gevoel bezorgde. Hij voelde zich nederig ten opzichte van haar moed, haar gouden hart en haar gulheid.

Hij was negen jaar ouder, en zeker duizend keer geharder dan zij, maar toch had ze er een handje van om hem zacht te stemmen, om hem het gevoel te geven dat hij het zelfs prettig vond om zacht en vriendelijk te zijn, en dat was een totaal nieuwe ervaring voor hem. Voor hij naar de gevangenis was gestuurd, hadden de vrouwen hem altijd verweten dat hij afstandelijk, onbereikbaar, koud en harteloos was. Sommige vrouwen vergeleken hem met een machine, en één ervan had die vergelijking wat verder uitgewerkt door te zeggen dat hij in actie kwam voor seks, en daarna alles uitschakelde behalve wanneer het om zijn werk ging. Rachel had hem regelmatig verweten dat hij de charme in eigen persoon was, maar dat hij onder dat uiterlijke laagje even kil en koud was als een slang.

Aan de andere kant had hij in zijn volwassen bestaan nog nooit een vrouw gekend die niet in de eerste plaats aan haar carrière dacht, en aan wat hij in dat opzicht voor haar zou kunnen betekenen. Als je daarbij nog alle vrouwen optelde die echt alleen maar misbruik van hem hadden gemaakt, dan was het niet zo verwonderlijk dat hij cynisch, teleurgesteld en meedogenloos was geworden. Nee, dacht Zack, dat was niet waar. Hij was zo al geweest vóórdat hij in Los Angeles was gearriveerd – meedogenloos en harteloos genoeg om, toen hij nog maar net achttien was, zijn vroegere leven, zijn familie en zelfs zijn eigen naam de rug toe te keren. Genoeg om er nooit meer op terug te kijken en er nooit met iemand over te willen spreken – zelfs niet met de jongens van de afdeling publiciteit van de studio, die er over geklaagd hadden dat ze, indertijd toen hij zijn eerste film had gemaakt, een heel nieuw verleden voor hem moesten verzinnen, en ook niet met zijn vriendinnen en zijn vrouw. Zijn voormalige naam, zijn familie en zijn verleden waren dode feiten die hij zeventien jaar geleden voorgoed begraven had.

'Zack?'

Alleen al de manier waarop ze hem bij de naam noemde, had een magische uitwerking op hem. Uit haar mond klonk zijn naam bijzonder, anders. 'Hmm?'

'Realiseer je je wel dat ik eigenlijk nauwelijks iets van je af weet, en dat terwijl we... eh... we samen...' Julie zweeg, want het kostte haar moeite om de woorden 'naar bed zijn geweest' over de lippen te krijgen.

Zack hoorde de schaamte en onzekerheid in haar stem, en glimlachte omdat hij aannam dat ze waarschijnlijk op zoek was naar kuise woorden om de ongeremde hartstocht die er tussen hen was, mee te omschrijven.

Hij glimlachte in haar haren, en vroeg: 'Wat bedoel je precies?'

'Hou toch op. Ik ben toevallig bevoegd om tot op de middelbare school biologielessen te geven.'

'Dan begrijp ik niet goed wat de moeilijkheid is.' Hij grinnikte.

Haar antwoord deed hem op slag ernstig worden, deed zijn adem stokken en verwarmde zijn hart. 'Op de een of andere manier,' zei ze, en keek vol aandacht naar haar handen die op haar schoot lagen, 'vind ik de uitdrukking "geslachtsgemeenschap" lang niet toereikend voor het beschrijven van iets dat zo... zo heerlijk is wanneer we dat hebben. En zo diep. En zo intens.'

Zack leunde met zijn hoofd tegen de rugleuning van de bank en sloot zijn ogen. Hij vroeg zich af hoe het toch kwam dat ze deze krankzinnige uitwerking op hem had. Even later slaagde hij erin om op een nagenoeg normaal toontje te zeggen: 'En hoe vind je het klinken als ik zeg dat we minnaars zijn?'

'Minnaars,' herhaalde ze, en knikte. 'Wat ik je probeerde duidelijk te maken, is, dat ik, hoewel we minnaars zijn, zo goed als niets van je af weet.'

'Wat zou je graag willen weten?'

'Nou, om te beginnen of Zacharay Benedict je echte naam is, of dat je die hebt aangenomen toen je met het maken van films begon.'

'Mijn eerste voornaam is Zachary. Benedict is eigenlijk mijn tweede voornaam, en niet mijn achternaam, maar toen ik achttien was heb ik hem officieel tot mijn achternaam laten maken.'

'Echt?' Ze draaide zich naar hem toe, en haar zachte wang streek langs zijn arm toen ze naar hem opkeek. Zelfs met zijn ogen dicht voelde hij hoe ze naar hem keek, kon hij haar nieuwsgierige lachje zien, en terwijl hij zat te wachten op de onvermijdelijke vraag waarvan hij wist dat die zou komen, was hij in gedachten bij dingen die ze eerder had gezegd...

'Ik zou je nooit teleurgesteld hebben, Zack.'

'Hoe haal je het in je hersens om te durven denken dat het ooit bij mij zou opkomen om iemand te vertellen dat je mij verkracht zou hebben?'

'Geslachtsgemeenschap is lang niet toereikend voor het beschrijven van iets dat zo... heerlijk is wanneer we het hebben. Zo diep. En zo intens.'

Haar stem verdrong zijn herinneringen. 'Hoe was je achternaam voordat je hem in Benedict veranderde?'

Het was precies de vraag die hij verwachtte, de vraag waarop hij niemand ooit nog antwoord had gegeven. 'Stanhope.'

'Wat een prachtige naam! Waarom heb je hem veranderd?' Julie zag zijn gezicht verstrakken, en toen hij zijn ogen opendeed, schrok ze van zijn harde blik.

'Dat is een lang verhaal,' zei hij kortaf.

'O,' zei ze, en kwam tot de conclusie dat het een onplezierig verhaal was waar ze voorlopig nog maar beter niet naar kon vragen. In plaats daarvan zei ze het eerste wat haar te binnen schoot waarmee ze hem af zou kunnen leiden. 'Ik weet al een heleboel over je jeugd, want mijn oudere broers waren enthousiaste fans van je.'

Zack keek op haar neer en begreep dat ze zich over haar vanzelfsprekende nieuwsgierigheid naar zijn 'lange verhaal' had heen gezet. Dat besef was voldoende om de kilte die bij het noemen van de naam 'Stanhope' bezit van zijn hart had genomen, te verdrijven. 'O, ja?' vroeg hij plagend.

Julie knikte, en was blij dat dit nieuwe thema zo succesvol was. 'En omdat ze dat waren, weet ik al dat je helemaal zelfstandig bent opgegroeid, dat je hebt rondgetrokken met rodeocircussen, dat je op ranches met paarden en koeien hebt gewerkt – Heb ik soms iets grappigs gezegd?'

'Ik realiseer me dat dit een enorme schok voor je moet zijn,' zei hij grinnikend, 'maar die verhalen zijn pure verzinsels, afkomstig van de publiciteitsafdeling van de studio. Ik wil je wel bekennen dat ik nog veel liever twee dagen in een bus zit, dan twee uur op de rug van een paard. En als er ter wereld iets is waar ik nog een grotere hekel aan heb dan aan paarden, dan zijn het wel koeien.'

'Echt?' Ze schaterde het uit, trok haar knieën op tegen haar borst, sloeg haar armen eromheen en keek hem onderzoekend aan.

'En jij?' vroeg hij, terwijl hij zich vooroverboog naar zijn cognacglas op tafel. 'Is Mathison de achternaam waarmee je bent geboren, of heb je hem ook veranderd?'

'Ik ben zonder naam geboren.'

Zacks hand bleef halverwege de tafel en zijn mond hangen. 'Wat?'

'Ik ben gevonden in een kartonnen doos op een vuilnisemmer in een steegje. De conciërge die me vond heeft me naar zijn vrouw gebracht. Ik was verkleumd, en nadat de vrouw me weer een beetje warm had gemaakt, hebben ze me naar het ziekenhuis gebracht. De man vond dat ik vernoemd moest worden naar zijn vrouw die zich die dag over mij ontfermd had, en dus noemden ze me Julie.'

'God allemachtig,' zei Zack. Hij was diep geschokt, maar deed zijn best om daar zo min mogelijk van te laten blijken.

'Ik heb nog geluk gehad! Het had veel en veel erger kunnen zijn.'

Zack was zo onthutst dat de lach in haar ogen hem ontging. 'Hoe bedoel je?'

'Nou, stel dat zijn vrouw Mathilda had geheten. Of Gertrude. Of Wilhimena. Ik droomde er vroeger wel eens van dat ik Wilhimena heette.'

Daar voelde hij het weer, dat vreemde kleine steekje in zijn hart, dat malle gevoel van pijn wanneer ze op die manier glimlachte. 'Maar gelukkig is alles goed afgelopen,' zei hij in een poging zichzelf gerust te stellen. 'Je bent geadopteerd door de Mathisons, niet?' Toen ze knikte, concludeerde hij: 'En die kregen een snoezig babytje om in hun harten te sluiten.'

'Niet helemaal.'

'Wat?' riep hij opnieuw uit.

'Wat de Mathisons kregen, was een meisje van elf dat al in aanraking was gekomen met de misdaad in de achterbuurten van Chicago. Ik had me aangesloten bij een groepje oudere jongens, die me... bepaalde... trucs hadden geleerd. Het zat er dik in,' vervolgde ze vrolijk, 'dat ik, als ik daar gebleven was, een uiterst beruchte tante zou zijn geworden.' Ze hield haar hand voor zijn neus en bewoog haar lange vingers heen en weer. 'Ik had hele rappe vingertjes. Grijpgrage vingertjes.'

'Heb je gestolen?'

'Ja, en op mijn elfde ben ik gearresteerd.'

'Wegens diefstal?' vroeg Zack ongelovig.

'Nee, nee, dat niet,' zei ze met een gekwetst gezicht. 'Daar was ik veel te vlug voor. Nee, ik werd op heterdaad betrapt bij het jatten van een auto.'

Zack keek haar met open mond aan. Hoewel hij aan de ene kant met stomheid was geslagen, zag een ander deel van zijn brein haar levensverhaal al in filmvorm voor zich: een klein, mager, ondervoed meisje... een ondeugend gezichtje met die enorme Bambi-ogen van haar... een klein, koppig kinnetje... donker, kortgeknipt en onverzorgd haar... bijdehand.

Bereid om het op te nemen tegen de harde, wrede wereld...

Bereid om zich te ontfermen over een ex-gevangene...

Bereid om van gedachten te veranderen en bij hem te blijven en alles op het spel te zetten wat er van haar geworden was, enkel en alleen omdat ze nu in hem geloofde...

In een mengeling van blijdschap, tederheid en verbazing keek hij haar verontschuldigend aan. 'Mijn fantasie ging even met me aan de haal.'

'Dat wil ik best geloven,' zei ze met een begrijpend lachje.

'Wat deed je precies, toen je gearresteerd werd?'

Ze keek hem lachend aan. 'Een paar oudere jongens waren zo vriendelijk om mij een truc bij te brengen die mij, in deze situatie met jou, heel goed van pas zou zijn gekomen. Maar toen ik hem gisteren uitprobeerde op de Blazer, kon ik me niet meer precies herinneren hoe het moest.'

'Pardon?' vroeg Zack niet-begrijpend.

'Ik heb gisteren geprobeerd om de Blazer zonder sleuteltje aan de praat te krijgen.'

Zack schaterde het uit, en voor Julie wist wat er gebeurde, had hij haar in zijn armen genomen en trok haar dicht tegen zich aan. 'Niet te geloven,' fluisterde hij. 'Dat kan alleen mij maar overkomen, dat ik een domineesdochter ontvoer die in staat is om zonder sleuteltje een auto te stelen.'

'Ik weet zeker dat het me gisteren uiteindelijk wel gelukt zou zijn, maar de moeilijkheid was dat ik mijn pogingen om de haverklap moest staken om weer even voor het raam te verschijnen,' zei ze, en hij moest nog harder lachen.

'Maar wat ik veel beter had kunnen doen, dat was je zakken rollen! Dat zou een fluitje van een cent zijn geweest. Ik wist alleen niet dat je de sleuteltjes in je zak had zitten.' Julie vond het heerlijk dat ze hem zo aan het lachen kon maken, maar toen hij weer enigszins tot rust was gekomen, legde ze haar hoofd tegen zijn borst en zei: 'En nu is het jouw beurt. Waar ben je dan wel opgegroeid, als dat verhaal van zwerven en ranches niet waar is?'

'In Ridgemont, Pennsylvania.'

'En?' drong Julie aan.

'En,' zei hij, waarbij hij haar diep in de ogen keek, 'de Stanhopes bezitten daar een grote fabriek die gedurende bijna een volle eeuw voor Ridgemont en de omliggende dorpen de voornaamste bron van inkomsten is geweest.'

Ze schudde haar hoofd en trok een afkeurend gezicht. 'Dus dan was je rijk, en waren al die verhalen over je armzalige jeugd gewoon gelogen! Zijn mijn broers daar even mooi ingetrapt!'

'Het spijt me dat ik je broers misleid heb,' zei hij, en grinnikte om haar verontwaardigde reactie. 'In werkelijkheid was het zo, dat ik er geen idee van had wat ze in de studio voor verleden voor mij verzonnen hadden, totdat ik er in de bladen over las en het te laat was om er nog tegenin te kunnen gaan. Aan de andere kant is het wel zo, dat ik Ridgemont op mijn achttiende verlaten heb, en dat ik vanaf dat moment volledig op eigen benen stond.'

Julie wilde hem vragen waarom hij van huis was weggegaan, maar besloot daar nog even mee te wachten. In plaats daarvan vroeg ze: 'Heb je broers en zussen?'

'Ik had twee broers en een zus.'

'Wat bedoel je met "had"?'

'Daar bedoel ik van alles mee,' zei hij. Hij zuchtte en legde zijn hoofd weer op de rugleuning van de bank.

'Als je hier liever niet over praat,' zei ze, omdat zijn veranderde stemming haar niet was ontgaan, 'dan hoeft het niet.'

Zack wist dat hij haar alles zou vertellen, maar weigerde stil te staan bij de veelheid aan emoties die hem tot het doen van die bekentenis dreven. Toen Rachel hem diezelfde vragen had gesteld, had hij nooit de behoefte gevoeld om haar over zijn ware achtergrond te vertellen. Maar hij had dan in haar, of in wie dan ook, nooit zo veel vertrouwen gehad dat hij iets durfde te vertellen waarmee hij achteraf gekwetst zou kunnen worden. Misschien kwam het wel doordat Julie hem al zo veel gegeven had, dat hij het gevoel had dat hij haar antwoorden verschuldigd was. Hij trok haar dichter tegen zich aan en ze legde haar wang tegen zijn borst. 'Ik heb er geen idee van hoe vaak mij niet naar mijn achtergrond is gevraagd, maar ik heb er nog nooit met iemand over gesproken. Het is heus geen lang of interessant verhaal, maar als ik vreemd overkom, dan komt dat doordat het een hele onaangename geschiedenis voor mij is en ik het vreemd vind om er voor het eerst na zeventien jaar over te spreken.'

Julie zei niets. Ze voelde zich gevleid door het feit dat hij de eerste was die hij in vertrouwen wilde nemen.

'Mijn ouders zijn bij een auto-ongeluk om het leven gekomen toen ik tien was,' begon hij, 'en mijn twee broers, mijn zus en ik werden opgevoed door mijn grootouders – dat wil zeggen, wanneer we niet op kostschool zaten. We scheelden allemaal een jaar met elkaar. Justin was de oudste, daarna kwam ik, en daarna Elizabeth en Alex. Justin was –' Zack zweeg en probeerde de juiste woorden te vinden, maar slaagde daar niet in. 'Hij kon uitstekend zeilen, en in tegenstelling tot de meeste oude broers, was hij altijd bereid om mij op sleeptouw te nemen. Hij was – aardig. Lief. Toen hij achttien was, pleegde hij zelfmoord.'

Julie's adem stokte van ontzetting. 'Goeie God! Waarom?'

Ze voelde zijn borst zwellen in een diepe zucht. 'Hij was homoseksueel. Niemand wist het, behalve ik. Nog geen uur nadat hij het me verteld had, heeft hij zichzelf van kant gemaakt.'

Toen hij niets meer zei, vroeg Julie: 'Kon hij er dan met niemand over praten? Was er dan niemand binnen de familie die achter hem zou hebben gestaan?'

Zack lachte kort en zonder vreugde. 'Mijn grootmoeder was een Harrison en kwam uit een geslacht van keurige mensen die er voor zichzelf en de rest van de wereld krankzinnig hoge eisen op na hielden. Ze zouden Justin geperverteerd hebben gevonden, en erop hebben gestaan dat hij zich onmiddellijk zou bekeren. Voor de Stanhopes gold precies het tegenovergestelde. De Stanhopes waren roekeloze, onverantwoordelijke, charmante en zwakke mensen, die dol waren op pleziertjes. Voor de mannelijke tak van de Stanhopes gold dat het stuk voor stuk rokkenjagers waren. Ze staan in dat gedeelte van Pennsylvania bekend om hun buitenechtelijke avontuurtjes, en dat is iets waar ze ook nog eens bijzonder trots op zijn. Dat laatste gold vooral voor mijn grootvader. Ik durf bijna te zeggen dat de reputatie van de Stanhopes die van de Kennedy's overtrof. Om je een voorbeeld te geven, toen mijn broers en ik twaalf werden, gaf mijn grootvader ons een hoer als verjaardagscadeautje. Hij organiseerde een klein verjaardagsfeestje bij ons thuis, en de hoer die hij had uitgekozen werd uitgenodigd en later op de avond met het feestvarken naar boven gestuurd.'

'Wat vond je grootmoeder daarvan?' vroeg Julie vol walging. 'Was ze ook op dat feestje?'

'Nee. Mijn grootmoeder bevond zich ergens anders in huis, maar ze wist dat ze er niets aan kon veranderen of het tegen kon houden. Ze was een trotse vrouw, en deed alsof ze er geen idee van had wat er aan de gang was. Ook wat de avontuurtjes van mijn grootvader betrof, deed ze altijd alsof ze van niets wist.' Zack zweeg, en net toen Julie dacht dat hij het daarbij zou laten, voegde hij eraan toe: 'Mijn grootvader stierf een jaar na Justin, en presteerde het om mijn grootmoeder zelfs bij zijn dood nog te vernederen. Hij was in zijn eigen vliegtuig op weg naar Mexico, en stortte neer. Aan boord bevond zich een beeldschoon jong fotomodel. De Harrisons zijn eigenaar van het Dagblad van Ridgemont, en mijn grootmoeder slaagde erin dat detail uit haar krant te houden, maar ze had zich de moeite kunnen besparen, want alle grote bladen hadden er lucht van gekregen en het verhaal werd breeduit gepubliceerd.'

'Waarom bleef je grootvader dan bij haar, als hij toch niet van haar hield?'

'Diezelfde vraag heb ik hem ook gesteld, in de zomer voordat ik naar Yale ging. Hij en ik vierden mijn aanstaande studententijd door ons samen in zijn studeerkamer te bezatten. In plaats van me te zeggen dat ik me met mijn eigen zaken moest bemoeien, had hij net genoeg op om me de waarheid te vertellen.' Zack pakte zijn glas en dronk het in één teug leeg.

'En wat heeft hij je verteld?'

Hij keek haar aan alsof hij bijna vergeten was dat ze nog naast hem zat. 'Hij bekende me dat mijn grootmoeder de enige vrouw ter wereld was van wie hij ooit had gehouden. Iedereen dacht dat hij met haar getrouwd was om het fortuin van de Harrisons bij de rest van zijn eigen vermogen te kunnen voegen, en die gedachte lag voor de hand omdat mijn grootmoeder allesbehalve knap was. Maar mijn grootvader vertelde me dat dat niet waar was, en ik geloofde hem. Daarbij kwam dat mijn grootmoeder, naarmate ze ouder werd, steeds meer uitgroeide tot wat men een "aristocratische schoonheid" pleegt te noemen.'

Toen hij opnieuw zweeg, vroeg Julie: 'Hoe kwam het dat je hem geloofde? Ik bedoel, als hij van haar hield, dan kan ik me toch niet goed voorstellen dat hij haar steeds maar moest bedriegen.'

Zacks lippen plooiden zich in een ironisch glimlachje. 'Je zou mijn grootmoeder moeten kennen. Ze hield er zulke hoge maatstaven op na, dat geen mens eraan kon beantwoorden, en mijn grootvader, de levensgenieter, al helemaal niet. En dat wist hij. Hij vertelde me dat hij het wel geprobeerd had, maar het al kort na hun huwelijk had opgegeven. De enige van ons over wie mijn grootmoeder wel te spreken was, dat was Justin. Ze was dol op Justin. Je moet namelijk weten,' vervolgde hij met een echte glimlach, 'dat Justin de enige man in de hele familie was die uiterlijk een beetje op de Harrisons leek. Net als zij, was hij blond een aan de kleine kant – en niet lang zoals wij allemaal zijn. Hij leek eigenlijk sprekend op haar eigen vader. Wij allemaal, met inbegrip van mijn vader, hadden het uiterlijk van de Stanhopes, en ik vooral. Ik was het sprekende evenbeeld van mijn grootvader, en zoals je je wel kunt voorstellen, was ze daardoor niet bijster op mij gesteld.'

Julie kon zich zoiets bespottelijks niet voorstellen, maar het leek haar beter om dat maar niet te zeggen. In plaats daarvan zei ze: 'Als je grootmoeder zo veel van Justin hield, dan zou ze het toch vast niet erg hebben gevonden dat hij homoseksueel was.'

'Ha, dat had je gedacht! Als er iets was waar ze niet tegen kon, dan waren dat wel menselijke zwakheden. Zijn bekentenis zou haar hebben doen walgen en ze zou er kapot van zijn geweest.' Hij keek haar even van terzijde aan en vervolgde: 'Als je al die dingen op een rijtje zet, dan is het duidelijk dat ze veel beter met iemand anders had kunnen trouwen. Zoals ik al eerder zei, de Stanhopes waren uiterst zwakke persoonlijkheden. Ze dronken te veel, reden te snel, smeten hun geld over de balk, en trouwden met lieden die rijk genoeg waren om hun kwijnende vermogen weer nieuw leven in te blazen. Het enige dat hun interesseerde, was plezier maken. Ze maakten zich nooit zorgen om de dag van morgen, en waren de grootste egoïsten. Dat gold ook voor mijn ouders, die zijn omgekomen op weg naar huis van een feest waar ze veel te veel gedronken hadden. Ze reden veel te hard en het sneeuwde. Ze hadden vier kinderen die hen nodig hadden, maar dat was voor hen geen reden om voorzichtig te zijn.'

'Zijn Alex en Elizabeth net zoals jullie ouders?'

Hij antwoordde op een zakelijk, niet oordelend toontje: 'Alex en Elizabeth waren uitgesproken Stanhopes. Ze waren nog geen zestien, toen ze al flink aan de drank en de drugs waren. Elizabeth had al een abortus achter de rug. Alex was al twee keer gearresteerd – en natuurlijk meteen weer vrijgelaten zonder dat er iets van op schrift was gesteld – wegens drugsbezit en gokken. Eerlijkheid gebiedt mij te zeggen dat er niemand was die zich echt over hen ontfermde. Mijn grootmoeder had dat wel willen doen, maar daar wilde mijn grootvader niets van weten. We werden immers opgevoed zoals alle Stanhopes waren opgevoed. En zelfs al zou ze het geprobeerd hebben, dan zou ze er nog niet veel mee bereikt hebben, want we waren alleen tijdens de zomervakanties maar thuis. Op aandringen van mijn grootvader zaten we gedurende de rest van het jaar op dure kostscholen. Op die scholen trekt niemand zich iets van je aan, zolang je jezelf maar niet in de nesten werkt en de school een slechte naam bezorgt.'

'Dus je grootmoeder was waarschijnlijk niet zo te spreken over je zus en je broer.'

'Inderdaad. Maar ze mochten haar ook niet, dat kun je rustig van me aannemen. Dat nam niet weg dat mijn grootmoeder wel van mening was dat er, als ze maar tijdig streng zouden zijn aangepakt, nog wel mogelijkheden voor hen zouden zijn geweest.'

Niets van zijn verhaal en geen van de subtiele nuances van zijn toon en gezichtsuitdrukking waren Julie ontgaan. Hoewel hij het, wanneer hij het over de 'zwakheden van de Stanhopes' had, ook over zichzelf had, had ze toch iets van minachting in zijn stem bespeurd wanneer hij dat deed. Daarbij trok ze ook heel interessante conclusies uit wat hij niet had gezegd. 'En jij?' vroeg ze. 'Wat voel jij voor haar?'

Hij keek haar met opgetrokken wenkbrauwen aan. 'Wat geeft je het idee dat ik iets anders voor haar zou voelen dan Alex en Elizabeth?'

Ze antwoordde zonder aarzelen. 'Dat voel ik.'

Hij knikte en verbaasde zich over haar scherpzinnigheid. 'Om je de waarheid te zeggen, bewonder ik haar. Zoals ik al zei houdt ze er onmogelijk hoge normen op na, maar ze hééft tenminste normen. Zij zorgde ervoor dat je beter probeerde te zijn dan je was. Niet dat ze ooit tevreden was. De enige over wie ze te spreken was, dat was Justin.'

'Je hebt me verteld hoe ze over je broers en zus dacht. Maar wat voelde ze voor jou?'

'Voor haar was ik het evenbeeld van mijn grootvader.'

'Wat je uiterlijk betrof,' vulde Julie aan.

'Wat maakt dat uit?' vroeg hij kortaf.

Julie had het gevoel dat ze zich op verboden terrein begaf, maar toch besloot ze het erop te wagen. Heel kalm maar met klem zei ze: 'Dat maakt een heleboel uit, en dat weet je best. Je mocht er dan hebben uitgezien als je grootvader, maar wat je karakter betrof, leek je helemaal niet op hem. Je leek op haar. Justin leek uiterlijk op haar, maar zijn karakter was anders. De enige die haar karakter had, dat was jíj.'

Toen hij er met een ontstemde blik niet in slaagde haar te intimideren, zei hij op droge toon: 'Je bent wel uiterst zelfverzekerd voor een kind van zesentwintig.'

'Aardige tactiek,' reageerde ze. 'Als je iemand niet voor de gek kunt houden, dan probeer je hem belachelijk te maken.'

'Eén-nul,' fluisterde hij, en bracht zijn lippen naar de hare.

'En,' vervolgde ze, terwijl ze haar gezicht afwendde, 'als je iemand niet belachelijk kunt maken, dan is afleiden nog altijd een mogelijkheid.'

Zijn lach was warm en diep. Hij pakte haar kin beet en draaide haar gezichtje naar zich toe. 'Zal ik je eens wat zeggen?' zei hij glimlachend, 'je zou nog wel eens een echte lastpak kunnen worden.'

'O, toe, zeg, geen complimentjes, alsjeblieft,' zei ze lachend. 'Je weet best dat ik nergens meer ben wanneer je iets liefs tegen me zegt. Waarom ben je van huis weggegaan?'

Hij bedekte haar lachende lippen met de zijne. 'Een échte lastpak.'

Julie gaf zich gewonnen. Ze legde haar handen op zijn schouders, gaf zich met hart en ziel over aan zijn kus en had het gevoel dat hoeveel ze ook gaf, hij haar er meer voor teruggaf.

Toen hij haar eindelijk liet gaan, verwachtte ze dat hij zou voorstellen om naar bed te gaan. In plaats daarvan zei hij: 'Aangezien het me toch niet lukt om je te slim af te zijn, zal ik je nu meteen maar vertellen waarom ik van huis ben weggegaan. En daarna wil ik het, ervan uitgaande dat je nieuwsgierigheid bevredigd zal zijn, niet meer over mijn verleden hebben.'

Julie kon zich niet voorstellen dat haar nieuwsgierigheid aangaande hem ooit volledig bevredigd zou zijn, maar ze begreep dat dit onderwerp heel moeilijk voor hem was. Toen ze knikte, vertelde hij: 'Mijn grootvader overleed tijdens mijn eerste studiejaar. Vanaf dat moment had mijn grootmoeder het volledig voor het zeggen wat alle financiën betrof. Tijdens de zomervakantie liet ze mij, Alex die toen zestien was, en Elizabeth die zeventien was, naar huis komen. Ze riep ons bijeen op het terras voor een gesprek. Om een lang verhaal kort te maken, ze liet Alex en Elizabeth weten dat ze van kostschool werden gehaald en naar de plaatselijke middelbare school moesten, en dat ze een zeer beperkt zakgeld zouden krijgen. Daarbij kregen ze te verstaan dat ze hen, als ze ook maar één van haar regels ten aanzien van drugs, drank, seksueel wangedrag enzovoort zouden overtreden, zonder een cent het huis uit zou zetten. Om goed te kunnen begrijpen hoe erg dat voor hen was, moet je weten dat we altijd vrij over zo veel geld konden beschikken als we maar hebben wilden. We hadden allemaal een eigen sportauto, kochten de kleren die we wilden hebben en kwamen nooit een cent te kort.' Hij schudde zijn hoofd en glimlachte flauwtjes. 'Ik zal die gezichten van Alex en Elizabeth die dag nooit vergeten.'

'Dus dan gingen ze ermee akkoord?'

'Natuurlijk. Ze hadden toch zeker geen keus? Ze waren weliswaar dol op het hebben en uitgeven van geld, maar wisten verdomd goed dat ze absoluut niet in staat waren om zelf ook maar een cent te verdienen.'

'Maar jij weigerde je erbij neer te leggen, en daarom ben je weggelopen,' raadde Julie, en glimlachte.

Weer was het alsof er een volkomen uitdrukkingsloos masker voor zijn gezicht gleed, en meteen voelde ze zich weer slecht op haar gemak. 'Nee, dat was niet de regeling die ik kreeg aangeboden.' Na enkele peinzende seconden vervolgde hij: 'Ze zei dat ik op kon hoepelen en nooit meer terug hoefde te komen. Tegen mijn broer en zus zei ze dat ook zij, wanneer ze het ooit in hun hoofd zouden halen om contact met mij te zoeken, onmiddellijk het huis uit zouden worden gezet. Ik werd uit haar erfenis geschrapt, en dus gaf ik haar – op haar verzoek – mijn autosleutels en ben vertrokken. Mijn volledige bezit bestond op dat moment uit ongeveer vijftig dollar op mijn bankrekening, en de kleren die ik aan had. Ik liep naar de snelweg, en kreeg een lift van een vrachtwagen die met attributen op weg was naar de Empire Studios in Los Angeles. De chauffeur was een aardige vent, en hij deed een goed woordje voor me bij iemand van personeelszaken daar. Ik kreeg een baantje aangeboden als losser, en dat werk heb ik gedaan totdat de een of andere idiote regisseur opeens een paar figuranten nodig had voor de opnamen die hij op het terrein aan het maken was. Die dag maakte ik mijn filmdebuut, en daarna maakte ik nog meer films en ben ik weer gaan studeren. Einde verhaal.'

'Maar waarom stuurde je grootmoeder jou wel weg, en je broer en zus niet?' vroeg Julie.

'Daar zal ze zo haar redenen wel voor hebben gehad,' zei hij schouderophalend. 'Zoals ik al zei, ik herinnerde haar voortdurend aan mijn grootvader en alles wat hij haar had aangedaan.'

'En sindsdien heb je nooit meer iets van je broer en zus gehoord?

Heb je nooit geprobeerd om in het geheim contact met hen te zoeken, of zij met jou?'

Ze had het gevoel dat het onderwerp van zijn broer en zus, van alles wat hij had verteld, het meest pijnlijk voor hem was. 'Bij het uitkomen van mijn eerste film, heb ik hun alle twee een brief met afzender gestuurd. Ik hoopte heimelijk dat ze...'

Trots zouden zijn, maakte Julie zijn zin in gedachten af. *Blij voor je zouden zijn. Je terug zouden schrijven.*

Ze zag aan zijn kille, uitdrukkingsloze gezicht dat dat allemaal niet was gebeurd, maar ze wilde het zeker weten. 'En, hebben ze teruggeschreven?'

'Nee. En daarna heb ik nooit meer iets van me laten horen.'

'Maar stel dat je grootmoeder hun post heeft onderschept en dat ze je brieven nooit hebben gekregen?'

'En of ze ze hebben gekregen. In die tijd woonden ze samen op een flat in de buurt van de plaatselijke school.'

'O, maar, Zack, ze waren nog zo jong, en je hebt zelf gezegd dat ze zwak waren. Jij was stukken ouder en wijzer dan zij. Had je niet kunnen wachten tot ze wat ouder waren, om hun dan nog een kans te geven?'

Ze begreep onmiddellijk dat ze met die opmerking te ver was gegaan, toen hij op ijzige toon zei: 'Niemand krijgt van mij ooit een tweede kans, Julie. Niemand.'

'Maar –'

'Voor mij zijn ze dood.'

'Maar dat is toch bespottelijk! Jij trekt net zo goed aan het kortste eind als zij. Je kunt niet door het leven gaan en alleen maar bruggen verbranden in plaats van ze te herstellen. Dat is niet alleen slecht voor jezelf, maar het is, in dit geval, ook nog eens volkomen oneerlijk.'

'En verder wil ik het er niet over hebben!'

Zijn stem had een gevaarlijk kantje, maar Julie weigerde zich zomaar af te laten schepen. 'Volgens mij lijk je veel meer op je grootmoeder dan je je zelf wel realiseert.'

'Je gaat te ver, Julie.'

Zijn snauw deed haar ineenkrimpen. Zonder iets te zeggen stond ze op, pakte de lege glazen van tafel en bracht ze naar de keuken. Ze was geschrokken van deze nieuwe kant van hem, deze karaktertrek die hem in staat stelde om zomaar iemand uit zijn leven te schrappen zonder ook nog maar een keertje achterom te kijken. Het was niet zozeer wát hij had gezegd, als wel de manier waarop, en hoe hij erbij had gekeken! Toen hij haar had gegijzeld, waren al zijn daden en woorden voortgekomen uit noodzaak en wanhoop, en dat had ze kunnen begrijpen. Maar tot voor enkele minuten – tot het moment waarop ze zijn dreigende stem had gehoord en zijn dreigende gezicht had gezien – had ze zich niet voor kunnen stellen dat iemand Zachary

Benedict een harteloos iemand had kunnen noemen, en gemeend zou kunnen hebben dat hij in staat was tot het plegen van een moord. Maar als andere mensen hem zo hadden meegemaakt als zij zojuist had gedaan, dan verklaarde dat een heleboel. Meer dan ooit realiseerde ze zich dat zij en Zack elkaar, hoewel ze in bed intiem waren, in feite nog helemaal niet kenden. Ze liep naar haar kamer om een T-shirt voor de nacht te pakken, deed het grote licht aan en ging naar de badkamer om zich uit te kleden. Ze was zo in gedachten verzonken dat ze, in plaats van meteen naar zijn kamer te gaan, op de rand van haar bed ging zitten.

Een paar minuten later schrok ze op en keek met een ruk om toen ze hem op dreigende toon hoorde roepen: 'Dit vind ik een uiterst onverstandig besluit van je, Julie. Ik raad je aan om er nog eens zorgvuldig over na te denken.'

Hij stond, met de armen over elkaar geslagen en met een volkomen uitdrukkingsloos gezicht, op de drempel van haar kamer. Julie had er geen flauw idee van welke beslissing hij bedoelde, en hoewel hij nog steeds een afstandelijke indruk maakte, klonk hij niet meer zo sinister als hij in de zwak verlichte zitkamer had gedaan.

Ze stond op en liep, hem onderzoekend aankijkend, langzaam naar hem toe. 'Is dit bedoeld als een excuus, of zo?'

'Ik was me er niet van bewust dat ik iets heb gedaan waarvoor ik mij zou moeten excuseren.'

Die verwaandheid was zo typisch voor hem, dat ze prompt moest lachen. 'Probeer het eens met het woord "onbeschoft", en misschien dat er je dan iets te binnen schiet.'

'Was ik onbeschoft? Dat was echt niet mijn bedoeling. Ik heb je er van tevoren voor gewaarschuwd dat het voor mij een uiterst onaangenaam gesprek zou worden, maar je wilde het toch horen.'

Hij zag eruit alsof hij werkelijk vond dat hem groot onrecht werd aangedaan, maar toch wilde Julie het er niet bij laten. 'Aha,' zei ze, en bleef voor hem staan, 'dus dan is dit allemaal mijn schuld?'

'Dat kan niet anders. Wat je ook met "dit" mag bedoelen.'

'Weet je dat werkelijk niet? Heb je er dan helemaal geen besef van dat je toon van daarnet onnodig wreed en kortaf was?'

Hij haalde zijn schouders op, maar Julie had sterk het vermoeden dat zijn onverschilligheid grotendeels gespeeld was. 'Je bent niet de eerste vrouw die me dat soort dingen, en nog een heleboel meer, verwijt. Je hebt gelijk. Ik ben gevoelloos, wreed en –'

'Kortaf,' vulde Julie aan. Ze keek naar de grond en probeerde niet te lachen. Dit gesprek was pure waanzin, en dat wist ze. Zack had zijn leven voor het hare op het spel gezet, en toen hij gemeend had dat zijn reddingspogingen zinloos waren, had hij willen sterven. Hij was allesbehalve gevoelloos en wreed. Die andere vrouwen hadden zich vergist. Opeens werd ze ernstig, en had verschrikkelijke spijt van wat ze had gezegd.

Zack kon niet met zekerheid zeggen of ze hem iets betaald probeerde te zetten door hier alleen te willen slapen – want hij nam aan dat dat haar bedoeling was – of dat hij zich vergiste. 'Kortaf,' herhaalde hij, en hoopte dat ze op zou kijken opdat hij haar gezicht zou kunnen zien.

'Zack?' zei ze tegen zijn kin. 'Als een vrouw weer eens zoiets tegen je zegt, zeg haar dan dat ze wat beter moet kijken.' Nu pas keek ze hem aan, en voegde er zachtjes aan toe: 'En áls ze dat dan doet, dan weet ik zeker dat ze een zeldzaam nobel en ingoed mens zal zien.'

Langzaam haalde Zack zijn armen van elkaar. Hij voelde zich volledig uit het veld geslagen, en was zich weer bewust van dat vreemde, pijnlijke trekken van zijn hart wat hij altijd kreeg wanneer ze zo naar hem keek.

'Waarmee ik niet wil zeggen dat je niet autoritair zou zijn, of bazig en arrogant, maar –' voegde ze er met ingehouden lach aan toe.

'Maar je vindt me toch wel aardig,' maakte hij haar zin plagend af, waarbij hij zijn knokkels over haar wang streek en zich waanzinnig opgelucht voelde. 'Ondanks al die gebreken.'

'O, ja, en ijdel kun je er ook nog aan toevoegen,' zei ze, waarop hij haar in zijn armen nam. 'Julie,' fluisterde hij, en bracht zijn lippen naar de hare, 'hou je kop.'

'En commanderend!' verklaarde ze tegen zijn lippen.

Zack moest lachen. Ze was de enige vrouw die in staat was om hem, wanneer hij wilde kussen, aan het lachen te maken. 'Help me onthouden,' zei hij, 'dat ik in het vervolg uit de buurt blijf van een vrouw met zo'n grote woordenschat als jij!' Hij bracht zijn lippen naar haar oor, en liet het puntje van zijn tong over de omtrekken van haar oorschelp gaan.

'En onvoorstelbaar sensueel… en heel, heel erg sexy…'

'Maar aan de andere kant,' voegde hij er glimlachend aan toe, 'gaat er toch niets boven een intelligente en scherpzinnige vrouw.'

Hoofdstuk 36

Met een kom popcorn in haar handen liep Julie naar de zitkamer waar ze samen naar een film op video hadden gekeken. Ze hadden de hele ochtend en middag over van alles en nog wat gesproken, behalve over dat éne onderwerp waar Julie zo wanhopig nieuwsgierig naar was, namelijk, zijn plannen om erachter te komen wie zijn vrouw had vermoord en daarmee zijn eigen naam te zuiveren. Toen ze er de eerste keer over begonnen was, had hij herhaald wat hij de vorige dag had gezegd over het niet willen bederven van het heden met zorgen om de toekomst. Toen ze gezegd had dat ze hem op wat voor manier dan ook wilde helpen, had hij plagend opgemerkt dat ze wel een gefrustreerde Nancy Drew leek. Omdat ze hun dag niet had willen bederven met aan te dringen, had ze het er op dat moment bij gelaten, en ingestemd met zijn voorstel om naar één van de vele videofilms uit de kast te kijken. Zack had erop gestaan dat zij de film zou uitkiezen, en Julie had enkele pijnlijke momenten beleefd toen ze zag dat de collectie verscheidene van zijn films bevatte. Omdat hij, terecht, bekendstond om zijn vurige liefdesscènes, en zij de gedachte om hem met een andere vrouw in bed te moeten zien niet kon verdragen, koos ze een film waarvan ze zo goed als zeker wist dat hij hem leuk zou vinden en nog niet had gezien.

Voor het begin van de film leek hij vrede te hebben met haar keuze, maar het duurde niet lang voor ze tot de ontdekking kwam dat het schijnbaar simpele tijdverdrijf van een film kijken, voor Zachary Benedict, voormalig acteur-regisseur, iets totaal anders was. Tot haar frustratie bleek Zack een film te beschouwen als een kunstvorm die tot in de kleinste details geanalyseerd en bekritiseerd moest worden. Hij was zelfs zo kritisch geweest, dat ze uiteindelijk met de smoes van popcorn maken was gekomen, om even aan zijn kleinerende opmerkingen te kunnen ontsnappen.

Ze zette de kom op tafel, wierp een blik op het grote televisiescherm en slaakte een heimelijke zucht van opluchting toen ze zag dat de film bijna was afgelopen. Zack vond de slotscène kennelijk niet erg interessant, want hij keek haar aan en zei grijnzend: 'Ik ben dol op popcorn. Heb je er zout op gedaan?'

'Ja,' zei Julie.

'En boter, mag ik hopen?'

Eén blik op zijn jongensachtig grijnzende gezicht was voldoende om Julie te laten vergeten hoe geïrriteerd ze kort tevoren nog was geweest. 'De popcorn zwemt erin,' zei ze. 'Ik ben zo terug met handdoeken en iets om te drinken.'

Grinnikend keek Zack haar na terwijl ze terugliep naar de keuken. Hij bewonderde haar natuurlijke, sierlijke manier van bewegen en het subtiele elan waarmee ze kleren droeg. Op zijn aandringen had ze die middag andere kleren uit de kast gekozen – een eenvoudige, witzijden blouse met wijde, poffende mouwen en een broek van zwarte wol met een hoge tailleband. Toen hij de kleren op haar bed had zien liggen, was hij in eerste instantie nogal teleurgesteld geweest dat ze niet iets spectaculairders had uitgezocht. Maar toen hij haar in de broek en de blouse had gezien, was hij onmiddellijk van gedachten veranderd. Julie had een nonchalante, chique smaak die uitstekend bij haar paste. Hij probeerde te beslissen wat voor soort avondjurk haar het beste zou staan, toen het tot hem doordrong dat hij nooit de kans zou krijgen om haar mee te nemen naar gelegenheden waarop je dergelijke feestkleding droeg. Bals en premières en diners waren voor hem verleden tijd, en hij kon zich niet voorstellen dat hij dat vergeten was. Hij zou Julie nooit ergens mee naartoe kunnen nemen.

Dat besef had zo'n intens deprimerende uitwerking op hem, dat hij zijn best moest doen om er deze gezellige dag met haar niet door te laten bederven. Met een haast bovenmenselijke wilsinspanning dwong hij zich uitsluitend te denken aan de avond die voor hen lag, en hij glimlachte toen ze naast hem op de bank kwam zitten. 'Zoek je nog een film uit?'

Julie voelde er absoluut niets voor om nogmaals naar eindeloze kritieken te moeten luisteren op een film die zij had uitgezocht. Aangezien hij kennelijk nog een film wilde zien, was ze bereid om mee te kijken, maar aan uitzoeken had ze geen behoefte. Ze keek hem overdreven ontzet aan en zei: 'Wil je dat alsjeblieft nóóóóit meer aan mij vragen? Ik ben bereid om je sokken te strijken en je zakdoeken te stijven, maar vraag me niet om nog een film voor je uit te zoeken.'

'Hoezo niet?' vroeg hij met een onschuldig en niet-begrijpend gezicht.

'Hoezo niet!' herhaalde Julie lachend. 'Omdat je nog erger bent dan de allerergste criticus! Je hebt niets heel gelaten van mijn film.'

'Ik heb alleen maar op een paar zwakke plekken gewezen. Mijn kritiek viel echt wel mee.'

'Ha, dat dacht je! Je moest zo hard lachen tijdens die sterfscène, dan ik niets heb kunnen verstaan van wat ze zeiden.'

'Omdat het zo komisch was,' verklaarde hij zonder ook maar een spoortje berouw. 'De teksten en de acteerprestaties waren zo beneden alle peil, dat het gewoon om te gieren was. Weet je wat,' zei hij, terwijl hij opstond en een hand naar haar uitstak, 'de volgende film zoeken we samen uit.'

Met tegenzin liet Julie zich overeind trekken en meenemen naar de kast die ruim honderd films herbergde.

'Heb je een voorkeur?' vroeg hij.

Julie liet haar blik over de titels gaan. Ze wist dat ze, al was het maar uit beleefdheid, zou moeten voorstellen om naar een film van hem te kijken, maar ze kon het gewoon niet over haar hart verkrijgen. 'Ik-ik kan niet beslissen,' zei ze na een lange minuut. 'Kies jij er maar een paar uit, en dan wijs ik er wel eentje aan.'

'Best. Zeg me van welke acteurs je houdt.'

'In oudere films,' zei ze, 'Paul Newman, Robert Redford en Steve McQueen.'

Zack hield zijn blik op de kast gericht. Het verbaasde hem dat ze, al was het maar om beleefd te zijn, zijn naam niet had genoemd. Het verbaasde hem, en hij voelde zich erdoor gekwetst. Hoewel zijn films, bij nader inzien, niet onder de categorie 'ouder' vielen. 'En wat de categorie "nieuwe" films betreft, naar welke acteurs kijk je daarbij het liefst?' Hij verwachtte dat ze nu zijn naam wel zou noemen.

'Eh... Kevin Costner, Michael Douglas, Tom Cruise, Richard Gere, Harrison Ford, Patrick Swayze, Mel Gibson,' zei Julie, elke naam noemend die haar maar te binnen wilde schieten, 'en Sylvester Stallone!'

'Swayze, Gibson, Stallone en McQueen...' herhaalde Zack vol minachting. Hij was nu pas echt goed gepikeerd omdat ze zijn naam niet had genoemd. 'Sinds wanneer heb je dat eigenlijk, die obsessie voor kleine mannen?'

'Klein?' Julie keek hem verbaasd aan. 'Zijn ze klein?'

'Klein, ja,' herhaalde Zack niet helemaal naar waarheid.

'Was Steve McQueen klein? Goh, dat had ik nooit gedacht. Toen ik jong was, vond ik hem verschrikkelijk macho.'

'Nou, dat was hij in het dagelijks leven ook,' antwoordde Zack kortaf, terwijl hij zich weer omdraaide naar de kast met videobanden en deed alsof hij geconcentreerd naar de titels keek. 'Maar acteren kon hij jammer genoeg niet.'

Omdat het haar dwarszat dat hij nog steeds helemaal niets gezegd had over zijn plannen om de ware moordenaar van zijn vrouw te zoeken zodat hij de draad van zijn vroegere bestaan weer kon opnemen, bedacht Julie opeens dat ze hem wel eens in zijn voornemen zou kunnen sterken door hem voorzichtig aan de prettige kanten van zijn eerdere leven te herinneren. Ze hield haar hoofd schuin en vroeg: 'En Robert Redford, die kende je zeker ook, hè?'

'Ja.'

'Hoe was hij?'

'Klein.'

'Dat is niet waar!'

'Ik heb niet gezegd dat hij een dwerg was, wat ik bedoelde was, dat hij niet echt lang is.'

Julie liet zich niet uit het veld slaan. 'En natuurlijk was je met een heleboel beroemde acteurs goed bevriend... met mensen zoals Paul Newman en Kevin Costner, en Harrison Ford en Michael Douglas.'

Geen antwoord.

'Ja, toch?'

'Ja toch, wat?'

'Of het intieme vrienden van je waren.'

'We gingen heus niet met elkaar naar bed, als je dat soms bedoelt.'

Julie moest zo lachen, dat ze zich bijna verslikte. 'Hoe kóm je erbij om dat te zeggen! Je weet heus wel dat ik dat niet bedoelde.'

Zack haalde een aantal films uit de kast waarin Costner, Swayze, Ford en Douglas de hoofdrol speelden. 'Hier, kies maar uit.'

'De bovenste, *Dirty Dancing*,' zei Julie glimlachend, hoewel ze het in werkelijkheid zonde vond om hun kostbare tijd samen te verspillen aan het kijken naar films.

'Dat meen je niet,' zei hij minachtend, terwijl hij Swayze's film in de videorecorder stopte.

'Jij hebt hem uitgezocht.'

'En jij wilde hem zien,' gaf Zack terug, waarbij hij zonder succes probeerde om onverschillig te klinken. Gedurende twaalf lange jaren had hij zich groen en geel geërgerd aan vrouwen die over hem heen kwijlden en aanhoudend kraaiden dat hij hun favoriete acteur was. Ze achtervolgden hem op feestjes, vielen hem lastig wanneer hij in een restaurant zat te eten, spraken hem aan op straat, volgden zijn auto en lieten sleutels van hotelkamers in zijn zak glijden. Nu, voor de eerste keer in zijn leven, wilde hij dat een vrouw zijn werk bewonderde, en het leek wel alsof ze elke willekeurige acteur beter vond dan hij. Hij drukte op het startknopje van de afstandsbediening en keek stilzwijgend naar de titels die op het scherm verschenen.

'Wil je wat popcorn?'

'Nee, dank je.'

Julie sloeg hem heimelijk gade en vroeg zich af wat er met hem aan de hand was. Dacht hij verlangend terug aan zijn vroegere bestaan? Zo ja, dan was dat een goed teken. Ofschoon ze het afschuwelijk vond om hem verdriet te moeten doen, vond ze toch dat hij op zijn minst iets zou moeten zeggen over dat hij van plan was te gaan bewijzen dat hij zijn vrouw niet had vermoord. De film begon nu echt. Zack legde zijn benen op tafel, sloeg zijn armen over elkaar en trok bij voorbaat al een geïrriteerd gezicht.

'We hoeven hier niet naar te kijken,' zei ze.

'Ik zou het voor geen goud willen missen.'

Enkele minuten later maakte hij een geërgerd geluid.

'Is er iets?' vroeg Julie.

'De belichting klopt niet.'

'Welke belichting?'

'Kijk maar naar die schaduw op Swayze's gezicht.'

Ze keek naar de televisie. 'Volgens mij hoort dat zo. Het is nacht.'

Hij keek haar aan alsof hij haar een grote onbenul vond, maar zei verder niets.

Dirty Dancing was een van Julie's lievelingsfilms. Ze hield van de muziek en het dansen en het verfrissend simpele liefdesverhaal. Ze begon er net een beetje in te komen, toen Zack opeens op een verveeld toontje opmerkte: 'Volgens mij hebben ze gewoon boter in Swayze's haar gesmeerd.'

'Zack–' begon ze op waarschuwende toon, 'als je van plan bent om deze film ook af te kraken, dan zet ik hem uit.'

'Ik zeg al niets meer. Ik kijk gewoon.'

'Mooi.'

'En let op de slechte regie en de slechte dialoog.'

'Nu is het afgelopen –'

254

'Blijf zitten,' zei Zack, toen ze aanstalten maakte om op te staan. Omdat hij het niet kon uitstaan van zichzelf dat hij zich aanstelde als een jaloerse puber, acteurs afkraakte met wie hij bevriend was geweest en daarbij ook nog eens kritiek had op een film die helemaal niet slecht was in zijn soort, legde hij een hand op haar arm en beloofde: 'Van nu af aan zeg ik niets meer, behalve wanneer het iets positiefs is.' Zack hield woord, en zei niets meer totdat Swayze met zijn tegenspeelster aan het dansen was. 'Zíj kan tenminste dansen. Uitstekende casting, dit.'

Het meisje was een beeldschone en getalenteerde blondine met een spectaculair figuur. Julie zou er wat voor overhebben om er net zo uit te zien als zij, en ze voelde een bespottelijke steek van jaloezie. Daarbij vond ze het volkomen onterecht dat Zack helemaal niets zei over Patrick Swayze's danstalent. Het lag op het puntje van haar tong om te zeggen dat het wel opvallend was dat hij geen kritiek had op de actrices in de films, toen haar opeens te binnen schoot dat hij zich wel eens net zo zou kunnen storen aan haar enthousiasme over zijn mannelijke collega's. Ze keek hem stomverbaasd aan, en riep: 'Je wilt me toch niet vertellen dat je jalóers op hem bent?'

Hij keek haar vernietigend aan. 'Waarom zou ik in vredesnaam jaloers zijn op Patrick Swayze?'

Kennelijk vond hij het plezierig om naar knappe vrouwen te kijken, dacht Julie, en voelde zich gekwetst ofschoon ze wist dat ze daar geen enkel recht toe had. Ze hield haar gezicht zorgvuldig in de plooi, pakte de stapel videobanden van tafel en zei kalm: 'Laten we dan maar liever naar *Dances with Wolves* kijken. Kevin Costner is echt geweldig in die film, en het is een verhaal waarvan ik me kan indenken dat het mannen aanspreekt.'

'Die heb ik in de gevangenis al gezien.'

Hij had de meeste andere films volgens zijn zeggen ook al in de gevangenis gezien, dus ze begreep niet goed waar die opmerking op sloeg. 'Vond je hem goed?'

'Ik vond het middelste gedeelte wat traag.'

'Je meent het,' zei ze, en begreep intussen dat hij alleen zijn eigen films maar goed vond en dat ze, als ze hem over zijn humeurigheid heen wilde helpen, er minstens één van zou moeten bekijken. 'En hoe vond je het einde?'

'Kevin is afgeweken van het boek. Dat had hij beter niet kunnen doen.' Zonder verder nog iets te zeggen, stond hij op en liep naar de keuken om koffie te zetten in een poging zijn emoties weer enigszins onder controle te krijgen. Hij was zo nijdig op zichzelf vanwege zijn volkomen onterechte kritiek op beide films, dat hij twee keer te veel koffie in het apparaat deed en opnieuw moest beginnen. Patrick Swayze had goed werk geleverd in de eerste film; Kevin was niet alleen een vriend van hem geweest, maar *Dances with Wolves* had hem ook de roem opgeleverd die hem toekwam, en Zack was blij voor hem geweest.

Hij was zo diep in gedachten verzonken, dat hij pas merkte dat Julie een andere film op had gezet toen hij met twee kopjes koffie de kamer binnenkwam. Hij bleef staan en keek met iets van schrik naar wat ze had gedaan. Ze had niet alleen een film van Zack opgezet, maar hem ook vooruitgespoeld naar een liefdesscène halverwege en het geluid afgezet. Van alle liefdesscènes die hij ooit had gespeeld, was deze in *Intimate Strangers*, die ruim zeven jaar geleden was uitgekomen, wel de meest erotische. En terwijl hij daar zo stond, en zichzelf met Glenn Close in bed zag liggen, voelde Zack voor het eerst van zijn leven iets van schaamte over wat hij in een film had gedaan. Nee, niet over wát hij had gedaan, besefte hij, maar over het feit dat Julie er met een ijzig gezicht naar zat te kijken. Daarbij kwam ook het besef dat Julie, ofschoon ze gedaan had alsof ze zijn films helemaal niet kende, zijn werk zelfs zo goed bleek te kennen dat ze precies wist waar ze bepaalde scènes kon vinden. Alles bij elkaar had hij het gevoel dat hij veel beter af was geweest met het kijken naar die andere films en het verwerken van zijn eigen absurde jaloezie, dan met het zien van Julie die als versteend naar de scène van haar keuze zat te kijken. Hij zette de koffie op tafel, en vroeg zich af waarom ze opeens zo verschrikkelijk boos was. 'Wat heeft dit voor zin, Julie?'

'Hoe bedoel je?' vroeg ze quasi onschuldig terwijl ze het geluid aanzette en strak naar het scherm bleef kijken.

'Waarom zit je hiernaar te kijken?'

'Waarnaar?' vroeg ze met een onverschilligheid die volledig in tegenspraak was met de pijn in haar buik die het gevolg was van het moeten aanzien van wat Zack met Glenn Close deed.

'Je weet heel goed wat ik bedoel. Eerst doe je alsof je in die kast helemaal geen film van mij hebt zien staan, en áls je dan besluit om er eentje te bekijken, dan spoel je meteen door naar zo'n scène als dit.'

'Ik ken al je films,' verklaarde ze, en weigerde hem aan te kijken toen hij naast haar op de bank kwam zitten. 'Ik heb het merendeel ervan, met inbegrip van deze, op band staan. Ik heb deze film al minstens zes keer gezien.' Ze knikte in de richting van het scherm. 'Wat vind je van de belichting hier?'

Zack keek van haar strakke gezicht naar het scherm. 'Niet slecht.'

'En van de acteerprestaties?'

'Niet slecht.'

'Nee, maar wat vind je van die kus? Ik bedoel, had je haar niet met wat meer overtuiging kunnen kussen? Ach nee, waarschijnlijk niet,' antwoordde ze verbitterd, 'je had je tong immers al helemaal in haar mond.'

Zack begreep wat haar dwarszat, en hij had spijt van alles wat hij had gezegd. Hij had nooit verwacht dat ze zo van streek zou kunnen raken door iets dat voor hem gewoon maar werk was.

'Hoe vóelde je je, toen ze je zo kuste?'

'Verhit,' zei hij, en toen hij haar ineen zag krimpen, haastte hij zich eraan toe te voegen: 'De lampen waren heet – te schel – dat voelde ik, en ik maakte me er zorgen over.'

'O, maar ik weet zeker dat je op dit moment niet aan die lampen dacht,' hield ze vol. 'Je kon je handen niet van haar afhouden.'

'Als ik me goed herinner, dan had ik op dat moment alleen maar zin om de regisseur te vermoorden omdat hij ons die scène alweer een keer liet overdoen.'

Ze negeerde zijn woorden, en zei: 'Ik vraag me af wat Glenn Close op dit moment dacht – toen je haar borsten kuste.'

'Ook zij had visioenen van het vermoorden van de regisseur, om dezelfde reden.'

'Werkelijk?' vroeg ze op een sarcastisch toontje. 'En waar zou ze aan gedacht hebben toen je op haar ging liggen?'

Zack pakte Julie's kin en dwong haar om hem aan te kijken. 'Ik wéét waar ze aan dacht. Ze hoopte dat ik niet nog eens mijn elleboog in haar buik zou zetten, waardoor ze weer de slappe lach zou krijgen en we die scène voor de zoveelste keer zouden moeten overdoen.'

Zijn kalme, zakelijke toontje zorgde ervoor dat Julie zich opeens kinderachtig en aanstellerig voelde. Ze zuchtte, en zei: 'Het spijt me. Ik stel me aan. En ik wil je nu ook wel bekennen waarom ik geen film van jou had uitgekozen. Ik moest er niet aan denken dat ik naar zo'n scène met jou zou moeten kijken. Ik weet wel dat het stom is, maar het maakt me –' Ze zweeg, en weigerde het woord 'jaloers' over haar lippen te laten komen omdat ze wist dat ze geen enkel recht had om jaloers te zijn.

'Jaloers?' opperde hij.

'Jaloezie is een dodelijke en onvolwassen emotie,' zei ze ontwijkend.

'Eentje die iemand aan kan zetten tot irrationeel en onuitstaanbaar gedrag,' beaamde hij.

Julie knikte. 'Ja, en als ik jou zo in dat soort scènes bezig zie, dan... dan wil ik eigenlijk niets liever dan naar een andere film kijken.'

'Best. Zeg maar welke film je wilt zien.' Ze deed haar mond open om iets te zeggen, maar voordat ze daar de kans toe kreeg, voegde hij er op effen toon aan toe: 'Zolang het maar niet iets met Swayze, Costner, Cruise, Redford, Newman, McQueen, Ford, Douglas of Gere is.'

Julie keek hem met open mond aan. 'Wie blijft er dan nog over?'

Hij sloeg een arm om haar schouders, trok haar dicht tegen zich aan en fluisterde in haar haren: 'Mickey Mouse.'

Julie wist niet of ze moest lachen, of dat ze hem om een verklaring moest vragen. 'Mickey Mouse! Waarom?'

'Omdat,' zei hij, en bracht zijn lippen naar haar slaap, 'ik er geen moeite mee heb om je enthousiast over Mickey te horen praten, en mij dat niet aanzet tot irrationeel en onuitstaanbaar gedrag.'

In een poging het waanzinnige plezier dat zijn woorden haar bezorgden voor hem verborgen te houden, keek ze hem aan en zei plagend: 'We zouden altijd nog naar Sean Connery kunnen kijken. Hij was fantastisch in *The Hunt for Red October*.'

Zack trok zijn wenkbrauwen op en keek haar half spottend aan. 'Er staan ook nog zes andere films van mij in die kast.'

Ze keek hem recht in de ogen, haalde diep adem en bekende: 'Ik vond het verschrikkelijk om je zo met Glenn Close te zien vrijen.'

Hij beloonde haar moed met een innige kus die haar adem deed stokken.

Hoofdstuk 37

Julie keek uit het keukenraam naar de ondergaande zon, legde haar schilmesje neer en liep naar de zitkamer om de televisie aan te zetten voor het journaal.

Zack was de hele dag bezig geweest om de weg met behulp van de tractor sneeuwvrij te maken, en nu stond hij onder de douche. Toen hij haar vanmorgen vertelde wat hij die dag van plan was, dacht ze dat het zijn bedoeling was om vandaag of morgen te vertrekken, en was ze prompt in paniek geraakt. Alsof hij haar gedachten had gelezen, had hij gezegd: 'Als het tijd is om te gaan, dan zal ik je dat een dag van tevoren zeggen.' Toen ze van hem had willen weten of hij al een dag in gedachten had, had hij een ontwijkend antwoord gegeven, op grond waarvan Julie het gevoel had gekregen dat hij ergens op wachtte...

Hij had natuurlijk gelijk met zijn bewering dat het voor hen beiden beter was dat ze zo weinig mogelijk wist. Hij had ook gelijk met te zeggen dat ze maar beter bij de dag konden leven en moesten genieten van de tijd die hun nog samen restte. Hij had in ieder opzicht gelijk, maar dat betekende nog niet dat ze zich geen zorgen om zijn toekomst maakte. Ze had er geen idee van hoe hij de moordenaar van zijn vrouw hoopte te vinden zonder overal meteen herkend te worden.

Aan de andere kant was hij acteur, en dat betekende dat hij vertrouwd was met alle facetten van make-up. Ze rekende erop dat hij, door zich te vermommen, onopgemerkt zijn werk zou kunnen doen, maar was aan de andere kant doodsbang dat het hem niet zou lukken.

Het beeld lichtte op, en terwijl ze terugliep naar de keuken, luisterde ze afwezig naar de een of andere psycholoog die kennelijk bij

CNN was uitgenodigd. Ze was halverwege het aanrecht, toen het opeens tot haar doordrong dat de man het over háár had, en draaide zich met een ruk weer om. Met grote, ongelovige ogen liep ze de kamer weer in, en zag op de ondertiteling dat de psycholoog in kwestie een zekere William Everhardt was. Met de grootste zelfverzekerdheid vertelde dr. Everhardt hoe de gegijzelde Julie Mathison zich op dit moment moest voelen:

'*Er is veel onderzoek gedaan naar gevallen zoals dit,*' hoorde Julie de man zeggen. '*Ik heb, samen met een collega, een boek over dit onderwerp geschreven, en ik kan u verzekeren dat deze jonge vrouw momenteel onder grote druk staat.*'

Julie hield haar hoofd schuin, en luisterde nieuwsgierig naar wat er volgens deze onbekende deskundige op dit moment in haar om moest gaan.

'*Gedurende de eerste en de tweede dag is de gegijzelde een slachtoffer van zijn angst, en dan betreft het een verlammend soort angst. De gegijzelde voelt zich machteloos en is zó bang dat hij niet meer in staat is om te denken. Wat hem overeind houdt, is de hoop dat hij gered zal worden. Later, doorgaans op de derde dag, begint de angst langzaam maar zeker plaats te maken voor woede. Het slachtoffer is woedend over het onrecht dat hem wordt aangedaan.*'

Julie stak haar vingers op en telde de dagen af, waarbij ze haar eigen ervaringen vergeleek met de kennis van deze deskundige. Op de eerste dag had haar aanvankelijke angst binnen enkele uren plaats gemaakt voor woede, en had ze geprobeerd om de caissière van het drive-in restaurant een briefje toe te spelen. Op de derde dag was ze gevlucht. Ze was een beetje bang en verschrikkelijk zenuwachtig geweest, maar verlamd van angst, nee, dat was ze zeker niet geweest. Hoofdschuddend luisterde ze naar wat dr. Everhardt verder nog te vertellen had.

'*Intussen heeft Julie Mathison de fase bereikt die ik het dankbaarheids-afhankelijkheids-syndroom noem. Ze ziet haar ontvoerder als haar beschermer, bijna als een bondgenoot, en dat alleen omdat hij haar nog niet heeft vermoord. Eh... we gaan ervan uit dat Benedict geen reden heeft om haar te vermoorden. Intussen is ze woedend op de politie omdat die niet in staat is haar te bevrijden. Ze gaat de politie meer en meer beschouwen als een nutteloze, machteloze instelling, terwijl ze haar ontvoerder, die hun te slim af is, steeds meer gaat bewonderen. Bij die bewondering komt een intense dankbaarheid omdat hij haar nog steeds niets heeft aangedaan. Benedict is een intelligente man die, voor zover ik begrepen heb, over de nodige twijfelachtige charme beschikt, en dat betekent dat ze zowel in lichamelijk als in emotioneel opzicht erg afhankelijk van hem is.*'

Julie keek vol ongeloof naar de bebaarde man op het scherm die meende de waarheid aangaande haar in pacht te hebben. Ze zette haar handen in haar zij en zei hardop tegen dr. Everhardt: 'Je boft dat je niet in Larry Kings praatprogramma zit! Die zou dergelijke boute uitspraken nooit zomaar van je geaccepteerd hebben!' Het enige waarin Everhardt tot nu toe gelijk had gehad, was dat Zack intelligent en charmant was.

'*Na haar vrijlating zal Julie Mathison intensieve psychologische begeleiding nodig hebben om deze beangstigende gebeurtenis te verwerken. Er zal geruime tijd voor nodig zijn, maar als ze bereid is om professionele hulp te accepteren, dan is de prognose gunstig.*'

Julie kon haar oren niet geloven. Nu beweerde hij zonder blikken of blozen dat ze rijp was voor het gekkenhuis! Ze zou de man door Ted voor de rechter moeten laten slepen!

'*Maar bij dit alles,*' viel de gespreksleider hem in de rede, '*gaan we er natuurlijk wel van uit dat Julie Mathison ontvoerd is en dat ze niet Benedicts medeplichtige is, zoals sommigen schijnen te menen.*'

Dr. Everhardt streelde zijn baard. '*Op basis van wat ik tot dusver over deze jonge vrouw aan de weet ben gekomen, kan ik alleen maar aannemen dat ze ontvoerd moet zijn.*'

'Dank je wel,' zei Julie hardop. 'Die opmerking heeft je een proces bespaard.'

Ze was zo geconcentreerd naar de uitzending aan het kijken, dat ze het onmiskenbare geluid van de helikopter pas hoorde toen het toestel zich recht boven het huis bevond. En toen het geluid tot haar doordrong, was het zo niet op zijn plaats in dit stille berglandschap, dat ze verbaasd, en zeker niet angstig naar buiten keek. Maar toen opeens begreep ze wat het was. 'Zack!' schreeuwde ze, en rende naar de slaapkamer. 'Er is een helikopter buiten! Hij hangt laag –' Ze botste bijna tegen hem op toen hij uit de slaapkamer kwam. 'Hij hangt vlak boven het huis!' Ze verstijfde bij het zien van de revolver in zijn hand.

'Naar buiten, en verstop je in het bos!' beval hij, terwijl hij haar de gang af, naar de achterdeur duwde, in het voorbijgaan een jack uit de kast rukte en hem in haar armen stopte. 'Kom pas terug als ik je zeg dat de kust vrij is, of als ze me hebben meegenomen!' Hij laadde de revolver, liep met haar mee naar de deur en hield het wapen hoog opgeheven als iemand die weet hoe hij ermee om moet gaan en bereid is het te gebruiken. Toen ze de deur open wilde doen, duwde hij haar opzij, stapte alleen naar buiten, keek naar de lucht en luisterde, en trok haar het huis uit. 'Lopen!'

'Lieve God!' riep Julie vertwijfeld uit, en bleef staan. 'Je bent toch hoop ik niet van plan om dat ding neer te schieten. Er zal toch wel –'

'RENNEN!' brulde hij.

Julie gehoorzaamde. Met wild kloppend hart rende ze, struikelend door de hoge sneeuw, om het huis heen, stopte onder de bomen, en liep toen onder de bomen door weer om het huis terug tot ze Zack achter het raam van de zitkamer kon zien staan. De helikopter was naar links gevlogen en kwam nu weer terug, en heel even dacht ze dat Zack de revolver op het toestel richtte en er door het raam heen op wilde schieten. Toen zag ze dat hij een verrekijker vasthield en er de overvliegende helikopter mee nakeek tot hij uit het zicht verdwenen was. Ze voelde zich zo onbeschrijfelijk opgelucht dat haar knieën onder haar gewicht bezweken en ze onderuitzakte in de sneeuw. Het beeld van Zack, die haar, met zijn revolver in de hand, door de gang had geduwd, stond voor altijd in haar geheugen gegrift. Het had zo een scène uit een actiefilm kunnen zijn, behalve dat het echt was geweest. Haar maag draaide zich om en ze leunde achterover tegen een boom terwijl ze een paar keer slikte in een poging haar middageten binnen te houden en haar angst de baas te blijven.

'De kust is vrij,' zei Zack. Hij kwam naar haar toe, maar ze zag de kolf van de revolver uit zijn broekzak steken. 'Het waren skiërs die een slokje te veel op hadden en te laag vlogen.'

Ze keek naar hem op, maar was op de een of andere manier niet in staat om zich te verroeren.

'Kom,' zei hij zacht, 'geef me een hand.'

Julie schudde haar hoofd in een poging de verlammende angst van zich af te zetten en hem gerust te stellen. 'Dat hoeft niet. Het gaat alweer. Ik heb geen hulp nodig.'

'Het gaat helemaal niet!' riep hij fel, waarna hij zich vooroverboog, haar bij haar bovenarmen greep en haar overeind begon te trekken. 'Je staat op het punt flauw te vallen.'

De misselijkheid en het duizelige gevoel trokken weg, en ze slaagde erin een bibberig lachje te produceren terwijl ze hem tegenhield. 'Mijn broer is bij de politie, weet je nog? Dit is echt niet de eerste keer dat ik een revolver zie. Ik... ik was er alleen niet op voorbereid.'

Tegen de tijd dat ze weer binnen waren, was ze bijna buiten zichzelf van opluchting dat de helikopter ongevaarlijk was gebleken. 'Toen Ted nog op de politie-academie zat, oefende hij altijd schijfschieten achter in de tuin,' zei ze vrolijk, terwijl ze haar jack ophing. 'Dat was reuzegrappig om te zien. Ik bedoel, hoe kun je zoiets nu oefenen?'

'Drink dit op,' zei hij, nadat hij uit de keuken was gekomen met een glas cognac en dat in haar hand had geduwd. 'Helemaal,' voegde hij eraan toe, toen ze één slokje had genomen en hem het glas weer terug wilde geven. Ze nam nog een slokje, en zette het glas op het aanrecht. 'Ik wil niet meer.'

'Goed,' zei Zack kortaf. 'En dan ga je nu naar de slaapkamer en daar neem je een lang, heet bad.'

'Maar –'

'Doe wat ik je zeg. Spreek me niet tegen. De volgende keer –' Hij zweeg in het besef dat er geen volgende keer zou zijn. Dit was vals alarm geweest, maar het had hem gedwongen in te zien hoe hij met haar leven speelde en aan welke doodsangst hij haar onderwierp. God, die angst. Hij had nog nooit iemand zo zien kijken als zij, zoals hij haar daar weggedoken in de sneeuw had gevonden.

Het was donker toen Julie de zitkamer weer binnenkwam. Ze had een bad genomen en weer een broek en een trui aangetrokken. Zack stond met een strak gezicht voor de open haard naar de vlammen te kijken.

Te oordelen naar zijn gezichtsuitdrukking en zijn eerdere gedrag, nam ze terecht aan dat hij zich schuldig voelde over wat hij haar had laten doormaken, maar nu alles achter de rug was, dacht ze heel anders over wat er was gebeurd. Ze kon het niet uitstaan dat er mensen waren die hem dwongen om zo te leven. Ze had zich in bad voorgenomen om uit te vinden wat hij van plan was en hier een eind aan te maken. Wat hij ook van plan mocht zijn, ze zou hem ervan overtuigen dat hij haar moest laten helpen.

In plaats van het onderwerp meteen ter sprake te brengen, besloot ze er tot na het eten mee te wachten omdat ze ervan uitging dat hij tegen die tijd wel weer in een betere bui zou zijn. Ze liep naar hem toe en vroeg vrolijk: 'Zorg jij vanavond voor de biefstuk, of heb je liever dat ik het doe?'

Hij draaide zich naar haar om en keek haar gedurende enkele seconden met een strak gezicht aan. 'Neem me niet kwalijk. Wat zei je?'

'Ik had het over de taakverdeling hier.' Ze stak haar handen achter in de tailleband van haar broek, en zei plagend: 'Je bent in overtreding van de wet op de rechten van gijzelaars.'

'Waar heb je het in vredesnaam over?' vroeg Zack, en probeerde zichzelf er intussen van te overtuigen dat ze rustig hier zou kunnen blijven, dat ze hier veilig was, dat dit een op zich staand incident was geweest en dat het niet nog eens zou gebeuren.

Ze schonk hem één van haar adembenemende glimlachjes. 'Ik heb het over de kookcorvee, meneer Benedict! Volgens de bepalingen van het Verdrag van Genève mag een gevangene niet worden onderworpen aan een wrede of onrechtvaardige behandeling, en het feit dat u mij verplicht om twee dagen achtereen voor het eten te zorgen, valt onder een wrede en onrechtvaardige behandeling. Vindt u dat zelf ook niet?'

Zack produceerde een niet al te overtuigend glimlachje en knikte. Het enige dat hij op dat moment wilde doen, was met haar naar bed gaan, zich in haar verliezen en gedurende één gelukzalig uur vergeten wat er gebeurd was en wat er, veel eerder dan hij aanvankelijk gemeend had, zou moeten gebeuren.

Hoofdstuk 38

Julie's hoop dat hij zijn sombere stemming wel weer gauw te boven zou zijn, bleek ditmaal een tikkeltje te optimistisch te zijn geweest. Onder het eten was hij beleefd maar stil geweest, en nu ze klaar was met het afruimen van de tafel, kreeg ze het idee om het dan maar met wijn te proberen. Ze wilde van alles van hem weten, en ze meende een grotere kans op eerlijke en volledige antwoorden te hebben wanneer hij ontspannen was.

Ze boog zich voorover, pakte de fles, schonk zijn glas nog eens bij en gaf hem het glas aan.

Zack keek van het glas naar haar gezicht. 'Ik hoop niet dat je van plan bent om mij dronken te voeren,' verklaarde hij op droge toon, 'want als dat wel zo is, dan zal je dat met wijn nooit lukken.'

'Zal ik dan de whisky maar even pakken?' vroeg Julie, en probeerde een zenuwachtig lachje de baas te blijven.

'Denk je dat ik die nodig zal hebben?'

'Ik weet niet.'

Ze ging met haar rug tegen de armleuning van de bank zitten en keek hem aan. Haar eerste vraag had iets grappigs en onschuldigs. 'Zack, vind je ook niet dat ik een model-gegijzelde ben?'

'Voorbeeldig,' beaamde hij, en glimlachte zwakjes in reactie op haar aanstekelijke humor.

'En vind je me daarbij ook niet gehoorzaam, behulpzaam, vriendelijk, netjes en – en dat ik vaker voor het eten heb gezorgd dan aanvankelijk de afspraak was?'

'Ja op alles, behalve wat dat "gehoorzaam" betreft.'

Ze glimlachte. 'En vind je dan ook niet dat ik, als modelgevangene, niet recht heb op bepaalde... nou ja... extra privileges?'

'Waar denk je aan?'

'Antwoorden op vragen die ik heb.'

Julie zag aan zijn veranderende gezicht dat hij meteen op zijn hoede was. 'Mogelijk. Dat hangt van de vragen af.'

Zijn niet bepaald bemoedigende antwoord bracht haar enigszins van haar stuk, maar toch besloot ze het erop te wagen. 'Je bent toch van plan om uit te zoeken wie de ware moordenaar van je vrouw is, niet?'

'Stel een andere vraag,' zei hij op effen toon.

'Best. Heb je er enig idee van wie de ware moordenaar zou kunnen zijn?'

'Probeer het maar eens met een ander onderwerp.'

Zijn onnodige kribbigheid ergerde haar, niet alleen omdat ze, doordat ze van hem hield, extra gevoelig was voor zijn stemmingen,

263

maar ook omdat Julie récht meende te hebben op antwoorden. Heel kalm zei ze: 'Ik verzoek je dringend om mij niet zo af te schepen.'

'In dat geval zul je toch een ander onderwerp moeten kiezen.'

'Hou op met leuk te doen en luister naar me. Probeer het te begrijpen. Tijdens dat proces van jou zat ik met een uitwisselingsprogramma in het buitenland. Ik weet niet wat er precies is gebeurd, en ik zou het erg graag willen horen.'

'Als je weer thuis bent, dan kun je naar de plaatselijke bibliotheek gaan en alles nalezen in oude kranten.'

Als er één ding was waar Julie heel slecht tegen kon, dan was het wel sarcasme. 'De versie van de media interesseert me niet, verdomme! Ik wil jóuw versie horen. Ik wil uit jóuw mond horen wat er gebeurd is.'

'Dan heb je pech gehad.' Hij stond op, zette zijn glas neer en stak zijn hand naar haar uit.

In de veronderstelling dat het een verzoenend gebaar was, pakte ze zijn hand en liet zich van de bank af trekken.

'Ga mee naar bed.'

Gekwetst trok ze haar hand terug. 'Nee. Het is echt niet zo veel dat ik van je vraag, en zeker niet in vergelijking met alles wat jij van mij hebt gevraagd!'

'Ik vertik het om voor jou, of voor wie dan ook, nog eens tot in de allerkleinste details te herhalen wat er die dag is gebeurd,' snauwde hij. 'Ik heb het al honderden keren aan de politie en mijn advocaten moeten vertellen, en het is voorbij. Verleden tijd.'

'Maar ik wil je alleen maar helpen. Jouw opvattingen en herinneringen zijn misschien wel anders. Ik had gedacht dat we zouden kunnen beginnen met het maken van een lijstje van iedereen die daar die dag aanwezig was, en dat je me dan van iedereen een kort profiel schetst. Ik ken geen mens, dus ik kan iedereen heel neutraal beoordelen. Misschien dat je je, wanneer we er samen over praten, opeens iets realiseert wat je eerder over het hoofd hebt gezien –'

Hij lachte honend. 'Dacht je werkelijk dat je mij zou kunnen helpen?'

'Ik kan het in ieder geval proberen.'

'Doe toch niet zo bespottelijk. Ik heb ruim twee miljoen dollar uitgegeven aan advocaten en privé-detectives, en volgens iedereen was ik de meest logische dader.'

'Maar –'

'Hou op, Julie!'

'Nee, ik hou niet op! Ik heb recht op een uitleg!'

'Je hebt helemaal nergens recht op,' beet Zack haar toe. 'En ik zit heus niet op je hulp te wachten.'

Julie verstijfde alsof hij haar een klap had gegeven, maar slaagde erin niet boos of vernederd te klinken. 'Aha. Ik begrijp het.' En dat deed ze inderdaad. Ze besefte dat het enige dat hij van haar wilde, haar lichaam was. Ze werd niet geacht haar hersens te gebruiken; ze werd niet geacht gevoelens te hebben; ze werd uitsluitend geacht hem te amuseren wanneer hij zich verveelde en haar benen voor hem te spreiden wanneer hij daar behoefte aan had.

Hij pakte haar bij haar armen en trok haar naar zich toe. 'Kom mee, we gaan naar bed.'

'Laat me los!' siste Julie. Ze rukte zich los, sloeg haar armen om zich heen en liep achteruit om de bank en de tafel heen in de richting van haar eigen slaapkamer.

'Wat doe je?'

'Ik dacht dat dat wel duidelijk was. En dat hoeft je niet te verbazen nadat je me hebt laten zien wat voor een harteloze schoft je in werkelijkheid bent!' Zijn strakke gezicht was niets in vergelijking met haar eigen woede. 'Als je hier weggaat, dan ga je alleen maar op de vlucht, is het niet? Je bent helemaal niet van plan om de echte moordenaar te vinden!'

'Inderdaad!' snauwde hij.

'Lafaard!' riep ze uitdagend. 'Of je bent de grootste lafaard die er op aarde rondloopt, of je hebt haar inderdaad zelf vermoord!' Ze deed de deur van haar kamer open, en voegde er, alvorens naar binnen te gaan, nog aan toe: 'Morgenochtend vertrek ik. En als je van plan bent om me tegen te houden, dan zou ik die revolver van je maar vast klaarleggen!'

Haar beloning was een intens minachtende blik. 'Ik, jou tegenhouden? Ik ben met liefde bereid om je koffer naar de auto te brengen!'

Julie smeet de deur dicht en probeerde haar tranen de baas te blijven. Toen ze haar broek uittrok en een T-shirt uit de la haalde, hoorde ze hem naar zijn eigen kamer gaan. Pas toen ze in bed lag en het licht had uitgedaan, liet ze haar tranen de vrije loop. Ze trok het dikke dekbed op tot aan haar kin, ging op haar buik liggen en drukte haar gezicht in het kussen terwijl ze zich wanhopig afvroeg hoe ze ooit zo onnozel had kunnen zijn. Ze huilde tot er geen tranen meer kwamen, en draaide toen op haar zij om naar het maanverlichte sneeuwlandschap te kijken.

Zack, op zijn beurt, kleedde zich uit, en probeerde vergeefs te kalmeren en de scène in de zitkamer te vergeten. Hij kon haar gezicht, toen ze hem een lafaard en een moordenaar had genoemd, maar niet vergeten. Tijdens zijn proces en gedurende zijn gevangenschap had hij zich aangewend om niets meer te voelen, maar op de een of andere manier had ze toch een gevoelige snaar bij hem weten te treffen. Hij kon haar daarom niet uitstaan, en haatte zichzelf omdat hij het zover had laten komen.

Hij mikte zijn trui op het bed en trok zijn broek uit. En toen opeens begreep hij het, begreep hij waarom ze zo idioot fel gereageerd had, en hij verstijfde.

Julie verkeerde in de veronderstelling dat ze van hem hield. Daarom meende ze 'recht te hebben' op een verklaring. En waarschijnlijk dacht ze ook dat hij van haar hield. En dat hij haar nodig had. 'Klootzak!' siste hij, en smeet zijn broek op het bed. Hij had Julie Mathison helemaal niet nodig, en wat hij nog minder nodig had, waren extra schuldgevoelens en de verantwoordelijkheid voor een schooljuffrouw uit de provincie die het verschil niet kende tussen lichamelijke aantrekkingskracht en dat vage gevoel dat men liefde noemde. Het zou veel beter voor haar zijn wanneer ze hem kon haten. En dat zou voor hem ook veel beter zijn. Veel en veel beter. Er was niets tussen hen behalve seks, waar ze beiden behoefte aan hadden maar dat ze hem weigerde vanuit een kinderlijk verlangen om hem zijn gedrag betaald te zetten.

Met het idee om zichzelf en haar dat alles te bewijzen, liep hij met nijdige stappen zijn kamer uit.

Julie lag na te denken over wat ze morgen zou doen, toen de deur opeens werd opengerukt en Zack spiernaakt binnenkwam. 'Wat wil je?' vroeg ze bits.

'Die vraag,' zei hij spottend, terwijl hij het dekbed van haar af trok, 'is bijna even belachelijk als je beslissing om in dit bed te slapen, want ik doe toch waar ík zin in heb.'

Julie begreep onmiddellijk wat hij van plan was. Woedend kroop ze naar de andere kant van het bed en sprong eruit met het idee de kamer uit de rennen. Hij was haar te snel af, greep haar beet en trok haar tegen zijn naakte borst.

'Laat me los, verdomme!'

'Wat ik wil,' liet hij haar in antwoord op haar aanvankelijke vraag weten, 'is precies hetzelfde wat jij ook wilt, telkens wanneer we elkaar aankijken!'

Julie hield op met zich te verzetten en verzamelde kracht voor haar volgende zet. 'Schoft dat je bent! Als je het ook maar in je hersens haalt om mij te verkrachten, dan vermoord ik je met je eigen revolver!'

'Ik, jou verkrachten?' herhaalde hij honend. 'Daar pieker ik niet over. Ik heb nog geen drie minuten nodig om je zover te krijgen dat je me zult smeken om alsjeblieft met je te vrijen.'

Ze trok haar knie op en haalde met kracht uit naar zijn lendenen, maar ze miste en viel achterover, onder zijn zware lichaam, op het bed.

In plaats van haar haar mislukte aanval op zijn kruis betaald te zetten en haar meteen binnen te dringen, zoals ze verwacht had, voelde ze hoe hij zijn vingers in haar schaamhaar stak en haar met de grootst mogelijke tederheid begon te masseren. Hij was niet van plan om haar te dwingen, begreep Julie; hij rekende op haar vrijwillige medewerking, en als ze hem die zou geven, zou dat veel schadelijker zijn voor haar trots dan wanneer ze een hulpeloos slachtoffer zou zijn geweest. Haar verraderlijke lichaam begon al te reageren, en ze was zo woedend op zichzelf en op hem, dat ze hem bijna smeekte om haar nu te nemen, voor ze zich geheel en al aan hem zou hebben overgegeven. 'Schiet dan op, verdomme!'

'Waarom zou ik?' vroeg hij op ijzige toon. 'Opdat je me behalve voor moordenaar en lafaard, ook nog eens kunt uitmaken voor verkrachter?' Zijn vingers drongen dieper bij haar naar binnen. 'Vergeet het maar.' Zijn lippen sloten zich om een tepel en begonnen er zachtjes mee te spelen. Haar heupen schokten onder zijn hand, en hij lachte. Julie verstijfde en verzette zich met al haar wilskracht tegen wat hij met haar probeerde te doen.

'Je bent helemaal nat,' zei hij, en hoe ze zijn woorden en liefkozingen ook probeerde te negeren, haar lichaam weigerde naar haar verstand te luisteren. 'Verlang je naar me, Julie?'

Ze wilde hem in zich voelen, en verlangde zo vurig naar de climax die hij haar kon geven, dat ze het gevoel had dat ze zou sterven. 'Loop naar de hel!' kwam het ademloos over haar lippen.

'Ik ben al in de hel,' fluisterde hij, waarna hij haar hongerig kuste en haar lippen ruw vaneen duwde. Hij ging naast haar liggen en bewoog zijn heupen tegen haar zij om haar zijn erectie te laten voelen. 'Zeg me dat je naar me verlangt,' drong hij aan.

Ze kon het niet helpen. Ze was waanzinnig van verlangen en schokte over haar hele lichaam. Half snikkend bekende ze: 'Ja, ik verlang naar je – '

Ze had het nog niet goed en wel gezegd, of hij drong haar al binnen. Met enkele vurige stoten bereikte ze het hoogtepunt waar ze zo naar gesnakt had. Ze lag nog na te schokken toen hij zich van haar losmaakte en opstond. 'Drie minuten, langer had ik niet nodig,' zei hij.

De deur sloeg hard achter hem dicht.

Julie bleef diep geschokt liggen en deed haar best om te aanvaarden dat hij werkelijk zo gemeen was dat hij zijn gelijk op deze manier had willen bewijzen. Uiteindelijk ging ze uitgeput recht liggen, trok het dekbed van de grond en sloot haar ogen. Maar ze huilde niet. Ze zou nooit meer ook maar één traan om hem laten. Nooit meer.

Zack zat in het donker op de luie stoel voor de open haard van zijn slaapkamer. Hij hield zijn hoofd in zijn handen en probeerde niet te denken en niets te voelen. Hij had gedaan wat hij gewild had, en meer; hij had zichzelf en haar bewezen dat hij haar niet nodig had, zelfs niet in lichamelijk opzicht. En hij had haar bewezen dat hij het niet waard was dat ze zich na morgen, wanneer ze hier wegging, zorgen over hem maakte.

Hij had zijn doel bereikt en schitterend werk geleverd.

En nog nooit had hij zich zo ellendig gevoeld en zich zo diep geschaamd.

Hij wist dat ze na vanavond niet meer de illusie zou hebben dat ze van hem hield. Ze zou hem met heel haar hart haten. Hij verachtte zichzelf om wat hij haar had aangedaan en om het feit dat hij zo zwak was dat hij op dit moment niets liever zou doen dan naar haar toegaan en haar om vergeving smeken. Hij ging verzitten, keek naar het bed dat ze samen hadden gedeeld, en wist dat hij er niet in zou kunnen slapen in de wetenschap dat zij hem in de kamer ernaast lag te haten.

Hoofdstuk 39

Toen Julie de volgende ochtend heel vroeg opstond, lagen de sleuteltjes van de Blazer op de commode. Het was doodstil in huis. Het intense verdriet van de vorige avond had plaats gemaakt voor een soort van verdoving. Zonder erbij na te denken kleedde ze zich aan. Er was maar één ding dat ze wilde, en dat was hier zo snel mogelijk vandaan gaan. Alles vergeten. Ze wilde niets anders dan vergeten dat ze hem ooit had leren kennen en dat ze zo stom was geweest om haar hart aan hem te verliezen. Ze wilde nooit meer van iemand houden als dat betekende dat je daardoor zo kwetsbaar werd. Ze pakte haar lege koffertje uit de kast, gooide haar toiletspulletjes erin, deed het dicht en pakte het op.

Op de drempel bleef ze nog even staan om te zien of ze misschien nog iets vergeten was, en toen deed ze het licht uit. Net toen ze door de zitkamer naar de gang wilde lopen, verstijfde ze. Haar hart sloeg een slag over. In het grauwe ochtendlicht zag ze Zack aan de andere kant van de kamer voor het raam staan. Hij stond, met de handen in zijn broekzakken, met zijn rug naar haar toe. Toen haalde ze diep adem, draaide zich om en begon de gang af te lopen. Ze had nog geen twee stappen gedaan, toen ze hem opeens hoorde zeggen: 'Het lijstje met namen van iedereen die op de dag van de moord op de set was, ligt op tafel.'

Ze probeerde het plotselinge, beklemmende gevoel in haar borst te negeren en geen aandacht te schenken aan het feit dat hij haar uiteindelijk toch haar zin had gegeven, en liep verder de gang af.

'Ga niet weg,' riep hij haar met schorre stem achterna. 'Alsjeblieft.'

Haar hart balde zich samen bij het horen van de wanhopige klank van zijn stem, maar haar gekwetste trots schreeuwde dat ze wel gek moest zijn om naar hem te luisteren na wat hij haar de vorige avond

had aangedaan. En dus liep ze door. Ze legde haar hand op de deurknop van de achterdeur, en nu hoorde ze zijn stem vlak achter zich.
'Julie – alsjeblieft, ga niet weg!'
Haar hand weigerde de deurknop te draaien en haar schouders begonnen te schokken van het snikken. Ze steunde met haar voorhoofd
tegen de deur terwijl de tranen over haar wangen stroomden en het
koffertje uit haar hand gleed. Ze huilde van schaamte over haar gebrek aan wilskracht en uit schaamte over een liefde die sterker was
dan zijzelf. Ze verzette zich niet toen hij haar naar zich omdraaide, in
zijn armen nam en tegen zijn borst drukte.
'Het spijt me zo,' fluisterde Zack vurig. Hij wist niet wat hij moest
doen om haar te troosten, en hield haar dicht tegen zich aangedrukt.
'Vergeef me, alsjeblieft.'
'Hoe héb je me dat gisteravond aan kunnen doen!' snikte ze. 'Hoe
kón je!'
Hij slikte, hief haar betraande gezichtje op naar het zijne en bekende in alle eerlijkheid: 'Ik heb het gedaan omdat je me uitmaakte
voor moordenaar en lafaard, en dat kon ik niet verdragen – niet van
jou. En ik heb het gedaan omdat ik, precies zoals je al zei, een harteloze schoft ben.'
'Ja, dat ben je!' kwam het snikkend over haar lippen. 'En het erge is
nog wel dat ik tóch van je hou!'
Zack trok haar weer in zijn armen en slikte de woorden in waarvan
hij wist dat ze ze wilde horen, de woorden die op het puntje van zijn
tong lagen. In plaats daarvan drukte hij haar met al zijn kracht tegen
zich aan, kuste haar voorhoofd en haar wang, en legde, nagenietend
van haar woorden, zijn wang tegen haar geurige haren. Op zijn vijfendertigste had hij eindelijk ontdekt hoe het was om bemind te worden om zichzelf... om bemind te worden zonder dat hij rijk of beroemd was of zelfs maar een eervol bestaan leidde... om onvoorwaardelijk bemind te worden door een buitengewoon moedige en
loyale vrouw. En hij wist dat deze vrouw voor altijd van hem zou blijven houden, ook al zou hij jarenlang ondergedoken blijven en niets
meer van zich laten horen. Hij besefte dat hij iets zou moeten zeggen,
en dus wreef hij zijn wang tegen haar haren en fluisterde: 'Ik verdien
je liefde niet, lieveling.'
'Dat weet ik,' zei Julie half lachend en half huilend. Ze weigerde
het erg te vinden dat hij niet gezegd had dat hij ook van haar hield. De
wanhopige klank van zijn stem toen hij haar had teruggeroepen, zou
voldoende moeten zijn. Ze sloot haar ogen toen ze zijn hand in haar
nek voelde, maar toen hij sprak, klonk hij ongewoon mat en vermoeid. 'Zou je er iets voor voelen om weer met mij naar bed te gaan,
en ons gesprek over de moord uit te stellen tot nadat ik een paar uur
heb geslapen? Ik ben de hele nacht op geweest.'
Julie knikte, en liep met hem mee naar de kamer waarvan ze gedacht had dat ze hem nooit meer terug zou zien.

Hij viel in slaap met zijn armen om haar heen en zijn wang op haar borst.

Julie, die zelf niet meer kon slapen, keek naar zijn gezicht, en haar vingers speelden met het zachte haar bij zijn slapen. Ze keek naar zijn dikke, donkere wenkbrauwen en wimpers. Ze ging verliggen opdat hij wat gemakkelijker zou kunnen liggen, maar hij trok haar onmiddellijk weer tegen zich aan. Julie glimlachte. Ze begreep dat hij bang was dat ze opnieuw weg zou gaan, maar die angst was volkomen ongegrond. Ze was absoluut niet van plan om te ontsnappen.

Jaren geleden had ze ooit eens een uitspraak van Shakespeare gelezen, waarin hij beweerde dat het leven een toneel was waarop eenieder zijn rol te spelen had. Zelf had ze daarna altijd het gevoel gehad alsof ze juist aan het randje van dat toneel, tussen het zijdoek stond te wachten op een teken dat het haar beurt was om aan het leven te beginnen. Julie haalde haperend adem en glimlachte in het besef dat ze nu haar teken had gekregen. Nú wist ze waarom ze al die jaren had moeten wachten. Nú wist ze eindelijk waarom ze geschapen was, en voor wie ze bestemd was. Ondanks het feit dat ze altijd zo haar best had gedaan om een toonbeeld van fatsoen te zijn, was ze nu uiteindelijk verliefd geworden op een cynische man die een voortvluchtige was. Hij deed haar in zeker opzicht denken aan de jongens die ze in de achterbuurten van Chicago had leren kennen.

De toekomst was een onduidelijk pad vol gevaren en problemen. Toch was dat iets dat Julie op dit moment niet kon schelen.

Ze legde haar hand tegen zijn wang, wiegde hem tegen haar hart en drukte haar lippen op zijn donkere haar. 'Ik hou van je,' fluisterde ze.

Hoofdstuk 40

Julie zat, met haar benen onder zich getrokken, een pen in de hand en voor zich een stapeltje indexkaartjes dat ze in het bureau had gevonden, op de grond aan de lage tafel en bestudeerde het lijstje met namen dat Zack voor haar had gemaakt. Achter elke naam had hij het beroep of de functie van de persoon in kwestie geschreven, en nu was ze bezig om van elke naam een kaartje te maken waar ze de dingen die Zack haar verder vertelde, op aan zou kunnen tekenen.

Zack zat naast haar, op de bank, en observeerde haar. Hij onderdrukte een glimlach bij de gedachte aan het feit dat Julie meende iets te kunnen ontdekken dat aan de aandacht van zijn advocaten en privé-detectives ontsnapt zou zijn. In de roze wollen broek en de bijpassende trui, en met haar haren in een staartje, leek ze meer op een schoolmeisje dan op een onderwijzeres.

Ze hield op met schrijven, keek hem aan en zei: 'Ik heb *Destiny* gezien. Ze hebben de laatste scène met andere mensen over moeten maken. Op de een of andere manier dacht ik altijd dat er veel meer mensen nodig waren om zo'n soort film te maken.'

'Er waren ook veel meer mensen voor nodig, maar die waren niet in Dallas,' vertelde Zack. 'Wanneer er voor een film meerdere locaties nodig zijn, dan is het veel goedkoper om een groot team op te splitsen in meerdere kleine groepjes en elk groepje een bepaalde locatie toe te wijzen. Op die manier staat alles al klaar wanneer de acteurs ter plekke arriveren. De mensen die jij daar op het lijstje hebt staan, zijn de mensen die in Dallas hebben gewerkt. Er waren nog meer mensen, maar die had ik al naar huis gestuurd.'

'Waarom?'

'Omdat we al miljoenen dollars boven het budget zaten en ik zo veel mogelijk probeerde te bezuinigen. We waren bijna klaar met filmen, en dus had ik iedereen die ik niet meer nodig had, al naar huis gestuurd.'

Ze luisterde zo opgetogen naar wat hij te vertellen had, dat hij moest glimlachen. 'Nog meer algemene vragen voor ik je vertel wat er die dag gebeurd is?'

'Nog een paar,' zei Julie, en bekeek het lijstje. 'Wat is een "best boy" eigenlijk?'

'Een "best boy" is het hulpje van de gaffer.'

Ze keek hem wanhopig aan. 'Dank u voor deze informatie, meneer Benedict. En wilt u mij nu dan misschien nog vertellen wat een gaffer is?'

Hij grinnikte. 'De hoofd-gaffer is de hoofd-belichter. Hij is de creatieve en daadwerkelijke rechterhand van de opnameleider. Hij is de baas over alle belichters die op de set aan het werk zijn, en geeft aanwijzingen voor de sterkte van het licht, de kleur enzovoort.'

'Wat is een grip?'

'Grips zorgen voor alle attributen die verplaatst moeten worden. De key grip heeft ook een best boy tot zijn beschikking.'

'En wat doet de key grip?'

'De key grip is de baas over alle andere grips.'

'Wat is een produktieassistent precies?'

'Eigenlijk een manusje-van-alles. Iemand die alle mogelijke klusjes doet en verantwoording schuldig is aan de regie-assistenten.'

Julie knikte. 'En wat is een producer?'

'Een zeur.'

Ze schaterde het uit, en haar lach klonk hem als zilveren belletjes in de oren. Toen vroeg ze: 'Is de opnameleider ook een cameraman, of is hij er alleen maar voor het toezicht?'

'Hij kan beide doen. Een goede opnameleider houdt zich overal mee bezig. Hij en de set-dressers vertalen de ideeën van de regisseur

271

voor een scène naar de realiteit, en brengen vaak nog verbeteringen aan in de oorspronkelijke ideeën.'

Julie keek op haar lijstje, vond de naam van de man die opnameleider van *Destiny* was geweest, en vroeg: 'Was Sam Hudgins een goede?'

'Een van de beste. We hadden met z'n tweeën al heel wat films gemaakt, en ik had hem speciaal voor *Destiny* uitgekozen. Trouwens, ik heb de hele crew zorgvuldig bij elkaar gezocht. Het zijn allemaal mensen met wie ik al eerder had samengewerkt en waarvan ik wist dat ik op ze kon rekenen.' Toen hij een diepe rimpel op haar voorhoofd zag verschijnen, vroeg hij: 'Wat is er?'

'Ik vroeg me alleen maar af waarom iemand die in het verleden al met je gewerkt had, opeens zou besluiten om je een moord in de schoenen te schuiven.'

'Dat is inderdaad nogal vreemd, ja,' was Zack het met haar eens. Hij was een beetje verbaasd dat ze, zo snel al, tot dezelfde conclusie was gekomen als zijn advocaten en detectives indertijd.

'Is het mogelijk dat je kort voor de moord iets gezegd of gedaan hebt waardoor één van hen opeens zo'n verschrikkelijke hekel aan je heeft gekregen dat hij wraak wilde nemen?'

'Kun jij iets bedenken dat een dergelijke wraak rechtvaardigt?' reageerde Zack op droge toon.

'Je hebt gelijk,' zei ze, en knikte kort.

'En dan moet je niet vergeten dat ze het niet op mij hadden voorzien. Iemand wilde Rachel vermoorden, of Austin. Ik was alleen maar de lul die ervoor moest zitten.'

Julie haalde diep adem en zei: 'Vertel me precies wat er die dag is gebeurd. Nee, begin met de dag waarop je ontdekte...' Ze aarzelde, en begon opnieuw. 'Zoals ik je al zei, was ik ten tijde van de moord in Europa, maar ik kan me nog herinneren dat ik bij een kiosk de krantekoppen zag, en las dat...'

Toen ze ook deze zin niet afmaakte, besloot Zack het voor haar te doen. 'Je las dat mijn vrouw het met onze andere hoofdrolspeler deed en dat ik ze op heterdaad betrapt had.'

Julie kromp ineen, maar bleef hem recht aankijken. 'Vertel me alles wat je je kunt herinneren, maar doe het langzaam zodat ik aantekeningen kan maken.'

Afgaande op eerdere ervaringen, rekende Zack erop dat het gesprek moeizaam zou verlopen en dat hij zich weer boos zou maken, maar in het verleden was hij altijd ondervraagd door mensen die aan zijn onschuld twijfelden of gewoon alleen maar nieuwsgierig waren. Maar het vertellen van zijn verhaal aan Julie, die hem in alles wat hij zei geloofde, bleek een totaal nieuwe, en zelfs catharsische ervaring te zijn, en toen hij was uitverteld, had hij vreemd genoeg het gevoel alsof er een zware last van zijn schouders was gevallen.

272

'Bestaat er een kans dat het een ongeluk, een vergissing is ge- weest?' vroeg Julie toen ze het hele verhaal gehoord had. 'Ik bedoel, stel dat de man die de revolver met losse flodders moest laden – Andy Stemple – er per ongeluk echte kogels in heeft gestopt en dat hij te laf was om het te durven bekennen?'

Zack zette zijn ellebogen op zijn knie en schudde zijn hoofd. 'Stemple heeft geen fouten gemaakt. Hij is een deskundige op het gebied van vuurwapens. Na het drama dat zich tijdens de opnamen van een aflevering van *Twilight Zone* heeft afgespeeld, heeft de Bond van Regisseurs geëist dat er speciaal opgeleide wapendeskundigen, zoals Stemple, belast zouden worden met de verantwoordelijkheid ten aanzien van vuurwapens die bij filmopnamen worden gebruikt. Stemple had de verantwoordelijkheid over de revolver, maar omdat dat het enige wapen was dat in de film voorkwam en we mensen te kort kwamen, werkte hij ook als grip. Hij had de revolver die ochtend zelf gecontroleerd en met losse flodders geladen. En daarbij, die dum-dum-kogels zijn er niet per ongeluk in terechtgekomen. Alle vingerafdrukken waren van de revolver geveegd voordat hij op die tafel was gelegd,' bracht hij haar in herinnering. 'Dat was één van de details die me mijn vrijheid hebben gekost.'

'Maar als jij de vingerafdrukken van de revolver zou hebben ge- veegd, dan zou je toch zeker niet zo achterlijk zijn geweest om er je eigen vingerafdrukken op te laten zitten.'

'Het was geen echte vingerafdruk, maar een veeg van mijn wijsvin- ger op de kolf. De officier van justitie heeft de jury ervan kunnen overtuigen dat ik dat ene plekje bij het afvegen over het hoofd heb gezien.'

'Maar,' dacht ze hardop, 'die vingerafdruk is erop gekomen toen je de revolver een fractie verschoven hebt.'

Het was geen vraag, maar een bevestiging van wat hij haar eerder had verteld. Hij kon haar wel omhelzen voor haar onvoorwaarde- lijke vertrouwen. 'Het zou geen enkel verschil hebben gemaakt als de revolver niet was afgeveegd of mijn vingerafdrukken er niet op had- den gezeten. In dat geval zouden ze gezegd hebben dat ik handschoe- nen had gedragen. Als ik tijdens die laatste scène niet van idee veran- derd zou zijn, waardoor niet Rachel, maar Austin het slachtoffer zou zijn geweest, dan zouden ze me nog voor de dader hebben gehouden. Want het was, en ís, een feit dat ik de enige was met een geldig motief om Austin of Rachel dood te willen hebben.' Zack zag dat het haar moeite kostte om haar gezicht in de plooi te houden en niets te laten blijken van de verontwaardiging en woede die ze voelde, en hij pro- beerde geruststellend te glimlachen toen hij eraan toevoegde: 'Heb je genoeg gehoord voor één dag? Kunnen we er nu mee ophouden en genieten van wat er nog van over is? Het is al over vijven.'

'Ja, dat weet ik,' zei Julie op bezorgde toon. Ze spreidde alle kaartjes voor zich uit op tafel, en haalde er toen vier uit die ze vlak voor zich legde. Het waren kaartjes van mensen waar ze nog iets meer van wilde weten, of die ze verdacht. 'Kunnen we nog heel even doorgaan?' vroeg ze, en toen hij zijn mond opendeed om bezwaar te maken, voegde ze er wanhopig aan toe: 'Zack, één van deze mensen hier is degene die de moord heeft gepleegd, en die zijn mond heeft gehouden toen jij ervoor naar de gevangenis bent gestuurd!'

Zack had het hart niet om haar tegen de spreken, en dus zette hij zich over zijn frustratie heen en hield zijn mond.

'Ik heb een vreemd gevoel bij Diana Copeland,' ging Julie verder, terwijl ze peinzend langs hem heen, naar een onduidelijk punt in de verte keek. 'Volgens mij was ze verliefd op je.'

'Hoe kom je daar in vredesnaam bij?' vroeg hij met een mengeling van geamuseerde verbazing en ongeduld.

'Nou, dat ligt toch voor de hand.' Ze zette haar elleboog op tafel, steunde met haar kin op haar hand, en vervolgde: 'Je zei dat ze de ochtend van de moord naar Los Angeles had zullen gaan. Maar ze is in Dallas gebleven en kwam op de set. Ze heeft je verteld dat ze gebleven was omdat ze gehoord had wat er de vorige avond in de hotelkamer was gebeurd, en ze in de buurt wilde zijn voor het geval je behoefte zou hebben aan morele steun. Volgens mij was ze verliefd op je, en heeft ze daarom besloten om Rachel te vermoorden.'

'En om de man op wie ze zogenaamd verliefd was naar de gevangenis te zien gaan? Nee, dat lijkt me niet waarschijnlijk,' zei Zack spottend. 'En bovendien kon Diana onmogelijk weten dat ik zou besluiten om Tony te laten schieten in plaats van Rachel. Daarbij heb je een nogal naïef beeld van hoe het volkje van Hollywood met elkaar omgaat. Een actrice heeft er alles voor over om voortdurend van zo veel mogelijk mensen te horen te krijgen dat ze dol op haar zijn. Actrices worden niet zomaar verliefd en geven niet alles op voor een enkele man, laat staan dat ze zover gaan om een moord voor hem te plegen. Het enige dat ze interesseert, is het voordeel dat een relatie hun kan opleveren. Een actrice is per definitie iemand die van anderen afhankelijk, waanzinnig ambitieus, en onvoorstelbaar egoïstisch is.'

'Er zullen toch heus wel uitzonderingen zijn.'

'Als dat zo is, dan ben ik die nog nooit tegengekomen,' zei hij kortaf.

'Dat moet een heerlijk wereldje zijn geweest, waarin je leefde,' merkte Julie op. 'Het heeft je verschrikkelijk cynisch gemaakt, en helemaal ten aanzien van vrouwen.'

'Ik ben helemaal niet cynisch,' verklaarde Zack. Haar afkeurende woorden staken hem. 'Ik ben alleen maar realistisch! Maar jij, jij hebt belachelijk naïeve ideeën over relaties tussen mannen en vrouwen.'

In plaats van tegen hem tekeer te gaan, keek ze hem met grote ogen aan. 'Heb ik dat echt, Zack?' vroeg ze zacht.

Telkens wanneer ze hem bij zijn naam noemde, maakte zijn hart een sprongetje, en hij realiseerde zich dat het 'belachelijk naïeve' meisje dat aan zijn voeten zat, in staat was om hem onmiddellijk spijt te laten hebben van wat hij zei. 'Nou, één van ons beiden heeft dat,' zei hij geïrriteerd, en toen ze hem strak bleef aankijken, gaf hij nog wat verder toe. 'Ik was waarschijnlijk al cynisch voordat ik mijn eerste film maakte.' Hij slaakte een wanhopig zuchtje toen ze hem nog steeds bleef aankijken. 'En hou nu alsjeblieft op met me aan te kijken alsof je van me verwacht dat ik toegeef dat ik uit mijn nek zat te kletsen, en ga verder. Wie verdenk je verder nog?'

Hij werd beloond met één van haar aanstekelijke glimlachjes, waarna ze haar kaarten raadpleegde, en zei: 'Tommy Newton.'

'Waarom zou Tommy Rachel of Austin willen vermoorden?'

'Misschien wilde hij voorgoed van je af, en was de moord alleen maar een middel om dát doel te bereiken. Je hebt zelf gezegd dat hij al verscheidene films met je had gemaakt als regie-assistent. Misschien had hij er genoeg van om altijd maar de tweede viool te moeten spelen en in de schaduw van de grote Zachary Benedict te moeten staan.'

'Julie,' zei Zack op een geduldig toontje, 'om te beginnen had Tommy een briljante carrière als regisseur voor de boeg en dat wist hij toen ook al. En ik wist het ook. Hij had er juist verschrikkelijk veel zin in om *Destiny* met mij te maken.'

'Maar –'

'En in de tweede plaats,' besloot Zack op droge toon, 'was hij verliefd op het potentiële slachtoffer van het schot, dus is het ondenkbaar dat hij de kogels verwisseld zou hebben.'

'Precies! Je hebt me niet verteld dat hij verliefd was op Rachel.'

'Dat was hij ook niet.'

'Maar je zei –'

'Hij was verliefd op Austin.'

'Pardon?'

'Tommy is homoseksueel.'

Ze keek hem even met open mond aan, zei niets, en pakte toen de kaart van haar derde verdachte. 'Emily McDaniels. Je hebt gezegd dat ze je innig dankbaar was voor het feit dat je haar carrière een nieuwe kans had gegeven door haar die rol in *Destiny* te geven. Ze kende je al jaren, en je zei dat jullie, bij het maken van een film, veel met elkaar optrokken. Kinderen – en met name tienermeisjes – kunnen helemaal idolaat zijn van een mannelijke autoriteit. Het is zelfs mogelijk dat ze zich verbeeldde dat ze verliefd op je was. Misschien dacht ze wel dat jij, wanneer Rachel er eenmaal niet meer was, van haar zou gaan houden.'

Zack snoof, en zei: 'Emily was op dat moment zestien, en ze was een schat van een kind. Afgezien van jou, is ze het liefste en meest normale meisje dat ik ooit heb gekend. Het is absoluut ondenkbaar dat ze iets zou doen waardoor ik in moeilijkheden zou komen. Maar laten we er toch maar even van uitgaan dat je gelijk hebt – ze was verliefd op mij en jaloers op Rachel. Als dat zo was, dan had ze Rachel helemaal niet hoeven vermoorden, want het was algemeen bekend dat Rachel van mij wilde scheiden om met Austin te kunnen trouwen.'

'Maar stel dat ze Rachel zo verschrikkelijk haatte om de wijze waarop ze jou die avond daarvoor met Tony Austin vernederd had, dat ze zich gedwongen voelde om dat Rachel namens jou betaald te zetten.'

'Die theorie gaat niet op. Emily wist niet beter dan dat Rachel het eerst zou schieten, zoals in het oorspronkelijke script vermeld stond.'

'Waarom gaan we er dan niet vanuit dat Tony Austin het slachtoffer moest zijn?'

'Daar kun je niet van uitgaan, omdat ik, zoals ik al eerder zei, aantekeningen in mijn script had gemaakt over de verandering van volgorde van het schieten, en er een heleboel mensen dat script, dat ik opengeslagen had laten liggen, gelezen konden hebben. Aan de andere kant is het zo dat mijn advocaten met iedereen gesproken hebben, en dat niemand iets van die wijziging af geweten schijnt te hebben.'

'Laten we er toch maar even van uitgaan dat het de bedoeling was dat Tony Austin doodgeschoten werd. In dat geval is het nog steeds mogelijk dat Emily de dader is. Ik bedoel, stel dat ze volledig door jou geobsedeerd was, en Tony Austin haatte omdat hij een verhouding had met je vrouw en je vernederd had –'

'Emily McDaniels,' viel Zack haar met klem in de rede, 'heeft niemand vermoord. Punt uit. Daartoe is ze niet in staat. Net zo min als jij.' Hij wierp een blik op de kaarten met de namen van mensen die door haar verdacht werden, en vroeg: 'En van wie is die laatste kaart?'

Julie keek hem lankmoedig aan, aarzelde, en zei: 'Tony Austin.'

Zacks gezicht betrok, en hij wreef zijn wangen alsof hij de haat die telkens, wanneer hij aan Austin dacht, bezit van hem nam, op die manier van zich af kon wrijven. 'Volgens mij heeft Austin het gedaan.' Hij keek haar aan, en vervolgde fel: 'Nee, sterker nog, ik wéét dat die schoft het heeft gedaan, en dat hij mij ervoor heeft laten boeten. Maar er komt een dag waarop ik, vooropgesteld dat ik nog lang genoeg te leven heb –'

Julie kromp ineen onder de klank van zijn stem. 'Maar je hebt gezegd dat Austin geen cent had,' haastte ze zich hem in de rede te vallen. 'Rachel zou bij jullie scheiding een heleboel geld hebben gekregen, geld dat, wanneer hij daarna met haar trouwde, voor hem zou

zijn geweest. Hij had er dus eigenlijk geen belang bij om haar te ver-moorden.
'Hij was een junk. Wie kan zeggen hoe dat soort mensen denken.'
'Je zei dat hij drugs gebruikte en daarvoor veel geld nodig had. Zou het voor hem niet veel interessanter zijn geweest om via Rachel aan jouw geld te komen om zijn verslaving mee te kunnen betalen?'
'Ik ben dit zat,' snauwde Zack. 'En dat meen ik!' Hij zag haar bleek wegtrekken en had meteen spijt van zijn uitval. Hij stond op, stak zijn hand naar haar uit om haar overeind te helpen, en zei iets vriendelij-ker: 'Kom, laten we die boel opruimen en beslissen wat we met de rest van onze avond gaan doen.'

Hoofdstuk 41

Tien minuten later zat ze op een kruk aan de eetbar en lachte omdat ze niet konden beslissen wat ze met de rest van de avond zouden doen. 'Ik zal een lijstje maken,' zei ze, en trok een kladblok en een pen naar zich toe. 'Tot dusver heb jij naar bed gaan voorgesteld.' Ze schreef het op, terwijl hij met een hand op haar schouder over haar heen gebogen stond en meelas. 'En naar bed gaan. En naar bed gaan.'
'Heb ik dat maar drie keer voorgesteld?' vroeg Zack toen ze klaar was met schrijven.
'Ja, en ik heb drie keer ja gezegd, maar nu moeten we nog iets ver-zinnen voor het eerste deel van de avond.'
Toen ze die indexkaartjes had zitten schrijven was het hem al opge-vallen, maar nu zag hij het weer. 'Wat schrijf je toch netjes. Het lijkt wel alsof je letters gedrukt zijn.'
'Logisch,' zei ze glimlachend. 'Ik heb er echt jaren mijn best op gedaan. Terwijl andere meisjes van dertien naar de bioscoop gingen om kwijlend naar jouw films te kijken, zat ik thuis op mijn hand-schrift te oefenen.'
Daar begreep hij niets van. 'Waarom?'
Julie draaide zich langzaam naar hem om en keek hem aan. 'Om-dat,' zei ze, 'ik tot op mijn twaalfde niet kon lezen en schrijven. Ik kon maar een paar woordjes lezen, en het enige dat ik kon schrijven was mijn naam, en zelfs die was onleesbaar.'
'Was je soms dyslectisch, of zo?'
'Nee. Ik was analfabeet doordat ik nauwelijks naar school was ge-weest. Ik heb je over mijn jeugd verteld, maar dit wist je nog niet.'
'Heb je het met opzet verzwegen?' vroeg Zack, terwijl hij naar het aanrecht liep om een glas water te pakken.

'Misschien, maar ik heb het niet bewust voor je verborgen gehouden. Gek eigenlijk, niet, dat ik er geen enkele moeite mee had om je te bekennen dat ik een kruimeldief was, terwijl mijn brein het niet toeliet dat ik je bekende dat ik niet kon lezen of schrijven.'

'Ik kan me niet voorstellen dat je dat echt niet kon, iemand die zo intelligent is als jij.'

Ze wierp hem een verwaande blik toe en zei: 'Intelligentie heeft daar niets mee te maken, meneer Benedict. Het kan iedereen overkomen. Eén op de vijf vrouwen in dit land is analfabeet. Toen ze jong waren konden ze niet naar school omdat ze thuis moesten helpen met de kleintjes, of omdat hun ouders geen vaste woonplaats hadden, of om wat voor reden dan ook. Als het ze niet lukt om de lesstof in te halen, komen ze tot de conclusie dat ze stom zijn en geven het op. Wat ook de reden mag zijn, het resultaat is altijd hetzelfde: ze moeten een van de laagstbetaalde baantjes nemen of hun hand ophouden bij de Sociale Dienst. Ze blijven plakken aan mannen die ze mishandelen, voelen zich machteloos en menen dat ze geen enkel recht hebben op iets beters. Je hebt er geen idee van hoe het is om te moeten leven in een wereld die uitpuilt van de informatie die jouw begrip te boven gaat, maar ik ben nog niet vergeten hoe het voelde. De meest simpele dingen, zoals het zoeken van de juiste kamer of afdeling in een kantoor, worden tot een onmogelijke opgave. Je leeft in een aanhoudende toestand van angst en schaamte. Die schaamte is ondraaglijk, en daarom durven die vrouwen het niet te bekennen.'

'Schaamde jij je ook, zo jong als je toen nog was?' vroeg Zack, en gaf haar het glas water aan.

Ze knikte, nam een slokje water en zette het glas op de bar. 'Ik probeerde op school altijd een plaatsje op de voorste rij te bemachtigen, want dan hoefde ik de gezichten van de andere kinderen niet te zien wanneer ze me uitlachten. Ik had er een handje van om de juffen en meesters ervan te overtuigen dat ik slechte ogen had.'

Zack probeerde zich voor te stellen hoe ze zich als kind al bluffend en knokkend een weg door het leven in de smerige achterbuurten had moeten banen waar niemand zich iets van haar aantrok, en zijn hart balde zich samen. Hij schraapte zijn keel en vroeg: 'Ben jij dan niet naar school geweest?'

'Ik was vaak en langdurig ziek, en daardoor heb ik een groot deel van de eerste en tweede klas gemist. Maar de juffies vonden me aardig, en daarom lieten ze me toch maar overgaan naar de derde. Dat was natuurlijk heel stom van hen, maar je ziet het altijd nog gebeuren. In de derde klas besefte ik dat ik zo'n achterstand had dat ik die toch nooit meer zou kunnen inlopen, en daarom begon ik te spijbelen en rond te hangen met andere kinderen op straat. De pleegouders bij wie ik toen was ondergebracht hadden hun handen vol met andere kinderen, en ze kwamen er pas achter toen ik door de politie van straat werd gevist. Toen zat ik intussen al in de vierde, en was er van inhalen echt geen sprake meer.'

'En toen besloot je je maar te specialiseren in het stelen van auto's en zakkenrollen, totdat de Mathisons je weer op het rechte pad wisten te krijgen?'

Ze glimlachte verlegen en knikte. 'Een paar maanden geleden ontdekte ik per toeval dat de vrouw van de conciërge van school niet kon lezen. Ik begon haar les te geven, en het duurde niet lang voor ze een andere vrouw meebracht, en die vrouw nam weer een ander mee, en nu zijn ze met z'n zevenen en hebben we naar een echt klaslokaal moeten verhuizen. Als ze voor het eerst naar de les komen, dan geloven ze niet echt dat ik ze kan helpen. Het zijn vrouwen die het niet meer zien zitten, die er stuk voor stuk van overtuigd zijn dat ze hopeloos stom zijn. Het moeilijkste van mijn taak is om hen ervan te overtuigen dat dat niet zo is.' Ze giechelde zacht en vervolgde: 'Ik heb met Peggy Listrom moeten wedden dat ik een hele maand voor haar op de kinderen zou passen als ze in het voorjaar nog niet in staat is om de bordjes van de straatnamen in Keaton te lezen.'

'Dat lijkt me nogal riskant,' zei Zack bij wijze van grapje om de in hem ontluikende tederheid te verbergen.

'Niet half zo riskant als om haar als een analfabeet door het leven te laten gaan. En trouwens, ik heb de weddenschap al zo goed als gewonnen.'

'Kan ze de bordjes al lezen?'

Julie knikte, en Zack zag hoe haar ogen begonnen te stralen. 'O, Zack, je kunt je gewoon niet voorstellen hoe het voelt als je ziet dat ze het door beginnen te krijgen! In het begin geloven ze nog steeds dat ze stom zijn, tot ze op een dag opeens een gemakkelijke zin kunnen lezen, en dan kijken ze je aan met ogen die groot zijn van... van verwóndering! Het feit dat ik ze dat bij kan brengen, geeft me soms wel eens het gevoel dat ik wondertjes kan verrichten.'

Zack had een brok in zijn keel gekregen van ontroering, en hij slikte. 'Je bént een wonder, Julie Mathison.'

Ze lachte. 'Nee, dat ben ik niet, maar ik heb sterk het gevoel dat Debby Sue Cassidy er eentje zal worden.' Toen Zack haar nieuwsgierig aankeek, vervolgde ze: 'Ze is dertig, en ze ziet eruit als het prototype van een bibliothecaresse – steil bruin haar en een ernstig gezicht – maar ze werkt al sinds haar zestiende jaar als dienstmeisje bij mevrouw Neilson. Ze is uitgesproken slim, heel gevoelig en heeft een levendige fantasie. Ze droomt ervan om ooit nog eens een boek te schrijven.' Ze vatte Zacks glimlachje verkeerd op en voegde eraan toe: 'Niet lachen. Ik ben ervan overtuigd dat ze het ooit nog eens zal doen. Ze heeft al een geweldige woordenschat voor iemand die niet kan lezen. Ze haalt cassettebandjes met ingesproken boeken uit de bibliotheek. Dat weet ik, want mevrouw Neilson heeft het aan mijn vader verteld. Ze heeft hem ook verteld dat Debby Sue, toen de kinderen nog klein waren, hun urenlang verhaaltjes kon vertellen. En daarom was ik die dag toen we elkaar hebben leren kennen, in Amarillo.' Julie was op het puntje van haar kruk gaan zitten en keek naar het kladblok dat voor haar lag. 'Ik was geld aan het inzamelen voor de aankoop van speciale leermiddelen. Duur zijn ze niet, maar het loopt op.'

'En heb je het geld bij elkaar gekregen?'

Ze knikte, pakte de pen op en keek hem over haar schouder glimlachend aan.

Omdat hij haar gewoon aan móest raken, legde hij een hand op haar schouder en hapte speels in haar oor. Ze lachte, draaide haar hoofd opzij en streek haar wang langs zijn kruin.

Dat simpele, liefdevolle gebaar maakte op slàg een eind aan Zacks goede bui, want het deed hem beseffen dat er na morgen helemaal geen gebaren meer zouden zijn. Hij had haar die ochtend moeten laten gaan, maar hij had het niet gekund, niet in de wetenschap dat ze hem voor altijd gehaat zou hebben. Maar hoe langer hij haar bij zich hield, des te moeilijker het zou zijn om haar te laten gaan. Wanneer hij haar morgen wegstuurde, en er een grote kans was dat ze onder het meedogenloze verhoor van de politie zou bezwijken, dan betekende dat dat hij zijn vertrek uit de Verenigde Staten met ruim een week zou moeten vervroegen. Maar dat was het risico waard. Op die manier zou ze tenminste niet meer worden blootgesteld aan de spanning van volgende helikopters die overvlogen, en daarbij was het ook nog maar de vraag of het die volgende keren weer vals alarm zou zijn.

In een poging zijn neerslachtigheid de baas te worden, zei hij: 'Wat we vanavond ook doen, laten we er iets bijzonders van maken. Iets feestelijks.' Het kostte hem het uiterste van zijn acteertalent om te blijven glimlachen, opdat ze niet zou vermoeden dat hij haar morgen weg zou sturen.

Julie dacht even na, en toen glimlachte ze. 'Wat zou je zeggen van een dineetje met kaarslicht en daarna dansen? We doen net alsof we uit zijn, maar we blijven gewoon hier. En dan kleed ik me mooi aan,' voegde ze er nog aan toe om hem over te halen, voordat ze besefte dat hij helemaal niet overgehaald hoefde te worden. Hij knikte met een, in Julie's ogen, enigszins overdreven enthousiasme voor een plannetje dat op zich toch helemaal niet zo bijzonder was.

'Fantastisch,' zei hij, en keek op zijn horloge. 'Ik neem de badkamer in jouw kamer, en over anderhalf uur kom ik je halen. Kun je in anderhalf uur klaar zijn?'

Julie lachte. 'Een uurtje moet voldoende zijn.'

Hoofdstuk 42

Julie nam zich voor om zich zo mooi mogelijk te maken, en daar had ze, alles bij elkaar, ruim een uur voor nodig. Ze waste haar haren, en föhnde het zorgvuldig totdat het in losse krullen langs haar gezicht viel. In de kast had ze een beeldschone, kobaltblauwe jurk gevonden met wijde pofmouwen en witsatijnen manchetten, maar toen ze hem aan had, realiseerde ze zich dat hij een laag uitgesneden rug had. De bedrieglijke eenvoud van het ontwerp, in combinatie met de simpele voorkant en de dramatische rug, was schitterend, en hoewel Julie zich er zelf ook beeldschoon in voelde, vroeg ze zich toch af of ze misschien beter niet iets anders aan zou kunnen trekken. Deze creatie had ongetwijfeld heel veel geld gekost, en de jurk was niet van haar.

Aan de andere kant wist ze ook dat ze niet veel keus had. Omdat ze geen kousen had moest ze iets langs aantrekken, en andere lange jurken hingen er niet in de kast. Broeken waren er wel, maar die waren niet feestelijk. Ze beet op haar lip en besloot om deze schitterende jurk toch maar aan te houden.

De bijpassende, eveneens blauwe pumps waren een halve maat te groot, maar ze kon er best op lopen. Toen ze helemaal klaar was, ging ze weer voor de spiegel staan en kwam tot de conclusie dat het resultaat er wezen mocht. Ze had de make-up gebruikt die op de toilettafel stond, en door de blusher leken haar jukbeenderen een stuk hoger terwijl haar licht aangezette ogen nu nog groter leken dan ze al waren. Toch was haar stralende uiterlijk niet zozeer het gevolg van de make-up, als wel van het vooruitzicht op een feestelijk avondje met Zack. Alles bij elkaar had ze er nog nooit zo mooi uitgezien als nu. Ze glimlachte naar haar spiegelbeeld, draaide zich om en liep naar de deur. Ze zou het adres van dit huis opzoeken, besloot ze, en dan een cheque sturen voor de make-up die ze had gebruikt en voor het laten stomen van de kleren die ze gedragen had.

Toen ze de zitkamer binnenging, stonden de kaarsen al te branden op tafel en laaiden de vlammen in de open haard hoog op. Zack stond bij het aanrecht en trok een fles champagne open. Haar adem stokte toen ze zag hoe knap hij eruitzag in het geleende donkerblauwe pak dat perfect om zijn brede schouders sloot en schitterend contrasteerde met zijn sneeuwwitte overhemd en gekleurde das. Ze wilde net iets zeggen, toen ze zich opeens herinnerde dat ze hem al eens eerder zo mooi in het pak – maar dan zijn eigen pak – had gezien. Ze had meteen reuze met hem te doen om alles wat hij kwijt was geraakt. Die andere keer dat ze hem zo mooi had gezien, was tijdens een televisiereportage van een Oscar-uitreiking, waarbij hij een Oscar had uitgereikt, en zelf een Oscar voor de Beste Acteur had ontvangen. Ze kon zich nog precies herinneren dat hij toen een zwarte smoking en een wit overhemd met plooitjes had gedragen, en hoe knap en mannelijk ze hem toen had gevonden. Wat hij precies in zijn korte speech gezegd had kon ze zich niet meer herinneren, maar ze wist nog wel dat hij iets grappigs had gezegd, en dat het hele publiek in schaterlachen was uitgebarsten.

Het feit dat hij nu gedwongen was om te leven als een opgejaagd dier en geleende kleren moest dragen, maakte haar zo verdrietig dat ze bijna moest huilen.

Op hetzelfde moment realiseerde ze zich dat hij nooit klaagde en dat hij absoluut geen prijs zou stellen op haar medelijden. En aangezien ze hadden afgesproken om er een feestelijk avondje van te maken, nam ze zich voor om daar dan ook haar best voor te doen. Een beetje verlegen, stak ze haar handen in de zakken van haar jurk en deed een stapje naar voren. 'Dag,' zei ze met een stralende glimlach.

Zack keek op, keek haar aan, en de champagne die hij aan het inschenken was stroomde over de rand van het glas. 'Goeie God,' kwam het eerbiedig fluisterend over zijn lippen, terwijl hij zijn blik langzaam over haar gestalte liet gaan, 'hoe kun je in vredesnaam jaloers zijn op Glenn Close?'

Pas op dat moment begreep Julie waarom ze zich zo mooi had willen maken: ze had geprobeerd te concurreren met de glamourvolle vrouwen met wie hij vroeger was omgegaan. 'Je knoeit met de champagne,' zei ze zacht. Ze was zo blij met zijn reactie, dat ze zich amper een houding wist te geven.

Hij vloekte zacht, hield de fles recht, en pakte een theedoek om het aanrecht af te nemen.

'Zack?'

'Wat?' vroeg hij over zijn schouder, en pakte de glazen op.

'Hoe kon je in vredesnaam jaloers zijn op Patrick Swayze?'

Aan zijn glimlach zag ze dat hij even blij was met haar complimentje als zij met het zijne was geweest. 'Geen idee,' antwoordde hij lachend.

'Welke CD's heb je uitgekozen?' vroeg Julie toen hij, na het eten, was opgestaan om een paar CD's in de speler te stoppen. 'Want als je Mickey Mouse hebt uitgekozen, dan vertik ik het om met je te dansen.'

'Natuurlijk dans je wel met me.'

'Hoe kun je daar nu zo zeker van zijn?'

'Je vindt het heerlijk om met mij te dansen.'

Hoewel hij zijn best deed om vrolijk te doen, was het Julie niet ontgaan dat hij onder het eten steeds stiller was geworden. Ofschoon hij met nadruk had verklaard dat het een bijzonder en feestelijk avondje zou moeten worden, lag er een onmiskenbare gespannen uitdrukking op zijn gezicht die, naarmate de avond vorderde, alleen maar sterker werd. Ze nam aan dat zijn sombere stemming het gevolg was van het feit dat ze het die middag over de moord hadden gehad, want de enige andere verklaring die ze ervoor kon bedenken was dat hij van plan was om haar weg te sturen, en dát was een gedachte die ze niet kon verdragen. Hoewel zij niets liever wilde dan bij hem blijven, wist ze dat de uiteindelijke beslissing daarover bij hem lag. Ze mocht dan verliefd op hem zijn, maar ze had er geen idee van of hij haar gevoelens beantwoordde. Het enige dat ze wist, was dat hij het fijn vond om haar om zich heen te hebben. Hier.

De stem van Barbra Streisand vulde de kamer, en Julie probeerde opnieuw het akelige voorgevoel van zich af te zetten toen hij met gespreide armen op haar toekwam. 'Dit is, zoals je kunt horen, niet de stem van Mickey Mouse,' zei hij. 'Kan ze ermee door?'

Julie knikte en glimlachte. 'Streisand is mijn lievelingszangeres.'

'En de mijne.' Zack sloeg een arm om haar middel en trok haar dichter tegen zich aan.

'Als ik haar stem had,' zei Julie, in een poging haar zorgen op een afstand te houden, 'dan zou ik alleen maar zingen om mijzelf te kunnen horen. Ik zou zingend de deur opendoen en de telefoon opnemen.'

'Ze is fantastisch,' was Zack het met haar eens. 'Uniek. Weergaloos.'

Zacks hand ging strelend over haar naakte rug, en ze zag de smeulende blik in zijn ogen. Diep in haar binnenste voelde ze het vertrouwde verlangen ontwaken, een verlangen naar zijn kwellend zoete liefkozingen, zijn vurige kussen en de verpletterende vreugde van zijn lichaam dat bezit nam van het hare. 'Kende je haar?' vroeg ze.

'Barbra?'

Julie knikte.

'Ja, ik heb haar gekend.'

'Hoe is ze? Ik heb ooit eens ergens gelezen dat ze niet erg aardig is tegen de mensen die met haar werken.'

Zack dacht even na en probeerde het uit te leggen. 'Barbra is een vrouw met een uniek talent,' zei hij. 'Ze weet hoe ze die gave van haar wil gebruiken, en ze houdt er niet van dat mensen haar behandelen alsof ze beter weten dan zij hoe ze dat moet doen. Kortom, ze laat zich niets aanpraten.'

'Je vond haar aardig, niet?'

'Ja, ik kon het uitstekend met haar vinden.'

Julie luisterde naar de indringende tekst van het nummer, en vroeg zich af of Zack dat ook deed, of dat hij, zoals de meeste mannen, alleen maar naar de muziek luisterde. 'Mooi nummer,' zei ze, omdat ze dolgraag wilde dat hij naar de tekst ervan zou luisteren alsof de woorden van haar afkomstig waren.

'Prachtige tekst,' was Zack het met haar eens. Hij probeerde zich schrap te zetten tegen wat hij voelde, en hield zich voor dat die gevoelens vanzelf wel snel zouden verdwijnen zodra ze uit zijn leven verdwenen was. Hij keek haar diep in de ogen, en de woorden van Streisands lied leken zijn hart te doorboren:

Those tomorrows waiting deep in your eyes –
In the world of love you keep in your eyes –
I'll awaken what's asleep in your eyes.
It may take a kiss or two.
Through all of my life...
Summer, winter, spring and fall of my life...
All I ever will recall of my life, is all of my life.
With you.

Hij voelde zich zowaar opgelucht toen Streisands nummer was afgelopen, en plaats maakte voor een duet van Whithey Houston en Jermaine Jackson. Maar Julie koos dat moment om haar wang van zijn borst te halen en hem aan te kijken, en toen hij in haar ogen keek en de tekst van het nummer hoorde, voelde hij zijn hart samenballen.

Like a candle burning bright –
Love is glowing in your eyes.
A flame to light our way
that burns brighter every day.

I was words without a tune,
I was a sung still unsung.
A poem with no rhyme, a dancer out of time...
But now there's you.
And nobody loves me like you do.

Toen het nummer was afgelopen en Julie haperend ademhaalde, begreep Zack dat ze haar best deed om de betovering van de muziek van zich af te zetten door hun eerdere gesprek over hun gemeenschappelijke favorieten voort te zetten. 'Wat is je lievelingssport, Zack?'

Zack legde zijn wijsvinger onder haar kin en dwong haar om hem aan te kijken. 'Mijn lievelingssport,' zei hij met een stem die zo schor en hees was dat hij hem zelf amper herkende, 'is met jou naar bed te gaan.'

Ze probeerde niet langer om haar liefde voor hem verborgen te houden, en haar ogen werden donker. 'En wat is je lievelingseten?' vroeg ze met onvaste stem.

Zack bracht zijn lippen naar de hare en kuste haar zacht. 'Dat ben jij.' En op dat moment besefte hij dat het feit dat hij haar morgen weg moest sturen, moeilijker voor hem zou zijn dan het moment was geweest waarop hij, vijf jaar geleden, de deur van de gevangenis achter zich in het slot had horen vallen. Zonder zich bewust te zijn van wat hij deed, drukte hij haar dichter tegen zich aan, begroef zijn gezicht in haar haren en kneep zijn ogen stijf dicht.

Ze bracht haar hand naar zijn gezicht, spreidde haar vingers over zijn wang en vroeg op wanhopige toon: 'Je bent van plan om me morgen weg te sturen, is het niet?'

'Ja.'

Julie hoorde aan de klank van zijn stem dat het volkomen zinloos was om te proberen hem op andere gedachten te brengen, maar toch kon ze het niet laten. 'Ik wil niet weg!'

Hij hief zijn hoofd op en zei zacht, maar met klem: 'Maak het niet nog moeilijker dan het al is.'

Julie vroeg zich af hoe het nóg moeilijker zou kunnen zijn, maar ze slikte haar woorden in en besloot hem voorlopig zijn zin te geven. Ze ging met hem naar bed toen hij dat vroeg, en glimlachte toen hij dat vroeg. Nadat hij hen beiden naar de hoogste toppen van een allesverpletterende climax had gevoerd, draaide ze zich in zijn armen en fluisterde: 'Ik hou van je. Ik hou –'

Hij drukte een vinger op haar lippen en legde haar het zwijgen op. 'Niet zeggen.'

Julie liet haar hoofd zakken en keek naar zijn borst. Ze wou dat hij hetzelfde tegen haar zei, ook al meende hij het niet. Ze wilde die vier woordjes van hem horen, maar vroeg er niet naar omdat ze wist dat hij zou weigeren.

Hoofdstuk 43

De motor van de Blazer draaide en de uitlaatgassen walmden dik op in de ijskoude ochtendlucht. Zack en Julie stonden bij de auto. 'Er is geen sneeuw voorspeld,' zei Zack, en zette een thermosfles met warme koffie op de voorbank. Hij keek met een strak gezicht op haar neer. 'Je kunt ervan uitgaan dat je tot aan Texas schone wegen hebt.'

Julie was zich bewust van de regels die voor dit afscheid golden, want hij had ze vanmorgen vroeg nog duidelijk uitgelegd. Geen tranen, geen gevoelens van spijt. Ze deed wanhopig haar best om een kalme, onaangedane indruk te maken. 'Ik rij voorzichtig.'

'Ja, en niet te hard,' zei hij. Terwijl hij dat zij trok hij de rits van haar jack een stukje hoger, en zette vervolgens haar kraag op. 'Je rijdt veel te hard.'

'Ik zal het rustig aan doen.'

'Probeer zo ver mogelijk te komen zonder herkend te worden,' bracht hij haar nogmaals in herinnering.' Hij pakte de zonnebril uit haar hand en zette hem op haar neus. 'Zodra je over de grens van Oklahoma bent, stop je bij het eerste wegrestaurant dat je ziet. Je houdt je een kwartier gedekt, en gaat dan naar binnen om je ouders te bellen. Je moet ervan uitgaan dat de FBI het gesprek afluistert, dus zorg ervoor dat je zo zenuwachtig mogelijk klinkt. Vertel ze dat ik je geblinddoekt en vastgebonden achter in de auto heb achtergelaten, dat ik daarna verdwenen ben en dat je jezelf hebt kunnen bevrijden. Zeg ze dat je naar huis komt. En zodra je eenmaal thuis bent, vertel je niets anders dan de waarheid.'

Hij had die ochtend al een sjaal gepakt, er een knoop ingelegd alsof ze hem als blinddoek om haar ogen had gehad, en hem achter in de auto gegooid. Julie knikte en slikte omdat er verder niets meer te zeggen viel – in ieder geval niets dat hij zou willen horen.

'Nog vragen?' vroeg hij.

Julie schudde haar hoofd.

'Mooi. Geef me dan nu maar een laatste kus.'

Julie ging op haar tenen staan om hem te kussen, en was verbaasd toen hij haar heel innig tegen zich aandrukte. Maar de kus was van korte duur, en daarna maakte hij zich meteen van haar los. 'Het is tijd,' zei hij op effen toon.

Ze knikte, maar was op de een of andere manier niet in staat om zich te bewegen. 'Zul je me schrijven?' Ze had het niet willen vragen, maar de woorden waren eruit voordat ze ze in had kunnen slikken.

'Nee.'

'Maar je kunt me toch best laten weten hoe het met je is,' zei ze wanhopig. 'Ook al kun je me dan niet vertellen waar je bent. Ik moet weten of het goed met je gaat! Je hebt zelf gezegd dat ze mijn post niet zo lang in de gaten zullen houden, als ze het al zullen doen.'

'Als ze me te pakken krijgen, dan hoor je dat wel op het nieuws. Hoor je niets, dan weet je dat het goed met me gaat.'

'Maar je kunt me toch wel schrijven?' riep ze uit, en had er meteen spijt van toen ze zijn gezicht zag verstrakken.

'Geen brieven, Julie! Op het moment dat je hier wegrijdt, is het voorbij. Dan is het afgelopen tussen ons.' Zijn woorden hadden op haar de uitwerking van een zweep, en dat terwijl hij ze helemaal niet onvriendelijk had gezegd. 'Morgenochtend pak je de draad van je vroegere bestaan weer op. Je doet alsof dit niet gebeurd is, en over een paar weken ben je me vergeten.'

'Misschien dat jij dat kunt, maar ík kan dat niet,' zei ze, en ergerde zich aan de huilerige klank van haar stem. Ze draaide zich om en maakte aanstalten om in te stappen. 'Ik ga, voordat ik nog een scène ga maken,' verklaarde ze met verstikte stem.

'Nee,' fluisterde hij hees, terwijl hij haar arm pakte en haar tegenhield. 'Niet zo.' Ze keek op in zijn bodemloze ogen, en opeens besefte ze dat hij veel meer moeite met dit afscheid had dan ze had gemeend. Hij legde zijn hand tegen haar wang, streek haar haren uit haar gezicht, en zei ernstig: 'Het enige domme dat je de afgelopen week hebt gedaan, is mij te diep in je hart laten. Al het andere dat je hebt gezegd en gedaan was... goed. Volmaakt.'

Julie sloot haar ogen, probeerde haar tranen de baas te blijven, draaide haar gezicht in zijn hand, drukte er een kus in en fluisterde: 'Ik hou zo verschrikkelijk veel van je.'

Hij trok zijn hand weg en zei op een geamuseerd, minachtend toontje: 'Je houdt niet van me, Julie. Je bent naïef en onervaren, en je kent het verschil niet tussen goede seks en ware liefde. Kom, wees braaf, ga naar huis, naar waar je hoort, en vergeet mij.'

Ze had het gevoel alsof hij haar een klap in het gezicht had gegeven, maar was te trots om dat te laten blijken. Ze stak haar kinnetje in de lucht en zei met kalme waardigheid: 'Je hebt gelijk. Het is de hoogste tijd om terug te keren naar de realiteit.'

Zack keek de auto na totdat hij uit het zicht was verdwenen. Maar in plaats van zich om te draaien en meteen naar binnen te gaan, bleef hij op dezelfde plaats staan totdat hij door en door koud was. Hij had haar gekwetst omdat hij geen keus had gehad, hield hij zich voor terwijl hij het warme huis in liep. Hij kon niet toestaan dat ze ook nog maar een minuut van haar kostbare leven aan hem verspilde door hem te missen of op hem te wachten. Hij had het enig juiste gedaan door om haar liefde te lachen.

Hij liep naar de keuken, pakte de koffiepot en wilde een mok uit de kast pakken, toen hij de mok op het aanrecht zag staan waaruit Julie die ochtend had gedronken. Langzaam pakte hij hem op en drukte hem tegen zijn wang.

Hoofdstuk 44

Toen ze ruim twee uur gereden had, stopte ze op een stille parkeerplaats langs de kant van de snelweg en pakte de thermosfles die naast haar op de voorbank stond. Haar keel en ogen deden pijn van de tranen die ze koppig weigerde te laten vloeien, en haar brein was verdoofd door het aanhoudende weergalmen van zijn afscheidswoorden.

'Je houdt niet van me, Julie. Je bent naïef en onervaren, en je kent het verschil niet tussen goede seks en ware liefde. Kom, wees braaf, ga naar huis, naar waar je hoort, en vergeet mij.'

Met bevende handen schonk ze een slok koffie in het bekertje van de thermosfles. Het was zinloos en wreed van hem geweest om haar op die manier uit te lachen, en helemaal daar hij wist dat haar bij thuiskomst een confrontatie met de pers en de politie wachtte. Waarom had hij haar woorden niet gewoon kunnen negeren, of kunnen zeggen dat hij ook van haar hield, zodat ze tenminste iets had om zich tijdens de komende moeilijke dagen aan vast te klampen. Het zou allemaal veel gemakkelijker voor haar zijn als hij gezegd had dat hij van haar hield.

'*Je houdt niet van me, Julie... Kom, wees braaf en ga naar huis, naar waar je hoort, en vergeet mij....*'

Julie probeerde de koffie door te slikken, maar het lukte haar niet om hem door haar keel te krijgen, toen ze zich opeens iets anders realiseerde. Ofschoon Zack haar gevoelens bespot had, moest hij heel goed geweten hebben dat ze echt van hem hield. Hij was er zelfs zo zeker van geweest, dat hij ervan uit was gegaan dat hij haar op deze manier kon behandelen in de wetenschap dat ze hem, ondanks dàt, nog niet zou verraden. En ze wist ook dat hij gelijk had. Ze hield te veel van hem om hem verdriet te kunnen doen, en haar geloof in zijn onschuld en haar verlangen om hem te beschermen waren op dit moment vreemd genoeg nog even sterk als ze gisteren waren geweest.

Een bestelwagen reed met hoge snelheid langs haar heen, en de blubbersneeuw spatte tegen haar auto. Ze herinnerde zich wat Zack had gezegd over zo ver mogelijk doorrijden zonder aandacht te trekken. Ze schroefde de thermosfles dicht, startte de auto en reed verder. Niet te hard, hield ze zichzelf voor, want aangehouden worden wegens te snel rijden, viel onder het hoofdstuk 'aandacht trekken'.

Nadat Julie de grens van Oklahoma was overgegaan, stopte ze bij het eerste het beste wegrestaurant en belde naar huis.

Haar vader nam meteen op. 'Pap,' zei ze, 'met Julie. Ik ben vrij. Ik ben op weg naar huis.'

'Godzijdank!' riep haar vader uit. 'O, godzijdank!'

Nog nooit had ze haar vader zo van streek meegemaakt, en ze voelde zich verschrikkelijk schuldig om wat ze hem had laten doormaken. Maar voor ze verder nog wat tegen elkaar konden zeggen, werden ze onderbroken door een onbekende stem. 'Mevrouw Mathison, u spreekt met Ingram van de FBI. Waar bent u?'

'In Oklahoma, bij een wegrestaurant. Ik ben vrij. Hij-hij heeft me geblinddoekt achtergelaten in de auto, met de sleuteltjes in het contact. Maar hij is weg. Ik weet zeker dat hij weg is. Maar ik weet niet waar hij is.'

'Luistert u goed, mevrouw Mathison,' zei de stem. 'Ik verzoek u meteen terug te keren naar uw auto, de portieren vanbinnen op slot te doen en daar zo snel mogelijk weg te rijden. Blijft u niet in de buurt van de plaats waar u hem het laatst heeft gezien. U rijdt naar de dichtstbijzijnde stad en dan belt u ons terug. Wij nemen contact op met de politie daar, en dan wordt u gehaald. Rijdt u zo snel mogelijk verder, mevrouw Mathison!'

'Maar ik wil naar huis!' riep Julie oprecht wanhopig uit. 'Ik wil naar mijn ouders en naar mijn broers. Ik wil hier niet blijven wachten. Dat kan ik niet! Ik heb alleen maar naar huis gebeld om mijn ouders te zeggen dat ik eraan kwam!' Ze hing op, keerde terug naar haar auto en stopte niet om nogmaals te bellen.

Twee uur later werd ze ontdekt door een helikopter die kennelijk naar de wanhopige ex-gegijzelde op zoek was geweest. Nog geen tien minuten later had ze voor en achter zich een politieauto met blauw zwaailicht rijden. Toen ze, onder escorte van de beide politieauto's, in Keaton de straat van haar ouders in reed, schrok ze van de horde verslaggevers en journalisten die zich voor de deur van haar ouderlijk huis verzameld had. Met de hulp van drie agenten en haar beide broers lukte het haar om zich een weg door de menigte heen te banen en naar binnen te gaan.

In de hal werd ze opgewacht door twee agenten van de FBI, maar haar ouders duwden ze opzij en omhelsden haar. 'Julie,' zei haar moeder maar steeds weer, terwijl ze haar snikkend aan het hart drukte. 'Mijn Julie, mijn lieve, kleine Julie.' Haar vader nam haar in zijn armen en zei: 'Godzijdank, godzijdank.' Julie, die zich nog nooit eerder gerealiseerd had hoeveel ze van haar hielden, kreeg er tranen van in de ogen. Ted en Carl omhelsden haar en probeerden grapjes te maken over haar 'avontuur', maar beiden zagen er zwaar vermoeid en diep aangedaan uit. Eindelijk liet Julie de tranen die ze vieren-twintig uur onderdrukt had, de vrije loop. Ze had het gevoel alsof ze in de afgelopen week niet anders gedaan had dan huilen. Maar daar, besloot ze, moest meteen een eind aan komen. De gezinshereniging werd onderbroken door een blonde FBI-agent die een stapje naar voren deed en op kalme, autoritaire toon zei: 'Mevrouw Mathison, het spijt me dat ik moet storen, maar de minuten tellen en we hebben een aantal vragen voor u waar we graag een antwoord op zouden heb-ben. Ik ben David Ingram, we hebben met elkaar getelefoneerd.' Hij wees op de lange, donkerharige agent die naast hem stond, en voegde eraan toe: 'Dit is Paul Richardson die belast is met de leiding van de zaak-Benedict.'

Julie's moeder nam het woord. 'Laten we naar de eetkamer gaan, daar kunnen we allemaal aan tafel zitten.'

'Nee, het spijt me, mevrouw,' zei Paul Richardson met klem. 'Dit gesprek is tussen ons en uw dochter. Morgenochtend kan ze u dan alles vertellen.'

Julie was al met Ted en Carl op weg gegaan naar de eetkamer, maar toen ze de woorden van de agent hoorde, bleef ze staan. In het besef dat deze mannen niet haar vijanden waren maar dat ze alleen hun werk maar deden, zei ze: 'Meneer Richardson, ik begrijp dat u zo snel mogelijk alles van mij wilt weten, maar dat geldt net zo goed voor mijn ouders en mijn broers, en zij hebben er meer recht op om alles van mij te horen. Ik stel er prijs op om ze erbij te laten zijn.'

'En als ik daar geen prijs op stel?' Hij was even donker en lang als Zack, en na haar lange, eenzame rit voelde ze zich kwetsbaarder dan ooit. Het gevolg daarvan was dat ze hem ongewild een persoonlijk glimlachje schonk. 'Probeert u er alstublieft wel prijs op te stellen. Ik ben doodmoe en ik heb echt geen zin om ruzie met u te maken.'

'Ach, er is ook eigenlijk niets op tegen om uw familie erbij te laten zijn,' zei hij, en wisselde een blik met zijn collega die Julie volledig ontging. Wie het wel zagen, dat waren Ted en Carl.

'Welnu, mevrouw Mathison,' zei Ingram toen ze met zijn allen rond te tafel zaten, 'ik stel voor om bij het begin te beginnen.' Julie voelde even iets van angst toen ze Richardson een kleine bandrecorder te voorschijn zag halen die hij voor haar op tafel zette, maar Zack had haar hiervoor gewaarschuwd.

'Waar wilt u dat ik begin?' vroeg ze, en schonk haar moeder, die een glas melk voor haar neerzette, een dankbaar glimlachje.

'We weten al dat u kennelijk naar Amarillo bent gegaan waar u een afspraak had met de grootvader van één van uw leerlingen,' begon Richardson.

Julie keek met een ruk op. 'Wat bedoelt u met "kennelijk"?'

'U hoeft niet meteen in de verdediging te gaan,' kwam Ingram op een verzoenend toontje tussenbeide. 'Vertelt u ons maar gewoon wat er is gebeurd, en dan lijkt het me dat u maar moet beginnen met het moment waarop u Zachary Benedict ontmoet hebt.'

Julie sloeg haar armen over elkaar en probeerde helemaal niets te voelen. 'Ik was bij een wegrestaurant gestopt om een kop koffie te drinken. Ik kan me de naam ervan niet meer herinneren, maar ik weet nog precies hoe het eruitzag. Toen ik buiten kwam sneeuwde het, en ik zag dat er een man naast mijn auto zat geknield. Ik had een lekke band. Hij bood aan om de band te verwisselen...'

'Zag u op dat moment dat hij gewapend was?'

'Als ik gezien had dat hij een revolver bij zich had, dan zou ik hem beslist geen lift hebben aangeboden.'

'Wat voor kleren droeg hij?' Vanaf dat moment volgden de vragen elkaar in hoog tempo op, en zo ging het urenlang door...

'Mevrouw Mathison, u kunt zich vast nog wel iets meer herinneren over de locatie van dat huis dat hij als schuilplaats heeft gebruikt.' Die vraag kwam van Paul Richardson die haar geobserveerd had alsof ze een insekt onder zijn microscoop was. Zijn autoritaire toontje deed haar een beetje denken aan dat van Zack, wanneer hij boos was. Uitgeput als ze was, kon ze zich er niet aan ergeren maar deed het haar juist wel goed.

'Ik heb u toch al gezegd, hij had me geblinddoekt. En noemt u mij toch Julie, dat is veel korter en neemt minder tijd in beslag dan mevrouw Mathison.'

'Heb je er enig idee van waar hij naartoe wilde gaan?'

Julie schudde haar hoofd. Ze hadden haar dit al gevraagd. 'Hij zei, dat hoe minder ik wist, des te minder hij te vrezen had.'

'Heb je er ooit geprobeerd achter te komen waar hij naartoe wilde?'

Ze schudde haar hoofd. Dat was een nieuwe vraag.

'Wil je alsjeblieft hardop praten voor de bandrecorder?'

'Goed, goed!' zei ze, en kwam opeens tot de conclusie dat hij helemaal niet op Zack leek. Hij was jonger en gladder en misschien ook wel knapper, maar hij miste Zacks warme uitstraling. 'Ik heb hem niet gevraagd waar hij naartoe wilde, want hij had me al gezegd dat hoe minder ik wist, des te minder hij te vrezen had.'

'En je wilde dat hij niets te vrezen zou hebben, is het niet?' vroeg hij. 'Je wilt niet dat hij gepakt wordt, wel?'

Dit was de kernvraag. Richard wachtte af, tikte met zijn balpen op tafel, en Julie keek door het raam naar buiten naar de verslaggevers die het huis belegerden. Opeens besefte ze hoe verschrikkelijk moe ze was. 'Ik zei u toch al, hij wilde mijn leven redden.'

'Dat doet toch niets af aan het feit dat hij een ontsnapte gevangene is en dat hij je ontvoerd heeft.'

Ze leunde achterover in haar stoel en keek hem aan met een mengeling van minachting en ergernis. 'Ik geloof niet dat hij iemand vermoord heeft. En laat mij u nu eens iets vragen, meneer Richardson.'

Ze negeerde Teds waarschuwende kneepje in haar knie, en zei: 'Stelt u zich voor dat ik u ontvoerd zou hebben, en dat het u gelukt was om te ontsnappen. U verstopt zich opdat ik u niet zou kunnen vinden, maar ik verkeer in de veronderstelling dat u in een ijskoude, diepe bergbeek terecht bent gekomen. Vanuit uw schuilplaats ziet u dat ik dat ijskoude water in duik. Ik duik herhaaldelijk onder en roep uw naam, en wanneer ik u na een poosje niet heb kunnen vinden, kruip ik uitgeput en door en door koud op de kant en laat me, omdat ik echt niet meer kan, in de sneeuw vallen. Ik keer niet terug naar mijn sneeuwscooter en ga niet terug naar huis. In plaats daarvan geef ik het op. Ik maak mijn doorweekte hemd open opdat de kou sneller een einde aan mijn leven zal maken, en laat me insneeuwen...'

Toen Julie niet verder sprak, trok Richardson zijn wenkbrauwen op. 'Ja, en wat wil je daarmee zeggen?'

'Wat ik daarmee wil zeggen,' zei ze kortaf, 'is, of u, nadat u daarvan getuige bent geweest, nog gelooft dat ik daadwerkelijk iemand in koelen bloede heb vermoord. Zou u proberen om informatie aan mij te ontfutselen op grond waarvan ik neergeschoten zou kunnen worden voordat ik had kunnen bewijzen dat ik iemand heb doodgeschoten?'

'Is Benedict dat dan van plan?' vroeg hij, en boog zich naar voren. 'Dat is wat ík van plan zou zijn geweest,' antwoordde ze ontwijkend, 'en u heeft mijn vraag nog niet beantwoord. Zou u, als u wist dat ik geprobeerd had uw leven te redden en wilde sterven toen ik dacht dat ik gefaald had, proberen om informatie aan mij te ontfutselen opdat u er voor zou kunnen zorgen dat ik gearresteerd zou kunnen worden en daarbij waarschijnlijk zou worden doodgeschoten?'

'Ik zou me gedwongen voelen,' antwoordde Richardson, 'om ervoor te zorgen dat er recht zou kunnen geschieden, en dat een uit de gevangenis ontsnapte moordenaar, die zich daarbij ook nog eens schuldig heeft gemaakt aan ontvoering, de straf kreeg die hem toekomt.'

Ze keek hem lang en doordringend aan, en zei toen zacht: 'In dat geval kan ik alleen maar hopen dat u een hartdonor zult kunnen vinden, want het is duidelijk dat u er geen heeft.'

'Dit lijkt me voldoende voor vandaag,' kwam Ingram glimlachend tussenbeide. 'We zijn allemaal doodmoe.'

'Julie,' zei mevrouw Mathison, en onderdrukte een geeuw, 'jij blijft hier op je oude kamer slapen. En jullie ook, Carl en Ted,' voegde ze eraan toe. 'Het huis wordt nog steeds belegerd door al die verslaggevers, en misschien dat Julie jullie later vandaag nog wel nodig heeft.'

Ingram en Richardson woonden in Dallas in hetzelfde flatgebouw. Ze waren niet alleen partners, maar ook vrienden. Diep in gedachten verzonken reden ze naar het motel aan de rand van Keaton waar ze inmiddels al een week logeerden. Pas toen David Ingram de auto voor hun kamers parkeerde, waagde hij het ten slotte een oordeel te geven. Hij verkondigde zijn mening op dezelfde vrolijke toon als die hij tegenover Julie had gebruikt en waarmee hij haar de indruk had gegeven dat hij alles wat ze verteld had, geloofde. 'Ze verbergt iets, Paul.'

Paul Richardson schudde zijn hoofd. 'Nee. Dat ben ik niet met je eens. Ze vertelt de waarheid.'

'In dat geval,' zei Ingram op sarcastische toon, 'wordt het hoog tijd dat je eens begint na te denken met je hersens, in plaats van met het orgaan dat het daarvan overnam op het moment waarop ze je aankeek met die mooie, grote, blauwe ogen van haar.'

Richardson keek zijn partner fel aan. 'Wat bedoel je?'

'Wat ik bedoel,' zei Ingram afkeurend, 'is dat je geobsedeerd bent door die vrouw. Dat ben je al vanaf het moment dat we hier zijn gekomen en begonnen zijn om bij de plaatselijke bevolking naar haar te informeren. Telkens wanneer je weer iets positiefs over haar hoorde, steeg ze een punt in je achting. Je werd helemaal week van al die verhalen over wat ze met die gehandicapte kinderen doet. En toen je ook nog te horen kreeg dat ze analfabeten lesgeeft en in het kerkkoor zingt, had je haar het liefste meteen heilig laten verklaren. En vanavond leek dat verhoor van je gewoon nergens op. Ze hoefde je maar afkeurend aan te kijken, en je was meteen de kluts kwijt. Je was al weg van haar toen je alleen haar foto nog maar had, maar toen je haar in levenden lijve zag, verdween ook je laatste restje objectiviteit als sneeuw voor de zon.'

'Dat is onzin.'

'O, ja? Vertel me dan maar eens waarom je het zo belangrijk vond om te weten of ze met Benedict naar bed was geweest. Ze had al twee keer heel duidelijk gezegd dat hij haar niet verkracht had en haar niet gedwongen had om met hem de koffer in te duiken, maar dat was voor jou niet voldoende. Waarom heb je haar niet gewoon meteen recht voor de raap gevraagd of ze vrijwillig met hem geneukt heeft? Jezus,' zei hij vol walging, 'ik kon mijn oren gewoonweg niet geloven, toen je haar vroeg om een beschrijving te geven van zijn beddegoed, opdat we de fabrikant ervan konden achterhalen en zo aan de weet konden komen wie de eigenaar is van dat huis!'

Richardson voelde zich duidelijk slecht op zijn gemak. 'Was het zo duidelijk?' vroeg hij, waarna hij het portier opendeed en uitstapte. 'Ik bedoel, denk je dat het haar familie ook opgevallen is?'

Ingram stapte ook uit. 'Natuurlijk!' snoof hij. 'Je had het gezicht van die keurige mevrouw Mathison moeten zien. Paul, gebruik je verstand. Julie Mathison is geen engel, ze heeft een strafblad –'

'Waar we niets vanaf zouden hebben geweten, als er niet toevallig een kopie van in het dossier van haar officiële adoptiepapieren had gezeten, in plaats van dat het vernietigd was, zoals het gehoord had,' viel Paul hem in de rede. 'En als je de waarheid achter dat strafblad van haar wilt weten, dan zou ik je willen adviseren om dr. Theresa Wilmer in Chicago te bellen, zoals ik heb gedaan, en je zult versteld staan. Ze was van mening – en is dat nog steeds – dat Julie een hart van goud heeft, en dat altijd heeft gehad. En zeg nu zelf, Dave,' besloot hij, toen ze samen over het pad naar hun aangrenzende kamers liepen, 'heb je ooit zulke schitterende ogen gezien als die van Julie Mathison?'

'Ja,' hoonde zijn partner, 'die van Bambi.'

'Bambi was geen mens. En zijn ogen waren bruin. Die van haar zijn blauw – als doorzichtige, blauwe kristallen. Mijn jongste zusje had ooit eens een pop met dat soort ogen.'

'Moet je jezelf nu toch eens horen!' riep Ingram uit.

'Rustig maar,' verzuchtte Paul, en kamde met zijn vingers door zijn haar. 'Als je gelijk hebt, als ze Benedict bij zijn ontsnapping geholpen heeft of blijkt dat ze informatie voor ons achterhoudt, dan ben ik de eerste die haar flink te grazen neemt, en dat weet je best.'

'Ja, dat weet ik,' zei Ingram. Ze waren bij zijn kamer gekomen en hij stak zijn sleutel in het slot. 'Maar, Paul?'

Paul was doorgelopen naar zijn eigen kamer. 'Ja?'

'Wat ben je van plan te doen, wanneer blijkt dat het enige waar ze zich schuldig aan heeft gemaakt, een vrijpartij met Benedict is?'

'Hem zoeken en neerschieten wegens verleiding van Julie Mathison.'

'En als ze zelfs daar niet schuldig aan is?'

Paul grijnsde. 'In dat geval ga ik op zoek naar een hart dat haar goedkeuring kan wegdragen, en laat het transplanteren. Heb je niet gezien hoe ze in het begin naar me keek, Dave? Het leek wel alsof ze me kende, alsof we elkaar al kenden. En alsof we elkaar aardig vonden.'

'Het barst in Dallas van de vrouwen die je in de bijbelse zin van het woord kennen, en ze zijn allemaal even dol op je grote –'

'Je bent alleen maar jaloers omdat dat blonde stuk dat met Julie's broer getrouwd is geweest, je geen blik waardig keurt wanneer ze bij hen thuis is,' viel Richardson hem grinnikend in de rede.

'Voor zo'n achterlijk gat als dit,' gaf Ingram met tegenzin toe, 'wonen er inderdaad een aantal bijzonder interessante dames. Jammer dat ze er geen behoorlijk motel hebben.'

Hoofdstuk 45

'Ik weiger te geloven dat dit nodig is, alleen om een beetje rust en privacy te kunnen hebben!' riep Julie laat die middag uit, nadat Ted het zwaailicht van zijn dienstauto had aangezet en vol gas was weggereden bij hun ouderlijk huis. Ze reden onder het grote spandoek met de tekst WELKOM THUIS, JULIE door dat aan het einde van de straat was opgehangen, en scheurden, op de voet gevolgd door de pers, de hoek om. 'Hoe moet ik maandag nu weer gewoon naar school? Toen ik vandaag naar huis wilde, wilden die verslaggevers me er amper door laten, en nadat het me eindelijk gelukt was om binnen te komen, hield de telefoon niet op met rinkelen. Flossie en Ada Eldridge zijn in de zevende hemel, en roddelen zich de oren van het hoofd,' voegde ze er vermoeid aan toe.

'Je bent al ruim twaalf uur terug, en je hebt nog steeds geen verklaring afgelegd,' zei Ted, en keek via de achteruitkijkspiegel naar de auto's die hen volgden.

Twaalf uur, dacht Julie. Twaalf uur waarin ze nog geen moment tijd had gehad om aan Zack te denken, om stil te staan bij haar bitterzoete herinneringen, om uit te rusten en haar gedachten enigszins op orde te krijgen. Ze had slecht geslapen, en toen ze was opgestaan, zaten die twee FBI-agenten al in de zitkamer te wachten om hun verhoor voort te zetten, en daar waren ze pas twee uur geleden mee klaar. Katherine had gebeld en Julie voorgesteld om naar haar huis te komen, en daar waren ze nu naar op weg. Dat nam niet weg dat Julie het akelige voorgevoel had dat Ted en Carl van plan waren om haar bij Katherine thuis op hun beurt aan de tand te voelen, en haar vragen te stellen die ze niet in het bijzijn van hun ouders hadden willen stellen. 'Kun je die verslaggevers niet afschudden?' vroeg ze geërgerd. 'Ze zijn zeker met z'n honderden, en er is vast wel de een of andere wet of regel die ze overtreden.'

'Volgens de burgemeester komen ze, nu bekend is dat je weer thuis bent, met horden tegelijk naar het stadhuis. Ze willen dat je een persconferentie geeft. Ik geef toe dat ze ver gaan, maar voor zover ik weet houden ze zich keurig aan de voorschriften.'

Julie keek achterom, en zag dat het grootste gedeelte van de auto's Ted bij wist te houden. 'Stop, en geef ze allemaal een bekeuring wegens te hard rijden. We rijden honderddertig kilometer per uur, en zij ook.' Ze voelde zich opeens doodmoe. 'Ik vraag me af hoe ik dit vol moet houden. Ik heb rust nodig, tijd om bij te komen en na te denken. Als dit zo door blijft gaan, dan word ik gek.'

'Je kunt bij Katherine blijven slapen,' zei Ted. 'En zodra Carl en ik met je gesproken hebben, kun je meteen naar bed.'

'Als jullie soms van plan zijn om mij ook aan een kruisverhoor te onderwerpen,' zei Julie, 'dan wil ik je nu alvast zeggen dat ik daar echt geen zin in heb.'

'Dan máák je maar zin!' zei hij op een scherpe toon die Julie helemaal niet van hem kende. 'Je bent hier tot over je oren bij betrokken, en denk maar niet dat Carl en ik dat niet weten. Trouwens, het zou me niets verbazen als Ingram en Richardson dat ook weten. En we hebben besloten om bij Katherine thuis met je te praten, omdat dat toevallig het enige huis in Keaton is met een elektrisch hek en een hoge muur, en omdat dat de enige plek is waar we ongestoord samen kunnen zijn.' Terwijl hij dat zei, schoot hij de bocht om, trapte op de rem en reed met hoge snelheid de oprit van de Cahills in. De hekken stonden al open. De auto's die hen achtervolgden, hadden niet op deze manoeuvre gerekend, en schoten de oprijlaan voorbij. Julie maakte zich te grote zorgen over Teds houding om opgelucht te kunnen zijn. Carls Blazer stond al voor het huis, maar toen Julie het portier opendeed en uit wilde stappen, legde Ted een hand op haar arm. 'Het lijkt me beter om nu alvast even te praten. Jij en ik samen.' Hij draaide zich naar haar toe en legde zijn arm over de rugleuning van haar stoel. 'Als je advocaat, kan niemand mij dwingen om dingen te herhalen die je mij in vertrouwen hebt verteld. Carl heeft die onschendbaarheid niet, en Katherine al helemaal niet.'

'Advocaat? Heb je de uitslag van je eindtentamen dan al binnen?'

'Nee, nog niet,' zei hij kortaf. 'Maar laten we er voor het gemak maar even van uitgaan dat ik dat wel heb, en dat ik geslaagd ben.'

Julie rilde, en dat had niets te maken met het feit dat hij de motor van de auto had uitgezet. 'Ik heb geen advocaat nodig.'

'Ik denk van wel.'

'Hoezo?'

'Omdat je gisteravond een deel van het verhaal verzwegen hebt. Je kunt niet liegen, Julie, en dat komt waarschijnlijk doordat je er geen ervaring mee hebt. En kijk me niet zo aan. Ik wil je alleen maar helpen.'

Julie stak haar handen in de mouwen van haar dikke jack om ze te warmen, en keek strak naar een stofje op haar schoot.

'Vertel maar op,' beval hij. 'Dat gedeelte van het verhaal dat je níet aan de FBI hebt verteld.'

Ze hield zo veel van hem dat ze alles liever deed dan hem teleurstellen. Toch hief ze haar kinnetje op en keek hem recht in de ogen. 'Wil je me plechtig beloven dat je het aan niemand zult vertellen?'

Hij leunde met zijn hoofd achterover en zuchtte. 'Dus dan ben je er nog dieper bij betrokken dan ik dacht, hè?'

'Ik weet niet wat je dacht, Ted. Wil je me dat beloven?'

'Natuurlijk beloof ik je dat!' riep hij uit. 'Ik steek mijn hand voor je in het vuur, Julie, en dat weet je best. En Carl net zo!'

Julie probeerde haar ontroering de baas te blijven en slikte de tranen terug die haar, in reactie op zijn woorden, in de ogen waren gesprongen. Ze haalde diep en haperend adem, en zei: 'Dank je.'

'Je hoeft me niet te bedanken. Ik wil alleen maar horen wat er precies is gebeurd! Wat is er gelogen aan het verhaal dat je gisteren aan de FBI hebt verteld?'

'Ik was niet geblinddoekt. En ik weet waar dat huis in Colorado is.'

Ze kon zien dat het hem moeite kostte om zijn gezicht in de plooi te houden. 'En verder?'

'Dat is alles.'

'Dat is wat?'

'Dat is het enige waar ik over gelogen heb.'

'En wat heb je dan verzwegen?'

'Niets wat iemand iets aangaat buiten mijzelf.'

'Speel geen spelletjes met je advocaat! Wat heb je niet verteld? Dat moet ik weten, opdat ik je kan beschermen, of op zoek kan gaan naar een meer ervaren advocaat wanneer blijkt dat het mijn kennis te boven gaat.'

'Wil je soms weten of ik met hem naar bed ben geweest?' snauwde Julie, nadat haar vermoeidheid en spanning opeens waren omgeslagen in woede. 'Want als dat zo is, dan heb ik liever dat je me dat op de man af vraagt, in plaats van eromheen te draaien zoals die Richardson heeft gedaan!'

'Geef niet zo af op Richardson, want als hij er niet was geweest, dan zou die Ingram je allang achter slot en grendel hebben gezet. Ingram weet dat je iets verbergt – en misschien wel niet zo'n beetje ook – maar Richardson is zo weg van je, dat hij zich door jou om je vingertje laat winden.'

'Richardson is onbeschoft!'

'En jij hebt geen idee van de uitwerking die je op mannen hebt. Richardson is gefrustréérd,' zei Ted met klem, 'en daarbij is hij ook nog eens stapelverliefd. De arme vent.'

'Bedankt,' zei ze ondankbaar.

'En blijven we zo puberaal bekvechten, of vertel je me nu eindelijk wat je verder nog voor de FBI verzwijgt?'

'Is het ooit wel eens bij je opgekomen dat ik misschien wel eens recht zou kunnen hebben op een beetje privacy en waardigheid –'

'Als je waardigheid wilt, dan moet je vooral samenhokken met ontsnapte gevangenen.'

Julie had het gevoel alsof hij haar een stomp in de maag had verkocht. Zonder verder nog iets te zeggen, stapte ze uit de auto en smeet het portier hard achter zich dicht. Ze stond op het punt op de bel van de voordeur te drukken, toen Ted haar arm wegtrok. 'Waar denk je verdomme dat je mee bezig bent?'

'Ik heb je al verteld waar ik over gelogen heb, en die twee dingen zijn het enige waardoor ik in moeilijkheden zou kunnen komen,' zei Julie, en drukte alsnog op de bel. 'En nu ga ik Carl en jou vertellen wat jullie kennelijk zo dolgraag willen weten. En daarna valt er verder niets meer te vertellen.'

Carl deed open en Julie liep langs hem heen de hal in. Toen bleef ze staan en draaide zich met een ruk om. Zonder naar Katherine te kijken die intussen al halverwege de trap was, keek ze de stomverbaasde Carl recht in de ogen en verklaarde op bittere toon: 'Ik hoor van Ted dat jullie twee denken dat ik niets anders dan leugens verkoop. Hij zegt dat ik, als ik privacy en waardigheid wil, niet moet "samenhokken" met ontsnapte gevangenen, en hij heeft volkomen gelijk! Dus hou je vast, hier komt de waarheid: ik heb de FBI verteld dat Zack mij op geen enkele manier lichamelijk mishandeld heeft, en dat heeft hij ook niet! Hij heeft zijn leven op het spel gezet om het mijne te redden, en zelfs jullie, die hem ongeacht wat ik ook zeg toch niet kunnen uitstaan, kunnen dat geen lichamelijke mishandeling noemen. Hij heeft me geen haar gekrenkt. Hij heeft me niet verkracht. Ik ben met hem naar bèd geweest. Ik ben met hem naar bed geweest en als hij gewild had, dan zou ik dat voor de rest van mijn leven hebben gedaan! Zijn jullie nu tevreden? Hebben jullie nu genoeg gehoord? Dat hoop ik maar, want meer heb ik jullie niet te vertellen! Ik weet niet waar Zack is! Ik weet niet waar hij naartoe gaat! Wíst ik dat maar –'

Carl trok haar in zijn armen en keek woedend naar Ted. 'Hoe haal je het in je hersens om haar zo van streek te maken?'

Ted was zo met stomheid geslagen, dat hij zowaar naar zijn ex-vrouw keek in de hoop dat ze hem bij zou vallen. Katherine schudde echter alleen haar hoofd maar en zei: 'Ted is er een kei in om de vrouwen die van hem houden aan het huilen te maken. Dat doet hij niet met opzet, hij kan het alleen niet hebben wanneer we zijn regels overtreden. Daarom is hij ook bij de politie, en wordt hij advocaat. Hij is gek op regels. Julie,' zei ze, en pakte haar bij de arm, 'kom met me mee naar de bibliotheek. Je bent kapot, maar dat schijnen je broers zich niet te realiseren.'

Ted en Carl volgden hen, en de eerste zei: 'Ik wilde haar niet van streek maken. Ik heb haar alleen maar gevraagd om niets voor mij verborgen te houden!'

'Dat had je dan wel met een beetje meer tact kunnen doen, in plaats van haar het gevoel te geven dat ze een slet is!' snauwde Carl.

Julie plofte neer in een luie stoel, en keek verbaasd op toen Katherine opeens tegen haar broers tekeerging.

'Ik moet zeggen dat jullie wel heel veel lef hebben om je zo met Julie's leven te bemoeien en meteen met oordelen klaar te staan.' Ze liep met nijdige stappen naar de drankkast en begon vier glazen wijn in te schenken. 'Ik heb nog nooit zo'n stelletje hypocrieten bij elkaar gezien! Zij mag dan denken dat jullie twee heiligen zijn omdat jullie haar altijd in die waan hebben gelaten, maar ik weet toevallig wel beter.' Ze pakte Julie's glas en dat van haarzelf op, en liet de andere twee staan. 'Ted, jij hebt me hier, in deze kamer uitgekleed nog voordat we officieel een relatie hadden, en toen was ik nog maar net negentien jaar oud!'

Julie nam het glas automatisch van Katherine aan, terwijl haar ex-schoonzusje alweer verontwaardigd verder ging en op een bordeaux-rode leren bank wees. 'Daar, op die bank heb je mij uitgekleed en heb je met me gevrijd! Als ik me goed herinner, dan was je uitermate blij verrast toen je tot de ontdekking kwam dat ik nog maagd was. Een uur daarna nam je me opnieuw in het zwembad, en daarna nog eens –'

'Ja, dat weet ik nog!' snauwde Ted. Hij liep nijdig naar de kast en pakte de twee andere glazen. Hij duwde een ervan in Carls hand en zei: 'Ik kan me vergissen, maar ik vermoed dat je dit binnen enkele seconden wel nodig zult hebben.'

Hij bleek gelijk te hebben, want Katherine wendde zich tot hem, en zei: 'En jij, Carl, jij bent àllesbehalve een heilige! Voor je trouwde, ben je naar bed geweest met –'

'Laat mijn vrouw erbuiten,' waarschuwde hij.

'Ik wilde het niet over Sara hebben,' verklaarde Katherine op ijzige toon. 'Ik dacht aan Ellen Richter en Lisa Bartlesman toen je in de laatste klas van de middelbare school zat, en toen je negentien was, deed je het met Kaye Sommerfeld, en –'

'Hou op! Hou op, alsjeblieft!' riep Julie onthutst en half lachend uit, en allen keken haar aan. 'Hou op, ja? Ik denk dat er voor één avond wel voldoende illusies gesneuveld zijn.'

Ted wendde zich tot Katherine en hief spottend zijn glas. 'Je bent er zoals gewoonlijk weer eens aardig in geslaagd om iedereen een flinke dosis kritiek te geven en jezelf buiten schot te laten.'

'Om eerlijk te zijn, ben ik degene die zich het diepste moet schamen,' zei Katherine, en keek hem daarbij strak aan.

'Ja, zeker omdat je je verwaardigd hebt om met mij naar bed te gaan,' reageerde hij op onverschillige toon.

'Nee,' zei ze zacht.

'Waarom dan?' wilde hij weten.

'Dat weet je best.'

'Toch zeker niet omdat ons huwelijk mislukt is?' vroeg hij honend.

'Nee, omdat dat huwelijk door míjn schuld mislukt is.'

Zijn gezicht verstrakte in reactie op die bekentenis. 'Wat doe je hier eigenlijk in Keaton?' vroeg hij in plaats van op haar woorden te reageren.

Katherine keerde terug naar de drankkast en zette een kurketrekker in een fles Chardonnay. 'Volgens Spencer heeft het te maken met een onbewuste behoefte om een confrontatie aan te gaan met alle plaatselijke kritiek waar ik voor op de vlucht ben gegaan toen ons huwelijk op de klippen was gelopen.'

'Spencer,' zei Ted vol minachting, 'is een idioot.'

Katherine lachte en hief haar glas.

'Wat valt er te lachen?' wilde hij weten.

'Spencer,' zei Katherine, 'doet me altijd zo denken aan jou...'

Julie zette haar glas neer en stond op. 'Jullie zullen het zelf maar moeten uitzoeken. Ik heb geen zin om voor scheidsrechter te spelen. Ik ga naar bed. Ik heb dringend behoefte aan een paar uur slaap.'

Hoofdstuk 46

Nadat Julie de badjas had aangetrokken die Katherine voor haar had klaargelegd, ging ze naar beneden. Katherine zat in de bibliotheek naar het journaal van tien uur te kijken.

'Ik had verwacht dat je wel zou doorslapen tot morgenochtend,' zei Katherine met een verbaasd glimlachje, en ze stond op. 'Ik heb iets voor je te eten gemaakt voor het geval je toch wakker zou worden. Ik ga het even halen.'

'Was er nog iets interessants op het nieuws?' vroeg Julie omdat ze het niet kon laten.

'Niets over Zachary Benedict,' stelde Katherine haar gerust. 'Maar over jou was er genoeg. Alle zenders vertellen hoe je veilig en ongedeerd weer thuis bent gekomen.'

Toen Julie haar schouders ophaalde, zette Katherine haar handen in haar zij en vroeg plagend: 'Heb je er enig idee van hoe beroemd je ineens bent?'

'Berucht, zul je bedoelen,' zei Julie. Ze lachte, en voelde zich ineens stukken beter dan ze in de afgelopen twee dagen gedaan had.

Katherine wees op de stapel kranten en tijdschriften die op het tafeltje naast Julie's stoel lagen, en zei: 'Die heb ik voor je bewaard voor het geval je een plakboek wilt aanleggen of zo. Kijk ze maar even door terwijl ik je eten ga halen, of heb je ze al gezien?'

'Ik heb al een week lang geen krant of tijdschrift meer gezien,' zei Julie. Ze pakte het blad dat bovenop lag en draaide het met de voorpagina naar boven. 'O, lieve God!' riep ze uit bij het zien van haar eigen gezicht op de cover van de *Newsweek*. De vette kop erboven luidde: 'Julie Mathison – partner of pion?' Ze legde het blad weg, en bladerde de rest van de stapel door. Ze was stomverbaasd toen ze overal foto's van zichzelf tegenkwam.

Katherine kwam binnen en zette een blad voor haar op tafel.

'De hele stad heeft het voor je opgenomen,' zei Katherine met een blik op de cover van de *Newsweek*. 'Burgemeester Addleson heeft een redactioneel stuk voor de *Keaton Crier* geschreven waarin hij zegt dat we hier allemaal weten dat je het nooit zult "aanleggen" met een misdadiger, en dat we ons niets moeten aantrekken van wat er door de landelijke pers beweerd wordt.'

Julie glimlachte onzeker en legde de krant die ze vasthield opzij. 'Maar jij weet wel beter. Je hebt me zelf aan Ted en Carl horen vertellen dat ik het wel met hem heb "aangelegd".'

'Addleson doelde in zijn artikel op de uitspraak van die vrachtwagenchauffeur. De burgemeester verzette zich tegen de mening dat je vrijwillig met Benedict op de vlucht zou zijn. Julie,' zei ze aarzelend, 'wil je er met me over praten – over hem?'

Julie keek haar vriendin aan en dacht terug aan al die keren dat ze elkaar in het verleden geheimpjes hadden toevertrouwd. Ze waren van dezelfde leeftijd en waren, nadat Ted hen aan elkaar had voorgesteld, snel dikke vriendinnen geworden. Toen het huwelijk van Ted en Katherine op de klippen was gelopen, was Katherine weer gaan studeren en in Dallas gaan wonen. Ze was nu voor het eerst weer terug in Keaton, maar Julie had haar, op Katherine's aandringen, regelmatig in Dallas bezocht. Hun vriendschap had de tijd en de afstand overleefd, en was nog even spontaan en natuurlijk als vroeger. 'Ik denk zelfs dat ik het nódig heb om over hem te praten,' gaf Julie even later toe. 'Misschien dat ik hem dan kan vergeten en weer aan de toekomst kan gaan denken.' Ze maakte een hulpeloos gebaar, en zei: 'Ik weet niet eens hoe ik moet beginnen.'

Katherine ging op de bank zitten, trok haar benen onder zich en maakte de indruk alsof ze alle tijd van de wereld had. Toen vroeg ze: 'Hoe is Zachary Benedict in het echt?'

'Hoe hij is?' vroeg Julie, en trok een plaid over zich heen. Ze keek naar een onduidelijk punt in de verte, bedacht hoe ze Zack zou moeten beschrijven, en zei: 'Hij is hard, Katherine. Erg hard. Maar hij is ook heel teder. Soms was hij zo lief en zei hij zulke lieve dingen dat het me vanbinnen pijn deed.' Ze zweeg, dacht na, en probeerde het toen nog eens met voorbeelden. 'Tijdens de eerste twee dagen was ik echt doodsbang dat hij me zou vermoorden. Op de derde dag lukte het me te ontsnappen met een sneeuwscooter die ik in de garage had gevonden...'

Twee uur later had Julie Katherine alles verteld, met uitzondering van de intieme momenten die ze wel had aangegeven, maar waar ze niet verder op in was gegaan.

Katherine had aandachtig geluisterd. Ze had gelachen om de grappige dingen zoals hun sneeuwballengevecht, en een ongelovige uitroep geslaakt in reactie op Zacks jaloezie ten aanzien van Patrick Swayze. 'Wat een verhaal!' zei ze. 'Als het van iemand anders zou komen in plaats van van jou, dan zou ik er geen woord van geloofd hebben. Heb ik je ooit wel eens verteld dat ik vroeger smoorverliefd was op Zachary Benedict? Later zag ik hem alleen nog maar als een moordenaar. Maar nu...' Ze zweeg alsof ze niet in staat was om haar gedachten onder woorden te brengen, en besloot toen: 'Geen wonder dat je maar steeds aan hem moet denken. Ik bedoel, het is geen afgesloten verhaal, het einde hangt zo'n beetje in de lucht. Als hij onschuldig is, dan zou het verhaal een happy end moeten hebben waarbij de ware moordenaar alsnog in het cachot komt. Het klopt niet dat de onschuldige de rest van zijn leven als een opgejaagd dier moet slijten.'

'Maar helaas,' zei Julie grimmig, 'is dit de realiteit en is het geen film en ook geen sprookje, en dat betekent dat het verhaal op deze manier eindigt.'

'En daarmee blijft het een waardeloos eind,' hield Katherine vol. 'En dat is alles? Jullie zijn gisterenochtend opgestaan, hij is met je meegelopen naar de auto, en toen ben je weggereden? Zomaar?'

'Was het maar "zomaar" geweest,' verzuchtte Julie verdrietig. 'Zack wilde dat het "zomaar" zou zijn, en dat wist ik. Maar helaas,' vervolgde ze, en het kostte haar moeite om haar stem vast te laten klinken, 'was het wel een beetje anders. Niet alleen moest ik huilen, maar ik maakte alles er nog erger op door hem te bekennen dat ik van hem hield. Ik wist dat hij dat niet wilde horen, want de vorige dag had ik dat ook al gezegd, en toen deed hij alsof hij me niet had gehoord. Gisteren was het nog erger. Niet alleen heb ik mijzelf vernederd door hem te zeggen dat ik van hem hield, maat hij-hij –' Julie schaamde zich zo diep dat ze niet verder kwam.

'Wat heeft hij gedaan?' vroeg Katherine zacht.

Ze dwong zichzelf om haar vriendin aan te kijken en om de klank van haar stem zo effen mogelijk te houden. 'Hij glimlachte zoals een volwassene dat tegen een dom kind doet, en zei dat ik helemaal niet van hem hield en dat ik me dat alleen maar verbeeldde omdat ik het verschil niet kende tussen liefde en seks. Toen zei hij dat ik naar huis moest gaan en dat ik hem maar moest vergeten. En dat ben ik dan ook van plan.'

Katherine fronste haar voorhoofd. 'Wat een vreemde, lelijke manier van reageren,' zei ze. 'Het klopt helemaal niet met de beschrijving die je eerder van hem hebt gegeven.'

'Dat vind ik ook,' zei Julie verdrietig. 'En helemaal omdat ik er bijna zeker van was dat hij ook om mij gaf. Soms keek hij me aan alsof hij –' Ze zweeg in het besef dat ze alleen maar domme onzin uitkraamde. 'Als ik gisterochtend over zou kunnen doen, dan zou ik doen alsof ik dolblij was dat ik eindelijk weg kon. Ik zou hem bedanken voor een fantastisch avontuur, en gewoon wegrijden. Dat had ik veel beter kunnen doen in plaats van –' In gedachten stelde ze zich voor hoe het afscheid op die manier geweest zou zijn, en ze schudde haar hoofd. 'Nee. Dat zou ontzettend stom en helemaal verkeerd zijn geweest,' besloot ze.

'Hoezo? Dan zou je de eer tenminste aan jezelf hebben gehouden,' merkte Katherine op.

'Ja, maar dan zou ik me gedurende de rest van mijn leven hebben afgevraagd of hij misschien toch niet van me gehouden had. Nee, uiteindelijk zou ik mijzelf gehaat hebben voor het feit dat ik mijn liefde niet bekend had. Het is nu niet leuk om te weten dat Zack absoluut niets om mij heeft gegeven, het doet zelfs pijn, maar op die andere manier zou het nog veel meer en veel langer pijn hebben gedaan.'

Katherine staarde haar stomverbaasd aan. 'Julie, ik sta van je te kijken. Je hebt volkomen gelijk, maar als ik in jouw schoenen had gestaan, dan zou ik er jaren voor nodig hebben gehad om tot dat inzicht te komen. Ik bedoel, kijk nu eens even naar wat die man je heeft aangedaan – hij heeft je ontvoerd, heeft je verleid nadat jij zijn leven had gered, hij heeft je ontmaagd, en toen je hem bekende dat je van hem hield, stuurde hij je weg. Ik heb nog nooit zo'n harteloze, gemene –'

'Hou op, alsjeblieft,' viel Julie haar half lachend in de rede, 'want anders word ik weer boos. En trouwens,' voegde ze eraan toe, 'hij heeft me helemaal niet verleid.'

'Nou, uit jouw verhaal begrijp ik anders duidelijk dat je gewoon gezwicht bent voor zijn charme.'

Julie schudde haar hoofd. 'Ik wilde verleid worden. Je hebt er geen idee van hoezeer ik naar hem verlangde.'

Even later vroeg Katherine: 'Als hij gezegd had dat hij van je hield, zou je dan echt alles, je familie, je werk en alles waar je in gelooft, achter hebben gelaten om met hem onder te duiken als hij je dat gevraagd zou hebben?'

Julie keek Katherine recht in de ogen. 'Ja.'

'Maar dan zou je zijn medeplichtige zijn geworden.'

'Voor zover ik weet is het bij de wet niet verboden dat een echtgenote het opneemt voor haar man.'

'God allemachtig!' riep Katherine uit. 'Je meent het echt! Je zou met hem getróuwd zijn!'

'Als iemand dat zou moeten kunnen begrijpen, dan ben jij dat toch wel,' zei Julie nadrukkelijk.

'Hoe bedoel je?'

Julie glimlachte verdrietig. 'Dat weet je best, Katherine. Nu is het jouw beurt voor een bekentenis.'

'Waarover?'

'Over Ted,' zei Julie. 'Ik hoor nu al een jaar van je dat je wilt dat Ted naar je luistert, omdat je hem een aantal dingen duidelijk wil maken. Maar vanavond kamde hij je aan de lopende band af, en je hebt niet één keer je mond opengedaan om hem tegen te spreken. Waarom niet?'

Hoofdstuk 47

Katherine ging slecht op haar gemak verzitten onder Julie's aanhoudende blik, waarna ze de theepot pakte en nog een slokje lauwe thee in haar kopje schonk. Toen ze het kopje naar haar lippen bracht, beefde haar hand een beetje, en Julie zag het. 'Ik heb er niets van gezegd omdat ik het verdien, na de manier waarop ik me tijdens ons huwelijk gedragen heb.'

'Daar dacht je drie jaar geleden, toen je de scheiding aanvroeg, wel anders over,' bracht Julie haar in herinnering. 'Toen zei je dat je van hem wilde scheiden omdat hij een egoïstische, harteloze, veeleisende, autoritaire ellendeling was.'

'Drie jaar geleden,' zei Katherine verdrietig, 'was ik een verwend nest dat getrouwd was met een man die in alle redelijkheid verwachtte getrouwd te zijn met een volwassen vrouw, en niet met een onvolwassen kind. Iedereen in Keaton, behalve jij, wist dat ik als echtgenote niets voorstelde. In jouw ogen kon ik, als je beste vriendin, niets fout doen, en zelf was ik te onvolwassen en te laf om de waarheid onder ogen te durven zien. Ted wist natuurlijk wel wat er aan de hand was, maar hij was te zeer heer om jou te vertellen hoe ik in werkelijkheid was. Sterker nog, één van de weinige dingen waar we het ooit over eens waren, was dat jij niet hoefde te weten dat wij onderling problemen hadden.'

'Katherine,' zei Julie zacht, 'je houdt nog steeds van hem, is het niet?'

Katherine verstijfde en keek strak naar de grote, peervormige diamant aan haar linkerringvinger. Met een verstikt lachje zei ze: 'Als Ted me een week geleden, voor jouw verdwijning, gedwongen zou hebben om met hem te praten, dan zou ik geweigerd hebben.'

'En nu?'

Katherine haalde diep adem en keek Julie aan. 'Om met jouw woorden ten aanzien van Zachary Benedict te spreken: ik zou voor de rest van mijn leven met je broer naar bed gaan, als hij me dat nog eens zou vragen.'

'Als dat zo is,' vroeg Julie zacht, waarbij ze Katherine onderzoekend aankeek, 'hoe komt het dan dat je nog steeds de verlovingsring van een ander draagt?'

'Eigenlijk heb ik die ring op dit moment alleen nog maar te leen.'

'Hoe bedoel je?'

'Ik heb het gisteren uitgemaakt met Spencer, maar hij heeft me gevraagd om het nog een paar weken voor me te houden. Hij denkt dat dit alleen maar een sentimentele reactie van mij is op deze confrontatie met mijn verleden.'

Julie, die het liefste een jubelkreet had geslaakt, glimlachte alleen maar en vroeg: 'En hoe ben je van plan om Ted terug te krijgen?' Haar gezicht betrok, toen ze vervolgde: 'Het zal niet gemakkelijk zijn. Hij is erg veranderd sinds jullie scheiding. Lachen doet hij vrijwel niet meer, en hij is zo afstandelijk geworden... net alsof hij een dikke muur om zich heen heeft opgetrokken waar hij niemand doorheen wil laten, zelfs mij en Carl niet. Het enige waar hij nu nog in geïnteresseerd lijkt, is het openen van zijn eigen advocatenpraktijk.' Ze zweeg even en probeerde een vriendelijke manier te verzinnen om te zeggen wat ze zeggen moest. Toen haar niets te binnen schoot, besloot ze het gewoon te zeggen zoals het was. 'Hij mag je niet, Katherine. Soms lijkt het wel alsof hij je haat.'

'Is jou dat ook al opgevallen?' Katherine probeerde er een grapje van te maken, maar haar stem klonk onvast. Toen zei ze: 'Hij heeft redenen te over om mij te haten.'

'Dat geloof ik niet. Soms lukt het twee geweldige mensen gewoon niet om hun huwelijk tot een succes te maken, en daar kan niemand iets aan doen. Je ziet het voortdurend.'

'Probeer het toch niet goed te praten, niet nu ik eindelijk de moed heb gevonden om je de afgrijselijke waarheid te vertellen,' zei ze zacht. 'En de waarheid is dat die scheiding enkel en alleen míjn schuld is geweest. Ik hield van Ted, maar ik was te verwend en te onvolwassen om te kunnen begrijpen dat het houden van iemand betekent dat je je voor diegene moet opofferen. Het klinkt idioot, maar ik dacht echt dat ik, ook al was ik getrouwd, rustig door kon gaan met mijn vrije leventje, net zo lang tot ík zover was dat ik toe was aan een rustig bestaan. Om je een voorbeeld te geven,' vervolgde ze, 'toen we een maand getrouwd waren, realiseerde ik mij opeens dat al mijn vrienden weer teruggingen naar de universiteit, en dat ik thuis zou moeten blijven. Opeens voelde ik me een martelaar, want ik was pas twintig en zat al muurvast waardoor ik mijn leuke studentenleventje moest missen. Ted had met zijn werk bij de politie voldoende gespaard om zijn eigen studie en die van mij te kunnen betalen, en hij kwam met de ideale oplossing: we zouden ons studieprogramma zo kunnen inrichten dat we op dezelfde dagen college hadden en dan samen naar Dallas rijden. Maar dat was voor mij niet voldoende. Ik wilde namelijk weer terug naar het oosten, in mijn studentenflatje wonen en alleen tijdens de vakanties naar huis komen om een paar weken bij mijn man te zijn.'

Julie deed haar best om niet te laten blijken hoe oneerlijk ze die regeling vond, maar Katherine ging zo op in haar eigen berouw dat ze Julie's afwijzende gezicht niet eens gezien zou hebben. 'Ted probeerde me te laten inzien dat een dergelijk huwelijk toch wel erg onpraktisch was, en zei dat hij het, al zóu hij het met mijn voorstel eens zijn geweest, zich niet kon veroorloven om mijn studentenflat te betalen. En wat deed ik? Ik ging naar mijn vader en vroeg hem om het geld, en dat terwijl ik Ted, toen we trouwden, beloofd had dat ik nooit een cent van mijn vader zou aannemen. Mijn vader belde Ted, en zei hem dat hij er geen enkel bezwaar tegen had om mijn studie en de studentenflat te betalen. Ted weigerde het geld aan te nemen, en ik was woedend. Ik nam wraak door vanaf die dag geen vinger meer in huis uit te steken. Ik kookte niet meer en weigerde zijn kleren te wassen en te strijken. Dus hij deed de boodschappen en maakte het eten, en hij bracht de vuile was naar de wasserij. Het zal je niet verbazen dat er in Keaton algauw over mij gefluisterd werd. Maar ondanks dat,' ging Katherine verder, 'bleef hij hopen dat ik ooit nog eens volwassen zou worden en me als een vrouw, in plaats van als een klein kind, zou gaan gedragen. Je moet namelijk weten dat hij zich schuldig voelde,' voegde Katherine eraan toe, waarbij ze Julie strak aankeek. 'Hij voelde zich schuldig omdat hij met me getrouwd was terwijl ik nog zo jong was en nog niet echt van het leven had kunnen genieten. Hoe dan ook, de enige echtelijke plicht waar ik mij niet aan onttrok, was het bedrijven van de liefde, hetgeen,' voegde ze er met een dromerig glimlachje aan toe, 'met jouw broer dan ook allesbehalve een straf was.'

Katherine zweeg een poosje, haalde diep adem, en vertelde verder. 'Na een tijdje kwam mijn vader, die wist hoe ongelukkig ik was, met het idee dat ik, als ik maar een schitterend huis zou hebben, vast wel gelukkiger zou zijn. Ik was kinderachtig genoeg om het leuk te vinden om gastvrouwtje te spelen in mijn eigen, schitterende huis compleet met zwembad en tennisbaan, maar mijn vader vroeg zich af in hoeverre Ted bereid zou zijn om een dergelijk geschenk van hem aan te nemen. Ikzelf was daarentegen zo stom om te denken dat Ted het er, wanneer we hem voor een voldongen feit stelden, wel mee eens zou moeten zijn. En dus kocht mijn vader het land op Wilson's Ridge, en we lieten een architect komen die samen met ons een schitterend huis moest ontwerpen. Ik was helemaal gek op dat huis,' zei Katherine, en keek Julie aan. 'Ik begon zelfs weer voor Ted te koken en te wassen, en hij dacht dat ik tot inkeer was gekomen. Hij was zo blij om mij gelukkig te zien, al wist hij dan niet waar het aan lag. Hij dacht dat mijn ouders het huis op Wilson's Ridge voor zichzelf bouwden omdat ze een kleiner huis wilden, en ik liet hem in die waan. Trouwens, heel Keaton dacht dat het huis voor mijn ouders was.'

Ditmaal lukte het Julie niet om haar verbazing de baas te blijven. Op Wilson's Ridge stond één fantastisch huis, een kast van een villa met zwembad en tennisbaan. 'Inderdaad,' zei Katherine, bij het zien van haar gezicht. 'Het huis waar meneer en mevrouw Delorik in wonen, is eigenlijk míjn huis.'

'En wat gebeurde er toen?' vroeg Julie, omdat ze niet wist wat ze anders moest zeggen.

'Toen het huis klaar was, namen mijn vader en ik Ted er mee naartoe, en pappie gaf Ted de sleutels.' Katherine huiverde. 'Je kunt je waarschijnlijk wel indenken dat Ted woedend was. Hij voelde zich bedrogen en verraden. Hij zei heel beleefd tegen mijn vader dat hij maar beter iemand kon zoeken die het zich kon veroorloven om in een dergelijk huis te wonen, waarna hij zich omdraaide en wegliep.'

Julie nam automatisch aan dat dit voor Ted de laatste druppel geweest moest zijn, en dat de kwestie van het huis de directe aanleiding tot de scheiding was geweest. 'En daarna kregen jullie steeds vaker ruzie, en dat betekende uiteindelijk het einde van jullie huwelijk,' concludeerde Julie.

'Nee. Vanaf die dag weigerde ik nog met Ted te slapen, maar het was al te laat.'

'Hoe bedoel je?'

Katherine beet op haar lip en keek naar de vloer. Met onvaste stem zei ze: 'Een paar dagen later – vlak voordat Ted en ik uit elkaar gingen – viel ik van het paard van mijn vader, weet je dat nog?'

'Ja, natuurlijk,' zei Julie. 'En daarbij had je je arm gebroken.'

'Niet alleen mijn arm, maar ook het hart van mijn man.' Toen Katherine Julie aankeek, zag Julie dat haar ogen vochtig waren. 'Ik was zwanger, Julie. Ik had het gehoord op de dag waarop Ted de sleutel van het huis had geweigerd. Ik was twee maanden zwanger en ik was woedend omdat Ted het huis met zijn snoezige kinderkamer niet had willen accepteren. Maar ik was vooral nijdig omdat híj iets kreeg waar hij met hart en ziel naar verlangde: een kind. Hoewel Ted het me had afgeraden, ging ik de volgende dag uit rijden, en ik maakte er geen rustig ritje van. Ik galoppeerde langs de beek en sprong over alle omgewaaide bomen, toen ik uit het zadel werd geworpen.'

Toen ze niet in staat was om verder te spreken, zei Julie: 'En je verloor het kind.'

Katherine knikte. 'Ted was er niet alleen kapot van, hij was... buiten zichzelf van woede. Hij was ervan overtuigd dat ik met opzet een abortus had willen forceren, en dat was niet eens zo'n vreemde gedachte van hem als je wist hoezeer ik me misdragen had nadat ik gehoord had dat ik zwanger was. En het gekke is,' zei ze half snikkend, 'dat dat het enige binnen ons huwelijk was waar ik géén schuld aan had, althans, niet bewust. Ik ging altijd een eind galopperen wanneer ik ergens nijdig om was, en daar kalmeerde ik dan van. De dag waarop ik met Thunder ging rijden, stond ik er geen moment bij stil dat ik daarmee het leven van het kind op het spel zette. Ik sprong al jaren over diezelfde bomen en heggen, en Thunder had zich altijd voorbeeldig gedragen. Het enige verschil was dat de dierenarts hem die dag voor een verrekte spier had behandeld, en dat ik dat niet wist. Zowel mijn vader als ik hebben eindeloos geprobeerd om het aan Ted uit te leggen, maar hij geloofde ons niet. En dat is ook niet zo verwonderlijk, als je bedenkt wat we hem met dat huis hadden geflikt. En trouwens, welke echtgenote die zo'n titel waardig was, zou ooit zo'n risico hebben genomen met het kind van haar man?' Beschaamd besloot ze: 'De scheiding was niet mijn beslissing, Julie. Toen ik thuiskwam uit het ziekenhuis, had hij zijn koffers al gepakt. Maar,' voegde ze er met een huilerig glimlachje aan toe, 'hij bleef tot en met de laatste minuut een heer. Hij liet het indienen van de scheiding aan mij over, en hij heeft nooit met iemand gesproken over het feit dat hij ervan overtuigd was – en is – dat ik het kind met opzet kwijt wilde raken. Die dag, toen ik zijn koffers in de gang zag staan en me realiseerde wat ik kwijtraakte, werd ik volwassen, maar toen was het al te laat. De rest van het verhaal is je bekend. Ik ging terug naar de universiteit, behaalde mijn titel, en ging in Dallas in het museum werken.'

Julie stond op om een handvol papieren zakdoekjes voor Katherine te halen.

'Ik dacht,' zei Katherine, terwijl ze haar tranen wegveegde, 'dat je naar boven was gegaan om je tas te pakken omdat je mijn walgelijke gezelschap niet langer kon verdragen.'

Julie omhelsde Katherine en fluisterde: 'Je bent nog steeds mijn allerbeste vriendin.' Toen ging ze op het andere uiteinde van de bank zitten en snoot haar eigen neus.

Een paar minuten later droogden ze hun laatste tranen en keken elkaar schaapachtig glimlachend aan. 'Wat een toestand!' zei Julie.

Katherine snoot haar neus. 'Zeg dat wel!' Met een bibberig glimlachje voegde ze eraan toe: 'Volgens mij hebben we alle twee dringend behoefte aan twee weekjes in het huis van mijn ouders in St. Barts. Denk je dat je twee weken verlof van school zou kunnen krijgen? Dan gaan we lekker in de zon liggen en denken voor de verandering eens even niet aan mannen. Nou, lijkt je dat wat?'

Julie trok haar knieën op tegen haar borst, sloeg haar armen eromheen en legde haar kin op haar knieën. 'Als je het mij vraagt,' zei ze, 'en als je Ted echt terug wilt, dan kun je veel beter hier blijven, voor het te laat is. Hij schijnt iets moois te hebben met Grace Halvers, wist je dat?'

Katherine knikte verdrietig. 'Ja, dat heb ik gehoord. Denk je dat hij echt serieuze plannen met haar heeft?'

Julie dacht even na, en schudde toen het hoofd. 'Nee, als ik heel eerlijk ben, dan geloof ik niet dat Ted ooit zal hertrouwen.'

In plaats van een opgeluchte, maakte Katherine opeens een schuldige indruk. 'Ted is iemand die een vrouw naast zich nodig heeft, ook al ben ik dat niet, maar is het een ander. Hij is het soort van liefdevolle, sexy echtgenoot waar de meeste vrouwen alleen maar van kunnen dromen. Het zou een misdaad zijn als een dergelijke man vrijgezel bleef. De baas over hem spelen en hem manipuleren is onmogelijk, en daar werd ik vroeger wel eens gek van, maar hij was verschrikkelijk lief. Als ik, in plaats van te eisen, lief vroeg of hij iets voor me wilde doen, dan deed hij dat altijd meteen.' Ze keek Julie aan en zei met iets van verwondering: 'We mogen dan in een heleboel opzichten niet bij elkaar hebben gepast, maar we waren meteen stapelverliefd op elkaar. Het was zoiets als... spontane ontbranding.'

'En dat is het nog steeds tussen jullie,' zei Julie plagend, in een poging haar vriendin op te vrolijken. 'Nadat ik jullie twee vanavond samen heb gezien, kan ik rustig zeggen dat jullie nog steeds een bijzonder licht ontvlambare combinatie zijn. Arme Carl,' voegde ze er lachend aan toe, 'hij zag eruit alsof hij het liefste zo snel mogelijk dekking zocht toen jullie met elkaar begonnen te bekvechten. En zal ik je nog eens wat zeggen?' besloot ze ernstig. 'Als Ted nog steeds zo heftig op jou reageert, ook al was het dan in negatieve zin, dan kan dat alleen maar betekenen dat hij nog steeds iets voor je voelt.'

'Ja, dat doet hij. Wat hij voelt, dat is minachting,' zei Katherine. Verdrietig voegde ze eraan toe: 'En als dat zo blijft, dan zal ik een andere manier moeten verzinnen om ervoor te zorgen dat hij me vergeeft. Ik heb er geen idee van hoe ik dat voor elkaar zal moeten krijgen, want om te beginnen mijdt hij me als de pest.'

Julie glimlachte en begon hun borden op de bladen te zetten. 'Ik denk dat ik je daarbij wel zal kunnen helpen. Wat zou je ervan vinden om me na schooltijd met de gymles voor de gehandicapte kinderen te helpen? Ik ben op zoek naar vrijwilligers die er geen bezwaar tegen hebben om plat te worden gereden door rolstoelen, of om over krukken te struikelen.'

'Dat ligt niet helemaal in mijn lijn, maar het lijkt me enig.' Katherine pakte één van de beide bladen op en liep met Julie mee naar de keuken. 'Maar wat heeft dat te maken met Ted?'

'Ted helpt twee keer per week, en soms ook wel vaker. En verder zou ik je dankbaar zijn als je ook bij mijn leesgroepje zou willen helpen. Je hebt er geen idee van hoeveel voldoening dat geeft.'

In de grote keuken zette Julie het blad op het roestvrijstalen aanrecht. Ze bleef even staan om naar de kookboeken erboven te kijken, en realiseerde zich niet dat Katherine vlak achter haar stond. Ze merkte het pas toen Katherine haar zachtjes riep. 'Julie?' Toen ze zich omdraaide, vloog Katherine haar om de hals. 'O, ik heb je toch zo gemist,' fluisterde Katherine vurig. 'Ik ben je zo dankbaar dat je altijd bent blijven schrijven en bellen, en dat je me zo vaak hebt opgezocht in Dallas. Ik heb je aldoor al willen vertellen hoe het in werkelijkheid tussen mij en Ted was, maar ik was altijd bang dat je me zou haten als je het eenmaal wist.'

'Ik jou haten? Dat is onmogelijk,' zei Julie, en drukte haar dicht tegen zich aan.

'Je bent de liefste mens die ik ooit heb gekend.'

Julie maakte zich van haar los en rolde met haar ogen. 'Ja, hoor!' riep ze plagend uit.

'Nee, echt,' hield Katherine vol. 'Vroeger wilde ik altijd precies zo zijn als jij.'

'Nou, wees dan maar blij dat je niet zo geworden bent,' zei Julie, terwijl ze opeens weer aan Zack moest denken. 'Als je net zo was geweest als ik, dan zou je Ted vandaag half jankend bekend hebben hoeveel je van hem hield, en daarna zou hij je op je ziel hebben getrapt en je naar huis hebben gestuurd.' Katherine wilde iets liefs zeggen, maar Julie, die opeens bijna in tranen was, schudde haar hoofd. 'Ach, met een paar dagen is het wel weer over. Ik ben nu moe en daardoor extra kwetsbaar, maar over een dag of wat ben ik hem weer vergeten, en ben ik weer de oude. Kom, laten we gaan slapen.'

Hoofdstuk 48

Katherine schoof een lading koekjes in de oven, en keek verbaasd op toen de intercom van het grote hek aanhoudend begon te zoemen. Ze veegde haar handen af aan een theedoek en drukte op het knopje van het apparaat dat aan de muur hing. 'Ja?'

'Bent u mevrouw Cahill?'

Katherine negeerde de vraag, en stelde er zelf een. 'En wie bent u?'

'Paul Richardson,' antwoordde de stem ongeduldig. 'Logeert Julie Mathison bij u?'

'Meneer Richardson,' zei Katherine onvriendelijk, 'het is pas half-acht! Julie en ik zijn nog niet aangekleed. Ik verzoek u om weg te gaan, en later, op een wat normaler uur terug te komen. Laten we zeggen elf uur. Het verbaast me dat ze u bij de FBI geen betere manieren hebben geleerd,' voegde ze eraan toe, en zette een verbaasd gezicht toen ze Paul Richardson zachtjes hoorde grinniken.

'Goede manieren of niet, ik moet Jul – mevrouw Mathison dringend spreken.'

'En als ik weiger het hek open te doen?' hield Katherine koppig vol.

'In dat geval,' zei hij op droge toon, 'zit er voor mij niets anders op dan het slot van uw hek met mijn trouwe dienstrevolver aan flarden te schieten.'

'En als u dat doet,' reageerde Katherine, terwijl ze geïrriteerd op de schakelaar drukte, 'kunt u die trouwe dienstrevolver van u maar beter meteen weer laden, want u zult door twee van mijn vaders geweren onder schot worden gehouden.'

Katherine zette de intercom uit en haastte zich naar de bibliotheek waar Julie in een van de grote fauteuils naar het ochtendjournaal zat te kijken. Het scherm toonde een foto van Zachary Benedict, en Katherine's hart kromp ineen bij het zien van Julie's gezicht. 'Is alles goed met hem?' vroeg ze.

'Ze hebben er geen flauw idee van waar hij is,' verklaarde Julie voldaan, en voegde er met een zuur glimlachje aan toe: 'En waar ze ook geen flauw idee van hebben, is of ik zijn medeplichtige ben geweest. Ze doen alsof het feit dat ík er het zwijgen toe doe en ook de FBI niets los wil laten, automatisch betekent dat ik schuldig ben. Ben je zover dat ik je met die omeletten kan helpen?'

'Ja,' zei Katherine vrolijk, 'maar, we hebben onverwacht bezoek gekregen, en ik neem aan dat hij ook wel iets mee zal willen eten. Onbeschofte vlegel. Ik vind het dan ook niet nodig dat we ons wassen of ons aankleden,' zei ze toen ze Julie naar haar lange badjas zag kijken.

'Wie is het?'

'Paul Richardson. Hij noemt je trouwens Julie.'

Door hun lange gesprek van de vorige avond, en het feit dat ze de afgelopen nacht heerlijk had geslapen, voelde Julie zich inmiddels weer een heel stuk beter. 'Dat kan me niets schelen,' zei ze, en toen er werd aangebeld, voegde ze eraan toe: 'Ik doe wel open.'

Ze rukte de voordeur open en deed geschrokken een stapje achteruit toen Paul Richardson zijn armen ophief en met een piepstemmetje zei: 'Niet schieten, alsjeblieft.'

'O, wat een geweldig idee,' reageerde Julie, en ze deed haar best om niet te lachen. 'Mag ik uw revolver even lenen?' Hij grinnikte, en zijn blik ging over haar lange, kastanjebruine krullen, haar stralende ogen en haar lieve glimlach. 'Een nachtje lekker slapen heeft je, zo te zien, goedgedaan,' merkte hij op. Toen fronste hij zijn voorhoofd en keek haar streng aan. 'Maar zo'n verdwijntruc lap je me niet nog eens, hoor je? Ik heb je gisterenavond toch duidelijk gezegd dat ik altijd wil weten waar ik je kan vinden.'

Julie, die dankzij het nieuws dat Zack nog steeds spoorloos was in een beste bui was, legde zich zonder protesten bij zijn standje neer. 'Waarvoor bent u gekomen? Om te preken, of om mij te arresteren?' vroeg ze lachend. Omdat ze intuïtief aanvoelde dat hij was gekomen om haar de les te lezen, draaide ze zich om en liep voor hem uit de gang in.

'Heb je iets gedaan dat in strijd is met de wet?' vroeg hij toen ze de keuken binnengingen.

'Ontbijt u met ons mee?' vroeg ze ontwijkend, en liep door naar de snijplank die klaarlag op het aanrecht.

Paul Richardson keek van Katherine, die bezig was om eieren te breken boven een kom, naar Julie, die een mes pakte en de groene paprika begon te snijden. Beide vrouwen waren onopgemaakt, hadden hun pyjama's en badjassen nog aan en hadden hun haren nog niet gekamd. Ze zagen eruit om op te vreten, vond hij. 'Ben ik uitgenodigd?' vroeg hij grinnikend aan Julie.

Ze keek hem onderzoekend aan en vroeg: 'Wilt u uitgenodigd worden?'

'Ja.'

Ze schonk hem zo'n stralende glimlàch dat zijn hart er sneller van begon te slaan. 'In dat geval,' zei ze, 'kunt u aan tafel gaan zitten terwijl wij een van onze speciale omeletten voor u maken. We hebben er een jaar lang niet meer op geoefend, dus verwacht u niet te veel.'

Paul trok zijn jasje uit, deed zijn stropdas af en maakte het bovenste knoopje van zijn hemd open. Hij ging aan tafel zitten, en Julie bracht hem een kop koffie waarna ze weer verder ging met haar werk. Hij sloeg de twee jonge vrouwen stilzwijgend gade, luisterde naar hun vrolijke gekwebbel en had het gevoel alsof hij onverwacht in de zevende hemel terecht was gekomen. Katherine Cahill was een regelrecht stuk, besloot hij, terwijl Julie Mathison alleen maar knap was. Toch was het Julie naar wie hij voortdurend moest kijken. Hij zag het zonlicht op haar haren weerkaatsen, bestudeerde haar aanstekelijke lach, haar zachte huid en haar weelderige bos krullen. 'Meneer Richardson?' vroeg ze zonder op te kijken van haar snijplank.

'Noem me toch Paul,' zei hij.

'Paul,' herhaalde ze.

Hij genoot van de manier waarop ze zijn naam zei. 'Ja?'

'Waarom zit je me zo aan te gapen?'

Paul schrok, voelde zich op slag schuldig, en zei het eerste wat hem te binnen schoot. 'Ik vroeg me af wat je daar aan het snijden bent.'

'Je bedoelt dit?' vroeg ze, en keek hem geamuseerd aan.

Hij had inmiddels allang gezien dat het knoflook was, maar besloot te doen alsof hij het niet wist. 'Ja,' zei hij. 'Wat is dat?'

'Dollekervel,' zei ze met een glimlach.

'O, gelukkig,' haastte hij zich te zeggen. 'Ik was al bang dat het knoflook was.'

Haar lachje klonk hem als muziek in de oren, en toen ze uitgelachen was, keken ze elkaar glimlachend aan. 'Je hebt een prachtige lach,' zei hij zacht, nadat ze weer verder was gegaan met snijden.

Ze keek hem vanonder haar wimpers even aan, en zei: 'Een leuk complimentje aan iemand die voorkomt in het zwartboek van de FBI.'

Pauls gezicht verstrakte meteen. 'Heb je iets van Benedict gehoord? Ben je daarom gistermiddag opeens hiernaartoe gegaan, zonder mij daar iets van te zeggen?'

Ze liet haar ogen rollen en lachte. 'Wat een fantasie!'

'Verdorie!' Hij stond op en deed een stap in haar richting, toen hij zich opeens realiseerde waar hij mee bezig was. 'Speel geen spelletjes met me, Julie. Wanneer ik je een vraag stel, dan wil ik daar duidelijk antwoord op hebben.' Hij keek over haar schouder naar Katherine. 'Zou jij ons misschien even alleen willen laten?' vroeg hij snauwerig.

'Nee,' reageerde Katherine zonder aarzelen, en voegde er op een verontwaardigd toontje aan toe: 'Geloof je echt dat Julie die man bij zijn ontsnapping geholpen heeft?'

'Nee, dat niet,' antwoordde Paul, 'maar ik geloof wel dat ze ertoe in staat is om Benedict te beschermen.'

'Je kunt haar niet arresteren voor iets wat ze nog niet heeft gedaan,' merkte Katherine logisch op.

'Ik ben helemaal niet van plan om haar te arresteren. Sterker nog, ik heb verschrikkelijk mijn best gedaan om te voorkomen dat iemand anders dat doet.'

'Meen je dat?' vroeg Julie verrast en verbaasd tegelijk.

Nadat ze hem even glimlachend had aangekeken, wendde ze zich tot Katherine, en zei: 'We doen er geen dollekervel in!'

Paul moest lachen. Hij genoot met volle teugen van het ontbijt, en hij wist ook wel waar dat aan lag. Hij had inmiddels ondervonden dat als Julie Mathison eenmaal besloten had dat ze iemand aardig vond, ze zich dan ook met hart en ziel aan die ander gaf. Vanaf het moment waarop hij haar had verteld dat hij zijn best had gedaan om haar arrestatie te voorkomen, was haar gedrag naar hem toe volkomen veranderd. Ze was aardig tegen hem, glimlachte, en maakte grapjes wanneer hij zich als een FBI-agent gedroeg. Daar zat hij aan te denken, toen het tot hem doordrong dat ze zijn advies vroeg.

'Gisteren,' zei ze, terwijl ze de koekepan afdroogde, 'heb ik met meneer Duncan, het hoofd van de school, gesproken, en hij zei dat ik morgen weer gewoon aan het werk kon, maar alleen als de pers mij ongestoord les laat geven. Volgens Katherine kan ik dat alleen maar bereiken door een persconferentie te geven en te vertellen wat er precies is gebeurd. Wat vind jij?'

'Dat ben ik volledig met haar eens. En als zij het niet al had gezegd, dan zou ik het je vanmorgen zelf hebben voorgesteld.'

Julie, die het een idiote gedachte vond dat ze haar daden zou moeten verdedigen, trok één van de kastdeurtjes met een ruk open en ruimde de koekepan op. 'Jullie hebben er geen idee van hoe absurd ik het vind dat miljoenen mensen die ik helemaal niet ken, recht menen te hebben op een uitleg van iets waar ze helemaal níets mee te maken hebben.'

'Dat kan ik me best voorstellen, maar je kunt uit twee dingen kiezen: nu met de pers praten en zelf bepalen wat je ze wilt vertellen, of ze laten doorgaan met het schrijven van allerlei onzin en voortdurend door hen achtervolgd te worden.'

Julie aarzelde, en toen zuchtte ze. 'Goed, dan doe ik het, maar ik zou nog liever tegenover een vuurpeloton staan.'

'Zal ik met je meegaan?'

'Wil je dat echt voor me doen?'

Of hij dat echt voor haar wilde doen, dacht Paul bitter. Voor haar zou hij niet alleen dát doen, maar zou hij waarschijnlijk ook nog wel een draak verslaan... of een berg verplaatsen. Lieve God... hij zou zelfs een koekepan voor haar afdrogen! 'Aangezien het gedeeltelijk door de aanwezigheid van de FBI hier komt dat de pers je achtervolgt,' zei hij, terwijl hij naar het aanrecht liep en de theedoek oppakte die Katherine had neergelegd toen ze weg was gegaan om de telefoon op te nemen, 'is dat wel het minste wat ik voor je kan doen.'

'Ik-ik weet niet hoe ik je moet bedanken,' zei ze alleen maar, en probeerde niet te zien hoezeer hij haar aan Zack deed denken wanneer hij zo charmant was.

'Wat zou je ervan zeggen om me te bedanken door woensdagavond met me te gaan eten?'

'Woensdag?' riep ze onthutst uit. 'Ben je dan nog steeds hier?'

De draak die hij voor haar had willen verslaan, stak zijn kop op en beet hem in zijn billen, en de berg rees reusachtig en onverplaatsbaar voor hem op. 'Wat klink je enthousiast,' zei hij.

'Zo bedoelde ik het niet,' zei ze, waarbij ze haar hand op zijn mouw legde en hem vol berouw aankeek. 'Echt niet. Het is alleen dat ik-ik het verschrikkelijk vind om bespioneerd en ondervraagd te worden, zelfs door jou.'

'Heb je er wel eens bij stilgestaan dat Benedict zou kunnen besluiten om je hier op te zoeken, of dat je leven wel eens in gevaar zou kunnen zijn?' vroeg hij. Haar eerlijkheid en haar onbewuste gebaar ontroerden hem. 'Benedict is een moordenaar, en volgens je eigen woorden heb je het hem niet meer lastig gemaakt nadat hij geprobeerd had om je leven te redden. Stel dat hij tot het besef komt dat hij je aangename gezelschap mist? Of dat hij zich realiseert dat hij met jou aan zijn zij veel minder te vrezen had? Stel dat hij opeens tot het inzicht komt dat je hem niet trouw meer bent en dat hij besluit om zich net zo op jou te wreken als hij zich op zijn vrouw heeft gedaan?'

'Stel dat die koekepan die je daar aan het afdrogen bent besluit om een spiegel te worden, en aan de muur van de zitkamer gaat hangen?' reageerde ze hoofdschuddend.

Op dat moment wenste Paul vurig dat Benedict zo snel mogelijk iets tegen haar zou ondernemen, zodat hij haar kon redden en tegelijkertijd kon bewijzen dat hij gelijk had gehad. Waaróm, dat kon Paul niet precies zeggen, maar zijn intuïtie zei hem dat Benedict zou komen om haar te halen. Of dat hij zou proberen om contact met haar op te nemen. Helaas was David Ingram het helemaal niet met hem eens. David zei dat Paul dat alleen maar dacht omdat hij zélf zo helemaal hoteldebotel van Julie was, dat hij zich gewoon niet kon voorstellen dat Benedict dat niet ook zou zijn.

'Nou, heb je zin om woensdagavond met me te gaan eten?' vroeg hij, terwijl hij de spatels pakte en die ook afdroogde.

'Dan kan ik niet,'zei Julie. 'Ik geef les op woensdag- en vrijdagavond.'

'En donderdag?'

'Dan graag.' Ze deed haar best om niet te laten blijken hoe erg ze de gedachte vond om nog zo lang onder bewaking van de FBI te moeten staan. 'Zal ik vragen of Katherine ook met ons meegaat?'

'Waarom in vredesnaam?'

'Ik begin steeds meer het gevoel te krijgen,' zei Katherine lachend vanaf de drempel, 'dat mijn gezelschap hier niet op prijs wordt gesteld.'

Bij het horen van haar stem sloot Paul zijn ogen en probeerde snel een excuus te verzinnen voor zijn tactloze opmerking. 'Ik ben echt niet altijd zo bot. Ik weet dat David Ingram ook mee zal willen zodra hij hoort dat jij ook meegaat, Katherine, en ik zit niet echt te wachten op alweer een avondje in zijn gezelschap, en daarom zei ik dat net.' Hij deed zijn ogen open en zag de beide vrouwen lachend naar hem kijken.

'Zullen we hem maar vergeven?' vroeg Katherine.

'Ach, ja,' antwoordde Julie.

Paul mompelde iets van een dankgebedje, toen hij Katherine er op effen toon aan toe hoorde voegen: 'Maar we weten natuurlijk best dat hij liegt.'

Julie keek hem wetend aan. 'Natuurlijk.'

314

'Wat die persconferentie betreft,' zei Katherine, terwijl ze weer ernstig werd en Paul vragend aankeek, 'waar zullen we hem houden, hoe laat wil je hem hebben en wie moeten we ervan in kennis stellen?'
'In welk gebouw hier kunnen de meeste mensen?' vroeg Paul.
'De aula van de middelbare school,' zei Julie.
Na enig overleg besloten ze dat de persconferentie om drie uur zou plaatsvinden. Katherine bood aan om het hoofd van de middelbare school te bellen, en om contact op te nemen met de burgemeester die de pers zou kunnen inlichten en voor de overige organisatorische details zou kunnen zorgen. 'Bel Julie's broer Ted,' voegde Paul eraan toe terwijl hij zijn jasje aantrok. 'Vraag hem of hij de rest van het politiebureau op de hoogte wil brengen, zodat er een paar mannetjes kunnen komen voor het geval ik het niet in mijn eentje voor elkaar krijg om de pers van Julie's lijf te houden.' Tegen Julie zei hij: 'Waarom kleed je je niet gauw aan? Dan breng ik je naar huis en heb je nog tijd genoeg om een paar aantekeningen te maken voordat je je via de pers en de televisie tot de wereld wendt.'
'Het klinkt doodeng, zoals je dat zegt,' merkte Katherine op.
'Het is helemaal niet doodeng,' zei Julie niet alleen tot verbazing van Katherine en Paul, maar ook tot die van haarzelf, 'het is waanzinnig en absurd, maar eng is het niet. Ik weiger om me door hen te laten intimideren.'
Paul glimlachte goedkeurend, maar het enige dat hij zei was: 'Ik laat de auto vast warm worden terwijl jij je aankleedt. Katherine,' voegde hij er grijnzend aan toe, 'dank je voor een heel gezellige ochtend en een voortreffelijk ontbijt. Tot op de persconferentie.'
Toen de voordeur achter hem was dichtgevallen, zei Katherine tegen Julie: 'Voor het geval het je nog niet was opgevallen, die Paul is een heel bijzonder mens. En hij is helemaal weg van je, Julie. Het straalt gewoon van hem af.' Ze gaf haar vriendin een knipoog, en voegde eraan toe: 'En daarbij is hij toevallig ook nog eens lang, donker, knap en uitermate sexy –'
'Hou op,' viel Julie haar in de rede. 'Dat wil ik helemaal niet horen.'
'Waarom niet?'
'Omdat hij me vanaf het allereerste moment al aan Zack doet denken,' zei ze. Ze deed haar schort af en liep de gang in.
'Er zijn anders wel een paar belangrijke verschillen tussen Zack en Paul,' zei Katherine, terwijl ze Julie de trap op volgde. 'Paul Richardson is geen moordenaar, hij is geen ontsnapte gevangene, en in plaats van te proberen je hart te breken, doet hij alles wat in zijn vermogen ligt om je te beschermen en te helpen.'
'Ja, dat weet ik,' verzuchtte Julie. 'Je hebt in ieder opzicht gelijk, behalve wat één ding betreft: Zack is geen moordenaar. En voordat ik hem morgen voorgoed uit mijn hoofd zet, ben ik eerst nog van plan om vandaag iets "via de pers en de televisie" te regelen.'

315

'En dat is?' vroeg Katherine lichtelijk bezorgd.

'Ik ben van plan om iedereen die het maar horen wil, duidelijk te maken dat ik ervan overtuigd ben dat hij niemand heeft vermoord. En misschien maakt mijn persconferentie wel zo'n diepe indruk dat de politie zich, onder druk van de publieke opinie, gedwongen ziet om de zaak weer te openen!'

Katherine was haar de logeerkamer in gevolgd. 'En dat wil je, zelfs nadat hij je misbruikt en gekwetst heeft?'

Julie schonk haar een innemend glimlachje en knikte nadrukkelijk.

Katherine wilde zich omdraaien en weggaan, maar ze bedacht zich en zei met een zucht: 'Als je zo vastbesloten bent om je vandaag tot Zachary Benedicts woordvoerder te maken, dan raad ik je aan om jezelf zo mooi mogelijk te maken. Ik geef toe dat het verschrikkelijk onrechtvaardig is, maar de meeste mensen komen eerder onder de indruk van het uiterlijk van een vrouw, dan door wat ze zegt.'

'Dank je,' zei Julie. Ze was zo overtuigd van wat ze moest doen, dat ze helemaal niet zenuwachtig was en intussen in gedachten de inhoud van haar kast al naliep om te bedenken wat ze aan zou trekken. 'Nog meer goede raad?'

Katherine schudde haar hoofd. 'Je zult het geweldig doen, want je bent oprecht en je houdt van hem, en dat zal in alles wat je zegt naar voren komen. Dat is altijd zo.'

Haar woorden drongen nauwelijks tot Julie door, want ze was al bezig om te bedenken wat de beste manier zou zijn om haar doel te bereiken. Ze besloot haar verhaal zo serieus mogelijk te vertellen, en om de vragen daarna heel ontspannen en glimlachend te beantwoorden.

Glimlachend. Serieus. Ontspannen.

Zack was de acteur, niet zij. Ze had zoiets nog nooit eerder gedaan, maar het moest haar lukken.

Hoofdstuk 49

Matthew Farrell, Zacks voormalige buurman en huwelijksgetuige, zat in één van de vertrekken van zijn penthouse in Chicago, en keek op toen zijn dochtertje, gevolgd door haar moeder, de kamer binnenstormde en op zijn schoot vloog. Met haar zijdezachte blonde haren en blauwe ogen leek Marissa nu al zo sprekend op haar moeder, Meredith, dat Matt grijnzend naar zijn beide meisjes keek. 'Ik dacht dat het tijd was voor je middagslaapje,' zei hij tegen zijn dochter.

Ze keek naar de glanzende folder waarin hij had zitten lezen, en dacht kennelijk dat het één van haar verhaaltjesboeken was. 'Eerst een verhaaltje, pappie. Alsjeblieft.'

Alvorens antwoord te geven, keek hij vragend naar Meredith, die voorzitter was van Bancroft & Company, een grote, door haar voorouders opgerichte keten exclusieve warenhuizen, en ze reageerde met een hulpeloos glimlachje. 'Het is zondag,' zei ze. 'Zondagen zijn bijzonder. Ik denk dat haar dutje nog wel even kan wachten.'

'Mammie zegt dat het mag,' zei hij. Hij trok zijn dochtertje dicht tegen zich aan en probeerde een verhaaltje te verzinnen. Meredith zag de lach in zijn ogen, en ging tegenover hen zitten.

'Er was eens,' begon Matt op ernstige toon, 'een beeldschone prinses die bij Bancroft & Company op de troon zat.'

'Mammie?' kraaide Marissa.

'Mammie,' beaamde hij. 'Maar deze prinses was niet alleen beeldschoon, ze was ook nog eens heel slim. Op een dag,' ging hij even ernstig verder, 'liet ze zich door een boze, bóze bankier overhalen om geld te investeren in een bedrijf dat –'

'Oom Parker?' vroeg Marissa grinnikend.

Meredith deed haar best om niet te lachen om Matts beschrijving van haar voormalige verloofde, en haastte zich te zeggen: 'Pappie maakt maar een grapje. Oom Parker is niet boos.'

'Dit is mijn verhaal,' merkte Matt grijnzend op, en ging verder. 'Nu gebeurde het, dat de echtgenoot van de prinses, die toevallig héél veel af weet van het investeren van geld, de prinses waarschuwde om niet naar de boze bankier te luisteren, maar ze deed het toch. Sterker nog,' voegde hij er met nadruk aan toe, 'de prinses was zó overtuigd van haar gelijk, dat ze met haar man wedde dat de aandelen zouden stijgen, maar dat gebeurde niet. Bij sluiting van de beurs op vrijdagmiddag waren de aandelen twee punten gezakt. En weet jij wat er nu gaat gebeuren, nu de prinses de weddenschap van haar man verloren heeft?'

Ze schudde haar hoofd, en glimlachte omdat hij dat ook deed.

Met een veelzeggende blik op zijn vrouw besloot Matt: 'Ze moet betalen. En dat betekent dat de prinses vandaag een heel, heel lang dutje met haar man moet doen.'

'Moet mammie een middagslaapje doen?' vroeg Marissa triomfantelijk.

'Precies,' zei Matt.

Meredith stond op, pakte Marissa's handje, maar keek Matt glimlachend aan. 'Een verstandige mammie,' zei ze tegen haar dochter, 'sluit alleen maar weddenschappen af die leuk zijn om te verliezen.'

Het gezellige familie-onderonsje werd onderbroken door de komst van Joe O'Hara, de lijfwacht en chauffeur van de Farrells, die zichzelf beschouwde – en ook zo behandeld werd – als een lid van het gezin.

'Matt,' zei hij met een bezorgd gezicht, 'ik heb zojuist op de televisie op mijn kamer gezien, dat Julie Mathison, de vrouw die door Zack was gegijzeld, een persconferentie gaat geven. Nu.'

Meredith had Zachary Benedict nog nooit ontmoet; hij zat al in de gevangenis toen zij en Matt elkaar leerden kennen, maar ze wist dat beide mannen dikke vrienden waren geweest. Bij het zien van het grimmige gezicht van Matt toen hij de televisie aanzette, vroeg ze: 'Joe, zou jij Marissa even in bed willen leggen?'

'Best, hoor. Kom mee, schattebout,' zei hij, waarna het stel – een reus van een vent en een klein meisje dat hem beschouwde als haar persoonlijke teddybeer – de kamer verliet.

Matt, die te gespannen was om te kunnen gaan zitten, stak zijn handen in zijn broekzakken en keek stilzwijgend naar de jonge vrouw die, gekleed in een eenvoudig, hooggesloten witwollen jurkje en met haar lange haren in een vlecht, achter de opgestelde microfoons ging staan. 'De hemel sta hem bij,' zei Matt, en doelde daarmee op Zack. 'Ze ziet eruit als Sneeuwwitje. Als ze straks klaar is met haar verhaal, kan de hele wereld Zacks bloed wel drinken.'

Nadat de burgemeester van Keaton de pers had verzocht om Julie Mathison met respect te behandelen, en Julie was begonnen te vertellen hoe het haar in de handen van haar ontvoerder vergaan was, maakte de rimpel op Matts voorhoofd langzaam maar zeker plaats voor een verbaasde glimlach. In tegenstelling tot wat hij verwacht had, slaagde de vrouw er op de een of andere manier in, de week die ze in Zacks gezelschap had doorgebracht, te beschrijven alsof het een spannend avontuur was geweest, en dat alleen dankzij een man die ze met nadruk omschreef als 'buitengewoon vriendelijk'.

Toen ze vertelde wat er tijdens haar ontsnappingspoging op de parkeerplaats in werkelijkheid was gebeurd, en uitlegde hoe Zack te werk was gegaan om haar te slim af te zijn, deed ze dat op een manier die de zaal met tegenzin maar vol bewondering aan het lachen maakte. En toen ze daarna uit de doeken deed hoe Zack haar, tijdens haar tweede ontsnappingspoging, getracht had uit de ijskoude bergbeek te redden, kwam hij uit haar verhaal naar voren als een held.

Toen ze klaar was met haar relaas, werden meteen de eerste vragen op haar afgevuurd.

'Mevrouw Mathison,' riep een verslaggever van CBS, 'heeft Zachary Benedict u één of meerdere keren met een wapen gedreigd?'

'Ik wist dat hij een revolver had, want ik had het ding met eigen ogen gezien,' antwoordde ze glimlachend. 'En dat was – zeker in het begin – voldoende om mij ervan te overtuigen dat ik het maar beter niet in mijn hoofd zou kunnen halen om ruzie met hem te zoeken of kritiek te hebben op zijn eerste films.'

De zaal schaterde het uit, en er klonken nieuwe vragen. 'Mevrouw Mathison! Als Benedict opnieuw gearresteerd wordt, bent u dan van plan om hem wegens ontvoering aan te klagen?'

318

Ze schonk de vragensteller een plagend glimlachje, en antwoordde: 'Ik geloof niet dat zoiets zin zou hebben. Ik bedoel, er hoeven maar een paar vrouwen in de jury te zitten, en hij wordt meteen vrijgesproken zodra ze horen dat hij voor het eten zorgde en de afwas deed.'

'*Heeft hij u verkracht?*'

Ze rolde met haar ogen alsof ze die vraag niet alleen grappig, maar ook onvoorstelbaar vond. 'Kom, zeg, ik heb u zojuist uitvoerig verteld wat er tijdens die week is gebeurd, en er uitdrukkelijk bij gezegd dat hij zich niet eenmaal aan mij vergrepen heeft. Dat zou ik heus niet hebben gezegd als hij iets dergelijks laags geprobeerd zou hebben.'

'*Heeft hij u verbaal mishandeld?*'

Ze knikte ernstig, maar haar ogen fonkelden van de lach. 'Ja, dat heeft hij inderdaad –'

'*Kunt u dat incident beschrijven?*'

'Natuurlijk,' zei ze. 'Hij was diep beledigd toen hij me op een avond naar mijn favoriete filmsterren vroeg, en ik zijn naam niet noemde.'

Opnieuw klonk er schaterlachen uit de zaal, maar de verslaggever die de vraag had gesteld, scheen niet te begrijpen dat ze alleen maar een grapje had gemaakt. '*En heeft hij u toen bedreigd?*' wilde hij weten. '*Wat heeft hij precies gezegd, en hóe heeft hij het gezegd?*'

'Nou, het was duidelijk aan hem te horen dat hij mijn keuze walgelijk vond, en hij verweet mij een obsessie te hebben voor kleine mannen.'

'*Is er ooit een moment geweest waarop u echt bang voor hem was, mevrouw Mathison?*'

'Tijdens de eerste dag was ik bang voor zijn revólver,' zei ze, en koos haar woorden met zorg. 'Maar toen hij niet op me had geschoten na mijn poging een briefje door te spelen aan de caissière van een drive-in restaurant en ook niet na mijn twee daaropvolgende ontsnappingspogingen, begreep ik dat hij me, ongeacht wat ik zou doen, geen haar zou krenken.'

Keer op keer zag en hoorde Matt hoe ze erin slaagde de felle vragen van de pers te ontzenuwen, en hoe ze er steeds meer in slaagde de stemming ten gunste van Zack te keren.

Nadat de pers haar gedurende ongeveer een half uur belegerd had met vragen, raakte het tempo er een beetje uit. Een verslaggever van CNN riep: '*Mevrouw Mathison, zult u blij zijn wanneer Zachary Benedict opnieuw gearresteerd wordt?*'

Ze keek de man recht aan en zei: 'Hoe kan iemand willen dat een man die onterecht veroordeeld is, opnieuw naar de gevangenis wordt gestuurd? Ik begrijp niet hoe een jury hem ooit schuldig heeft kunnen vinden, maar ik weet wel dat hij evenmin tot een moord in staat is als ik. Was hij dat wel, dan zou ik hier nu niet staan, want zoals ik u zojuist heb verteld, heb ik meerdere malen getracht om zijn ontsnapping te dwarsbomen. En verder zou ik u er nog eens op willen wijzen dat hij, toen we dachten dat we ontdekt waren door een helikopter, in de eerste plaats bezorgd was om míjn veiligheid, en niet om die van hemzelf. Wat ik graag zou willen, is dat er zo snel mogelijk een einde wordt gemaakt aan deze jacht op hem, en dat iemand bereid is om de zaak opnieuw te openen.' Met klem besloot ze: 'En als u verder geen vragen meer heeft, dan zou ik deze persconferentie nu graag besluiten, waarna u allen naar huis terug kunt keren. De burgemeester zei het al: wij, in Keaton, willen graag onze rust weer terug. Op grond daarvan ben ik niet bereid om nog andere interviews te geven of om nog meer vragen te beantwoorden. Wij in Keaton zijn blij met de extra inkomsten die we door uw aanwezigheid hebben gehad, maar als u mocht besluiten om te blijven, dan kan ik u alleen maar zeggen dat het zonde is van uw tijd –'

'*Ik heb nog een laatste vraag!*' riep een journalist van de *Los Angeles Times* luid. '*Bent u verliefd op Zachary Benedict?*'

Ze keek hem aan, trok haar fraaie wenkbrauwen op en antwoordde op minachtende toon: 'Een dergelijke vraag zou ik van de *National Enquirer* verwachten, maar niet van iemand van de *Los Angeles Times*.' Haar poging om die vraag te ontwijken leverde haar een lachsalvo, maar geen succes op, want de journalist van de *Enquirer* riep: '*Vooruit dan maar, mevrouw Mathison, dan zullen wij de vraag maar stellen: Bent u verliefd op Zachary Benedict?*'

Het was het enige moment waarop Matt haar zag aarzelen, en hij had verschrikkelijk met haar te doen toen hij zag hoeveel moeite het haar kostte om te blijven glimlachen en haar gezicht in de plooi te houden, maar het waren die grote, saffierblauwe, expressieve ogen van haar die haar verrieden. En juist op het moment waarop Matt haar het liefste en het aandoenlijkste vond, juist op het moment waarop hij besefte dat de pers haar eindelijk in het nauw had gedreven, veranderde ze van tactiek en liep vrijwillig in de val die ze voor haar hadden opgesteld.

'Het is waarschijnlijk zo,' zei ze, 'dat de meeste vrouwen van dit land zich op een bepaald moment wel eens verbeeld hebben dat ze verliefd waren op Zachary Benedict. Nu ik hem heb leren kennen,' vervolgde ze met onvaste stem, 'kan ik alleen maar zeggen dat mij dat niet in het minst verbaast. Hij –' Ze aarzelde, zocht naar de juiste woorden en zei toen alleen maar: 'Hij is het soort man waar vrouwen gemakkelijk verliefd op worden.'

Zonder verder nog iets te zeggen draaide ze zich om en werd meteen opgevangen door twee mannen die eruitzagen alsof ze van de FBI waren, en nog een aantal mensen van de politie. Ze liepen met haar mee van het podium af en zorgden ervoor dat ze verder niet werd lastig gevallen.

Matt drukte op het knopje van de afstandsbediening en keek van het scherm naar zijn vrouw. 'Wat vond jij?'

'Ik vond haar ongelooflijk,' zei Meredith zacht.

'Maar is ze erin geslaagd je mening over Zack te veranderen? Ik bedoel, ik heb nooit aan zijn onschuld getwijfeld, maar jij kent hem niet, en jouw reactie is waarschijnlijk maatgevend voor de rest van het grote publiek.'

'Ik betwijfel of ik wel zo onbevooroordeeld ben als jij schijnt te denken. Als er iemand is die mensenkennis heeft dan ben jij het wel, en ik weet dat hij volgens jou onschuldig is. En als jij dat gelooft, dan kan ik moeilijk anders dan dat ook geloven.'

'Dank je,' zei hij, en drukte een kus op haar voorhoofd.

'Maar ik wil je wel wat vragen,' zei ze, en Matt voelde wat er zou komen. 'Julie Mathison zei dat Zack haar had meegenomen naar een afgelegen huis ergens in de bergen van Colorado. Was dat ons huis?'

'Dat weet ik niet,' antwoordde hij naar waarheid, en grinnikte toen ze hem ongelovig aankeek. 'Maar ik denk van wel,' voegde hij er omwille van de eerlijkheid aan toe. 'Zack is er al vaker geweest, hoewel hij er tot nu toe altijd rechtstreeks naartoe is gevlogen. Ik heb hem meerdere malen aangeboden om het huis te gebruiken. Hij zal er geen moeite mee hebben gehad om het ook nu te gebruiken, zolang hij mij er maar niet rechtstreeks bij betrok –'

'Maar dat heeft hij wel gedaan!' riep Meredith een tikkeltje wanhopig uit. 'Je –'

'Ik ben niet bij Zacks doen of laten betrokken, niet op een manier die jou of mij in gevaar zou kunnen brengen.' Toen ze nog steeds geen overtuigde indruk maakte, voegde hij eraan toe: 'Toen hij naar de gevangenis ging, heeft Zack mij volmacht gegeven over al zijn bezittingen. Ik heb zijn geld en zijn bezit beheerd, en dat doe ik nog steeds. Dat is niet in strijd met de wet, en de politie is ervan op de hoogte. Tot het moment van zijn ontsnapping uit de gevangenis had ik regelmatig contact met hem.'

'Maar wat nu hij ontsnapt is, Matt?' vroeg ze, en keek hem onderzoekend aan. 'Als hij nu contact met je probeert te zoeken?'

'In dat geval,' zei hij en haalde onverschillig zijn schouders op waardoor ze zich eerder méér, in plaats van minder zorgen ging maken, 'zal ik doen wat van elke goede burger verwacht wordt, en wat Zack ook van mij zou verwachten: ik zou de politie waarschuwen.'

'Hoe snel?'

Hij lachte om haar scherpzinnigheid, sloeg een arm om haar schouders en trok haar mee naar de slaapkamer. 'Snel genoeg om te voorkomen dat ik van medeplichtigheid word beschuldigd,' beloofde hij. Maar ook geen sikkepitje sneller, voegde hij er in gedachten aan toe.

'En wat ons huis betreft? Ga je de politie vertellen dat je vermoedt dat hij in ons huis heeft gezeten?'

Hij dacht even na. 'Dat lijkt me een uitstekend idee! Ze zullen dat opvatten als een extra blijk van mijn onschuld en het zien als een gebaar van goede wil van mijn kant.'

'Een gebaar,' voegde Meredith er wat wrang aan toe, 'dat je vriend op geen enkele manier in gevaar zal kunnen brengen, want volgens die Julie Mathison is hij intussen allang niet meer in Colorado.'

'Wat ben je toch slim, lieveling,' zei hij grijnzend. 'Waarom kruip jij niet vast in bed voor ons middagslaapje, en dan bel ik intussen nog gauw even naar de FBI.'

Ze knikte, maar legde een hand op zijn arm. 'Als ik je zou vragen om absoluut geen contact meer te hebben met Zachary Benedict –' begon ze, maar hij schudde het hoofd en legde haar het zwijgen op.

'Ik doe alles voor je wat je maar wilt, en dat weet je,' zei hij met een stem die schor was van de emotie, 'maar ik verzoek je om dit alsjeblieft niet van mij te verlangen, Meredith. Ik moet met mijn geweten leven, en dat zou ik heel moeilijk vinden als ik Zack moest laten vallen.'

Meredith aarzelde, en verbaasde zich niet voor de eerste keer over de loyaliteit van Matt jegens één enkele man. Matt had honderden kennissen, maar er was niemand bij die hij vertrouwde of zijn vriendschap schonk. Voor zover ze wist was Zachary Benedict de enige die hij ooit als een echte, ware vriend had beschouwd. 'Hij moet wel een opmerkelijk mens zijn, dat je zo veel vertrouwen in hem hebt.'

'Ik weet zeker dat je hem aardig zult vinden,' zei hij, en kietelde haar onder haar kin.

'Hoe kun je daar zo zeker van zijn?' vroeg ze.

'Dat ben ik,' zei hij, 'omdat je mij ook aardig vindt.'

'Wil je daarmee soms zeggen dat jullie op elkaar lijken?'

'Dat vinden een heleboel mensen, en niet alleen in positieve zijn. Maar waar het om gaat, is dat ik de enige ben die Zack heeft. Ik ben de enige die hij vertrouwt. Toen hij gearresteerd werd, lieten al zijn zogenaamde vrienden en fans hem van het ene op het andere moment vallen alsof hij de een of andere besmettelijke ziekte had, en ze likten hun vingers af bij de manier waarop hij van zijn voetstuk stortte. Hoewel er wel een paar mensen zijn geweest die hem tot in de gevangenis trouw zijn gebleven, wilde hij met hen niets meer te maken hebben.'

'Hij zal zich wel hebben geschaamd.'

'Dat weet ik wel zeker.'

'Maar in één opzicht vergis je je,' zei ze zacht. 'Jij bent niet de enige bondgenoot die hij heeft.'

'Wie heeft hij dan nog meer?'

'Julie Mathison. Ze houdt van hem. Denk je dat hij haar vanavond heeft gezien?'

Matt schudde zijn hoofd. 'Dat betwijfel ik. Ik weet niet waar hij is, maar ik neem aan dat hij niet meer in de Verenigde Staten is. Hij zou wel gek zijn om hier te blijven, en Zack is niet gek.'

'Jammer dat hij haar dan niet gezien heeft,' zei Meredith. Hoewel ze voor de veiligheid van haar man vreesde, had ze toch met Zack te doen. 'Misschien heeft hij geluk en weet hij wat ze probeert te bereiken.'

'Zack heeft in zijn persoonlijke leven nooit geluk gehad.'

'Denk je dat hij tijdens die week verliefd op Julie Mathison is geworden?'

'Nee,' zei hij zonder ook maar een spoortje twijfel. 'Behalve dat hij in die tijd gewichtiger dingen aan zijn hoofd moet hebben gehad, is Zack nu eenmaal volkomen immuun voor vrouwen. Hij vindt ze fijn in bed, maar hij heeft geen respect voor ze, hetgeen ook niet verwonderlijk is als je kijkt naar het soort vrouwen dat hij heeft gekend. Allemaal probeerden ze hem te gebruiken om er zelf beter van te worden. Nee, hij houdt niet van vrouwen, maar hij is dol op kinderen. Daarom is hij indertijd ook met Rachel getrouwd. Ze had hem kinderen beloofd, maar het is duidelijk dat ze ook die belofte niet is nagekomen.' Hij schudde zijn hoofd en besloot: 'Zack wordt heus niet verliefd op een knappe jonge schooljuffrouw uit de provincie – niet binnen een week, en niet binnen een aantal maanden.'

Hoofdstuk 50

Tegen het licht van de ondergaande zon liep een lange, eenzame man met een krant en een aantal tijdschriften onder zijn arm, de stoffige weg af van het dorp naar de drukke haven. Hij liep de pier op, langs de vissers die bezig waren hun vangst van die dag te lossen en hun netten te boeten, maar zei niets tegen hen. Nieuwsgierige ogen keken hem na, terwijl hij aan boord ging van zijn grote jacht dat de naam *Julie* droeg. Behalve die naam was er niets opvallends aan het jacht. Vanaf een afstandje onderscheidde het zich niet van de duizenden andere jachten die door de Zuidamerikaanse wateren gleden.

Ook de eigenaar van het jacht was geen opvallende verschijning. In plaats van de short en het T-shirt dat door de meeste kapiteins van dergelijke schepen werd gedragen, kleedde hij zich als een doodgewone visser – een ruimvallend hemd van ruwe, witte katoen, een kakibroek, schoenen met touwen zolen en een donkerblauwe pet. Hij had een baard van vier dagen en zijn huid was zongebruind, maar als iemand beter gekeken zou hebben, zou hij hebben gezien dat zijn huid lang niet zo verweerd was als die van de andere vissers, en dat zijn boot beter was uitgerust voor het afleggen van lange afstanden dan voor het vissen. Maar dit was een drukke eilandhaven, en de *Julie* was niet meer dan één van de duizenden boten die hier aanlegden – boten wier lading niet altijd even zuiver was.

Aan de andere kant van de pier keken twee vissers aan boord van de *Diablo* op toen de eigenaar van de *Julie* aan boord ging. Even later sloeg het aggregaat van de boot aan en ging het licht in de kajuit aan. 'Zonde van de benzine, dat hij dat aggregaat de halve nacht laat draaien,' merkte een van de vissers op. 'Wat doet hij, dat hij stroom nodig heeft?'

'Soms zie ik zijn schaduw wel eens door de gordijnen. Volgens mij zit hij aan tafel te lezen.'

De andere visser wierp een veelzeggende blik op de vijf antennes die op het dak van de kajuit stonden. 'Hij heeft zelfs radar aan boord,' zei hij. 'Maar ik heb hem nog nooit zien vissen en hij zoekt geen charterklanten. Gisteren heb ik hem voor Calvary Island voor anker zien liggen, en hij had zijn hengels niet eens uit.'

De eerste visser maakte een afkeurend geluid. 'Omdat hij geen visser, en ook geen charterkapitein is.'

'Denk je dan dat hij weer zo'n drugskoerier is?'

'Wat anders?' vroeg zijn maat met een ongeïnteresseerd schouderophalen.

Zonder zich ervan bewust te zijn dat er in de haven over zijn aanwezigheid werd gesproken, spreidde Zack de kaarten uit op tafel, bestudeerde ze en stippelde een aantal routes uit die hij de volgende week zou kunnen nemen. Het was drie uur in de nacht toen hij de kaarten ten slotte oprolde, maar hoewel hij uitgeput was, wist hij dat hij niet zou kunnen slapen. Hij had in de afgelopen week nauwelijks een oog dichtgedaan, en dat ondanks het feit dat zijn ontsnapping uit de Verenigde Staten dankzij Enrico Sandini's connecties en een half miljoen dollar van Zacks geld, absoluut probleemloos was verlopen. Volgens afspraak was hij in Colorado, op de open plek tweehonderd meter achter het huis, opgepikt door de kleine, gecharterde helikopter. Zack had zich als skiër vermomd, en was naar een kleine skihut op een uur afstand gevlogen. De piloot had geen vragen gesteld, en had ook niet verbaasd gereageerd op het feit dat Zack op deze manier vervoerd wilde worden, aangezien het steeds vaker voorkwam dat rijke skiërs, die in hun eentje wilden skiën, van dit transportmiddel gebruik maakten.

Op de parkeerplaats van de skihut had een gehuurde auto voor hem klaargestaan, en hij was ermee naar het zuiden, naar een klein vliegveldje gereden, waar, volgens afspraak, een privé-vliegtuigje op hem stond te wachten. In tegenstelling tot de helikopterpiloot, die volkomen onschuldig was geweest, was de piloot van het vliegtuigje dat niet. Het vluchtplan dat hij, telkens wanneer ze geland waren om bij te tanken, indiende, kwam niet overeen met de zuid-zuidooste-lijke route die ze in werkelijkheid volgden.

Kort nadat ze het luchtruim van de Verenigde Staten verlaten hadden was Zack in slaap gevallen, maar vanaf het moment waarop ze hun laatste landing hadden gemaakt tot nu, was het hem niet eenmaal gelukt om langer dan een paar uur achter elkaar te slapen.

Hij stond op, liep naar de kombuis en schonk een cognacje in waarmee hij terugkeerde naar de kleine zitkamer die in zijn 'zeewaardig' huis tevens dienst deed als eetkamer. Hij deed het grote licht uit, maar liet het kleine koperen lampje op het tafeltje naast de bank branden, omdat het de foto van Julie verlichtte die hij uit de voorpagina van een oude krant had gescheurd en in een lijstje had gedaan dat hij van de wand boven een van de kooien had gehaald. Aanvankelijk had hij gedacht hij dat het een oude schoolfoto van haar was, maar nu hij hem wat beter bekeek, zag hij dat hij op een feest of een bruiloft genomen moest zijn. Ze had een parelketting om en droeg een roze jurk met een bescheiden decolleté, maar wat hem het meeste aan de foto beviel, was dat ze haar haren droeg zoals ze ze op hun laatste avond samen had gedragen.

In de wetenschap dat hij zichzelf onnodig verdriet aandeed, maar niet in staat om zich te beheersen, pakte hij de foto op en zette hem op zijn knie. Langzaam liet hij zijn wijsvinger over haar glimlachende lippen gaan, en vroeg zich af of ze, nu ze weer thuis was, weer kon lachen. Hij hoopte bij God dat ze weer gelukkig was, maar terwijl hij naar de foto keek, zag hij haar voor zich zoals ze er op het laatste moment van hun afscheid had uitgezien – dat van intens verdriet vertrokken gezicht nadat hij haar belachelijk had gemaakt omdat ze gezegd had dat ze van hem hield. De herinnering aan dat moment liet hem niet met rust. Het vrat aan hem, en hij maakte zich zorgen over haar. Hij vroeg zich af of ze zwanger was. Hij kwelde zichzelf door zich voortdurend af te vragen of ze een abortus had moeten ondergaan, of dat ze gekozen had voor de schande van het ongehuwde moederschap in een klein stadje.

Er waren zo veel dingen die hij haar wilde vertellen, zo veel dingen die hij haar wilde zeggen. Hij dronk zijn glas leeg en onderdrukte het verlangen om haar nog een brief te schrijven. Hij schreef haar elke dag, ofschoon hij heel goed wist dat hij die brieven nooit zou kunnen versturen. Hij moest ophouden met het schrijven van brieven, nam hij zich voor.

Hij moest ophouden met aan haar te denken, voor hij er nog helemaal gek van zou worden...

Hij moest slapen...

En terwijl hij dat dacht, pakte hij een pen en een blocnote.

Soms vertelde hij haar waar hij was en wat hij deed, soms beschreef hij bepaalde dingen waarvan hij meende dat ze haar zouden interesseren – zoals de eilanden aan de horizon, of de gewoonten van de plaatselijke vissers – tot in het allerkleinste detail, maar vanavond was hij daar niet voor in de stemming. Vanavond zorgden de uitputting en de cognac ervoor dat hij zich meer zorgen maakte dan ooit. Volgens de oude krant die hij die ochtend in het dorp had gekocht, werd vrij algemeen aangenomen dat Julie hem bij zijn ontsnapping geholpen had. Hij bedacht opeens dat ze wel eens een goede advocaat nodig zou kunnen hebben. En dergelijke advocaten waren duur. Dit nieuwe probleem gaf hem nieuwe stof tot nadenken, en hij begon plannen te maken over hoe hij haar zou kunnen helpen.

Het begon al licht te worden toen hij uiteindelijk doodmoe en uitgeput achteroverleunde in zijn stoel. Hij voelde zich kapot en verslagen, omdat hij wist dat hij déze brief wel zou versturen. Hij moest hem aan haar sturen, deels vanwege de oplossingen die hij had bedacht, maar vooral ook omdat hij wilde dat ze zou weten wat hij in werkelijkheid voor haar voelde. Hij was er inmiddels zeker van dat de waarheid haar lang niet zo veel kon schaden als zijn leugen had gedaan. Dit zou het laatste zijn wat ze van hem hoorde, maar zijn afschuwelijke leugen zou er tenminste mee worden rechtgezet.

De eerste zonnestralen kropen door de kieren in de gordijnen van de hut, en hij keek op zijn horloge. De post werd op dit eiland maar één keer per week op maandagochtend gehaald, en dat betekende dat hij geen tijd meer had om zijn onsamenhangende brief nog eens over te schrijven, niet nu hij ook nog een brief aan Matt moest schrijven waarin hij hem uitlegde wat zijn wensen waren.

Hoofdstuk 51

'Dat is Keaton daar beneden, meneer Farrell,' zei de piloot, nadat de sluike LearJet uit de wolken was gegleden en aan het laatste gedeelte van de landing was begonnen. 'Ik vlieg eerst even over de landingsbaan om te kijken of hij er echt wel zo netjes bij ligt als ze me hebben beloofd.'

Matt drukte op het knopje van de intercom. 'Dat is best, Steve,' zei hij afwezig, terwijl hij naar het bezorgde gezicht van zijn vrouw keek. 'Wat is er?' vroeg hij zachtjes aan Meredith. 'Ik dacht dat ik je toch echt wel duidelijk had uitgelegd dat het absoluut niet in strijd is met de wet om een brief aan Julie Mathison te brengen die in eerste instantie aan mij was geadresseerd. De politie weet dat ik Zacks zakelijk gevolmachtigde ben. Ik heb ze de enveloppe waarin hij zijn aanwijzingen had gestuurd, ook al gegeven, opdat ze kunnen proberen na te gaan waar hij vandaan is gekomen. Niet dat ze er veel aan zullen hebben,' voegde hij er grinnikend aan toe. 'Het poststempel is van Dallas, en het is duidelijk dat hij daar iemand heeft zitten die zijn post ontvangt, van een andere enveloppe voorziet, en doorstuurt.'

Meredith probeerde haar bezorgdheid wat beter te onderdrukken, en vroeg: 'Waarom doet hij dat, als hij zo'n onvoorwaardelijk vertrouwen in je stelt?'

'Dat doet hij, opdat ik de enveloppen die ik van hem ontvang zonder gewetensbezwaren aan de politie kan geven, omdat ze op deze manier toch niet kunnen achterhalen waar hij in werkelijkheid zit. Hij beschermt zichzelf, en hij beschermt mij. En op grond daarvan heb ik mij tot nu toe altijd keurig aan de wet kunnen houden.'

Meredith leunde met haar hoofd achterover tegen de rugleuning van de witleren bank die het grootste gedeelte van de cabine van het vliegtuig in beslag nam, en zei half lachend, half zuchtend: 'Nee, dat heb je niet. Je hebt de FBI niet verteld dat die brief aan jou ook een brief aan Julie bevatte, en je hebt ze ook niet verteld dat je die ging bezorgen.'

'De brief voor Julie zit in een dichte, blanco enveloppe,' zei hij. 'Ik heb er geen idee van wat erin zit. Voor hetzelfde geld zitten er recepten in. Ik hoop,' zei hij quasi ontzet, 'dat je niet van mij verwacht dat ik de enveloppe openmaak om te zien wat erin zit. Zoiets is in strijd met de wet. En verder, lieveling, is er helemaal geen wet waarin specifiek geëist wordt dat ik, telkens wanneer Zack mij schrijft of contact met mij opneemt, meteen naar de politie moet hollen om ze dat te vertellen.'

Meredith liet haar hoofd zakken en keek naar de knappe man waar ze als achttienjarige debutante verliefd op was geworden, en die meteen daarna weer uit haar leven was verdwenen. Hij was toen vijfentwintig, en staalwerker geweest. In krap tien jaar was hij erin geslaagd de hoogovens achter zich te laten en zijn eigen financiële imperium op te bouwen. Toen was hij teruggekomen. Ondanks zijn uiterlijk van wereldsheid, dure kleren, jachten en privé-vliegtuigen, was Matt in zijn hart een vechtersbaas uit de achterbuurt gebleven, en dat zou hij ook altijd blijven. En dat was een trek in hem waar ze zielsveel van hield. Ze hield van zijn roekeloosheid, ook al wist ze dat het daardoor kwam dat hij nu weigerde in te zien dat zijn daden wel eens ernstige gevolgen zouden kunnen hebben. Hij was overtuigd van Zachary Benedicts onschuld, en dat rechtvaardigde zijn daden. Punt. En ook al wist ze dat het zinloos en waarschijnlijk volkomen overbodig was, toch had ze erop gestaan om vanmiddag met hem mee te gaan, al was het maar om erop te letten dat hij zijn nek niet al te ver zou uitsteken.

'Waarom lach je?' vroeg hij.

'Omdat ik van je hou,' bekende ze. 'En jij, waarom lach jij?'

'Omdat je van me houdt,' fluisterde hij teder, waarna hij een arm om haar schouders sloeg en een kusje in haar nek drukte. 'En om dit.' Uit zijn borstzakje haalde hij de brief die Zack hem had geschreven. 'Je zei dat het alleen maar een lijst met instructies voor Julie Mathison was. Wat is er zo grappig aan een lijst met instructies?'

'Dát. Een líjst met instructies. Toen Zack naar de gevangenis ging, had hij een gigantisch vermogen dat over de hele wereld geïnvesteerd was. En weet je hoeveel instructies hij mij heeft gegeven toen hij mij opdroeg zijn bezit te beheren?'

'Nee. Hoeveel?'

'Eentje maar,' zei hij grinnikend, en stak zijn wijsvinger op. 'Hij zei: "Zorg ervoor dat ik niet failliet ga." '

Meredith lachte en Matt keek uit het raampje toen de piloot het toestel aan de grond zette. 'Joe staat er met de auto,' zei hij, doelend op hun chauffeur die die ochtend met een gewone vlucht naar Dallas was gereisd, een onopvallende auto had gehuurd en hiernaartoe was gereden om hen af te halen. Matt wilde niet dat iemand iets van zijn komst of vertrek hier zou weten, en dat betekende dat ze vanaf het vliegveld geen taxi konden bellen.

'Problemen, Joe?' vroeg Matt, nadat ze achter in de auto waren gestapt.

'Nee, hoor,' antwoordde hij vrolijk, terwijl hij plankgas gaf en de auto, alsof het een racewagen was, de landingsbaan af reed. 'Ik ben een uur geleden aangekomen, en heb al gekeken waar Julie Mathison woont. Er stond een stel kinderfietsen in de voortuin.'

Meredith pakte Matts arm stevig vast, en lachte met gespeelde wanhoop om Joe's wilde rijstijl. Om aan wat anders te kunnen denken in plaats van aan de gierende banden, besloot ze de draad van hun eerdere gesprek weer op te nemen. 'Wat voor soort instructies heeft Zack je voor Julie Mathison gegeven?'

Matt haalde de lijst weer te voorschijn, vouwde hem open, en zei op droge toon: 'Onder andere, of ik goed naar haar uiterlijk wil kijken om te zien of ze is afgevallen of slecht slaapt.'

'Hoe moet jij dat nu kunnen weten? Je hebt er immers geen idee van hoe ze eruitzag vóórdat ze door hem gegijzeld was.'

'Ik kan alleen maar aannemen dat Zack uiteindelijk bezweken is onder de stress.' Omdat hij niet wilde laten blijken hoe zorgelijk hij die gedachte vond, vervolgde hij vrolijk: 'Het volgende punt op zijn lijst is echt iets voor jou. Ik moet zien te achterhalen of ze zwanger is of niet.'

'Door alleen maar naar haar te kíjken?' riep Meredith uit, toen Joe gas terugnam en een bomenrijke laan in draaide.

'Nee. Ik neem aan dat hij wil dat ik het aan haar vraag, en daarom ben ik ook zo blij dat je vrijwillig aanbood om met mij mee te gaan.

En als ze zegt dat ze niet zwanger is, dan moet ik Zack laten weten of ik haar wel of niet geloof.'

'Als ze niet zo'n zwangerschapstestje heeft gedaan, dan is de kans groot dat ze het zelf nog niet eens weet. Ze is tenslotte nog maar drie weken terug uit Colorado.' Meredith trok haar handschoenen aan op het moment waarop Joe de auto tot stilstand bracht voor een gezellig uitziend huis. In de tuin waren een aantal jongetjes bezig hun fietsen te pakken. 'Hij moet wel erg veel om haar geven, dat hij zich zulke zorgen om haar maakt.'

'Hij voelt zich schuldig,' antwoordde Matt op effen toon, en stapte uit. 'En hij voelt zich verantwoordelijk. Zack is iemand die zwaar aan zijn verantwoordelijkheden tilt.' Toen ze de stoep op liepen, kwamen twee jongetjes in rolstoelen, gillend van de lach de zijdeur uit gereden, op de voet gevolgd door een knappe jonge vrouw. 'Johnny!' riep ze, en rende het kind lachend achterna, 'geef terug!' De jongen die Johnny heette, maakte een handige draai met zijn stoel, zwaaide het schrift dat hij in zijn hand had hoog door de lucht, maar zó dat ze er net niet bij kon. Zijn vriendje in de andere rolstoel had intussen ook een draai gemaakt, en sneed de jonge vrouw de pas af. Matt en Meredith bleven naar het uitgelaten schouwspel staan kijken, en waren er getuige van dat Julie Mathison er niet in slaagde de jongens te slim af te zijn.

'Goed, goed,' riep Julie, die het stel op de stoep nog niet had opgemerkt. Ze zette haar handen in haar zij en verklaarde: 'Jullie hebben gewonnen, monsters! Morgen geen proefwerk. Maar geef me nu mijn schrift weer terug.' Onder het slaken van een triomfantelijke kreet gaf Johnny haar het schrift terug. 'Dank je,' zei Julie, terwijl ze het aanpakte en zijn pet tot over zijn ogen trok. Johnny lachte, en zette zijn pet weer goed. Ze boog zich over de andere lachende jongen heen en ritste zijn jack dicht, waarna ze hem door zijn rode krullen woelde. 'Je begint die manoeuvres om te blokkeren steeds beter onder de knie te krijgen, Tim. Niet vergeten dat we zaterdag een wedstrijd hebben, hoor!'

'Nee, juf.'

Julie draaide zich om en keek de jongens na toen ze de oprit af reden, en dat was het moment waarop ze het goedgeklede stel op de stoep voor haar huis zag staan. Ze kwamen naar haar toe, en Julie sloeg haar armen om zich heen tegen de frisse wind. Ze glimlachte beleefd in afwachting van het moment waarop ze bij haar zouden zijn, en had het gevoel dat ze haar op de een of andere manier vagelijk bekend voorkwamen.

'Mevrouw Mathison,' zei de man, en glimlachte ook. 'Ik ben Matthew Farrell, en dit is mijn vrouw, Meredith.'

Julie bekeek de knappe man en vrouw die voor haar stonden, en haar glimlach werd breder.

'Bent u alleen?' vroeg de man met een blik op het huis.

Julie schrok. 'Bent u van de een of andere krant? Want als dat zo is, dan –'

'Ik ben een vriend van Zack,' viel hij haar kalm in de rede.

Julie's hart sloeg wild tegen haar ribben. 'Komt u binnen, alstublieft,' zei ze snel.

Ze liet ze voorgaan door de achterdeur, en wees ze, door de keuken die vol hing met koperen potten en pannen, de weg naar de zitkamer.

'Wat is het hier gezellig,' zei Meredith Farrell, terwijl ze haar jas uittrok en haar blik over de witte rotan meubels, de blauwe en groene kussentjes en de talloze planten liet gaan.

Julie probeerde te glimlachen terwijl ze Matts jas aannam, en vroeg, omdat ze het niet kon laten: 'Is alles goed met Zack?'

'Voor zover ik weet, ja.'

Ze ontspande zich een beetje, maar vond het moeilijk om een beleefde gastvrouw te zijn wanneer ze alleen maar wilde weten waarom deze mensen waren gekomen. Aan de andere kant wilde ze hun bezoek zo lang mogelijk laten duren omdat Matt Farrell Zacks vriend was en zijn aanwezigheid betekende dat ze een stukje van Zack hier bij zich thuis had. 'Wilt u een glaasje wijn, of heeft u liever koffie?' vroeg ze over haar schouder terwijl ze de jassen in de kast hing en de man en de vrouw op de bank gingen zitten.

'Koffie lijkt me heerlijk,' zei de vrouw, en de man knikte.

Julie had nog nooit zo snel koffie gezet, en toen ze even later met de kopjes de kamer weer in kwam, keken haar gasten haar glimlachend aan alsof ze begrepen hoe ze zich voelde. 'Ik weet niet waarom, maar ik ben verschrikkelijk zenuwachtig,' bekende ze met een onzeker lachje, terwijl ze het blad op tafel zette en haar handen afveegde aan haar dijen. 'Maar ik ben... heel erg blij dat u hier bent. De koffie is nog niet klaar, maar ik haal hem zo.'

'U was anders absoluut niet zenuwachtig,' merkte Matt Farrell bewonderend op, 'toen u die persconferentie gaf, en trachtte de wereld van Zacks onschuld te overtuigen.'

De manier waarop hij haar aankeek, gaf Julie het gevoel alsof ze iets geweldigs en moedigs had gedaan. 'Ik hoop dat al Zacks vrienden er zo over denken.'

'Zack heeft niet veel vrienden meer,' zei hij op effen toon. 'Maar aan de andere kant heeft hij, met zo'n supporter als u, ook niet veel vrienden nodig.'

'Hoe lang kent u hem al?' vroeg Julie, nadat ze op de stoel tegenover de bank was gaan zitten.

'Meredith heeft hem nog nooit ontmoet, maar ik ken hem al acht jaar. We waren buren in Californië, in Carmel. Behalve vrienden, waren we ook zakenpartners. Toen hij naar de gevangenis moest, heeft mij me zijn volmacht gegeven, en ben ik al zijn zakelijke belangen blijven behartigen.'

'Wat geweldig van u, dat u dat op u heeft willen nemen,' zei ze vriendelijk, en Matt ving een eerste glimp op van die zeldzame, onbevooroordeelde warmte die ze ook in Colorado aan Zack moest hebben getoond, toen hij daar zo'n behoefte aan had. 'Hij moet wel erg veel respect voor u hebben en u erg aardig vinden, om zo'n vertrouwen in u te hebben.'

'Dat gevoel is wederzijds,' antwoordde hij een beetje verlegen, en wenste dat er een manier was om dit bezoek wat minder stroef te laten verlopen.

'En daarom bent u helemaal vanuit Californië hiernaartoe gekomen –' begon ze, 'omdat u mij, als Zacks vriend, wilde laten weten dat u het eens bent met wat ik tijdens die persconferentie heb gezegd?'

Matt schudde zijn hoofd, en antwoordde ontwijkend: 'We gaan nu alleen nog maar met de vakanties naar Carmel. We wonen tegenwoordig in Chigaco.'

'Ik denk dat ik liever in Carmel zou wonen, hoewel ik daar nog nooit ben geweest,' zei ze.

'We wonen in Chicago, omdat Meredith president is van Bancroft & Company, dat daar zijn hoofdkwartier heeft.'

'Bancroft!' riep Julie uit, bij het horen van de naam van de keten exclusieve warenhuizen, en ze keek Meredith glimlachend aan. 'Ik ben in uw winkel in Dallas geweest, en heb mijn ogen uitgekeken,' zei ze, maar zei er niet bij dat ze er niets had kunnen kopen omdat alles veel te duur voor haar was geweest. Ze stond op en zei: 'Ik ga de koffie even halen. Ik denk dat hij intussen wel klaar is.'

Toen ze de kamer uit was, legde Meredith een hand op de arm van haar man, en zei zacht: 'Ze heeft al begrepen dat dit niet zomaar een beleefdheidsbezoekje is, en hoe langer je wacht met haar te vertellen waarom we hier zijn, des te zenuwachtiger je haar zult maken.'

'Ik sta niet echt te popelen om haar te confronteren met de reden van ons bezoek,' bekende Matt. 'Ik heb vijftienhonderd kilometer afgelegd omdat Zack dat wilde, en dat alleen maar om haar botweg te vragen of ze zwanger is en haar zijn cheque te geven. Vertel jij me maar eens hoe ik haar op een subtiele manier moet vertellen dat Zack me een cheque van een kwart miljoen dollar heeft gegeven omdat hij bang is dat ze zwanger is, en omdat hij zich daar schuldig over voelt en omdat hij wil dat ze een advocaat betaalt om zich de pers en de politie van het lijf te houden.'

Meredith wilde hem een idee aan de hand doen, maar op dat moment kwam Julie alweer binnen met de koffie, en begon hun kopjes in te schenken.

Matt schraapte zijn keel en begon op botte toon: 'Mevrouw Mathison –'

'Noemt u mij toch Julie,' viel ze hem in de rede.

'Julie,' herhaalde hij met een zuinig glimlachje, 'mijn bezoek heeft niets met die persconferentie te maken. Ik ben hier, omdat Zack me gevraagd heeft of ik je wilde opzoeken.'

Haar gezicht begon te stralen. 'Echt? Echt waar? Heeft hij u ook gezegd waarom?'

'Hij wil weten of je zwanger bent.'

Julie wist dat ze dat niet was, maar ze was zo overdonderd en gegeneerd door deze onverwachte vraag, dat ze haar hoofd begon te schudden, voordat Meredith haar te hulp schoot. 'Matt heeft een brief voor je, waarin alles waarschijnlijk veel beter wordt uitgelegd dan de manier waarop mijn man dat nu doet,' zei ze vriendelijk.

Julie zag hem een enveloppe uit de zak van zijn jasje halen. Met het gevoel alsof de wereld in hoog tempo om haar heen begon te draaien, pakte ze de enveloppe van hem aan, en zei met onvaste stem: 'Heeft u er bezwaar tegen dat ik deze brief nu meteen even lees? Alleen?'

'Helemaal niet. Dan drinken wij ondertussen onze koffie.'

Julie knikte en draaide zich om. Nog voor ze de kamer uit was, had ze de enveloppe al opengescheurd. Ze had naar haar slaapkamer willen gaan, maar omdat de eetkamer dichterbij was, ging ze daar maar heen. Dat haar bezoek haar daar nog gedeeltelijk kon zien, kon haar niet schelen. Ze zette zich schrap voor alweer een minachtende preek van Zack, maar toen ze de brief had opengevouwen en begon te lezen, was de vreugde en blijdschap die ze voelde, voldoende om al haar wonden te helen. De wereld om haar heen hield op te bestaan, en het enige dat nog voor haar leefde, waren de ongelooflijke woorden die ze las, en de onvoorstelbare man die ze had geschreven met de gedachte dat ze ze nooit onder ogen zou krijgen...

Mijn allerliefste Julie, ik weet dat je deze brief nooit zult lezen, maar het helpt mij om je elke dag te schrijven. Op die manier blijf je dicht bij me. God, wat mis ik je. Er gaat geen uur voorbij, of ik moet wel een paar keer aan je denken. Ik wou dat ik je nooit had leren kennen. Nee! Dat meen ik niet. Wat zou mijn leven voor zin hebben zonder al die heerlijke herinneringen aan jou.

Ik vraag me maar steeds af of je gelukkig bent. Ik hoop het toch zo. Ik wil dat je een fantastisch leven hebt. Daarom kon ik je ook niet zeggen wat je horen wilde, toen we nog samen waren. Ik was bang dat je, als ik dat deed, jarenlang op me zou wachten. Ik wist dat je van me wilde horen dat ik van je hou. Dat ik dat niet heb gezegd, was het enige niet-egoïstische ding dat ik in Colorado heb gedaan, en zelfs dáár heb ik nu spijt van.

Ik hou van je, Julie. Jezus, wat hou ik veel van je.

Ik zou mijn hele leven willen offeren om één jaar met jou te kunnen delen. Zes maanden. Drie. Of nog minder.

In de tijd van een paar dagen heb je mijn hart gestolen, lieveling, maar je hebt me er jouw hart voor teruggegeven. Dat weet ik. Ik zag het in je ogen, telkens wanneer je naar mij keek.

Ik betreur die jaren in de gevangenis niet meer, en wind me ook niet meer op over het feit dat ik daar op zo'n onrechtvaardige manier in terecht ben gekomen. Nee, het enige dat ik nu nog betreur, is dat je niet bij me kunt zijn. Je bent jong, en ik weet dat je me gauw zult vergeten en de draad van je eigen leven weer zult oppakken. En ik hoop echt dat je dat zult doen, Julie, dat wil ik.

Wat een grove leugen. Wat ik echt wil, dat is jou weerzien, je in mijn armen houden, met je vrijen en nog eens met je vrijen, net zo lang tot er in je hart geen plaats meer is voor iemand anders. Je wist het niet, maar tot ik jou leerde kennen, was vrijen voor mij gewoon seks, en had het niets te maken met het 'bedrijven van de liefde'.

Soms breekt het koude angstzweet me uit bij de gedachte dat je wel eens zwanger zou kunnen zijn. Ik weet wel dat ik je had moeten zeggen dat je, in dat geval, abortus moest laten plegen, maar ik kon die woorden in Colorado niet over mijn lippen krijgen.
    Wacht, er schiet mij opeens iets te binnen waar ik nog niet eerder aan gedacht had. Ik weet wel dat ik geen enkel recht heb om je te vragen mijn kind te houden, maar er is een oplossing voor, àls je tenminste bereid bent om daaraan mee te werken. Je zou verlof kunnen nemen en weg kunnen gaan – ik zal ervoor zorgen dat je voldoende geld hebt om van te leven. En als de baby dan geboren is, dan zou ik het fijn vinden als je hem naar mijn grootmoeder wilde brengen. Als je zwanger bent en dit voor mij zou willen doen, dan zal ik haar van tevoren schrijven en alles uitleggen. Met al haar tekortkomingen heeft mijn grootmoeder zich nog nooit aan haar plichten onttrokken, en ze zal ervoor zorgen dat ons kind naar behoren wordt opgevoed. Ze beheert een niet onaanzienlijke erfenis van mij, die meer dan voldoende moet zijn om de opvoeding van het kind van te bekostigen.

Je had gelijk toen je zei dat ik mijn familie niet voorgoed de rug had moeten toekeren, en al mijn schepen achter me had moeten verbranden. Ik had, zelfs nadat ik eenmaal van huis was weggegaan, met mijn grootmoeder moeten praten en haar dingen moeten vertellen waardoor ze me uiteindelijk minder gehaat zou hebben. Je had gelijk toen je zei dat ik vroeger van haar hield en bewondering voor haar had. Je had in alle opzichten gelijk, en als ik daar nu nog iets aan zou kunnen veranderen, dan zou ik dat ook zeker doen.

Ik heb besloten om je deze brief toch maar te sturen. Ik kan het beter niet doen, dat weet ik, maar ik kan niet anders. Je moet weten wat je moet doen als blijkt dat je zwanger bent. Ik moet er niet aan denken dat je niet zou weten dat je, naast een abortus, nog een andere keuze hebt.

Er bestaat een kans dat je post in de gaten wordt gehouden, dus ik laat deze brief persoonlijk bij je bezorgen in plaats van hem rechtstreeks naar je toe te sturen. De man die je deze brief komt brengen is een vriend. Hij neemt risico's voor mij, precies zoals jij hebt gedaan. Je kunt Matt net zo vertrouwen als mij. Als je zwanger mocht zijn, vertel het hem dan, zodat hij de boodschap aan mij kan overbrengen. Nog één ding, voordat ik als een haas naar het dorp ga om deze brief op de bus te gooien die maar één keer per week wordt geleegd: ik wil dat je iets van geld hebt om dingen van te kopen die je nodig hebt, of die je graag zou willen hebben. Het geld dat Matt je geeft is van mij, dus het is zinloos om hem te zeggen dat je het niet wilt aannemen. Hij doet alleen maar wat ik hem gevraagd heb, dus maak het hem alsjeblieft niet lastig, lieveling. Zelf heb ik meer dan geld genoeg om in mijn eigen behoeften te voorzien.

Ik wou dat ik tijd had om je een betere brief te schrijven, of dat ik een van de andere brieven bewaard had die ik je heb geschreven zodat ik je die in plaats van deze zou kunnen sturen. Ze waren allemaal veel beter en coherenter dan deze. Dit is de enige brief die je van me krijgt, dus hoop niet op een volgende. Van brieven gaan we alleen maar hopen en dromen, en als ik daar niet mee ophoud, dan word ik nog gek van verlangen naar jou.

Nog even op de valreep – Ik heb in de krant gelezen dat er binnenkort een nieuwe film van Costner uitkomt. Als je het lef hebt om, na het zien ervan, over Kevin te fantaseren, dan blijf ik je de rest van je leven achtervolgen.

Ik hou van je, Julie. Ik hield in Colorado al van je. En ik hou hier van je, waar ik nu ben. Overal. Altijd.

Als Julie niet zo verschrikkelijk had moeten huilen, dan zou ze de brief hebben overgelezen. De velletjes gleden uit haar vingers en dwarrelden op de grond. Ze sloeg haar handen voor haar gezicht, draaide zich naar de muur toe en liet haar tranen de vrije loop. Ze huilde van blijdschap, van bitterzoet verlangen en van pure frustratie; ze huilde om het onrecht dat hem tot een vluchteling had gemaakt, en omdat ze zo stom was geweest om hem in Colorado te verlaten.

In de zitkamer vroeg Meredith zachtjes iets aan Matt, maar haar blik dwaalde van de koffiepot in haar hand af naar de rug van de huilende vrouw in de eetkamer. 'Matt, moet je nu toch eens zien!' zei ze, en stond op. 'Julie –' zei ze zacht toen ze bij de deur van de eetkamer was gekomen. Ze liep naar Julie toe, legde haar handen op de schokkende schouders van de intens verdrietige vrouw, en vroeg fluisterend: 'Kan ik iets voor je doen?'

'Ja!' zei Julie met onvaste stem. 'U kunt die brief lezen en mij zeggen hoe iemand óóit heeft kunnen geloven dat deze man een moord gepleegd kan hebben!'

Meredith aarzelde, en bukte zich toen om de brief op te rapen. Haar man stond in de deuropening, en ze keek hem vragend aan. 'Matt, waarom schenk jij niet even een glaasje voor ons allemaal in van de wijn die Julie ons eerder heeft aangeboden.'

Matt had er een paar minuten voor nodig om de wijn te vinden, te ontdekken waar de kurketrekker lag en de fles open te maken. Hij was net bezig om drie glazen uit de kast te pakken, toen hij zijn vrouw de keuken hoorde binnenkomen. Hij keek over zijn schouder in het voornemen om haar nogmaals te bedanken voor het feit dat ze was meegekomen, maar bij het zien van haar bleke, onthutste gezicht draaide hij zich om en vergat de glazen. 'Wat is er?' vroeg hij bezorgd.

'Zijn brief –' fluisterde ze. De tranen stonden haar in de ogen. 'God! Matt – het is gewoon niet te geloven wat hij schrijft!'

Matt sloeg, onredelijk boos op Zack omdat deze Meredith zo van streek had gemaakt, een arm om de schouders van zijn vrouw, trok haar dicht tegen zich aan, nam de brief van haar over en begon met half vernauwde ogen te lezen. Het duurde niet lang voor zijn ergernis plaats maakte voor schrik, ongeloof en ten slotte verdriet. Hij had de brief net uit, toen Julie in de deuropening verscheen. Meredith hoorde haar, draaide zich naar haar om, en pakte de zakdoek die Matt haar aangaf, terwijl Julie probeerde te glimlachen en haar eigen tranen met haar handen wegveegde.

'Wat een avond,' zei Matt met schorre stem. 'Het... het spijt me, Julie,' besloot hij, omdat hij niet wist wat hij anders moest zeggen. 'Ik weet dat het niet Zacks bedoeling is geweest om je verdrietig te maken.'

Voor de laatste keer ging Julie nog snel even na wat ze, wanneer ze haar overhaast bedachte plan ten uitvoer zou brengen, zou verliezen, maar ze had haar besluit al genomen. Haar best doend om haar stem zo vast mogelijk te laten klinken, zei ze: 'Als Zack weer contact met u opneemt, wilt u hem er dan aan herinneren dat ik als kind door mijn moeder in de steek ben gelaten, en hem zeggen dat ik er niet over denk om mijn kind hetzelfde lot te laten ondergaan.' Met een huilerig glimlachje voegde ze eraan toe: 'Zegt u hem alstublieft, dat als hij echt wil dat ik zijn kind krijg, iets dat ik zèlf ook graag zou willen, dat hij me dan bij zich zal moeten laten komen.'

Haar laatste zin explodeerde als een bom in de kleine ruimte, en in de geschrokken stilte die erop volgde, zag Julie hoe de verbaasde uitdrukking op Matt Farrells gezicht veranderde in uitdrukking van pure bewondering. Wat hij zei was evenwel bedoeld om haar enthousiasme te temperen: 'Ik heb er geen idee van wanneer, en òf Zack nog eens contact met mij zal zoeken.'

Julie's lachje klonk een tikje hysterisch. 'O, ja, dat zal hij zeker doen – en gauw ook!' zei ze vol overtuiging. Ze wist nu dat haar intuïtie ten aanzien van Zack haar niet bedrogen had, en dat ze hem, als ze er maar naar had geluisterd, waarschijnlijk wel zover had kunnen krijgen om haar bij hem te laten blijven. 'Ik weet zeker dat hij zo snel mogelijk contact met u zal zoeken, want hij popelt om te weten wat ik gezegd heb.'

Matt zag in dat ze waarschijnlijk gelijk had, en onderdrukte een grijns. 'Moet ik hem nog iets anders zeggen?'

Julie knikte. 'Ja. Zegt u hem dat hij maximaal... vier weken heeft om me bij zich te laten komen, voordat ik tot andere maatregelen overga. En zegt u hem dat...' Ze aarzelde omdat ze zich schaamde dat ze dit via een derde aan Zack moest zeggen, maar besloot toen dat het niets uitmaakte zolang Zack het maar te horen kreeg. 'Zegt u hem dat ik ook niet zonder hem kan leven. En zegt u hem dat ik, als hij me niet bij zich wil laten komen, al zijn geld zal verspillen aan vijfentwintigduizend videobanden van Kevin Costners nieuwe film en dat ik dan voor de rest van mijn leven over zijn collega zal blijven kwijlen!'

'Volgens mij,' zei Meredith lachend, 'kan hij niet anders dan daar onmiddellijk ja op zeggen.' Tegen Matt voegde ze eraan toe: 'Kun je dat allemaal woordelijk onthouden, of zal ik aantekeningen maken?'

Matt keek zijn vrouw geschrokken aan. Zo vastberaden als ze twee uur geleden nog was geweest om hem buiten Zacks leven te houden, zo vastberaden leek ze nu om hem er nu bij te betrekken. Hij draaide zich om en schonk de wijn in de glazen. 'Dit vraagt om een toost,' kondigde hij aan, en deelde de glazen uit. 'Maar helaas voel ik mijzelf op dit moment nogal sprakeloos.'

'Ik niet,' zei Meredith. Ze hief haar glas, keek Julie aan en zei glimlachend: 'Op elke vrouw die net zo innig van haar man houdt als wij.' Toen keek ze naar Matt en voegde er wat zachter aan toe: 'En op de mannen van wie we houden.'

Julie zag hem teder en trots naar haar glimlachen, en dat was het moment waarop ze haar hart aan het tweetal verloor. Ze waren net zo als Zack en zijzelf, besloot ze; ze hielden van elkaar, waren elkaar door dik en dun trouw en vormden een onverbrekelijke eenheid. 'Blijft u alstublieft eten,' zei ze. 'Als kok stel ik niet veel voor, maar misschien zien we elkaar wel nooit meer, en ik snak ernaar om zo veel mogelijk te horen over... over alles.'

Beiden knikten tegelijk, en Matt zei met een strak gezicht: 'Alles? Nou, in dat geval wil ik wel beginnen met het geven van een gedetailleerde analyse over alle belangrijke financiële markten ter wereld.' Hij lachte om haar vieze gezicht, en zei: 'Of als je dat liever niet wilt horen, dan kunnen we het ook wel over Zack hebben.'

'Wat een enig idee,' zei zijn vrouw plagend. 'Vertel ons maar over de tijd dat jullie buren waren.'

'En dan begin ik ondertussen vast met het eten,' zei Julie, terwijl ze zich afvroeg wat ze zou kunnen maken dat weinig tijd zou kosten.

'Nee,' zei Meredith, 'laten we Joe maar pizza's laten halen.'

'Wie is Joe?' vroeg Julie, terwijl ze al op weg was naar de telefoon om de pizza's te bestellen.

'Officieel is hij onze chauffeur, maar officieus hoort hij bij het gezin.'

Een half uur later zat het drietal gezellig in de zitkamer en deed Matt zijn best om de nieuwsgierigheid van de beide dames te bevredigen met een zwaar gecensureerde versie van zijn en Zacks vrijgezellentijd als buurmannen. Even later ging de bel.

Julie deed de deur open in de verwachting een gedistingeerde, afstandelijke chauffeur in uniform te zullen zien, en ze schrok. Voor haar stond een reus van een man met een angstaanjagend lelijk gezicht, die haar vriendelijk glimlachend aankeek. In zijn uitgestoken handen hield hij de pizzadozen. 'Komt u binnen en eet met ons mee,' zei ze, en trok hem de gang in. 'U had trouwens helemaal niet in de auto hoeven blijven.'

'Dat hebben ze mij geleerd,' zei Joe, maar hij keek naar Matt om te zien of deze het goedvond dat hij binnenkwam. Toen Matt knikte, stapte hij de kamer in en trok zijn jas uit.

'Laten we hier maar eten,' riep Julie vanuit de eetkamer over haar schouder terwijl ze de borden snel op tafel zette. 'Hier is meer ruimte.'

'Ik pak de wijn wel even,' zei Matt, en stond op.

Joe O'Hara slenterde de eetkamer in, stak zijn handen in zijn broekzakken en bekeek de dappere jonge vrouw die het op de televisie voor Zack had opgenomen. Ze leek meer op een knappe studente dan op een schooljuf, vond hij. Hij keek naar haar glanzende, kastanjebruine krullen die ze in haar nek met een lint bij elkaar had gebonden, en naar haar mooie, gladde huid. En ze leek ook in de verste verte niet op die opgeblazen stukken die altijd om Zacks hals hingen, en dat beviel hem. Hij keek Matt, die naast hem stond, vragend aan. Zijn baas begreep onmiddellijk wat hij bedoelde, en knikte. Joe zei hardop: 'Aha, dus u bent Zacks vriendin.'

Julie keek op. 'Dat,' zei ze, 'is wel het mooiste complimentje dat ik ooit heb gekregen.' Tot haar verbazing werd de reus van een man vuurrood. 'Kent u Zack ook?' vroeg ze om hem op zijn gemak te stellen, maar ook omdat ze zo veel mogelijk aan de weet wilde komen.

'Nou en of,' zei hij, terwijl hij en de Farrells aan tafel gingen zitten. 'Ik zou u verhalen over hem kunnen vertellen die niemand kent, zelfs Matt niet.'

'Vertelt u mij er een,' moedigde Julie hem aan.

O'Hara pakte een stuk pizza, dacht even na, en zei toen: 'Ja, ik weet al wat. Op een avond kreeg Matt onverwacht bezoek, en hij stuurde me naar Zacks huis omdat we geen Stoli – wodka – meer hadden.' Hij nam een hapje pizza, en vervolgde: 'Het liep tegen twaalven, en er brandde nog licht, maar toen ik aanbelde, deed er niemand open. Ik hoorde zijn stem en die van vrouwen aan de achterkant van het huis, dus ik ging achterom. Zack stond aan de rand van het zwembad in de smoking die hij naar het een of andere feest had gedragen.'

Julie steunde met haar kin op haar handen en keek hem geboeid aan. 'Wat deed hij?' vroeg ze, toen O'Hara nog een hapje nam.

'Vloeken,' antwoordde Joe prompt.

'Tegen wie?'

'Tegen de drie naakte vrouwen in zijn zwembad. Het waren fans die op de een of andere manier achter zijn adres waren gekomen, en ervan uitgingen dat hij, zodra hij ze naakt in zijn zwembad zou aantreffen, wel iets voor een orgie zou voelen.'

'O'Hara!' riep Matt waarschuwend uit.

'Nee, nee, dit verhaal kan geen kwaad, Matt, echt niet. Julie zal heus niet jaloers worden, of zo. Nee, toch?' vroeg hij onzeker.

Julie lachte en schudde het hoofd. Zack hield van haar, dat wist ze nu. Ze had geen enkele reden om jaloers te zijn. 'Nee, ik word echt niet jaloers.'

'Dat wist ik wel,' zei hij met een voldane grijns. 'Hoe dan ook,' vervolgde hij, 'Zack was ziedend, en ik zal je eens wat vertellen wat je waarschijnlijk nog niet wist: onder dat koele, kalme uiterlijk van hem gaat een temperament schuil waar je geen idee van hebt! Toen de vrouwen zijn bevel om uit het zwembad te komen negeerden, zei hij tegen mij dat ik ze moest opvangen wanneer hij ze eruit gooide, en dat deed hij. Hij liep, met al zijn kleren nog aan, het zwembad in, en voor ik het wist rolde er een poedelnaakt grietje van een jaar of twintig voor mijn voeten. Het volgende moment kwam Zack, met onder elke arm een meisje, het zwembad weer uit.'

Julie deed haar best om haar gezicht in de plooi te houden en geen geschokte indruk te maken. 'En wat hebben jullie toen met ze gedaan?'

'Ik heb gedaan wat Zack me had gevraagd. Hij was zo waanzinnig nijdig, dat híj ze niet eens de gelegenheid wilde geven om zich aan te kleden. We brachten ze, krijsend en al, naar de oprit waar ze hun auto hadden neergezet. Zack propte zijn twee dames achterin, en ik zette die van mij achter het stuur. 'Opgesodemieterd,' riep hij tegen ze, 'en kom vooral nóóit meer terug!''

Julie en Meredith wisselden een goedkeurende blik.

'Dat heb je nog nooit verteld,' zei Matt met een bedenkelijk gezicht.

'Nou, ik heb het wel geprobeerd, maar de vrouw die je die avond op bezoek had, was druk bezig om je uit te kleren te krijgen, dus ik heb de Stoli op de bar gezet en ben naar bed gegaan.'

Julie, die moest lachen, keek strak naar haar bord, terwijl Meredith haar man geamuseerd aankeek. Matt wierp zijn chauffeur een moordlustige blik toe, en Joe stak zijn handen in de lucht en zei op een verdedigend toontje: 'Meredith lacht, Matt. Ze beseft dat je er geen idee van had dat je op dat moment met háár was getrouwd!'

Julie verslikte zich in de wijn.

'Dat mag je wel even nader toelichten,' zei Matt geïrriteerd, 'voordat Julie nog denkt dat Zack zijn toekomst heeft toevertrouwd aan een volslagen imbeciel.'

'Ik dacht dat iedereen het verhaal al kende – de kranten stonden er indertijd bol van,' zei Joe, maar toen Julie hem niet-begrijpend aankeek, zei hij: 'Je moet weten dat Matt en Meredith al getrouwd en ook weer gescheiden waren toen Meredith achttien was. Alleen, niemand wist dat, zelfs ik niet. Toen, twaalf jaar later, ontdekte Meredith dat hun scheiding indertijd was behandeld door een advocaat die helemaal geen advocaat was, en dat ze helemaal niet gescheiden waren. Ze nodigt Matt, die ze al die jaren niet meer gezien had, uit voor de lunch, en vertelt hem wat er aan de hand is. Jezus, was Matt even nijdig! Meredith was al met iemand anders verloofd, en ze moesten met z'n drieën een persconferentie geven waarbij ze de indruk probeerden te wekken dat ze elkaar allemaal even aardig vonden. Matt probeerde nog om het allemaal een komische grap te laten lijken –'

'Ja, ik kén dat verhaal!' riep Julie opeens uit. 'En daarom kwamen jullie me zo bekend voor toen ik jullie vanavond op de stoep zag staan! Ik heb die persconferentie gezíen!' Ze keek van Joe naar Matt Farrell, en voegde eraan toe: 'Ik kan me nog herinneren dat je met Merediths verloofde grapjes over de hele toestand maakte, en dat jullie hele goede vrienden leken. En toen... een paar dagen later, heb je hem – heb je hem in elkaar geslagen! Ja, toch? Er stond een foto van in de krant.'

'Maar nu zijn we echt goed bevriend,' zei Matt, en grinnikte om haar peinzende gezicht.

Het was over tienen toen de Farrells aankondigden dat ze weg moesten. Julie excuseerde zich, en ging naar boven om iets uit haar slaapkamer te halen. Toen ze even later terugkwam met de trui en de broek die ze op de terugreis uit Colorado had gedragen, was Joe al naar buiten gegaan om de auto warm te draaien, en stonden Matt en Meredith bij de voordeur te wachten.

Nadat Meredith tegen Matt had gezegd dat ze Julie nog even onder vier ogen wilde spreken, nam hij afscheid van Julie en zei: 'Ik wacht wel in de auto bij Joe, terwijl jullie afscheid van elkaar nemen.'

Ze ging op haar tenen staan om hem op de wang te kussen, en Matt drukte haar innig tegen zich aan. 'Misschien helpt het je om te weten,' zei hij tegen beter weten in, 'dat mijn bedrijf over een internationaal detectivebureau beschikt, en dat ik iedereen de afgelopen drie weken heb laten kijken naar alle mensen die in Dallas hebben meegewerkt aan Zacks film.'

In plaats van blij te zijn, vroeg Julie: 'Maar waarom heb je dat niet eerder gedaan?' Meteen had ze spijt van wat ze had gezegd, en voegde eraan toe: 'Neem me niet kwalijk. Dat was verschrikkelijk onbeleefd en ondankbaar van mij.'

Matt glimlachte en schudde zijn hoofd. 'Het klonk mij eerder wanhopig en bezorgd in de oren, in plaats van onbeleefd. En het antwoord is dat Zack, voor zijn proces, zelf al een ander, minstens even goed kantoor, op de zaak had gezet, en dat die mensen niets hadden kunnen ontdekken. Daarbij heeft hij me indertijd gezegd dat hij vond dat ik al meer dan genoeg voor hem deed. Aangezien zijn trots toen al aan diggelen lag, besloot ik zijn verzoek te honoreren en hem de boel zelf te laten regelen.'

'En hebben die detectives van jou nog iets nieuws ontdekt?' vroeg Julie ongeduldig.

Na even geaarzeld te hebben, besloot Matt dat het geen kwaad kon om haar te vertellen wat zijn mannetjes gevonden hadden. 'Hun interesse gaat voornamelijk uit naar Tony Austin.'

'Heeft Tony Austin haar vermoord?'

'Dat heb ik niet gezegd,' verklaarde Matt met klem. 'Als daar ook maar enig bewijs voor was, dan stond ik nu niet hier, maar zou ik bezig zijn om mijn verhaal voor de televisie te verkondigen opdat de politie niet anders zou kunnen dan tot actie overgaan.'

'Maar wat ben je dan te weten gekomen?'

'We hebben ontdekt dat Austin naar alle waarschijnlijkheid gelogen heeft tijdens het proces. Hij heeft verklaard dat hij al maandenlang een affaire met Rachel Evans had, en dat ze "waanzinnig verliefd" op elkaar waren. Maar in werkelijkheid had hij ook een verhouding met een andere vrouw.'

'En wie was die vrouw?' vroeg Julie ademloos. 'Misschien heeft zij die echte kogels wel in de revolver gestopt, omdat ze jaloers was op Tony en Rachel.'

'We weten niet wie het was. We weten alleen maar dat een bellboy van het hotel, twee weken voor het proces, 's avonds laat een vrouwenstem in Austins suite heeft gehoord toen hij naar boven was gegaan om een fles champagne te brengen. Diezelfde bellboy had kort tevoren het avondeten naar Zacks suite gebracht, en Rachel had de deur opengedaan, dus de vrouw in Austins suite kon Rachel niet zijn geweest. Maar volgens mij heeft geen enkele vrouw die kogels verwisseld, maar heeft Austin dat gedaan.'

'Hoe kom je daar zo bij?'

'Waarschijnlijk omdat Zack altijd heeft volgehouden dat Austin er iets mee te maken had, en dat gevoel kennelijk besmettelijk is,' gaf Matt met een zucht toe. 'Waar het om gaat, is dat Rachel zichzelf en Austin niet in stijl kon hebben laten voortleven, als ze zelf niet bleef werken én daarbij een flinke bom duiten van Zack kreeg. Daar stond tegenover dat Rachel nooit echt goed bij het publiek had gelegen totdat Zack haar regisseerde, en dat iedereen op zijn vingers kon nagaan dat haar populariteit razend snel zou dalen nu bekend was geworden dat ze haar man bedroog.

Nu we weten dat Austin naast een affaire met Rachel, ook nog een relatie had met iemand anders, blijft er weinig over van zijn uitspraak dat ze waanzinnig verliefd op elkaar waren. Daarmee blijft eigenlijk alleen maar de mogelijkheid over dat hij vanwege haar centen in haar geïnteresseerd was, en dat hij besloten had om haar van kant te maken toen ze haar financiële toekomst verpest had nadat Zack hen samen in hun suite had betrapt. Aan de andere kant is het ook heel best mogelijk dat hij helemaal nooit van plan is geweest om met haar te trouwen, en dat hij haar vermoord heeft omdat ze hem onder druk zette. Wie zal het zeggen. Daarbij was Austin de enige die tijdens de opname van die scène de revolver heeft vastgehouden. Zelfs al zou Zack het script niet veranderd hebben, dan nog was Austin sterk genoeg om ervoor te zorgen dat de loop van het wapen tijdens het eerste schot niet op hém, maar op Rachel zou zijn gericht.'

Julie huiverde. 'Weet Zack dit?'

'Ja.'

'En wat zei hij ervan? Ik bedoel, was hij blij of opgewonden?'

'Blij?' herhaalde Matt met een bitter lachje. 'Als jij veroordeeld zou zijn voor een misdaad die door iemand anders was gepleegd en je daar niets aan had kunnen veranderen, zou jij dan blij zijn wanneer je te horen kreeg dat iemand die je verschrikkelijk haat waarschijnlijk degene is die al je ellende veroorzaakt heeft? En daarnaast is er nog een complicatie,' vervolgde hij. 'We hebben ook nog bepaalde dingen ontdekt over andere mensen die in Dallas op de set waren, en op grond van die informatie zouden zíj evengoed de dader kunnen zijn als Austin.'

'Wat voor soort informatie?'

'Om te beginnen schijnt Diana Copeland jaren tevoren een affaire met Austin te hebben gehad. Die relatie was voorbij, maar Diana was nog steeds jaloers genoeg op Rachel om, na afloop van het proces, tegen iedereen te zeggen die het maar horen wilde, dat ze blij was dat Rachel dood was. Misschien was ze wel jaloers genoeg om de moord gepleegd te kunnen hebben. En dan hebben we nog Emily McDaniels, die tot een jaar na de moord allerlei medicijnen heeft moeten slikken. Dat lijkt ons een nogal overdreven reactie voor iemand die alleen maar een onschuldige toeschouwer is geweest. Tommy Newton, de regie-assistent van de film, is ook tot geruime tijd na de moord uit de roulatie geweest, hoewel, van hem is het geen geheim dat hij verliefd was op Austin. En dat is het dan,' besloot hij grimmig, 'nieuw bewijsmateriaal dat op een heleboel mogelijke moordenaars wijst, en juist daarom volkomen onbruikbaar is.'

'O, maar dat hoeft het helemaal niet te zijn. Ik bedoel, waarom dwingen we de politie, of de officier van justitie, of wie daar dan ook de aangewezen instantie voor mag zijn, niet om het nieuwe bewijsmateriaal uit te zoeken?'

'De wettige overheid,' zei Matt, 'heeft besloten dat Zack de dader is. Het spijt me voor je, maar zij zijn echt wel de láátsten die bereid zijn om de zaak te heropenen en om voor gek te komen staan wanneer blijkt dat ze zich vergist hebben. Als we onweerlegbaar bewijs zouden kunnen vinden dat Austin of iemand anders Rachel heeft vermoord, dan zou ik daarmee naar Zacks advocaten en de media gaan, en níet naar de politie die alles toch maar in de doofpot zou laten verdwijnen. Het probleem is alleen dat het er niet inzit dat we nog meer zullen ontdekken. We hebben al alles gedaan wat we konden om te ontdekken wie die andere vrouw op Austins kamer was. Austin ontkent dat er een andere vrouw is geweest. Hij zegt dat de bellboy zich heeft vergist, en dat de stem die hij heeft gehoord, van de televisie afkomstig moet zijn geweest.' Wat zachter vervolgde hij: 'En dat begrijpt Zack. Hij weet dat er een kans van negenennegentig procent bestaat dat Austin de moordenaar is, en hij weet ook dat de politie daar niets aan zal doen, tenzij hij of ik hun dat voor de volle honderd procent kan bewijzen, en ik vrees dat dat onmogelijk is. Het is belangrijk dat je dat begrijpt, Julie. Ik heb je alleen maar verteld wat we ontdekt hebben, omdat je besloten hebt om naar hem toe te gaan, en ik dacht dat het je zou kunnen helpen voor het geval je ooit aan zijn onschuld zou twijfelen.'

Julie weigerde zijn fatalistische logica te accepteren. 'Ik zal altijd blijven hopen. Ik blijf net zo lang bidden en God lastig vallen, totdat jullie het bewijs hebben gevonden dat jullie nodig hebben.'

Ze keek hem aan alsof ze bereid was het in haar eentje tegen de hele wereld op te nemen, en in een opwelling trok Matt haar voor een korte omhelzing tegen zich aan. 'Met jou heeft Zack eindelijk geluk gevonden,' zei hij teder. 'En bidden kan geen kwaad,' voegde hij eraan toe, terwijl hij haar losliet. 'We kunnen alle hulp gebruiken.' Uit zijn zak haalde hij een visitekaartje en een pen. Achterop schreef hij twee telefoonnummers en een adres. 'Dit zijn onze privénummers in Chicago en in Carmel. Als je ons op geen van beide nummers kunt bereiken, dan bel je mijn secretaresse op het nummer dat voorop staat, en ik zal haar zeggen dat ze je moet vertellen waar we zijn en hoe je ons kunt bereiken. Het adres achterop is dat van ons huis in Chicago. En Zack heeft me gevraagd om je deze cheque te geven.'

Julie schudde haar hoofd. 'Hij heeft me geschreven waar die cheque voor is bedoeld. Ik heb hem niet nodig.'

'Het spijt me,' zei Matt warm, 'dat ik verder niets voor je kan doen. Het spijt me echt voor jou en voor Zack.'

Opnieuw schudde Julie het hoofd. 'Je was fantastisch, en ik ben je dankbaar voor alles wat je me hebt verteld.'

Toen hij weg was gegaan om buiten bij Joe in de auto te wachten, hield Julie Meredith de kleren voor die ze uit haar slaapkamer had gehaald. 'Het is me opgevallen dat Matt ongeveer even lang en breed is als Zack, en ik ben ongeveer vijf centimeter kleiner dan jij. Op grond daarvan, en op grond van nog enkele andere dingen die jullie mij vanavond hebben verteld, heb ik zo het gevoel dat deze kleren je wel eens bekend zouden kunnen voorkomen.' Toen Meredith knikte, gaf Julie ze aan haar. 'Ik heb ze voor mijn thuisreis moeten lenen, maar ik heb ze laten stomen. Ik had ze naar het huis willen sturen, maar kon het adres nergens vinden.'

'Hou ze maar,' zei Meredith zacht. 'Als herinnering.'

Julie drukte ze onbewust tegen haar borst. 'Dank je.'

Meredith, die bij het zien van het gebaar een brok in haar keel had gekregen, slikte, en zei: 'Net als jij geloof ik dat Zack zo snel mogelijk weer contact op zal nemen met Matt, maar weet je echt heel zeker dat je dit wilt doen? Er is vast wel de een of andere wet die je overtreedt, en dan wordt er naar jullie alle twee gezocht. Als jullie geluk hebben, dan kunnen jullie voor de rest van je leven ondergedoken blijven.'

'Laat mij je nu eens iets vragen,' zei Julie, en keek Meredith daarbij doordringend aan. 'Als het Matt was geweest die daar ergens in zijn eentje zat en van je hield, als het Matt was geweest die je die brief had geschreven die je vanavond gelezen hebt, wat zou jij dan doen?'

Meredith haalde haperend adem. 'Dan zou ik het eerste vliegtuig, de eerste trein, boot, auto of bus nemen en naar hem toe gaan,' bekende ze. Ze omhelsde Julie en fluisterde: 'En dan zou ik zelfs nog liegen ook en hem zeggen dat ik zwanger was, om te voorkomen dat hij nee zou zeggen.'

Julie schrok en verstijfde. 'Hoe kom je erbij dat ik niet zwanger zou zijn?'

'De manier waarop je keek toen Matt je dat vroeg, plus het feit dat je je hoofd schudde.'

'Je zegt het toch niet aan Matt, hè?'

'Ik kan het hem niet vertellen,' verzuchtte ze. 'Ik heb nog nooit iets voor Matt verborgen gehouden of verzwegen, maar als ik hem dit vertel, dan zal hij het aan Zack vertellen. Dat zal hij doen om jullie beiden te beschermen, want ook al weet hij het goed te verbergen, hij is doodsbang voor wat je van plan bent en voor wat de gevolgen ervan kunnen zijn. En dat ben ik ook.'

'Maar waarom help je me dan?'

'Omdat,' zei Meredith eerlijk, 'ik ervan overtuigd ben dat jullie zonder elkaar ook niet kunnen leven. En omdat,' voegde ze er nu echt lachend aan toe, 'ik denk dat je hetzelfde voor mij zou doen als de zaken omgekeerd waren geweest.'

Julie zwaaide ze vanaf de veranda na, en ging toen weer naar binnen waar ze Zacks brief pakte. Ze ging zitten, en las de hartverwarmende woorden nog eens door.

Toen ze niet veel later naar bed ging, nam ze de brief mee en las hem nog eens door. 'Bel me, lieveling,' beval ze hem in haar hart, 'en laat deze lijdensweg snel afgelopen zijn. Bel me gauw, lieveling.'

In het huis ernaast waren ook de dames Eldridge nog laat op. 'Hij zei dat we hem moesten bellen,' zei Ada Eldridge tegen haar protesterende tweelingzus. 'Meneer Richardson heeft gezegd dat we hem in Dallas moesten bellen, en dat het niet uitmaakte hoe laat het was. We moesten direct bellen wanneer we onbekenden in de buurt van Julie Mathisons huis zagen, of iets ongewoons opmerkten. Dus geef me dat kentekennummer nou maar van die auto die daar de hele avond voor de deur heeft gestaan, zodat ik hem dat kan doorgeven.'

'O, Ada,' wierp Flossie tegen, terwijl ze het papiertje waar ze het nummer op had geschreven achter haar rug hield. 'Ik ben het er helemaal niet mee eens dat we Julie moeten bespioneren. Zelfs niet voor de FBI.'

'We bespioneren haar helemaal niet!' zei Ada, waarna ze om Flossie heen liep en het papiertje uit haar hand trok. 'We helpen hem alleen maar om Julie te beschermen tegen dat – dat heidense monster dat haar ontvoerd heeft. Hij, en zijn walgelijke films!' voegde ze eraan toe, terwijl ze de telefoon pakte.

'Ze zijn niet walgelijk! Het zijn goede films, en volgens mij is Zachary Benedict onschuldig. En dat denkt Julie ook. Dat heeft ze me vorige week nog verteld, en ze heeft het ook op de televisie gezegd. En ze heeft ook verteld dat hij haar geen haar heeft gekrenkt, dus ik kan me niet voorstellen dat hij dat nu opeens zou willen doen. Volgens mij,' zei Flossie, 'is Julie verliefd op hem.'

'Nou, als dat zo is,' verklaarde Ada op een afwijzend toontje, 'dan is ze net zo'n romantische dwaas als jij, en dan zal ze wegkwijnen voor die nietsnut van een filmster, net zoals jij je hele leven lang naar die waardeloze Herman Henkleman hebt lopen smachten die nog geen uur van je tijd waard is, of was!'

Hoofdstuk 52

Het telefoontje waar Julie op had gehoopt, kwam vier dagen later op de plek waar ze het het minst had verwacht. 'O, Julie,' zei de secretaresse van het hoofd van de school, toen Julie het kantoortje binnenliep om aan het einde van de schooldag haar absentielijst in te leveren. 'Er heeft vanmiddag een zekere meneer Stanhope voor je gebeld.' Het duurde een fractie van een seconde voor de naam haar iets zei, en ze verstijfde.

'Wat zei hij?' vroeg ze ademloos.

'Iets over dat hij zijn gehandicapte zoontje wilde inschrijven voor je sportlessen. Ik heb hem maar meteen gezegd dat die groep vol zit.'

'Waarom heb je hem dat in vredesnaam gezegd?'

'Omdat ik meneer Duncan iets heb horen zeggen van dat we veel te vol zitten. Hoe dan ook, meneer Stanhope zei dat het een dringend geval was en dat hij je vanavond om zeven uur zou terugbellen. Daarop heb ik gezegd dat hij dat niet hoefde te doen, omdat er zo laat geen leraren meer op school zijn.'

Julie begreep vrijwel onmiddellijk dat Zack haar niet thuis wilde bellen voor het geval haar telefoon afgetapt zou zijn, dat hij haar, toen hij de eerste keer hier gebeld had, niet had kunnen bereiken en dat hij het misschien wel geen tweede keer zou proberen. Ze kon niet anders dan haar teleurstelling afreageren op de luie, nieuwsgierige secretaresse van het hoofd. 'Als hij zei dat het dringend was,' snauwde ze, 'waarom heb je me dan niet uit de klas laten halen?'

'Onderwijzers worden niet geacht persoonlijke telefoongesprekken te hebben onder lestijd. Dat heeft meneer Duncan bepaald, en daar is hij heel duidelijk in.'

'Het was geen persoonlijk gesprek,' zei Julie, en drukte haar nagels in de binnenkant van haar handen. 'Heeft hij gezegd of hij me vanavond hier, of thuis zou bellen?'

'Nee.'

Om kwart voor zeven zat Julie eenzaam in het kantoortje van de school, en keek strak naar de telefoon op het bureau. Wanneer er een gesprek binnenkwam, dan zou een van de lampjes gaan branden. Ze kon zich vergissen, en het was mogelijk dat Zack haar vanavond thuis zou bellen in plaats van hier. Ze was doodsbang dat hij zou denken dat ze zich bedacht had en niet meer naar hem toe wilde gaan en dat hij, in dat geval, niet meer terug zou bellen. De donkere gangen achter de glazen wandjes maakten een griezelige indruk, en toen de conciërge zijn hoofd om het hoekje van de deur stak, schrok ze. 'Je werkt vanavond wel heel erg lang door,' zei Henry Ruehart grijnzend.

'Ja,' zei Julie, terwijl ze snel een opengeslagen schrift voor zich trok en een pen pakte. 'Ik moet nog een paar... speciale verslagen schrijven. Soms is het gemakkelijker om hier na te denken dan thuis.'

'Nou, veel zitten schrijven heb je anders niet. Volgens mij zit je alleen maar een beetje voor je uit te staren,' zei hij. 'Ik dacht dat je misschien op een telefoontje zat te wachten, of zo.'

'Nee, helemaal niet –'

Juist op dat moment begon te telefoon bij haar elleboog schril te rinkelen. Ze griste de hoorn van de haak, en drukte op het oplichtende knopje. 'Hallo?'

'Hé, zus,' zei Carl. 'Ik heb je, ik weet niet hoe vaak thuis gebeld, en toen ik je niet kon bereiken, besloot ik het maar eens op school te proberen. Heb je al gegeten?'

Julie kamde met haar vingers door haar haren, en probeerde zich te herinneren of Zack een ingesprekstoon zou krijgen, of dat de lijnen automatisch werden doorgeschakeld. 'Ik heb nog een heleboel werk liggen,' zei ze, met een geïrriteerde blik op Henry, die besloten had om binnen te komen om de prullenbakken te legen, in plaats van de gangen te vegen. 'Ik moet een paar verslagen schrijven, en ik schiet niet erg op.'

'Is alles goed?' drong hij aan. 'Ik zag Katherine vanmiddag in het dorp, en ze vertelde me dat je besloten had om deze week elke avond alleen thuis te blijven.'

'Ja, hoor, alles is geweldig. Fantastisch! Ik stort mezelf in het werk, precies zoals je mij had aangeraden, weet je nog?'

'Nee, dat kan ik mij niet herinneren.'

'Nou, dan zal het wel iemand anders zijn geweest. Ik dacht dat jij het had gezegd. Lief dat je gebeld hebt. Dág,' besloot ze, en hing op. 'Henry,' riep ze uit, 'kun je niet wachten met hier schoon te maken? Je leidt me af met dat gedoe en die herrie die je maakt,' voegde ze er ietwat overdreven aan toe.

Zijn gezicht betrok. 'Neem me niet kwalijk. Dan ga ik maar verder met het vegen van de gangen. Is dat wel goed?'

'Ja, dat is best. Het spijt me, Henry. Ik ben een beetje... moe,' besloot ze met een veel te stralende glimlach die een allesbehalve slaperige indruk maakte. Ze keek hem na totdat hij de gang in was geschuifeld, en hij het licht daar had aangedaan. Ze moest rustig zien te blijven, hield ze zich met klem voor, en vooral geen dingen doen of zeggen die ze anders niet zou doen of zeggen, en die achterdocht zouden kunnen wekken.

Om klokslag zeven uur ging de telefoon opnieuw, en weer griste ze hem van de haak.

Zacks stem klonk nog dieper door de telefoon, maar de klank van zijn stem was kil en kortaf. 'Ben je alleen, Julie?'

'Ja.'

'Hoe kom je op dit waanzinnige idee dat je bij me wilt komen? Is er een manier om je op andere gedachten te brengen?'

Het was niet wat ze had willen horen, het was niet de manier waarop ze wilde dat hij tegen haar zou spreken, maar ze concentreerde zich op de inhoud van zijn brief en weigerde zich door zijn ijzige houding te laten intimideren.

'Ja, die is er. Je hoeft alleen maar te zeggen dat alles wat er in je brief staat gelogen is.'

'Best,' zei hij. 'Het was één grote leugen.'

Julie greep de hoorn van de telefoon stevig beet en sloot haar ogen. 'En zeg me nu dan ook dat je niet van me houdt, lieveling.'

Ze hoorde hem haperend ademhalen, en zijn stem kreeg iets smekends. 'Verlang dat niet van me, alsjeblieft.'

'Ik hou zo verschrikkelijk veel van je,' fluisterde Julie vurig.

'Doe me dit niet aan, Julie –'

Haar greep op de telefoon verslapte en ze glimlachte omdat ze opeens voelde dat ze zou gaan winnen. 'Ik kan er niets aan doen,' zei ze. 'Ik kan er niets aan doen dat ik zo veel van je hou.'

'Jezus, dat is niet –'

'Bidden kun je straks nog genoeg, als je mijn eten niet door je keel kunt krijgen, of wanneer ik je 's nachts geen oog laat dichtdoen, en wanneer ik het ene na het andere kind ter wereld breng...'

'O, Julie... niet doen.'

'Wat moet ik niet doen?'

Hij haalde lang en haperend adem, en het duurde zo lang voor hij weer iets zei, dat Julie al bang was dat hij niets zou zeggen. Toen antwoordde hij ten slotte: 'Ophouden met van mij te houden.'

'Dat wil ik je beloven tegenover een priester, een dominee of desnoods een boeddhistische monnik.'

Hij lachte met tegenzin, en de herinnering aan zijn verblindende lach deed haar hart zingen toen hij zei: 'Hebben we het soms over trouwen?'

'Ik wel.'

'Ik had kunnen weten dat je dat ook zou willen.'

Hij klonk ontstemd, en ofschoon Julie wist dat hij het niet meende, speelde ze het spelletje mee. 'Wil je dan niet met me trouwen?'

Zo vond hij het wel genoeg. 'Ik snak ernaar om met je te trouwen,' zei hij heel ernstig.

'In dat geval kun je me maar beter vertellen hoe ik bij je kan komen en welke maat ring je hebt.'

Weer bleef het even stil, en weer hield Julie haar hart vast voor wat er komen zou. Toen zei hij: 'Goed, dan. Over acht dagen, op dinsdagavond, ben ik op het vliegveld van Mexico City. Dinsdagochtend vroeg pak je de auto, en je rijdt naar Dallas. In Dallas huur je een auto op je eigen naam, en je rijdt naar San Antonio. Maar je levert de auto niet in. Je zet hem op het parkeerterrein van het vliegveld, op het gedeelte voor huurauto's, en daar zullen ze hem uiteindelijk wel vinden. Met een béetje geluk denkt de politie dat je ergens naartoe rijdt om mij te treffen in plaats van dat je het vliegtuig neemt, en zullen ze de bewaking op de vliegvelden niet al te snel verscherpen. Het is naar San Antonio maar een paar uur rijden. Op het vliegveld ga je naar de balie van Aero-Mexico, waar een ticket voor je klaarligt op naam van Susan Arland. Vragen?'

Julie was uitgelaten. Ze begreep ook dat hij van tevoren geweten had dat hun gesprek zo zou eindigen, want anders zou hij het plan nooit zo tot in de details hebben uitgedacht. 'Eén vraag. Waarom moet ik tot dinsdag wachten?'

'Omdat ik eerst nog het een en ander moet regelen.' Dat kon Julie begrijpen, en hij vervolgde: 'Als je dinsdagochtend van huis gaat, neem dan niets mee. Geen koffer, niets. Laat uit niets blijken dat je weggaat. Let erop dat je niet gevolgd wordt. Word je wel gevolgd, doe dan een boodschapje of zo, waarna je weer teruggaat naar huis en opnieuw wacht tot ik iets van me laat horen. Hou tussen vandaag en dinsdag je brievenbus nauwlettend in de gaten. Maak alles open, zelfs reclamepost. Mochten er veranderingen in de plannen zijn, dan zal iemand op die manier, ofwel persoonlijk, contact met je opnemen. Ik kan je thuis niet opbellen, omdat ik zeker weet dat je telefoon wordt afgetapt.'

'En wie neemt er dan contact met mij op?'

'Daar heb ik op dit moment nog geen flauw idee van, maar mocht er iemand komen, vraag hem dan niet om zijn identificatie.'

'Goed,' zei Julie, nadat ze ook de laatste instructies had opgeschreven. 'Ik geloof niet dat ik nog in de gaten word gehouden. Paul Richardson en David Ingram – de twee FBI-agenten die hier waren – hebben het opgegeven en zijn vorige week weer teruggegaan naar Dallas.'

'Hoe voel je je?'

'Geweldig.'

'En je hebt geen last van misselijkheid, of zo?'

Even sprak het stemmetje van haar geweten, maar ze negeerde het. 'Ik ben een supergezonde vrouw. Volgens mij is mijn lichaam voor het moederschap geschapen. Maar waar het zeker voor geschapen is, dat is voor jou.'

Ze hoorde hem slikken. 'Ja, ja, plaag me maar. Maar je zult ervoor boeten.'

'Beloof je me dat?'

Hij lachte, een schorre lach die haar vanbinnen een warm gevoel bezorgde, en zei: 'Ik mis je. God, wat mis ik je.' En alsof hij bang was dat ze zich te veel zouden laten gaan, voegde hij eraan toe: 'Je begrijpt toch wel dat je geen afscheid van je familie zult kunnen nemen, hè? Je kunt een brief voor ze achterlaten of zo, maar dan wel op een plek waar ze hem de eerste dagen na je vertrek niet zullen vinden. En daarna zul je ook nooit meer contact met hen kunnen opnemen.'

Ze kneep haar ogen stijf dicht. 'Ja, dat weet ik.'

'En, ben je daartoe bereid?'

'Ja.'

'Dit is wel de meest waardeloze manier om samen aan een nieuw leven te beginnen,' zei hij. 'Ik kan me bijna niet voorstellen dat het allemaal goed zal gaan.'

'Wil je dat alsjeblieft níet zeggen?' zei Julie met klem, en ze onderdrukte een huivering. 'Ik zal hen in mijn afscheidsbrief alles uitleggen, en ze zullen het begrijpen.' Om het over iets anders te hebben, vroeg ze: 'Wat doe je op dit moment? Sta je of zit je?'

'Ik ben in een hotelkamer, en zit op het bed met jou te praten.'

'Blijf je in dat hotel?'

'Nee. Ik heb alleen maar een kamer genomen om jou ongestoord te kunnen bellen, en om een behoorlijke verbinding met de Verenigde Staten te kunnen krijgen.'

'Als ik straks naar bed ga, dan wil ik in gedachten kunnen zien wat jij ziet wanneer je in bed ligt. Geef me een beschrijving van je slaapkamer, en dan vertel ik jou hoe de mijne eruitziet.'

'Julie,' zei hij met schorre stem, 'mijn seksuele frustratie is zonder dat soort dingen al erg genoeg.'

Het was niet het antwoord dat ze verwacht had, maar ze vond het fijn om te horen. 'En ik maak het er nog erger op?'

'Ja, dat weet je best.'

'Alleen door het met je over slaapkamers te hebben?'

'Door het waar dan ook over te hebben.'

Ze moest lachen, even spontaan als ze van begin af aan met hem had gedaan.

'Welke maat?' vroeg hij half lachend.

'Je bedoelt, hoe groot mijn slaapkamer is?'

'Je ringvinger.'

Ze haalde haperend adem. 'Vijf en een half, geloof ik. En die van jou?'

'Ik weet niet. Groot, neem ik aan.'

'En welke kleur?'

'Je ringvinger?'

'Nee,' zei ze, en deed haar best om haar lachen de baas te blijven. 'Je sláápkamer!'

'Leuk, hoor,' zei hij, maar werd toen ernstig. 'Ik slaap momenteel op een boot. De wanden zijn van teakhout, er staan een koperen lamp en een kleine commode in. En aan de muur hangt een foto van jou die ik uit een krant heb geknipt.'

'Zie je die foto, wanneer je in slaap valt?'

'Ik slaap niet, Julie. Ik denk alleen maar aan jou. Hou je van boten?'

Julie probeerde alles wat hij zei in haar geheugen te prenten, en haalde nogmaals diep adem. 'Ik ben dol op boten.'

'En hoe ziet jouw slaapkamer eruit?'

'Met veel kantjes en ruches en zo. Ik heb een hemelbed, waarop een sprei met kantjes ligt. En op mijn nachtkastje staat een foto van jou.'

'Hoe kom je daaraan?'

'Uit een oud tijdschrift in de bibliotheek.'

'Heb je een tijdschrift uit de bibliotheek gegapt om mijn foto eruit te kunnen knippen?' vroeg hij, en deed zijn best om geschokt te klinken.

'Helemaal niet. Hoe kom je erbij om te denken dat ik zoiets slechts zou doen? Nee, ik heb gezegd dat ik hem zwaar beschadigd had en dat hij niet meer hersteld zou kunnen worden, en daarna heb ik keurig de boete betaald. Zack –' zei ze, en probeerde niet paniekerig te klinken, 'de conciërge hangt vlak bij mijn kantoortje rond. Ik denk niet dat hij me kan verstaan, maar zo rondhangen, dat doet hij anders nooit.'

'Ik hang op, maar daarna blijf jij gewoon doorpraten. Probeer hem te misleiden met het een of andere onschuldige gesprek, als je kunt.'

'Goed. Wacht, hij gaat al weg. Hij zal wel iets nodig hebben gehad van zijn karretje.'

'Toch lijkt het me beter om op te hangen. Als je nog iets moet doen of regelen voor je vertrek, doe dat dan de volgende week.'

Ze knikte. De gedachte dat ze op zou moeten hangen, maakte haar zo verdrietig dat ze even niets kon zeggen.

'Er is nog één ding dat ik je moet zeggen,' voegde hij er zachtjes aan toe.

'En dat is?'

'Van wat er in die brief staat, meen ik ieder woord.'

'Dat wist ik al.' Ze voelde dat hij wilde ophangen, en zei vlug: 'Voor je ophangt, wat vind je van wat Matt over Tony Austin heeft ontdekt? Ook al denkt Matt niet dat we er iets mee kunnen doen, lijkt me dat er toch –'

'Hou je daarbuiten,' waarschuwde Zack haar, en zijn stem had een ijzige klank gekregen. 'En laat Austin aan mij over. Er zijn andere manieren om hem aan te pakken, zonder Matt erbij te betrekken.'

'Wat voor soort manieren?'

'Stel geen vragen. Mocht je problemen hebben bij de dingen die ik voor je regel, neem dan vooral geen contact op met Matt. Wat we doen is in strijd met de wet, en ik wil hem er niet nog verder bij betrekken.'

Julie onderdrukte een huivering in reactie op zijn onheilspellende toon. 'Zeg nog iets liefs voordat je ophangt.'

'Iets liefs,' herhaalde hij, wat vriendelijker nu. 'Zoals?'

Ze voelde zich een beetje gekwetst omdat hij niets scheen te kunnen bedenken, maar toen zei hij: 'Over precies drie uur ga ik naar bed. Zorg ervoor dat je bij me bent. En als je je ogen sluit, dan zul je mijn armen om je heen kunnen voelen.'

'Dat lijkt me heerlijk,' fluisterde ze.

'Sinds we uit elkaar zijn gegaan, heb ik je elke avond in mijn armen gehouden. Welterusten, lieveling.'

'Welterusten.'

Hij hing op, en op het nippertje herinnerde Julie zich wat hij had gezegd over het voortzetten van het gesprek. In plaats van te doen alsof, wat volgens haar toch niet overtuigend zou overkomen, belde ze Katherine en slaagde erin om het gedurende een half uur met haar over koetjes en kalfjes te hebben. Ze hing op, scheurde de bladzijde met Zacks instructies uit het schrift, en herinnerde zich toen ooit eens in een film op te televisie gezien te hebben dat de politie de doordruk op de bladzijde eronder als bewijsmateriaal had gebruikt. Ze pakte het schrift, en stopte dat ook in haar tas.

'Welterusten, Henry,' riep ze vrolijk.

'Welterusten, Julie,' zei hij, en schuifelde de gang af.

Julie verliet het schoolgebouw via de zijdeur. Henry verliet het gebouw drie uur later – nadat hij naar een telefoonnummer in Dallas had gebeld – via dezelfde deur.

Hoofdstuk 53

Julie gooide een weekendtas achter in haar auto, keek op haar horloge om zich ervan te overtuigen dat ze ruimschoots op tijd was voor haar vlucht van die middag, en ging het huis weer in. Terwijl ze bezig was haar ontbijtboel in de vaatwasmachine te stoppen, ging de telefoon en ze nam op. 'Dag, schoonheid.' De klank van Paul Richardsons stem klonk zowel warm als kortaf; een vreemde combinatie, vond Julie. 'Ik weet dat het kort dag is, maar ik zou het heerlijk vinden om je van het weekend te zien. Ik kom naar je toe, en dan gaan we morgenavond uit eten, wat vind je daarvan? Of beter nog, jij stapt op het vliegtuig hiernaartoe, en dan kook ik. Ja?'

'Dat zal niet gaan, Paul. Ik vertrek over een half uurtje naar het vliegveld.'

'Waar ga je naartoe?'

'Is dat een officiële vraag?' vroeg Julie. Ze klemde de telefoon tussen haar kin en haar schouder, en spoelde een glas om.

'Als het dat was, zou ik het je dan persoonlijk vragen?'

Haar intuïtie zei haar dat Paul te vertrouwen was, en dat hij het echt goed met haar meende, maar aan de andere kant was ze na Zacks opmerkingen ook achterdochtig geworden. Het leek haar hoe dan ook beter om, totdat ze uiteindelijk uit Keaton zou vertrekken, zo veel mogelijk open kaart te spelen. 'Dat weet ik niet,' bekende ze.

'Julie, wat moet ik doen opdat je me zult vertrouwen?'

'Een ander baantje zoeken?'

'Er moet toch een eenvoudiger manier zijn.'

'Ik heb nog een aantal dingen te doen voor mijn vertrek. Waarom hebben we het hier niet over als ik terug ben?'

'Van waar, en wanneer?'

'Ik ga op bezoek bij een grootmoeder van een kennis van me, ergens in een gehucht in Pennsylvania – in Ridgemont, om precies te zijn. Morgenavond ben ik weer thuis.'

Hij zuchtte. 'Goed, dan. Dan bel ik je volgende week, en dan spreken we iets af, ja?'

'Mmm, best,' zei ze afwezig, en goot ondertussen wat afwasmiddel in de vaatwasmachine.

Paul Richardson hing op, en draaide meteen een ander nummer. Terwijl hij zat te wachten tot er werd opgenomen, trommelde hij ongeduldig met zijn vingers op zijn bureau. Even later hoorde hij een vrouwenstem zeggen: 'Meneer Richardson, Julie Mathison heeft gereserveerd voor een vlucht van Dallas naar Philadelphia, en daar stapt ze over op een andere vlucht naar Ridgemont, Pennsylvania. Is dat voldoende informatie?'

'Ja,' antwoordde hij met een zucht van opluchting. Hij stond op, liep naar het raam en keek naar het verkeer op straat.

'Nou?' vroeg David Ingram, nadat hij van het aangrenzende vertrek was binnengekomen. 'Wat had ze te vertellen over de tas die ze achter in haar auto heeft gezet?'

'De waarheid, verdomme! Ze heeft me de waarheid verteld omdat ze niets te verbergen heeft.'

'Onzin. Je vergeet voor het gemak maar even dat ze die avond op school op dat gesprek uit Zuid-Amerika heeft zitten wachten.'

Paul draaide zich met een ruk om. 'Uit Zuid-Amerika? Hebben ze het gesprek kunnen nagaan?'

'Ja. Ze hebben me zojuist gebeld. Ze is gebeld vanuit een hotel in Santa Lucia Del Mar.'

'Benedict!' riep Paul uit, en zijn gezicht verstrakte. 'Onder welke naam heeft hij zich ingeschreven?'

352

'José Feliciano,' zei Ingram. 'Waar haalt hij het gore lef vandaan om zich onder zo'n naam in te schrijven?'

Paul keek hem ongelovig aan. 'Heeft hij een paspoort met die naam?'

'De receptioniste heeft hem niet naar zijn paspoort gevraagd. Ze zag hem niet aan voor een buitenlander. En waarom zou ze ook? Hij is donker, had een Spaanse naam en hij spreekt Spaans – heel nuttig voor iemand die in Californië woont. Tussen twee haakjes, hij heeft intussen een baard.'

'En ik neem aan dat hij alweer weg is uit dat hotel?'

'Natuurlijk. Hij heeft vooruit voor één nacht betaald, en was de volgende ochtend verdwenen. Het bed was niet beslapen.'

'Misschien gaat hij daar nog wel eens heen om te bellen. Laat het hotel in de gaten houden.'

'Daar is voor gezorgd.'

Paul liep terug naar zijn bureau en ging weer zitten.

'Ze heeft tien minuten met hem gesproken,' vertelde Ingram. 'Dat is lang genoeg om plannen te maken.'

'En dat is ook lang genoeg om iemand te troosten met wie ze te doen heeft, en om zichzelf ervan te verzekeren dat het goed met hem gaat. Ze heeft een hart van goud, en ze is ervan overtuigd dat de schoft een slachtoffer is van de omstandigheden. Dat moet je niet vergeten. Als ze met hem mee had willen gaan, dan zou ze samen met hem uit Colorado zijn vertrokken.'

'Misschien wilde hij haar niet meenemen.'

'Ja, hoor,' zei Paul op een sarcastisch toontje. 'Maar nu, nadat hij haar een paar weken niet heeft gezien, is hij ineens zo gek op haar dat hij uit zijn schuilplaats te voorschijn komt en haar gaat halen.'

'Verdomme,' snauwde Ingram, 'dat zou jíj doen. De baas boven begint al aardig genoeg te krijgen van de manier waarop je het steeds maar weer voor dat mens opneemt, en nog steeds blijf je partij voor haar trekken. Van alles wat ze over Colorado verteld heeft, is meer dan twee derde gelogen. We hadden haar gewoon moeten arresteren...'

Het kostte Paul moeite om zich voor te houden dat Ingram zijn vriend was, en dat zijn woede alleen maar voortkwam uit bezorgdheid om hem. 'We hadden geen enkel bewijs, en er bestond geen enkele aanleiding om haar te verdenken,' bracht hij Ingram kortaf in herinnering.

'Maar dat is er nu, na dat telefoontje van Benedict, wel!'

'Als je gelijk hebt, dan moet het via haar een koud kunstje zijn om Benedict op te sporen. Heb je geen gelijk, dan is er nog steeds niets aan de hand.'

'Ik heb zojuist opdracht gegeven om haar dag en nacht in de gaten te houden, Paul.'

Paul klemde zijn kiezen op elkaar, slikte een zinloos en oneerlijk protest in en snauwde: 'Zou ik je er misschien even aan mogen herinneren dat ík nog steeds de leiding heb over deze zaak? Als je weer iets van plan mocht zijn, zou je dan van tevoren eerst even met mij willen overleggen, ja?'

'Ja, baas!' snauwde David even nijdig terug. 'En heb je verder nog iets kunnen achterhalen over die auto die vorige week voor haar huis stond?'

Paul schoof een rapport over het bureau naar hem toe, en zei: 'Hij was bij Hertz in Dallas gehuurd door een zekere Joseph A. O'Hara. Een adres in Chigaco. Geen strafblad. Is als chauffeur/lijfwacht in dienst bij de Collier Trust.'

'Is dat een bank?'

'Er is een Collier Bank and Trust in Houston met overal in het land filialen.'

'Toen je haar zojuist belde, heb je haar toen naar haar bezoek uit Chicago gevraagd?'

'Zodat ze erachter komt dat we haar in de gaten houden, en je mij weer van vriendjespolitiek kunt beschuldigen?'

Ingram slaakte een diepe zucht en gooide het rapport van O'Hara weer terug op Pauls bureau. 'Het spijt me, Paul. Ik zou het alleen zo verschrikkelijk zonde vinden als je carrière ten koste zou gaan van het een of andere grietje met grote blauwe ogen en fantastische benen.'

Paul leunde achterover in zijn stoel en keek David grimmig grijnzend aan. 'Je zult haar ooit nog eens op je blote knieën om vergeving moeten smeken, want anders laten we je geen peetvader zijn van ons eerste kind.'

Ingram zuchtte, en zei: 'Ik hoop echt dat die dag ooit nog eens zal komen, Paul. Echt, dat zweer ik je.'

'Mooi. En kijk dan in het vervolg niet meer naar haar benen.'

Julie was klaar met het opruimen van de auto. Ze haalde haar jas uit de kast en stond op het punt om aan haar reisje naar Pennsylvania te beginnen, toen er op haar voordeur werd geklopt. Met haar jas over haar arm geslagen, deed ze open, en trok een verbaasd gezicht toen ze Ted en Katherine samen op de stoep zag staan. 'Dát is lang geleden,' zei ze met een opgetogen glimlach. 'Hoe lang hebben jullie al niet meer samen bij iemand op de stoep gestaan?'

'Ik hoor van Katherine dat je naar Pennsylvania wilt in verband met het een of andere goodwill-reisje voor die Zack Benedict. Zou je me misschien even willen vertellen wat dat te betekenen heeft, Julie?' vroeg hij streng, terwijl hij, op de voet gevolgd door een schuldig kijkende Katherine, het huis in liep.

Julie schoof haar jas opzij, en keek op haar horloge. 'Ik heb op de kop af vijf minuten om het uit te leggen, hoewel ik dacht dat ik het gisteravond al allemaal aan Katherine had verteld.' Normaal gesproken zou Julie het niet hebben kunnen verdragen wanneer ze zich met haar leven bemoeiden, maar de wetenschap dat ze hen binnenkort nooit meer zou zien, stemde haar een heel stuk milder. 'Ofschoon ik het heerlijk vind om jullie twee weer samen te zien, zou ik toch liever hebben gewild dat jullie er een andere reden voor hadden gehad.'

'Het is mijn schuld,' haastte Katherine zich te zeggen. 'Ik kwam Ted vanmorgen tegen bij het winkelen, en hij vroeg hoe het met je was. Je had me er niet bij gezegd dat je reisje geheim was...' besloot ze.

'Het is ook niet geheim.'

'In dat geval kun je me maar beter uitleggen waaróm je gaat,' drong Ted aan. Zijn gezicht was een masker van bezorgdheid en frustratie.

Julie deed de deur achter hen dicht, streek haar zware pony van haar voorhoofd en probeerde te bedenken wat ze hun kon vertellen. Ze moest het zo zien te brengen dat het hen zou helpen om alles achteraf beter te kunnen begrijpen en haar te kunnen vergeven. Ze keek van Katherine's bezorgde gezicht naar dat van Ted, en vroeg: 'Geloven jullie in het gezegde dat alles zo gaat als het begonnen is?' Toen Ted en Katherine haar nietszeggend aankeken, vervolgde ze: 'Geloven jullie in het idee dat als iets slecht begint, en ook slecht moet aflopen?'

'Ja,' zei Katherine, 'ik geloof van wel.'

'Ik niet,' verklaarde Ted kortaf, en Julie vermoedde dat hij aan zijn huwelijk met Katherine dacht. 'Er zijn dingen die schitterend beginnen en waardeloos eindigen.'

'Aangezien jullie besloten hebben om je met mijn leven te bemoeien,' zei Julie half lachend, 'vind ik dat ik het recht heb om jullie erop te wijzen dat, als jullie aan je eigen huwelijk denken, het kernprobleem is dat het nooit is opgehouden. Katherine weet dat, ook al weiger jij het in te zien, Ted. En dan rest mij nu nog één minuut om jullie vraag naar mijn reisje te beantwoorden. Zack is opgevoed door zijn grootmoeder, en hij is op een hele nare manier bij haar weggegaan. Sindsdien is er in zijn persoonlijk leven van alles misgegaan. Op dit moment verkeert hij in gevaar en is hij alleen, maar hij staat aan het begin van een hele nieuwe fase in zijn leven. Ik wens hem in die nieuwe fase alleen maar geluk en vrede toe, en ik heb het gevoel – noem het bijgeloof, als je wilt – dat hij daar een betere kans op maakt wanneer ik de schepen probeer te herstellen die hij lange tijd geleden achter zich verbrand heeft.' In de niet-begrijpende stilte die volgde, zag ze hen beiden naar een reactie zoeken en daar niet in slagen. Ze liep terug naar de deur, en voegde eraan toe: 'Willen jullie dat goed onthouden, alsjeblieft?' en deed haar best om vooral niet emotioneel te klinken. 'Om gelukkig te kunnen zijn, is het heel belangrijk om te weten dat je familie het beste voor je wil... ook al doe je de dingen dan niet zoals zij het graag hadden gezien. Wanneer je door je eigen familie wordt gehaat, is dat bijna zoiets als een vloek.'

Toen de deur achter haar was dichtgevallen, keek Ted met een geirriteerde blik naar Katherine. 'Wat bedoelde ze daar in vredesnaam mee?'

'Ik vond het anders heel logisch klinken, wat ze zei,' zei Katherine, maar wat ze bedenkelijk had gevonden, was de vreemde, gespannen klank van Julie's stem. 'Mijn vader is enigszins bijgelovig, en ik ook. Maar ik moet je eerlijk bekennen dat ik het woordje "vloek" wel wat erg aan de sterke kant vind.'

'Daar heb ik het niet over. Wat bedoelde ze toen ze zei dat ons huwelijk nog niet is opgehouden en dat jij dat weet?'

In de afgelopen weken had Katherine met bewondering gekeken naar de manier waarop Julie zich opstelde tegenover de FBI, en openlijk verklaard had dat ze in Zack Benedict geloofde, zelfs nadat hij haar liefde had afgewezen en haar in Colorado zo diep had gekwetst. Gedurende diezelfde periode was ze Ted regelmatig tegengekomen wanneer ze Julie hielpen met haar gehandicapte kinderen. Ze had haar ware gevoelens voor hem verborgen weten te houden, en er alleen maar naar gestreefd dat hij zijn vijandige houding ten opzichte van haar te boven zou komen. Aanvankelijk was ze van mening geweest dat ze haar doel het beste zou kunnen bereiken via een zorgvuldig uitgestippeld stappenplan, en dat het onverstandig was om openlijk met haar gevoelens naar buiten te komen. Maar nu ze zo naar hem keek, besefte ze opeens dat ze alleen maar bang was geweest om gekwetst te worden en om al haar illusies in één keer in rook te zien opgaan. Ze wist dat hij regelmatig contact had met een andere vrouw, en dat hij zelfs vaker bij haar was sinds Katherine weer in Keaton was, en ze realiseerde zich dat ze tot dusverre niets anders bij hem had bereikt dan een soort van gewapende vrede. Zijn gevoelens ten opzichte van haar waren niet veranderd, en hij verborg zijn minachting jegens haar achter een façade van beleefdheid.

Ze was bang dat haar tijd op begon te raken, bang dat ze het een volgende keer niet meer zou durven als ze het hem niet nu, op dit moment vertelde, en bang dat ze een verschrikkelijke blunder zou begaan omdat ze zo wanhopig en zenuwachtig was dat ze zeker wist dat ze niet in staat zou zijn om haar gevoelens te doseren.

'Denk je na over een antwoord, of kijk je alleen maar naar de vorm van mijn neus?' vroeg hij op geïrriteerde toon.

Tot haar ontzetting merkte Katherine dat haar knieën begonnen te knikken en dat het klamme angstzweet haar uitsloeg. Toch keek ze hem recht aan en zei dapper: 'Ik denk dat Julie daarmee bedoelde te zeggen dat ons huwelijk niet is opgehouden omdat ik nog steeds van je hou.'

'Waar haalt ze zo'n achterlijk idee vandaan, vraag ik me af.'
'Van mij,' zei Katherine. 'Ik heb haar dat verteld.'
Hij keek haar zo vol minachting aan, dat ze in elkaar kromp. 'Jij hebt tegen haar gezegd dat je nog steeds van mij houdt?'
'Ja. Ik heb haar alles verteld, met inbegrip van wat voor een volkomen waardeloze echtgenote ik ben geweest en hoe – hoe ik ons kind heb verloren.'
Zelfs nu nog, zo veel jaren later, kon Ted niets over die baby horen zonder onmiddellijk weer in woede te ontsteken. Hij moest zich bedwingen om haar niet te slaan, en hij schrok van de heftigheid van zijn eigen emoties. 'Als je ooit weer tegen mij of tegen wie dan ook over die baby begint, dan, echt hoor, dan –'
'Dan wat?' riep Katherine half huilend uit. 'Dan zul je me haten? Je kunt me onmogelijk meer haten dan ik mezelf al haat om wat er is gebeurd. Dan zul je van me scheiden? Dat heb je al gedaan. Dan zul je weigeren te geloven dat het een ongeluk was?' vervolgde ze hysterisch. 'Nou, het wás een ongeluk. Dat paard waar ik op reed kreeg last van zijn been en –'
'Verdomme, hou je mond!' zei Ted, terwijl hij haar hardhandig bij haar armen greep om haar opzij te duwen zodat hij weg kon, maar Katherine negeerde de pijn en drukte zich met haar rug tegen de deur.
'Dat kan ik niet!' riep ze uit. 'Je moet het begrijpen. Ik ben drie jaar bezig geweest om te proberen te vergeten wat ik ons heb aangedaan, drie jaar, waarin ik geprobeerd heb om mijzelf te veranderen, om te worden zoals ik wilde zijn.'
'Zo is het wel genoeg!' Hij probeerde haar weg te rukken, maar ze bleef met haar volle gewicht tegen de deur leunen.
'Wat wil je verdomme van me?' vroeg hij. Als hij haar echt opzij wilde duwen, dan zou hij brute kracht moeten gebruiken.
'Ik wil dat je me gelooft als ik zeg dat het een óngeluk was,' riep ze half huilend.
Ted probeerde zich te verzetten tegen de uitwerking van haar woorden en het effect van haar beeldschone, betraande gezichtje. Dit was de eerste keer dat hij haar zag huilen. Ze was verwend geweest, trots en koppig, maar nog nooit had ze ook maar één traan gelaten. Misschien dat hij haar weerstaan zou kunnen hebben, als ze niet juist uitgerekend op dat moment haar mooie, betraande ogen naar hem had opgeheven en gefluisterd had: 'We hebben alle twee verschrikkelijk veel verdriet gehad van de manier waarop ons huwelijk kapot is gegaan. Toe, hou me even in je armen en laten we er nu een behoorlijk eind aan maken.'
Als vanzelf verslapte hij de greep op haar armen. Ze drukte haar gezicht tegen zijn borst, en plotseling voelde ze zijn armen om zich heen. Het feit dat hij haar huilend in zijn armen hield werd hem bijna

te veel, en het kostte hem moeite om zijn stem effen en emotieloos te laten klinken toen hij zei: 'Het is voorbij, Katherine. Het is uit tussen ons.'

'Laat me dan ten minste zeggen wat ik je zeggen wilde, en waarvoor ik naar Keaton ben gekomen. Ik zou zo graag zien dat we als vrienden uit elkaar gingen, en niet als vijanden.' Zijn hand bleef stil liggen op haar rug en Katherine hield haar adem in. Ze verwachtte min of meer dat hij zou weigeren, maar toen hij niets zei, hief ze haar blik naar hem op en zei: 'Denk je dat je het zou kunnen opbrengen om te geloven dat er ten minste een kans van vijftig procent is dat ik ons kind niet met opzet heb verloren?' Voor hij nee zou kunnen zeggen, haastte ze zich te vervolgen: 'Als je terugdenkt, dan zou je moeten weten dat ik nooit de moed zou hebben gehad om mijn leven voor wat dan ook op het spel te zetten. Ik was zo verschrikkelijk laf, ik was al bang voor bloed, spinnen, slakken –'

Ted was intussen ook een stuk ouder en wijzer geworden, en ineens zag hij in hoe logisch het was wat ze zei. En dat was niet alles. Hij zag aan haar ogen dat ze de waarheid sprak. Stukje bij beetje voelde hij hoe de woede die hij gedurende de afgelopen jaren gekoesterd had, als het ware in het niet oploste, en plaats maakte voor een waanzinnige opluchting. 'Je was zelfs bang voor motten.'

Katherine knikte, en zag hoe de vijandige uitdrukking van zijn gezicht verdween. 'Ik kan je niet zeggen hoe verschrikkelijk het mij spijt dat ik zo stom en roekeloos ben geweest. Ik heb verschrikkelijk veel spijt van de puinhoop die ik van ons huwelijk heb gemaakt, van de manier waarop ik jouw leven tijdens ons huwelijk tot een nachtmerrie heb gemaakt –'

'Nou, zo erg was het nu ook weer niet,' zei hij aarzelend. 'Tenminste, niet de hele tijd.'

'Je hoeft niet te doen alsof. Ik ben intussen volwassen geworden en ik heb geleerd om de waarheid onder ogen te zien. En die waarheid is dat ik als echtgenote absoluut niets voorstelde. Behalve dat ik me gedroeg als een verwend, eigenzinnig en veeleisend kindvrouwtje, was ik als vrouw ook nog eens volkomen waardeloos. Ik kookte niet, ik maakte niet schoon, en als je mij mijn zin niet gaf, dan weigerde ik met je naar bed te gaan. Het heeft me jaren gekost voor ik zover was om dit te durven erkennen. Ons huwelijk heeft niet gefaald, jíj hebt niet gefaald, maar ík heb gefaald.'

Tot zijn verbazing schudde Ted zijn hoofd, en verzuchtte: 'Je was altijd al zo kritisch op jezelf. Dat ben je nog steeds.'

'Ik, kritisch op mijzelf?' herhaalde Katherine met een verstikt lachje. 'Je ziet ze vliegen, of je hebt twee kindvrouwtjes gehad. Ik ben degene die je bijna vergiftigd heeft bij die paar keren dat ik de moeite heb genomen om iets te koken. Ik ben degene die, in de eerste week van ons huwelijk, bij het strijken, drie van je overhemden heb verbrand. Ik ben degene die –'

'Je hebt me alles behalve vergiftigd.'

'Ach, Ted, hou toch op! En hoe ze je op het bureau geplaagd hebben met je nietsnut van een vrouw, ik heb ze toch zelf gehoord!'

'Verdomme, ik slikte aan de lopende band pilletjes tegen brandend maagzuur omdat ik getrouwd was met iemand die ik niet gelukkig kon maken, en daar ging ik aan kapot.'

Katherine had zo lang gewacht met het toegeven van al haar gebreken en hem om vergeving te vragen, dat ze het niet kon hebben dat Ted nu opeens deed alsof er helemaal niets aan de hand was geweest. 'Dat is niet waar, en dat weet je best. Lieve God, je moeder heeft me zelfs nog haar recept voor je lievelingsmaaltje gegeven, en toen ik die goulash gemaakt had, kon je er amper een hap van door je keel krijgen! Ontken het nu maar niet,' voegde ze er meteen aan toe, toen hij zijn hoofd begon te schudden. 'Ik heb gezien dat je die goulash weggooide toen ik de keuken uit ging. Ik kan me zo voorstellen dat je dat met al het eten hebt gedaan dat ik voor je heb gekookt, en ik kan het je niet kwalijk nemen.'

'Verdomme, dat is niet waar! Ik heb altijd alles gegeten wat je voor me op tafel hebt gezet, behalve die goulash. Het spijt me dat je me dat die keer hebt zien weggooien, maar ik kan dat spul gewoon niet door mijn keel krijgen.'

Katherine keek hem woedend aan. 'Ted, je moeder heeft me heel nadrukkelijk gezegd dat het je lievelingseten was.'

'Nee, Cárl is dol op goulash. Dat haalde ze altijd door elkaar.'

Op hetzelfde moment drong het tot hen door hoe absurd hun ruzie eigenlijk was. Katherine begon te giechelen en liet zich terugvallen tegen de deur. 'Waarom heb je me dat toen niet gezegd?'

'Je zou me nooit geloofd hebben,' zei Ted met een wrang glimlachje. Hij zette zijn hand naast haar schouder tegen de deur en probeerde het haar uit te leggen. 'Als beeldschone, intelligente dochter van Dillon Cahill, heb je je op een gegeven moment in je kop gezet dat je alles precies volgens het boekje moest doen en alles beter moest kunnen dan wie dan ook. Wanneer je het niet voor elkaar kreeg om ergens in uit te blinken, werd je zo boos en schaamde je je zo diep, dat er helemaal niet meer met je te praten viel. Voor jou was het leven zoiets als die schilderijtjes waarvan alle kleurvakjes een nummertje hebben zodat je precies weet welke kleur waar moet komen. Alles moest precies volgens voorschrift en in de juiste volgorde worden gedaan, en keurig binnen de lijntjes blijven, want anders deugde het niet. Kathy,' zei hij zacht, en hij streelde afwezig een lok van haar schouder, 'kort nadat we getrouwd waren, wilde je weer gaan studeren. Dat was niet omdat je oppervlakkig of verwend geweest zou zijn, maar alleen omdat je het bespottelijke idee had dat je met de volgorde had geknoeid, door eerst met mij te trouwen en dan pas je opleiding te voltooien. En toen je dat verdomde huis wilde dat je vader voor ons had gebouwd, was dat niet omdat je zo graag het mooiste huis van de stad wilde hebben, maar alleen omdat je oprecht geloofde dat we daar gelukkig zouden kunnen zijn, omdat Katherine Cahill dat nu eenmaal zo zag, en dat voor haar de aangewezen volgorde was.'

Katherine sloot haar ogen, leunde met haar hoofd tegen de deur en slaakte een half gefrustreerde, half geamuseerde zucht. 'Toen ik na onze scheiding weer was gaan studeren, ben ik gedurende een heel jaar één keer per week in therapie geweest om te proberen erachter te komen waarom ik zo'n kneus was.'

'En, wat hebben ze je verteld?'

'Niet half zoveel als jij me nu net hebt verteld. En weet je wat ik daarna heb gedaan?'

Rond zijn mondhoeken speelde een glimlachje en hij schudde zijn hoofd. 'Geen idee.'

'Ik ben naar Parijs gegaan en heb een Cordon Bleu kookcursus gevolgd!'

'En, hoe ging dat?'

'Niet zo erg goed, moet ik eerlijk zeggen.' Ze glimlachte verdrietig. 'Het was voor het eerst van mijn leven dat ik eens níet uitblonk in een cursus die ik wilde doen.'

'En heb je het examen gehaald?'

'Voor rundvlees wel,' zei ze lachend, 'maar voor varkensvlees ben ik gezakt.'

Lange seconden keken ze elkaar, voor het eerst sinds jaren, glimlachend aan. Toen vroeg Katherine zacht: 'Zou je me alsjeblieft willen kussen?'

Hij zette zich af tegen de deur en deed een stapje naar achteren. 'Dat kun je vergeten.'

'Ben je bang?'

'Wil je ophouden, verdomme? Dat je jaren geleden succes hebt gehad met deze verleidingsact, wil nog helemaal niet zeggen dat ik er nu opnieuw in zou trappen.'

Zijn opmerking kwetste haar, maar ze liet het niet merken. Ze sloeg haar armen over elkaar en keek hem glimlachend aan. 'Ik moet zeggen dat je, voor een domineeszoon, wel erg veel vloekt.'

'Dat heb je jaren geleden ook al tegen me gezegd. En tóen heb ik je al gezegd dat ik geen dominee ben, maar dat mijn vader dat is. En verder,' vervolgde hij in een poging om haar nog dieper te kwetsen, 'is het zo dat ik, hoewel ik je indertijd reuzeaantrekkelijk vond, de dames van mijn keuze tegenwoordig liever zelf verleid.'

Katherine liep naar haar jas die ze over een stoel had gegooid, en ze fluisterde: 'O, ja, werkelijk?'

'Ja, werkelijk. En als ik je nu een goede raad zou mogen geven, dan maak je dat je als een haas teruggaat naar Dallas en naar Hayward

Spencer of Spencer Hayward of hoe hij dan ook mag heten, en dat je je door hem laat troosten met een schitterende diamanten ketting die past bij die onvoorstelbaar ordinaire ring die je daar om hebt.'

In plaats van tegen hem tekeer te gaan zoals ze jaren geleden gedaan zou hebben, keek ze hem strak aan en zei: 'Ik heb je goede raad niet meer nodig. En weet je wat zo gek is? Er zijn tegenwoordig een heleboel mensen, met inbegrip van Spencer, die mij om raad vragen.'

'Waarover?' hoonde hij. 'Over het doen van een uitspraak over de nieuwste mode in een modeblad?'

'Zo is het echt wel genoeg!' riep Katherine uit, en ze gooide haar jas weer over de rugleuning van de stoel. 'Je kunt me kwetsen wanneer ik dat verdien, maar ik vertik het om het mikpunt van je seksuele onzekerheden te zijn.'

'Mijn wát?' riep hij uit.

'Je was volkomen ontspannen en aardig, tot op het moment waarop ik je vroeg of je me wilde kussen en je met deze absurde persoonlijke aanval begon. Dus je kunt kiezen, óf je zegt dat het je spijt en je kust me, of je geeft toe dat je bang bent.'

'Het spijt me,' zei hij zo snel en zo volkomen zonder berouw, dat Katherine in de lach schoot.

'Dank je,' zei ze liefjes, en pakte haar jas. 'Je excuses zijn aanvaard.'

In het verleden zou een dergelijke woordenwisseling zijn uitgelopen op een fikse ruzie, en Ted was volkomen overdonderd door haar nieuwe aanpak. Hij zag in dat ze daadwerkelijk veranderd was. 'Katherine,' zei hij kortaf, 'het spijt me echt dat ik die dingen tegen je zei. Ik meen het. Het spijt me.'

Ze knikte, maar keek hem niet aan om te voorkomen dat hij haar gezicht zou kunnen zien. 'Ja, dat weet ik. Waarschijnlijk heb je ook niet begrepen wat voor soort kus ik van je wilde hebben. Ik bedoelde alleen maar een kusje om de vrede tussen ons mee te bezegelen.'

Toen ze hem eindelijk aankeek, had ze kunnen zweren dat hij zijn best deed om niet te lachen, maar tot haar schrik deed hij wat ze van hem gevraagd had. Hij hief haar kin op en fluisterde: 'Goed, dan kun je me kussen, maar doe het snel.' En dat was de reden waarom Katherine moest lachen en zijn mond glimlachte toen hun lippen elkaar voor het eerst in drie jaar weer beroerden. 'Lach niet,' waarschuwde hij haar.'

'Jij ook niet,' reageerde ze, maar intussen was de vonk van hartstocht tussen hen al overgeslagen. Ted bracht zijn handen naar haar middel en trok haar losjes tegen zich aan. Katherine liet zich gewillig tegen hem aan vallen, en het volgende moment nam hij haar helemaal in zijn armen en drukte haar met al zijn kracht dicht tegen zich aan.

Hoofdstuk 54

Julie volgde de aanwijzingen die de man van het autoverhuurbedrijf op het kleine vliegveld van Ridgemont haar had gegeven, en het kostte haar weinig moeite om het huis te vinden waarin Zack was opgegroeid. Toen ze de lange, bochtige oprijlaan op reed, moest ze denken aan wat Zack had verteld over de dag waarop hij zijn huis verlaten had. Hij had zijn autosleuteltjes afgegeven en was de oprit af, naar de doorgaande weg gelopen. Dat moest een lange wandeling zijn geweest, schoot het nu door Julie heen. Ze reed langzaam en keek om zich heen, terwijl ze zich probeerde voor te stellen hoe hij zich die dag gevoeld moest hebben en wat hij had gezien.

Boven op de heuvel maakte de oprijlaan een laatste bocht, werd breder, en liep in een grote cirkel tussen keurig verzorgde gazons en torenhoge bomen door. Het reusachtige huis maakte op de een of andere manier een onverbiddelijke indruk, vond Julie, terwijl ze de auto voor het bordes tot stilstand bracht. Ze had niet van tevoren opgebeld om te vragen of haar bezoek gelegen zou komen, omdat ze de reden van haar bezoek niet via de telefoon had willen uitleggen, en ze Zacks grootmoeder ook niet de kans had willen geven om te zeggen dat ze niet bereid was haar te ontvangen. De ervaring had Julie geleerd dat je delicate persoonlijke kwesties altijd veel beter persoonlijk kon oplossen. Ze pakte haar tas en handschoenen, stapte uit en bleef even staan om om zich heen te kijken. Zack was hier opgegroeid, en het huis had een stempel op zijn karakter gedrukt; in zeker opzicht was hij net als dit huis, indrukwekkend, trots, betrouwbaar en groots.

Die gedachte gaf haar moed, en nadat ze even diep adem had gehaald, liep ze de treden van het bordes op naar de brede voordeur. Toen een onduidelijk, onheilspellend gevoel zich van haar meester dreigde te maken, hield ze zich voor dat ze hier op 'vredesmissie' was, en tilde de zware, koperen klopper op.

Een oude butler in een zwart pak met vlinderdasje deed open. 'Ik ben Julie Mathison,' zei ze. 'Als mevrouw Stanhope thuis is, dan zou ik haar graag even spreken.'

Bij het horen van haar naam trok hij zijn borstelige grijze wenkbrauwen even op, maar verder wist hij zijn verbazing goed te verbergen en deed een stapje naar achteren, de donkere hal in. 'Ik zal zien of mevrouw Stanhope u wil ontvangen. U kunt daar wachten,' voegde hij eraan toe, en wees op een ongemakkelijk uitziende antieke stoel met een rechte rug die, aan het einde van de hal, naast een rond tafeltje stond. Julie ging zitten, zette haar tas op haar knieën en voelde zich slecht op haar gemak in deze ongastvrije omgeving. Ze vermoedde dat het de bedoeling was dat onverwacht bezoek zich op deze manier geïntimideerd zou voelen. Even later kwam de butler de hal weer binnen. 'Mevrouw heeft vijf minuten tijd voor u, en geen seconde langer,' kondigde hij aan.

Julie, die zich weigerde te laten ontmoedigen door dit niet veelbelovende begin, volgde hem de gang af, en liep langs hem heen toen hij een deur opendeed en haar gebaarde dat ze naar binnen kon. In het reusachtige vertrek brandde de open haard, en op de glanzend gewreven parketvloer lag een oosters tapijt. Voor de haard stonden twee gemakkelijke, met verschoten stof overtrokken stoelen met een hoge rugleuning, en aangezien er niemand op de bank of op een van de stoelen zat, nam Julie ten onrechte aan dat ze alleen was. Ze liep naar een tafel die vol stond met zilveren lijstjes om de foto's te bekijken die, naar ze aannam, van Zacks familieleden moesten zijn, maar zag toen dat de muur links van haar vol hing met grote portretten. Met een verbaasd glimlachje stelde ze vast dat Zack niet overdreven had – er bestond een opvallende gelijkenis tussen hemzelf en vele van de mannelijke Stanhopes. Achter haar snauwde een stem: 'U heeft zojuist één van uw vijf minuten onbenut voorbij laten gaan.'

Julie schrok, draaide zich met een ruk om, en liep naar de stoelen voor de haard, de richting van waaruit de stem geklonken had. Daar stond haar een tweede schrik te wachten, want de vrouw die opstond was niet het verschrompelde oude dametje dat Julie verwacht had. Ze was zelfs een aantal centimeters langer dan Julie zelf, en haar kaarsrechte, intens trotse gestalte torende boven Julie uit terwijl ze haar aankeek met een ongerimpeld en ijzig gelaat. 'Mevrouw Mathison!' snauwde de vrouw. 'Of u blijft staan of u gaat zitten, maar ik wil nú van u horen wat de reden is van uw bezoek.'

'Neemt u mij niet kwalijk,' haastte Julie zich te zeggen, en nam plaats op de stoel tegenover die van Zacks grootmoeder. 'Mevrouw Stanhope, ik ben een vriendin van –'

'Ik weet wie u bent. Ik heb u op de televisie gezien,' viel de vrouw haar op kille toon in de rede terwijl ze weer ging zitten. 'Hij heeft u gegijzeld, en daarna heeft hij u tot zijn woordvoerder gemaakt.'

'Niet helemaal,' zei Julie, en het viel haar op dat de vrouw Zack zelfs niet eens bij zijn naam had willen noemen. Hoewel Julie zich slecht op haar gemak voelde, slaagde ze er redelijk goed in haar uiterlijke kalmte te bewaren.

'Ik vroeg u naar de reden van uw bezoek!'

In plaats van zich door haar snauwerige toon te laten intimideren, glimlachte Julie, en zei zacht: 'Mevrouw Stanhope, ik ben hier omdat ik, toen ik met uw kleinzoon in Colorado was –'

'Ik heb maar één kleinzoon,' blafte de oude vrouw, 'en die woont hier, in Ridgemont.'

'Mevrouw Stanhope,' vervolgde Julie kalm, 'u heeft mij maar vijf minuten gegeven. Valt u mij dus alstublieft niet steeds in de rede, want als u dat blijft doen, dan ben ik bang dat mijn tijd op is voordat ik de kans heb gekregen om u te vertellen waarvoor ik gekomen ben – en ik denk dat de reden voor mijn bezoek u wel zal interesseren.' De oude vrouw fronste haar wenkbrauwen en perste haar lippen op elkaar tot een strakke lijn, maar Julie ging dapper verder. 'Ik weet dat u Zack niet als uw kleinzoon erkent, en ik weet ook dat u nog een andere kleinzoon had die onder tragische omstandigheden om het leven is gekomen. En verder weet ik dat de kloof tussen u en Zack in al deze jaren niet overbrugd is omdat Zack daar te koppig voor is.'

Ze keek Julie spottend aan. 'Heeft hij u dat wijsgemaakt?'

Julie knikte en probeerde het onverwachte sarcasme van de oudere vrouw te negeren. 'Hij heeft me, toen we in Colorado waren, een heleboel verteld, mevrouw Stanhope, dingen die hij nooit eerder aan iemand anders had verteld.' Ze wachtte en hoopte op een teken ven nieuwsgierigheid, maar toen mevrouw Stanhope haar volkomen gevoelloos bleef aankijken, had Julie geen andere keus dan om zonder enige vorm van aanmoediging verder te gaan. 'Hij vertelde me onder andere dat hij zich, als hij zijn leven over zou kunnen doen, al geruime tijd geleden met u verzoend zou hebben. Hij had erg veel bewondering voor u en hield van u –'

'Mijn huis uit!'

Julie stond automatisch op, en hoewel ze het liefste nijdig tegen de vrouw was uitgevallen, beheerste ze zich. 'Zack heeft gezegd dat u en hij veel op elkaar lijken, en wat uw en zijn koppigheid aangaat, moet ik zeggen dat hij daar volkomen gelijk in heeft gehad. Wat ik u duidelijk probeer te maken, is dat uw kleinzoon spijt heeft van de breuk die zich tussen u beiden heeft voorgedaan, en dat hij van u houdt.'

'Ik zei, mijn huis uit! U had hier helemaal nooit moeten komen!'

'Nee, kennelijk niet,' gaf Julie toe, en pakte haar tas die ze naast de stoel had gezet. 'Ik had er geen idee van dat een volwassen vrouw die het einde van haar leven nadert, zo veel wrok zou kunnen koesteren tegen iemand van haar eigen vlees en bloed, voor iets dat hij gedaan heeft toen hij nog een kind was. Wat heeft hij in vredesnaam misdaan dat u niet in staat bent om hem te vergeven?'

Mevrouw Stanhope lachte bitter. 'Arm, dwaas kind. Hij heeft jou ook al bedrogen, is het niet?'

'Wat?'

'Heeft hij u daadwerkelijk verzocht om mij op te zoeken?' vroeg ze. 'Nee, hè? Dat zou hij helemaal nooit hebben gedurfd!'

Julie, die begreep dat een negatief antwoord de vrouw alleen maar in de kaart zou spelen waardoor haar houding ten opzichte van Zack nog verder zou verharden, zette zich over haar trots heen en deed nog een laatste poging om tot haar hart door te dringen. 'Nee, mevrouw Stanhope, hij heeft me niet gevraagd om hiernaartoe te gaan om u te vertellen wat hij voor u voelt. Hij heeft iets gedaan waaruit nog veel sterker blijkt hoeveel hij van u houdt en hoeveel respect hij nog steeds voor u heeft.' Julie haalde diep adem, negeerde het ijzige gezicht van de vrouw, en vervolgde: 'Ik had sinds Colorado niets meer van hem gehoord, totdat ik anderhalve week geleden een brief van hem kreeg. Hij had me geschreven omdat hij bang was dat ik zwanger was, en hij smeekte me om, wanneer dat inderdaad het geval was, het kind te houden en het niet weg te laten halen. Hij ging ervan uit dat ik niet zelf voor het kind zou kunnen zorgen, en vroeg me of ik het naar u wilde brengen om het door u te laten opvoeden. Hij zei dat u iemand met een groot plichtsgevoel bent, en dat u uw verantwoordelijkheden nog nooit uit de weg bent gegaan. Hij zei dat hij u eerst een brief zou schrijven om het uit te leggen –'

'Als u zwanger van hem bent, en u ook maar enig idee hebt van genetica,' viel zijn grootmoeder haar woedend in de rede, 'dan laat u dat kind zo gauw mogelijk weghalen! Maar één ding wil ik u wel zeggen, ongeacht of u dat nu wel doet of niet, ik weiger zijn bastaard hier in huis binnen te laten.'

Julie deinsde achteruit. 'Wat voor soort monster bent u eigenlijk?'

'Hij is het monster, mevrouw Mathison, en u bent zijn slachtoffer. Er zijn al twee mensen die zielsveel van hem hielden door zijn toedoen op gewelddadige wijze om het leven gebracht. En u mag blij zijn dat u niet de derde bent geweest!'

'Hij heeft zijn vrouw niet vermoord, en ik weet niet over wie u het heeft, wanneer u zegt dat er twee mensen zijn –'

'Ik heb het over zijn broer! Net zoals Kaïn Abel heeft vermoord, zo heeft dat ontzinde monster Justin vermoord. Ze hadden ruzie, en hij heeft hem door het hoofd geschoten!'

Deze gemene leugens werden Julie te veel, en ze kon haar woede niet langer de baas. 'U liegt! Ik weet precies hoe Justin gestorven is, en waarom! Als u deze dingen over Zack alleen maar zegt om uw afwijzing van het kind te rechtvaardigen, dan kunt u zich de moeite besparen! Ik ben niet zwanger, maar al was ik dat wel, dan zou ik het wel uit mijn hersens laten om dat kind met u en u onder één en hetzelfde dak te laten wonen! Geen wonder dat uw man het aanlegde met andere vrouwen. O, ja, ook dáár weet ik alles vanaf!' riep ze uit toen de minachtende houding van de vrouw heel even plaats maakte voor verdriet. 'Zack heeft me alles verteld. Hij heeft me verteld dat zijn grootvader heeft gezegd dat u de enige vrouw ter wereld was van wie hij ooit heeft gehouden, hoewel iedereen dacht dat hij alleen maar om het geld met u was getrouwd. Uw man heeft Zack verteld dat hij niet op kon tegen uw hoge normen, en dat hij zijn pogingen daartoe kort nadat u getrouwd was, heeft opgegeven. Wat ik alleen niet kan begrijpen,' besloot Julie vol minachting, 'is waarom uw man van u heeft gehouden, of waarom Zack zo veel bewondering voor u heeft!

U heeft helemaal geen normen, en in plaats van een hart, heeft u een brok ijs! Het verbaast me helemaal niets dat Justin u niet durfde te vertellen dat hij homoseksueel was. Niet Zack is het monster, maar u!'

'En u,' zei mevrouw Stanhope, 'bent de pion van het monster!' Alsof Julie's verlies van zelfbeheersing besmettelijk was, liet de oude vrouw zich opeens gaan, en haar autoritaire stem kreeg een vermoeid ondertoontje. 'Gaat u zitten, mevrouw Mathison!'

'Nee, ik ga weg.'

'Doet u dat,' zei ze uitdagend, 'dan betekent dat, dat u bang bent voor de waarheid. Ik heb u binnengelaten omdat ik gezien heb hoe u op de televisie over hem gesproken hebt, en omdat ik nieuwsgierig was naar wat u hier kwam zoeken. Ik dacht dat u een opportuniste was die in de schijnwerpers wilde blijven en dat u hiernaartoe was gekomen op zoek naar iets waarmee u dat zou kunnen bereiken. Inmiddels heb ik begrepen dat u een jonge, moedige vrouw met een groot rechtvaardigheidsgevoel bent, maar dat u gewoon misleid bent. Ik respecteer uw moed, mevrouw Mathison, en helemaal gezien het feit dat u een vrouw bent. Mijn respect gaat zelfs zover, dat ik bereid ben om dingen met u te bespreken die voor mij nog steeds bijzonder pijnlijk zijn. Ik raad u aan om te luisteren naar wat ik te zeggen heb.'

Julie, die verrast was door de drastische verandering van toon, bleef staan, maar ze weigerde nog steeds om weer te gaan zitten.

'Ik zie aan uw gezicht dat u zich hebt voorgenomen om geen woord te geloven van wat ik zeg,' zei mevrouw Stanhope. 'Uitstekend. Als ik zo misleid en loyaal zou zijn als u kennelijk bent, dan zou ik precies zo hebben gereageerd.' Ze pakte het belletje op dat naast haar stoel op een tafeltje stond en liet het rinkelen, waarop, even later, de butler verscheen. 'Kom binnen, Foster,' beval ze. Toen de man bij hen was gekomen, wendde ze zich tot Julie en vroeg: 'Hoe is Justin, denkt u, om het leven gekomen?'

'Ik wéét hoe Justin om het leven is gekomen,' corrigeerde Julie haar fel.

'En wat denkt u te weten?' vroeg mevrouw Stanhope, waarbij ze haar met opgetrokken wenkbrauwen aankeek.

Julie deed haar mond open om het haar te vertellen, maar toen aarzelde ze opeens in het besef dat dit een oude vrouw was, en dat Julie geen enkel recht had om haar goede herinneringen aan Justin te vernietigen, enkel en alleen om daarmee te bereiken dat ze Zack niet langer zou haten. Aan de andere kant was het zo dat Justin dood was, en dat Zack nog leefde. 'Mevrouw Stanhope, ik wil u echt niet nog meer verdriet doen dan ik al heb gedaan, en als ik u de waarheid zou vertellen, dan zou ik dat zeker doen.'

'De waarheid kan mij niet deren,' verklaarde ze.

Het was mevrouw Stanhope's spottende toontje dat voor Julie de doorslag gaf. 'Justin heeft zelfmoord gepleegd,' zei ze op effen toon. 'Hij heeft zichzelf door het hoofd geschoten omdat hij homoseksueel was en hij dat niet kon accepteren. Een uur voordat hij een einde aan zijn leven maakte, had hij dat aan Zack bekend.'

Mevrouw Stanhope vertrok geen spier. Ze keek Julie aan met een mengeling van medelijden en minachting. Toen pakte ze een ingelijste foto van het tafeltje naast haar en gaf hem aan Julie. 'Kijkt u eens,' zei ze. Omdat Julie niet anders kon, pakte ze de foto aan en keek naar de blonde, glimlachende jongeman die aan het roer van een zeilboot stond. 'Dat is Justin,' zei mevrouw Stanhope volkomen toonloos. 'Vindt u dat hij eruitziet als een homoseksueel?'

'Dat is een bespottelijke vraag. Het uiterlijk van een man zegt niets over zijn seksuele voorkeuren –'

Julie zweeg toen mevrouw Stanhope zich omdraaide en naar een grote, antieke kast liep. Met één hand steunend op haar stok, bukte ze zich en deed een deurtje open. Julie zag planken met kristallen glazen. Toen trok mevrouw Stanhope aan de bovenste plank, waarop het hele paneel in een boog naar buiten zwaaide. Erachter zag Julie de deur van een verborgen brandkast. Mevrouw Stanhope draaide aan de knop, deed de brandkast open en haalde er een grote, bruine dossiermap uit die met een elastiek bij elkaar werd gehouden. Met een volkomen uitdrukkingsloos gezicht haalde ze het elastiek eraf en liet de map voor Julie op de bank vallen. 'Aangezien u mijn versie van het gebeurde niet wilt geloven, kunt u hier lezen hoe de lijkschouwer en de kranten over Justins dood dachten.'

Met tegenzin keek Julie naar de papieren die gedeeltelijk uit de map waren gevallen, en haar blik viel op het kranteknipsel met een foto van een achttienjarige Zack, een foto van Justin, en een vette kop die luidde:

ZACHARY STANHOPE BEKENT DOODSCHIETEN BROER JUSTIN

Julie boog zich voorover en pakte de knipsels op die uit de map waren gegleden. Haar hand beefde verschrikkelijk, maar ze kon er niets aan doen. Volgens het verhaal in de krant was Zack bij zijn broer op de kamer geweest. Hij had met zijn broer zitten praten en had ondertussen een revolver uit Justins collectie – een automatische Remington – zitten bekijken waarvan Zack had gemeend dat hij niet geladen was. Tijdens het gesprek was het wapen per ongeluk afgegaan, waarbij Justin in het hoofd was getroffen en op slag overleden was. Julie las het verhaal door, maar kon het niet geloven. Toen ze klaar was met lezen, keek ze mevrouw Stanhope aan en verklaarde: 'Ik geloof hier geen woord van! Niet alles wat er in kranten staat, is waar.'

Mevrouw Stanhope keek haar met een volkomen uitdrukkingsloos gezicht aan, en bukte zich om een samengebonden kopie uit de map op de bank te pakken, die ze vervolgens aan Julie gaf. 'Leest u dit dan maar eens. Dit is de waarheid zoals hij die zelf heeft verteld.'

Julie keek naar de bundel papieren, maar durfde ze niet aan te pakken. 'Wat is dit?'

'Het dossier van het onderzoek van de lijkschouwer.'

Met tegenzin pakte Julie de papieren aan, en vouwde de kaft van het mapje open. Het stond er allemaal woordelijk te lezen: Zacks relaas van het gebeurde dat tijdens het onderzoek door de stenograaf op papier was gezet. Zack had precies verteld wat er in het kranteknipsel had gestaan. Toen haar knieën begonnen te trillen, liet ze zich op de bank vallen, en las verder. Ze las het rapport van begin tot einde door, en daarna las ze alle kranteknipsels, in de hoop dat ze iets, wát dan ook, zou kunnen vinden wat een verklaring zou kunnen geven voor het verschil in het verhaal zoals Zack het haar had verteld, en zoals hij het aan alle anderen had verteld.

Toen ze alles gelezen had en ten slotte van de papieren op haar schoot weer naar mevrouw Stanhope keek, begreep ze dat Zack tegen háár had gelogen... of dat hij anders onder ede tegen alle andere mensen gelogen moest hebben. Toch probeerde ze een manier te vinden om hem er niet om te veroordelen. 'Ik weet niet waarom Zack mij verteld heeft dat Justin zelfmoord heeft gepleegd, maar wat er ook precies gebeurd mag zijn, Zack kon er niets aan doen. Volgens dit dossier is het een ongeluk geweest. Een óngeluk! Dat heeft hij zelf –'

'Het was helemaal geen ongeluk,' snauwde mevrouw Stanhope. Ze greep haar stok zo stevig beet dat haar knokkels er wit van zagen. 'De waarheid is zo duidelijk als wat: hij heeft u en de rest van de wereld gewoon maar iets voorgelogen!'

'Genoeg!' Julie sprong op en smeet het dossier op de bank alsof het besmet was. 'Er is een verklaring voor. Dat weet ik zeker. Zack heeft in Colorado niet tegen mij gelogen, als dat zo was, dan zou ik dat echt wel geweten hebben!' Ze dacht even na, en opeens schoot haar een logische verklaring te binnen. 'Justin heeft wel zelfmoord gepleegd,' zei ze met onvaste stem. 'Hij was homoseksueel – dat had hij, vlak voordat hij de hand aan zichzelf sloeg, aan Zack verteld – en toen heeft Zack – toen heeft Zack om de een of andere reden de schuld op zich genomen – misschien wel om te voorkomen dat men naar motieven zou gaan zoeken –'

'Dat gelooft u toch zeker zelf niet!' riep mevrouw Stanhope uit. 'Justin en Zack hadden ruzie gehad, en kort daarna was er een schot. Hun broer Alex heeft die ruzie gehoord, en Foster hier ook.' Ze wendde zich tot de butler en zei kortaf: 'Vertel deze misleide vrouw hier waar ze ruzie om hadden.'

'Ze hadden ruzie om een meisje,' verklaarde de butler zonder aarzelen. 'Justin had Amy Price meegevraagd naar het kerstfeest op de country club, en Zack had met haar willen gaan. Justin had zich terug willen trekken om Zack een plezier te doen, maar Zack wilde daar niets van weten. Hij was woedend.'

Julie voelde hoe haar maag zich omdraaide en ze pakte haar tas, maar nog steeds bleef ze Zack verdedigen. 'Ik geloof u niet.'

'Maar u gelooft een man van wie u zeker weet dat hij ofwel tegen u, ofwel tegen de rechter en de kranten heeft gelogen, is dat het?'

'Ja!' riep Julie. Ze wilde hier zo snel mogelijk weg. 'Dag, mevrouw Stanhope.' Ze liep zo snel naar de deur, dat Foster haar op een holletje achterna moest gaan om de deur voor haar te kunnen openen.

Julie was al bijna bij de voordeur, toen ze mevrouw Stanhope haar naam hoorde roepen. Ze bleef staan, hield haar hart vast en draaide zich om en keek naar Zacks grootmoeder die in de afgelopen paar seconden opeens tien jaar ouder geworden leek te zijn.

'Als u weet waar Zachary is,' zei mevrouw Stanhope, 'en als u ook maar een klein beetje geweten hebt, dan gaat u zo snel mogelijk naar de politie. In tegenstelling tot wat u wellicht denkt, was het uit loyaliteit jegens Zack dat ik de politie niets verteld heb over zijn ruzie met Justin, en dat had ik wel moeten doen.'

Julie stak haar kin in de lucht, maar haar stem klonk onvast toen ze vroeg: 'En waarom had u dat wel moeten doen?'

'Omdat ze hem dan gearresteerd zouden hebben, en hij psychiatrische hulp zou hebben gekregen! Zachary heeft zijn eigen broer vermoord, en daarna zijn vrouw. Als hij psychiatrische hulp gekregen had, dan zou Rachel Evans nu waarschijnlijk niet in haar graf liggen. Ik voel me persoonlijk verantwoordelijk voor Rachel Evans' dood, en u hebt er geen idee van hoe zwaar die last op mijn schouders drukt. Als het vanaf het allereerste begin niet zo duidelijk was geweest dat hij voor die moord veroordeeld zou worden, dan zou ik geen andere keus hebben gehad dan naar de politie gaan en hun vertellen hoe Justin in werkelijkheid om het leven was gekomen.' Ze zweeg, en het kostte haar zichtbaar moeite om haar emoties onder controle te houden. 'Ik verzoek u, om uw eigen bestwil, om naar de politie te gaan. Zo niet, dan valt er vroeg of laat een nieuw slachtoffer te betreuren, en zult u zich even schuldig voelen als ik mij nu doe.'

'Hij is geen moordenaar!' riep Julie.

'O, nee?'

'Nee!'

'Maar dat hij een leugenaar is, dat kunt u niet ontkennen,' verklaarde mevrouw Stanhope. 'Of hij heeft tegen u gelogen, of hij heeft de politie een leugen verteld, of niet soms?'

Julie weigerde daar antwoord op te geven. 'En hij is zo'n bedreven leugenaar, dat hij voor zichzelf het perfecte werk heeft gevonden: acteren.' Ze wilde teruggaan naar de kamer, maar bleef staan en voegde er over haar schouder op een vermoeide, verslagen toon aan toe: 'Het erge is nog wel dat Zack zijn eigen leugens gelooft, en daarom zijn ze ook zo overtuigend. Misschien geloofde hij wel dat hij de rollen die hij speelde echt zelf was, en was hij daarom zo'n "getalenteerd" acteur. In zijn films speelde hij rollen van mannen die zinloze moorden pleegden en vervolgens, in plaats van de gevolgen daarvan te moeten accepteren, tot "helden" werden. Wie weet,' besloot ze, 'is hij wel helemaal niet meer in staat om het verschil te zien tussen realiteit en fantasie.'

Julie's emoties waren volkomen op hol geslagen, en ze drukte haar tas stevig tegen haar borst. 'Wilt u daarmee soms zeggen dat hij wel eens krankzinnig zou kunnen zijn?'

Mevrouw Stanhope liet haar schouders zakken, en toen ze antwoord gaf, fluisterde ze alsof het spreken haar opeens de grootst mogelijke moeite kostte. 'Ja, mevrouw Mathison. Dat is precies wat ik wil zeggen. Zack is krankzinnig.'

Julie wist niet of de vrouw terugging naar de kamer of nog langer in de gang bleef staan. Zonder nog iets te zeggen, draaide ze zich om en ontvluchtte de boosaardigheid van het huis en de kiem van twijfel die het in haar hart had gezaaid. Ze was van plan geweest om in een motel te overnachten en Zacks geboorteplaats te bekijken, maar in plaats daarvan reed ze regelrecht naar het vliegveld, leverde haar huurauto in, en nam het eerste het beste vliegtuig terug naar huis.

Hoofdstuk 55

Tommy Newton keek op van het script waaraan hij aan het werken was, en keek naar zijn zus die de zitkamer van zijn huis in Los Angeles binnenkwam, waar ze het weekend logeerde. 'Wat is er?' vroeg hij.

'Je hebt zojuist een ziek telefoontje gehad,' zei ze met een zenuwachtig lachje. 'Ten minste, ik hoop dat het dat was.'

'Het barst in Los Angeles van de gekken die obscene telefoontjes plegen,' stelde Tommy haar gerust. Bij wijze van grapje voegde hij eraan toe: 'Dat is in Zuid-Californië een normale manier van communiceren. Iedereen voelt zich eenzaam, wist je dat nog niet? En daarom is het hier ook zo'n paradijs voor psychologen.'

'Dit was geen obsceen telefoontje, Tommy.'

'Wat was het dan?'

Ze sprak langzaam, fronste haar voorhoofd en schudde haar hoofd. 'De man zei dat hij Zack Benedict was.'

'Zack?' herhaalde Tommy met een kort, honend lachje. 'Dat is bespottelijk. Wat zei hij verder nog?'

'Hij zei... dat ik je moest zeggen dat hij je zal vermoorden. Hij zei dat jij weet wie Rachel heeft vermoord, en dat hij je zal vermoorden omdat je tijdens het proces je mond hebt gehouden.'

'Maar die vent is gek!'

'Hij klonk anders helemaal niet gek, Tommy. Hij klonk eerder bloedserieus. Volgens mij kun je maar beter meteen de politie bellen.'

Tommy aarzelde en schudde zijn hoofd. 'Wie het ook geweest mag zijn, het was een gek.'

'Hoe komt een gek aan jouw geheime telefoonnummer?'

'Kennelijk,' zei hij, en probeerde er een grapje van te maken, 'is iemand van mijn kennissen of vrienden niet goed bij zijn hoofd.'

Zijn zus pakte de telefoon van het tafeltje naast de bank, en reikte hem de hoorn aan. 'Bel de politie. Als je het niet wilt omdat je niet bang bent, doe het dan in ieder geval omdat het je plicht is.'

'Goed, dan,' verzuchtte hij, 'maar ze zullen me midden in mijn gezicht uitlachen.'

In haar huis in Beverly Hills maakte Diana Copeland zich los uit de armen van haar minnaar en pakte de telefoon naast de bank.

'Diana!' kreunde hij. 'Laat je dienstmeisje toch opnemen.'

'Dit is mijn privé-lijn,' verklaarde ze aan de man wiens gezicht het bioscooppubliek even vertrouwd was als het hare. 'Misschien is er wel iets gewijzigd aan het opnameschema van morgen. Hallo?' vroeg ze.

'Je spreekt met Zack, Dee Dee,' zei de diepe stem. 'Je weet wie Rachel heeft vermoord. Je hebt me ervoor naar de gevangenis laten gaan. Nu ben je zo goed als dood.'

'Zack, wacht –!' riep ze uit, maar de opbeller had al opgehangen. 'Wie was dat?'

Diana stond op, keek hem met nietsziende ogen aan, en haar lichaam was als verstijfd van schrik. 'Dat was Zack Benedict.'

'Wat? Weet je dat zeker?'

'Hij-hij noemde me Dee Dee. Zack is de enige die me ooit zo heeft genoemd.'

Ze draaide zich om, liet hem waar hij was, ging naar de slaapkamer, pakte de telefoon daar en draaide een nummer. 'Tony?' vroeg ze met onvaste stem. 'Ik-ik ben zojuist gebeld door-door Zack Benedict.'

'Ik ook. Het was de een of andere idioot. Het was Zack helemaal niet.'

'Hij noemde me Dee Dee! Hij is de enige die me ooit zo heeft genoemd. Hij zei dat ik weet wie Rachel heeft vermoord en dat ik hem ervoor naar de gevangenis heb laten gaan. Hij zei dat hij me zal vermoorden.'

'Rustig, wil je! Het is gewoon onzin! Het is de een of andere idioot, misschien zelfs wel een schrijver van een roddelblad of zo, die een oud verhaal nieuw leven probeert in te blazen.'

'Ik bel de politie.'

'Als je uitgelachen wilt worden dan moet je doen wat je niet laten kunt, maar laat mij erbuiten. Het was helemaal niet Zack die gebeld heeft.'

'Nou, ik weet zeker dat hij het wel was!'

Emily McDaniels rekte zich uit op een chaise-longue naast het zwembad van het grote huis in Benedict Canyon dat het eigendom was van haar man, dr. Richard Grover. Ze waren zes maanden geleden getrouwd, en zaten nog steeds in hun wittebroodsweken. Ze keek naar haar man die baantjes zwom, en was vol bewondering over de manier waarop zijn lichaam het water doorkliefde. Hij maakte zijn laatste baantje niet af, maar kwam naar de kant, vlak bij de plaats waar zij zat. 'Wie belde daar?' vroeg hij, en streek de natte pieken uit zijn ogen. 'Toch niet het ziekenhuis, hè?' vroeg hij met een blik op haar sombere gezicht.

'Nee.'

'Mooi,' zei hij. Hij stak zijn armen uit, pakte haar ranke enkels beet en liet zijn blik met gespeelde wellust over haar lichaam gaan. 'Aangezien geen van mijn patiënten zo onbeleefd is om ons op zaterdagavond lastig te vallen, verzoek ik je om het water in te komen en me te laten zien dat je nog steeds van me houdt.'

'Dick,' zei ze met een zucht, 'dat was mijn vader die belde.'

'Wat is er aan de hand?' vroeg hij. Hij werd meteen ernstig en hees zich op de kant.

'Hij zei dat hij zojuist een telefoontje van Zack Benedict heeft gehad.'

'Van Benedict?' herhaalde Dick honend, terwijl hij een handdoek pakte en zijn armen begon af te drogen. 'Als die griezel inderdaad hier in Los Angeles zit, dan is hij niet alleen een moordenaar, maar is hij ook gestoord. Het moet voor de politie een koud kunstje zijn om hem te pakken te krijgen. Wat wilde hij?'

'Mij. Zack heeft tegen mijn vader gezegd,' vertelde ze met onvaste stem, 'dat hij denkt dat ik weet wie Rachel in werkelijkheid heeft vermoord. Hij zegt dat hij wil dat ik aan de kranten vertel wie de echte moordenaar is, zodat hij zich niet gedwongen zal zien om iedereen die er die dag bij was, te vermoorden.' Ze schudde haar hoofd, en vervolgde: 'Het moet een gek zijn geweest. Zack zou me nooit chanteren, laat staan dat hij mij ook maar een haar zou krenken. Wat jij ook van Zack mag denken, hij was geen schoft. Hij was de liefste man die ik ooit heb gekend, op jou na, dan.'

'Als je dat gelooft, dan ben je wel heel ver in de minderheid.'

372

'Ik wéét het gewoon. In tegenstelling tot wat jij tijdens het proces gehoord en gezien hebt, was Rachel Evans in werkelijkheid een gemeen, vals kreng dat haar dood verdiende! Het enige dat niet klopte, was dat Zack ervoor naar de gevangenis is gestuurd.' Met een grimmig lachje vervolgde ze: 'Niemand had een hoge dunk van haar als actrice, maar in werkelijkheid was ze briljant – ze was zo verrekte goed dat vrijwel niemand wist wat er in werkelijkheid schuilging achter dat glimlachje van haar. Ze kwam over als beschaafd, een beetje gereserveerd en heel aardig. Nou, zo was ze helemaal niet. Absoluut niet! Ze was een straatkat.'

'Hoe bedoel je, was ze een slet?'

'Dat ook, maar dat bedoel ik niet,' zei Emily, terwijl ze een natte handdoek pakte en uitvouwde die hij bij het tafeltje had neergelegd. 'Ik bedoel dat ze een kat was die door steegjes sluipt, andermans vuilnisbakken doorzoekt, en van de inhoud ervan leeft zonder dat die mensen dat weten.'

'Dat zeg je heel aardig,' zei haar man plagend, 'maar daarmee weet ik nog niets.'

Emily leunde weer achterover in haar stoel en probeerde iets duidelijker te zijn. 'Als Rachel wist dat iemand iets wilde – een filmrol, een man, een bepaalde stoel op de set – dan sloofde ze zich verschrikkelijk uit om ervoor te zorgen dat die ander dat niet kreeg, ook al wilde ze het zelf niet. Ik bedoel, die arme Diana Copeland was verliefd op Zack – ze hield echt van hem – maar dat heeft ze altijd helemaal voor zich gehouden en hem er nooit iets van laten blijken. Ik was de enige die het wist, en ik ben er bij toeval achter gekomen.'

Toen ze zweeg en naar het zonlicht op het water keek, zei Dick: 'Je hebt nooit over Benedict en het proces willen praten, maar aangezien je daar nu toch mee bezig bent, wil ik best toegeven dat ik verschrikkelijk nieuwsgierig ben naar die gedeelten waarover nooit in de kranten geschreven is. Het is nooit bekend geworden dat Diana Copeland verliefd was op Benedict.'

Emily knikte, en aanvaardde zijn verzoek om meer informatie. 'Ik heb er altijd naar gestreefd om daar nooit met iemand over te praten, omdat ik niemand kon vertrouwen, zelfs de mannen niet met wie ik een relatie had. Ik was altijd als de dood dat ze ermee naar de een of andere verslaggever zouden gaan, die alles dan verkeerd zou interpreteren en de hele kwestie weer zou oprakelen.' Ze keek hem glimlachend aan en haalde haar neusje op. 'Maar ik denk dat ik voor jou wel een uitzondering kan maken, te meer daar je hebt gezworen dat je me zult eren en lief zult hebben.'

'Ja, ik denk dat dat wel kan,' zei hij grijnzend.

'Dat Diana van Zack hield, daar kwam ik pas een paar maanden na het proces achter, toen Zack al in de gevangenis zat. Ik had hem een brief geschreven, en die had ik ongeopend teruggekregen. Zack had er "retour afzender" opgeschreven. Een paar dagen daarna kreeg ik bezoek van Diana. Ze wilde dat ik Zack een brief van haar zou sturen in een door mij geschreven en geadresseerde enveloppe. Hij had haar brief net zo teruggestuurd als de mijne. Ik wist dat hij ook brieven van Harrison Ford en Pat Swayze op dezelfde wijze geretourneerd had, en dat vertelde ik haar. En voordat ik het wist, begon ze haar hart bij me uit te storten.'

'Waarom?'

'Omdat ze net terug was uit Texas waar ze Zack had willen verrassen met een bezoekje. Toen hij haar aan de andere kant van het rooster zag staan, draaide hij zich zonder een woord te zeggen om, en zei tegen de bewakers dat ze haar eruit moesten gooien. Ik vertelde haar dat hij dat gedaan moest hebben omdat hij zich schaamde en niet wilde dat zijn vroegere vrienden hem zo zouden zien, en toen begon ze te huilen. Ze vertelde dat die gevangenis waar hij inzat één grote nachtmerrie was en dat alles smerig en verloederd was, en dat Zack een gevangenisuniform had gedragen.'

'Wat verwachtte ze dan dat hij aan zou hebben, een driedelig pak van Brooks Brothers?'

Emily lachte kort en verdrietig, en zei: 'Ze had het verschrikkelijk gevonden om hem zo te moeten zien. Hoe dan ook, ze begon te huilen, en vertelde me dat ze van hem hield en dat ze daarom haar schema veranderd had en een kleinere rol in *Destiny* had genomen om maar bij hem te kunnen zijn. Rachel moet op de een of andere manier geweten hebben dat Diana van hem hield, want ze had haar er ooit eens mee geplaagd. Toen Diana haar gevoelens niet ontkend had, deed ze altijd verschrikkelijk lief tegen Zack wanneer Diana in de buurt was. Let wel dat Rachel toen al een verhouding met Tony Austin had, en van plan was om te scheiden. Toen, in de week daarop – dezelfde week waarin Rachel stierf – hebben een paar mensen haar tegen Zack horen zeggen dat ze niet wilde dat Zack Diana voor een volgende film zou engageren.'

'Ja, maar hij heeft helemaal geen volgende film meer gemaakt, dus Diana heeft niets verloren.'

'Daar gaat het niet om,' zei Emily. 'Waar het om gaat, dat is dat Rachel een beeldschone feeks was. Ze kon niet hebben dat iemand gelukkig was. Als ze er eenmaal achter was wat je gelukkig maakte, ongeacht hoe klein of onbeduidend ook, dan vond ze altijd wel een manier om het je te ontfutselen of het van je te gappen.'

Haar man keek haar lange seconden stilzwijgend aan, en vroeg toen zacht: 'En wat heeft ze van jou gestolen, Emily?'

Emily keek met een ruk op, en zei toen: 'Tony Austin.'

'Je bent gek!'

'Was ik dat maar,' zei ze somber. 'Je hebt er geen idee van hoe blind ik vroeger was. Ik was echt helemaal wild van hem.'

'Hij is een junk en hij zuipt! Zijn carrière was toen al over zijn hoogtepunt heen –'

'Dat weet ik,' zei Emily, en ze stond op. 'Maar je moet weten dat ik toen dacht dat ik hem daarbij zou kunnen helpen. Jaren later realiseerde ik mij dat hij juist daarom zo aantrekkelijk was voor vrouwen: hij was uiterlijk zo sexy en cool dat je het gevoel had dat hij je tegen al het kwaad van de wereld zou kunnen beschermen, en dan ontdekte je dat hij in wezen nog een klein en kwetsbaar jongetje was, en dan waren de rollen opeens omgedraaid, en wilde je hém beschermen. Dat is waarschijnlijk de reden waarom ook Tommy Newton verliefd op hem was. Zack was precies het tegenovergestelde van Tony – hij had helemaal niemand nodig, en dat vóelde je.'

Haar man negeerde haar laatste zin. 'Tommy Newton,' herhaalde hij vol walging, 'die vent die je laatste film geregisseerd heeft, was hij verliefd op Tony Austin?' Toen Emily knikte, schudde hij zijn hoofd, en zei: 'Dat wereldje waar je al sinds je jongste jaren in verkeert, doet me denken aan een menselijke beerput.'

'Dat is het soms ook wel,' zei Emily lachend, 'maar meestal is het dat niet. Meestal is het gewoon een uiterst zakelijk en professioneel wereldje waarin gedurende vier, vijf maanden keihard wordt gewerkt.'

'Nou ja, het kan ook niet zo erg zijn,' gaf hij toe, 'want je hebt er jaren ingezeten en je bent de meest eerlijke en lieve vrouw die ik ooit heb gekend.' Terugkerend tot hun eerdere gespreksonderwerp, zei hij peinzend: 'Het verbaast me echt dat die hele toestand met jou en Tony en Diana en Rachel niet tijdens het proces naar voren is gekomen.'

Emily haalde haar schouders op. 'De politie heeft niet echt gezocht naar andere verdachten of motieven. Ze wisten dat Zack de kogels die Rachel het leven hebben gekost in die revolver had gestopt. Zij wisten dat, en wij wisten het ook. Hij had de vorige avond gedreigd dat hij haar zou vermoorden, en hij had belangrijke emotionele en financiële redenen om haar om het leven te brengen, en buiten dat was hij ook nog eens de enige van ons die voldoende léf had om het te doen.'

'Hij mag dan lef hebben gehad, maar hij moet wel verdomde arrogant zijn geweest om te denken dat hij er ongestraft vanaf zou kunnen komen..'

'Dat was hij zeker,' was Emily het met hem eens, maar haar glimlachje was sentimenteel en haar stem klonk bewonderend toen ze zei: 'Zack was als... als een onweerstaanbare kracht, als de wind die van alle kanten op je afkwam, en hij had zo veel kanten dat je nooit van tevoren wist welke kant hij je zou tonen. Hij kon onvoorstelbaar grappig zijn, of warm, charmant en lief, of juist weer heel glad en werelds.'

'Een ideaal mens, zo te horen.'

'Maar daarnaast kon hij ook wreed, koud en harteloos zijn.'

'Bij nader inzicht,' zei Dick, 'komt hij me meer voor als een gespleten persoonlijkheid.'

'Hij was uiterst veelzijdig,' gaf Emily toe. 'En hij deed altijd wat hij wilde wanneer hij wilde, en het kon hem geen barst schelen wat men van hem dacht. Daar heeft hij een heleboel vijanden mee gemaakt, maar zelfs de mensen die hem niet konden uitstaan, hadden bewondering voor hem. Het kon hem niet schelen dat hij gehaat werd, en het kon hem ook niet schelen dat hij bewonderd werd. Voor zover je kon nagaan, was zijn werk het enige dat hem echt interesseerde. Het leek ook wel alsof hij geen mensen nodig had... ik bedoel, hij liet nooit iemand bij zichzelf binnen, behalve mij. Ik denk dat ik de enige ben geweest die hij echt bij zich binnen heeft gelaten.'

'Je gaat me toch niet vertellen dat hij verliefd op je was.'

Emily lachte. 'Ik was voor hem alleen maar een kind, daarom kon hij tegenover mij zichzelf zijn. Hij sprak met mij over dingen waarvan ik me niet kan voorstellen dat hij er ook met Rachel over sprak.'

'Wat voor soort dingen?'

'Ik weet niet – kleine dingetjes. Zoals het feit dat hij zo dol was op astronomie. Op een avond, toen we op locatie aan het filmen waren op een ranch in de buurt van Dallas, zaten we samen buiten en wees hij me allerlei sterren aan, en vertelde hij me over hoe ze aan hun namen waren gekomen. Rachel kwam naar buiten en vroeg wat we aan het doen waren, en toen ik het haar vertelde, was ze stomverbaasd dat Zack in sterren geïnteresseerd was en dat hij er iets vanaf wist.'

'En hoe verklaar je, op grond van dat alles, dat hij je vader vanavond via de telefoon bedreigd heeft?'

Ze zwaaide haar benen over de rand van de bank. 'Volgens mij was het een gek en heeft mijn vader zich vergist,' zei ze. 'Mijn vader zei ook nog dat hij iemand die op Zack leek de vorige avond op straat voor zijn flat had zien staan.'

De zorgenrimpel op het voorhoofd van haar man maakte plaats voor een blik die het midden hield tussen irritatie en begrip. 'Was je vader soms dronken toen hij je belde?'

'Dat... dat weet ik niet. Misschien. Oordeel niet te hard over hem,' zei ze, en legde een hand op zijn arm. 'Hij is eenzaam zonder mij. Ik was zijn leven, en toen heb ik hem in de steek gelaten om met jou te trouwen.'

'Je hebt hem niet "in de steek gelaten". Je bent zijn dochter, niet zijn vrouw.'

Ze sloeg een arm om zijn middel en legde haar hoofd op zijn schouder. 'Dat weet ik, en hij weet het ook.' Toen ze naar binnen liepen, voegde ze eraan toe: 'Zonet nog zei je dat ik de meest lieve en eerlijke vrouw wás diè je ooit bent tegengekomen, en dat je dat verbaasde na al die jaren die ik in dat wereldje heb vertoefd. Probeer te onthouden dat het alleen aan mijn vaders zorg en waakzaamheid te danken is dat ik geworden ben tot wat ik nu ben. Hij heeft zijn eigen leven voor mij geofferd.'

Haar man drukte een kus op haar voorhoofd. 'Ja, dat weet ik.'

Hoofdstuk 56

Het was middernacht toen Julie thuiskwam, en inmiddels waren er zeven uur verstreken sinds ze uit Ridgemont vertrokken was. Zeven lange uren waarin ze een innerlijke strijd had geleverd tegen de verraderlijke twijfel en verwarring die haar door Zacks grootmoeder was ingegeven. Ze had de strijd gewonnen, en nu ze weer thuis was, voelde ze zich meteen een heel stuk beter. Ze deed de voordeur open, deed het licht aan en keek de vrolijke, gezellige kamer rond. Hier leek het idee dat Zack krankzinnig zou zijn zo bespottelijk, dat ze het niet kon uitstaan van zichzelf dat ze ook maar even aan hem getwijfeld had. Hier, in deze kamer, herinnerde ze zich terwijl ze haar jas weghing, had ze een heerlijke avond gehad met Matt en Meredith Farrell, en het echtpaar had haar bij hun afscheid veel geluk gewenst. Matthew Farrell zou mevrouw Stanhope midden in haar gezicht hebben uitgelachen om haar uitspraak dat Zack krankzinnig zou zijn, en dat had ze zelf ook moeten doen!

Ze liep naar haar slaapkamer, ging op de rand van haar bed zitten en haalde Zacks brief uit de la van haar nachtkastje. Ze las de liefdevolle zinnen door, en haar schaamte was even groot als haar plotselinge behoefte om zich te zuiveren van alle sporen van haar tocht naar zijn huis. Ze legde de brief opzij, kleedde zich uit en stapte onder de douche.

Ze waste haar lichaam en haar haren alsof ze besmet waren geraakt door de boosaardige sfeer in dat sombere gebouw dat Zack ooit eens zijn thuis had genoemd. Het was een kil huis, een huis zonder ook maar een spoortje warmte. Het huis zelf was koud, en de mensen die er leefden net zo. Als iemand geestelijk niet helemaal in orde was, dan was het zijn grootmoeder wel. En haar butler. En Zacks broer, Alex.

Alleen, bedacht ze, had zijn grootmoeder eerder een vertwijfelde dan een gemene indruk gemaakt, zeker op het eind. En hoewel de butler een wat verloren indruk had gemaakt, leek hij volkomen overtuigd te zijn geweest van wat hij zei. Waarom zouden ze alle twee liegen over Zacks ruzie met Justin? Julie zette de vraag van zich af, haalde de stekker van de föhn uit het stopcontact, trok de ceintuur van haar badjas wat strakker om zich heen en keerde terug naar de zitkamer. Misschien dachten ze alleen maar dat Justin en Zack ruzie hadden gemaakt, besloot ze terwijl ze de televisie aanzette en het kanaal van CNN opzocht voor het laatste nieuws.

Toch was er één duidelijk feit waar ze niet omheen kon: Zack had gelogen over de manier waarop Justin om het leven was gekomen.

Of hij had tegen haar gelogen, of tegen de politie, de media en de lijkschouwer.

Het was een dilemma waar ze niet aan wilde denken, en ze keek om zich heen om te zien of er niet iets scheef stond of opgeruimd moest worden. Er was niets. Haar altijd keurige huis was nu zo schoon als schoon maar kon zijn, want ze was gedurende de afgelopen vijf dagen verwoed bezig geweest om alles af te soppen en op te ruimen zodat het, na haar verdwijning, door de politie en de journalisten doorzocht zou kunnen worden. De plant naast haar had een dor blaadje, en ze plukte het eraf. Opeens moest ze denken aan wat Zack in Colorado had opgemerkt toen hij haar die kussentjes en tijdschriften recht had zien leggen. Hij had gevraagd of het een tik van haar was, of ze dat soort dingen altijd deed wanneer ze zich zenuwachtig, of slecht op haar gemak voelde. Alleen al de gedachte aan die trage grijns van hem en de manier waarop zijn ogen haar lachend hadden aangekeken, deed haar goed. Ze zou zich op die herinneringen moeten concentreren, wist ze, want die waren echt. Hij was echt. En hij zat in Mexico op haar te wachten.

Op dat moment kwam ze ook tot de conclusie dat hij tegen de anderen over Justins dood had gelogen, maar dat hij haar de waarheid had verteld. Hij moest haar de waarheid hebben verteld, het kon niet anders. Ze wist het in haar hart. En als ze straks bij hem was, dan zou hij haar wel uitleggen waarom hij tegen de anderen had gelogen. Het actualiteitenprogramma bracht een reportage over China, en aangezien Julie te opgewonden was om te kunnen slapen, besloot ze om, in afwachting van het laatste nieuws, nog wat verder te werken aan de brief die ze voor haar ouders en broers wilde achterlaten.

Julie stond op en liep naar de slaapkamer om haar gedeeltelijk geschreven brief te halen, en ging ermee aan de eettafel zitten. Ze legde hem voor zich, en las door wat ze tot dusverre geschreven had.

Lieve mam en pap, en lieve Carl en Ted,

Tegen de tijd dat jullie deze brief onder ogen krijgen, weten jullie al dat ik naar Zack ben gegaan. Ik verwacht niet van jullie dat jullie deze beslissing van mij goedkeuren of dat jullie mij vergeven, maar ik wil er graag wat meer over vertellen opdat jullie het misschien ooit nog eens zullen begrijpen.

378

Ik hou van hem.
Ik zou jullie zo graag nog meer redenen willen noemen dan slechts deze ene, maar ik kan er verder geen bedenken. Misschien komt dat wel doordat dit het enige is dat echt belangrijk is.

Pap, mam, Carl, Ted – jullie weten alle vier wat liefde is, jullie hebben het gevóeld, dat weet ik. Pap, ik kan me nog herinneren hoe vaak je tot 's avonds laat met je arm om mams schouders op de bank zat. Ik herinner me al die jaren waarin ik jullie samen zag lachen en jullie elkaar zo vaak omhelsden. Wat ik me ook herinner, is de dag waarop mam thuiskwam van de dokter en vertelde dat ze een knobbeltje in haar borst hadden gevonden. Die avond kroop je weg in de achtertuin en huilde. Ik weet dat je dat hebt gedaan, pap, want ik ben je gevolgd. Dit zijn de dingen die ik met Zack wil delen, de goede dingen, de stille dingen, de gelukkige dingen en de verdrietige dingen. Denk daaraan, alsjeblieft, en bedenk dat, net zoals jij en mam voor elkaar waren voorbestemd, Zack en ik dat ook zijn. Daarvan ben ik overtuigd. Ik voel het. Ik weet niet waarom hij het uitgerekend moest zijn. Ik zou het nooit zo hebben gewild. Maar het is nu eenmaal zo, en ik heb er geen spijt van.

Carl, jij hebt je fantastische, lieve Sara. Ze is al gek op je sinds de lagere school, en volgens mij heb je er geen idee van hoeveel ze van je houdt. Ze heeft jaren gewacht tot je haar eindelijk opmerkte. Toen we op de middelbare school zaten, deed ze de meest verbazingwekkende dingen om je aandacht te trekken, zoals uit een boom vallen op het moment waarop je langsreed, of haar boeken voor je voeten uit haar armen te laten glijden. Sara en ik waren op een avond huiswerk aan het maken, toen ze erachter kwam dat je Jenny Stone mee had gevraagd naar het schoolfeest. Die avond huilde ze tranen met tuiten. Je had haar verschrikkelijk veel verdriet gedaan, en nu sta ik op het punt om jullie allemaal veel verdriet te doen met mijn vertrek naar Zack. Sara bleef ondanks dat van je houden. Proberen jullie om alsjeblieft ook van mij te blijven houden.

Ted, als ik me niet vergis, dan zul jij het langste nodig hebben om over je boosheid heen te komen en mij te kunnen vergeven. Je hebt jezelf nog steeds niet vergeven voor het feit dat je gescheiden bent, en je schijnt niet in staat te zijn om Katherine te vergeven voor haar aandeel in het drama. Je kunt niet vergeven en je kunt niet vergeten, en daarom zit je vast in een val die je voor jezelf gemaakt hebt. En het gekke is nog wel, dat ik niemand ken die zo intens veel van zijn dierbaren kan houden. Je houdt zo ontzettend veel van me. Dat weet ik. En ik weet dat je kapot zult zijn van mijn vertrek. Maar ik wil Zack niet aandoen wat jij Katherine hebt aangedaan. Ik wil Zack, die van me houdt en mij nodig heeft, niet in de steek laten, en mijzelf dan de rest van mijn leven blijven haten omdat ik te bang was om mijn nek uit te steken. Na mijn vertrek zullen jullie nog meer over Zack aan de weet komen, afgrijselijke geruchten en verzinsels van journalisten, van de politie en van mensen die hem nooit hebben gekend. Het spijt me zo dat jullie hem niet hebben leren kennen. Maar dat gaat helaas niet, en daarom laat ik iets voor jullie achter, iets van hem dat jullie een idee kan geven van de man die hij in werkelijkheid is. Het is een kopie van een brief, een heel persoonlijke brief, die hij aan mij geschreven heeft. Een klein gedeelte van de brief is onleesbaar gemaakt, niet omdat er iets in zou staan dat van invloed zou kunnen zijn op jullie mening over hem, maar omdat het over iemand anders gaat en over de dienst die diegene ons beiden bewezen heeft. Als jullie Zacks brief lezen, dan denk ik dat jullie er niet meer aan zullen twijfelen dat de man die hem geschreven heeft altijd van mij zal houden en mij zal beschermen. Zodra we bij elkaar zijn, trouwen we.

Julie was tot hier gekomen met haar brief, en op de een of andere manier leek het niet voldoende. Ze pakte haar pen, en schreef verder:

Carl, alles wat hier staat is voor jullie, voor jullie nieuwe huis. Denk nog eens aan me, wanneer jullie mijn plantjes water geven.

Ted, in de bovenste la van mijn toilettafel ligt een ring die van jou is. Je herkent hem wel. Het is de trouwring die je hebt weggegooid toen jij en Katherine uit elkaar zijn gegaan. Hij hoort om jouw vinger, lieve, domme broer die je bent. Doe hem nog eens om, om te kijken of hij nog past... Omwille van vroeger. Nou, goed, eigenlijk alleen om mij een plezier te doen. Geen andere ring zal je ooit zo goed passen als deze, en dat wéét je! Als jullie weer samen zijn, dan zal dat niet altijd gemakkelijk zijn, maar zo verdrietig als het vroeger was, wordt het beslist nooit meer. En –

Julie keek met een ruk op toen de omroeper op de televisie zei: '*We onderbreken onze reportage over China voor nieuwe ontwikkelingen in de jacht op Zachary Benedict. Volgens de politie in Orange County, Californië, is Benedict – die ontsnapt is uit de gevangenis van Amarillo waar hij voor de moord op zijn vrouw een straf van vijfenveertig jaar uitzat – door een voormalige kennis in Los Angeles gesignaleerd. De kennis, wiens naam op dit moment nog niet is vrijgegeven, verklaarde er zeker van te zijn dat de man Benedict was. Het nieuws, plus het feit dat Benedict vandaag meerdere leden van de cast en de crew van de film Destiny heeft opgebeld die op het moment van de dood van zijn vrouw op de set aanwezig waren en hen met de dood heeft bedreigd, heeft ertoe geleid dat de politie van Los Angeles extra manschappen heeft ingezet. De politie waarschuwt iedereen die op de set van Destiny aanwezig was om extra voorzichtig te zijn, aangezien van Benedict bekend is dat hij gewapend en gevaarlijk is.'*

Julie sprong zo wild op, dat haar pen en haar brief op de grond vielen. Ze streek haar haren van haar voorhoofd en bukte zich om de pen en de brief op te rapen. Het kon niet waar zijn, hield ze zichzelf voor. Iemand moest een bizarre grap hebben uitgehaald. De een of andere idioot gaf zich uit voor Zack om iedereen de stuipen op het lijf te jagen en zelf in het nieuws te komen.

Het was een grap, besloot ze, terwijl ze de televisie uitdeed en naar bed ging.

Toen ze ten slotte in slaap was gevallen, droomde ze over monsters die zich in de schaduw verborgen hielden en haar allerlei waarschuwingen en dreigementen toeschreeuwden.

Het begon al licht te worden toen ze eindelijk uit de afschuwelijke nachtmerrie ontwaakte. Omdat ze bang was om opnieuw in slaap te vallen, stond ze op en ging naar de keuken om een glaasje sinaasappelsap te drinken. Ze dronk het glas in één teug leeg, zette haar beide handen op het aanrecht en liet haar hoofd naar voren vallen. 'O, Zack,' fluisterde ze, 'waar ben je, en wat doe je? Bel me alsjeblieft en zeg dat het allemaal leugens zijn. Alsjeblieft... laten ze me dit niet aandoen.'

Het was zondag, en ze besloot om, nadat ze naar de kerk was geweest, naar school te gaan. Ze zou de hele dag op school blijven en achterstallig administratief werk inhalen. Als Zack inderdaad in Los Angeles was, en haar wilde bellen om het uit te leggen, dan zou hij haar daar tenminste kunnen bereiken. Thuis kon hij haar niet bellen. Als hij haar wilde bellen, dan zou hij naar school bellen. Met het oog op wat er gebeurd was, zou hij heus wel begrijpen dat ze daarnaartoe zou gaan om op zijn telefoontje te wachten.

Hoofdstuk 57

'Julie, liefje, ís alles goed met je?' Flossie Eldridge tikte op het zijraampje van de auto. 'Je zit hier al een half uur in het donker met de
motor aan.'

Julie keek op naar het mollige, bezorgde gezicht naast haar, zette
de motor af en stapte uit. 'Ja, hoor, juffrouw Flossie, alles is in orde.
Ik zat alleen maar even te denken aan... aan iets dat op school is gebeurd, en ik was gewoon vergeten waar ik was.'

Flossie rilde en trok haar warme winterjas wat strakker om zich
heen. 'Je loopt nog een longontsteking op, als je daar zo lang in de
kou blijft zitten.'

Julie, die het niet kon uitstaan van zichzelf dat ze gewoon vergeten
was waar ze was, pakte haar diplomatenkoffertje van de achterbank
en keek haar oude buurvrouw met een geforceerd glimlachje aan. 'Ik
had de verwarming aanstaan in de auto,' zei ze, hoewel ze helemaal
niet zeker wist of dat echt wel zo was.

'Nee, nee, dat had je niet,' zei Flossie. 'Je voorruit is bevroren, kijk
maar. Je hebt wel heel erg lang doorgewerkt, en dat nog wel op zondag!' voegde ze er, bij het zien van Julie's koffertje, aan toe.

'Ach, er is altijd van alles te doen,' zei Julie. 'Kom, dan loop ik even
met u mee terug naar de voordeur,' vervolgde ze, terwijl ze haar hand
onder Flossie's elleboog legde en haar met zachte dwang meetrok
over het gazonnetje dat tussen hun beide huizen in lag. 'Er is geen
maan, en ik zou niet willen dat u struikelde.'

'Julie,' vroeg Flossie aarzelend, toen ze bij de verlichte veranda
waren gekomen, 'weet je zeker dat je niet ziek bent, of zo? Je ziet zo
pips. Je kunt me de waarheid vertellen. Ik zal het niet aan Ada door-
vertellen. Ben je soms ziek van verlangen naar Zachary Benedict?'

Julie schrok. 'Hoe komt u daar in vredesnaam bij?' Ze probeerde
te lachen, maar het resultaat klonk haarzelf hol en geforceerd in de
oren.

'Nou, doordat je voor je eigen deur in je auto zat te dromen,' zei ze.
'Toen ik jong was en met hart en ziel naar Her – naar iemand verlangde, deed ik dat soort dingen ook.'

'Bedoelt u,' vroeg Julie plagend, 'dat u ook in uw auto voor de deur
zat te dromen?'

'Nee, natuurlijk niet,' antwoordde Flossie giechelend. 'Je weet
best dat ik niet kan autorijden. Nee, ik zat voor me uit te dromen, net
zoals jij zoëven deed.'

Omdat Julie niet wilde liegen, en ook geen rechtstreeks antwoord
wilde geven, zei ze vrolijk: 'Ik geloof niet dat het zin heeft om heftig te
verlangen naar iets wat je toch niet kunt krijgen. Je kunt het verlangen maar beter van je afzetten en verder gaan met het leven.'

Juffrouw Flossie legde een hand op Julie's arm en zei: 'Wat zou jij doen, als er iets was waar je je leven lang naar verlangd had, iets wat je had kunnen hebben – en misschien nog steeds wel kunt krijgen – maar waarbij je bang bent om door iedereen te worden uitgelachen. En waarbij je bang bent dat je er, als je het eenmaal hebt, spijt van zult krijgen?'

Ditmaal lachte Julie echt, en ze schudde het hoofd. 'Dat is zeker geen eenvoudige vraag,' zei ze. 'Als ik zónder niet gelukkig was, dan denk ik dat ik het risico zou nemen om te zien of ik ermee wel gelukkig zou kunnen zijn.'

'Het is een hij, geen het,' vertrouwde Flossie haar toe.

Dat had Julie allang begrepen. 'Wie is het?' vroeg ze, voor het geval juffrouw Flossie haar nog meer in vertrouwen wilde nemen. 'Ik bedoel, wie is die hij?'

'O, dat is een geheim.'

Nee, dat is het niet, dacht Julie verdrietig, en omdat zij niets te verliezen, en Flossie alles te winnen had, zei ze: 'Wat Herman Henkleman volgens mij nodig heeft, is een goede vrouw die in hem gelooft, die achter hem staat en die hem een reden geeft om trots te zijn. Maar aan de andere kant,' vervolgde ze tegen de geschrokken Flossie, 'denk ik niet dat hij het aandurft om de vrouw van wie hij houdt ten huwelijk te vragen, niet na de puinhoop die hij tot dusver van zijn leven heeft gemaakt. De vrouw zal de eerste stap moeten doen, en daar is veel moed voor nodig.'

In een opwelling boog Julie zich naar Flossie toe, en drukte een kus op de oude, rimpelige wang. 'Welterusten,' zei ze. *Het ga je goed*, dacht ze. Zes van de acht dagen die Zack haar gegeven had, waren voorbij.

Ze ging naar haar eigen huis, deed de voordeur open en ging naar binnen. Ze wilde het licht aandoen, toen een mannenstem achter haar zei: 'Doe geen licht aan.' Ze wilde het uitschreeuwen van angst, toen hij eraan toevoegde: 'Rustig maar, ik ben een vriend van Zack.'

'Waarom zou ik dat geloven?' Haar stem beefde even erg als haar hand.

'Omdat,' zei Dominic Sandini lachend, 'ik ben gekomen om rond te kijken en om mij ervan te overtuigen dat u zonder enige problemen te veroorzaken op reis kunt gaan.'

'Verdorie, heeft u mij even goed laten schrikken!' riep Julie half boos en half lachend uit terwijl ze zich tegen de deur aan liet vallen.

'Dat spijt me.'

'Hoe bent u hier binnengekomen?' vroeg ze. Het was meer dan een idiote ervaring om in het donker tegen een onzichtbare man te praten.

'Ik heb eerst wat rondgekeken, en toen ben ik via de achterdeur naar binnen gegaan. Wist u dat u nog steeds geschaduwd wordt?'

'Hoe bedoelt u?' Julie was zo van streek dat ze niet meteen begreep wat hij bedoelde.

'U wordt in de gaten gehouden. Die blauwe bestelwagen die verderop geparkeerd staat houdt uw huis in de gaten, en als u weggaat, dan wordt u gevolgd door een zwart busje. Het kan alleen de FBI maar zijn – zij gebruiken auto's die de moeite van het stelen niet waard zijn, maar ze pakken het stukken slimmer aan dan de plaatselijke sufferds. Neem die van u nou eens, bijvoorbeeld. U heeft een motor van 1.5 liter, waarschijnlijk een gewone radio, geen telefoon, dus de waarde ervan is, laten we zeggen, tweehonderdvijftig dollar voor de onderdelen.'

'U... doet u in tweedehands auto's?' vroeg Julie. Ze was zo waanzinnig blij dat ze met iemand kon praten die zichzelf een vriend van Zack noemde, dat ze het probleem van de FBI gemakshalve maar even vergat.

'Ja, dat zou je zo kunnen zeggen,' zei hij grijnzend. 'Maar wanneer ik ze verkocht had, dan hadden ze hun titels niet meer, als u snapt wat ik bedoel.'

'U... u verkocht gestólen auto's?'

'Ja, maar nu niet meer,' antwoordde hij lachend. 'Ik ben bekeerd, zullen we maar zeggen.'

'Zo mag ik het horen!' riep ze uit. Het besef dat Zacks vriend geen autodief was, was een stuk geruststellender. Met de gedachte dat haar onzichtbare bezoeker haar mogelijk in nog meerdere opzichten gerust zou kunnen stellen, vroeg ze: 'Zack is niet in Los Angeles, hè? Het is niet waar, hè, dat hij al die mensen heeft bedreigd?'

'Ik weet werkelijk niet waar hij is of wat hij doet.'

'Maar dat moet u toch weten! Ik bedoel, het is duidelijk dat u hem gesproken heeft –'

'Nee, ik niet. Zack zou een beroerte krijgen als hij wist dat ik hier persoonlijk naartoe was gekomen. Deze hele kwestie zou afgehandeld moeten worden door buitenstaanders, maar ik ging ervan uit dat dit mijn enige kans zou zijn om zijn Julie te ontmoeten. U moet wel hartstikke veel van hem houden.'

Hij zweeg, en Julie zei zacht: 'Ja, dat doe ik. En voor u moet hij ook heel veel betekenen, dat u zo'n groot risico heeft genomen om hier zo naartoe te komen.'

'Ach, wat, het is helemaal geen risico,' zei hij eigenwijs. 'Ik doe heus niets wat verboden is, of zo. Ik ben alleen maar eventjes op visite bij een kennis van een kennis, en dat is echt geen overtreding. En verder ben ik alleen maar achterom gekomen en heb ik in het donker op u staan wachten. Sterker nog, tijdens het wachten heb ik het slot van uw achterdeur meteen weer eventjes gerepareerd. Dat slot stelde echt niets voor, hoor. Nou, zegt u nou zelf, ben ik een fatsoenlijk burger, of niet soms?' Hij lachte. 'Hoe dan ook, ik ben dus hier, omdat Zack wilde dat u een nieuwe auto zou hebben, u weet wel, voor als u opeens zou besluiten om over een paar dagen op reis te gaan. En ik heb aangeboden om u die auto te bezorgen. En hier ben ik dus.'

Julie begreep meteen dat het de bedoeling was dat ze die andere auto zou gebruiken wanneer ze over twee dagen uit Keaton zou vertrekken. 'En u weet zeker dat die nieuwe auto niet gestolen is?'

'Ja, dat weet ik heel zeker. Ik zei u toch al dat ik bekeerd ben? Zack heeft hem betaald, en ik heb alleen maar besloten om zijn cadeautje persoonlijk te bezorgen. Er is geen enkele wet die het een exgevangene verbiedt om een auto voor een dame te kopen. Maar hoe ze die auto wil gebruiken, dat gaat mij niets aan.'

'Ik heb anders, toen ik thuiskwam, geen auto voor de deur zien staan.'

'Natuurlijk niet!' riep hij met overdreven ontzetting uit. 'U dacht toch zeker niet dat ik dat mooie straatje van u wilde verpesten? Nee, hij staat op de parkeerplaats achter een winkel in de stad, bij Kelton's Dry Goods.'

'Waarom?' vroeg Julie, en voelde zich dom.

'Dat is een interessante vraag. Ik weet werkelijk niet wat me op dat malle idee heeft gebracht. Ik heb waarschijnlijk gedacht dat u, als u nou op zekere ochtend besluit om naar die winkel te gaan, en er dan aan de voorkant naar binnen gaat, u er, na wat rondgekeken te hebben, aan de achterkant weer uit kunt gaan om een proefritje met die auto te maken. Er bestaat natuurlijk een kans dat die jongens die u schaduwen, dat helemaal niet zo leuk vinden. Ik bedoel, ze komen er natuurlijk niet zo snel achter welke kant u op bent gegaan, in wat voor auto u rijdt en wat u draagt – aangenomen dat u ook opeens zin zou hebben om eens een andere trui aan te trekken, of zo, eentje die u in dat diplomatenkoffertje van u heeft zitten. Als u snapt wat ik bedoel.'

Julie knikte. 'Ja, ja, wat u bedoelt is volkomen duidelijk,' zei ze met een kort, zenuwachtig lachje.

De schommelstoel kraakte toen hij opstond. 'Het was me een genoegen om een praatje met u te maken,' zei hij, en legde zijn hand even kort op haar arm. 'Het ga je goed, Julie van Zack. Ik hoop bij God dat je weet waar je aan begint.'

Dat hoopte Julie ook.

'Wacht even met het aandoen van het licht aan de achterkant van het huis totdat ik weg ben.'

Ze luisterde naar zijn trage voetstappen en had het idee dat hij een beetje mank liep.

Hoofdstuk 58

Tony Austin hoorde achter zich een geluid, en op hetzelfde moment waarop hij het licht op het tafeltje naast hem wilde aandoen, zag hij de gordijnen voor de glazen schuifdeuren bewegen. 'Laat het licht uit!' beval de stem, terwijl een schaduw zich losmaakte van het gordijn. 'Ik kan je hiervandaan uitstekend zien.'

'Ik heb geen licht nodig om je stem te herkennen! Waarom ben je niet gewoon via de voordeur gekomen?' vroeg Austin, terwijl hij zijn hand wegtrok en zijn best deed om niets van zijn verbazing te laten blijken. 'Ik had hem voor je open laten staan.'

'Heb je er enig idee van hoe lang ik er al naar snak om je te vermoorden?'

'Vijf jaar geleden had je alle kans, maar die heb je toen voorbij laten gaan. Waar is het geld?'

'Je bent net een vampier, je zuigt ons uit.'

'Hou je kop en geef me het geld.'

De schaduw bij het gordijn hief zijn hand op, en Tony zag de revolver. 'Doe toch niet zo stom! Als je me nu vermoordt, dan zijn ze er binnen vierentwintig uur achter dat jij het hebt gedaan.'

'Nee! Dat zijn ze niet. Zack Benedict zwerft hier ergens rond, wist je dat nog niet?' De stem lachte schril. 'Hij pleegt dreigtelefoontjes. Iedereen denkt dat ik er ook een heb gehad. Daar heb ik voor gezorgd. Ze zullen denken dat hij je heeft vermoord. Als je eens wist hóe lang ik op dit moment heb gewacht –' De revolver ging omhoog en richtte...

'Je bent gek! Als je me vermoordt, dan zullen ze –'

Het schot van de revolver veroorzaakte een klein gaatje in Tony Austins borst, vlak bij zijn sleutelbeen, maar het feit dat de dumdumkogel zijn hart niet geraakt had, maakte niets uit. Het projectiel explodeerde in zijn borstholte en Austin was op slag dood.

Hoofdstuk 59

'Wat is het toch gezellig om jullie allemaal weer eens aan tafel te zien,' zei mevrouw Mathison tegen Julie toen ze opstond om met afruimen te helpen. 'We zouden dit veel vaker moeten doen, niet alleen bij bijzondere gelegenheden,' voegde ze eraan toe.

Julie pakte vier glazen op en keek haar moeder glimlachend aan.

Dit was een heel bijzondere gelegenheid – de laatste avond die ze ooit bij hen zou zijn, want morgenochtend vertrok ze naar Zack.

'Weet je zeker dat je niet wilt dat Carl en ik blijven om de eetkamer op te ruimen?' vroeg Sara terwijl ze door Carl in haar jas werd geholpen. 'Carl moet nog het een en ander voor het recreatiecentrum doen, maar dat kan best nog een half uurtje wachten.'

'Nee, dat kan het niet,' zei Julie, terwijl ze zich de zitkamer in haastte en Carl en Sara omhelsde. Ze omarmde ze beiden wat langer dan nodig was, en ze gaf hun een extra zoen op de wang. Want dit was het afscheid. 'Zorg goed voor elkaar,' fluisterde ze beiden toe.

'We wonen bij wijze van spreken om de hoek,' merkte Carl droogjes op. Julie keek ze na tot ze de straat uit waren gelopen, prentte het beeld in haar geheugen en deed de deur dicht. Ted en haar vader waren naar de zitkamer gegaan om naar het nieuws te kijken, en Katherine hielp met afruimen.

'Sara is toch zo'n lieverd,' zei mevrouw Mathison toen ze even later met Julie alleen in de keuken was. 'Zij en Carl passen zo goed bij elkaar, en ze zijn zo gelukkig.' Met een blik over haar schouder naar de eetkamer, waar Katherine bezig was met het opstapelen van de borden, voegde ze eraan toe: 'Ik geloof dat Ted en Katherine elkaar weer gevonden hebben, denk jij ook niet? Katherine was vroeger nog zo'n kind, maar ze is een stuk volwassener geworden, en Ted hield zo verschrikkelijk veel van haar. Hij heeft haar nooit kunnen vergeten.'

Julie glimlachte somber terwijl ze de borden, die Katherine binnenbracht, in de vaatwasmachine zette. 'Juich niet te vroeg. Ik heb Katherine vanavond uitgenodigd, niet Ted. Hij gaat nog steeds om met die Grace Halves, en het zou me niets verbazen als hij zich tegen zijn gevoelens voor Katherine verzet.'

'Julie, is er iets? Je doet zo vreemd vanavond. Het is net alsof je je ergens zorgen over maakt.'

Julie pakte de theedoek op en forceerde een vrolijk glimlachje terwijl ze het aanrecht begon af te nemen. 'Hoe kom je daar zo bij?'

'Om te beginnen omdat de kraan nog loopt en de borden nog niet zijn afgespoeld, en je al begonnen bent met het afnemen van het aanrecht. Je was altijd zo'n keurig meisje, Julie,' voegde ze er plagend aan toe, terwijl Julie de theedoek haastig weglegde en verder ging met het spoelen van de borden. 'Je denkt nog steeds aan die Zachary Benedict, is het niet?'

Dit was een volmaakte kans om haar moeder voor te bereiden op wat ze in de afscheidsbrief zou lezen, en Julie greep hem met beide handen aan. 'Wat zou je zeggen als ik je vertelde dat ik in Colorado verliefd op hem ben geworden?'

'Ik zou zeggen dat het heel erg dom van je is om dat te geloven.'

'En wat als ik er niets aan kan doen?'

'Dan kan ik je alleen maar zeggen dat de tijd alle wonden heelt, liefje. Echt. Je hebt hem tenslotte maar gedurende een enkel weekje meegemaakt. Waarom word je niet verliefd op die aardige Paul Richardson?' vroeg ze lachend, maar Julie begreep dat ze het absoluut niet als een grapje bedoelde. 'Hij heeft een goede baan en hij is helemaal gek op je. Het is je vader zelfs opgevallen.'

In het besef dat een gesprek over Paul en de banale taak van afwassen beide zonde waren van de kostbare tijd die haar met haar familie restte, gooide Julie de theedoek op tafel. 'Ik ga straks wel verder met de afwas.' Ze keek om het hoekje van de keukendeur en riep: 'Wil iemand nog iets uit de keuken?'

'Ja', riep Ted. 'Koffie.'

Katherine, die juist weer binnen was gekomen om met de afwas te helpen, pakte de kopjes en schoteltjes, maar Julie schudde het hoofd. 'Ga maar lekker bij Ted zitten. Ik ga de koffie zo wel halen als hij klaar is.'

Julie was met een blad vol kopjes halverwege de zitkamer, toen ze haar vader hoorde sissen: 'Ted, zet die televisie uit, dat hoeft Julie niet te horen!'

'Wat hoef ik niet te horen?' vroeg Julie, terwijl ze verstijfd van schrik bleef staan toen ze Ted op de televisie af zag duiken. 'Laat aanstaan, Ted,' zei ze op scherpe toon, omdat ze onmiddellijk begreep dat het iets over Zack moest zijn. 'Ze hebben Zack te pakken, niet?' vroeg ze, en ze beefde zo verschrikkelijk dat de kopjes op het blad ervan rammelden. 'Geef antwoord!' riep ze, en keek naar vier onthutste gezichten.

'Nee, ze hebben hem niet te pakken,' verklaarde Ted op een sarcastisch toontje, 'maar hij heeft wel een nieuw slachtoffer gemaakt!' Terwijl hij dat zei was de reclameboodschap afgelopen, en Julie zag hoe een brancard een huis uit werd gedragen. Op de brancard lag een met een wit laken toegedekt lichaam. De stem van de nieuwslezer vulde de kamer: *'Tony Austin, die samen met Zachary Benedict en Rachel Evans de hoofdrol speelde in* Destiny, *is hedenochtend dood aangetroffen in zijn huis in Los Angeles. Austin is overleden aan de gevolgen van een schotwond in zijn borst. Voorlopig onderzoek heeft uitgewezen dat de kogel die Austin het leven heeft gekost een dumdumkogel was, eenzelfde soort kogel als die waarmee Zachary Benedicts vrouw, Rachel Evans, om het leven is gebracht. De autopsie heeft uitgewezen dat Austin gisteravond rond tien uur vermoord moet zijn. De politie heeft bevestigd dat Austin gisteravond een telefonisch dreigement van Zachary Benedict heeft gekregen, en het schijnt dat Benedict gisteravond in de buurt van Austins huis is gesignaleerd. De overige leden van de crew en de cast van* Destiny *hebben van de politie het dringende advies gekregen om uiterst voorzichtig te zijn –.'*

De rest van het nieuwsbericht werd overstemd door het geluid van brekende kopjes en schoteltjes. Julie had het blad latten vallen en sloeg de handen voor haar gezicht. Het beeld van de brancard die het huis werd uit gedragen stond in haar geheugen gegrift, en in gedachten hoorde ze Zacks ijskoude stem die zei:

'*Laat Austin maar aan mij over. Er zijn andere manieren om hem aan te pakken.*'

'Julie!' werd er van alle kanten geroepen en handen werden naar haar uitgestoken, maar ze week achteruit, en keek zonder iets te zien van haar moeder en Katherine, die bezig waren met het oppakken van de scherven, naar haar vader en Ted, die voor haar waren komen staan en haar geschrokken aankeken.

'Alsjeblieft!' kwam het half verstikt over haar lippen. 'Ik wil alleen zijn. Pap,' zei ze, en het kostte haar echt de grootst mogelijke moeite om kalm te blijven, 'breng moeder alsjeblieft naar huis. Ik wil niet dat ze zich om mij van streek maakt. Dat is niet goed voor haar bloeddruk.'

Ze draaide zich om en liep naar haar slaapkamer, deed de deur achter zich dicht en ging in het donker op de rand van haar bed zitten. Ergens in huis ging de telefoon, maar ze was in gedachten bij wat mevrouw Stanhope tegen haar had gezegd:

'*Zachary heeft zijn eigen broer vermoord, en zijn vrouw... Hij is niet langer in staat om de werkelijkheid van de fantasie te scheiden... Zachary is krankzinnig.*'

'*Als hij hulp had gekregen, dan zou Rachel Evans nu niet in haar graf liggen... Ga naar de politie... Anders vallen er nog meer slachtoffers, en zul je je voor de rest van je leven net zo schuldig voelen als ik....*'

In gedachten zag Julie Tony Austins glimlachende, knappe, charmante gezicht voor zich. Hij zou nooit meer glimlachen. Hij was dood, net als Rachel Evans en Justin Stanhope.

Ze hoorde Matt Farrells waarschuwende woorden: '*En we hebben ook bewijslast gevonden die wijst in de richting van Diana Copeland... Emily McDaniels... Tommy Newton.*'

Julie trok de la van haar nachtkastje open, haalde Zacks brief eruit en drukte hem tegen haar borst. Ze hoefde hem niet te lezen; ze kende hem al uit haar hoofd. Ze sloeg haar armen om zich heen, wiegde heen en weer, hield de brief tegen haar hart gedrukt en fluisterde zijn naam zachtjes voor zich uit.

Gedempte stemmen klonken uit de zitkamer, drongen langzaam maar zeker tot haar door en trokken haar uit de afgrond waar voor haar niets anders was dan verdriet en pijn, stemmen die haar langzaam overeind deden komen. Stemmen van mensen die het moesten weten... die haar konden helpen... die het haar zouden zeggen...

Hoofdstuk 60

Haar vader onderbrak zijn gesprek met Ted en Katherine, en zag Julie, stijf als een plank, de zitkamer binnenkomen. In haar hand hield ze de brief die ze voor hen had willen achterlaten.

'Ik heb moeder naar huis gestuurd,' zei hij.

Julie knikte stijfjes en schraapte haar keel. 'Mooi.' Even draaide ze de brief die ze hun had geschreven in haar handen, en toen gaf ze hem aan haar vader. Toen hij hem had aangepakt en opengevouwen, en hem zo hield dat Ted ook mee kon lezen, voegde ze eraan toe: 'Ik was van plan om... om morgen naar hem toe te gaan.'

Ted hief zijn hoofd met een ruk op en keek haar woedend aan.

'Echt waar,' voegde ze eraan toe voor hij iets kon zeggen.

Julie zag hem op zich afkomen, maar ze rukte zich los toen hij haar arm had gepakt. 'Raak me niet aan!' riep ze hysterisch uit. 'Raak me niet aan.' Ze keek van Ted naar het grimmige, gekwetste gezicht van haar vader, en wachtte tot hij de brief helemaal gelezen had, hem op tafel had gegooid en was opgestaan. 'Help me alsjeblieft,' kwam het gebroken over haar lippen. 'Jij had altijd overal een oplossing voor. Ik wil de juiste beslissing nemen. Laat iemand me alsjeblieft helpen,' riep ze tegen Katherine, die haar best deed om haar tranen de baas te blijven, en tegen Ted.

Plotseling sloeg haar vader zijn armen om haar heen en drukte haar innig tegen zijn borst, net zoals hij altijd gedaan had toen ze nog een klein meisje was en zich bezeerd had. 'Je weet al wat de juiste beslissing is,' zei hij met hese stem. 'De man moet opgepakt worden voor hij nog meer slachtoffers maakt. Ted,' vervolgde hij tegen zijn zoon, 'jij bent de advocaat. Hoe kunnen we dit het beste aanpakken zonder dat Julie in moeilijkheden komt?'

Ted dacht even na, en zei toen: 'Ik denk dat we op Paul Richardson moeten gokken. Ik zou hem kunnen bellen, en kijken of we een deal met hem kunnen maken. Julie zorgt ervoor dat Benedict gepakt wordt, en hij zorgt ervoor dat Julie geen geduvel krijgt en dat ze verder niet verhoord wordt.'

Julie schrok van het idee van nog een verhoor. 'Zeg tegen Paul dat ik weiger te zeggen hoe ik weet waar Zack is!' Ze dacht aan Matt en Meredith Farrell en aan de aardige jongeman die haar een auto had gebracht – allemaal mensen die een man trouw waren die hen verraden had omdat hij ziek was. Omdat hij er niets aan kon doen. 'Als je hem belt,' herhaalde ze, en probeerde haar stem effen te laten klinken, 'dan moet hij ermee akkoord gaan dat ik hem niets anders vertel dan alleen waar Zack morgenavond zal zijn. Ik wil niet dat hier iemand anders bij betrokken raakt, en dat meen ik!'

'Je zit tot over je oren in de problemen, en je maakt je druk om iemand anders!' snauwde Ted. 'Realiseer je je wel wat Richardson zou kunnen doen? Hij kan je vanavond nog achter de tralies hebben!' Julie wilde antwoord geven, maar opeens liet het laatste beetje kracht dat haar nog restte, haar in de steek. Ze draaide zich om, liep naar de keuken en ging aan tafel zitten. Ze sloeg de handen voor haar gezicht en liet haar tranen eindelijk de vrije loop. 'Het spijt me, lieveling,' snikte ze. 'Het spijt me verschrikkelijk...'

Enkele minuten later drukte Katherine een zakdoek in haar hand, en ging vervolgens zonder iets te zeggen tegenover haar aan tafel zitten.

Toen Ted even later de keuken binnenkwam, had Julie haar emoties uiterlijk weer enigszins onder controle.

'Richardson gaat akkoord,' zei hij. 'Over drie uur is hij hier.' De telefoon ging, en hij draaide zich met een ruk om en nam op. 'Ja,' zei hij, 'ze is thuis, maar ze komt niet aan de telefoon –' Er verscheen een rimpel op zijn voorhoofd, waarop hij zijn hand op de hoorn van de telefoon legde en tegen Julie zei: 'Een zekere Margaret Stanhope aan de lijn. Ze zegt dat het dringend is.'

Julie knikte, slikte en nam de telefoon van Ted aan. 'Waarvoor belt u, mevrouw Stanhope? Om te zeggen dat u gelijk heeft gehad?' vroeg ze bitter.

'Nee,' antwoordde Zacks grootmoeder. 'Ik bel u om te vragen, om u te smeken om hem aan te geven als u weet waar hij is. Voordat hij nog een onschuldig slachtoffer maakt.'

'Hij heet Zack!' riep Julie half snikkend uit. 'Wanneer noemt u uw kleinzoon nu eindelijk eens bij zijn naam?'

De andere vrouw haalde haperend adem, en toen ze opnieuw het woord nam, klonk ze bijna even gekweld als Julie. 'Als u weet waar Záck is,' smeekte ze, 'als u weet waar mijn kléinzoon is,' voegde ze eraan toe, 'dan smeek ik u in de naam van God, zorg ervoor dat hij niet nog meer mensen vermoordt!'

Julie's vijandigheid verdween bij het horen van het verdriet in de trotse stem van de oude vrouw. 'Dat zal ik doen,' fluisterde ze.

Hoofdstuk 61

'Namens de bemanning van vlucht 614, graag tot ziens aan boord bij Aero-Mexico,' zei de stewardess. 'En vergeet u vooral niet,' voegde ze er vrolijk aan toe, 'dat dit de maatschappij is die u twintig minuten eerder dan schematijd op uw bestemming heeft gebracht.' Op een wat zakelijker toontje vervolgde ze: 'Houdt u uw gordels om en blijft u zitten alstublieft, totdat het toestel volledig tot stilstand is gekomen bij de gate.'

Julie zat op een van de achterste rijen van het overvolle vliegtuig tussen Ted en Paul Richardson in. Ze hield haar broers hand stevig vast, en haar maag draaide zich om terwijl het toestel tot stilstand kwam. Haar hart begon te schreeuwen dat dit niet goed wat wat ze deed, haar geweten schreeuwde even hard dat het wél goed was, en zelf zat ze er midden tussenin. Paul Richardson zag haar borst hijgend op en neer gaan, en hij nam haar andere hand in de zijne. 'Rustig, maar, liefje,' zei hij zacht. 'Het is bijna voorbij. Alle uitgangen van het vliegveld worden bewaakt.'

'Ik kan het niet. Ik kan het niet. Ik moet overgeven!' siste ze.

Hij greep haar klamme vingers steviger beet. 'Je bent aan het hyperventileren. Haal een paar keer diep adem.'

Julie dwong zichzelf te gehoorzamen. 'Zorg ervoor dat ze hem niets aandoen!' fluisterde ze fel. 'Je hebt beloofd dat niemand hem iets aan zou doen.'

De passagiers om hen heen stonden op, en Paul kwam ook overeind. Hij legde zijn hand op Julie's arm en dwong haar om ook op te staan. Ze rukte haar arm weg. 'Ik wil dat je me nog eens belooft dat niemand hem ook maar één haar zal krenken!'

'Niemand wil hem iets doen, Julie,' zei hij, alsof hij het tegen een doodsbang kind had. 'Daarom ben jij ook meegekomen. Je wilde er zeker van zijn dat hij ongedeerd zou blijven, en ik heb je gezegd dat de kans op geweld het kleinst is als Benedict je ziet en denkt dat jij ook gepakt wordt, weet je nog?'

Toen ze knikte, begon hij, met zijn hand onder haar elleboog, het gangpad af te lopen. 'Ziezo, we zijn zover,' zei hij. 'Van nu af aan blijven Ted en ik steeds een paar passen achter je. Niet bang zijn. Mijn mensen zijn overal, en jouw veiligheid staat bij hen voorop. Als Benedict begint te schieten, dan zullen ze hun leven op het spel zetten om het jouwe te beschermen.'

'Zack zal heus niet op mij schieten!' verklaarde ze honend.

'Hij is niet gezond. Je kunt niet weten hoe hij zal reageren zodra hij eenmaal heeft beseft dat jij hem erin hebt laten lopen. En dat is de reden waarom je, wat er ook gebeuren mag, moet doen alsof je partij voor hem kiest totdat hij veilig en wel gearresteerd is. We hebben het hier uitvoerig over gehad, weet je nog?' Hij wachtte even toen ze bij de stewardess waren gekomen die bij de uitgang van het vliegtuig stond. 'Is alles duidelijk?'

Julie wilde het uitschreeuwen dat niets duidelijk was, maar ze drukte haar nagels in de binnenkant van haar hand en dwong zichzelf om te knikken.

'Goed, van nu af aan sta je er alleen voor,' zei hij. Hij bleef staan, haalde haar jas van haar schouders en legde hem zorgvuldig over haar arm. 'Over vijf minuten is alles voorbij. Blijf daaraan denken, nog maar vijf minuutjes. En onthoud, zoek niet naar hem, laat hij je vinden.'

Hij keek haar na terwijl ze langzaam voor hem uit de slurf in liep, wachtte tot ze een paar meter van hem af was, en volgde haar toen samen met Ted. Toen ze buiten gehoorsafstand van de stewardess waren, fluisterde Ted fel: 'Je had het recht niet om haar dit aan te doen. Je hebt zelf gezegd dat het hele vliegveld wemelt van de FBI en Mexicaanse politie. Je hebt haar helemaal niet nodig om hem te vinden!'

Paul knoopte zijn jasje open en trok zijn stropdas wat losser. Hij zag eruit als een nonchalant geklede zakenman die, samen met een vriend, een paar dagen Mexico City bezocht. Hij stak zijn handen in zijn broekzakken en zei met een zuinig glimlachje: 'Ze wilde mee omdat haar aanwezigheid zou garanderen dat Benedict ongedeerd zou blijven, en dat weet je best. Ik heb de piloot om een dokter laten vragen; zodra deze hele geschiedenis achter de rug is, staat hij klaar om haar een kalmerend middel te geven.'

'Als je ook maar half zo slim was als je dacht, dan zouden je mannetjes hem allang te pakken hebben gehad, en dat hebben ze niet, wel? Dat ben je ook te weten gekomen toen je naar de cockpit ging, is het niet?'

Pauls glimlach werd breder, maar zijn woorden voorspelden weinig goeds. 'Inderdaad. Hij is hun te slim af geweest, maar voor hetzelfde geld is hij ook niet gekomen. De FBI heeft geen bevoegdheid in Mexico. Zolang Benedict op Mexicaans grondgebied is, kunnen we de Mexicaanse politie alleen maar "assisteren", en het is nu eenmaal een feit dat ze niet uitblinken in dit soort operaties.'

Trillend over haar hele lichaam liep Julie aarzelend de lawaaierige hal van het vliegveld in, waar passagiers begroet werden door familie en bekenden. Ze keek van links naar rechts om zich heen, op zoek naar een lange, donkerharige man die zich ophield in de onmiddellijke nabijheid van een uitgelaten groepje, en toen ze niemand zag die ook maar een beetje op Zack leek, maakte een mengeling van opluchting en paniek zich van haar meester.

'*Perdona, senorita!*' riep een Mexicaan die haar opzij duwde en, met in de ene hand een koffer en aan de andere een klein kind, snel verder rende om zijn vlucht te halen.

'Pardon!' zei een andere man, nadat hij haar onbeschoft een zet had gegeven. Hij was opvallend lang en donker, maar hield zijn gezicht afgewend. 'Zack!' fluisterde ze ontzet, terwijl ze zich met een ruk omdraaide en de man nakeek die zich naar een gate haastte waar een horde aangekomen passagiers zich verdrong om de hal binnen te komen. Drie Mexicanen die tegen een zuil stonden geleund, sloegen haar gade. Ze keken van haar naar de man en terug, en ze zag ze op hetzelfde moment als waarop ze het gezicht van de man zag. Het was iemand anders.

De stem van de omroepster schalde door de speakers en weergalmde door haar hoofd: '*Vlucht 620 uit Los Angeles is geland en staat bij uitgang A-64. Vlucht 1152 uit Phoenix is geland en staat bij uitgang A-23. Vlucht 134...*'

Julie streek haar pony van haar voorhoofd en begon blindelings de terminal in te lopen. Voor haar mocht het allemaal zo snel mogelijk achter de rug zijn, en eigenlijk hoefde ze het ook helemaal niet meer te zien. Nog vier minuten. Als ze snel liep, dacht ze, en niet om zich heen keek, dan zou Zack vanachter een deur of een pilaar te voorschijn komen, en dan zouden ze hem arresteren en zou alles achter de rug zijn.

Alsjeblieft, God, laat het heel snel gebeuren, bad ze, terwijl ze ongehinderd de douane passeerde. *Laten ze hem alsjeblieft geen pijn doen. Laat het snel achter de rug zijn. Laten ze hem geen pijn doen. Laat het snel gebeuren.*

Ze volgde de pijlen naar de uitgang van de terminal. Ze bleef niet staan, aarzelde niet en liep haastig verder. *Laten ze hem niets aandoen... Laten ze niet op hem schieten... Laat hem hier niet zijn*, dreunde het onder het lopen door haar hoofd. Voor zich zag ze de deuren die uitkwamen op een helverlichte parkeerplaats waar taxi's met hun lichten aan op een vrachtje stonden te wachten. *Laat hem er niet zijn. Laat hem er niet zijn. Laat hem er niet zijn.*

Hij was er niet.

Julie bleef stokstijf staan, en merkte niet eens dat ze door de mensen die achter haar aan kwamen, opzij werd geduwd. Langzaam draaide ze zich om. Ze zag Paul Richardson die was blijven staan en deed alsof hij een praatje maakte met Ted... ze zag een groepje lachende Mexicanen die half hollend haar kant op kwamen... ze zag een lange, lichtelijk gebochelde oude man met grijzend haar die zijn hoofd gebogen hield en een koffer droeg... ze zag een moeder met – De oude man! Julie draaide zich naar hem toe en keek hem aan, juist op het moment waarop hij zijn hoofd ophief en haar aankeek met die warme, glimlachende goudbruine ogen van hem.

Kijk uit! riep ze hem in gedachten toe, deed een stapje in zijn richting, nog een, en begon toen te rennen in een poging zichzelf tussen hem en het dreigende gevaar te storten. Op hetzelfde moment brulde een mannelijke stem: 'BLIJF STAAN, BENEDICT!'

Zack verstijfde. Hij werd van meerdere kanten beetgegrepen en tegen de muur geworpen, maar hij bleef ondertussen strak naar Julie kijken alsof hij haar duidelijk wilde maken dat ze niet in zijn buurt moest komen. Passagiers zochten schreeuwend en krijsend een veilig heenkomen, terwijl leden van de Mexicaanse federale politie met getrokken wapens van alle kanten toeschoten. Julie schreeuwde het hardst van allemaal. 'Niet schieten! Niet schieten!'

Paul Richardson greep haar beet en trok haar naar achteren. 'Ze willen op hem schieten!' riep ze. 'Ze schoppen hem!' Ze probeerde zich los te rukken om te zien wat er precies gebeurde.

'Het is voorbij,' schreeuwde Paul in haar oor. Hij deed zijn best om haar in bedwang te houden en haar te kalmeren.

Toen zijn woorden ten slotte tot Julie doordrongen, verstijfde ze. Als verlamd keek ze toe en zag hoe Zack omsingeld en gefouilleerd werd volgens de aanwijzingen van een kleine, keurig geklede, kalende man die opeens de leiding over de operatie leek te hebben. Glimlachend keek hij toe terwijl Zack door de Mexicaanse politie gefouilleerd werd, en ze hoorde hem zeggen: 'We gaan naar huis, Benedict, en we zullen nog heel, heel lang samen zijn –' Hij zweeg toen een van de agenten iets uit Zacks zak haalde en het aan de man toonde. 'Wat is dat?' snauwde hij.

De agent liet het voorwerp in zijn hand vallen, en Julie huiverde bij het zien van zijn valse grijns. Hij keek van het voorwerp in zijn hand naar Zacks volkomen uitdrukkingsloze gezicht. 'Ach, wat aandoenlijk!' hoonde hij, waarop hij zich plotseling omdraaide naar Julie en naar haar toe liep.

'Ik ben hoofdbewaarder Hadley,' zei hij, en bood haar zijn hand. 'Ik weet bijna zeker dat dit voor u was bestemd.'

Julie reageerde niet, ze was niet in staat zich te verroeren, want ze zag Zack naar haar kijken op een manier die haar deed wensen dat ze dood was. Hij probeerde haar stilzwijgend duidelijk te maken dat hij van haar hield. Dat het hem speet. Dat dit het afscheid was.

Want hij dacht nog steeds dat ze niets met zijn arrestatie te maken had.

'Pak aan!' snauwde Hadley op een afgrijselijke toon.

Automatisch nam Julie het voorwerp aan.

In haar hand hield ze een smalle, met diamanten bezette trouwring.

'O, nee –' kreunde ze, terwijl ze de ring tegen haar borst drukte en de tranen over haar wangen stroomden. 'Nee, nee, nee –'

Hadley negeerde haar en wendde zich tot de Mexicaanse politie. 'Afvoeren,' beval hij, en wees op de parkeerplaats voor de hal waar inmiddels tientallen patrouilleauto's met blauwe zwaailichten waren gearriveerd. Maar toen de politie Zack naar de uitgang begon te duwen, leek Hadley opeens een ander idee te krijgen. 'Een momentje,' snauwde hij, toen Zack vlak bij Julie was gekomen. Hij wendde zich tot Julie, keek haar met een valse grijns aan en zei op een stroperig toontje: 'Mevrouw Mathison, ik ben erg onbeleefd tegen u geweest. Ik heb u nog helemaal niet bedankt voor uw medewerking. Als u ons niet geholpen had bij deze hele operatie, dan hadden we Benedict misschien wel nooit te pakken gekregen.'

Zack keek met een ruk op, en liet zijn blik ongelovig over Julie's schuldige gezicht gaan. Ongeloof maakte plaats voor haat. Zo'n allesoverweldigende haat dat ze zijn gezicht zag vertrekken tot een masker van pure woede. In een opwelling van furie rukte hij zich los uit de handen van de politie, en zette het op een lopen naar de deur. 'Grijp hem, de klootzak!' brulde Hadley, en de in paniek geraakte agenten trokken hun knuppels en begonnen op Zack in te slaan. Julie hoorde de knuppels op Zack neerkomen, en ze hoorde het kraken van bot. Zack zakte door zijn knieën. Toen ze de agenten opnieuw zag uithalen, werd ze hysterisch. Jammerend van pijn en verdriet voor de man die inmiddels languit op de grond lag, stortte ze zich op Hadley. Ze begon zijn gezicht open te krabben en schopte hem waar ze hem maar raken kon, terwijl Paul zijn best deed om haar van de man af te trekken. Hadley balde zijn vuisten om haar van zich af te slaan, maar beheerste zich bij het horen van Pauls waarschuwende woorden: 'Gore, smerige sadist die je bent, raak haar met één vinger aan, en ik ruk je tong uit je bek!' Hij keek op, en riep tegen een van zijn mannen: 'Waar is die dokter, verdomme!' Op Hadley wijzend voegde hij eraan toe: 'En laat hem hier opsodemieteren!'

Het volgende moment voelde hij Julie in zijn armen flauwvallen.

Hoofdstuk 62

Dr. Delorik kwam met zijn zwarte koffertje uit Julie's slaapkamer en glimlachte geruststellend naar haar bezorgde ouders en broers en naar Katherine en Sara, die zich, in afwachting van zijn prognose, in haar zitkamer verzameld hadden. 'Ze kan wel tegen een stootje. Over vierentwintig uur is ze er lichamelijk weer bovenop,' beloofde hij. 'Als jullie willen, dan kunnen jullie naar binnen om haar welterusten te wensen. Ik heb haar een kalmerend middel gegeven, en ze weet waarschijnlijk niet eens dat het ochtend is en geen avond, en er bestaat een grote kans dat ze niet op jullie reageert, maar misschien dat ze, wanneer ze jullie stem heeft gehoord, wat gemakkelijker in slaap valt. Het zal wel een paar daagjes duren voor ze zich weer fit genoeg voelt om aan het werk te gaan.'

'Ik zal naar het hoofd van de school bellen om het uit te leggen,' zei mevrouw Mathison meteen, terwijl ze opstond en een bezorgde blik wierp op de openstaande deur van Julie's slaapkamer.

'Je hoeft waarschijnlijk niet eens zo heel veel uit te leggen, niet aan hem, niet aan wie dan ook,' zei dr. Delorik op effen toon. 'Ik neem aan dat u het niet gezien heeft, maar alles wat er gisterenavond in

Mexico gebeurd is, is vanmorgen uitgebreid in alle nieuwsuitzendingen vertoond, met inbegrip van opnamen van vakantievierders die op het vliegveld waren en hun videocamera bij zich hadden. Het positieve aan deze hele toestand is dat Julie als een heldin wordt afgeschilderd, dankzij wier medewerking de politie in staat is geweest om Benedict te arresteren.'

Zes gezichten keken hem uitdrukkingsloos aan, en hij begreep dat deze 'positieve kant' hun helemaal niet positief in de oren klonk. Hij haalde zijn schouders op en trok zijn jas aan. 'Laat iemand gedurende de eerstkomende vierentwintig uur bij haar blijven – om een oogje op haar te houden, en opdat ze, wanneer ze wakker wordt, niet alleen is.'

'Wij blijven wel,' zei James Mathison, en sloeg een arm om de schouders van zijn vrouw.

'Jullie gaan naar huis om te rusten,' zei dr. Delorik met klem. 'Jullie zijn uitgeput. Mary, denk aan je hart. Al deze stress is helemaal niet goed voor je.'

'Hij heeft gelijk,' verklaarde Ted. 'Jullie gaan naar huis en naar bed. Carl, jij en Sara gaan naar je werk, en als jullie willen, dan komen jullie vanavond. Ik ben vandaag en morgen vrij, dus ik blijf.'

'Vergeet dat maar rustig!' sprak Carl hem tegen. 'Je hebt sinds eergisteren geen oog dichtgedaan, en als je eenmaal in slaap valt, dan ben je met geen tien paarden wakker te krijgen. Mocht je in slaap zijn gevallen en Julie je nodig hebben, dan hoor je haar niet.'

Ted deed zijn mond open om zijn broer tegen te spreken, maar kreeg opeens een beter idee. 'Katherine,' zei hij, en wendde zich tot haar, 'zou jij hier samen met mij willen blijven? Anders gaan Carl en Sara nooit naar hun werk en blijven ze hier eeuwig met me bekvechten. Of is er iets anders dat je moet doen?'

'Ik blijf,' zei Katherine zonder aarzelen.

'Dat is dan geregeld,' zei dominee Mathison, en de familie liep de gang af naar Julie's slaapkamer, terwijl Katherine naar de keuken ging om voor Ted een licht ontbijt klaar te maken.

'Julie, liefje, ik ben het, papa. Mama is hier ook.'

In haar slaap voelde Julie iets op haar voorhoofd, en ze hoorde de stem van haar vader als van heel ver weg fluisteren: 'We houden van je. Alles komt goed. Slaap maar lekker.' Toen hoorde ze de zachte, ontroerde stem van haar moeder. 'Je bent zo dapper geweest, lieverd. Je bent altijd al zo'n dapper meisje geweest. Slaap lekker.' Ze voelde iets ruws langs haar wang strijken en wendde haar gezicht af. Het volgende moment hoorde ze Carls hese lach. 'Zo hoef je je lievelingsbroer toch niet te behandelen, en dat alleen maar omdat ik me toevallig nog niet geschoren heb... Ik hou van je, schat.' Even later hoorde ze Teds plagende stem: 'Altijd wel gedacht dat die Carl een ingebeelde vlegel is! Ik ben je lievelingsbroer. Katherine en ik zijn hier, en we blijven bij je. Als je strakjes wakker wordt, dan hoef je ons maar te roepen, en we zullen je bedienen alsof je een prinses bent.' Sara's lieve stem fluisterde: 'Ik hou ook van je, Julie. Slaap lekker.'

En toen verdwenen de stemmen, verdwenen naar de achtergrond en vermengden zich met al die andere vreemde geluiden en verontrustende beelden van schreeuwende, rennende en duwende mensen, van zwaaiende revolvers en flitsend licht, en van ijzige ogen die haar als gouden dolken doorboorden, en ronkende vliegtuigmotoren.

Katherine was net bezig om toost, jam en een glas sinaasappelsap op het blad te zetten, toen ze de voordeur dicht hoorde slaan. Zoals Ted gisteren beloofd had, had hij vanmorgen, meteen nadat ze Julie hadden thuisgebracht, gebeld, maar toen Katherine gekomen was, was de familie er ook al geweest. Het enige dat ze over de gebeurtenissen in Mexico City wist, was de korte, ongetwijfeld gecensureerde versie die Ted aan zijn bezorgde ouders had verteld.

Ze pakte het blad op en ging ermee naar de zitkamer, maar bleef staan toen ze Ted, voorovergebogen en met de handen voor zijn gezicht geslagen, op de bank zag zitten. Hij maakte zo'n verslagen indruk, dat ze meteen begreep dat hij niet alleen maar moe was.

'Het was erg in Mexico, niet?' vroeg ze zacht.

'Erger dan erg,' zei hij. Hij wreef zijn handen over zijn gezicht terwijl ze het blad op de lage tafel zette en een stuk van hem af op de bank ging zitten. Hij steunde met zijn armen op zijn benen, draaide zich naar haar toe en zei kortaf: 'Het was een nachtmerrie. Het enige positieve eraan was dat Julie van tevoren al zo hysterisch en over haar toeren was, dat de helft van wat er gebeurd is waarschijnlijk niet eens tot haar is doorgedrongen. Daarbij heeft Paul Richardson haar ook een beetje afzijdig weten te houden, zodat ze niet precies heeft kunnen zien wat er gebeurde. Maar ik,' vervolgde hij grimmig, 'zat op de voorste rij, ik heb alles precies kunnen zien en ik was niet hysterisch. Jezus, ik had nooit gedacht dat het zo erg zou kunnen zijn...'

Toen Katherine het gevoel kreeg dat hij niet wist waar hij met zijn verhaal moest beginnen, vroeg ze: 'Bedoel je dat Benedict heeft geschoten? Dat hij haar heeft aangevallen?'

'Benedict?' herhaalde hij bitter. 'Geschoten? Haar aangevallen? Had hij dat maar geprobeerd! Dan zou het voor haar veel gemakkelijker zijn geweest.'

'Ik begrijp het niet.'

Ted slaakte een diepe zucht, leunde achterover, keek naar het plafond en lachte zonder vreugde. 'Nee, hij heeft helemaal niets gedaan. Op het moment waarop hij zich realiseerde wat er aan de hand was, verstijfde hij. Hij heeft geen moment geprobeerd om te ontkomen. Hij bleef gewoon roerloos staan, en keek Julie hoofdschuddend aan alsof hij haar duidelijk probeerde te maken dat ze moest maken dat ze wegkwam en zich moest verstoppen. Hij vertrok geen spier en zei geen woord, zelfs niet toen hij in de boeien werd geslagen en tegen de muur werd geduwd en gefouilleerd werd. De Mexicaanse politie heeft nog nooit van mensenrechten gehoord, en voor hen betekent fouilleren een kans om iemand eens lekker te grazen te nemen. Een van hem sloeg hem met een knuppel op zijn rug, en ander mepte hem eens even flink in de knieholten. En hij gaf geen kik. God, ik heb nog nooit meegemaakt dat iemand die in elkaar wordt geslagen zo stoïcijns is. Het was alsof hij zijn arrestatie zo rustig mogelijk wilde laten verlopen, en dat het hem niet kon schelen wat ze hem aandeden. Julie kon zo goed als niets zien van wat ze met hem deden, en ze schreeuwde aldoor maar dat ze hem geen pijn moesten doen.'

'Hier, drink dit eerst even op, voordat je verder vertelt,' zei Katherine, terwijl ze hem het glas sinaasappelsap gaf. Hij ging rechtop zitten, en nam het glas met een kort, dankbaar glimlachje van haar aan. 'En dat was alles?' vroeg ze, toen hij het sap had opgedronken.

Hij schudde zijn hoofd, boog weer vooorover en steunde met zijn ellebogen op zijn knieën. Hij draaide het lege glas tussen zijn handen en keek ernaar. 'Nee,' zei hij wrang, 'toen viel het nog mee.'

'Wat gebeurde er dan nog?' vroeg Katherine.

'Het werd pas echt erg toen ze Benedict wilden afvoeren. Hadley, de hoofdbewaarder van de gevangenis in Amarillo, die daarnaast ook nog eens de grootste sadist is die je je maar kunt voorstellen, stapte op Julie toe en feliciteerde haar, waar Benedict vlak naast stond, met de succesvolle afloop van de operatie.'

'En waarom maakt hem dat tot een sadist?'

'Je had zijn valse grijns moeten zien om dat te begrijpen. Ik zei je al, Benedict stond ernaast, en Hadley deed het voorkomen alsof Julie het hele plan bedacht had.'

Katherine bracht haar hand naar haar keel en Ted knikte. 'Je snapt het, dus. En Benedict snapte het ook. Jezus, je had zijn gezicht moeten zien. Hij keek Julie aan alsof hij... alsof hij haar wel kon vermoorden, ik kan het niet anders beschrijven, en het was nóg erger. Hij probeerde zich op haar te storten of om te ontsnappen, dat weet ik niet precies, maar hoe dan ook, de politie greep zijn onverwachte beweging aan als een excuus om hem, vlak voor haar neus, in elkaar te rammen. Dat was het moment waarop bij Julie alle stoppen doorsloegen, en ze Hadley aanviel. Toen viel ze gelukkig flauw.'

'Waarom heeft Paul Richardson niets gedaan om dit alles te voorkomen?'

Ted fronste zijn voorhoofd en zette zijn glas op tafel. 'Paul kon niets doen. Hij heeft geen bevoegdheid in Mexico. De FBI was er ook alleen maar bij omdat ze een arrestatiebevel voor Benedict hadden.'

'En wanneer wordt Benedict aan de FBI uitgeleverd?'

'Dat moet intussen al gebeurd zijn. Hij is, kort na ons, met een ander toestel de grens over gevlogen. Toen de hele boel een beetje tot rust was gekomen, kregen de Mexicanen opeens last van hun geweten, en hebben al het filmmateriaal dat ze maar te pakken konden krijgen, in beslag genomen. Paul heeft een paar videobanden te pakken gekregen die ze over het hoofd hebben gezien, maar niet omdat hij die voor de Mexicanen wilde hebben, maar alleen om Julie te beschermen. Hij wilde voorkomen dat die beelden van haar hier uitgezonden zouden worden. Ik heb een van de opnamen die ze kennelijk gemist hebben op het vliegveld in een nieuwsuitzending gezien, maar de camera was vrijwel de hele tijd op Benedict gericht. Dat is dan tenminste nog een gelukje.'

'Ik had eigenlijk verwacht dat Paul met jullie mee terug zou komen.'

Ted schudde zijn hoofd, en zei: 'Hij moest in Texas zijn bij de uitlevering van Benedict, en daarna moest hij hem overdragen aan Hadley.'

Katherine keek hem onderzoekend aan. 'Is dat alles, of is er nog meer gebeurd?'

'Nee, dat is niet alles,' zei hij. 'Er is nog iets gebeurd, iets dat voor Julie een doodklap moet zijn geweest.'

'En dat was?'

'Dit.' Ted haalde iets uit het borstzakje van zijn overhemd. 'Benedict had dit bij zich, en Hadley heeft het met het grootste plezier aan haar gegeven.' Hij deed zijn vuist open en liet de ring oneerbiedig in de open hand van de nietsvermoedende Katherine vallen. Hij zag haar grote ogen zetten, grote ogen die het volgende moment volschoten met tranen.

'O, lieve God,' fluisterde ze, en keek naar de diamanten die in haar hand lagen te fonkelen. 'Het is duidelijk dat hij wilde dat ze heel iets bijzonders droeg. Dit is werkelijk een unieke ring.'

'Hou op met dat sentimentele gedoe, alsjeblieft,' zei hij, maar zijn stem klonk schor. 'De man is een gek, een ziekelijke moordenaar.'

Ze slikte en knikte. 'Ja, dat weet ik.'

Hij keek van de ring in haar rechterhand, naar de reusachtige steen die ze om haar linkerwijsvinger droeg. 'Het is maar een kleintje, in vergelijking met die knots van een rots die jij daar om hebt.'

Ze liet een verstikt lachje horen. 'Grootte is ook niet alles, en daarbij, hij kon haar zo'n ring als de mijne niet hebben laten dragen, want ze zouden er overal de aandacht mee hebben getrokken. En daarom heeft hij haar er zo een gegeven,' bedacht ze hardop.

'Het is anders maar een doodgewone trouwring met diamantjes.'

Katherine schudde haar hoofd. 'Er is niets doodgewoons aan deze ring. De ring zelf is van platina, niet van goud, en hij is rondom met diamanten bezet.'

'Nou en, het zijn maar kleintjes,' verklaarde Ted bot, maar hij was blij dat ze het inmiddels over de ring hadden, en niet meer over wat er gebeurd was.

'Grootte is niet alles,' herhaalde ze, en draaide de ring tussen haar vingers. 'Dit zijn bijzonder zuivere stenen, en ze zijn op een hele dure manier geslepen.'

'Ze zijn vierkant.'

'Rechthoekig, en ze zijn stervormig geslepen.' Met half verstikte stem voegde ze eraan toe: 'Hij heeft... een uitstekende smaak.'

'Hij is gestoord en hij is een moordenaar.'

'Je hebt gelijk,' zei ze, en legde de ring op tafel. Toen keek ze naar hem op, en Ted keek naar het beeldschone gezichtje dat hem ooit eens betoverd had. Ze was veranderd... ouder geworden, zachter en liever... bezorgd om een ander, in plaats van dat ze alleen maar aan zichzelf kon denken. En ze was vijf keer zo begeerlijk. 'Je moet jezelf geen verwijten maken om wat er met Julie is gebeurd,' zei ze zacht. 'Je hebt haar weten te behoeden voor een hels bestaan of erger. En dat weet ze.'

'Dank je,' fluisterde hij, waarna hij zijn arm over de rugleuning van de bank legde, achteroverleunde en zijn ogen sloot. 'Ik ben zo verschrikkelijk moe, Kathy.' Alsof zijn lichaam, los van zijn uitgeputte brein, automatisch in herhaling ging, legde hij zijn arm om haar schouders en trok haar tegen zich aan. Pas toen haar wang tegen zijn borst lag en ze haar hand op zijn arm legde, leek het tot hem door te dringen wat hij had gedaan, maar hij liet het erbij.

'Wat hebben wij toch veel geluk gehad,' zei ze zacht. 'We zagen elkaar, werden op slag verliefd en trouwden. En toen hebben we er een puinhoop van gemaakt.'

'Ja, dat is zo.' Hij schrok van de spijtige klank van zijn stem, deed zijn ogen open en toen hij haar gezicht zag, wist hij meteen dat ze door hem gekust wilde worden.

'Nee,' zei hij koppig, en deed zijn ogen weer dicht.

Ze wreef haar wang tegen zijn borst, en hij voelde hoe zijn weerstand het langzaam maar zeker begaf. 'Hou daarmee op!' waarschuwde hij, 'want anders ga ik ergens anders slapen.' Ze hield meteen op, maar trok zich niet boos of gekwetst terug. Met ingehouden adem wachtte hij tot ze zich van hem los zou maken. Enkele ogenblikken geleden was hij nog slap van uitputting geweest; nu was zijn brein nog steeds verdoofd, maar zijn lichaam kwam tot leven en zijn stem leek een eigen willetje te hebben gekregen. 'Of je staat op,' zei hij zonder zijn ogen open te doen, 'of je haalt die ring van je vinger.'

'Waarom?' vroeg ze fluisterend.

'Omdat ik weiger met je te vrijen zolang je de ring van een ander draagt.'

Katherine aarzelde geen moment, deed de ring af en liet hem achteloos op tafel vallen. 'Kathy,' zei hij half lachend en half kreunend, 'jij bent de enige vrouw op de hele wereld die in staat is om zo achteloos om te springen met zo'n kostbaar juweel.'

'Ik ben de enige vrouw op de hele wereld voor jou.'

Ted hield zijn ogen gesloten en probeerde haar woorden te ontkennen, maar zijn hand lag al achter in haar nek, en zijn vingers kropen al door haar haren. Toen hij zijn ogen opendeed en haar aankeek, en terugdacht aan al die helse maanden van hun huwelijk... en aan het lege bestaan dat zijn leven zonder haar was geweest, en hij een traan aan haar wimpers zag plakken, zei hij ten slotte: 'Ja, dat weet ik.' Hij boog zich naar haar toe en likte de traan weg met het puntje van zijn tong.

'Als je me nog een kans wilt geven, dan zal ik je dat bewijzen,' beloofde ze vurig.

'Dat weet ik,' fluisterde hij, en kuste de tweede traan weg.

'Wil je me nog een kans geven?'

Hij hief haar gezichtje op naar het zijne, keek haar diep in de ogen, en was verloren. 'Ja.'

Hoofdstuk 63

Nog wat suf van de kalmerende middelen die ze vierentwintig uur geleden gekregen had, liep Julie met onzekere stappen van haar slaapkamer naar de keuken. Op de drempel bleef ze staan en keek met ongelovige ogen naar Ted en Katherine die elkaar bij het aanrecht hartstochtelijk stonden te omhelzen. Ze glimlachte, maar omdat ze nog steeds een beetje groggy was, drong de betekenis van wat ze zag niet helemaal tot haar door. 'De kraan loopt,' zei ze, en alle drie schrokken ze van haar krakende stem.

Ted hief zijn hoofd op en keek haar grinnikend aan, maar Katherine deed snel een stapje naar achteren alsof ze betrapt was bij iets dat niet mocht, en maakte zich los uit zijn armen. 'O, Julie, het spijt me zo!'

'Wat spijt je?' vroeg Julie, terwijl ze naar de kast liep om een glas te pakken dat ze met water vulde. Ze dronk het helemaal leeg in een poging haar dorst te lessen.

'Dat je ons zo hebt gezien.'

'Waarom?' vroeg ze, en hield haar glas opnieuw onder de kraan. Haar hoofd begon op te klaren, en langzaam maar zeker keerden de herinneringen terug.

'Omdat,' zei Katherine, 'we dit niet voor je neus zouden moeten doen, niet nu we juist geacht worden je te helpen met het verwerken van alles wat er in Mexico is gebeurd –' Ze zweeg ontzet toen het glas uit Julie's hand gleed en op de vloer in duizend scherfjes uiteenspatte.

'Niet doen!' riep Julie uit, en zocht met beide handen steun bij de rand van het aanrecht, terwijl ze de plotselinge herinnering aan Zacks woedende gezicht, vlak voordat de Mexicaanse politie hem begon te slaan en ze hem tegen de grond had horen smakken, uit haar geheugen probeerde te bannen. Ze huiverde, huiverde nog eens, kneep haar ogen stijf dicht, en slaagde er na een minuutje in om zich los te maken van het aanrecht en zich om te draaien. 'Wil je daar alsjeblieft nooit meer iets over zeggen?' vroeg ze. 'Het gaat alweer,' voegde ze er eerder vastberaden dan naar waarheid aan toe. 'Het is voorbij. En ik red me echt wel zolang jullie er maar niet over spreken. Ik moet even bellen,' besloot ze met een blik op de klok boven het aanrecht, en pakte, zonder te beseffen dat ze juist datgene deed wat ze hun had gevraagd om niet te doen, de telefoon van de haak, draaide het nummer van Paul Richardsons bureau en noemde haar naam tegen zijn secretaresse.

Ze keek naar haar bevende handen, en realiseerde zich dat ze op het punt van instorten stond. Ze mocht zich niet zo laten gaan. Ze moest sterk zijn, en niet bij het minste of geringste van streek raken. Ze kon kiezen, aan de kalmerende middelen gaan en een levend lijk worden, of ze kon zich op de toekomst richten en het verleden vergeten. De tijd heelde alle wonden, zei men. Geen tranen meer, nam ze zich heilig voor. Geen hysterische uitvallen meer, en geen verdriet meer. Er waren mensen van haar afhankelijk – haar leerlingen en de vrouwen die 's avonds naar haar toe kwamen om te leren lezen. Met name die laatsten keken enorm tegen haar op, en ze moest hun tot voorbeeld dienen.

Ze had haar werk met de kinderen, en haar voetbal- en softbalteams die ze moest coachen. Ze kón het zich niet veroorloven om in te storten.

'Paul,' zei ze met slechts een heel klein bibbertje in haar stem, toen hij eindelijk aan de telefoon kwam. 'Ik moet hem spreken. Ik moet hem uitleggen –'

Hij klonk vriendelijk, meelevend, maar ook heel beslist. 'Dat zal zo een-twee-drie niet mogelijk zijn. Hij mag voorlopig geen bezoek hebben in Amarillo.'

'Amarillo? Je had me beloofd dat hij voor behandeling naar een inrichting zou gaan!'

'Ik heb gezegd dat ik mijn best zou doen om dat voor elkaar te krijgen, maar dat soort dingen kosten tijd, en –'

'Ach, hou toch op! Die hoofdbewaarder is een monster. Je hebt in Mexico zelf gezien wat voor een sadist die man is. Hij laat Zack net zo lang mishandelen tot –'

'Hadley blijft met zijn vingers van hem af,' viel Paul haar vriendelijk in de rede. 'Die verzekering kan ik je geven.'

'En hoe kun je daar zo zeker van zijn? Ik moet het zeker kunnen weten!'

'Ik weet het zeker omdat ik hem gezegd heb dat we Benedict willen verhoren in verband met die ontvoeringsgeschiedenis, en dat ik wil dat hij dan in uitstekende conditie is. Hadley weet dat ik hem niet mag, en hij weet dat ik geen grapjes maak. Hij zal heus zijn nek niet uitsteken tegenover de FBI, en al helemaal niet nu er, als gevolg van dat gevangenenoproer van vorige maand, een onderzoek naar hem loopt. Zijn baan staat op het spel, en dat weet hij.'

'Als je maar niet denkt,' zei Julie met klem, 'dat ik van plan ben om hem aan te klagen voor ontvoering.'

'Nee, dat weet ik,' zei Paul geruststellend. 'Het is alleen maar een middel om Hadley onder de duim te houden, al denk ik niet dat het echt noodzakelijk is. Zoals ik al zei, er loopt een onderzoek naar hem, en hij wordt nauwlettend in de gaten gehouden.'

Julie slaakte een zucht van opluchting, en hij zei: 'Je klinkt alweer een beetje beter vandaag. Doe het rustig aan. In het weekend kom ik naar je toe.'

'Ik geloof niet dat dat zo'n goed –'

'En het kan me niet schelen of je me wel wilt zien of niet,' viel hij haar nadrukkelijk in de rede. 'Jij maakt je dan misschien zorgen over Benedict, maar ik maak me zorgen om jou. Hij is een moordenaar en je hebt gedaan wat je plicht was. En zo moet je het zelf ook altijd blijven zien.'

Julie knikte, en hield zichzelf voor dat hij gelijk had. 'Ik red me wel,' zei ze. 'Echt.'

Toen ze had opgehangen, keek ze naar Katherine en naar Ted. 'Echt,' herhaalde ze. 'Jullie zullen het zien. En het is heerlijk om te weten,' voegde ze er glimlachend aan toe, 'dat deze nachtmerrie tenminste nog tot iets goed heeft geleid – jullie twee.'

Ze at het ontbijt dat ze voor haar klaar hadden gemaakt, en dat ze haar dwongen om naar binnen te werken, en toen stond ze op om nog een keer te bellen.

Met het stellige voornemen om Matt Farrell dringend te verzoeken zijn niet geringe invloed aan te wenden om Zack naar een ziekenhuis te krijgen, draaide Julie zijn privé-nummer in Chicago. Zijn secretaresse verbond haar door, maar toen ze Matt aan de lijn kreeg, kon ze haar oren niet geloven: 'Jij klein, vals, achterbaks kreng,' siste hij woedend. 'Je had actrice moeten zijn. Ik kan nog steeds niet geloven dat ik zo stom ben geweest om in die nepvoorstelling van je te trappen, en dat ik me heb laten gebruiken om Zack in de val te laten lopen!' En daarmee hing hij op. Julie keek met grote ogen naar de hoorn in haar hand, terwijl het langzaam maar zeker tot haar doordrong dat Zacks vriend duidelijk van mening was dat Zack niets met de moord op Tony Austin te maken had. Ze belde de informatie, vroeg het nummer van het warenhuis van Bancroft & Company in Chicago, en vroeg Meredith Bancroft te spreken. Toen haar secretaresse per se haar naam wilde weten alvorens haar door te verbinden, verwachtte Julie dat Meredith zou weigeren het gesprek aan te nemen.

Enkele minuten later kwam Meredith toch aan de lijn. Ze klonk afstandelijk en koel, maar ze was tenminste bereid tot een gesprek. 'Ik weet werkelijk niet wat je nog tegen mij zou willen zeggen, Julie,' zei ze.

'Luister alsjeblieft naar me,' smeekte Julie. 'Ik heb zojuist naar je man gebeld om hem te vragen of hij zijn invloed zou kunnen gebruiken om ervoor te zorgen dat Zack naar een psychiatrische inrichting wordt overgeplaatst, maar hij hing op voordat ik iets tegen hem heb kunnen zeggen.'

'Dat verbaast me niets. Hij haat je uit de grond van zijn hart.'

'En jij?' vroeg Julie, en ze slikte om zich schrap te zetten. 'Geloof je, net als hij, dat het allemaal een plan van mij was om Zack in handen van de politie te spelen? En dat ik jullie daarvoor gebruikt heb?'

'Is dat dan niet zo?' vroeg Meredith, maar Julie bespeurde iets van aarzeling in haar stem, en daar klampte ze zich aan vast.

Wanhopig en half stamelend en stotterend, gooide ze eruit: 'Dat kun je toch niet geloven. Toe, alsjeblieft, geloof dat niet. Na jullie bezoek heb ik zijn grootmoeder opgezocht, en ze heeft me verteld hoe Zacks broer in werkelijkheid om het leven is gekomen. Meredith, Zack heeft hem doodgeschoten! Drie mensen die hem boos hebben gemaakt, zijn gestorven! Ik kon hem niet nog meer mensen laten vermoorden, dat moet je begrijpen en je moet me geloven...'

Honderden kilometers verder leunde Meredith achterover in haar stoel en masseerde haar slapen. Ze herinnerde zich hoe gelukkig en hoe verliefd Julie was geweest. 'Ik-ik geloof je,' zei ze ten slotte. 'Zoals je was, die avond dat Zack en ik bij je waren, dat kon niet gespeeld zijn geweest. Je hield verschrikkelijk veel van hem, en hem in de val laten lopen, was wel het laatste waar je aan dacht.'

'Dank je,' fluisterde ze. 'Tot ziens.'

'Denk je dat je het redt?' vroeg Meredith.

Julie lachte kort en schamper, maar zette het gevoel van zelfmedelijden van zich af en zei beleefd: 'Ja, dank je, dat zal wel lukken.'

Hoofdstuk 64

Voor Julie was er maar één manier om te overleven, en dat was werken, werken en nog eens werken, en met een wijde boog om de radio en televisie heen lopen. In de weken die volgden, stortte ze zich, naast haar gewone werk, ook nog eens in alle mogelijke maatschappelijke en kerkelijke activiteiten, om dan 's avonds volledig uitgeput in bed te vallen. Ze gaf zich op voor het geven van bijlessen, als penningmeester voor het opgehaalde kerkgeld, en aanvaardde het voorzitterschap van Keatons Bicentennial, het grote feest dat gehouden zou worden vanwege het feit dat het stadje tweehonderd jaar bestond. Het feest zou plaatsvinden tijdens de laatste week van mei, en de feestelijkheden liepen uiteen van een groot vuurwerk, een bal in het park en een kermis. Iedereen in Keaton wist hoe het kwam dat Julie zo vreselijk druk was, maar naarmate de tijd verstreek, werd ze steeds minder vaak medelijdend aangekeken, en niemand haalde het in zijn hoofd om haar geluk te wensen met het feit dat ze zo moedig was geweest om mee te werken aan de arrestatie van de man van wie ze kennelijk hield.

Dagen werden weken, en langzaam maar zeker hervond Julie haar evenwicht. Er waren dagen waarin ze gedurende vijf, zes uur niet aan Zack dacht, avonden waarop ze, voor het naar bed gaan, zijn brief niet las, en ochtenden waarop ze niet heel vroeg wakker werd, naar het plafond lag te staren en terugdacht aan hun week in Colorado.

Paul kwam elk weekend naar Keaton. In het begin sliep hij in het plaatselijke motel, en daarna, op uitnodiging van Julie's ouders, bij hen thuis. Het hele dorp speculeerde over een mogelijke relatie tussen Julie en de FBI-agent die naar Keaton was gekomen om haar te arresteren, maar in plaats daarvan verliefd op haar was geworden. Maar Julie weigerde om ook maar te denken aan iets van een speciale band met Paul. Zou ze dat wel doen, dan zou ze hem moeten vertellen dat zijn bezoeken zonde waren van de tijd, en ze wilde hem juist blijven zien. Ze moest hem blijven zien, want Paul kon haar aan het lachen maken. En hij deed haar denken aan Zack. En dus gingen ze altijd uit met z'n viertjes – Katherine en Ted, en Paul en zij. Na afloop bracht hij haar altijd naar huis, en gaf haar een afscheidszoen die steeds een beetje hartstochtelijker werd. Toen hij voor het zesde achtereenvolgende weekend in Keaton was, begon zijn geduld een beetje op te raken. Ze waren met Ted en Katherine naar de film geweest, en na afloop had Julie hen alle drie uitgenodigd om bij haar thuis nog een kopje koffie te komen drinken. Toen Ted en Katherine vertrokken waren, pakte Paul haar beide handen beet, en trok haar overeind.

'Ik heb van het weekend genoten,' zei hij, en voegde er plagend aan toe: 'Ondanks dat je me hebt laten voetballen met een stel gehandicapte kinderen, en ik daarna amper nog op m'n benen kon staan.' Ze glimlachte, en de blik in zijn ogen verzachtte. 'Ik vind het heerlijk om je te zien glimlachen,' zei hij zacht. 'En om er zeker van te kunnen zijn dat je altijd glimlacht wanneer je aan me denkt, heb ik iets voor je meegenomen.' Uit zijn zak haalde hij een plat, met fluweel overtrokken doosje, en legde het in haar hand. Julie deed het doosje open, en zag een klein, gouden clowntje met saffieren oogjes aan een lange, prachtige ketting. Toen Julie het clowntje voorzichtig uit het doosje haalde, zag ze dat zijn armpjes en beentjes bewogen, en ze lachte. 'Beeldig,' zei ze, 'en grappig.'

'Mooi. En dan nu maar eens kijken of hij past,' zei hij. Zijn blik ging naar haar hals, en hij zag het fijne kettinkje dat ze onder de kraag van haar blouse droeg. Julie pakte het automatisch beet, maar het was te laat. Paul had het al onder haar blouse vandaan getrokken, en de trouwring gezien die Zack in Mexico bij zich had gehad.

Hij vloekte zacht en pakte haar bij haar schouders. 'Waarom?' vroeg hij, en het was duidelijk dat hij zich moest beheersen om haar niet door elkaar te rammelen. 'Waarom kwel je jezelf onnodig met het dragen van dit ding? Je hebt er alleen maar goed aangedaan, door ons bij zijn arrestatie te helpen!'

'Ja, dat weet ik,' zei Julie.

'Zet hem dan toch uit je hoofd, verdomme! Hij zit in de gevangenis, en daar zal hij tot aan zijn dood blijven zitten. Je hebt je eigen leven, een leven dat gevuld zou moeten zijn met een man en kinderen. Wat jij nodig hebt,' zei hij wat zachter, en liet zijn handen van haar schouders over haar armen glijden, 'is een man die met je naar bed gaat, en die je laat vergeten dat je ooit met hem naar bed bent geweest. Ja, ik weet dat je met hem naar bed bent geweest, Julie,' zei hij, toen ze met een ruk naar hem opkeek. 'En het maakt me niets uit.'

Ze stak haar kinnetje in de lucht en zei zacht maar met klem: 'Op de dag waarop het mij ook niet langer uitmaakt, zal ik zover zijn dat ik met iemand anders naar bed kan. En geen dag eerder.'

Paul wist niet of hij moest lachen of dat hij boos moest worden. Hij legde zijn duim onder haar kin, en zei: 'God, wat ben jij koppig. Hoe zou je het vinden als ik naar Dallas ging en nooit meer iets van me liet horen?'

'Ik denk dat ik je heel erg zou missen.'

'En je denkt natuurlijk dat ik daar voorlopig genoegen mee neem,' verklaarde hij geïrriteerd, omdat het nog waar was ook.

Ze glimlachte, en knikte. 'Je bent dol op het eten van mijn moeder.'

Grinnikend trok hij haar in zijn armen. 'Ik ben dol op jóu. Tot volgende week.'

Hoofdstuk 65

'Er moet een vergissing in het spel zijn,' zei Emily, terwijl ze van haar man naar zijn accountant keek. 'Mijn vader zou van zijn leven nog geen cent investeren in iets waar Tony Austin mee te maken had.'

'Maar de feiten liggen er,' zei Edwin Fairchild vriendelijk. 'In de afgelopen vijf jaar heeft hij vier miljoen dollar van jouw kapitaal in TA-Productions geïnvesteerd, een bedrijf dat het eigendom was van meneer Austin. Het was allemaal volkomen open en legaal, dat kan ik je verzekeren, hoewel het van je vader beslist geen slimme zet is geweest, aangezien zijn investeringen nooit een cent hebben opgebracht en Austin het geld schijnbaar uitsluitend heeft gebruikt om lekker van te leven. Je hoort mij niet zeggen dat je vader iets gedaan zou hebben wat niet door de beugel kan,' haastte hij zich haar te verzekeren toen ze hem met een bedenkelijke frons bleef aankijken. 'Je vader heeft aandelen voor je gekocht in TA-Productions, en de aandelen staan allemaal keurig op jouw naam. Ik breng het ook alleen maar ter sprake omdat ik het, als je nieuwe financiële adviseur, tijd vind om die aandelen, als ze dat willen, terug te verkopen aan Austins erfgenamen, of om ze anders voor een appel en een ei aan hen cadeau te doen, zodat we de boel als een verliespost kunnen afschrijven.'

Emily deed haar best om kalm te blijven. 'En wat zegt mijn vader over deze slechte investering in TA-Productions?'

'Het is niet aan mij om dat met hem te bespreken, of om kritiek te hebben op zijn handelwijze. Ik begrijp dat hij je geld altijd al, sinds je nog een kind was, voor je heeft beheerd, en hoe hij dat gedaan heeft, dat is zijn verantwoordelijkheid. Dat is een zaak tussen jou en hem. De enige reden dat ik er nu iets mee te maken heb, is dat ik al jaren de belastingzaken van je man behartig, en dat er, nu jullie getrouwd zijn, een aantal dingen zijn die ik over jullie gezamenlijke inkomen moet weten.'

'Mijn vader heeft beslist niet geweten dat Tony Austin TA-Productions was,' verklaarde Emily met klem.

Fairchild trok zijn grijze wenkbrauwen op, en het was duidelijk dat hij het niet met haar eens was. 'Het is natuurlijk aan jou om dat te denken.'

'Maar het kan niet anders. Mijn vader kon Tony Austin niet uitstaan, en dat betekent dat hij misleid moet zijn.'

'Ik zie niet in hoe hij misleid zou kunnen zijn,' merkte haar man op effen toon op, omdat hij wist hoe gevoelig ze ten aanzien van haar vader was. 'Edwin en ik hebben het hier vanmorgen over de telefoon al over gehad, en het is duidelijk dat hij de aandelen rechtstreeks van Austin gekocht moet hebben.'

'Hoe dat zo?'

'Omdat TA niet op de beurs verhandeld wordt. Het is een particu-lier-bedrijf dat zijn eigen, particuliere aandelen uitgeeft, en die aandelen zijn alleen maar te krijgen bij Austin zelf, of bij iemand die hem vertegenwoordigt.'

Emily keek van haar man naar zijn accountant. 'En was er iemand die hem vertegenwoordigde?'

Edwin Fairchild schudde zijn hoofd, zette een bril op en pakte een fotokopie van de een of andere akte. 'Het is duidelijk dat hij nooit iemand betaald heeft om hem te vertegenwoordigen of om op wat voor manier dan ook voor hem te werken. Volgens de gegevens van de Kamer van Koophandel was hij de enige werknemer, directeur en aandeelhouder.' Hij zette zijn bril af, keek op zijn gouden Rolex en zei: 'Het is al over zessen. Ik had jullie niet zo lang willen ophouden, maar we hebben alles besproken dat besproken moest worden. Als je besluit om de TA-aandelen terug te verkopen aan Austins erfgenamen, dan zou ik je aanraden om daar niet al te lang mee te wachten. Laat me zo gauw mogelijk weten wat je beslist, want dan kan ik verder gaan met het invullen van jullie belastingformulieren.'

Dick knikte, en Fairchild wendde zich tot Emily. 'Kijk niet zo geschrokken, Emily. Je vader heeft weliswaar vier miljoen van je kapitaal verspeeld, maar doordat we het verlies kunnen aftrekken van je inkomsten, kunnen we de schade daarmee beperken tot minder dan drie miljoen.'

'Ik begrijp niets van belastingen en financiële kwesties,' bekende ze hun beiden. 'Dat soort dingen deed mijn vader altijd voor mij.'

'Dan zou ik je toch willen adviseren om hem naar die TA-aandelen te vragen. Hij heeft in de afgelopen vijf jaar bijna twintig keer iets gekocht, en ik neem aan dat hij toch hoopte om winst te maken. Misschien dat hij je kan zeggen waarom het zinvol is om die aandelen nog wat langer vast te houden.'

Emily gaf hem een hand. 'Dank je, Edwin, dat zal ik doen.'

'Voor jullie gaan,' zei Fairchild, 'wil ik nog even duidelijk stellen dat je vader je geld voor het overige uitstekend beheerd heeft.'

Emily's gezicht verstrakte. 'Ik wéét dat mijn vader verstandig met mijn geld is omgesprongen. Mijn belang stond bij hem altijd voorop.'

'Ik ben onbeleefd tegen hem geweest, niet?' vroeg Emily even later, toen ze in de auto zaten, aan haar man.

'Je nam het op voor je vader, en dat was niet onbeleefd,' zei Dick. 'Je bent altijd een beetje defensief wanneer het om je vader gaat.'

'Dat weet ik.' Ze zuchtte. 'Maar daar heb ik zo mijn redenen voor.'

'Je houdt van hem, en hij heeft zijn leven aan jou gewijd,' citeerde Dick.

Emily keek van zijn hand op het pookje naar zijn gezicht. 'Er is nog een andere reden. Het gebeurde vroeger maar al te vaak dat ouders van kindersterretjes het geld dat zij verdiend hadden in eigen zak staken. Bij mijn vader was het tegendeel het geval. Ook al zijn er intussen wetten waarmee voorkomen wordt dat ouders dat soort dingen doen, is mijn vader door een heleboel mensen behandeld alsof hij op grootse wijze van mijn centjes leefde.'

'Die mensen hebben duidelijk zijn flatje niet gezien,' zei Dick. 'Er is in geen tien jaar iets geschilderd, en hij heeft dringend nieuwe meubels nodig. De buurt is de laatste paar jaar zwaar achteruitgegaan, en binnenkort zul je er niet meer veilig kunnen wonen.'

'Dat weet ik, maar hij houdt er niet van om geld uit te geven.' Terugkerend tot hun eerdere onderwerp van gesprek, zei ze: 'Je kunt je niet voorstellen hoe vernederend het soms voor hem was om mijn vader te zijn. Ik kan me nog herinneren toen hij vijf jaar geleden een auto wilde kopen. De verkoper was al blij dat hij hem een Chevrolet kon slijten, totdat ik arriveerde om hem te helpen bij het uitkiezen van de kleur. Toen die vent in de gaten kreeg wie ik was, en wie mijn vader dus was, riep hij op een misselijkmakend toontje uit: "Maar dit verandert alles, meneer McDaniels! Ik weet zeker dat uw dochter veel liever in die blitse Seville rijdt, die u zo mooi vond, ja, toch, liefje?"'

'Als je vader het zo erg vond dat de mensen zo over hem dachten,' zei Dick, en vergat even om zijn afkeer van de man te verbergen, 'dan had hij toch veel beter ergens een fatsoenlijk baantje kunnen nemen, in plaats van op zijn kleine Emily te passen. Dan zou hij mogelijk iets beters te doen hebben gehad, in plaats van zich te bezatten en om te komen in zelfmedelijden omdat zijn kleine Emily volwassen is geworden en getrouwd is.' Vanuit zijn ooghoeken zag hij haar gezicht betrekken, en hij haastte zich een arm om haar schouders te slaan. 'Het spijt me,' zei hij. 'Ik ben duidelijk een jaloerse ellendeling die het niet kan hebben dat mijn vrouw zo'n ongewoon sterke band met haar vader heeft. Kun je me vergeven?'

Ze knikte en wreef haar wang tegen de rug van zijn hand, maar haar gezichtje bleef zijn peinzende uitdrukking behouden, en hij zag het.

'Nee, je hebt me niet vergeven,' zei hij. 'Mijn excuus alleen was niet voldoende. Wat ik verdien is een pak op mijn billen. Wat ik verdien is –' hij aarzelde en dacht na – 'wat ik verdien is dat ik je vanavond mee uit moet nemen naar Anthony's om het meest lekkere maaltje voor je te bestellen, en moet aanzien hoe iedereen mijn vrouw zit aan te gapen!'

Ze glimlachte, en hij legde een hand op haar wang. 'Ik hou van je, Emily,' zei hij, en voegde er plagend aan toe: 'Ook al heb je dan van die malle putjes in je wangen, toch hou ik van je. Niet elke vent zou in staat zijn om zo'n fabricagefoutje over het hoofd te zien, maar ik heb er geen moeite mee.'

Ze lachte, en hij lachte ook, maar zijn gezicht betrok toen ze vroeg: 'Hou je voldoende van me om even, voordat we gaan eten, samen met mij bij mijn vader langs te gaan?'

'Waarom?' vroeg hij geïrriteerd.

'Omdat ik hem naar dat geld wil vragen dat hij in Tony's bedrijf heeft geïnvesteerd. Ik begrijp er niets van, en wil wetten hoe het zit.'

'Ja, ik geloof,' zei Dick, terwijl hij een zijstraat insloeg om naar het huis van haar vader te rijden, 'dat ik inderdaad voldoende van je hou.'

Emily drukte op de bel van haar vaders voordeur. Lange minuten later deed hij open met een glas whisky in zijn hand. 'Emily, kleintje?' lalde hij, en keek haar aan met bloeddoorlopen ogen. Ze zag aan de stoppels op zijn wangen dat hij zich al zeker drie dagen niet had geschoren. 'Ik wist niet dat je vanavond zou komen.' Zonder haar man ook maar één blik waardig te keuren, sloeg hij een arm om haar schouders en trok haar mee naar binnen.

Hij was dronken, begreep Emily verdrietig. Vroeger had hij nooit één slok gedronken, maar gedurende de laatste paar jaar keek hij steeds vaker te diep in het glaasje. 'Waarom doe je niet een paar lampen aan?' suggereerde ze vriendelijk, terwijl ze haar hand uitstak en het grote licht in de zitkamer aandeed.

'Ik hou ervan om in het donker te zitten,' zei hij, en deed het licht weer uit. 'Het donker is veilig en aangenaam.'

'Ik heb liever een beetje licht, opdat Emily niet struikelt en zich bezeert,' zei Dick met klem, en deed het licht weer aan.

'Wat heeft je ertoe gebracht om langs te komen?' vroeg hij aan Emily alsof Dick helemaal niets had gezegd. 'Je komt tegenwoordig nooit meer langs,' klaagde hij.

'Ik ben vorige week twee keer bij je geweest,' bracht Emily hem in herinnering. 'Maar om je vraag te beantwoorden, ik ben gekomen omdat ik iets zakelijks met je wilde bespreken, als je daar tenminste toe in staat bent. Dicks accountant heeft een paar vragen waar hij een antwoord op moet hebben voor het invullen van de belastingformulieren.'

'O, best, hoor, geen enkel probleem. Kom maar even mee naar mijn werkkamer, waar ik al je papieren heb liggen.'

'Ik moet even een paar mensen bellen,' zei Dick tegen Emily. 'Ga jij maar even met je vader praten, dan bel ik wel even vanuit de –' Hij keek om zich heen, maar kon in de zitkamer geen telefoon ontdekken.

'In de keuken,' zei ze, waarop hij knikte en naar de keuken verdween.

Emily volgde haar vader naar boven, naar de slaapkamer die hij een aantal jaren geleden tot werkkamer had gemaakt. Hij ging achter zijn bureau zitten. De kamer stond en hing vol met ingelijste foto's van Emily – Emily als baby, als peuter, als kleuter; Emily in haar balletpakje, in carnavalskostuum, in het kostuum dat ze tijdens haar eerste filmrol had gedragen; Emily als meisje van dertien met haar haren in een paardestaart, en op haar vijftiende verjaardag met een corsage op die ze van een jongen had gekregen. Nu Emily naar de foto's keek, realiseerde ze zich voor het eerst dat hij ook op bijna elke foto stond. En toen viel haar nog iets op – het licht van de lamp viel helder op de talloze lijstjes die hij, in tegenstelling tot de vuiligheid en de rommel in de rest van het huis, onlangs moest hebben afgestoft.

'Wat wil je precies weten, liefje?' vroeg hij, en nam een slok van zijn whisky.

Emily overwoog of ze hem zou aanraden om in behandeling te gaan voor wat duidelijk een alcoholverslaving was geworden, maar toen ze er twee keer eerder over begonnen was, was hij woedend geworden. Ze schraapte al haar moed bijeen, en begon zo tactvol als ze maar kon: 'Pap, je weet hoe dankbaar ik je ben voor het feit dat je altijd zo goed voor mijn geld hebt gezorgd. Dat weet je toch, hè?' drong ze aan, toen hij zijn armen over elkaar sloeg en ze het gevoel had dat hij dwars door haar heen keek.

'Natuurlijk. Ik heb elke cent die je ooit hebt verdiend opzij gelegd en er met mijn leven over gewaakt. Ik heb er nooit iets van genomen voor mijzelf, behalve een uurloon van twintig dollar, en dat alleen maar toen je er op had aangedrongen dat ik dat zou doen. Je was toch zo'n snoesje die dag,' voegde hij er dromerig aan toe. 'Zestien was je, maar je ging tegen me tekeer als een volwassen vrouw. Als ik mijn salaris niet verhoogde, zei je, dan zou je me ontslaan.'

'Precies,' zei Emily afwezig. 'Dus ik wil niet dat je ook maar even denkt dat ik aan je integriteit zou twijfelen wanneer ik je mijn volgende vraag stel. Ik probeer alleen maar te begrijpen hoe het zit. En ik klaag niet over het geld dat verdwenen is.'

'Geld dat verdwenen is?' vroeg hij boos. 'Hoe bedoel je?'

'Ik bedoel de vier miljoen dollar die je in de afgelopen vijf jaar in Tony Austin Productions hebt geïnvesteerd. Die aandelen zijn waardeloos. Waarom heb je ze gekocht, pap? Je wist dat ik hem haatte, en ik heb altijd het gevoel gehad dat jij hem nog meer haatte dan ik.'

Even bleef hij roerloos zitten. Toen hief hij heel langzaam zijn hoofd op, en keek haar aan met ogen die haar deden denken aan diepliggende, half verzonken, vurige kooltjes. Als vanzelf drukte ze haar rug tegen de leuning van de stoel. 'Austin...' zei hij zacht en boosaardig, maar toen vervolgde hij op geruststellende toon: 'Je hoeft je over hem geen zorgen meer te maken, liefje. Ik heb met hem afgerekend. We hoeven geen nepaandelen meer van hem te kopen. We praten er verder niet meer over, en dit blijft ons kleine geheimpje.'

'Maar waarom moest je die aandelen dan van hem kopen?' vroeg

Emily, die niet begreep waarom ze zich opeens zo slecht op haar gemak voelde.

'Hij heeft me ertoe gedwongen. Ik wilde het niet. Maar nu is hij dood, en hoeft het niet meer.'

'Hoe heeft hij je in vredesnaam kunnen dwingen om vier miljoen van mijn geld te investeren in een bedrijf, als jij dat niet wilde?' vroeg ze scherper dan ze gewild had.

'Hé, hé, zo'n toontje accepteer ik niet van je, jongedame!' snauwde hij opeens boos. 'Of wil je soms een draai om je oren hebben?'

Emily schrok zo van dit dreigement uit de mond van haar vader die haar nog nooit zelfs maar een tikje had gegeven, dat ze opstond. 'We hebben het hier een ander keertje nog wel eens over, wanneer je wat rationeler bent.'

'Wacht!' Hij dook met verrassende snelheid over het bureau heen en greep haar bij de arm. 'Ga niet weg, liefje. Ik ben bang. Dat is alles. Ik heb al nachtenlang niet meer geslapen omdat ik zo bang ben. Ik heb je nog nooit geslagen, dat weet je.'

Hij maakte opeens zo'n doodsbange indruk, dat Emily ervan schrok. Ze gaf hem een klopje op zijn hand, voelde zich eerder moeder dan dochter, en zei zacht: 'Ik blijf bij je, pappie, wees maar niet bang. Vertel me wat er gebeurd is, ik luister.'

'Beloof je me dat je er verder met niemand anders over zult praten? Beloof je dat?'

Ze knikte.

'Austin heeft me gedwongen om die aandelen te kopen. Hij, hij chanteerde ons. Vijf lange jaren heeft die schoft ons geld afhandig gemaakt.'

'Ons?' riep ze uit in een mengeling van ongeloof en ongeduld.

'Jij en ik zijn een team. Wat de een overkomt, overkomt ook de ander, zo is het toch?'

'Ja-ja, ik denk van wel,' zei ze vaag, en probeerde niets te laten merken van de innerlijke angst die zich in hoog tempo van haar meester maakte. 'Maar waarom... waarom chanteerde Tony ons dan?'

'Omdat,' zei haar vader, en vervolgde op een samenzweerderig fluistertoontje, 'hij wist dat we Rachel hadden vermoord.'

Emily sprong op, en bleef stokstijf staan terwijl ze hem met grote ogen aankeek. 'Maar dat is waanzin! Je moet zo dronken zijn dat je last hebt van hallucinaties! Wat voor reden zou je gehad kunnen hebben om Zacks vrouw te vermoorden?'

'Geen enkele.'

Emily zette haar handen op het bureau. 'Waarom zeg je dit soort dingen? Je bent gek.'

'Wil je dat nooit meer tegen mij zeggen? Dat zei hij ook, en dat is een leugen. Ik ben niet gek. Ik ben bang, waarom kun je dat niet begrijpen?' jammerde hij.

413

'Wie heeft gezegd dat je gek bent, pap? En waarom ben je bang?' vroeg ze geduldig alsof ze het tegen een verward kind van acht had. 'Austin heeft tegen me gezegd dat ik gek was, op de avond waarop ik hem vermoord heb.'

'Zachary Benedict heeft Tony Austin vermoord,' zei ze met klem. 'Daar is iedereen het over eens.'

Zijn ogen werden wild van angst, en hij dronk de rest van zijn whisky in een teug op. 'Daar is níet iedereen het over eens!' riep hij, en zette zijn glas met een klap terug op zijn bureau. 'Ik heb sinds die avond twee keer bezoek gehad van een privé-detective. Ze willen een alibi van me hebben, willen van me weten waar ik was op de avond van de moord. Ze werken voor iemand, dat kan niet anders, maar ze willen me niet zeggen wie het is. Er is iemand die mij verdenkt, liefje, snap je het dan niet? Ze hebben ontdekt dat ik door Austin gechanteerd werd, en nog even, en dan zijn ze erachter waarom hij dat deed, en dan zullen ze ook weten dat ik Rachel en Austin heb vermoord.'

Emily's hart ging als een wilde tekeer, maar ze slaagde erin redelijk sceptisch te klinken toen ze vroeg: 'Waarom zou jij Rachel vermoorden?'

Hij kamde met zijn vingers door zijn haar. 'Doe toch niet zo stom. Ik had Austin willen vermoorden! Ik had hem willen vermoorden, maar die achterlijke Benedict moest zo nodig op het laatste moment het script veranderen, waardoor niet Rachel als eerste schoot, maar Austin.'

'En waarom wilde je Austin dan vermoorden?'

'Dat weet je best!' riep hij uit, waarna hij onderuitzakte in zijn stoel en begon te huilen. 'Hij heeft mijn kleine meisje drugs gegeven en haar zwanger gemaakt. Je dacht dat ik dat niet wist, maar ik wist het wel,' kwam het snikkend over zijn lippen, en hij sloot zijn ogen. 'Je was 's ochtends altijd misselijk, en toen heb ik naar de dokter in Dallas gebeld, en zijn assistente heeft het me verteld. Toen ze mijn naam hoorde, dacht ze dat ik je man was.' Hij wreef de tranen weg, en snikte: 'Je was nog maar net zestien, en hij maakte je zwanger, en liet je toen helemaal in je eentje die abortus ondergaan. En ondertussen hield hij het met die slet – Rachel – en lachten ze je uit achter je rug. En sinds je getrouwd bent, heeft Austin me gedreigd dat hij alles aan je man wilde vertellen.'

Emily moest haar keel tweemaal schrapen voor ze in staat was om te spreken, en de woorden die over haar lippen kwamen, hadden niets te maken met de ziedende woede die ze vanbinnen voelde. 'Dick weet wat er indertijd gebeurd is. Een paar weken geleden heb ik hem zelfs verteld dat het Tony was. Ik heb het voor jou verzwegen omdat ik je geen verdriet wilde doen, en niet wilde dat je je voor mij zou schamen.'

'Iemand weet wat ik gedaan heb,' snikte hij, en verborg zijn gezicht in zijn handen. 'Zodra ik weet wie het is, vermoord ik hem –' zei hij, terwijl hij opkeek naar de deur en zijn hand naar de la van zijn bureau bracht.

'Dan zul je met mij moeten beginnen,' zei Dick vanuit de deuropening, waarop hij binnenkwam en Emily van haar stoel trok, 'want ik weet het ook.'

In plaats van geschrokken te reageren, wendde George McDaniels zich tot zijn dochter, en fluisterde op een samenzweerderig toontje: 'Hij heeft gelijk, Emily. Ik ben bang dat we je man zullen moeten vermoorden.' Hij stond op, en Emily zag dat hij een revolver in zijn hand hield.

'Nee!' krijste ze, terwijl ze haar man probeerde te beschermen door voor hem te gaan staan.

'Opzij, liefje,' beval haar vader. 'Dit zal hem geen pijn doen. Hij zal er niets van voelen. Hij is op slag dood.'

'Papa!' brulde ze, en duwde Dick naar achteren toe naar de deur. 'Als je hem wilt raken, dat zul je dwars door mij heen moeten schieten. En dat-dat wil je toch niet, hè?'

Dicks stem klonk vreemd kalm, hoewel hij haar pijnlijk hard in haar armen kneep en haar weg probeerde te duwen. 'Leg die revolver neer, George. Als je mij vermoordt, dan zul je Emily ook moeten vermoorden om te voorkomen dat ze het aan de politie vertelt, en ik weet dat je haar nog geen haar zou kunnen krenken. Je hebt alleen maar geprobeerd om haar te beschermen.'

George McDaniels aarzelde, en Dick vervolgde op kalme toon: 'Leg die revolver neer. We zullen je helpen uitleggen dat je het alleen maar hebt gedaan om haar te beschermen.'

'Ik wil niet meer bang zijn,' jammerde hij, terwijl Emily zich de gang op, naar zijn slaapkamer haastte om het alarmnummer te bellen. 'Ik kan er niet van slapen.'

Dick ging langzaam, met uitgestoken hand op hem toe. 'Je hoeft niet meer bang te zijn. De dokter zal je een pilletje geven waar je lekker van kunt slapen.'

'Je probeert me erin te luizen, klootzak!' schreeuwde McDaniels, en Dick dook naar het wapen, juist op het moment waarop hij het op zijn borst richtte.

In de slaapkamer hoorde Emily het gedempte geluid van een schot, en iets dat met een doffe bons op de grond viel. Ze liet de telefoon vallen, draaide zich met een ruk om, en botste, toen ze de kamer uit rende, tegen de brede borst van haar man. 'Ga daar niet naar binnen!' waarschuwde hij, terwijl hij haar in zijn armen nam en haar de slaapkamer weer in trok.

'Papa!' schreeuwde ze.

'Hij komt er wel weer bovenop,' zei Dick, terwijl hij de telefoon pakte om een ambulance te bellen. 'Hij is met zijn hoofd voorover op zijn bureau gevallen, en bloedt als een rund!'

Hoofdstuk 66

Drie advocaten stonden op van de vergadertafel. De man die naast Emily had gezeten, pakte haar klamme hand in de zijne, en drukte hem. 'Ik weet hoe moeilijk dit voor u is geweest, mevrouw McDaniels, en ik kan u niet zeggen hoe blij we zijn dat u de moeite heeft genomen om meteen naar ons toe te komen.'

'Het was geen enkele moeite,' zei ze. 'Ik wist nog wie Zacks advocaten waren, en toen ik vanmorgen naar hun kantoor belde, kreeg ik uw nummer door.'

'Nadat meneer Benedict beschuldigd was van de moord op Tony Austin, heeft een goede vriend van meneer Benedict besloten dat hij deze keer beter door ons vertegenwoordigd kon worden.'

Emily trok haar hand los en vouwde haar handen. 'Kunt u hem vandaag nog uit de gevangenis krijgen?'

'Ik vrees van niet, maar als u bereid bent om samen met mij naar de politie te gaan en daar dezelfde verklaring af te leggen als u zojuist aan ons hebt gegeven, denk ik dat dat zijn vrijlating aanzienlijk zal bespoedigen.'

Ze knikte, maar met haar gedachten was ze bij de oude films die ze had gezien waarop Zack geboeid was weggeleid van de rechtbank, en bij de nieuwe die ze de afgelopen weken herhaaldelijk had gezien van de aframmeling die hij in Mexico had gekregen... en dat allemaal voor een moord die hij helemaal niet had gepleegd... voor een moord waar zíj indirect verantwoordelijk voor was. 'Ik begrijp niet waarom ze hem niet meteen vandaag al vrij kunnen laten,' zei ze, en moest verschrikkelijk haar best doen om haar tranen van schuld en schaamte de baas te blijven. 'We wachten wel bij de receptie.'

Toen ze met haar man was weggegaan, keek John Seiling naar zijn grijnzende partners en pakte de telefoon. 'Susan,' zei hij tegen zijn secretaresse, 'bel hoofdinspecteur Jorgen voor me, en bel dan Matthew Farrell in Chicago, en zeg tegen zijn secretaresse dat het dringend is. Daarna wil ik dat je William Wesley voor me belt, en die vind je op het kantoor van de officier van justitie in de gevangenis van Amarillo in Texas. En als je daarmee klaar bent, dan boek je een vlucht voor ons alle drie, voor morgenochtend naar Amarillo.'

Vijf minuten later meldde zijn secretaresse dat hoofdinspecteur Jorgen aan de lijn was.

'Meneer Jorgen,' zei hij opgewekt, 'hoe zou u het vinden om hoofdcommissaris te worden, en tegelijkertijd door de pers te worden bejubeld?' Hij luisterde, en zijn glimlach werd breder. 'Het enige dat ik nodig heb, is iemand die bereid is om een verklaring op te nemen met betrekking tot de dood van Tony Austin en Rachel Evans, en die zijn mond kan houden totdat hij over een dag of twee, drie een seintje van me krijgt.' Hij luisterde opnieuw, en zei: 'Ik dacht wel dat u dat zou kunnen. Over drie kwartier zijn we bij u.'

Hij hing op, en zijn secretaresse meldde dat Matthew Farrell op lijn twee op hem wachtte, en William Wesley op lijn drie zat.

Seiling nam het gesprek op lijn twee. 'Meneer Farrell,' zei hij op respectvolle toon, 'u heeft ons verzocht om u van eventuele ontwikkelingen op de hoogte te houden, en ik bel u om u te vertellen dat er zich vanmorgen een interessante doorbraak heeft voorgedaan in de zaak van Zack Benedict.'

'Om wat voor soort doorbraak gaat het?' vroeg Matt.

'Emily McDaniels. Haar vader heeft gisteravond bekend dat hij Rachel Evans en Tony Austin heeft vermoord. Hij bevindt zich momenteel op de psychiatrische afdeling van het ziekenhuis hier, maar hij heeft alles bekend. Emily is bij ons geweest en heeft een verklaring afgelegd, en ze heeft ons het wapen gegeven waarmee Austin vermoord is.'

'U kunt mij de details later geven. Hoe lang denkt u nodig te hebben om Zack vrij te krijgen?'

'We gaan morgen naar de officier van justitie in Texas, laten hem Emily's verklaring zien en hopen dat hij bereid zal zijn om meneer Benedict zo snel mogelijk voor de rechter te leiden. Met een beetje geluk gaat de rechter ermee akkoord en tekent het bevelschrift dat dan naar het hof van beroep gaat om daar door een rechter ondertekend te worden, en daarna zou meneer Benedict op borgtocht kunnen worden vrijgelaten.'

'Op borgtocht?' herhaalde Matt op honende toon. 'Hoezo?'

'Of hij nu onschuldig is of niet,' verklaarde Seiling, 'hij is uit de gevangenis ontsnapt, en dat is in strijd met de wet. Het zit er dik in dat de officier in Amarillo tijd nodig heeft om te bekijken wat hij aan die kwestie wil doen. Wij zullen hem erop wijzen dat de aframmeling die meneer Benedict in Mexico heeft gekregen, op zich al straf genoeg was voor die overtreding. Afhankelijk van de stemming van de officier, kan hij daarmee akkoord gaan en de rechter aanbevelen om die borgkwestie te laten vallen, of niet.'

'Zorg er dan maar voor dat hij bij de rechter een goed woordje voor Zack doet.'

'Wij doen ons best,' beloofde Seiling.

'Als de autoriteiten niet bereid zijn om dírect hun medewerking te verlenen, dan wil ik dat de media van de hele zaak op de hoogte worden gebracht. Zíj zullen er wel voor zorgen dat er meteen iets gebeurt.'

'Dat ben ik met u eens. Mijn partners en ik vertrekken morgenochtend naar Amarillo.'

'Vanavond. Niet morgenochtend,' zei Matt. 'En we treffen elkaar daar.' Hij hing op voordat Seiling met bezwaren kon komen, en drukte op het knopje van zijn intercom. 'Eleanor,' zei hij tegen zijn secretaresse, 'annuleer al mijn afspraken voor morgen en overmorgen.'

In Los Angeles liet de advocaat de hoorn terugvallen op het toestel. Hij trok zijn wenkbrauwen op en zei tegen de twee mannen die tegenover hem zaten: 'Als jullie je ooit mochten afvragen wat Benedict en Farrell met elkaar gemeen hebben, dan ben ik daar zojuist achter gekomen: het zijn twee ijskouwe klanten.'

'Maar daar betalen ze dan ook voor,' merkte een van de beide andere advocaten op.

Seiling knikte, en kwam weer ter zake. Hij pakte de telefoon weer op en drukte op het knopje van lijn drie. 'Meneer Wesley,' zei hij, 'ik realiseer mij dat uw voorganger, Alton Peterson, de zaak van Zachary Benedict vijf jaar geleden behandeld heeft, en ik weet dat u hier niets aan kunt doen, maar het schijnt evenwel dat er een niet geringe fout in de uitspraak is gemaakt. Ik heb uw hulp nodig om de boel zo snel mogelijk recht te zetten. Ik, op mijn beurt, zal ervoor zorgen dat de media zullen begrijpen dat u meteen actie hebt ondernomen om de fout ongedaan te maken. Ongeacht wat u doet, Zachary Benedict zal uit deze hele geschiedenis naar voren komen als een martelaar en een held. De media zullen bloed willen zien voor het onrecht dat hem is aangedaan, en ik zou het sneu vinden als dat het uwe was.' Hij zweeg en luisterde. 'Waar ik het, verdomme nog aan toe, over heb? Ik stel voor om vanavond om zeven uur ergens af te spreken voor een hapje, en dan zal ik u alles uitleggen.'

Hoofdstuk 67

Katherine scheurde Julie's straat in, en bracht haar auto met gierende remmen voor haar huis tot stilstand. Toen ze de fiets bij haar voordeur zag staan, vloekte ze, in het besef dat Julie bezig was om bijles te geven. Ze liet haar tas in de auto, rende de oprit af en ging naar binnen zonder aan te bellen. Ze vond Julie in de eetkamer, waar ze met drie jongetjes aan tafel zat. 'Julie, ik moet je dringend spreken,' zei ze buiten adem. 'In de zitkamer.'

Julie keek haar leerlingetjes glimlachend aan, en zei: 'Willie, blijf hardop voorlezen. Ik ben zo terug.' Willie Jenkins, die meteen begrepen had dat er iets bijzonders aan de hand was, bleef lezen tot ze buiten gehoorafstand was, en keek zijn beide vriendjes toen glimlachend aan. 'Wedden dat er iets bijzonders gaande is?' fluisterde hij met zijn krakende stem, terwijl hij zich opzij boog om naar de zitkamer te kunnen kijken.

Johnny Everett draaide zijn rolstoel opzij, en keek over Willie's schouder. Tim Wimple, wiens rechterbeen bij de knie geamputeerd was, reed zijn stoel ook een stukje opzij, en knikte. 'Iets héél bijzonders, als je het mij vraagt.'

Willie sloop op zijn tenen naar de deur. 'Mevrouw Cahill zet de televisie aan...' meldde hij zijn makkers, en keek wat er verder gebeurde.

'Katherine?' vroeg Julie met onvaste stem, omdat ze al uit Katherine's zenuwachtige gedrag begrepen had dat er iets op de televisie moest zijn dat met Zack te maken had. 'Doe me dit niet aan! Vertel me wat er gebeurd is. Het gaat om Zack, niet? Is het erg?'

Katherine schudde haar hoofd en deed een stapje achteruit. 'Alle journaals staan er bol van. Alle gewone uitzendingen worden onderbroken om het bekend te maken. NBC heeft gezegd dat ze er opnamen van hebben gemaakt die om halfvijf worden uitgezonden.' Ze keek op haar horloge. 'Dat is nu.'

'Maar wat is er dan gebeurd?' riep Julie uit.

'Het is goed nieuws,' verklaarde Katherine met een zenuwachtig lachje. 'Of misschien ook wel niet, dat hangt ervanaf hoe je het opvat. Julie, hij is –' Ze zweeg en wees op de televisie toen de omroeper zei dat het programma werd onderbroken voor een speciale nieuwsuitzending. Het gezicht van Tom Brokaw kwam in beeld. '*Goedemiddag, dames en heren,*' zei hij. '*Een uur geleden is Zachary Benedict vrijgelaten uit de strafgevangenis van Amarillo in Texas, waar hij een straf uitzat van vijfenveertig jaar voor de moord op zijn vrouw, de actrice Rachel Evans. Benedicts advocaten hebben zijn vrijlating weten te bewerkstelligen op grond van een verklaring die is afgelegd door Emily McDaniels, die samen met Benedict, Evans en Tony Austin een hoofdrol speelde in* Destiny.'

Onbewust pakte Julie Katherine's hand beet en kneep er hard in toen Brokaw vervolgde: '*NBC heeft ontdekt dat Emily McDaniels twee dagen geleden onder ede verklaard heeft dat haar vader, George McDaniels, Rachel Evans en Tony Austin, die vorige maand levenloos in zijn flat werd aangetroffen, heeft vermoord.*'

Julie kreunde en zocht steun bij de rugleuning van de stoel, toen het beeld van Tom Brokaw plaats maakte voor eentje van de poort van de gevangenis van Amarillo, en ze Zack naar buiten zag komen. Brokaw vervolgde: '*Benedict heeft de gevangenis, in het gezelschap van zijn advocaten, als een vrij man verlaten. In de gereedstaande limousine werd hij opgewacht door zijn goede vriend, de industrieel Matthew Farrell, wiens onwrikbare vertrouwen in Benedicts onschuld geen geheim was voor de media en de politie. Eveneens bij de poort stond een jonge vrouw met een bekend gezicht, ofschoon de beroemde kuiltjes in haar wangen vandaag niet te zien waren. Te oordelen naar de beelden die u nu ziet, is het duidelijk dat ze er niet op gerekend had dat ze gezien zou worden, maar dat ze alleen maar was gekomen om zich ervan te overtuigen dat Benedict werkelijk werd vrijgelaten.'* Op de video was te zien hoe Zack haastig naar de auto liep en toen bleef staan en naar links keek, waar Emily McDaniels samen met haar man onder een paraplu stond te wachten. Haar gezicht was een vertrokken masker van verdriet. Zack bleef even naar haar staan kijken, en toen liep hij langzaam naar haar toe.

De tranen stroomden Julie over de wangen, toen ze Zack Emily zag omhelzen. Toen liet hij haar los, droeg haar over aan haar man, en liep verder naar de auto die meteen in hoog tempo wegreed. Brokaw vertelde: *'Verslaggevers in Amarillo die ontdekt hadden dat Benedict was vrijgelaten, haastten zich naar het vliegveld in de hoop dat hij bereid zou zijn om een verklaring af te leggen. Hij is evenwel meteen aan boord van Matthew Farrells privé-jet gestapt en vertrokken. NBC is te weten gekomen dat het toestel naar Los Angeles is gevlogen, waar Benedict een huis heeft, hoewel dat momenteel verhuurd is aan de filmster Paul Resterman en diens vrouw.'*

Haar tranen wegslikkend, keek Julie naar Katherine en zei met verstikte stem: 'Matt Farrell is altijd in hem blijven geloven. Gelukkig had Zack ten minste één vriend die hem trouw is gebleven.'

'Begin nu alsjeblieft niet met jezelf verwijten te maken,' zei Katherine die zelf ook hevig ontroerd was, maar Julie luisterde helemaal niet naar haar. Ze keek naar het scherm en luisterde naar Brokaw die zei: *'William Wesley, officier van justitie van de strafgevangenis van Amarillo, zal nu een persconferentie geven –'*

In beeld kwam de ingang van de rechtbank. Een donkerharige man van in de dertig kwam naar buiten, en wendde zich tot de menigte verslaggevers die zich daar verzameld had. *'Wacht u even met uw vragen,'* zei hij, en zette zijn bril op. *'Ik zal eerst een verklaring geven, en als u dan nog vragen heeft, dan kunt u die stellen.'* Toen het stil was geworden, hief hij het papier op dat hij in zijn hand hield, en begon te lezen: *'Gisteren ben ik benaderd door de advocaten van Zachary Benedict, met het dringende verzoek om een gesprek. Tijdens dat gesprek overhandigden ze mij een onder ede afgelegde verklaring van mevrouw Emily McDaniels, waarin ze bekende dat haar vader, George Anderson McDaniels, haar bekend had dat hij verantwoordelijk was voor de moord op Rachel Evans en die op Anthony Austin. Mevrouw McDaniels, die haar bekentenis heeft afgelegd ten overstaan van politiecommissaris John Jorgen van Orange County in Californië, heeft hem bovendien een revolver gegeven die het eigendom was van haar vader. Voorlopig onderzoek heeft uitgewezen dat de kogel waarmee meneer Austin om het leven is gebracht, uit dat wapen afkomstig is. Volgend op ons gesprek met de advocaten van meneer Benedict, heb-*

ben zij hier in Amarillo een bevelschrift ingediend waarin verzocht werd om de onmiddellijke vrijlating van hun cliënt. Het bevelschrift werd met mijn goedkeuring ondertekend door rechter Wolcott, en direct doorgestuurd naar Austin om ondertekend te worden door een rechter van het hof van beroep. Die handtekening is vanmorgen gezet, en Zachary Benedict is meteen daarna in vrijheid gesteld. Er liggen nog een aantal formaliteiten met betrekking tot Benedicts ontsnapping uit de gevangenis van Amarillo, waarbij het, technisch gezien, om een overtreding gaat. Het is evenwel onze mening dat meneer Benedict, met zijn behandeling door de Mexicaanse politie en zijn vijfjarige gevangenschap voor een moord die hij niet heeft gepleegd, inmiddels al een zeer hoge prijs heeft betaald voor zijn kortstondige onwettige vrijheid. Vragen?' vroeg hij, en keek de verslaggevers aan.

'En hoe staat het met die ontvoering van Julie Mathison? Zal hij daarvoor nog worden voorgeleid?'

'Dat hangt af van de vraag of mevrouw Mathison hem daarvoor wil aanklagen.'

In de eetkamer wendde Willie zich opnieuw tot zijn twee vriendjes aan tafel die, van waar ze zaten, niet in staat waren geweest om de televisie te zien of te horen. 'Het is die lul van een Benedict weer,' siste hij woedend. 'Hij is vrijgelaten uit de gevangenis, en nu zit ze om hem te huilen.' Hij pakte zijn boeken bij elkaar en begon ze in zijn tas te stoppen. 'We kunnen maar beter vertrekken. Juf wil vast niet dat we haar zien huilen, en zoals ze nu zit te snikken, is ze daar voorlopig nog wel mee bezig.'

De andere jongens haastten zich om Willie's voorbeeld te volgen, maar Johnny Everett keek Willie bezorgd aan. 'Waarom moet ze huilen als ze Benedict op de televisie ziet, Willie?'

Willie pakte zijn tas, en hielp Tim zonder erbij na te denken met zijn rolstoel. 'Volgens mijn moeder heeft hij haar hart gebroken, daarom. Mijn moeder zegt dat de hele stad het weet.'

'Wat een lul,' zei Tim.

'Een súperlul,' beaamde Johnny, terwijl hij zijn stoel naar de keuken stuurde, waar een speciaal aangelegd hellinkje was gemaakt dat uitkwam op de oprit.

Buiten, op de stoep voor het huis, bleven de drie jongens even staan om door het open gordijn naar hun juf te kijken, die haar neus snoot terwijl Katherine Cahill haar op de schouder klopte. Ze keek op, zag hen staan en knikte geruststellend om aan te geven dat het goed was dat ze gingen.

Ze liepen door. 'Ik kan die Zachary Benedict niet uitstaan,' verklaarde Johnny.

'Ik ook niet,' zei Tim.

'En ik ook niet,' zei Willie die zijn fiets voortduwde, en hij voegde eraan toe: 'Johnny, wij moeten morgen extra vroeg op school zijn om de kinderen in de klas te waarschuwen dat ze voorlopig even niet moeten klieren. Geen propjes schieten, geen geintjes. Over jouw klas hoef je je geen zorgen te maken, Tim, want daar geeft ze geen les. Maar wat je wel moet doen, is de kinderen waarschuwen van de teams die ze traint. Zeg tegen iedereen dat ze haar voorlopig met rust moeten laten.'

'Ze zullen willen weten waarom,' zei Tim.

'Zeg maar dat Benedict haar hart weer heeft gebroken en dat hij haar aan het huilen heeft gemaakt. Het is geen geheim als alle grote mensen het toch al weten.'

Hoofdstuk 68

'Welkom thuis, meneer Benedict!' De manager van het Beverly Hills Hotel haastte zich naar voren toen hij Zack zag die zich, een paar uur na zijn vrijlating uit de gevangenis, inschreef bij de balie. 'Ik heb u ons mooiste huisje gegeven, en u heeft het voltallige personeel tot uw beschikking. Meneer Farrell,' zei hij beleefd tegen Matt die naast Zack stond, 'uw secretaresse heeft me verteld dat u vannacht bij ons blijft. Laat u mij alstublieft weten of ik, of iemand van het personeel, iets voor u kan doen.'

Achter hen werd er van alle kanten naar hen gekeken, en Zack hoorde hoe zijn naam, als een door de bomen ruisende wind, gefluisterd werd. 'Stuur een fles champagne naar mijn huisje,' zei hij tegen de receptionist. 'En om acht uur willen we eten. Mocht er voor mij gebeld worden, laat de telefonist dan zeggen dat ik hier niet ben.'

'Uitstekend, meneer Benedict.'

Zack knikte kort, draaide zich om, en botste bijna op tegen een beeldschone blondine en een brunette die hem een paar servetjes en pennen voorhielden. 'Meneer Benedict,' zei de blondine met een stralend glimlachje, 'mogen wij uw handtekening hebben?'

Zack glimlachte oppervlakkig en voldeed aan het verzoek, maar toen de brunette hem haar servetje gaf om te tekenen, zag hij in een hoekje haar kamernummer staan, terwijl ze hem, onder het servetje, een sleutel in de hand drukte. Hij krabbelde zijn naam op het servetje, en gaf het aan haar terug.

Vanuit zijn ooghoeken sloeg Matt het vertrouwde tafereel gade, precies zoals hij dat in het verleden al honderden keren had gedaan. 'Ik neem aan,' zei hij op droge toon, terwijl ze de manager naar de huisjes volgden die om het hotel heen waren gebouwd, 'dat ik vanavond alleen moet eten?'

Zack keek naar de sleutel die hij in zijn hand hield, gooide hem tussen de struiken en keek op zijn horloge. 'Het is vier uur. Geef me twee uur om een paar mensen te bellen, en daarna gaan we verder met het vieren van mijn vrijlating.'

Toen Matt twee uur later Zacks huisje binnenliep, was hij net bezig om een nieuw overhemd en een broek aan te trekken die zijn oude kleermaker luttele seconden tevoren in allerijl bij hem bezorgd had. De kleermaker was vertrokken met tranen in zijn verbleekte ogen, en een bestelling in zijn zak voor vierentwintig nieuwe pakken, overhemden, broeken en jasjes. De plaatselijke Rolls-Royce-dealer was even blij geweest met Zacks terugkeer, en had beloofd dat hij morgenochtend drie auto's zou voorrijden die door Zack geïnspecteerd konden worden. 'Ik kan je er zeker niet toe overhalen om een paar dagen het ziekenhuis in te gaan om je helemaal, van top tot teen te laten onderzoeken, hè?' vroeg Matt, toen Zack eindelijk, na een lang telefoongesprek had opgehangen, en hij zijn huurders, in ruil voor een fors bedrag, zover had weten te krijgen dat ze bereid waren om zijn huis in de Pacific Palisades te ontruimen. 'Mijn vrouw staat erop dat je dat doet.'

'Je hebt gelijk,' zei Zack, 'daartoe kun je me niet overhalen.' Met een blik op de verzameling flessen op de bar, grijnsde hij en vroeg: 'Champagne, of iets sterkers?'

'Iets sterkers.'

Zack knikte, deed ijsblokjes in twee kristallen glazen, en schonk er whisky en een slokje water overheen, waarna hij één van de glazen aan Matt gaf. Voor het eerst sinds zijn vrijlating begon hij zich een beetje te ontspannen. Hij observeerde zijn vriend zonder iets te zeggen, en genoot van het luxueuze gevoel van vrij te zijn en de grenzeloze dankbaarheid die hij voor Matt voelde. 'Je moet me iets vertellen.'

'Wat wil je weten?'

Omdat hij niet sentimenteel wilde zijn, stelde hij zijn vraag in de vorm van een grapje. 'Aangezien ik je onmogelijk kan belonen voor je trouw en je vriendschap, moet je me maar zeggen wat ik je alsnog als trouwcadeau kan geven.'

De beide mannen keken elkaar aan, en waren zich ervan bewust hoe belangrijk dit moment was, maar ze waren mannen, en te veel sentimentaliteit was ondenkbaar. Matt nam een slok van zijn drankje en trok zijn wenkbrauwen op alsof hij diep nadacht. 'Gezien alle moeite die ik voor je heb moeten doen, zou een leuk eilandje in de Egeïsche Zee me wel wat lijken.'

'Je hebt al een eilandje in de Egeïsche Zee,' bracht Zack hem in herinnering.

'O, ja, dat is waar. Nou, in dat geval zal ik, wanneer ik weer thuis ben, eens aan Meredith vragen of zij nog iets weet.'

Zack zag het gezicht van zijn vriend verzachten toen hij de naam van zijn vrouw noemde, en het woordje 'thuis' zei. Alsof Matt zijn gedachten geraden had, keek hij naar zijn glas, nam nog een slok, en zei: 'Ze wil je dolgraag ontmoeten.'

'En ik haar ook.' Half lachend vervolgde hij: 'In de gevangenis heb ik alle... dramatische berichten over jullie hernieuwde relatie nauwkeurig gevolgd. Ik moet eerlijk bekennen dat ik nogal verbaasd was dat je me nooit verteld had dat je vijftien jaar eerder al met haar was getrouwd.'

'Ik zal je een ander keertje wel eens vertellen hoe het echt allemaal in elkaar zat, want de media hebben maar een deel van het verhaal weten te achterhalen. Zodra je weer thuis bent en je draai weer hebt gevonden, kom ik met Meredith en Marissa bij je langs.'

'Wat zou je zeggen van over zes weken? Dan heb ik ruimschoots de tijd gehad om alles weer op orde te krijgen. Ik ben van plan om een feest te geven.' Hij dacht even na. 'Op twee mei, als je dan kunt.'

'Zes weken? Maar dat is toch veel te kort?'

Zack wees op de tafel naast de telefoon en verklaarde op droge toon: 'Dat zijn allemaal "dringende" boodschappen waarvan de telefoniste vond dat ik er toch van op de hoogte gebracht moest worden, ook al heeft ze aan de opbellers gezegd dat ik hier niet ben. Kijk ze maar eens door.'

Matt pakte het stapeltje memo's op en bladerde het door. Hij zag boodschappen van de grote bazen van vier vooraanstaande studio's, berichten van verscheidene onafhankelijke producers, en twee van Zacks voormalige agent. Terwijl hij het stapeltje weer teruglegde op tafel, zei hij lachend: 'Ze zeggen allemaal hetzelfde: welkom thuis, we hebben altijd al geweten dat je onschuldig was, en nu willen we je een aanbod doen dat je niet kunt weigeren.'

'Je zou ze toch, niet?' zei Zack op een toon waar geen spoortje rancune in te bespeuren was. 'Vreemd, toen ik in de gevangenis zat heb ik nooit van dit soort liefdesverklaringen van hen mogen ontvangen. En nu bellen ze elk hotel in de stad waarvan ze denken dat ik er mogelijk zou kunnen logeren, en laten boodschappen achter.'

Matt grinnikte, maar werd meteen weer ernstig. 'Wat ben je van plan om aan Julie Mathison te doen?' vroeg hij. 'Stel dat ze je aanklaagt –'

Zacks gezicht betrok en zijn ogen werden hard als ijs. 'Ik verzoek je heel dringend om haar naam nooit meer te noemen,' snauwde hij. 'Nooit meer.'

Matt fronste zijn wenkbrauwen in reactie op zijn toon, maar liet het erbij. Later die avond, toen hij in zijn eigen huisje was, belde hij Meredith om haar te zeggen dat hij de volgende ochtend thuis zou komen en haar over Zacks plannen zou vertellen. 'Hij wordt nu al bedolven onder de aanbiedingen van alle studio's in Hollywood. En hij is van plan om op twee mei een feest te geven, als wij dan kunnen komen.'

Meredith wond het snoer van de telefoon om haar vinger, en vroeg aarzelend: 'En hoe staat het met Julie Mathison?'

'Zij wordt niet uitgenodigd,' zei Matt op een sarcastisch toontje, om er toen iets vriendelijker aan toe te voegen: 'Als je al vindt dat ik onredelijk op haar reageer, dan had je Zack moeten zien toen ik haar naam ter sprake bracht.'

Meredith hield vol. 'Heeft iemand zich ooit wel eens afgevraagd hoe zij zich op dit moment moet voelen, nu ze weet dat hij die moorden niet heeft gepleegd?'

'Ze zal wel teleurgesteld zijn dat ze nu opeens heldin af is.'

'Ach, Matt, zeg toch niet van die idiote dingen! Ze hield van hem! Dat weet ik zeker. Ik voelde het.'

'We hebben het hier al vaker over gehad, lieveling, en daarbij is het zinloos. Zack haat haar, en reken er maar niet op dat daar verandering in zal komen. Morgenochtend ben ik thuis. Hoe is het met Marissa?'

'Ze mist je.'

'En hoe is het met Marissa's mammie?' vroeg hij teder.

Meredith glimlachte. 'Zij mist je nog veel meer.'

Hoofdstuk 69

'Meneer Benedict, kunnen we een foto van u krijgen samen met mevrouw Copeland?' riep de verslaggeefster van de *Los Angeles Daily News* luid om boven de herrie van de vijfhonderd gasten uit te komen. Toen hij haar niet hoorde, wendde ze zich lachend tot haar collega's. 'Wat een feest!' zei ze, en wenkte één van de vijftig, in smoking gestoken kelners die met bladen drankjes en hapjes rondgingen voor die gasten die geen zin hadden om naar het uitgebreide buffet te gaan waar de meest verrukkelijke lekkernijen te krijgen waren. Achter hen was het enorme zwembad met zijn Romeinse zuilen gevuld met nog meer gasten, waarvan een deel volledig gekleed was. 'Hij is nog maar zes weken vrij, en moet je dit toch eens zien!' vervolgde ze opgetogen, terwijl ze een glas champagne van het blad van de kelner nam. 'Hij is populairder dan ooit. Alle grote studiobazen zijn er, en iedereen die maar meetelt in de financiële wereld, en allemaal zijn ze dolgelukkig dat ze een uitnodiging hebben gekregen.' Ze nam een slokje van haar Dom Perignon, en vervolgde, omwille van het gesprek, met een stukje informatie dat de meesten van hen al bekend was: 'Zijn agent zegt dat Paramount, Universal en Fox hem allemaal hebben aangeboden dat hij zelf een script mag kiezen, en het bod voor zijn volgende film staat al op twintig miljoen. Hij wacht op een bod van vijfentwintig, en een groter aandeel in de winst.'

'Niet slecht voor iemand die vijf jaar uit de roulatie is geweest,' merkte de CBS-verslaggever grinnikend op, en net als de verslaggeefster van de *Daily News* vermeed hij het woord 'gevangenis'. Dat deden ze niet uit tactvolle overwegingen, maar eerder om een praktische reden: Zacks persagent had alle verslaggevers die het geluk hadden gehad om bij dit feest te worden toegelaten, duidelijk gemaakt dat er drie onderwerpen waren die taboe waren, en dat diegenen die ze toch ter sprake brachten, toekomstige interviews met Zack wel konden vergeten. Die drie onderwerpen waren zijn gevangenschap, zijn overleden vrouw en Julie Mathison.

De NBC-verslaggever keek op zijn horloge. 'Zijn persagent heeft ons allemaal een interview van twee minuten en een korte fotosessie beloofd, als we hem gedurende het feest zelf met rust zouden laten. Als hij niet opschiet, dan krijg ik mijn reportage niet op het nieuws van tien uur.'

Alsof ze zich van hun dilemma bewust was, gaf Sally Morrison, Zacks persagent, hun een teken dat ze zich moesten verzamelen, waarna ze zich een weg door de menigte heen baande naar de plek waar Zack, met Diana Copeland aan zijn arm, stond te luisteren naar wat drie producers hem te vertellen hadden. De verslaggevers zagen haar iets tegen Zack zeggen, waarop hij knikte, naar de verslaggevers keek, zich excuseerde, en met Diana aan zijn zijde naar hen toe kwam.

Hoofdstuk 70

'Wat was het een gezellige avond,' zei Katherine enthousiast, terwijl ze samen met haar man, Julie en Paul Richardson in het restaurant aan tafel ging zitten. Op zaterdagavond eerst naar de film en dan met z'n allen een hapje eten bij Mandillos, was een ritueel geworden sinds Julie zes weken geleden besloten had om zich met hart en ziel weer in het leven te storten. 'Vinden jullie ook niet?' vroeg ze, en keek naar de drie glimlachende gezichten om haar heen.

'Ik heb genoten,' zei Ted.

'Ik ook,' zei Paul.

Hij sloeg een arm om Julie's schouders. 'En jij, vond jij het ook gezellig?'

'Ja, ik heb ook erg veel plezier gehad,' verklaarde Julie zonder aarzelen. 'En hebben jullie gemerkt hoe zacht het vanavond is? Mei is altijd al mijn lievelingsmaand geweest.' In de zes weken sinds Zacks vrijlating was er meer veranderd dan het weer alleen. Afgelopen maand waren Ted en Katherine stilletjes hertrouwd.

Paul Richardson was voor de bruiloft naar Keaton gekomen, en hun gezamenlijke uitje in het weekend was een ritueel geworden. Julie's vader begon er de laatste tijd meer en meer op te wijzen dat hij wel zin had om nog een stel in de echt te verbinden. Paul wilde wel, maar Julie was er nog niet klaar voor. Ondanks het feit dat ze naar buiten toe heel vrolijk en opgewekt was, had ze innerlijk het gevoel alsof ze verdoofd was. Ze kon lachen en grapjes maken en werken en spelen... en daarbij voelde ze zich echt lang niet slecht. Maar niet meer dan dat. En zeker ook niet slechter. Ze had het zelfs voor elkaar gekregen om tijdens Ted en Katherines bruiloft geen enkel sentimenteel traantje te laten, hoewel ze intens gelukkig voor het tweetal was geweest. Ze had zo veel om Zack gehuild dat ze geen tranen meer overhad, en nu had ze een soort van innerlijke vrede gevonden die door niets of niemand te verstoren was.

De serveerster kwam naar hen toe en vroeg: 'Hetzelfde, jongens? Vier New York steaks, half doorbakken, en patatjes?'

'Lijkt me verrukkelijk, Millie,' zei Ted.

Julie voegde er een vraag over haar man aan toe: 'Hoe doet Phil het in zijn nieuwe baan bij Oakdale's Garage?'

'Uitstekend, Julie. Nog bedankt dat je een goed woordje voor hem hebt gedaan. Volgens Phil heeft hij dat baantje uitsluitend aan jou te danken.'

'Onzin. Hij is een uitstekende monteur,' antwoordde Julie. 'Als hij er niet geweest was, dan zou mijn auto het nooit zo lang hebben uitgehouden. Ik heb Oakdale een gunst bewezen, niet Phil.'

Mandillos had een jukebox met een kleine dansvloer in de hoek, tafeltjes voor mensen die een hapje wilden eten, en een apart zaaltje met een bar en een grote televisie waar het met name tijdens het rugby-seizoen, altijd gezellig druk was. 'Ik heb een paar kwartjes,' zei Paul, en haalde ze uit zijn zak. 'Help je me even mee een paar plaatjes uitzoeken?'

Julie knikte en volgde hem glimlachend naar de jukebox. Even later kwamen ze weer terug bij hun tafeltje. 'De jukebox staat uit omdat de televisie aanstaat,' zei Paul tegen Ted en Katherine. 'Ik vraag Millie zo wel even of ze de televisie uit wil zetten,' zei hij.

'Wacht nog even,' zei Ted. 'Het journaal is bezig, en ik wil weten hoe de wedstrijd is afgelopen.'

Terwijl hij dat zei, keken ze alle vier naar het scherm.

'*Voordat we overgaan tot de sport,*' zei de nieuwslezer, '*hebben we nog een speciale reportage van Amanda Blakesly, die aanwezig is op een sprookjesachtig feest in Pacific Palisades, op het vorstelijke bezit van Zachary Benedict...'*

Iedereen in het restaurant had Zacks naam gehoord, en het werd stil in de ruimte. Van links en rechts werd er vol medelijden naar Julie gekeken, en het volgende moment begon iedereen opeens weer te praten in een zinloze poging om het volume van de televisie te overstemmen. Toen Ted, Katherine en Paul ook begonnen te praten, gebaarde Julie hun dat ze geen moeite hoefden te doen. 'Het doet me niets,' zei ze, en om het te bewijzen steunde ze met haar kin op haar hand, keek naar het scherm en luisterde flauwtjes glimlachend naar wat er verteld werd. Ze zag Zack die, met Diana Copeland aan zijn arm, omringd werd door verslaggevers en fotografen. Diana Copeland keek hem stralend aan, en ze zag er werkelijk schitterend uit. Hij had een glas champagne in zijn hand... dezelfde hand die haar ooit eens gestreeld had, die alle intieme plekjes van haar lichaam had geliefkoosd, en zijn glimlach was nog even overrompelend als hij in Colorado was geweest – nu misschien zelfs nog wel meer, omdat hij bruin was. 'Die smoking staat hem goed,' merkte Julie op een onpersoonlijk toontje op tegen haar tafelgenoten die zich duidelijk slecht op hun gemak voelden. 'Vinden jullie ook niet?'

'Niet bepaald,' zei Paul, die zag hoe bleek ze was geworden.

'Alle mannen zien er goed uit in smoking,' zei Katherine. 'Kijk maar naar die andere mannen. Ze zien er allemaal knap uit. Zelfs Jack Nicholson ziet er behoorlijk uit in smoking.'

Julie lachte zwakjes om Katherine's opmerking, maar bleef strak naar het scherm kijken. Ze keek en voelde niets, zelfs niet toen iemand aan Diana vroeg: *'Nou, Diana, wat zou je zeggen van een kusje?'*

Zonder een spier te vertrekken, zag ze Zack gehoor geven aan het verzoek. Hij sloeg zijn arm om Diana's middel, en gaf haar een innige, hartstochtelijke kus die een applaus ontlokte aan de mannelijke omstanders. Julie gaf geen krimp, maar toen hij zich naar Diana toe boog en haar iets in het oor fluisterde... of zachtjes op haar oorlelletje beet... balde Julie's maag zich samen. *Schoft*, dacht ze, maar zette het onterechte verdrietige en diep gekwetste gevoel meteen weer van zich af. Ze hield zichzelf met klem voor dat ze absoluut geen recht had om boos op hem te zijn alleen omdat hij gelukkig was... en zij vanbinnen dood was. Ze vond het prettig om niets te voelen, het was tenslotte haar eigen keuze geweest en eentje waar ze blij mee was.

Zack en Diana draaiden zich om, het korte interview was afgelopen, maar de verslaggeefster was nog niet klaar. Ze kwam in beeld, en vertelde de kijkers met een samenzweerderig glimlachje: *'Er doen hier geruchten de ronde dat het wel eens niet zo heel lang meer kan duren voor Zachary Benedict en zijn vriendin Diana Copeland besluiten om in het huwelijksbootje te stappen.'*

'Wat fijn voor hem,' zei Julie vrolijk, en keek de tafel rond. 'O, daar komt het eten.'

Een half uur later keek Paul Julie en Katherine na die even naar de wc gingen. Julie's glimlach was weer even stralend als altijd, en ze bleef hier en daar bij de tafels staan om met oude bekenden een praatje te maken. Paul wendde zich bezorgd tot Ted. 'Hoeveel schat je dat ze is afgevallen?'

'Veel te veel. Maar ze doet niet anders dan lachen,' voegde hij er ironisch aan toe.

'Ze is sterk.'

'Ja. Ze doet niet anders dan werken en plezier maken.'

'Dat is toch een goed teken?'

Ted zuchtte. 'Dat doet ze alleen maar om niet stil te hoeven staan bij haar herinneringen.'

'Hoe weet je dat zo zeker?'

'Omdat Julie, wanneer ze onder druk staat, dingen begint op te ruimen en schoon te maken. In de afgelopen weken heeft ze, naast haar bijlessen, het coachen van haar gehandicapte kinderen, haar werk op school en al haar kerkelijke en maatschappelijke activiteiten, ook nog eens haar hele huis opnieuw behangen, elke kast uitgemest en weer netjes ingeruimd en haar garage opnieuw geschilderd. Twee keer. Ze is nu bezig om haar keukenkastjes op alfabetische orde in te ruimen.'

Paul schoot in de lach. 'Wát doet ze?'

'Je hebt me gehoord,' zei Ted, maar hij lachte niet. 'En het is helemaal niet grappig. Ze is tot het uiterste gestresst, ze staat op het punt van instorten. En nu heb ik een vraag voor jou,' vervolgde hij, en boog zich voorover. 'Deze hele nachtmerrie is jouw schuld en de mijne. Wij hebben haar bewerkt, haar er net zo lang van overtuigd dat Benedict schuldig was tot ze ons geloofde. Jij hebt haar gedwongen om als een lam dat naar de slachtbank wordt geleid naar Mexico te gaan, en ik ging daarmee akkoord. Ik voel me schuldig. Jij ook?'

Paul schoof het bordje van zijn toetje van zich af en knikte. 'Ik ook.'

Ted boog zich opnieuw naar hem toe, en zei: 'In dat geval vind ik het alleen maar redelijk dat we nu ook iets verzinnen om haar uit deze puinzooi te halen!'

Paul knikte opnieuw. 'Laten we het er vanavond, nadat ik Julie naar huis heb gebracht, over hebben.'

Hoofdstuk 71

Aangezien Paul, om roddels te voorkomen, onmogelijk bij Julie kon logeren wanneer hij in Keaton was, logeerde hij sinds kort bij Ted en Katherine in hun nieuwe flat.

Toen hij Julie naar huis had gebracht, stond de voordeur van de flat open, en zat Ted in de zitkamer op hem te wachten. 'Er moet iets gebeuren in deze kwestie tussen Julie en Benedict,' zei Ted nadat Paul tegenover hem was gaan zitten. 'Voor mij persoonlijk zou hij van de aardbodem mogen verdwijnen, maar Katherine denkt dat ze eerst op de een of andere manier met hem in het reine moet komen om ooit innerlijke rust te kunnen vinden, of om met jou verder te kunnen gaan, want dat wil je toch, niet?'

Paul aarzelde even in reactie op deze onverwachte vraag, maar toen knikte hij. 'Ja. Ik hou van haar.'

'Dat zei Katherine al. Ze zegt ook dat Julie geplaagd wordt door haar geweten, net alsof zíj zich schuldig zou moeten voelen. Er is maar één iemand die hier schuldig is, en dat is die schoft van een Benedict. Het enige dat ze gedaan heeft, is hem een lift aanbieden omdat ze dacht dat hij haar band had verwisseld. Als gevolg daarvan zijn er tweehonderd miljoen mensen in dit land die op de televisie hebben gezien hoe hij in Mexico in elkaar is geslagen, en nu geven ze haar daar de schuld van. Dezelfde mensen die haar eerst bejubelden omdat ze zo dapper was geweest om hem gearresteerd te krijgen, beschouwen haar nu als de een of andere gemene feeks die een onschuldige man naar het schavot heeft geleid. Gelukkig denken de mensen hier daar anders over, en dat scheelt. Maar de pers achtervolgt haar nog steeds en ze stellen haar echt de meest gemene vragen.'

Katherine kwam in badjas en op sloffen uit de slaapkamer en ging bij Ted op de leuning van zijn stoel zitten. 'Julie heeft hem geschreven toen hij in de gevangenis zat, maar hij heeft al haar brieven ongeopend teruggestuurd. Na zijn vrijlating heeft ze hem meerdere malen via zijn advocaten geschreven – beleefde briefjes waarin ze hem vraagt hoe ze de auto kan teruggeven die hij haar gegeven heeft. En die beantwoordt hij ook al niet. Er zal iets moeten gebeuren. Iemand zal hem ervan moeten overtuigen dat Julie niet gelogen heeft toen ze zei dat ze bij hem wilde zijn, en dat ze dat niet gezegd heeft om hem in de val te laten lopen. Pas als dat gebeurd is, en Zack weet hoe het in werkelijkheid is gegaan, zal ze in staat zijn om haar hart aan iemand anders te geven, aan jou of aan wie dan ook. Ze straft zichzelf.'

Paul keek haar verbaasd aan. 'Is dat het enige dat haar ervan weerhoudt om met mij... om verder te gaan met haar leven? Wil ze alleen maar van Benedict horen dat hij haar vergeeft?'

'Voor zover ik weet, ja,' antwoordde Katherine ontwijkend.

'Best,' zei hij even later. 'Als dat alles is, dan kan ik dat voor haar regelen, en snel ook.' Hij stond op als een man die een duidelijke missie voor ogen had. 'Ik heb het binnen achtenveertig uur voor haar geregeld. Zeg maar tegen Julie dat er iets tussen is gekomen, en dat ik onverwacht eerder terug moest naar Dallas.'

Katherine keek hem na toen hij naar de logeerkamer liep. 'Maar hij wil niet eens met haar praten, Paul.'

'Niet met haar, maar met mij wel!' zei Paul over zijn schouder.

'En waarom denk je dat hij wel met jou zal praten?' vroeg Ted toen Paul even later met zijn weekendtas de logeerkamer weer uit kwam.

'Hierom,' zei Paul, en gooide zijn FBI-identificatie in Teds schoot, terwijl hij naar de kast liep om zijn jas te pakken.

'Hiermee kom je misschien wel bij hem binnen, maar het wil nog niet zeggen dat hij bereid zou zijn om naar je te luisteren, en dat hij je zou willen geloven.'

'Hij hoeft mij niet te geloven, de schoft. Waar is die brief die Julie voor jullie wilde achterlaten toen ze van plan was om naar hem toe te gaan?'

'Die heb ik,' zei Katherine, en stond op om hem te pakken. 'Maar daarmee zul je hem ook niet kunnen overtuigen. Je kunt hem niet bewijzen dat ze die brief niet gisteren heeft geschreven,' voegde ze er aan toe toen ze de brief uit de slaapkamer had gehaald en hem aan Paul gaf. 'Vergeet niet dat hij nu rijk en beroemd is; hij zal dubbel achterdochtig zijn.'

'Dat is mogelijk, maar ik heb op het bureau iets liggen dat hij wel zal móeten geloven!'

'Wat?'

'Videobanden,' zei hij kortaf, en stak zijn hand naar Ted uit voor zijn insigne. 'Een video-opname van die persconferentie die ze gegeven heeft toen ze probeerde de wereld van zijn onschuld te overtuigen.'

'Daar trapt hij ook niet in. Hij zal alleen maar denken dat het deel uitmaakte van haar grootse plan om hem voor jullie in de val te laten lopen.'

'En,' vervolgde Paul, terwijl hij zijn stropdas in de zak van zijn jasje propte en zijn tas oppakte, 'een geconfisqueerde video-opname van wat er in werkelijkheid in Mexico is gebeurd – beelden die tonen hoe Julie gereageerd heeft toen Benedict gearresteerd werd. Je moet wel een ijzersterke maag hebben om dat aan te kunnen zien zonder er kapot van te zijn. Voor het geval jullie het nog niet begrepen hebben,' voegde hij er met een wrang glimlachje aan toe, 'ik ga nu naar Dallas om die spullen daar te halen, en dan neem ik morgen het eerste het beste vliegtuig naar Los Angeles. Ik neem aan dat zijn adres wel ergens in zijn dossier staat.'

431

Ted grijnsde sarcastisch. 'Je bent toch zeker niet van plan om zijn feestje te bederven?'

'Zijn feestje kan me wat. Hij heeft mijn leven en dat van Julie gedurende vier maanden tot een hel gemaakt, en ik ben het zat. En als dit niet mocht lukken,' voegde hij er tegen Ted aan toe, 'als hij nog steeds niet naar me wil luisteren, of naar het bewijsmateriaal wil kijken dat ik hem zal geven, dan adviseer ik je om hem officieel aan te klagen voor Julie's ontvoering. Als Benedict weigert om naar mij te luisteren, dan kan hij in het bijzijn van de rechter naar jou luisteren en met een lekkere, vette cheque over de brug komen!'

'Dank je, Paul,' zei Katherine, en ze kuste hem nadat hij Ted een hand had gegeven. 'Dag,' zei ze ontroerd. 'Bel ons zodra je bij hem bent geweest.' Ze liep met hem mee naar de deur, keek hem even na en ging toen weer naar binnen.

'Je klonk heel verdrietig toen je afscheid van hem nam, net alsof je hem nooit meer terug zou zien,' zei Ted, terwijl hij haar onderzoekend aankeek. 'Waarom?'

'Omdat,' antwoordde ze met een schuldig gezicht, 'ik echt een walgelijk mens ben die het niet verdient om zo'n geweldige man te hebben als jij.'

'Vertaling?' vroeg hij met een vermoeid glimlachje.

'Omdat ik jou en Paul niet alles heb verteld,' bekende ze. 'Je moet namelijk weten dat Julie misschien wel denkt dat ze alleen maar door Zack vergeven wil worden, maar wat ze in werkelijkheid wil, is de man zelf. Dat is altijd zo geweest. Zelfs toen hij een opgejaagde voortvluchtige was. Als Paul in zijn missie slaagt, dan krijgt Julie meer dan alleen maar innerlijke rust. Dan krijgt ze Zack Benedict.'

'De man is nu weer een gevierde filmster. Je hebt hem vanavond op de televisie gezien. Je hebt de vrouwen om hem heen gezien, het huis waar hij in woont. Hij hoeft helemaal geen genoegen te nemen met kleine Julie Mathison.'

'Ik heb de brief gelezen die hij haar geschreven heeft,' verklaarde Katherine vol overtuiging terwijl ze strak naar haar nagels keek. 'Dat was liefde. Echte liefde. Tenminste, dat denk ik.' Ze keek glimlachend op en voegde eraan toe: 'En als hij echt van haar houdt, dan mag hij zijn handjes dichtknijpen als die "kleine Julie Mathison" hem nog steeds wil na alles wat hij haar heeft aangedaan. Ze is boos, Ted. Diep in haar hart is ze woedend, echt wóedend over het onrecht dat haar is aangedaan. Ze neemt het zichzelf kwalijk dat ze haar vertrouwen in Zack is kwijtgeraakt, maar ze neemt het hem kwalijk dat hij haar ontvoerd heeft, tegen haar gelogen heeft over de dood van zijn broer en dat hij haar brieven heeft teruggestuurd en haar in de gevangenis niet wilde zien.'

'Maar ze lacht aldoor, en meestal lacht ze nog echt ook,' zei Ted, omdat hij de waarheid te zorgelijk vond. 'We lagen vanavond allemaal in een deuk, over dat verhaal van haar over die lijm die ze op het pak van die baas van haar had geknoeid.'

'Ze is boos,' hield Katherine vol. 'En met het volste recht. Ik hoop heimelijk dat ik erbij kan zijn wanneer ze hem lik op stuk geeft. Kan hij ertegen, dan pleit dat voor hem.'

'En als hij er niet tegen kan, of als hij zich niets meer van haar aantrekt?'

'Dan weet ze waar ze met hem aan toe is, en zal ze hem kunnen vergeten. En dan heeft ze Paul nog altijd.'

Ted stond op, deed het licht uit en vroeg: 'Voor wie ben je eigenlijk, voor Benedict of voor Paul?'

'Voor Julie.'

Hoofdstuk 72

Zack zat in de zonnige serre en nam alle papieren door die Matt had meegebracht om hem te laten zien hoe het er met zijn financiële belangen voorstond. Buiten, achter de glazen wanden die gekleurd waren om te voorkomen dat er van buiten naar binnen gekeken kon worden, riep iemand zijn naam en hij keek op, niet om te antwoorden, maar zuiver en alleen om te genieten van het gevoel om weer thuis te zijn en zich te goed te doen aan het vertrouwde uitzicht. Hij zag de uitgestrekte tuin met het grote zwembad. De gastenhuisjes aan de rand van zijn bezit waren in dezelfde stijl gebouwd als het grote huis, en ze waren nu allemaal bezet. Zacks huurders hadden de tuinman aangehouden, en de tuin lag er fantastisch bij.

Door het dikke glas heen hoorde hij de gedempte geluiden van het feest dat nog steeds in volle gang was. Zeker honderd mensen dolden in het zwembad, waren op de tennisbanen in de weer of lagen in de tuin te zonnen. De overige driehonderd gasten zouden vanavond terugkomen voor de tweede avond van het feest, en de caterers waren al bezig met het inrichten van het buffet voor de avond.

'Waar is Zack Benedict?' vroeg een vrouw in groene bikini aan haar vriendinnen, zonder te weten dat Zack haar kon zien. 'Ik ben hier al de hele dag, en ik heb hem nog steeds niet gezien. Zo langzamerhand begin ik toch echt te geloven dat hij een legende is die helemaal niet bestaat.' Het was niet vreemd dat ze hem nog niet had gezien, aangezien dit gedeelte van het huis verboden terrein was voor iedereen buiten hemzelf en Matt en Meredith Farrell. Zij waren Zacks enige echte gasten, de enigen die hij toeliet in zijn eigen vertrekken.

Achter zich hoorde hij Merediths zachte, beschaafde stem die lachend vroeg: 'Heb jíj Zack Benedict soms ergens gezien?'

'Nee, ik vrees van niet,' zei Zack lachend, en stond op.

'Het lijkt wel of iedereen hem zoekt,' zei ze plagend, en legde haar hand in de zijne die hij naar haar had uitgestoken.

Zack boog zich naar haar toe en kuste haar op de wang. Hij had er geen verklaring voor dat hij zich meteen zo aangetrokken had gevoeld tot Matts vrouw. 'Ik heb me laten vertellen,' zei hij, 'dat Benedict een nogal asociaal type is dat niet echt dol is op grote feesten, en dat hij dit feest hier al helemaal niets vindt.'

Ze werd ernstig en keek hem onderzoekend aan. 'Echt? En waar zou dat door komen, denk je?'

Hij glimlachte en haalde zijn schouders op. 'Ik denk dat ik gewoon niet in de stemming ben.'

Meredith overwoog of ze Julie Mathison ter sprake zou brengen, zoals ze in de afgelopen twee dagen al vaker overwogen had, maar Matt had haar niet alleen gevraagd, maar ook bevolen om niet over Julie te beginnen. 'Stoor ik je bij je werk?' vroeg ze in plaats daarvan, en keek naar de dikke stapel papieren naast zijn stoel.

'Helemaal niet. Ik heb wel behoefte aan een beetje gezelschap. Waar is Marissa?'

'Ze drinkt thee met Joe, en daarna is het tijd voor haar middagslaapje.'

'De kleine flirt,' zei hij met een blik op het theeservies dat zijn huishoudster een poosje geleden op tafel had gezet. 'Ze had beloofd om met mij thee te komen drinken!'

'Als je het maar uit je hoofd laat om Marissa uit die kostbare porseleinen kopjes te laten drinken. Ze schijnt de laatste tijd te denken dat je theekopjes, als ze leeg zijn, op de grond moet laten vallen.'

Matt kwam binnen, en had Merediths laatste opmerking gehoord. 'Dat komt waarschijnlijk doordat ik haar gezegd heb dat ze een prinsesje is. En dat is ze ook. Waar is Joe?' voegde hij eraan toe. 'Ik moet hem –'

Op dat moment kwam de altijd opgewekte chauffeur de serre binnen, maar zijn gezicht stond allesbehalve vrolijk. 'Zack,' zei hij, 'ik kwam je huishoudster net tegen op de gang. Het schijnt dat je een bezoeker hebt die haar zijn identificatie heeft laten zien en haar op slag verschrikkelijk zenuwachtig heeft gemaakt. Het is iemand van de FBI. Paul Richardson heet hij. Ze heeft hem in de bibliotheek gelaten.'

Zacht vloekend bij de gedachte dat hij iemand van de FBI te woord zou moeten staan, liep Zack met nijdige stappen de serre uit.

'Zack?' riep Matt hem na. Toen hij zich omdraaide, vroeg hij: 'Alleen? Of met getuigen?'

Zack aarzelde. 'Getuigen, als je het niet erg vindt.'

434

'Denk je dat je dit aankunt, wat "dit" ook moge zijn?' vroeg Matt aan Meredith.

Ze knikte, en beiden haastten zich Zack achterna en liepen met hem mee de gang af naar de bibliotheek.

Zack negeerde de lange, donkerharige man die naar de boeken op de planken stond te kijken, wachtte tot Matt en Meredith waren gaan zitten, ging zelf achter zijn bureau zitten, en snauwde toen pas: 'Mag ik uw identificatie even zien?' De FBI-agent, die Zack inmiddels al herkend had van Mexico City, haalde een leren etuitje uit de binnenzak van zijn jasje en hield het Zack voor. Zack keek naar het bewijsje, en van het bewijsje naar de man. 'Een waardeloze foto, maar u lijkt erop.'

'Laten we de spelletjes maar overslaan,' zei Paul al even onbeleefd, terwijl hij zich afvroeg wat de beste manier was om zijn tegenstander aan te pakken. 'U heeft me meteen herkend toen u binnenkwam.'

Benedict haalde zijn schouders op. 'Dat maakt niet uit. Ik ben hoe dan ook niet van plan om met u, of met wie dan ook van de FBI te praten zonder dat mijn advocaten erbij zijn.'

'Dit is geen officieel, maar een persoonlijk bezoek. En verder hoeft u niets te zeggen. Ik ben alleen maar gekomen om u iets te vertellen.'

In plaats van hem te zeggen dat hij kon gaan zitten, knikte Benedict vaag in de richting van een stoel die voor zijn bureau stond. Paul, die zich niet probeerde te ergeren aan de manier waarop het gesprek begonnen was, ging zitten, zette zijn koffertje naast zich op de grond en deed het open. 'Eigenlijk zou ik u liever onder vier ogen spreken...' zei hij met een blik over zijn schouder op de man en de vrouw die op de bank waren gaan zitten. Hij herkende ze meteen. 'Zonder meneer en mevrouw Farrell erbij,' voegde hij eraan toe.

'Wat u "eigenlijk" zou willen, interesseert mij geen barst,' verklaarde Benedict. Hij leunde achterover in zijn stoel, pakte de gouden pen op die naast een schrijfblok lag, en rolde hem tussen zijn vingers heen en weer. 'U kunt beginnen.'

Paul slaagde erin om uiterlijk niets van zijn woede te laten blijken, en zei beleefd en koeltjes: 'Ik zal beginnen met u eraan te herinneren dat u zich, met het oog op de ontvoering van Julie Mathison, in een uiterst kwetsbare positie bevindt. Mocht ze besluiten om alsnog een aanklacht tegen u in te dienen, dan is de kans groot dat u veroordeeld zult worden en opnieuw achter de tralies zult belanden. Persoonlijk gesproken,' voegde hij er vrolijk aan toe, 'zou ik dat toejuichen.'

Hij keek Benedict afwachtend aan, maar toen deze totaal niet op zijn opmerking reageerde, probeerde Paul het op een vriendelijker manier. 'In ruil voor mijn garantie dat zij die aanklacht tegen u niet zal indienen, verzoek ik u om vijf minuten naar mij te luisteren.'

'Was dat echt een beleefd verzoek van u, hoorde ik dat goed?'
Paul had hem het liefste een stevige kaakstoot verkocht, maar hij beheerste zich. 'Ja.'
Benedict keek op zijn horloge. 'In dat geval heeft u nu nog vier minuten en vijftig seconden over.'
'En u belooft mij dat u mij mijn verhaal zult laten afmaken?'
'Zolang u dat kwijt kunt in vier minuten en veertig seconden.' Hij begon ongeduldig met zijn pen op de blocnote te tikken, en Paul stak haastig van wal.

'Om te voorkomen dat u aan mijn geloofwaardigheid of aan de juistheid van mijn informatie zult twijfelen, moet u weten dat ik de leiding had over uw zaak. Ik was in Keaton terwijl zij met u in Colorado was, ik was in Keaton toen ze terugkwam, en ik ben degene geweest die haar dag en nacht heeft laten bewaken toen we uit Keaton vertrokken, omdat ik er een vermoeden van had dat ze zou proberen om contact met u op te nemen, of u met haar. En verder ben ik ook degene die ze gebeld heeft op de avond voordat ze naar u in Mexico City zou gaan. Welnu,' zei Paul, en hij verhief zijn stem om de conclusie van zijn verhaal vooral duidelijk te laten overkomen. 'Ondanks wat u denkt en hoe het vanuit de media is overgekomen, weet ik dat Julie niet is meegegaan naar Mexico om u in de val te laten lopen en u aan ons uit te spelen. De waarheid is dat mijn bureau níets wist van haar plan om naar u toe te gaan, tot op de avond voor de dag van haar vertrek. Ze is op het allerlaatste moment in paniek geraakt en heeft me om twee redenen gebeld: Drie dagen voor haar vertrek heeft ze een bezoek gebracht aan uw grootmoeder, Margaret Stanhope, omdat ze, om u te helpen, wilde proberen om een oude familievete tot een oplossing te brengen. In plaats van dat ze haar doel bereikte, kreeg ze officieel bewijsmateriaal te zien waarin u bekende uw broer per ongeluk gedood te hebben, en heeft uw grootmoeder haar verteld dat ze ervan overtuigd was dat u eerst uw broer, en later uw vrouw met opzet heeft vermoord.'

Paul had verwacht dat Zack toch op z'n minst heftig op deze woorden van hem zou reageren, maar het enige dat hij zag, was dat er in Benedicts gezicht een spiertje begon te trekken toen hij de naam van zijn grootmoeder had laten vallen. Omdat er verder geen enkele reactie kwam, ging hij verder. 'Julie keerde terug naar huis, en die avond hoorde ze dat de cast en de crew van *Destiny* dreigtelefoontjes had gekregen, dreigtelefoontjes die van u afkomstig zouden zijn geweest. En nog stééds nam ze geen contact met ons op. Dat deed ze pas op de avond voor haar geplande vertrek, de avond waarop Tony Austin dood in zijn flat was aangetroffen. Tóen pas heeft ze ons gebeld om ons te vertellen dat u van plan was om haar in Mexico van het vliegveld te halen.' Hij pauzeerde nogmaals, en toen Benedict nog steeds niet reageerde en hem alleen maar vol minachting aankeek, verloor Paul zijn zelfbeheersing. 'Heb je me gehoord, verdomme? Het was niet van begin af aan een val! Heb je dat begrepen?'

Benedicts gezicht verstrakte, maar zijn stem klonk dreigend zacht: 'Als je nog éénmaal een dergelijke toon tegen mij aanslaat, dan zal ik je er met het grootste genoegen persoonlijk uittrappen, ongeacht het feit dat ik je beloofd heb dat ik naar je verhaal zou luisteren.' Op een sarcastisch toontje voegde hij eraan toe: 'Heb jíj dat begrepen?'

Paul probeerde zich voor te houden dat hij hier zat voor Julie, en het lukte hem met moeite om zijn kalmte weer enigszins te herwinnen. 'Laten we ophouden met dit puberale gebekvecht. We kunnen elkaar niet uitstaan, en dat is voldoende om te weten. Waar het om gaat, is dat ik niet gekomen ben om u nijdig te maken, maar om u te bewijzen dat het aanvankelijk helemaal niet Julie's bedoeling was om u in de val te lokken. Ik zeg de waarheid wanneer ik u vertel dat hetgeen ze gezien heeft dat u daar overkwam, plus het feit dat u geweigerd heeft haar brieven met een uitleg te lezen, haar meer verdriet heeft gedaan dan u zich kunt voorstellen. Haar familie maakt zich zorgen om haar, en ik ook.'

'U ook?' herhaalde hij geamuseerd. 'Hoe dat zo, als ik vragen mag?'

'Omdat ik mij, in tegenstelling tot u, verantwoordelijk voel voor de rol die ik in Mexico heb gespeeld, en het verschrikkelijke verdriet dat ik haar daarmee heb bezorgd.' Paul boog zich voorover, haalde een dikke enveloppe uit zijn koffertje, en deed het weer dicht. Nadat hij was opgestaan, gooide hij de enveloppe met een vies gezicht op het bureau van zijn tegenstander, en zei: 'En omdat ik van haar hou.'

Benedict liet de enveloppe liggen waar hij terecht was gekomen. 'Nu moet u mij toch eens vertellen,' zei hij spottend, 'hoe het komt dat ik daar helemaal niet van opkijk.'

'Misschien bent u wel helderziend,' snauwde Paul. 'Hoe dan ook, het bewijs zit in die enveloppe – twee videobanden en een brief. Je hoeft van mij niets aan te nemen, Benedict, maar je kunt het met eigen ogen zien. En als je dan nog een greintje fatsoen hebt, doe dan iets om haar uit haar lijden te verlossen.'

'Hoeveel denk je dat het me zal kosten,' vroeg hij met bijtend sarcasme, 'om haar uit haar lijden te verlossen? Eén miljoen dollar? Twee miljoen? Twee keer zo veel omdat je van plan bent het geld met haar te delen?'

Paul zette zijn handen op Benedicts bureau, boog zich voorover en beet hem toe: 'Ik had je door die Mexicanen dood moeten laten trappen!'

'Ja? En waarom heb je ze dat dan niet laten doen?'

Paul ging rechtop staan en liet zijn blik minachtend over zijn gestalte gaan. 'Omdat Julie me van tevoren heeft laten beloven dat ik ervoor zou zorgen dat je geen lichamelijk geweld zou worden aangedaan. Het enige waarover ze tegen je gelogen heeft, was dat ze zwanger was. En dat heeft ze alleen maar gedaan opdat je haar naar je toe zou laten komen. Ze moet wel gek zijn geweest om te denken dat ze van je hield, smerige, arrogante, harteloze schoft die je er bent!'

Benedict stond op en kwam dreigend achter zijn bureau vandaan. 'Heb het lef,' zei Paul, en stak zijn armen uit. 'Vooruit, kom op dan, meneer de filmster. Toe, begin maar, want dan kan ik het tenminste afmaken.'

'Zo is het wel genoeg!' brulde Matt Farrell, en hij greep Zack bij de arm. 'Richardson, je vijf minuten zijn om. O'Hara!' riep hij. 'Wil je meneer Richardson hier even uitlaten, graag?'

Joe O'Hara had achter de deur staan meeluisteren, en hij kwam meteen binnen. 'Verrek, het begon net spannend te worden,' zei hij. Met een enigszins respectvolle blik op Paul Richardson, wees hij met een groots gebaar op de deur, en zei: 'U bent de eerste smeris die ik tegenkom die een gewoon pak draagt, achter zijn schildje vandaan durft te komen en niet bang is om met iemand op de vuist te gaan. Staat u mij toe u te begeleiden naar uw auto.'

Joe's gevoel voor humor maakte de gespannen sfeer die na zijn vertrek in de kamer was blijven hangen, er niet minder op.

'Ik geloof dat we maar beter kunnen gaan,' zei Matt.

'En ík geloof,' zei Meredith tot schrik van de beide mannen, 'dat we maar beter even kunnen blijven wachten tot Zack het bewijsmateriaal dat in die enveloppe zit, bekeken heeft.' Ze wendde zich tot hem. 'En verder geloof ik dat het hoog tijd is, dat ik je vertel dat ik er zonder enige twijfel van overtuigd ben dat Julie heel erg veel van je hield. En bovendien ben ik er ook van overtuigd dat alles waar is wat Richardson heeft verteld.'

'Als je dat allemaal gelooft,' reageerde Zack sarcastisch, 'dan stel ik voor dat je het "bewijsmateriaal" meeneemt en er zelf naar kijkt, Meredith. En daarna kun je het verbranden.'

Matt werd witheet van woede. 'Je krijgt vijf seconden om je excuses aan mijn vrouw te maken.'

'Twee zijn voldoende,' zei Zack kortaf, en Meredith glimlachte eerder dan Matt, omdat ze naar zijn woorden had geluisterd, en niet naar zijn toon. Hij stak zijn hand naar haar uit, en glimlachte grimmig. 'Het spijt me dat ik zo'n toon heb aangeslagen. Dat was heel onbeschoft.'

'Dat viel wel mee,' zei ze, en keek hem onderzoekend in de ogen. 'Maar ik zal doen wat je zei, en de enveloppe meenemen, als je er geen bezwaar tegen hebt.'

'Aangezien je man nog steeds staat te twijfelen of hij me nu wel een dreun moet verkopen of niet, en aangezien ik die intussen al verdiend heb,' zei Zack op droge toon, 'kan ik maar beter voorzichtig zijn en je je gang laten gaan.'

438

'Dat lijkt me erg verstandig van je,' zei ze, en keek lachend van Zack naar Matt. Ze pakte de enveloppe van het bureau en gaf Matt een arm. 'Er is een tijd geweest waarin alleen al het noemen van mijn naam je even nijdig kon maken,' bracht ze hem teder in herinnering, in een poging het laatste restje spanning tussen de beide mannen teniet te doen.

Hij glimlachte met tegenzin. 'Was ik echt zo'n stomme, blinde idioot als Zack?'

Ze lachte. 'Als ik daar antwoord op zou geven, dan zou ík het met jullie alle twee aan de stok krijgen.'

Matt woelde haar door het haar en trok haar tegen zich aan.

'We zien je straks wel op het feest, als we ons verkleed hebben,' riep ze over haar schouder naar Matt, terwijl ze de bibliotheek verlieten.

'Best,' zei Zack. Hij keek hen na en verbaasde zich over de hechte band die er tussen hen was, en over hoe Matt erdoor veranderd was. Eens, niet zo lang geleden, had Zack gemeend dat hij en Julie – Woedend omdat hij haar in zijn gedachten had toegelaten, liep hij naar het raam en trok de gordijnen open. Hij wist niet precies wat hem meer stoorde, haar verraad of zijn eigen goedgelovigheid. Ze had hem, op zijn vijfendertigste, zover gekregen dat hij zijn hart uitstortte in kwijlerige liefdesbrieven, en uren achtereen naar haar foto kon kijken, om nog maar te zwijgen over alles wat hij op het spel had gezet door naar een van Zuid-Amerika's beste juweliers te gaan om die ene speciale trouwring voor haar uit te zoeken. Zijn schaamte en walging over zoveel sentimentaliteit waren bijna nog groter dan de vernedering die hij voelde over het feit dat hij voor het oog van de halve wereld in elkaar was geslagen. Ook daar was zij verantwoordelijk voor. En iedereen die een televisie in huis had, wist dat – die wist dat hij zo waanzinnig, hopeloos verliefd was geweest op een schooljuffrouw uit de provincie, dat hij zijn leven had geriskeerd om haar te krijgen.

Hij zette haar uit zijn gedachten en keek naar de mensen die toestroomden voor de feestelijkheden van die middag. Glenn Close stond met Julia Roberts te praten. Ze keek op, zag hem voor het raam staan, en zwaaide.

Zack stak zijn hand op en groette haar. Op het gazon bevonden zich enkele van de mooiste vrouwen ter wereld. Hij hoefde maar met zijn vingers te knippen, en hij kon ze krijgen. Zack bekeek ze wat aandachtiger en probeerde te bepalen welke van hen hem het meest kon bekoren, welk van hen erin zou kunnen slagen om het brok ijs in zijn hart te laten smelten. Even later draaide hij zich om en liep naar zijn slaapkamer om zich te verkleden. Niets kon zijn hart ontdooien, kon hem het gevoel geven dat hij in Colorado had gehad, en zelfs al zóu die mogelijkheid zich voordoen, dan zou hij het niet eens meer willen. Het paste niet bij hem, om zich zo als een verliefde idioot aan te stellen. Hij moest in Colorado niet goed bij zijn verstand zijn geweest. Het moest een combinatie van het moment en de plaats zijn geweest. Onder normale omstandigheden zou hij nooit zo op een vrouw gereageerd hebben.

Hij nam zich voor om meer aandacht voor zijn gasten op te brengen dan hij tot nu toe vandaag had gedaan. Hij wist niet waarom, maar na zes weken al had hij veel minder plezier in zijn nieuwe carrière dan in het begin. Hij was doodmoe, besloot hij, en knoopte zijn overhemd open. Hij had zich de afgelopen weken kapotgewerkt. Hij had behoefte aan ontspanning, en moest zich de tijd gunnen om van zijn nieuwe succes te genieten. Hij gooide zijn overhemd op bed, en achter zich hoorde hij de deur opengaan.

'Ik heb overal naar je gezocht, Zack,' zei het meisje met het rode haar dat hij eerder vanuit de serre had gezien. Ze kwam naar hem toe. Haar borsten wiegden uitnodigend onder haar kleine topje. Zack keek van haar borsten naar haar wiegende heupen onder de lange, zijden broek. 'En laat ik je nu net gevonden hebben terwijl je je aan het uitkleden bent. Is dat geen verbazingwekkend toeval?'

'Dat is het zeker,' zei hij. 'Maar daar zijn slaapkamers nu eenmaal voor, is het niet?'

'Dat is niet alles waar ze voor zijn,' fluisterde ze, terwijl ze haar handen op zijn borst legde.

Hij legde zijn handen op de hare. 'Later,' zei hij, terwijl hij haar omdraaide en in de richting van de deur duwde. 'Ik wil me douchen, en daarna moet ik naar buiten om voor gastheer te spelen.'

Hoofdstuk 73

'Geweldig feest, Zack,' fluisterde een onmiskenbare stem in zijn oor, 'maar waar heb je zoveel apen weten te vinden die bereid waren om al die malle kleren aan te trekken?'

Zack grinnikte en maakte zich los van het groepje dat bij het zwembad met hem stond te praten. Hij draaide zich om, sloeg een arm om haar schouders en trok haar dicht tegen zich aan. 'Ik hoopte al dat je zou komen.'

'Hoezo? Om je uit je monotonie te verlossen?' vroeg ze, en liet haar blik over de feestvierders gaan die de smaak, om één uur 's middags, al goed te pakken hadden.

Toen ze zich van hem los wilde maken, hield hij haar vast. 'Laat me niet in de steek,' zei hij lachend. 'Irwin Levine is op weg naar ons toe, en hij is van plan om me aan mijn kop te zeuren over een film die Empire wil dat ik ga maken. Blijf bij me tot het feest is afgelopen.'

'Lafaard. Wacht maar, ik zal je wel eens laten zien hoe je zoiets aanpakt.' Ze negeerde zijn waarschuwende kneepje, stak haar hand met de lange, vurig rood gelakte nagels uit, en kraaide: 'Irwin, lieveling.' Ze boog zich naar hem toe en kuste hem op de wang. 'Zack wil dat je hem met rust laat. Hij wil van zijn feestje kunnen genieten.'

'Wat ben je toch altijd weer heerlijk krengerig, Barbra,' snauwde hij.

'Leuk gedaan,' zei Zack op droge toon, nadat de man zich beledigd had omgedraaid en was weggelopen. 'Mijn agent heeft tegenwoordig, wanneer hij over de centen begint, dezelfde uitwerking op een heleboel mensen.'

'Je agent interesseert me niet. Waarom heb je mijn brieven niet beantwoord, etterkop die je bent? Ik stuur heus niet zomaar brieven en pakjes naar de gevangenis, weet je.'

'Omdat ik mij schaamde en ik geen liefdadigheid wilde. Zo, en hou nu je mond en neurie iets leuks voor me terwijl we ons rondje langs de gasten maken.'

Lachend sloeg ze haar arm om zijn middel, en begon zachtjes te zingen: *'People – people who need people are the luckiest people...'*

Hoofdstuk 74

'Dit geeft de doorslag!' Meredith sprong op van de bank in de zitkamer, waar zij, Matt en Joe O'Hara naar de videobanden hadden zitten kijken die de FBI-agent had achtergelaten. Ze veegde de tranen van haar wang en stopte het 'bewijsmateriaal' terug in de enveloppe. 'Al moet ik Zack vastbinden, ik zal hem dwíngen om hiernaar te kijken!'

'Meredith,' zei Matt zacht, en pakte haar pols. 'Je had gelijk wat Julie betreft, dat zie ik nu ook, maar ik ken Zack. Je kunt hem niet dwingen om hiernaar te kijken. Hij moet er eerst klaar voor zijn.'

Ze aarzelde, dacht na, en toen verscheen er opeens een vastberaden glimlachje op haar gezicht. 'Ja, dat kan ik wel, en ik weet ook hoe!'

Hij stond op. 'Nou, als je dan per se wilt, dan ga ik wel met je mee. Dan kan ik hem tenminste in bedwang houden terwijl je hem vastbindt.'

'Dat wordt niets,' zei ze. 'Je maakt je toch alleen maar kwaad. Maar als je niet meegaat, dan kan ik jou gebruiken om ervoor te zorgen dat hij zich zo zal schamen dat hij bereid zal zijn om de banden te bekijken.'

'Dat betwijfel ik.'

'Laat het me in ieder geval proberen.' Ze boog zich naar hem toe en drukte een kus op zijn voorhoofd. 'Als ik je hulp nodig mocht hebben, dan kom ik je wel halen.'

Voor hij bezwaar zou kunnen maken, trok Meredith de schuifpui open en liep via het gazon achter het huis naar het zwembad. Toen ze Zack te midden van een groepje studiobazen en filmsterren zag staan, stak ze haar kinnetje in de lucht en ging op het groepje af.

Zack moest lachen om een grap, toen hij Meredith, met de grote bruine enveloppe in haar hand, op zich toe zag komen. Zijn gezicht betrok op slag. 'Een ogenblikje,' zei hij tegen Barbra, en keek met half samengeknepen ogen naar de enveloppe.

'Ik vroeg me al af waar jij en Matt waren,' zei hij met zijn meest ontwapenende glimlachje. 'Je hebt je nog niet verkleed.'

'We hebben in de zitkamer naar de televisie gekeken,' zei ze, en Zack zag aan haar ogen dat ze gehuild had. 'Zou ik je even onder vier ogen kunnen spreken?'

'Het feest is in volle gang,' zei hij ontwijkend. 'Kom mee, en dan stel ik je voor aan Kevin Costner. Hij heeft gisteravond naar je gevraagd.'

'Later,' hield ze koppig vol. 'Dit kan echt niet wachten.'

Zack had geen andere keus dan haar naar binnen en naar de bibliotheek te volgen. 'Wat wilde je me zeggen?' vroeg hij kortaf, terwijl hij, half op zijn bureau zittend, toekeek hoe ze de gordijnen dichttrok.

Ze ging voor hem staan. 'Het gaat om de inhoud van deze enveloppe.'

'Ik heb je gevraagd om die inhoud te verbranden.'

'Ja, dat heb je,' reageerde ze fel. 'En nu wil ík je iets vragen.'

'En dat is?'

'Voel je je, op welke manier dan ook, tegenover mijn man verplicht voor alles wat hij voor je heeft gedaan toen je in de gevangenis zat?'

Zack knikte vermoeid.

'Mooi. Je kent Matt. Hij zal jullie vriendschap nooit op het spel zetten door je in ruil daarvoor ook om een gunst te vragen.'

'Maar jij wel,' besloot hij kortaf.

'Inderdaad. In ruil voor de jaren waarin hij je trouw is gebleven en je geholpen heeft, vraag ik je namens hem om een gunst. We willen dat je hier, in de bibliotheek, gaat zitten en naar die banden kijkt, en de brief leest die in de enveloppe zit.'

Zacks gezicht verstrakte, en hij stond op. 'Later.'

'Nee. Nu.'

Hij keek vanuit de hoogte op haar neer, maar slaagde er niet in haar te imponeren. 'Zo veel verlang ik niet van je,' zei ze. 'Het kost je maar een half uurtje van je tijd.'

'Best,' snauwde hij. 'En mag ik dat alleen doen, of wil je erbij zijn om erop toe te zien dat ik me aan mijn woord hou?'

In de wetenschap dat ze gewonnen had, schonk ze hem een stralend glimlachje. 'Als je me je woord geeft, dan is dat voldoende. Dank je.' Ze liep naar de videorecorder, stopte er een van de banden in, zette het apparaat aan en gaf hem de afstandsbediening. 'Deze eerste opnamen zijn van de persconferentie die Julie een dag of twee na haar thuiskomst uit Colorado gegeven heeft. Heb je die al gezien?'

'Nee,' snauwde hij.

'Mooi. Dan staat je nog het een en ander te wachten. De tweede band is duidelijk door een amateur gemaakt. Het is een verslag van je arrestatie in Mexico. Let bij het kijken vooral op Julie.'

Toen ze weg was, drukte Zack het startknopje in, maar liep daarna naar de bar om iets te drinken in te schenken. Alleen al het horen van Julie's naam, alleen al de herinnering aan zijn stomme goedgelovigheid, was voor hem voldoende om zich te willen bezatten. Het besef dat hij hier, in deze kamer, in zijn huis, naar haar zou moeten kijken, deed hem hartgrondig vloeken terwijl hij een paar ijsblokjes in een glas deed en er een flinke slok whisky overheen schonk. Achter zich hoorde hij de burgemeester van het stadje waar ze woonde, aankondigen dat ze een verklaring af zou leggen, en hij verzocht alle aanwezigen om haar met respect te behandelen.

Met een minachtende uitdrukking op zijn gezicht liep hij terug naar zijn bureau, ging er half op zitten en sloeg zijn armen over elkaar. Ondanks het feit dat hij voorbereid was op haar aanblik, kromp hij ineen bij het zien van haar onvergetelijke gezicht. Toen ze begon te spreken, verbaasde hij zich erover dat ze zo kalm klonk ten overstaan van een menigte van zeker tweehonderd journalisten en fotografen.

Een paar minuten later zette hij zijn glas neer, en luisterde verbaasd en ongelovig naar wat ze stond te vertellen. Ondanks het feit dat hij haar uit Colorado had weggestuurd met het idee dat hij haar zo verschrikkelijk op haar ziel getrapt moest hebben dat ze onmogelijk nog om hem kon geven, stond ze daar heel ontspannen te vertellen over haar ontvoering. Ze deed het voorkomen alsof die hele geschiedenis niets te betekenen had gehad, en schilderde Zack af als een intelligente held die haar ontsnappingspoging op een parkeerplaats op uiterst amusante wijze verhinderd had, en vervolgens zijn eigen leven op het spel had gezet toen hij haar, tijdens haar tweede ontsnappingspoging, uit een ijskoude bergbeek had willen redden.

Toen ze klaar was met haar verhaal, en er vanaf alle kanten vragen op haar werden afgevuurd, bleef ze kalm en vriendelijk glimlachen, en gaf antwoorden die weliswaar eerlijk maar onvolledig waren, en waarbij Zack telkens op uiterst positieve wijze naar voren kwam. Toen een verslaggever vroeg of hij haar wel eens met een revolver bedreigd had – wat Zack inderdaad had gedaan – ontweek ze die vraag met een grapje: *'Ik wist dat hij een revolver had, want ik had het ding met eigen ogen gezien. En dat was – zeker in het begin – voldoende om mij ervan te overtuigen dat ik het maar beter niet in mijn hoofd zou kunnen halen om ruzie met hem te zoeken of kritiek te hebben op zijn eerste films.'*

Zack onderdrukte een glimlachje, en hield zich voor dat ze dat waarschijnlijk alleen maar had gezegd omdat ze er rekening mee hield dat hij de persconferentie zou zien, en op deze manier sneller uit zijn schuilplaats te voorschijn zou komen. Even later, toen haar gevraagd werd of ze blij zou zijn wanneer hij opnieuw gearresteerd zou worden, antwoordde ze: *'Hoe kan iemand willen dat een man die onterecht veroordeeld is, opnieuw naar de gevangenis wordt gestuurd? Ik begrijp niet hoe een jury hem ooit schuldig heeft kunnen bevinden, maar ik weet wel dat hij evenmin tot het plegen van een moord in staat is als ik. Was hij dat wel, dan zou ik hier nu niet staan, want zoals ik u zojuist heb verteld, heb ik meerdere malen getracht om zijn ontsnapping te dwarsbomen. En verder zou ik u er nog eens op willen wijzen dat hij, toen we dachten dat we ontdekt waren door een helikopter, in de eerste plaats bezorgd was om mijn veiligheid, en niet om die van hemzelf. Wat ik graag zou willen, is dat er zo snel mogelijk een einde wordt gemaakt aan deze jacht op hem, en dat iemand bereid is om de zaak opnieuw te openen.'*

Zack pakte de afstandsbediening met het plan om de band terug te spoelen om nog eens naar haar antwoorden te luisteren, maar de volgende vraag deed hem verstijven: *'Mevrouw Mathison, bent u verliefd op Zachary Benedict?'*

Hij zag haar aarzelen, en toen keek ze recht in de camera en zei glimlachend: *'Het is waarschijnlijk zo, dat de meeste vrouwen van dit land zich op een bepaald moment wel eens verbeeld hebben dat ze verliefd waren op Zachary Benedict. Nu ik hem heb leren kennen, kan ik alleen maar zeggen dat mij dat niet in het minst verbaast. Hij –'* Ze aarzelde, en besloot met lichtelijk onvaste stem: *'Hij is het soort man waar vrouwen gemakkelijk verliefd op worden.'*

Zack drukte op de terugspoeltoets, en bekeek de laatste twee vragen opnieuw. Hij keek strak naar het scherm, observeerde haar gezicht en luisterde aandachtig naar haar stem. Hij was ervan overtuigd dat ze de boel stond te beduvelen, en deed zijn best om iets aan haar gedrag en stem te ontdekken waar dat uit zou blijken. Hij kon niets vinden. Wat hij zag was moed en waardigheid, en al die eigenschappen van haar die hem in Colorado zo dierbaar waren geweest.

Hij haalde de tweede videoband uit de cassette, stond op en stopte hem in de recorder. Ditmaal liep hij om zijn bureau heen en ging zitten. Hij zette zich schrap voor een scène die hij nooit zou kunnen vergeten; beelden waarbij hij voor het oog van de wereld vernederd was en zijn gezicht had verloren, en dat allemaal alleen maar omdat hij blind was geweest van liefde voor een gemene, valse leugenares...

Die de wereld had bekend dat ze van hem hield.

Ondanks het feit dat hij haar ontvoerd had.

En haar uit Colorado had weggestuurd nadat hij haar verweten had dat ze het verschil niet kende tussen liefde en lekkere seks.

Zack was zo diep in gedachten verzonken, dat het even duurde voor de beelden op de televisie tot hem waren doorgedrongen. Zijn gezicht verstrakte toen hij zag hoe hij door de Mexicaanse politie in de handboeien werd geslagen en tegen de muur werd geduwd. Overal klonk gegil en gekrijs, en de man die de film had gemaakt, zwaaide de camera in het rond op zoek naar de vrouw die stond te brullen over iemand die niet geslagen mocht worden.

Toen leunde hij naar voren, en keek vol ongeloof naar Julie die probeerde om de politie opzij te duwen en riep: *'Doe hem geen pijn!'* Hij zag hoe Richardson haar bij haar armen pakte, haar met kracht naar achteren trok, en hij zag dat ze huilde, dat ze huilde om wat Zack werd aangedaan.

De camera keerde terug naar Zack en Hadley, en Zack begreep dat het enkele seconden geleden moest zijn dat Hadley de trouwring had gevonden. De camera volgde Hadley die naar Julie liep. Hij zei iets tegen haar, en ze stak haar hand uit. Toen ze keek naar wat hij in haar hand had laten vallen, begon ze hysterisch te huilen en drukte de ring tegen haar borst.

Zack kwam half overeind bij het zien van haar gekwelde gezicht, maar dwong zich toen weer om te gaan zitten omdat hij wist wat er zou volgen. Het was precies zo gegaan als hij het zich herinnerde... de Mexicaanse politie die hem naar de uitgang duwde, en Hadley die beval dat ze moesten blijven staan toen ze vlak bij Julie waren. Degene die de film had gemaakt liep een stukje naar voren en nu waren ook de stemmen duidelijker te horen. Niet dat Zack het hoefde te horen. Wat Hadley op dat moment had gezegd stond voorgoed in zijn geheugen gegrift. *'Mevrouw Mathison, ik ben erg onbeleefd tegen u geweest. Ik heb u nog helemaal niet bedankt voor uw medewerking. Als u ons niet geholpen had bij deze hele operatie, dan hadden we Benedict misschien wel nooit te pakken gekregen.'*

Zack herinnerde zich hoe ijskoud hij was geworden, en hij zag zichzelf nu op de film. Zijn gezicht was een vertrokken masker van intense woede, en toen begon hij zich te verzetten, zich los te rukken...

Dat was het moment waarop de hel losbrak. Opeens lag hij op zijn knieën en werd in elkaar geslagen... Maar dat was niet het enige dat

445

er aan de hand was. Zack zag het aan de rand van het beeld. Hij stond op en liep naar de televisie om het beter te kunnen zien. Julie was kennelijk volledig over haar toeren geraakt toen ze hem begonnen te meppen, en ze was Hadley te lijf gegaan. Snikkend krabde ze hem in zijn gezicht en beukte met haar vuisten op zijn borst, en op het moment dat Richardson haar van hem af trok, gaf ze Hadley nog gauw twee harde trappen in het kruis. Toen viel ze flauw, en Richardson riep om een dokter terwijl Zack de hal van het vliegveld werd uit gezeuld.

Met wild kloppend hart spoelde Zack de band terug, maar toen hij hem nogmaals afspeelde, lette hij alleen maar op Julie's gezicht. Wat hij zag deed zijn maag ineenkrimpen. Met bevende handen haalde hij de brief uit de enveloppe en vouwde hem open.

Lieve mam en pap, en lieve Carl en Ted,

Tegen de tijd dat jullie deze brief onder ogen krijgen, weten jullie al dat ik naar Zack ben gegaan. Ik verwacht niet van jullie dat jullie deze beslissing van mij goedkeuren of dat jullie mij vergeven, maar ik wil er graag wat meer over vertellen opdat jullie het misschien ooit nog eens zullen begrijpen.

Ik hou van hem.

Ik zou jullie zo graag nog meer redenen willen noemen dan slechts deze ene, maar ik kan er verder geen bedenken. Misschien komt dat wel doordat dit het enige is dat echt belangrijk is...

Na mijn vertrek zullen jullie nog meer over Zack aan de weet komen, afgrijselijke geruchten en verzinsels van journalisten, van de politie en van mensen die hem nooit hebben gekend. Het spijt me zo dat jullie hem niet hebben leren kennen. Maar dat gaat helaas niet, en daarom laat ik iets voor jullie achter, iets van hem dat jullie een idee kan geven van de man die hij in werkelijkheid is. Het is een kopie van een brief, een heel persoonlijke brief, die hij aan mij geschreven heeft. Een klein gedeelte van de brief is onleesbaar gemaakt, niet omdat er iets in zou staan dat van invloed zou kunnen zijn op jullie mening over hem, maar omdat het over iemand anders gaat en over de dienst die diegene ons beiden bewezen heeft. Als jullie Zacks brief lezen, dan denk ik dat jullie er niet meer aan zullen twijfelen dat de man die hem geschreven heeft altijd van mij zal houden en mij zal beschermen. Zodra we bij elkaar zijn, trouwen we...

Zack leunde achterover en sloot zijn ogen om zijn ontroering over wat hij gezien en gelezen had de baas te blijven. Hij zag haar gekwelde gezichtje op het moment dat hij in de boeien werd geslagen, en hoorde haar zachte stem tijdens hun enige telefoongesprek: '*Ik hou zo veel van je... ik zal altijd van je blijven houden....*'

Het enige waar ze over gelogen had, was haar zwangerschap, maar de rest was allemaal waar geweest...

Julie in Colorado, terwijl ze hem beentje haakte in de sneeuw... terwijl ze 's nachts in zijn armen lag en zich met onzelfzuchtige hartstocht aan hem gegeven had... Julie met haar stralende ogen, haar muzikale lach...

Hij kon haar die laatste nacht nog steeds in zijn armen voelen liggen, kon haar vingers nog op zijn hart voelen toen ze hem gezegd had dat ze van hem hield... Hij herinnerde zich nog hoe enthousiast ze verteld had over haar leerlingen, en over die vrouwen die ze leerde lezen...

Als ze niet op dat absurde idee was gekomen om een bezoek aan zijn verraderlijke grootmoeder te brengen, realiseerde Zack zich nu, dan zou ze waarschijnlijk ook na Tony Austins dood nog in hem geloofd hebben. Richardson had gezegd dat ze na die geschiedenis van de dreigtelefoontjes nog steeds van plan was geweest om naar hem toe te komen. De dood van Tony Austin had de doorslag gegeven.

Ze was echt geweest. En ze was de zijne geweest. Ze had van hem gehouden toen hij haar niets anders te bieden had gehad dan het ondergedoken leven van een voortvluchtige. Ze had die trouwring tegen haar borst gedrukt en gehuild alsof haar hart gebroken was...

Al die dingen had ze gedaan en was ze geweest. Opeens realiseerde hij zich dat Richardson niet had gezegd dat ze nog steeds van hem hield, maar alleen dat ze zich schuldig voelde over wat er in Mexico was gebeurd. Ook realiseerde hij zich andere dingen: Richardson had in de afgelopen drie maanden kennelijk meer dan voldoende tijd in haar gezelschap doorgebracht om verliefd op haar te worden. Ze had Zack maar een enkele week gekend, en hij had haar leven in die korte tijd tot een hel gemaakt. Als verlamd stond Zack langzaam op. Hij was bang, maar wist dat hij iets zou moeten doen.

Hoofdstuk 75

Matt en Meredith wisselden een intens blij glimlachje toen Zack, met een koffer in zijn hand, de zitkamer binnenkwam. Matt leunde achterover tegen de rugleuning van de bank, strekte zijn benen voor zich uit en keek grijnzend naar Zacks blauwe pak. 'Niemand in Californië trekt een pak aan voor een feest, Zack. Dat dóe je gewoon niet.'

'Ik was dat verrekte feest helemaal vergeten,' zei hij, en keek door het raam naar buiten naar zijn gasten. 'Zou jij de honneurs voor mij waar willen nemen? Zeg maar dat er iets dringends tussen is gekomen, of zo. Zou ik je piloot mogen lenen?' voegde hij eraan toe, terwijl hij zijn koffer neerzette en zijn das strikte.

'Alleen mijn piloot maar?' vroeg Matt, en keek naar Meredith die op de leuning van de bank was gaan zitten en haar hand op zijn schouder legde. 'En niet mijn vliegtuig?'

Zack draaide zich opzij naar zijn huishoudster die haastig binnenkwam en hem de twee aktentassen gaf die ze op zijn verzoek had ingepakt. 'Je vliegtuig én je piloot,' zei hij ongeduldig.

'Dat hangt ervanaf waar je naartoe wilt.'

Tevreden dat hij alles had wat hij de eerstkomende paar dagen nodig zou kunnen hebben, wendde hij zich met volledige aandacht tot zijn vriend. 'Waar denk je, verdomme, dat ik naartoe wil?'

'Hoe moet ik dat nu weten? Als je naar Keaton in Texas wilt, denk je dan niet dat je Julie eerst beter even kunt bellen?'

'Nee, want ik weet precies wat ze dan zal doen. Ik wil niet dat ze zich ergens verstopt. En als ik een lijnvlucht moet nemen, dan kost het me uren langer om daar te komen.'

'Vanwaar die haast? Je hebt haar al zes weken laten wachten, zes weken waarin ze ongetwijfeld alle gelegenheid heeft gehad om uit te huilen op Richardsons brede schouders. En daarbij, privé-vliegtuigen zijn dure speeltjes –'

'Ik heb geen tijd voor deze onzin!' Hij ging op Meredith toe om haar een afscheidszoen te geven, maar op dat moment verscheen O'Hara in de deuropening.

'De auto staat voor, Matt,' zei hij. 'En ik heb Steve gebeld. Hij zegt dat de jet klaarstaat voor vertrek. Zack, ben je zover? Kunnen we gaan?'

'Volgens mij,' zei Matt op droge toon, 'is hij dat nu wel.'

Met een afkeurende blik op Matt trok Zack Meredith in zijn armen. 'Dank je,' fluisterde hij oprecht.

'Graag gedaan,' zei ze, en keek hem stralend aan. 'Veel liefs aan Julie.'

'En zeg haar namens mij dat ik verschrikkelijk veel spijt heb van wat ik haar heb aangedaan,' zei Matt ernstig, waarna hij opstond en Zack een hand gaf. 'Veel geluk.'

Ze keken hem na tot hij de kamer uit was, en daarna wendde Meredith zich met een bibberig lachje tot Matt en zei: 'Die man houdt zo verschrikkelijk veel van haar dat het hem helemaal niet kan schelen dat hij door heel veel mensen voor idioot zal worden versleten omdat hij haar nog steeds wil na wat ze hem in Mexico heeft aangedaan. Het enige dat voor hem telt, is dat zij van hem houdt.'

'Dat weet ik,' zei Matt, en keek ernstig in haar vochtige ogen. 'Ik ken het gevoel.'

Hoofdstuk 76

'Hé, Herman, kun je over twintig minuten even naar het vliegveld gaan om een vent op te pikken die ongeveer om die tijd moet landen?' De krakende stem uit de walkie-talkie kwam nauwelijks uit boven de herrie in de gymzaal van de middelbare school van Keaton, waar zich honderdvijfenzeventig mensen verzameld hadden voor de generale repetitie van het toneelstuk dat in verband met de feestelijkheden van het stadje, morgen, na de optocht, zou worden opgevoerd.

Herman Henkleman duwde het zwaard van zijn generaalsuniform opzij, pakte de walkie-talkie die onder het jasje verstopt zat en bracht hem naar zijn mond. 'Komt in orde, Billy. Julie Mathison heeft al gezegd dat ik het uitstekend doe in mijn rol.'

Herman, die zich trots als een pauw voelde in zijn schitterende uniform, keek om zich heen of hij Julie, die de leiding had over het toneelstuk, ergens zag. Ze stond opzij van het toneel, samen met haar broer en schoonzus naar de repetitie te kijken. 'Hallo, Ted, Katherine,' zei hij, nadat hij zich door de menigte heen een weg naar haar toe had gebaand. 'Neem me niet kwalijk, Julie,' zei hij toen ze glimlachend opkeek, 'maar Billy Bradson, van wie ik in het weekend de taxi mag besturen om wat extra's te verdienen, heeft gevraagd of ik even naar het vliegveld kan gaan om een vrachtje op te pikken.'

'Ga gerust je gang,' zei Julie, en was zich er niet van bewust dat Ted en Katherine snel even een blik met elkaar wisselden. 'We zijn hier bijna klaar, en ik heb jou niet meer nodig.'

Hij aarzelde, keek achterom naar Flossie Eldridge, en boog zich toen dicht naar Julie toe. 'Als Flossie vraagt waar ik ben, zou je haar dan misschien willen vertellen dat ik even weg moest voor iets heel belangrijks?'

Julie had hem met opzet een rol gegeven waarbij hij verscheidene dialogen met de oude dame had, die nog steeds, telkens wanneer hij iets tegen haar zei, vuurrood werd als een verliefde tiener. 'Waarom zeg je haar dat zelf niet?' fluisterde ze terug. 'Ze staat net naar je te kijken.'

Herman verzamelde moed, en op weg naar de uitgang van de zaal bleef hij voor Flossie en Ada Eldridge staan die allebei dezelfde baljurk aan hadden. 'Ik moet als een haas voor Billy Bradson naar het vliegveld,' zei hij tegen Flossie. 'Ik help hem in het weekend, weet je.'

'Wees voorzichtig, Herman,' zei ze verlegen.

'Rij zijn auto niet in de soep,' zei Ada honend.

Herman voelde dat hij een kleur kreeg. Hij deed een stap vooruit, deed een stap terug en keek Ada woedend aan. 'Ada,' zei hij, en dat was de eerste keer in tientallen jaren dat hij haar aansprak, 'je bent een gemeen, hatelijk en jaloers mens, en dat ben je altijd al geweest! Ik heb dat ik weet niet hoeveel jaren geleden al tegen je gezegd, en het is nog steeds waar.'

'En jij bent een idiote nietsnut!' reageerde Ada fel.

Hij zette zijn generaalshoed op zijn hoofd, zette zijn handen in zijn zij en verklaarde: 'Daar dacht je anders, toen je nog jong was, wel anders over. Je liep me voortdurend achterna, en deed verschrikkelijk je best om ervoor te zorgen dat ik naar jou keek, in plaats van naar Flossie!' Met die woorden draaide hij zich om en liep de zaal uit. Flossie keek haar zus met open mond van verbazing aan, terwijl haar opeens van alles duidelijk werd.

Katherine wachtte tot Julie het toneel op was gegaan om de kinderen die nu aan de beurt waren bij elkaar te zoeken, en toen drukte ze Teds hand. 'Ted, denk je dat het Benedict is, die Herman op moet pikken?'

Hij schudde zijn hoofd. 'Onmogelijk. Ze hebben gisteravond op het nieuws gezegd dat hij een weekendparty geeft, weet je nog?'

Haar gezicht betrok en hij gaf een klopje op haar hand. 'Ik denk dat het Larraby is die uit Dallas is overgekomen voor zijn maandelijkse inspectie van die fabriek die hij bij Lynchville aan het bouwen is.'

'Gordel om, hou je vast en bidden maar,' zei de piloot lachend over de intercom toen de LearJet de landing inzette. 'Als deze baan tien centimeter korter was geweest, dan had ik haar hier onmogelijk aan de grond kunnen zetten, en als het ook maar even donkerder was geweest, dan had ik naar Dallas moeten uitwijken. Kennelijk wordt dit stoepie hier 's avonds niet verlicht. Tussen twee haakjes, je taxi staat beneden te wachten.'

Zonder zijn blik van de video van Julie te halen die hij mee aan boord van het vliegtuig had genomen om hem daar nogmaals te bekijken, maakte Zack zijn gordel vast. Maar het volgende moment, toen de wielen van het toestel de grond raakten en de piloot meteen met volle kracht begon te remmen, keek hij wel met een ruk op. Even later kwam de jet, op enkele centimeters voor het einde van de landingsbaan, tot stilstand.

'Na twee landingen op deze baan kan Matt wel een stel nieuwe remmen gebruiken,' merkte de piloot hoorbaar opgelucht op. 'Wat doen we, Zack? Blijf ik hier in het hotel overnachten, of vlieg ik terug?'

Zack drukte op het knopje van de intercom, en aarzelde alvorens antwoord te geven. Hij had er geen idee van of Julie hem nu meer haatte dan ze eerst van hem gehouden had. Hij had er geen idee van hoe ze hem zou ontvangen, of hoe lang hij ervoor nodig zou hebben om haar ervan te overtuigen dat ze met hem mee naar Californië moest gaan, en óf hij haar daar wel van zou kunnen overtuigen. 'Blijf maar hier vannacht, Steve. Ik stuur de taxi terug om je op te pikken.'

Zack haastte zich het toestel uit. De taxichauffeur stond naast het open portier van zijn auto in de houding, en droeg het meest idiote en neppige Burgeroorlog-uniform dat Zack ooit had gezien, áls het dat tenminste moest voorstellen. 'Weet u waar Julie Mathison woont?' vroeg hij, terwijl hij op de achterbank ging zitten en zijn aktentassen naast zich neerzette. 'Zo niet, dan heb ik een telefoonboek nodig. Ik ben vergeten om haar adres mee te brengen.'

'Natuurlijk weet ik waar ze woont,' zei de man. Hij keek Zack, die hij intussen herkend had, woedend aan. Hij stapte in en trok het portier met onnodig veel kracht achter zich dicht. 'Bent u Benedict?' vroeg hij enkele minuten later toen ze langs de lagere school reden en een rustig centrum met een stadhuis, winkels en restaurantjes rondom een pleintje in kwamen.

Zack keek om zich heen naar het stadje waarin Julie was opgegroeid. 'Ja.'

Een kilometer vanaf het centrum stopte de taxi voor een keurig huis met een onberispelijk onderhouden gazon en grote bomen. Zacks hart begon zenuwachtig te slaan terwijl hij in zijn zak naar kleingeld zocht. 'Hoeveel ben ik u schuldig?'

'Vijftig dollar.'

'U bent gek.'

'Voor ieder ander kost dit ritje twaalf dollar. Voor zo'n stinkdier als u kost het vijftig. En als u wilt dat ik u naar de plek breng waar Julie is, in plaats van u hier achter te laten waar ze niet is, dan kost u dat vijfenzeventig dollar.'

Met een gevoel dat het midden hield tussen woede, verbazing en spanning, negeerde Zack de beledigende woorden van de chauffeur, en leunde achterover. 'Waar is ze dan?'

'Op de middelbare school waar de generale repetitie is voor het toneelstuk. Julie doet de regie.'

Zack herinnerde zich dat ze langs de middelbare school waren gekomen. De parkeerplaats ervoor had vol gestaan met auto's. Hij aarzelde. Hij wilde haar zo dolgraag weer zien, het goedmaken, haar in zijn armen houden als ze dat tenminste toeliet. Op een sarcastisch toontje vroeg hij: 'En weet u toevallig misschien ook hoe lang ze daar nog blijft?'

'Dat zou wel eens tot heel laat kunnen zijn,' loog Herman omdat hij het niet laten kon.

'In dat geval kunt u mij erheen brengen.'

De man knikte, en reed verder. 'Ik begrijp niet waarom u opeens zo'n haast heeft om haar te zien,' zei hij, en keek Zack via de achteruitkijkspiegel aan. 'Nadat u haar ontvoerd had, hebt u haar volkomen laten stikken. En zij het in haar eentje maar opnemen tegen die journalisten en de politie. En toen ze u uit de gevangenis hadden gelaten, bent u haar ook niet komen opzoeken. U had het veel te druk met al die mooie vrouwen en feestjes om zich druk te kunnen maken om zo'n lief kind als Julie, die van haar leven nog nooit een vlieg kwaad heeft gedaan! U heeft haar ten overstaan van de hele wereld, van deze hele stad, te schande gemaakt! Mensen van buiten Keaton haten haar omdat ze in Mexico gedaan heeft wat goed was, alleen bleek het achteraf helemaal niet goed te zijn. Ik hoop,' besloot hij, toen hij de auto voor de ingang van de school tot stilstand bracht, 'dat ze u een fikse mep om uw oren geeft zodra ze u ziet! Als ik haar vader was, dan zou ik mijn geweer uit de kast halen en u overhoop schieten! Ik hoop echt dat hij dat doet.'

'Het zit er dik in dat uw beide wensen verhoord worden,' zei Zack zacht, terwijl hij een biljet van honderd dollar uit zijn zak haalde en het aan hem gaf. 'Ga terug naar het vliegveld om mijn piloot op te pikken. Hij is geen stinkdier, dus vijfentwintig dollar moet voldoende zijn voor zijn ritje.'

Iets in de klank van zijn stem deed Herman aarzelen en zich omdraaien in zijn stoel. 'Bent u van plan om het eindelijk goed met haar te maken? Bent u daarom gekomen?'

'Ik ga het in ieder geval proberen.'

De vijandige blik verdween uit zijn ogen. 'Die piloot van u zal een paar minuutjes langer moeten wachten. Dit wil ik zien. En trouwens, u kunt waarschijnlijk wel een vriend gebruiken in die menigte.'

Zack hoorde hem niet. Hij was de auto al uit en liep de school binnen in de richting van het lawaai dat vanachter de grote, gesloten dubbele deuren aan het einde van de gang rechts te horen was.

Hoofdstuk 77

Nog voor de deuren van de gymzaal achter hem waren dichtgevallen, had hij Julie al gezien. Ze dirigeerde een kinderkoor waarvan de kinderen allemaal gekostumeerd waren, en sommigen in een rolstoel zaten.

Als betoverd bleef hij staan. Hij luisterde naar haar zoete stem en keek naar haar onvoorstelbare glimlach, terwijl hij opeens zo veel tederheid voor haar voelde dat zijn borst er pijn van deed. Ze zag er, in haar spijkerbroek, een shirt van de school, en haar haren in een staartje met een sjaaltje erin, uit om op te vreten... Maar ze was verschrikkelijk mager. Haar jukbeenderen en ogen waren nu opvallender dan eerst, en Zack slikte het schuldgevoel weg dat zich van hem meester maakte in het besef dat ze talloze kilo's afgevallen moest zijn. Om hem. De taxichauffeur had gezegd dat hij haar voor de stad te schande had gemaakt, en als hij kon, dan zou hij proberen om dat nu voor een deel goed te maken. Sommige mensen hadden hem opgemerkt, en hier en daar werd gefluisterd en op hem gewezen. Hij negeerde de blikken en wijzende vingers, en liep naar voren.

'Hé, jongens, wat is er?' vroeg Julie toen een paar van de oudere kinderen opeens hun mond hielden en begonnen te fluisteren en te wijzen. Ze was zich er vagelijk van bewust dat de zaal achter haar stil was geworden. Ze hoorde mannenvoetstappen op de houten vloer, maar schonk er geen aandacht aan omdat ze op wilde schieten met de repetitie. 'Willie, als je eindelijk eens een keer wilt zingen, let dan op,' waarschuwde ze, maar hij wees op iets achter haar en fluisterde iets tegen Johnny Everett en Tim Wimple. 'Mevrouw Timmons,' zei ze, en keek naar de pianiste die ook al met open mond de zaal in zat te kijken. 'Mevrouw Timmons – laten we nog even van voren af aan beginnen.' Maar toen Julie weer op de partituur keek, kwam een deel van het koor, onder aanvoering van Willie Jenkins, naar voren. 'Hee, waar gaan jullie naartoe?' riep Julie uit toen de kinderen langs haar heen liepen. Ze draaide zich met een ruk om. En verstijfde.

Zack stond op nog geen drie meter van haar vandaan. Hij had zijn armen slap langs zijn lichaam hangen. Hij moest haar laatste brief ten slotte gelezen hebben, schoot het paniekerig door haar heen, en nu was hij gekomen om de auto te halen. Ze bleef roerloos staan, durfde niets te zeggen, durfde zich niet te bewegen. Ze keek strak naar zijn strenge, knappe gezicht, het gezicht dat haar 's nachts uit haar slaap hield en haar overdag geen rust gunde.

Willie Jenkins deed een stapje naar voren en vroeg op uitdagende toon: 'Bent u Zack Benedict?'

Zack knikte stilzwijgend. Opeens deden een aantal andere jongens een stapje naar voren en gingen in een halve kring om Julie heen staan, bereid, zo begreep Zack, om haar te beschermen tegen het monster dat plotseling in hun midden was opgedoken.

'Dan zou ik me, als ik u was, maar snel omdraaien en maken dat ik wegkwam,' vervolgde de jongen met zijn krakende stem. 'U heeft onze juf aan het huilen gemaakt.'

Zack bleef ernstig naar Julie's bleke gezichtje kijken. 'Ze heeft mij ook aan het huilen gemaakt.'

'Jongens huilen niet,' hoonde het kind.

'Soms doen ze dat wel – als iemand van wie ze houden ze erg veel verdriet doet.'

Willie keek naar het gezicht van zijn dierbare juffie, en zag dikke tranen over haar wangen biggelen. 'Ziet u wel! Nu maakt u haar alweer aan het huilen!' riep hij woedend. 'Bent u daarom soms gekomen?'

'Ik ben gekomen,' zei Zack, 'omdat ik zonder haar niet kan leven.'

Iedereen in de zaal keek met open mond naar de beroemde filmheld die dit ten overstaan van hen allen durfde te bekennen. Maar Julie merkte helemaal niet dat ze keken. Ze deed een stapje, en nog een, en rende toen op Zack af, en vloog hem om de hals.

Hij sloot haar in zijn armen, boog zich over haar heen en fluisterde met schorre stem: 'Ik hou van je.'

Achter in de zaal sloeg Ted zijn armen om Katherine heen en trok haar dicht tegen zich aan. 'Hoe wist je dit?' vroeg hij zacht.

Herman Henkleman was, ofschoon hij net zo'n romanticus was, meer praktisch ingesteld. Hij gaf Flossie een knipoog en riep: 'De repetitie is afgelopen, mensen!' Daarna deed hij de zaallichten uit, en keerde op een drafje terug naar zijn taxi.

Toen iemand eindelijk de knopjes van het licht had gevonden, waren Zack en Julie al verdwenen.

'Stap maar gauw in,' zei Herman met een brede zwaai van zijn generaalshoed, toen ze hand in hand naar buiten kwamen gerend. 'Ik heb er altijd al van gedroomd om een ontsnappingswagen te besturen,' voegde hij eraan toe, terwijl hij plankgas gaf en de auto vooruitschoot. 'Waarheen?'

Julie was nog steeds niet in staat om helder te denken.

'Naar jouw huis?' opperde Zack.

'Niet als jullie van plan zijn om rustig elkaars handje vast te houden,' zei Herman. 'Voor je het weet heb je zo de hele stad voor de deur staan.'

'Waar is het dichtstbijzijnde hotel of motel?'

Julie keek hem onzeker aan, maar Herman was een stuk botter. 'Ben je gekomen om haar reputatie te herstellen, of juist niet?'

Zack keek haar aan, en snakte er wanhopig naar om alleen met haar te kunnen zijn. Hij zag aan haar ogen dat ze er net zo over dacht als hij.

'Mijn huis,' zei ze. 'Desnoods leggen we de telefoon ernaast en zetten de bel af.'

Een kleine minuut later stopten ze voor de deur van Julie's huis, en Zack stak zijn hand in zijn broekzak om nog meer geld te pakken. 'Hoeveel ben ik je ditmaal verschuldigd?' vroeg hij op droge toon.

De man draaide zich om naar achteren en gaf Zack zijn briefje van honderd dollar terug. 'Vijf dollar, heen en terug, met inbegrip van het afhalen van je piloot. En dat is een speciaal tarief,' voegde hij er met een jongensachtige grijns aan toe, 'voor de man die er niet voor terugschrok om ten overstaan van de hele stad te bekennen dat hij van Julie houdt.'

454

Diep ontroerd gaf Zack hem een briefje van twintig. 'Ik heb nog een koffer in het vliegtuig staan. Zou je die, nadat je de piloot naar zijn motel hebt gebracht, hierheen willen brengen?'

'Komt voor elkaar. Ik zet hem wel bij Julie's achterdeur, dan hoeven jullie niet op te staan om open te doen.'

Hoofdstuk 78

Julie ging de zitkamer binnen en deed het licht aan, maar toen Zack haar hand pakte, kroop ze zonder iets te zeggen in zijn armen, en kuste hem met een stille wanhoop die niet onderdeed voor de zijne. Hij hield haar dicht tegen zich aangedrukt, bleef haar zachte lippen gevangen houden en voelde haar handen over zijn rug gaan.

Beiden schrokken van het schrille rinkelen van de telefoon naast hen, en Julie stak een beverige hand uit om hem op te nemen.

Zack sloeg haar gade terwijl ze de hoorn tegen haar oor drukte, en zag haar verlegen wegkijken toen hij zijn jasje begon uit te trekken.

'Ja, dat klopt, mevrouw Addelson,' zei ze, 'hij is echt hier.' Ze luisterde even, en zei toen: 'Dat weet ik niet, ik zal het hem even vragen.' Ze legde haar hand op de telefoon, keek hem hulpeloos aan en zei: 'De burgemeester en zijn vrouw vragen of je – of wij vanavond bij hen kunnen komen eten.'

Zack deed zijn das af en begon de knoopjes van zijn overhemd open te maken, en schudde van nee, terwijl hij haar een blos zag krijgen toen het tot haar was doorgedrongen wat hij eigenlijk wilde zeggen.

'Nee, ik vrees dat dat niet zal gaan. Nee, ik weet ook niets van zijn plannen. Ik vraag het hem wel, en dan laat ik het u wel weten.'

Julie hing op, en schoof de telefoon onder een kussen van de bank. Zenuwachtig wreef ze haar handen over haar dijen. Talloze vragen schoten haar door het hoofd terwijl ze daar zo stond en naar hem keek. Hoop, twijfel, onzekerheid, maar wat ze vooral voelde was blijdschap over het feit dat hij nu daadwerkelijk bij haar in de kamer stond. 'Ik kan gewoon nog steeds niet geloven dat je er echt bent,' fluisterde ze. 'Een paar uur geleden leek alles nog zo –'

'Leeg?' maakte hij haar zin voor haar af. 'En zinloos?' voegde hij eraan toe, en kwam naar haar toe.

Ze knikte. 'En hopeloos. Zack, ik-ik moet je zo veel uitleggen, maar ik –' Haar stem brak toen hij haar in zijn armen trok en ze haar bevende vingers over zijn gezicht liet gaan. 'O, God, als je eens wist hoe ik je heb gemist!'

Zack antwoordde haar met zijn mond, en deed haar lippen met de zijne vaneen. Tegelijkertijd trok hij het sjaaltje uit haar haren, en kamde zijn vingers door haar weelderige krullen. Julie drukte zich innig tegen hem aan, en beantwoordde zijn passie met hetzelfde, prøvocerende vuur als waarvan hij tijdens zijn Zuidamerikaanse nachten en in de gevangenis had gedroomd. Met tegenzin haalde hij zijn lippen van de hare. 'Laat me je huis zien,' zei hij met een schorre stem die hij amper als de zijne herkende. Wat hij eigenlijk bedoelde, was, laat me je slaapkamer zien.

Ze begreep precies wat hij bedoelde, en knikte. Ze nam hem rechtstreeks mee naar de kamer die hij wilde zien, maar toen hij over de drempel was gestapt en de witte rotan meubeltjes, de beddesprei met de kantjes, het hemelbed, de vele planten en haar toilettafel zag, bleef hij staan. Het was allemaal precies zoals hij het zich had voorgesteld. Alsof ze zijn aarzeling begrepen had, vroeg ze: 'Nou, hoe heb ik het beschreven?'

'Het is allemaal precies zoals ik het mij heb voorgesteld toen –'

Julie zag zijn gezicht verstrakken, en maakte zijn zin op sombere toon voor hem af: 'Toen je op je boot in bed lag, en je aan me dacht zoals ik hier in mijn bed lag. Toen,' vervolgde ze bijna wreed, 'je nog dacht dat ik naar je toe zou komen, dat we samen op die boot zouden wonen... toen je er geen moment rekening mee hield dat ik je aan de FBI zou verraden en je in elkaar zou laten slaan en je terug zou laten sturen naar de gevangenis.'

Hij keek haar aan, en rond zijn mondhoeken speelde een grimmig glimlachje. 'Toen dat allemaal waar was.'

Ze ging op de rand van haar bed zitten en keek onderzoekend naar hem op. 'Denk je dat we hier eerst even gewoon kunnen liggen om met elkaar te praten?'

Zack aarzelde. Aan de ene kant verlangde hij ernaar om het verleden achter zich te laten en van het heden te genieten door haar in dat maagdelijke, witte hemelbed opnieuw tot de zijne te maken. Aan de andere kant realiseerde hij zich dat ze behoorlijk van streek was, en dat het voor haar nodig was om eerst af te rekenen met het verleden. 'Even dan,' zei hij.

Ze rangschikte een paar kussens tegen het hoofdeinde van het bed, en toen hij naast haar was gaan liggen sloeg hij een arm om haar schouders. Toen ze zich dicht tegen hem aan nestelde en haar hand op zijn borst legde, moest hij automatisch denken aan die ochtenden in Colorado waarop ze zo samen in bed hadden gelegen, en hij glimlachte. 'Ik was vergeten hoe goed je me paste.'

'Je denkt aan die ochtenden in Colorado, is het niet?'

Het was geen vraag. Hij boog zijn hoofd omlaag en glimlachte. 'En ik was ook vergeten dat je altijd precies wist waar ik aan dacht.'

'Ik zat gewoon aan hetzelfde te denken.' Ze glimlachte, en deed vervolgens een aarzelende poging om de gevaarlijke discussie van hun meest recente verleden op gang te brengen. 'Ik weet niet goed waar ik moet beginnen,' zei ze. 'En ik ben... bijna báng om te beginnen. Ik weet niet eens wat je er uiteindelijk toe heeft doen besluiten om hier vandaag naartoe te komen.'

Zack trok verbaasd zijn wenkbrauwen op. 'Dat ik hier nu ben, komt door Richardson. Wist je dan niet dat hij van plan was om mij op te zóeken?' Toen ze hem met geschrokken ogen aankeek, vervolgde hij: 'Vanmorgen stond hij opeens bij me op de stoep, compleet met driedelig Brooks Brothers pak, Armani das en een oorspronkelijk FBI-schildje.'

'Is Paul bij je geweest?' vroeg ze stomverbaasd. 'Paul Richardson? Je bedoelt toch zeker niet mijn Paul?'

Zack verstijfde. 'Kennelijk bedoel ik dus wel "jouw" Paul.' Opeens realiseerde hij zich dat zij, hoewel hij gezegd had dat hij van haar hield, alleen maar gezegd had dat ze hem had gemist. Op effen toon ging hij verder: 'Op de een of andere manier had ik het gevoel dat je niet alleen wilde dat ik naar je toe zou komen om het goed te maken, maar dat er nog meer redenen in het spel waren. Nu ik er wat beter over nadenk, realiseer ik mij dat dat zuiver een conclusie was die ik op basis van die beelden op de videobanden heb genomen. Ik denk,' zei hij, en maakte aanstalten om zijn arm terug te trekken, 'dat we dit gesprek maar beter in de zitkamer kunnen houden. Of anders misschien morgen, in de lobby van mijn hotel, waar dat dan ook moge zijn.'

'Zack,' zei ze, en pakte zijn arm vast, 'haal het niet in je hoofd om dit bed te verlaten! Als je me ooit weer buitensluit zonder me een kans te geven iets uit te leggen, dan zal ik je dat nooit vergeven. Paul is mijn vriend. Hij heeft me geholpen toen ik wanhopig ongelukkig en eenzaam was.'

Zijn hoofd viel terug op het kussen, en hij drukte haar dicht tegen zich aan. 'Hoe komt het toch dat je in staat bent om zo met mijn emoties te spelen? In Colorado gaf je me al het gevoel dat ik een emotionele jo-jo was, en nu doe je dat alweer.'

Terugkerend tot hun eerdere onderwerp van gesprek, zei hij: 'Ik ben hier vandaag naartoe gekomen, omdat Richardson vanmorgen opeens bij mij op de stoep stond, met zijn schildje zwaaide en een enveloppe op mijn bureau smeet waar twee videobanden en een brief in zaten.' Op sarcastische toon vervolgde hij: 'Nadat hij me eerst duidelijk had gemaakt dat ik nog steeds veroordeeld zou kunnen worden wegens ontvoering, en voordat we bijna met elkaar op de vuist gingen, heeft hij me nog weten te vertellen dat jij, in tegenstelling tot wat Hadley me in Mexico had willen laten geloven, in eerste instantie niet naar mij toe had gewild om mij in de val te laten lopen. Hij heeft me ook verteld dat het je bezoek aan Margaret Stanhope was, gecombineerd met de daaropvolgende dood van Austin, dat je er uiteindelijk toe heeft gebracht om naar de politie te gaan.'

'Wat stond er op die banden, en wat was het voor brief?'

'Eén band was van de persconferentie die je na je terugkeer uit Colorado hebt gegeven. De brief was de afscheidsbrief die je aan je ouders had geschreven. De andere videoband was afkomstig uit het archief van de FBI. Het zijn opnamen van jou en van mij op het vliegveld in Mexico, waarop alles te zien is wat er toen is gebeurd.'

Julie huiverde in zijn armen. 'O, het spijt me zo,' fluisterde ze met gebroken stem. 'Het spijt me zo verschrikkelijk. Ik weet niet hoe we dat ooit zullen kunnen vergeten.' Zack registreerde haar reactie en nam een besluit, maar dat hield hij nog even voor zich. In plaats daarvan hief hij haar kin op en zei: 'Hoe kwam je er in godsnaam bij om naar Margaret Stanhope te gaan?'

Er werd aangebeld, maar beiden negeerden het geluid.

Julie zuchtte, en zei: 'Je schreef in je brief dat het je speet dat je je niet al veel eerder met haar verzoend had. Je suggereerde zelfs dat ik haar ons kind zou geven. Hoe dan ook, ik besloot om naar haar toe te gaan om haar te zeggen dat je van haar hield en dat je betreurde dat het zo tussen jullie gelopen was.'

'En ze heeft je midden in je gezicht uitgelachen.'

'Veel erger nog. Het thema Justin kwam ter sprake, en voor ik het wist vertelde ze me dat jij hem vermoord had nadat jullie ruzie hadden gehad om een meisje. Ze gaf me een dossier vol papieren en knipsels waarin je bekende op hem geschoten te hebben. En ik –' Ze haalde haperend adem en vond het vreselijk om hem te moeten beschuldigen. 'Ik begreep toen dat je tegen mij gelogen had, Zack. Ik probeerde mezelf wijs te maken dat je tegen haar had gelogen, en niet tegen mij, maar toen Tony Austin was vermoord, waren dat drie mensen met wie je ruzie had gehad en die door jou om het leven waren gebracht. Tenminste, zo leek het. Ik dacht... ik begon te geloven, net zoals je grootmoeder geloofde, dat je ziek was, dat je geestelijk gestoord was. Ik heb je verraden. Ik dacht dat het voor je eigen bestwil was.'

'Wat ik je over Justin had verteld, was de waarheid, Julie,' verzuchtte Zack. 'Ik heb tegen de politie van Ridgemont gelogen.'

'Maar waarom?'

'Omdat mijn grootvader mij dat had gevraagd. Omdat er bij zelfmoord onderzoek plaatsvindt naar de aanleiding, en mijn grootvader en ik niet wilden dat die gemene oude feeks zou ontdekken dat Justin homoseksueel was. Ik had me de moeite moeten besparen,' voegde hij eraan toe. 'Ik had haar in haar schande moeten laten omkomen. Justin zou er toch niet meer onder geleden hebben.'

'Als je wist wat ze voor je voelde,' zei Julie, 'hoe kon je dan gemeend hebben dat ze bereid zou zijn om voor ons kind te zorgen?'

458

Hij trok zijn wenkbrauwen op en keek haar geamuseerd aan. 'Welk kind, Julie?'

Zijn lach werkte aanstekelijk. 'Het kind dat ik verzonnen had opdat je het goed zou vinden dat ik bij je kwam.'

'O, dat kind.'

Ze maakte nog een knoopje van zijn overhemd open, en drukte een kusje op zijn borst. 'Geef antwoord op mijn vraag.'

'Als je zo doorgaat, is de kans dat je een echt kind krijgt groter dan dat je een antwoord op je vraag zult krijgen.'

Ze lachte opnieuw en boog zich over hem heen. 'Ik ben waanzinnig hebberig, Zack. Ik wil zowel een kind als een antwoord.'

In een teder gebaar nam Zack haar gezichtje tussen zijn handen en liet zijn duimen over haar wangen gaan. 'Is dat echt waar, lieveling? Wil je echt een kind van mij?'

'Ik snak naar een kind van jou.'

'Nu, als je wilt, dan kunnen we daar zo meteen wel wat aan doen.'

Ze beet op haar lip en haar schouders schokten van de lach. 'Nou, voor zover ik mij herinner, hangt dat niet zozeer van mij af, als wel van jou.'

'Ik dacht dat dat geen probleem was. Je hebt het bewijs onder handbereik.'

Opnieuw werd er aangebeld, en wederom negeerden ze het, maar het geluid zorgde er wel voor dat Julie schuldig haar hand wegtrok, net toen ze op zoek wilde gaan naar 'het bewijs'. 'Ben je eigenlijk nog van plan om mijn vraag verder te beantwoorden?' vroeg ze.

'Ja,' verzuchtte hij. 'Als je je nog herinnert wat ik geschreven heb, dan heb ik er speciaal bij gezet dat ik haar eerst zou schrijven voordat ik je met het kind naar haar toe zou sturen. En ik zou dan niet aan haar hebben geschreven, maar aan Foster.'

'Foster? Je bedoelt de oude butler?'

Zack knikte. 'Mijn grootvader en ik hebben hem laten zweren dat hij zijn mond zou houden, maar hij weet wat er gebeurd is. Hij was op de gang toen het schot uit Justins kamer weerklonk, en hij heeft me uit mijn kamer zien komen en naar die van Justin zien rennen. Ik zou Foster geschreven hebben dat hij haar de waarheid mocht vertellen.'

'Noem haar niet alleen maar "haar". Ze is je grootmoeder, Zack. Volgens mij hield ze meer van je dan je je wel realiseert. Als je haar nu zou kunnen zien, met haar zou kunnen praten, dan zou je beseffen welk een hoge tol deze hele geschiedenis –'

'Voor mij is ze dood, Julie,' viel hij haar bruusk in de rede. 'Na vanavond wil ik haar naam nooit meer horen, en wil ik niet dat je het ooit nog over haar hebt.'

Julie deed haar mond open om hem tegen te spreken, maar nam toen in plaats daarvan een besluit waarvan ze niets aan hem vertelde. 'Van jou krijgt niemand een tweede kans, wel?'

'Inderdaad,' beaamde hij.

'Behalve ik.'

Hij streek zijn knokkels over de zachte huid van haar wang. 'Behalve jij,' bevestigde hij.

'Hoeveel kansen krijg ik?'

'Hoeveel heb je er nodig?'

'Een heleboel, vrees ik,' zei ze met zo'n diepe zucht, dat Zack moest lachen en haar in zijn armen nam. Toen hij haar losliet, zag hij een stukje van het dunne zilveren kettinkje dat ze onder haar trui droeg. 'Wat is dat?' vroeg hij.

Ze legde een hand op haar borst. 'Wat is wat?'

'Dit,' zei hij, en haakte zijn vinger onder het kettinkje.

Bang dat de aanblik van de ring hem zou herinneren aan die afgrijselijke momenten in Mexico, hield ze het kettinkje onder haar trui vast. 'Niets bijzonders. Wil jé het alsjeblieft laten zitten?'

Zack schrok een beetje van haar felle reactie. 'Wat is het dan?' vroeg hij, en deed zijn best om niet jaloers te klinken. 'Een cadeautje van een vroeger vriendje?'

'Zoiets. Ik doe het wel af.'

'Laat eens kijken,' zei Zack.

'Nee.'

'Een man heeft het recht om iets te weten van de smaak van zijn voorgangers.'

'Hij had een geweldige smaak! Je zou het even mooi vinden als ik. Maar blijf er nu vanaf, ja?'

'Julie,' zei hij, 'je kunt niet liegen. Wat hangt er aan dat kettinkje?' Hij duwde haar hand weg en trok het kettinkje uit de kraag van haar trui.

In zijn hand hield hij een met fonkelende diamanten bezette, platina trouwring.

Een golf van tederheid welde in hem op, en hij trok haar dicht tegen zich aan. 'Waarom wilde je niet dat ik hem zag?'

'Omdat ik bang was dat hij je aan Mexico zou herinneren. Ik geloof niet dat ik ooit zal kunnen vergeten hoe je naar me keek voordat je besefte dat je arrestatie geen toeval was...' Haar stem brak. 'Of de verandering van je gezicht toen je begreep dat het doorgestoken kaart was geweest. Ik zal het echt nooit kunnen vergeten. Nooit. Ik zal altijd doodsbang zijn om dat gezicht van je nog eens te zien.'

Met spijt besloot Zack om het vrijen nog even uit te stellen. Hij duwde haar van zich af, ging rechtop zitten en zei: 'Laten we dat dan eerst maar doen.'

'Wat?' vroeg ze, en raakte meteen in paniek. 'Waar ga je heen?'

'Heb je een videorecorder?'

Haar angst maakte plaats voor verbazing. 'In de zitkamer.'

Hoofdstuk 79

'Wat doe je?' vroeg ze, toen Zack naast haar was komen zitten en de videoband die hij uit zijn tas had gehaald begon te lopen. Zenuwachtig, voegde ze er plagend aan toe: 'Ik hoop dat het *Dirty Dancing* is, en niet de een of andere erotische scène uit een van je films.'

Hij sloeg een arm om haar heen en zei zachtjes: 'Het is de band die ik vandaag al een paar keer bekeken heb, de band die de FBI geconfisqueerd heeft van ons in Mex –'

Ze schudde heftig met haar hoofd en probeerde de afstandsbediening te pakken. 'Dat wil ik niet zien. Niet vanavond. Nooit!'

'We gaan er samen naar kijken, Julie. Jij en ik. Daarna kan het niet meer tussen ons komen en kan het ons niet meer deren, en hoef jij niet meer bang te zijn.'

'Dwing me niet om hiernaar te kijken!' zei ze. Ze begon over haar hele lichaam te schokken toen ze het lawaai van het vliegveld hoorde. 'Ik verdraag dit niet!'

'Kijk naar het scherm,' zei hij onverstoorbaar. 'We waren daar samen, maar tot vandaag heb ik nooit geweten wat jij deed toen ze mij arresteerden, en ik heb zo het gevoel dat jij het je ook niet meer zo duidelijk herinnert.'

'O, ja, en óf ik mij dat herinner! Ik weet nog precíes wat ze je hebben aangedaan! En ik weet ook nog maar al te goed dat het mijn schuld was!'

Hij draaide haar gezicht naar de televisie. 'Let op jezelf, niet op mij. Kijk, en je zult zien wat ik heb gezien – een vrouw die nog meer leed dan ik.' Julie keek met tegenzin naar de beelden die ze alleen maar wilde vergeten. Ze zag zichzelf tegen iedereen schreeuwen dat ze hem geen pijn moesten doen, zag hoe Paul haar wegtrok en tegen haar schreeuwde dat het voorbij was, en zag Hadley boosaardig grijnzend naar zich toe komen en haar de ring geven. Ze zag hoe ze de ring tegen haar hart drukte en huilde.

'Julie,' fluisterde Zack teder, en hij trok haar dicht tegen zich aan, 'kijk naar jezelf, lieveling, en zie wat ik zie. Het was maar een ring, een stukje metaal met steentjes. Maar kijk toch eens hoeveel die ring voor je betekende.'

'Het was de tróuwring die jij voor me had uitgezocht!' riep ze uit. 'En daarom huilde ik.'

'Echt?' vroeg hij plagend. 'Ik dacht dat je huilde omdat de steentjes zo klein waren.'

Haar mond viel open en er kwam een hysterisch lachje over haar lippen terwijl ze de tranen terugknipperde.

'En let nu op,' voegde hij er grinnikend aan toe. 'Nu komt het stukje dat ik het beste vind. Kijk niet naar mij, naar wat ze mij aandoen,' haastte hij zich eraan toe te voegen toen ze wegkeek op het moment waarop de Mexicaanse politie hem begon te slaan. 'Kijk naar wat jij met Hadley doet. Moet je toch eens zien hoe je die vent te lijf gaat!'

Julie dwong zichzelf om te kijken, en zag met een mengeling van verbazing en beschaamd plezier hoe ze de man onder handen nam. 'Daarvan kan ik me eigenlijk niets meer herinneren,' fluisterde ze.

'Nee, maar ik weet zeker dat Hadley zich wat nu komt nog lange tijd zal heugen. Toen Richardson je van hem af trok, en je hem niet meer met je nagels en vuisten kon bewerken, gaf je hem –'

'Twee harde trappen!' besloot ze, terwijl ze onthutst toekeek.

'In zijn kruis!' voegde Zack er met een trots lachje aan toe, terwijl Hadley dubbelsloeg van de pijn. 'Heb je er enig idee van hoeveel kerels er op aarde rondlopen die ernaar gesnakt hebben om dat te doen?'

Julie schudde stilzwijgend het hoofd, en bekeek de laatste beelden van de film waarin de dokter kwam, haar een injectie gaf en Paul haar ondersteunde.

'Hadley kan nog meer verwachten,' zei Zack. 'Die man is er geweest. Ik heb over twee weken een bespreking met de Overkoepelende Raad voor het Gevangeniswezen, en het zal niet lang duren voor hij in een van zijn eigen cellen zit.'

'Hij is een monster!'

'En jij,' zei Zack, terwijl hij haar kin ophief, 'bent een engel. Heb je er enig idee van wat ik telkens, bij het bekijken van deze beelden, voelde?'

Ze schudde haar hoofd, en hij zei: 'Ik voelde me bemind. Ik voelde dat er, hoe ongelooflijk het ook lijken mag, onvoorwaardelijk van mij gehouden werd. Zelfs toen je dacht dat ik een pathologische moordenaar was, vocht je voor me en huilde je om me.' Hij bracht zijn mond naar de hare, en fluisterde: 'Ik ken geen enkele vrouw die zoveel moed heeft als jij...' Hij kuste haar ogen, haar wang en haar rechtermondhoek. 'Geen enkele vrouw die zo veel liefde heeft te geven.' Zijn handen kropen onder haar trui door naar de tailleband van haar spijkerbroek. 'Geef me die liefde van je, lieveling,' fluisterde hij, 'alles... nu.' Hij kuste haar, liet zijn handen over haar zachte, naakte huid gaan, liet zijn tong haar mond binnendringen, en toen ze de resterende knoopjes van zijn hemd met trillende vingers openmaakte, was het kreunen dat hij hoorde, zijn eigen kreunen. Maar het rinkelen kwam van de deurbel, en het bonzen in zijn hoofd bleek, bij nader inzien, een vuist te zijn die op de voordeur bonkte. Zack vloekte, ging rechtop zitten en stak zijn hand naar haar uit met het idee haar mee te nemen naar de slaapkamer.

'Julie!' hoorden ze Ted roepen.

'Dat is mijn broer!' zei ze.

'Kun je hem niet vragen om weg te gaan en morgenochtend terug te komen?'

Ze stond op het punt te knikken, toen Teds lachende stem riep: 'Doe open voor je eigen bestwil. Ik weet dat je thuis bent!' In plaats van te knikken, schudde ze haar hoofd, trok haar trui omlaag en streek haar haren in model. 'Ik denk dat ik maar beter even kan gaan kijken wat hij wil.'

'Ik wacht wel in de keuken,' zei Zack, en kamde met zijn vingers door zijn haar.

'Maar nu hij toch hier is, zou ik je graag aan hem willen voorstellen.'

'Moet dat nu meteen?' Hij keek naar zijn broek, en toen weer naar haar. 'Zo?'

'Bij nader inzien,' zei ze met een hoogrode kleur, 'is het misschien toch beter dat je in de keuken wacht.'

Julie trok de deur open, juist op het moment waarop Ted op het punt stond om nogmaals op de deur te bonzen. Hij liet zijn blik lachend over haar gestalte gaan 'Het spijt me dat ik stoor. Waar is Benedict?'

'In de keuken.'

'Ha, ha,' zei hij ironisch lachend.

'Wat kom je doen?' vroeg ze wanhopig, beschaamd en intens gelukkig tegelijk, omdat ze zich realiseerde dat Ted degene was geweest die haar brief aan Paul had gegeven.

'Dat kan ik jullie maar beter tegelijk vertellen,' zei hij, terwijl hij, op weg naar de slaapkamer, de gang in liep. Het was duidelijk dat hij reuzeveel plezier had.

Zack stond in de keuken een glas water te drinken, toen hij Julie achter zich hoorde zeggen: 'Zack, dit is mijn broer Ted.'

Zack, die haar niet binnen had horen komen, keek op en schrok bij het zien van nog een bekend gezicht.

Ted knikte. 'Inderdaad. Ik was ook in Mexico.'

Bekomen van de schrik, stak Zack zijn hand naar hem uit, en zei: 'Dan ben ik blij dat ik je nu onder betere omstandigheden zie.'

'Alleen had je liever gezien dat ik op een ander moment gekomen was,' zei Ted lachend, en schudde zijn hand. Zack mocht de jongere man meteen. 'Als ik jou was,' vervolgde hij grijnzend tegen Zack, 'dan zou ik maar liever iets sterkers drinken dan alleen maar een glaasje water.' Bij het zien van Julie's verbaasde gezicht vervolgde hij: 'Pap wil dat jullie naar huis komen. Nu metéén,' voegde hij er met gespeelde ernst aan toe. 'Katherine is bij moeder, en samen proberen ze hem ervan te overtuigen dat het toch zo veel beter is als hij gewoon thuis blijft wachten tot jullie komen, in plaats van hiernaartoe te gaan, wat hij eigenlijk wil nadat hij je een paar keer gebeld heeft en je de telefoon niet opnam.'

'Waarom wil hij ons zo dringend zien?' vroeg Julie.

Ted leunde tegen de muur, stak zijn handen in zijn zakken, trok zijn wenkbrauwen op en keek naar Zack. 'Kun je je een beetje voorstellen dat Julie's vader de... behoefte heeft om je even te spreken, na je onverwachte aankomst hier?'

Zack dronk zijn glas leeg, en hield het opnieuw onder de kraan. 'Ja, dat kan ik me wel een beetje voorstellen, ja.'

'Julie,' beval Ted grinnikend, 'ga je haren kammen, en probeer er niet zo... eh... verrukkelijk verkreukeld uit te zien. Ik zal pap even bellen om te zeggen dat we eraan komen.'

Ze draaide zich om, rende naar haar kamer, en riep over haar schouder dat de telefoon in de zitkamer onder het kussen van de bank stond.

Toen Ted had opgehangen en terugkeerde naar de keuken, was Zack naar de badkamer gegaan om zich te scheren. Toen hij even later weer naar de keuken kwam, had hij een schoon overhemd aangetrokken, had hij zijn haren gekamd en was hij fris geschoren. Ted, die bezig was de keukenkastjes te inspecteren, zei over zijn schouder: 'Je weet zeker niet waar Julie de wodka nu weer heeft verstopt, hè?'

'Nu weer?' vroeg Zack.

'Julie heeft een kleine tik,' verklaarde Ted, en hij bukte zich om onder het aanrecht te kijken. 'Als haar iets dwarszit, dan begint ze als een gek op te ruimen, orde te scheppen, zou je kunnen zeggen.'

Zack herinnerde zich dat ze dat ook in Colorado had gedaan, en hij glimlachte teder. 'Ja, dat weet ik.'

'Dan zul je er dus ook niet van opkijken,' vervolgde Ted, terwijl hij de ijskast opentrok om te kijken of de wodka daar misschien stond, 'dat ze, vanaf het moment waarop ze hoorde dat ze je uit de gevangenis hadden gelaten, bezig is geweest om alle kasten en alle laden in huis op te ruimen, en dat ze haar garage heeft geschilderd. Tot tweemaal toe. Moet je de ijskast eens zien,' zei hij, en wees op de rekken en de binnenkant van de deur. 'Kijk maar. Alle potjes en flessen staan op grootte gerangschikt, waarbij de grootste dingen links staan. Maar hier, op het rek eronder, staan de grootste dingen juist weer rechts. Dat is omdat dat artistiek verantwoord is. Vorige week had ze alles op kleur gezet. Het was schitterend om te zien.'

Zack, die aan de ene kant moest lachen, maar aan de andere kant verschrikkelijk met Julie te doen had om het verdriet dat hij haar had bezorgd, zei alleen maar: 'Dat wil ik best geloven.'

'Maar dat is nog niets,' vervolgde hij op droge toon. 'Moet je dit zien,' zei hij, terwijl hij een kastdeurtje opentrok en op de blikken en dozen op de planken wees. 'Hier heeft ze alles op alfabetische volgorde staan.'

Zack verslikte zich van de lach. 'Wát heeft ze?'

'Kijk zelf maar.'

Zack keek over Teds schouder in de kast. Alle blikjes, flessen en dozen stonden dwars door elkaar heen, maar de rijtjes waren keurig recht. 'Ananas, appelstroop, bakpoeder,' mompelde hij ongelovig. 'Bloem, chips, jam, bonen...' Hij keek Ted aan. 'De bonen staan verkeerd.'

'Nee, helemaal niet,' zei Julie. Ze kwam de keuken in en probeerde een zo nonchalant mogelijke indruk te maken toen de beide mannen haar verbaasd lachend aankeken. 'Ze staan onder de G.'

'Onder de G?' vroeg Zack, die verschrikkelijk zijn best deed om zijn gezicht in de plooi te houden, maar daar niet zo best in slaagde.

Ze pakte een onzichtbaar pluisje van haar trui. 'Onder de G van groenten,' verklaarde ze.

Nu schaterde Zack het uit en nam haar in zijn armen. 'Waar staat de wodka?' fluisterde hij in haar oor. 'Ted wil een slokje.'

Ze boog haar hoofd naar achteren en keek lachend naar hem op. 'Achter de suiker en de soda.'

'En waarom dáár?' vroeg Ted terwijl hij de suiker opzij schoof en de fles pakte.

'Nou,' zei Zack schokschouderend van de lach, 'omdat hij onder de S staat van sterke drank, natuurlijk.'

'Natuurlijk,' beaamde Julie giechelend.

'Jammer dat er geen tijd meer is om er nog wat van te drinken,' zei Ted.

'Ik wilde helemaal niet,' zei Zack.

'Dat zal je nog berouwen.'

Teds dienstwagen stond voor de deur, en hij hield het achterportier voor hen open. Zack stapte met tegenzin in en ging achter Julie zitten, en zijn gezicht verstrakte.

'Wat is er?' vroeg ze.

'Ik zit liever in een gewone auto, dat is alles.'

Zack zag haar ogen donker worden van verdriet, maar het volgende moment wist ze er alweer een grapje over te maken. 'Ted,' zei ze, terwijl ze glimlachend naar Zack bleef kijken, 'je had met Carls Blazer moeten komen. Dat vindt Zack een veel... leukere auto.'

Beide mannen lachten.

Hoofdstuk 80

Een kwartier later lachte Zack niet meer; hij zat tegenover Julie's vader in diens kleine werkkamer, en kreeg de wind van voren van dominee Mathison, die voor zijn neus door de kleine ruimte ijsbeerde. Zack had een preek verwacht, hij vond een preek zelfs ook wel terecht, maar hij was ervan uitgegaan dat Julie's vader een klein, gedwee mannetje zou zijn dat hem op monotone wijze zou onderhouden over de grenzen die Zack, naar zijn idee, had overschreden. Waar hij níet op gerekend had, was dat Jim Mathison een lange, forsgebouwde man was die een indrukwekkende, welsprekende tirade afstak waar George C. Scott, in zijn monoloog aan het begin van *Patton*, nog een puntje aan kon zuigen.

'Ik ben niet in staat om ook maar íets goed te keuren van wat je hebt gedaan!' besloot Jim Mathison, waarna hij op de versleten leren stoel achter zijn bureau ging zitten. 'Zou ik een agressief type zijn geweest, dan zou ik je met de paardezweep een aframmeling hebben gegeven. En dat wil nog niet zeggen dat ik daar hoe dan ook geen zin in zou hebben! Wat mijn dochter dankzij jou niet allemaal heeft moeten meemaken, van angst, tot kritiek van de media en een gebroken hart aan toe! Je hebt haar in Colorado verleid, ontken het maar niet! Of wilde je dat soms ontkennen?'

Het was waanzin, maar op dat moment was Zack één en al bewondering voor de man; hij was het soort vader dat Zack had willen hebben – en ooit eens zelf wilde zijn – een intens betrokken ouder met diepgewortelde principes over wat wel door de beugel kon en wat niet. Een integer, oprecht man die diezelfde eigenschappen ook verwachtte van diegenen die hem omringden. Het was zijn bedoeling dat Zack zich zou schamen. En Zack schaamde zich.

'Wil je soms ontkennen dat je mijn dochter hebt verleid?' herhaalde hij boos.

'Nee,' bekende Zack.

'En daarna heb je haar naar huis gestuurd en kon ze het in haar eentje opnemen tegen de pers, waarbij ze je ook nog heeft verdedigd! Ik heb nog nooit zo'n laf, onverantwoordelijk mens gezien als jij. Hoe durf je jezelf, na dat alles, hier nog te vertonen?'

'Dat ik haar naar huis terug heb gestuurd, is feitelijk het enige fatsoenlijke dat ik heb gedaan,' zei Zack. Het was de eerste keer dat hij zichzelf durfde te verdedigen nadat de tirade begonnen was.

'Ga verder, ik wacht op een verklaring.'

'Ik wist dat Julie verliefd op mij was. Ik weigerde haar mee te nemen naar Zuid-Amerika, en heb haar omwille van haarzelf naar huis gestuurd.'

'Nou, maar dat fatsoen van je was kennelijk maar van korte duur! Een paar weken later had je alweer een plan bedacht om haar alsnog naar Zuid-Amerika te laten komen.'

Hij zweeg in afwachting van een reactie, en Zack zei: 'Ik dacht dat ze zwanger was. Ik wilde niet dat ze het kind weg zou laten halen, of dat ze alle vernederingen zou moeten verdragen van een ongehuwde moeder in een klein stadje.'

466

Zack voelde dat de man iets inbond, alleen was dat aan zijn volgende bijtende opmerking niet te merken: 'Als je in Colorado enig fatsoen zou hebben gehad, als je je wellust een beetje beheerst had, dan had je je achteraf geen zorgen hoeven te maken over of ze wel of niet zwanger was, wel?'

Half boos, beschaamd en geamuseerd over Mathisons bijbelse gebruik van het woord 'wellust', trok Zack zijn wenkbrauwen op en keek hem aan.

'Ik zou blij zijn met een antwoord, jongeman.'

'Het antwoord ligt voor de hand.'

'En nu,' vervolgde hij nijdig, terwijl hij achteroverleunde in zijn stoel, 'nu kom je opeens, vanuit het niet in je fraaie privé-vliegtuig uit de lucht vallen, en zet je jezelf opnieuw te kijken. En waarvoor? Om haar hart te breken! Ik heb, voor je naar de gevangenis werd gestuurd, en daarna, sinds je vrijlating, genoeg over je gehoord en gelezen om te weten wat voor soort oppervlakkig en immoreel leven jij er in Californië op na houdt – wilde feesten, naakte vrouwen, zuippartijen, smerige films. Wat heb je daarop te zeggen?'

'Ik heb van mijn leven nog geen smerige film gemaakt,' antwoordde Zack, de andere aantijgingen omzeilend.

Jim Mathison moest bijna glimlachen. 'Je bent tenminste geen leugenaar. Weet je dat Paul Richardson van haar houdt? Hij wil met haar trouwen. Hij heeft mij om haar hand gevraagd. Paul is een keurige vent met principes. Hij wil een vrouw voor het leven, niet totdat de volgende vrouw met mooie borsten om het hoekje komt kijken en zijn hoofd op hol brengt. Hij wil kinderen. Hij is bereid om offers voor haar te maken – en gaat daarbij zelfs zover dat hij voor haar helemaal naar jou, in Californië is gegaan. Hij komt, net als Julie, uit een hecht gezin. Ze zouden een uitstekend leven kunnen hebben, samen. Nou, wat heb je daarop te zeggen?'

Midden in een aanval van jaloezie begreep Zack opeens dat Jim Mathison Richardson alleen maar gebruikte om Zack met zijn neus op zijn tekortkomingen als Julie's potentiële echtgenoot te drukken, en dat hij heel behendig bezig was om Zack in een positie te manoeuvreren waarbij hij de keuze had tussen om Julie's hand vragen, en vertrekken. Ondanks het feit dat Zack zich allesbehalve op zijn gemak voelde, had hij een enorme bewondering voor de man, en hij leunde achterover in zijn stoel. 'Wat ik daarop te zeggen heb, is dit,' begon hij. 'Richardson mag dan een heilige zijn, en hij mag dan van Julie houden, maar dat doe ik ook. Bovendien houdt Julie van mij. Ik ben niet geïnteresseerd in blondines met grote borsten of in wat voor vrouwen dan ook; de enige vrouw die mij interesseert is Julie. Voor nu en voor altijd. Ook ik wil graag kinderen, zodra Julie daartoe bereid is. Ik zal de offers voor haar brengen die nodig zijn. Ik kan niets veranderen aan het leven dat ik tot nu toe heb geleid, het enige dat ik kan doen is mijn manier van leven met ingang van vandaag veranderen. Ik kan er niets aan doen dat ik niet uit een hecht gezin kom, maar ik kan me wel door haar laten leren hoe een hecht gezin eruit behoort te zien. Ook al bent u dan misschien niet in staat om mij uw zegen te geven, het minste wat ik van u hoop te ontvangen is uw aarzelende goedkeuring.'

Mathison sloeg zijn armen over elkaar en keek hem recht in de ogen. 'Ik heb het woordje "trouwen" nog niet van je gehoord.'

Zack glimlachte. 'Ik dacht dat dat toch wel duidelijk was.'

'Voor wie? Heeft Julie gezegd dat ze met je wil trouwen, ik bedoel, sinds je vanavond bent aangekomen?'

'Ik heb nog geen tijd gehad om haar dat te vragen.'

Mathisons wenkbrauwen schoten omhoog. 'Zelfs niet tijdens dat uur dat jullie de telefoon eraf hadden gelegd? Of had je het soms te druk met haar ervan te overtuigen dat je zo graag kinderen wilde?'

Zack had het misselijkmakende gevoel dat hij op het punt stond als een klein kind te blozen.

'Als je het mij vraagt,' vervolgde Mathison, 'heb je een volkomen vertekend beeld van wat behoorlijk en fatsoenlijk is. In jouw wereld is het zo dat stellen vrijen, kinderen krijgen en dán misschien ooit nog eens een keertje trouwen. En die volgorde is in Julie's wereld, in Gods wereld en in míjn wereld niet aanvaardbaar!'

'Ik was van plan om haar vanavond ten huwelijk te vragen,' verklaarde Zack. 'Ik had zelfs al het plan om, op weg naar Californië, in Lake Tahoe te stoppen en daar te trouwen.'

Mathison dook naar voren over zijn bureau heen. 'Wát zeg je? Jullie kennen elkaar nog maar net zeven dagen, jullie zijn al met elkaar naar bed geweest, en nu wil je dat ze alle schepen achter zich verbrandt, met jou weggaat en dan ergens op een sjofele manier voor de burgerlijke stand met je trouwt. Ze heeft verplichtingen, ze heeft een baan, een gezin en andere mensen om rekening mee te houden. Waar zie je haar voor aan? Voor het een of andere stomme hondje dat je een riempje om kunt doen en mee kunt nemen naar Disneyland? Waar zit je gevoel voor rechtvaardigheid, voor prioriteiten? Na wat je me zojuist over jezelf verteld hebt, had ik toch echt wel meer van je verwacht.'

Zack liep met open ogen in de val. 'Ik geloof niet dat ik het begrijp. Wat wilt u dan dat ik doe?'

Mathison had hem waar hij hem hebben wilde. 'Ik verwacht van je dat je je als een heer zult gedragen en bereid bent om een paar offers te brengen. Kortom, wat ik van Julie's aanstaande man verwacht, is dat hij hier een poosje blijft, haar beter leert kennen, haar met éérbied en respéct behandelt zoals God wil dat wij onze vrouwen behandelen, en dat hij haar dan ten huwelijk vraagt. Ervan uitgaande dat ze ja zegt, volgt er een passende verlovingstijd, en dán wordt er getrouwd. De huwelijksreis,' besloot hij onverstoorbaar, 'vindt pas plaats nádat er getrouwd is. Als je bereid bent om al deze offers te brengen, en alleen dan, ben ik bereid om jullie mijn zegen te geven of om de ceremonie te voltrekken. Van dat laatste weet ik trouwens dat dat de enige manier is waarop Julie zou willen trouwen. Is dat duidelijk?'

Zack fronste zijn voorhoofd. 'Volkomen.'

Jim Mathison zag zijn bedenkelijke gezicht, en haakte er meteen op in. 'Als dat handjevol persoonlijke en fysieke offers je al te veel is, dan –'

'Dat heb ik helemaal niet gezegd,' viel Zack hem in de rede, terwijl hij zich realiseerde dat hij er geen moment aan gedacht had dat het natuurlijk alleen maar logisch was dat Julie wilde dat ze door haar vader werden getrouwd.

'Mooi, zo, Zack,' zei hij, en dat was de eerste keer dat hij hem bij de voornaam aansprak. Met een onverwacht warm en vaderlijk glimlachje zei hij: 'Dan is alles dus geregeld.'

In het besef dat de man hem nagenoeg tot iets gedwongen had dat zo goed als onmogelijk was, zei hij: 'Niet alles. Ik ben bereid om zo vaak en zo lang mogelijk in Keaton te zijn, maar er is geen enkele reden waarom Julie en ik "elkaar beter moeten leren kennen" voordat ik haar ten huwelijk vraag, en daarbij ben ik ook niet van plan om maanden te wachten tot we eindelijk eens kunnen trouwen. Zegt ze eenmaal ja, dan zijn we, wat mij betreft, verloofd.'

'Je bent verloofd wanneer je haar een ring om de vinger hebt geschoven. Formaliteit en traditie bestaan om een reden, jongeman. Net als onthouding voor het huwelijk, zorgen ze ervoor dat de gebeurtenis zelf een heel speciale en bijzondere betekenis krijgt.'

'Best,' zei Zack met tegenzin.

Mathison glimlachte. 'Wil je dan met haar trouwen?'

'Zo gauw mogelijk. Hooguit over twee weken. Ik zal het er met Julie over hebben.'

'Weet je zeker dat ik je niet kan helpen, mam?' riep Julie, terwijl haar moeder een schaal met koekjes op de eettafel zette.

'Ja, liefje. Blijven jullie nu maar lekker in de zitkamer met elkaar kwebbelen. Het is zo heerlijk om jullie alle drie zo gelukkig te zien.'

Julie was meer zenuwachtig dan gelukkig. Ze keek van de dichte deur van haar vaders werkkamer naar Ted en Katherine die samen op de bank zaten, en vroeg: 'Waar hebben ze het toch zo lang over?'

Ted grijnsde en keek op zijn horloge. 'Dat weet je best. Pap houdt een van zijn fameuze preken tegen de aanstaande bruidegom.'

'Zack heeft me deze keer nog niet ten huwelijk gevraagd.'

Katherine keek haar ongelovig aan. 'Na al die prachtige dingen die hij vanavond, waar iedereen bij was, in de gymzaal tegen je heeft gezegd, twijfel je nog aan zijn intenties?'

'Ach, nee, niet echt. Maar anders duren paps preken nooit zo lang.'

'Deze keer heeft hij gewoon langer nodig omdat hij Zack eerst de mantel moet uitvegen voor die ontvoering en zo,' zei Ted lachend.

'Zack heeft al meer dan genoeg geleden voor alles wat hij mij heeft aangedaan,' verklaarde Julie emotioneel.

Katherine giechelde en nam een slokje van haar cola. 'Er staat hem anders nog heel wat lijden te wachten, als hij in de val trapt en instemt met de gebruikelijke voorwaarden.'

'Welke voorwaarden?' vroeg Julie.

'Ach je weet toch wel, al dat gedoe van "traditie is zo belangrijk", "geen seks voor het huwelijk" en "lange verlovingen zijn het best". Pap wil altijd dat iedere aanstaande bruidegom zich daarmee akkoord verklaart.'

Julie lachte. 'O, dat. Daar gaat Zack nooit op in. Hij is ouder, wijzer en een stuk wereldser dan de meeste mannen waar pap mee te maken krijgt.'

'Wedden dat hij er mooi wel op ingaat?' zei Ted lachend. 'Hij heeft immers geen keus? Pap is niet alleen slim, of alleen maar de dominee die het huwelijk voltrekt, hij is toevallig ook nog eens een keer je vader. Zack weet dat hij tegenover hem al het nodige heeft goed te maken. Ik weet zeker dat hij erop ingaat, al is het maar voor jou en de harmonie binnen de familie.'

'Je bedoelt dat je hóópt dat hij erop ingaat,' zei Katherine. 'Omdat jij dat ook hebt gedaan.'

Ted boog zich naar haar toe en hapte haar speels in haar oorlelletje. 'Hou op, je brengt Julie in verlegenheid.'

'Julie zit te lachen. Degene die bloost, dat ben jij.'

'Ik bloos, omdat ik terugdenk aan wat de langste en meest pijnlijke maand van mijn leven was, en bij de herinnering aan hoe onze huwelijksnacht was als gevolg van die maand onthouding.'

Katherine keek hem aan en was Julie's aanwezigheid even vergeten. 'Het was heel bijzonder,' zei ze. 'Net alsof het voor ons beiden de eerste keer was. Ik denk dat dat ook alleen maar de reden is waarom je vader dat van de aanstaande bruidegom verlangt, ook al heeft het stel het allang gedaan.'

'Kan het iemand schelen dat ik dit hoor?' vroeg Julie lachend.

De deur van de werkkamer ging open, en allen keken om. Dominee Mathison glimlachte voldaan, en Zack keek overdonderd en nijdig. Ted begon te lachen. 'En óf hij erin is getrapt!' riep hij uit. 'Hij kijkt net zo overdonderd en boos als ze allemaal doen. Dat is nu mijn filmheld,' zei hij hoofdschuddend. 'Al die posters die ik van hem in mijn kamer had hangen, en nu blijkt hij alles bij elkaar toch een doodgewone sterveling te zijn. De gevangenis heeft hem niet kunnen breken, maar pap wel!'

Zack keek het vrolijke groepje in de zitkamer onderzoekend aan, maar mevrouw Mathison onderschepte hem voordat hij de kamer in had kunnen lopen, en vroeg hem of hij zin had om naar de eetkamer te komen voor een hapje. 'Nee, dank u, mevrouw Mathison,' zei hij met een blik op zijn horloge. 'Het is al laat. Ik moet nog een hotel zoeken.'

Ze wierp een vragende blik op haar man, die langzaam knikte, en toen zei ze: 'We zouden het fijn vinden als je hier wilde blijven slapen.'

Zack dacht aan de hoeveelheid telefoontjes die hij zou ontvangen en moeten plegen wanneer hij in Keaton bleef, en realiseerde zich dat dit het huiselijke leven hier te veel zou ontwrichten. Hij schudde zijn hoofd. 'Dank u, maar ik denk echt dat het beter is dat ik naar een hotel ga. Ik heb werk meegenomen, en ik zal mij nog meer laten toezenden, en daarnaast zal ik waarschijnlijk ook nog een aantal zakelijke besprekingen moeten voeren,' voegde hij eraan toe toen ze een teleurgesteld gezicht trok. 'Ik denk echt dat een hotelsuite geschikter zou zijn.'

Hij zag niet hoe Julie naar hem keek toen hij het over een hotelsuite had, maar hij had haast om weg te komen, om champagne te bestellen, haar in zijn armen te nemen en haar met het juiste sfeertje ten huwelijk te vragen. 'Zou je me naar het hotel willen brengen?' vroeg hij.

Hoofdstuk 81

'We zijn er,' zei Julie een half uur later toen ze voor Keatons enige motel stopten. 'Het beste motel van Keaton.' Ted en Katherine hadden hen bij Julie's huis afgezet, en ze hadden Zacks bagage in Julie's auto gezet en waren doorgereden.

Zack keek ongelovig naar het langgerekte, gammele gebouw met, om de vier meter, een zwarte deur. Op de een of andere manier deed het geheel hem aan een rot gebit denken. Van het gebouw zelf keek hij naar het lege zwembad dat praktisch naast de weg lag, en toen ging zijn blik naar het flitsende neonlicht op het dak. 'Het *Rest Your Bones Motel*,' kwam het met stomme verbazing over zijn lippen. 'Er is vast nog wel een ander motel hier in de buurt.'

'Was dat er maar,' zei ze lachend.

Een oude man met een cowboyhoed op zijn hoofd en een wang vol pruimtabak zat voor de receptie op een metalen stoeltje van de zachte avond te genieten. Hij stond op toen Zack uit de auto stapte. 'Hallo,

Julie,' riep hij, nadat hij een snelle blik door het raampje had geworpen.

Zack begreep meteen dat Julie hier niet anoniem binnen zou kunnen komen, en stapte de receptie binnen. Zijn stemming was allesbehalve uitgelaten.

'Zou ik dit als aandenken mogen houden?' vroeg de manager toen Zack zijn naam op het inschrijfformulier had ingevuld, en dat de man had toegeschoven.

'Best.'

'Zack Benedict,' sprak de man eerbiedig. Hij pakte het formulier op en bestudeerde de handtekening aandachtig. 'Zack Benedict, hier, in mijn motel. Wie had dat nou ooit gedacht?'

'Ik in ieder geval niet,' zei Zack op effen toon. 'U heeft zeker geen suite, hè?'

'We hebben een bruidssuite.'

'U meent het,' zei Zack, en wierp een blik over zijn schouder naar het ongastvrije gebouw, maar toen hij Julie zag, die ontspannen tegen de deur stond geleund en ondeugend grijnsde, voelde hij zich meteen een stuk beter.

'De bruidssuite heeft een kitchenette,' voegde de manager eraan toe.

'Wat romantisch. Nou, dan neem ik de bruidssuite maar,' zei Zack, en hoorde Julie's gedempte lach. Hij glimlachte ook.

'Kom mee,' zei hij, en trok Julie mee naar buiten, terwijl de manager hen volgde en hen vanonder het afdakje nakeek. 'Verbeeld ik mij het alleen maar,' zei hij, nadat hij de deur van de bruidssuite had opengemaakt en een stapje opzij deed om haar als eerste binnen te laten, 'of staat die vent daar te kijken om te zien of je hier naar binnen gaat?'

'Hij staat te kijken om te zien of ik naar binnen ga, of we de deur achter ons dicht doen of niet en hoe lang ik blijf. Morgen weet iedereen het antwoord op die drie vragen.'

Zack deed het licht aan, keek snel om zich heen, en deed het licht toen meteen weer uit. 'Hoe lang kunnen we samen bij jou thuis zijn zonder dat er geroddel van komt?'

Julie aarzelde, ze wilde dat hij haar nog eens zou zeggen dat hij van haar hield, en wat hij van plan was eraan te doen. 'Dat hangt van je intenties af.'

'Ik heb bijzonder eervolle intenties, maar ze zullen tot morgen moeten wachten. Ik weiger ze te bespreken in een kamer met een roodfluwelen, hartvormig bed en paarse stoelen.'

Julie schaterde het uit, en Zack sloot haar in zijn armen. In het donker nam hij haar gezichtje in zijn handen, kuste haar lachend op de mond en werd toen ernstig. 'Ik hou van je,' fluisterde hij. 'Je maakt me zo waanzinnig gelukkig. Door jou was het leuk in Colorado. Door jou lijkt deze suite geen hel, maar een schitterend boudoir. Zelfs in de gevangenis, toen ik je haatte, droomde ik van hoe je me half bevroren naar huis had gesleept, met me gedanst hebt en met me vrijde, en wanneer ik wakker werd, dan verlangde ik naar je.'

Ze streek haar vingertoppen over zijn lippen en wreef haar wang tegen zijn borst. 'Zou je me over niet al te lange tijd mee willen nemen naar Zuid-Amerika? Ik wil zo graag een poosje met je op je boot zijn. Daar heb ik zo vaak van gedroomd.'

'Die boot stelde niet veel voor. Vroeger had ik een groot jacht. Ik koop er eentje voor je, en dan gaan we varen.'

Ze schudde haar hoofd. 'Ik wil in Zuid-Amerika met je op die boot wonen, zoals we van plan waren. Al is het maar voor een weekje.'

'Dat doen we dat, én we gaan varen met een jacht.'

Met tegenzin liet hij haar los en duwde haar de open deur uit. 'In Californië is het twee uur vroeger, en ik moet nog een paar mensen bellen. Wanneer zie ik je weer?'

'Morgen?'

'Natuurlijk,' zei hij droogjes. 'Hoe vroeg?'

'Zo vroeg als je maar wilt. Morgen is een feestdag. Er is een optocht, een kermis, een picknick, van alles, in verband met het feit dat Keaton tweehonderd jaar bestaat. Het feest duurt een hele week.'

'Dat lijkt me leuk,' zei hij, en verbaasde zich erover dat hij het nog meende ook. 'Kom me om negen uur halen, en dan gaan we ergens ontbijten.'

'Ik weet een leuke tent – het beste eten in de stad.'

'O, ja? Waar?'

'Bij McDonald's,' zei ze plagend, lachte om zijn geschrokken gezicht, drukte een kus op zijn wang, en ging.

Nog nagrinnikend deed Zack de deur achter haar dicht, deed het licht aan en zette zijn aktentas met tegenzin op het bed. Hij haalde zijn draagbare telefoon eruit, en belde als eerste de Farrells van wie hij wist dat ze dolgraag wilden horen hoe zijn avontuur verlopen was. Hij bleef hangen aan de lijn terwijl Joe O'Hara naar buiten ging om Matt en Meredith onder de gasten te zoeken.

'Nou?' vroeg Matt gespannen, 'Meredith is er ook, en we hebben je op de luidspreker gezet. Hoe is het met Julie?'

'Met Julie is het uitstekend.'

'Zijn jullie al getrouwd?'

'Nee,' zei Zack, en dacht met de nodige irritatie aan de belofte die haar vader aan hem ontfutseld had. 'We hebben vaste verkering.'

'Wát hebben jullie?' riep Meredith. 'Ik bedoel, ik dacht dat jullie intussen wel al in Tahoe zouden zijn.'

'Ik ben nog steeds in Keaton.'

'O.'

'In het *Rest Your Bones Motel*.'

Hij hoorde Merediths gedempte lach.

'In de bruidssuite.'

Ze lachte harder.

'Er zit een kitchenette in.'

Nu schaterde ze het uit.

'Die piloot van jullie moet hier ook ergens zijn, de stakker. Ik zou hem eigenlijk moeten inviteren voor een partijtje poker.'

'Kijk uit, als je dat doet,' waarschuwde Matt hem op droge toon. 'Voor je het weet gaat hij met het grootste gedeelte van je geld aan de haal.'

'Hij kan hier binnen de kaarten niet eens zien. Het roodfluwelen, hartvormige bed en de paarse stoelen zijn oogverblindend. Hoe is het feest?'

'Ik heb officieel aangekondigd dat je helaas was weggeroepen voor dringende zaken. Meredith heeft de organisatie op zich genomen en speelt voor gastvrouw. Alles loopt op rolletjes.'

Zack aarzelde, en dacht aan de verlovingsring die hij nodig had, en aan de exclusieve juwelen die Bancroft & Company in hun warenhuizen verkochten. 'Meredith, zou je iets voor me willen doen?'

'Je zegt het maar.'

'Ik heb zo snel mogelijk een verlovingsring nodig – morgenochtend al als het kan. Ik weet wat ik wil, maar dat zal ik hier niet kunnen vinden, en als ik mijn gezicht in Dallas vertoon dan word ik herkend. Ik wil niet dat de pers me in de gaten krijgt en massaal naar dit stadje komt.'

Ze begreep het meteen. 'Zeg me wat je wilt. Morgenochtend, zodra ons filiaal in Dallas open is, bel ik de cheffin van de afdeling juwelen en laat haar een aantal ringen uitzoeken. Steve kan ze om kwart over tien halen, en naar je toe brengen.'

'Je bent een engel. Waar ik aan dacht is –'

Hoofdstuk 82

De volgende dag nam Julie hem mee naar het park in het hartje van Keaton, waar de belangrijkste onderdelen van het feest plaatsvonden.

'Dat daar is de burgemeester, meneer Addleson,' wees Julie hem aan. Ze knikte naar de lange man van achter in de veertig, die op weg was naar de muziektent. 'En dat is zijn vrouw, Marian, in die gele linnen jurk,' voegde ze eraan toe. 'Het zijn hele plezierige mensen.'

Zack sloeg een arm om haar heen en trok haar dicht tegen zich aan. 'En jij vóélt plezierig.'

Ze liet zich tegen hem aan leunen, en voelde zijn lichaam tot leven komen.

'Jij ook.'

Zack slikte, en concentreerde zich op de burgemeester, die intussen begonnen was aan zijn openingsspeech voor het feest. Even later drong het tot Zack door, dat de man het over hém had.

'Voor we de kanonschoten lossen en het feest van start gaat, zou ik nog graag even een paar woorden willen wijden aan de bijzondere gast die vandaag in ons midden is. We weten allemaal dat Zack Benedict in Keaton is, en waarvoor. Wat we ook allemaal weten, is dat de staat Texas hem de laatste tijd niet bepaald vriendelijk gezind is en hem in het verleden ook niet veel geluk heeft gebracht. Ik weet dat jullie allemaal staan te popelen om kennis met hem te maken en hem een positievere indruk van Texas te geven, maar, mensen, de beste manier om dat te bereiken is door hem wat ruimte te gunnen en hem de kans te geven ons op zijn eigen manier te leren kennen. Jullie weten allemaal wat hij heeft meegemaakt, en jullie weten allemaal hoe de mensen zich om beroemdheden verdringen om maar een handtekening van hen te kunnen krijgen. Ik stel me zo voor dat Zack nergens ter wereld rustig zichzelf kan zijn. Behalve hier. Laten we hem laten zien hoe het is om een woonplaats te hebben zoals Julie die heeft, waar de mensen om elkaar geven en voor elkaar opkomen!'

De woorden van de burgemeester werden gevolgd door een luid applaus en tromgeroffel, en van alle kanten werd vrolijk naar Zack gelachen en gezwaaid. Zack knikte en zwaaide beleefd terug.

Tot Zacks verbazing volgden de bewoners van Keaton het dringende advies van hun burgemeester op, en had hij in de afgelopen vijftien jaar nog nooit zo van een ontspannen dagje in het openbaar genoten als juist in Keaton. Hij amuseerde zich kostelijk met het bezoeken van de standjes waar zelfgemaakte jams, taarten en handwerkjes werden verkocht, met het eten van met een dikke laag mosterd besmeerde hotdogs, en met het spelen van domme spelletjes zoals ballengooien en ringwerpen. Maar dat kwam natuurlijk omdat hij met Julie was, en Julie de gave had om iets banaals tot een avontuur te maken.

Ze was ook een uitermate populaire figuur, en de mensen leken hem, na zijn optreden in de gymzaal, ook aarzelend in het hart te sluiten. Zack popelde om iedereen, en vooral ook Julie, te bewijzen dat hij het goed met haar meende, door haar de verlovingsring die hij die ochtend had uitgezocht om haar vinger te schuiven, maar het juiste moment had zich nog niet voorgedaan.

Ze liepen in het licht van de ondergaande zon over het kermisterrein, en de ring met de grote diamant brandde in zijn zak. Zo nu en dan zag hij mensen een foto van hen maken, maar iedereen was even discreet.

'Zullen we in het reuzenrad gaan?' vroeg Zack toen Julie was blijven staan om helemaal naar boven te kijken.

'Alleen als je belooft dat je de cabine niet laat wiebelen,' zei ze, waarna ze een stuk van haar suikerspin afplukte en in zijn mond stak. 'Ik zou niet durven,' loog Zack, en kauwde. 'Julie, dat spul is niet te vreten! Hoe kan je zoiets lekker vinden? Geef me nog een stukje.'

Ze lachte, stopte nog een stukje in zijn mond, en ze glimlachten naar langslopende stellen die hen vriendelijk groetten. 'Ik meende het, wat ik zei over het schommelen van de cabine,' waarschuwde ze, toen hij geld uit zijn zak haalde. 'Ik... eh... ben niet zo'n held in dit soort dingen.'

'Echt niet?' vroeg hij ongelovig. 'En zonet nog, in dat raketding, waren we er bijna geweest omdat jij die capsule zo nodig moest laten ronddraaien.'

'Dat was iets anders. We zaten opgesloten in een kooi. Maar zo'n reuzenrad... die cabines zijn open, en dat vind ik een beetje eng.'

Zack wilde net naar het loket gaan om te betalen, toen hij iemand achter zich hoorde roepen: 'Doe mee, en win een échte goudkleurige ring met namaakedelstenen! Schiet je vijf eendjes neer, dan krijg je een ring voor je meisje, schiet je er tien, dan krijg je een teddybeer voor haar om te knuffelen.'

Zack draaide zich om, keek naar de mechanische eendjes die in een eindeloze rij voorbijtrokken, naar de nepgeweren die klaarstonden, en het blaadje met ringen met reusachtige, bonte, schitterende namaakedelstenen. Opeens kreeg hij een idee.

'Ik dacht dat je met het reuzenrad wilde,' zei Julie, toen hij haar een arm gaf en haar resoluut mee de andere kant op trok.

'Ja, maar eerst,' kondigde hij aan, 'wil ik een échte goudkleurige ring met namaakedelstenen voor je winnen.'

'Hoeveel kansen... wilt u?' vroeg de man van het tentje, terwijl hij met grote ogen naar Zacks gezicht keek. 'Je komt me bekend voor, makker.' Hij nam Zacks geld aan, gaf hem een geweer aan en wendde zich tot Julie. 'Je vriendje lijkt sprekend op... je weet wel... hoe heet hij ook al weer... die filmster. Je weet wel –' drong hij aan, toen Zack hem negeerde, het geweer hief en door het vizier keek. 'Je weet toch wel wie ik bedoel, niet?'

Julie keek Zack met een tersluiks glimlachje aan. 'Die knappe filmster, bedoelt u?' vroeg ze aan de man. 'Een beetje ruig type, donker haar?'

'Ja, díe!'

'Steven Seagal!' riep ze uit, en Zack schoot mis.

Hij liet het geweer zakken, wierp haar een verontwaardigde blik toe, en deed nog een poging.

'Nee, niet die,' zei de man. 'Die ik bedoel, is langer, wat ouder, en nog knapper.' Zack schonk haar een voldaan glimlachje.

'Warren Beatty!' riep Julie uit, en Zack miste zijn tweede schot.

'Julie,' siste hij, en zijn schouders schokten van de lach, 'wil je nu een ring of niet?'

476

'Nee,' zei ze. 'Ik wil een teddybeer.'

'Hou dan op met over mijn concurrentie te kwijlen en laat me die verrekte eendjes schieten voordat we straks heel Keaton om ons heen hebben staan.'

Julie keek om zich heen, en zag dat er een aardig oploopje was ontstaan van mensen die, tegen de wens van de burgemeester in, waren blijven staan om te zien hoe Zack Benedict in het echt een wapen hanteerde.

Zack raakte acht van de tien eendjes, en iemand begon te klappen, maar hield daar toen ook meteen weer mee op. 'Draai je om, liefje,' zei Zack. 'Je maakt me zenuwachtig.'

Toen ze gehoorzaamde, haalde Zack de ring uit zijn zak, gaf de man van het standje een knipoog, legde de verlovingsring op het blaadje met nepringen, schoot nog twee keer en miste met opzet.

Julie draaide zich om. 'Wat? Geen beer?' vroeg ze, en zag helemaal niet hoe de man met grote ogen en met open mond naar het blaadje stond te kijken.

'Het spijt me. Die laatste twee heb ik gemist. Welke ring vind je mooi?'

Julie keek naar de fonkelende gele, roze, rode en donkerblauwe stenen. En toen zag ze de diamant die, stukken groter dan de glazen stenen, daar te midden van de bonte verzameling lag te flonkeren en te schitteren. Ze keek op naar Zack, en keek diep in zijn ernstige, tedere ogen. 'Vind je hem mooi?' vroeg hij.

De mensen die waren blijven staan kijken, voelden dat er iets bijzonders aan de hand was.

'Prachtig,' zei Julie zacht.

'Zullen we hem dan maar neenemen, en een rustig plekje zoeken waar ik hem om je vinger kan doen?'

Ze knikte zonder iets te zeggen, terwijl hij de ring van het blaadje pakte. De omstanders zagen hem grijnzen, en glimlachten. 'Daar boven,' zei hij, en trok haar mee naar het loket van het reuzenrad. 'Vlug,' zei hij, en lachte toen de man van de schiettent verbaasd uitriep: 'Die man – die man die op Warren Beatty lijkt – hij haalde de grootste diamanten ring uit z'n zak die je ooit hebt gezien, en gaf hem aan haar!'

Julie's ouders stonden te praten met de burgemeester en zijn vrouw, en met Katherine's ouders die voor het feest waren overgekomen. Ze stonden bij de Octopus, toen Katherine en Ted, gevolgd door een groepje vrienden van hen, kwamen aangerend. 'Het is officieel,' zei Ted lachend. 'Julie en Zack hebben zich zojuist verloofd.' En om zijn vader een beetje op stang te jagen, voegde hij eraan toe: 'Met een ring die Zack in een van de schiettenten heeft gewonnen.'

'Dat lijkt mij anders helemaal niet zo officieel,' zei dominee Mathison met een bedenkelijk gezicht.

'Het was maar een grapje, pap. Het is een echte ring.'

Allen waren blij verrast, en keken om zich heen op zoek naar het verloofde stel dat natuurlijk gefeliciteerd moest worden. 'Waar zijn ze?' vroeg mevrouw Mathison stralend.

Katherine wees op het reuzenrad dat tot stilstand was gekomen. Beneden, op de grond, stond een menigte te juichen. 'Ze zijn daar boven, in de allerhoogste cabine,' zei Katherine. 'Ze zijn in de zevende hemel.'

Tegen de tijd dat ze bij het reuzenrad waren gekomen om het verloofde stel geluk te wensen, riep de menigte in koor: 'Kus haar, Zack! Kus haar!' En de fotograaf van de *Keaton Crier* richtte de lens van zijn camera op de hoogste cabine terwijl hij uit volle borst meeriep.

Zack had een arm om Julie's schouder geslagen, en met zijn andere hand hief hij haar gezicht op naar het zijne. 'Ze laten ons niet zakken voordat ze ons hebben zien kussen.'

Ze beet op haar lip en kreeg een kleur. Haar ogen straalden van liefde, en haar hand lag beschermend op de ring die hij om haar vinger had geschoven. 'Ik kan gewoon niet geloven dat je dit hier hebt gedaan – met al die mensen erbij. Je haat publiciteit.'

Zack trok haar dichter naar zich toe. 'Niet deze publiciteit. De hele wereld is getuige geweest van onze ellende. Laten ze nu maar eens zien wat er gebeurt wanneer een ontsnapte gevangene een engel tegenkomt die in hem gelooft. Kus me, Julie.'

Te midden van het gejuich beneden keek burgemeester Addleson grinnikend van zijn vrouw naar Ted. 'Heeft je vader hem ook de belofte laten afleggen?'

Teds schouders schokten van de lach. 'Ja.'

'Arme stakker,' zei Addleson, en keek naar Zack die zijn verloofde lang en grondig kuste. 'Zo te zien denk ik niet dat hij het lang uit zal houden.'

'Dat denk ik ook niet.'

'Wanneer trouwen ze?'

'Zack had het over twee weken.'

'Veel te lang,' merkte John Grayson, een vriend van Ted, op met een wetende grijns. Hij keek naar zijn vrouw. 'Twee weken kunnen twee jaren lijken, weet je nog, Susan?'

Ze knikte en keek naar Katherine. 'Die schoonvader van jou is eigenlijk een ontzettend gemene vent.'

'En hij is vooral heel wijs,' voegde de burgemeester eraan toe.

'Zo dacht je er vóór ons huwelijk anders niet over, lieve,' bracht Marian Addleson hem in herinnering.

'Nee, dát besef kwam pas op onze huwelijksnacht.'

Grayson keek even naar het kussende stel, en voegde er toen aan toe: 'Ik neem aan dat de truc met de koude douche hem bekend is.'

Hoofdstuk 83

'Julie, niet doen, lieveling, dit hou ik niet uit,' fluisterde Zack een paar avonden later, terwijl hij met tegenzin haar armen van zijn hals haalde en rechtop ging zitten op de bank in haar zitkamer. Na twee dagen in het *Rest Your Bones Motel* had hij ingezien dat Julie's ouders echt gekwetst waren over het feit dat hij niet bij hen was komen logeren, en had hij hun invitatie alsnog dankbaar aangenomen. Hij sliep in Julie's oude kamer, die vol stond en hing met herinneringen aan haar. Overdag, wanneer ze op school was, werkte hij bij haar thuis, las hij nieuwe scripts door, overlegde met zijn staf in Californië, en voerde lange telefoongesprekken met verschillende producers. Met zijn werk had hij voldoende afleiding, maar wanneer Julie thuiskwam, dan hoefde hij alleen maar naar haar te kijken om haar op slag te begeren. Hij kuste haar, en van de ene kus kwam de andere, en altijd eindigden de kussen in frustratie.

Hij kon zijn eigen begeerten zo slecht de baas, dat hij er, in plaats van 's avonds bij haar thuis te blijven, de voorkeur aan gaf om uit te gaan met Julie en haar vrienden. Twee avonden geleden waren ze naar de film geweest, en had hij zijn handen niet van haar af kunnen houden. Gelukkig had hij geweten dat hij daar niet echt ver kon gaan. De avond daarop had hij voorgesteld om te gaan bowlen, omdat hij daar helemaal niet aan haar kon zitten.

Zachtjes vloekend duwde hij Julie nog wat verder van zich af, en stond op. 'Ik had me nooit door je vader moeten laten bepraten. Dit is belachelijk. Het is archaïsch, zinloos en kinderachtig! Hij heeft me het alleen maar laten beloven om me je ontvoering betaald te zetten. De man is een sadist! Er is maar één moment geweest waarop ik het gevoel had dat die belofte zin had, en dat was zondagochtend in de kerk.'

Julie deed haar best om niet te lachen, en vroeg met gespeelde ernst: 'En waar zou dat aan gelegen hebben, denk je?'

'Ha! Dat uurtje in de kerk was het enige moment in de afgelopen week waarop ik geen erectie had.'

Dit was niet de eerste keer dat Zack iets over zijn afspraak met haar vader zei, maar het was zo'n gevoelig onderwerp voor hem dat Julie hem bijna niet durfde te vertellen dat hij niet het enige slachtoffer was. Ze had er geen idee van hoe hij zou reageren op de onthulling dat elke man die door haar vader getrouwd was, precies wist door welk een hel hij ging. Ze keek op toen hij door de kamer heen en weer begon te lopen.

'Ik ben vijfendertig,' liet hij haar op bittere toon weten. 'Ik ben een redelijk ontwikkeld man met een IQ van boven het gemiddelde, en ik vóel me niet alleen als een naar seks snakkende puber, ik gedráág me ook nog eens als zodanig! Ik heb al zo vaak onder de koude douche gestaan, dat je moeder wel moet denken dat ik de een of andere fobie heb. En daarbij begin ik ook nog eens behoorlijk geïrriteerd te raken.'

Julie streek haar pony van haar voorhoofd, stond op en keek hem lachend aan. 'Nou, dát was me anders nog niet opgevallen.'

Met een geïrriteerd zuchtje legde hij de scripts waarin hij had zitten lezen op tafel, en vroeg: 'Heb je een idee voor vanavond?'

'Heb je wel eens stilgestaan bij het kalmerende effect van het opruimen van keukenkastjes?' vroeg ze plagend. 'Dat is voor mij altijd dé oplossing. We zouden het samen kunnen doen.'

Zack deed zijn mond open om een scherp antwoord te geven, maar juist op dat moment ging de telefoon. Hij nam op en reageerde zijn frustratie af op degene die belde. 'Wat moet je, verdomme?'

Sally Morrison, zijn persagente in Californië, zei op droge toon: 'Goedenavond, Zack. Wat leuk om je stem weer eens te horen. Ik bel voor Julie. Ik wil van haar horen of je wil dat de uitnodigingen voor het huwelijk morgenochtend per limousine of per koerier bezorgd worden. Ik heb de mensen die de felbegeerde invitatie zullen ontvangen al gebeld, opdat ze tijd hebben om de nodige maatregelen te kunnen treffen om zaterdagochtend vroeg in Texas te kunnen zijn. Niemand heeft afgezegd. Betty en ik,' voegde ze er, refererend aan zijn secretaresse, aan toe, 'hebben limousines besteld die de mensen in Dallas van het vliegveld halen en naar Keaton brengen, en ik heb suites voor ze gereserveerd in de hotels van Dallas die jij me genoemd hebt.'

Zack kalmeerde wat. Hij wachtte tot Julie naar de eetkamer was gegaan, en vroeg toen zachtjes: 'Heeft ze er enig idee van wie er komen?'

'Nee, baas. Ik heb haar, zoals je wilde, gezegd dat ze er rekening mee moet houden dat er vijftig van je meest saaie zakenrelaties aanwezig zullen zijn. Pardon, éénenvijftig, met mij erbij.'

'En de pers?' vroeg Zack. 'Wat doe je om die op een afstand te houden? Ze weten dat ik hier ben, en dat ik zaterdag ga trouwen. Het is op alle journaals geweest. Tot mijn verbazing heb ik hier maar een handjevol fotografen gezien, en ik moet zeggen dat ze nog discreet zijn ook.'

Sally aarzelde even, en vroeg toen: 'Heeft Julie je verteld hoe ze besloten heeft om de pers aan te pakken?'

'Nee.

'Dan zou ik haar dat maar vragen. Als je het er niet mee eens bent, dan zal het me nog de nodige moeite kosten om onze afspraak met hen ongedaan te maken.'

'Welke afspraak?' wilde Zack weten.

'Vraag dat straks maar aan Julie. Kan ik haar nu even spreken?'
Zack haalde de telefoon van zijn oor en keek over zijn schouder.
'Julie, Sally wil je spreken.'

'Ik kom eraan,' zei ze. Ze kwam binnen met de blocnote die ze de laatste dagen altijd in of bij de hand had om aantekeningen te kunnen maken wanneer haar weer iets te binnen schoot dat nog gebeuren moest. Hij zag haar haar rechteroorbel afdoen, en de hoorn tussen haar kin en haar schouder klemmen. 'Dag, Sally,' zei ze zo vriendelijk, dat Zack zich er alleen nog maar ellendiger op voelde. 'Wat is er?' Ze luisterde even, en zei toen: 'Dat zal ik even aan Zack moeten vragen.'

Ze keek hem glimlachend aan en zei: 'Sally wil weten of je je invitaties per koerier of limousine bezorgd wil hebben.' Ze keek even op haar blocnote. 'Per limousine kost vijf keer zoveel.'

'Per limousine,' zei Zack.

'Per limousine,' herhaalde Julie in de telefoon.

Toen ze ophing, keek Zack haar aan, en al zijn ergernis sloeg om in bewondering. Hoewel ze, met alle voorbereidingen voor hun huwelijk zaterdag, onder een enorme druk stond, bleef ze altijd even kalm. Rachel had maanden en een kwart miljoen van Zacks kapitaal nodig gehad om een bruiloft te organiseren die, met al het ingehuurde personeel, meer weg had gehad van een kermis, en dat terwijl Rachel gewend was om met spanningen om te gaan. Ondanks dat had ze zich aangesteld als een idioot, en had wekenlang kalmerende pillen geslikt alsof het M&Ms waren.

Julie had maar een week nodig gehad voor de organisatie, en de enige hulp die ze daarbij had gekregen, was die van Katherine en Zacks competente staf in Californië. Ondertussen was ze gewoon blijven werken, had onderhuurders gezocht voor haar huis, en was altijd kalm gebleven. Omdat de hele burgerij van Keaton zich zo had uitgeslooft om Zack het gevoel te geven dat hij welkom was, en omdat Julie zo zeer deel uitmaakte van hun stadje, hadden ze besloten om de gasten die 's middags bij de feitelijke huwelijksvoltrekking aanwezig zouden zijn, te beperken tot familie en goede vrienden, en om 's avonds in het park een receptie te geven waar iedereen welkom was. Dat laatste idee was van Zack afkomstig geweest. Hij had genoten van zijn dagen hier, genoten van de omgang met normale mensen die met hun beide voeten op de grond stonden. Hij klaagde wel, maar vond het heerlijk om gewone, normale dingen te kunnen doen, zoals met Julie dansen in een restaurant en met haar naar de plaatselijke bioscoop gaan, waar ze oude popcorn aten en op de achterste stoelen met elkaar zoenden, om na afloop hand in hand met haar naar huis te lopen. Gisteravond had hij met Ted en zijn vrienden een partijtje biljart gespeeld in het huis van Katherine's ouders, terwijl Julie, Katherine en de andere vrouwen voor het eten zorgden en hun mannen aanmoedigden. Daarna had hij met verbazing gezien dat Julie de winnaar uitdaagde, en nog van hem won ook.

Op de een of andere manier kreeg ze dat allemaal voor elkaar, terwijl ze ook nog eens contact had met een tiental dames uit het stadje die voor de catering zouden zorgen, een orkestje contracteerde, de muziek met hen doornam, bloemen bestelde bij de plaatselijke bloemist, en afspraken maakte met een verhuurbedrijf uit Dallas voor de tenten die in het park moesten komen. Zack, die zo af en toe naar haar luisterde wanneer ze met de telefoon in de weer was, hoopte dat zijn tweede huwelijksreceptie zo gezellig en feestelijk zou verlopen, dat het gebrek aan stijl niet op zou vallen. Zo niet, dan zou het een hopeloos treurig en bespottelijk dorps geheel worden. En in dat geval hoopte hij vurig dat het zou regenen.

Het enige waarbij Julie even geaarzeld had, was de keuze van haar bruidsjapon, en de japonnen voor Katherine, Sara en Meredith die haar enige drie bruidsmeisjes zouden zijn. Toen Julie Meredith had opgebeld om haar uit te nodigen voor de bruiloft, had Matts vrouw meteen aangeboden om te helpen. Ze liet foto's van de volledige bruidscollectie van Bancroft & Company's exclusieve bruidsmode per koerier bij Julie bezorgen, om te kijken of er misschien iets bij zat dat ze mooi vond. Julie had drie jurken gevonden, die de volgende dag door de piloot van de Farrells in Chicago werden opgehaald en in Keaton bezorgd werden. Rachel had weken nodig gehad om tot de keuze van een trouwjurk te komen; Julie, Katherine en Sara hadden aan twee uur genoeg. Ze brachten hun jurken naar de Eldrigde-tweeling om ze passend te laten maken. Meredith, die met Matt in Chicago was, liet haar jurk daar op maat maken.

In al die tijd hadden Julie en Zack maar één keer ruzie. Het gebeurde op de avond van hun verloving, en het strijdpunt was dat Zack erop stond om voor de bruiloft te betalen. Hij had het uiteindelijk onder vier ogen met Julie's vader weten te regelen. Gelukkig had Joe Mathison absoluut geen idee van wat een bruidsjapon van Bancroft & Company of brandstof voor een vliegtuig, of wat dan ook kon kosten. Uiteindelijk had Zack zich na veel heen-en-weergepraat bereid verklaard om tweeduizend dollar te accepteren als bijdrage in de kosten, waarna hij aanbood om zijn accountant in Californië te belasten met het lastige betalen van alle rekeningen.

Nu Zack naar Julie keek die bezig was met aantekeningen te maken op haar blocnote, realiseerde hij zich hoe moeilijk dit alles voor haar moest zijn, en hoe ongelooflijk kalm ze eronder bleef. Hijzelf had het de afgelopen dagen heerlijk rustig aan gedaan en het nodige weten te bereiken. Hij had scripts gelezen, en bedacht wat zijn eerste film zou moeten worden. De studiobazen, producers en bankdirecteuren met wie hij moest overleggen, konden rustig wachten tot hij weer thuis was. Behalve met zijn werk, had hij zich de afgelopen week ook beziggehouden met Julie's image naar buiten toe. Aanvankelijk, toen de beelden van zijn arrestatie in Mexico door alle televisiezenders waren uitgezonden, had de hele wereld haar een heldin gevonden die verstrikt was geraakt in de netten van een gevaarlijke massamoordenaar. Een paar weken later, toen Zack uit de gevangenis was gelaten, hadden diezelfde beelden hem tot een martelaar, en Julie tot een verraderlijk kreng gemaakt dat hem in de val had laten lopen. Omdat hij dat niet zo wilde laten, had hij heimelijk een kopie gemaakt van de band die hij van Richardson had gekregen, en die, zonder iets tegen Julie te zeggen, naar een vriend van hem bij CNN gestuurd. Nog geen vierentwintig uur na de uitzending ervan reageerde de wereld precies zo op Julie's lijden als Zack bij het zien van de opnamen had gedaan.

Ineens realiseerde hij zich wat er in de loop van de afgelopen week allemaal niet in haar leven gebeurd was, en hij schaamde zich over zijn eigen geïrriteerdheid als gevolg van een luttele twee weekjes van gedwongen onthouding in de aanwezigheid van een vrouw die hij meer begeerde dan hij ooit voor mogelijk had gehouden. Hij liep naar haar toe, pakte de blocnote uit haar handen, drukte een kus op haar voorhoofd, en zei zacht: 'Je bent een wonder. Helaas trouw je met een oversekste, slechtgehumeurde ellendeling die toevallig ook nog eens als een idioot naar je verlangt.'

Ze boog zich naar hem toe en kuste hem zo vurig dat hij kreunde en haar opnieuw van zich afduwde. 'Het enige dat je hoeft te doen,' bracht ze hem in herinnering, 'is of je belofte breken, of tegen mijn vader zeggen dat die afspraak van jullie jammer genoeg geen stand kan houden.'

'Ik verdom het om mijn belofte te breken.'

Ze grinnikte en schudde haar hoofd, waarna ze de blocnote weer oppakte en de pen uit haar glanzende haren trok alsof ze hun hartstochtelijke kus van zoëven alweer vergeten was. 'Ja, dat kan ik me voorstellen. Ik zou ook teleurgesteld zijn wanneer je dat deed.'

'Het zou misschien allemaal wat beter te verdragen zijn,' zei hij, geïrriteerd door diezelfde kalmte die hij zoëven nog bewonderd had, 'als deze seksloze regeling je ook maar half zo gek maakte als mij.'

Julie mikte de blocnote op tafel en stond op, en hij besefte voor het eerst dat ze waarschijnlijk helemaal niet zo kalm was als hij wel gemeend had, of dat ze anders last begon te krijgen van zijn pesthumeur. Of misschien was het wel een combinatie van beide. 'Je bent toch niet vergeten dat we vanavond naar het honkbalveld moeten, hè?' vroeg ze kribbig. 'Het is een hele speciale wedstrijd tussen het jeugdcompetitie-elftal dat ik heb helpen coachen, en onze rivalen uit Perseville. Je hebt gezegd dat je bereid was om te fluiten, en iedereen verheugt zich erop. Laten we geen ruzie maken. En als we dat wel doen, dan stel ik voor om ermee te wachten tot de wedstrijd.'

En dat deden ze.

Drie uur later, ten overstaan van twee teams verbaasde honkballertjes en hun ouders op de tribune, oogstte Zack Benedict de onplezierige beloning voor een week van onterecht ongeduld waarmee hij zijn zwaar gestresste verloofde het leven zuur had gemaakt.

Zack keek naar Julie's runner die op weg was naar het thuishonk. 'Uit!' riep hij, en stak zijn armen in de lucht. Zoals hij tijdens de afgelopen zeven innings al gemerkt had, namen de Texanen het honkballen van hun zoontjes uiterst serieus, en zelfs hij, een beroemde filmster, bleef niet gespaard voor kritiek en gejoel in reactie op zijn weliswaar terechte, maar impopulaire ingreep. Het publiek van Keaton begon luid boe te roepen en te jouwen.

Voor Julie, die aan de zijlijnen op het bankje van de coaches zat, was Zacks ingreep niet alleen impopulair, maar vooral ook onterecht; even onterecht als de laatste twee keren dat hij gefloten had. Ditmaal volstond ze niet met een tandenknarsen, maar ze sprong op en liep met nijdige stappen over het veld heen naar hem toe. 'Ben je gék geworden?' riep ze tot Zacks opperste verbazing en ongeloof uit. 'Hij was binnen!'

'Hij was uit,' zei Zack.

Ze zette haar handen in haar zij, en zei woedend, zonder zich iets aan te trekken van het geroep en lachen op de tribune: 'Je doet niets anders dan je bespottelijke frustratie met mij afreageren op mijn team, en dat pík ik niet!'

Zack keek haar aan, en voelde dat hij zijn geduld begon te verliezen. 'Hij was uit! En ga nu weer op je bankje zitten, waar je hoort,' zei hij, en wees. Tot zijn verbazing gehoorzaamde ze ook nog, maar hij begreep dat hij nog niet van haar af zou zijn.

Haar derde slagman maakte twee slag, en de derde was een randgeval. Toch meende Zack gelijk te hebben toen hij riep: 'Drie slag!' Het publiek begon onmiddellijk te protesteren. Wat hij evenwel niet verwacht had, was dat Julie van haar bankje schoot, haar team beval om in het veld te blijven en als een furie op hem afstormde. 'Je moet een bril hebben!' riep ze trillend van woede uit. 'Die laatste bal was goed, en dat weet je best!'

'Hij is uit!'

'Dat is hij niet! Je bent zo druk bezig om tegenover iedereen te bewijzen hoe onpartijdig je wel niet bent, dat míjn team eronder te lijden heeft!'

'Hij is uit, en als jij zo door blijft gaan, dan ga jij er ook uit.'

'Als je het wáágt om mij eruit te gooien!'

Zack stond langzaam op. 'Je maakt een scène,' snauwde hij. 'Ga terug naar je plaats!'

'Dat was helemaal geen scène!' riep ze uit, en begon, tot zijn verbazing, zand op de slagplaat te schoppen dat híj er weer af moest vegen. 'Dít is een scène!' voegde ze er fel aan toe.

'Eruit!' brulde Zack, en stak zijn arm in de lucht ten teken dat hij de coach van het veld af zette. Onder boegeroep, gejoel en applaus marcheerde Julie van het veld. 'Wisselen!' riep Zack, en keerde terug naar zijn plekje achter de slagplaat. Vanuit zijn ooghoeken zag hij Julie naar het bankje lopen en haar trui pakken. Hij wist dat hij hier spijt van zou krijgen. Daar zou ze wel voor zorgen.

Willie Jenkins dacht er net zo over. Toen hij, vlak langs Zack, van het veld af liep, waarschuwde hij met die vreemde, luide kraakstem van hem: 'Je zit tot over je oren in de stront, Zack.'

Julie's team verloor met 4-3. Toen de verliezers en de ouders van de verliezers zich na afloop van de wedstrijd volgens vaste traditie in het plaatselijke restaurant verzamelden voor een hapje en een drankje, stond Julie hen daar op te wachten. Ze had voor elk van haar jongens een troostend woord over, maar zei absoluut niets tegen Zack toen hij haar een drankje in de hand probeerde te drukken. De andere volwassenen leken bereid te zijn om te vergeten dat zijn laatste ingrijpen hun de overwinning had gekost, en een paar van hen boden hem zelfs een biertje aan, maar Julie ging opzettelijk met haar rug naar hem toe staan en maakte een praatje met Katherine en Sara Mathison en nog een paar andere vriendinnen van haar.

Omdat hij kon kiezen tussen te proberen haar in het openbaar te kalmeren, wat hij vertikte, en naar de bar te gaan en zich bij Ted, Carl, John Grayson en de burgemeester te voegen die daar een pizza stonden te eten, besloot hij het laatste te doen. Ted zag hem naar hen toe komen, en draaide zich helemaal naar hem om. 'Dat was een totaal verkeerde zet van je, Zack, tijdens die wedstrijd,' zei hij grijnzend.

'Heel verkeerd,' beaamde Carl.

'Behoorlijk verkeerd,' deed de burgemeester nog een duit in het zakje.

'Mijn beslissing was correct,' verklaarde Zack op effen toon.

'Het mag dan een correcte beslissing zijn geweest,' zei Addleson, 'maar het was een verkeerde zet.'

'Laat ze wat krijgen,' zei Zack, die nijdiger was dan hij voor mogelijk had gehouden omdat ze hem nog steeds negeerde. 'Als ze niet tegen haar verlies kan, dan moet ze niet meedoen. Ik word er niet heet of koud van.'

Om de een of andere reden begonnen de drie mannen opeens luid te lachen.

Zack negeerde hen, en hij werd alleen nog maar bozer in het besef dat ze hem in een volkomen onterechte positie hadden gemanoeuvreerd. Hij was een man van vijfendertig, had een marktwaarde van ruim honderd miljoen dollar, en afgezien van een periode van vijf jaar, had hij zijn leven lang in de beste restaurants en hotels gegeten en geslapen, en in het gezelschap verkeerd van mensen die even briljant, getalenteerd en beroemd waren als hijzelf. Nu was hij door haar schuld gedwongen om staand, in een ballentent die de naam restaurant droeg, ergens in een achterafgat midden in de provincie, een pizza te eten, terwijl hij genegeerd werd door iemand die zich juist vereerd zou moeten voelen omdat hij bereid was om met haar te trouwen! Hij dacht er hard over om haar deze tent mee uit te sleuren, haar duidelijk te zeggen waar het op stond, en haar regelrecht mee naar bed te nemen zoals elke volwassen man het recht had te doen met de vrouw met wie hij van plan was te trouwen. Het was geen afspraak die hij met haar vader had gemaakt, het was pure chantage geweest van de een of andere christelijke, verwaande, manipulerende zak...

Zack zette zich af tegen de bar.

Op dat moment voelde hij de hand van Addleson op zijn schouder, en hoorde hij de man op een paternalistisch toontje tegen hem zeggen: 'Luister naar de goede raad van een man die dit ook heeft doorgemaakt. Beheers je.'

'Wat?' snauwde Zack.

Ted stapte achter de burgemeester vandaan en keek Zack grinnikend aan. 'Neem iets kouds te drinken, eet een hamburger, ga naar huis, neem nog een koude douche en hou je nog een paar dagen in. Er komt een dag waarop je in staat bent om hierom te lachen.'

'Ik snap werkelijk niet waar jullie het over hebben.'

'Waar we het over hebben, is wat in en rondom Keaton bekendstaat als de Mathison Methode voor Premaritale Misère,' zei Ted vriendelijk. Het is mijn vaders goedbedoelde manier om ervoor te zorgen dat de huwelijksnacht opnieuw een element van spanning krijgt in een tijd waarvan hij het gevoel heeft dat stellen de magie missen omdat ze zich er bij voorbaat al aan te goed doen.'

Zacks gezicht verstrakte van woede in het misplaatste geloof dat Julie's vader aan iedereen die het maar horen wilde verteld had waar hij Zack, als straf voor de ontvoering van zijn dochter, toe gedwongen had. 'Wat zei je?' vroeg hij nijdig.

John Grayson keek over Teds schouder. 'Hij begint nu al doof te worden,' zei hij, en kon niet nalaten om er plagerig aan toe te voegen: 'Je weet toch wat ze zeggen dat ervan komt als je het doet?'

Ted nam een slok van zijn biertje. 'Nee, van dat doen word je blind, niet doof.'

'Waar hebben jullie het verdomme toch over?'

'We hebben het over jou, vriend,' zei Ted. 'Je zegt dat je er niet warm of koud van wordt, maar dat is een leugen. Je bent doorlopend heet, gloeiend heet. Net zoals wij waren. De helft van de mannen hier heeft mijn vader hetzelfde moeten beloven als jij, en de meesten van ons – zij die zich eraan gehouden hebben – maakten op het laatst de meest verschrikkelijke ruzies met hun aanstaande vrouwen.'

Op slag was Zacks woede en frustratie verdwenen, om plaats te maken voor een mengeling van ongeloof en hilariteit over wat hem zojuist was verteld.

'Vertel het hem maar, Addleson,' zei Ted.

'Het is een hel. Ik ben tien jaar ouder dan jij, jongen, en ik kon niet geloven hoe wanhopig ik naar iets snakte, deels omdat ik beloofd had om ervanaf te blijven. Het gaat ook de vrouwen niet in de koude kleren zitten, alleen denk ik dat hun lijden enigszins wordt opgeheven door het feit dat ze heimelijk genieten van de wanhopige toestand waarin wij mannen verkeren. Dat laatste is trouwens niet van mij,' voegde hij eraan toe, 'maar het is een theorie van mijn prof sociologie op A&M. Waar heb jij eigenlijk gestudeerd? Je hebt het uiterlijk van een yankee, maar je accent klopt niet helemaal.'

Zack aarzelde met antwoord te geven, hoewel hij begreep dat de burgemeester alleen maar een poging deed om hem te kalmeren. Hij keek naar Julie's knappe profiel en realiseerde zich dat de meeste mannen in het restaurant op de hoogte waren van zijn seksuele frustratie, en dat ze hem nog begrepen ook. Hij capituleerde met een geïrriteerd zuchtje. 'USC.'

'En wát heb je gestudeerd?'

'Economie en filmtechniek.'

'Twee hoofdvakken?'

Zack knikte, maar bleef naar Julie kijken. Op een gegeven moment draaide ze zich naar hem om en keek hem aan met een volkomen uitdrukkingsloos gezicht. Zack had duidelijk het gevoel dat ze verwachtte dat hij naar haar toe zou komen om zijn excuus aan te bieden.

Julie keek naar Zack en voelde het laatste restje van haar woede wegebben. Ze hield zo veel van hem, en ze hadden samen al zo veel meegemaakt. Ze had ongelijk gehad vanavond, en dat wist ze. Het speet haar dat ze dat drankje niet van hem had aangenomen, dat hij haar vlak na zijn binnenkomst had willen geven. Nu zou het veel moeilijker zijn om het goed te maken. Ze zou zich over haar trots heen moeten zetten en naar hem toe moeten gaan terwijl iedereen keek en luisterde. Maar aan de andere kant, dacht ze, was het zonde van hun leven samen om er ook nog maar een minuut van met ruzie te verspillen. Ze excuseerde zich bij haar vriendinnen, en liep naar het groepje mannen aan de bar. Ze knikte naar de burgemeester, naar haar broers en John Grayson, stak haar handen in de achterzakken van haar short, en aarzelde.

'Nou?' vroeg Zack vriendelijk, en probeerde niet te kijken naar de manier waarop haar T-shirt over haar borsten spande.

'Ik zou wel iets willen eten,' zei ze.

Teleurgesteld omdat ze kennelijk niet bereid was om haar excuses aan te bieden, wenkte Zack de serveerster die haastig kwam aangesneld.

'Wat mag het zijn, jongens?' vroeg Tracy, en hield haar blocnootje en pen in de aanslag.

'Dat weet ik eigenlijk niet zo goed,' zei Julie. Ze keek van de serveerster naar haar verloofde, en vroeg ernstig: 'Wat moet ik nemen? Een appeltje om met jou te schillen, of zoete broodjes om met je te bakken?'

Zack lachte. 'Wat vind je zelf?'

Julie keek naar de serveerster die haar best deed om haar gezicht in de plooi te houden. 'Doe maar eentje van elk, Tracy.'

'Met extra kaas en salami,' voegde Zack eraan toe, waarmee hij de bestelling tot een pizza maakte. Hij sloeg een arm om Julie's schouders en trok haar naar zich toe. Toen Tracy wegliep, riep ze haar na: 'O, en Tracy, ook nog een bril voor de scheidsrechter.'

Het hele restaurant haalde opgelucht adem.

Hand in hand liepen ze door de zachte voorjaarsavond naar huis. 'Ik vind het fijn hier,' zei hij, toen ze bij haar straat waren gekomen. 'Ik had me helemaal niet gerealiseerd hoe hard ik toe was aan een normaal leven. Sinds ik uit de gevangenis ben, heb ik aldoor maar als een idioot lopen hollen.'

Toen ze de voordeur open had gedaan en naar binnen wilde gaan, schudde hij zijn hoofd en bleef op de veranda staan. 'Breng me niet weer in verleiding,' zei hij plagend, en trok haar naar zich toe voor wat bedoeld was als een klein kusje. Maar Julie sloeg haar armen om zijn hals en kuste hem innig om hem duidelijk te maken hoeveel ze van hem hield, en hoeveel spijt ze had van wat er op het honkbalveld was gebeurd. Zack verloor de strijd. Zijn tong drong haar mond binnen, en zijn handen gingen hongerig strelend over de zijkanten van haar borsten. Hij kuste haar tot ze beiden in vuur en vlam stonden.

Toen hij zijn mond ten slotte van de hare haalde, hield ze haar armen om zijn hals geslagen, en wreef haar wang tegen zijn borst. Toen ze hem even later met een verleidelijk glimlachje in de ogen keek, schudde hij met tegenzin zijn hoofd. 'Genoeg, m'n kleine wilde poes. Ik ben al zo opgewonden dat ik amper nog op mijn benen kan staan. En daarbij,' voegde hij er, in een poging streng te klinken, aan toe, 'ik heb je nog steeds niet vergeven dat je me helemaal niet verteld hebt dat je vader alle mannen die door hem getrouwd willen worden een dergelijke ellendige belofte probeert af te dwingen.'

Ze glimlachte beschaamd. 'Ik was bang dat je je alleen maar nog slechter op je gemak zou voelen als je wist dat de hele stad wist wat je doormaakte.'

'Julie,' zei hij, en trok haar heupen tegen de zijne, 'slechter dan ik me nu op mijn gemak voel, is onmogelijk.'

'En ik dan!' zei ze zó uit de grond van haar hart, dat hij in lachen uitbarstte, haar opnieuw kuste en haar toen teder van zich af duwde. 'Je maakt me heel erg gelukkig,' zei hij vol liefde. 'Ik heb van mijn leven nog nooit zo veel plezier gehad als met jou.'

Hoofdstuk 84

Zack zat, twee dagen voor de bruiloft, achter het bureau van meneer Mathison een script te lezen, toen Mary Mathison de werkkamer binnenkwam. 'Zack, jongen,' zei ze, en zette een schaal met versgebakken koekjes op het bureau, 'zou ik je om een speciale gunst mogen vragen?'

'Natuurlijk,' zei hij, en stak zijn hand uit naar het schaaltje.

'Bederf je eetlust niet met het snoepen van te veel koekjes,' waarschuwde ze.

'Nee, dat zal ik niet doen,' beloofde hij met een jongensachtige grijns. In de twee weken die hij nu bij zijn aanstaande schoonouders logeerde, was hij veel van hen gaan houden. Ze waren als de ouders die hij nooit had gehad, en hun huis was vervuld van al het plezier en de liefde die in het zijne ontbroken had. Jim Mathison was intelligent en aardig. Hij bleef laat op, deed zijn best om Zack beter te leren kennen, won van hem met schaken, en vertelde hem allerlei leuke verhalen uit Julie en Teds jeugd. Hij behandelde Zack alsof hij zijn geadopteerde zoon was, drukte hem op het hart om zuinig met geld om te gaan, en raadde hem ernstig af om erotische films te maken. Mary Mathison was als een moeder voor Zack, ze verweet hem dat hij te hard werkte, en stuurde hem naar de stad om boodschapjes voor haar te doen alsof hij haar eigen zoon was. Voor Zack, die van zijn volwassen leven nog nooit naar een slager of naar een stomerij was gestuurd, was het zowel een ontroerende als een verwarrende ervaring geweest om een boodschappenlijstje in de hand geduwd te krijgen en op pad te worden gestuurd. Aan de andere kant vond hij het ook heel plezierig om door de winkeliers begroet te worden, en antwoord te moeten geven op hun vragen naar de familie.

Nu hij Mary zo bezorgd naar zich zag kijken, en zag hoe ze zenuwachtig haar schortje gladstreek, vroeg hij: 'Wat kan ik voor je doen, Mary?' En plagend voegde hij eraan toe: 'Als je soms wilt dat ik, net als gisteren, weer een kilo uien voor je pel, dan kost je dat een extra schaaltje koekjes.'

Ze ging op het puntje van een stoel zitten. 'Nee, nee, het is heel iets anders. Ik hoopte dat je me een raad zou kunnen geven, of eigenlijk, dat je me gerust zou kunnen stellen.'

'Waarover?' vroeg Zack, die bereid was om haar waar dan ook over gerust te stellen.

'Over iets dat Julie heeft gedaan, en waartoe ik haar heb aangemoedigd. Ik zou je een hypothetische vraag willen stellen – als man.'

Zack leunde achterover in zijn stoel, en schonk haar zijn onverdeelde aandacht. 'Ga je gang.'

'Laten we zeggen dat een man – mijn man, bijvoorbeeld,' zei ze schuldig, en Zack nam onmiddellijk aan dat het om Jim Mathison moest gaan, 'laten we zeggen dat hij een ouder familielid had waarmee hij lange tijd geleden onenigheid heeft gehad, en dat ik weet dat dat oudere familielid er heel veel voor overheeft om het weer met hem bij te leggen, voordat het te laat is. Als wij – Julie en ik – daarbij ook weten dat Julie's huwelijk de laatste en beste gelegenheid is om haar daarbij te helpen, zouden we er dan goed aan doen of niet, als we dat familielid inviteerden zonder hem daarvan eerst in kennis te stellen?'

Zack onderdrukte de amusante gedachte dat dit de ideale gelegenheid was om zijn schoonvader zijn ondraaglijke belofte betaald te zetten. Maar hij vond het geen goed plan dat Julie en haar moeder bedacht hadden, en wilde dat ook zeggen, toen ze er met een heel klein stemmetje aan toevoegde: 'De moeilijkheid is dat we dat al hebben gedaan.'

'Aha,' zei Zack, en glimlachte flauwtjes. 'In dat geval zit er niets anders op dan er maar het beste van te hopen.'

Ze knikte en stond op. 'Dat dachten we ook. Waar het om gaat,' voegde ze er op veelbetekenende toon aan toe, 'is dat het verkeerd is om wrok te blijven koesteren. De bijbel zegt ons dat we de mensen die ons verdriet hebben gedaan moeten vergeven. Dat heeft de Heer echt heel, héél duidelijk gezegd.'

Zack zette een gepast ernstig gezicht toen hij zei: 'Ja, moeder, dat heb ik me laten vertellen.'

Ze kwam naar hem toe en sloeg moederlijk een arm om zijn schouder, waardoor hij zich ineens een kleine jongen voelde. 'Je bent een fijne vent, Zack. Een hele fijne vent. Jim en ik zijn er trots op om je in onze familie te hebben.'

Een uur later kwam Julie thuis van school. Ze kwam de werkkamer binnen en keek over zijn schouder. 'Wat is dat?' vroeg ze, terwijl ze een kus op zijn wang drukte.

'Het script voor een film die ik graag zou willen maken. Het heet *Last Interlude*, maar het vervelende is dat er een heleboel werk aan vastzit.'

Hij vertelde haar een beetje over het verhaal en de problemen die het script met zich meebracht, en ze luisterde aandachtig. Toen ze waren uitgesproken over het onderwerp, zei ze aarzelend: 'Ik zou je graag om een gunst willen vragen. Morgen is niet alleen mijn laatste dag op school, maar het is ook de laatste avond met het groepje vrouwen dat ik leer lezen. Het zou voor hen een heleboel betekenen als ze dachten dat je speciaal de moeite nam om hen te leren kennen. Ik zou je met name graag willen voorstellen aan Debby Sue Cassidy. Ze is vreselijk slim, maar haalt zichzelf altijd omlaag omdat ze na een paar maanden nog steeds niet vloeiend kan lezen, en zichzelf daarom een hopeloos geval vindt. Ze is heel belezen – van boeken op band,' voegde ze er?aan toe toen hij haar niet-begrijpend aankeek, 'en ze kan de dingen zo prachtig verwoorden. Ze hoopt ooit nog eens een boek te schrijven.'

'Geldt dat niet voor iedereen?' vroeg hij plagend.

Ze keek hem op een vreemde manier aan, en knikte toen. 'Ja, dat is mogelijk. Maar zij is niet zomaar iemand. Met een beetje extra aanmoediging van iemand voor wie ze extra veel bewondering heeft –'

'Zoals ik?'

Julie lachte en drukte een kus op zijn voorhoofd. 'Hoe heb je het zo geraden!'

'Hoe laat wil je dat ik morgen kom?'

'Rond een uur of zeven. Daarmee hebben we nog steeds tijd genoeg om op de repetitie te zijn.'

'Afgesproken. Tussen twee haakjes, een van die twee van die tweelingdames heeft me, toen ik in de stad was, gevraagd om in hun winkel te komen en naar hun borduurwerk te kijken. Ik ben geen deskundige, maar het zag er echt professioneel uit.'

'Jullie stadsmensen zijn ook allemaal hetzelfde,' zei ze plagend. 'Jullie denken dat talent alleen maar in de grote stad te vinden is. Onze plaatselijke bloemiste wordt door de Bond van Bloemisten uitgekozen om een team bij elkaar te zoeken dat voor de bloemstukken voor het jaarlijkse bal op het Witte Huis moet zorgen! Wacht maar, tot je ziet hoe onze receptie wordt. Alle vrouwen die eraan meewerken zijn ook uitgenodigd, dus ze zullen dubbel hun best doen om het voor ons tot een succes te maken.'

'Zolang jij er maar bent en we kunnen trouwen, is dat al succes genoeg,' zei Zack, en was wijs genoeg om zijn mening over de competentie van de dames die aan de receptie meewerkten, voor zich te houden.

Opeens werd ze een beetje somber. 'Ja, ik zal er zijn. Op dit moment is alleen maar belangrijk dat je voldoende van me houdt om me iets te vergeven waar je het mogelijk niet mee eens bent.'

'Je hebt het toch niet over een andere man, wel?'

'Natuurlijk niet!'

'In dat geval,' zei Zack grootmoedig, 'zul je zien dat er niemand zo vergevingsgezind is als ik. Vertel me nu dan maar wat je hebt gedaan.'

'O, ik heb helemaal niets gedaan,' zei ze ontwijkend. 'Het was maar een hypothetische kwestie. En nu moet ik mijn moeder helpen met het eten,' voegde ze eraan toe, en haastte zich de kamer uit.

'Weet je zeker dat er niets aan de hand is?'

'Nee, er is niets aan de hand. Nog niet,' antwoordde ze even vaag, en trok de deur achter zich dicht.

491

Onder het eten had Zack sterk het gevoel dat er iets was dat Julie en haar ouders dwarszat. Na het afruimen van de borden kondigden meneer en mevrouw Mathison aan dat ze weggingen om een bezoekje aan vrienden te brengen, en ze waren zo snel verdwenen dat Zack nog sterker het idee kreeg dat er iets gaande was. Daarna wilde Julie ook niet dat hij hielp bij de afwas, en omdat dat nog niet eerder was voorgekomen en hij niets van hun vreemde gedrag begreep, trok hij zich maar terug in de werkkamer. Hij was bezig met het bestuderen van een aantal officiële documenten, toen ze, een half uurtje later, opeens binnenkwam.

'Zack,' zei ze met een glimlachje dat net iets ál te vrolijk was, 'er is bezoek voor je.'

Zack stond op, ging naar de zitkamer, en verstijfde bij het zien van de oude vrouw die, steunend op een stok, midden in de kamer stond. Haar stem klonk nog precies zoals hij zich herinnerde – krachtig, koel en arrogant. Met een vorstelijk knikje zei ze: 'Dit is lang geleden, Zachary.'

'Niet lang genoeg,' snauwde hij. Hij keek Julie woedend aan, en vroeg kortaf: 'Wiens idee is dit?'

'Het idee is,' zei Julie kalm, 'dat je luistert naar wat je grootmoeder je wil vertellen.' Zack draaide zich om en wilde de kamer uit gaan, maar Julie legde een hand op zijn mouw. 'Toe, lieveling. Doe het voor mij. Maak het mijn trouwcadeau. Ik ga naar de keuken om thee te zetten.'

Zack keek van Julie naar de vrouw, en liet een minachtende blik over haar gestalte gaan. 'Zeg waarvoor je gekomen bent, en donder dan zo snel mogelijk weer op!'

In plaats van een snijdende opmerking terug te maken, knikte ze alleen maar en begon aarzelend: 'Ik ben gekomen om je... om je te zeggen hoe intens veel spijt ik heb van de dingen die ik je heb aangedaan.'

'Mooi,' zei Zack. 'Dan kun je nu vertrekken.'

'En verder ben ik gekomen om je te vragen of je mij zou willen vergeven.'

'Je bent gek.'

'En om je te vertellen dat ik... ik...' Ze maakte haar zin niet af, en keek naar Julie in de hoop dat zij haar zou willen helpen, maar Julie was al naar de keuken gegaan. In een smekend gebaar stak ze haar hand naar hem uit, en fluisterde: 'Zachary, alsjeblieft.'

Zack keek naar de aristocratische hand die naar hem werd uitgestoken. Hij was ouder geworden en was te mager. De enige ring die ze om had, was haar trouwring. Toen hij haar hand weigerde aan te nemen, liet ze hem slap omlaagvallen. Ze stak haar kin in de lucht en zei trots: 'Ik zal je niet smeken.' Ze ging voor het raam staan, keek naar buiten, rechtte haar schouders en zei: 'Maar ik ben gekomen om je een aantal dingen te zeggen, en dat zal ik dan ook doen.' Ze zweeg even, en toen ze opnieuw het woord nam, bespeurde Zack een bepaalde onzekerheid in haar stem die hij er nog nooit eerder in had gehoord. 'Kort voor Justins dood was ik naar boven gegaan om een vaas met verse bloemen op de overloop te zetten. Ik hoorde jullie ruzie maken in zijn kamer. Jullie maakten ruzie over wie Amy Price mee zou vragen naar het feestje op de country club...' Ze haalde haperend adem, en vervolgde: 'Enkele minuten later klonk een schot, en was Justin dood.'

Met een blik over haar schouder vervolgde ze op bittere toon: 'Ik wist dat je loog toen je tegen de politie zei dat de revolver per ongeluk was afgegaan, ik zag het aan je ogen. Alleen – ik dacht dat je loog omdat je hem niet per ongeluk had neergeschoten.'

Zack keek naar haar intens verdrietige gezicht en dwong zichzelf om niet te reageren, maar het verbaasde hem dat ze hem met Justin ruzie had horen maken en begreep nu pas hoe dat voor haar geweest moest zijn. Dat hij ruzie met Justin had gemaakt, was waar.

'Toe,' zei ze met schorre stem, 'zeg toch iets!'

Julie, die intussen weer was binnengekomen, kwam ertussen toen Zack bleef weigeren om zijn mond open te doen. 'Mevrouw Stanhope, waarom heeft u niet aan de politie verteld dat Zack en Justin ruzie hadden gehad?'

Margaret Stanhope keek naar haar gevouwen handen op de knop van haar stok, alsof ze zich schaamde voor haar eigen zwakheid. 'Dat kon ik niet,' zei ze. 'Ik kon de aanblik van Zachary niet verdragen, maar evenmin kon ik de gedachte verdragen dat hij naar de gevangenis zou worden gestuurd. En daarom,' zei ze, terwijl ze naar Zacks uitdrukkingsloze gezicht keek, 'heb ik je weggestuurd, want ik wilde je niet meer zien. Weg van je huis, en van je broer en zus. Ik wist dat je het zou overleven,' voegde ze er, met een stem die schor was van de emotie, aan toe. 'Ik wist namelijk dat jij... van mijn kleinkinderen de sterkste was.' Ze haalde nog een keer haperend adem, en vervolgde: 'En de meest intelligente, en de meest trotse.' Toen Zack nog steeds niet reageerde, ging ze verder: 'Je grootvader heeft jou en Foster laten zweren dat jullie nooit aan iemand zouden vertellen dat Justin zelfmoord had gepleegd, en waarom hij dat had gedaan. Foster heeft zijn belofte gebroken op de dag waarop jij uit de gevangenis werd ontslagen. Hij vond dat je al te veel onrecht was aangedaan, en de last van zijn belofte drukte hem ondraaglijk zwaar op de schouders. En nu ben ik degene die de last moet torsen van al het onrecht dat je is aangedaan. Ik ben degene geweest die je van je broer en zus heeft beroofd, ik ben degene geweest die je uit je ouderlijk huis heeft gezet, die Julie heeft laten geloven dat je in staat was om iemand te vermoorden. En ik was degene die te bang was om je aan de politie te verraden.'

Toen ze was uitgesproken keek ze Zack afwachtend aan, maar deze zei nog steeds niets. Ze keek van Zack naar Julie, en zei met een hopeloze blik in de ogen: 'Ik zei je al dat hij me niet zou vergeven. Hij lijkt te veel op mij om genoegen te kunnen nemen met een simpel excuus voor iets dat onvergeeflijk is.' Ze draaide zich om, liep naar de deur en wendde zich nog eenmaal tot Zack. 'Wat zul je me nu zielig vinden. En blind! Ik heb mijn hele leven verspild met mezelf niet toe te staan om eerst van je grootvader, en toen van jou te houden. En nu moet ik van Julie horen dat jullie beiden meer van mij gehouden hebben dan ik ooit voor mogelijk had gehouden. Ik zal de weinige jaren die mij nog resten niets anders doen dan spijt hebben van mijn eigen stompzinnigheid, blindheid en wreedheid. Een passende straf, vind je ook niet, Zachary?'

'Nee!' riep Julie uit, terwijl ze aan Zacks trekkende kaakspieren zag dat hij bezig was om een innerlijke strijd te voeren. 'Het is helemaal geen passende straf, en dat vindt hij ook niet!' Ze legde haar hand even op zijn wang, en weigerde zich van haar stuk te laten brengen door zijn ijzige blik. 'Zack,' zei ze zacht, 'laat dit niet gebeuren. Je kunt er nu een punt achter zetten. Ik weet dat je van je grootmoeder hield, dat weet ik! Ik hoorde het aan je stem toen je me in Colorado over haar vertelde. Ze heeft je vlak voor Justins dood ruzie met hem horen maken, wist je dat?'

'Nee,' snauwde hij kortaf.

Ze legde een hand op zijn arm en smeekte: 'Je hebt mij veel erger vergeven.'

Mevrouw Stanhope wilde weggaan, maar ze bleef staan om iets uit haar tas te pakken. Het was een klein, fluwelen doosje. 'Dit had ik voor je meegebracht,' zei ze, en hield het hem voor. Toen Zack het weigerde aan te nemen, gaf ze het aan Julie en zei tegen hem: 'Het is het horloge dat van je grootvader was.' Ze rechtte haar schouders, knikte naar Julie, en zei met een flauw glimlachje: 'Dank je voor alles wat je vandaag geprobeerd hebt. Je bent een opmerkelijke warme, moedige jonge vrouw – een passende echtgenote voor mijn kleinzoon.' Haar stem brak bij het laatste woord, en ze pakte de deurknop beet.

Achter zich hoorde ze Zack kortaf zeggen: 'Julie heeft thee gezet. Ik denk dat ze het op prijs zou stellen als je bleef om een kopje te drinken.'

Beide vrouwen wisten dat hij niet tot meer in staat was, en wat deze opmerking van hem te betekenen had. Mevrouw Stanhope keek naar de lange, trotse, knappe man die er ondanks alles in geslaagd was om succes te hebben in het leven, en naar de dappere jonge vrouw van wie hij hield. 'Je broer en zus zitten in de auto te wachten,' liet ze hem met schorre stem weten. 'Ze vragen zich af of je hen wilt zien.'

Julie hield haar adem in terwijl Zack aarzelde, en toen langzaam naar buiten, de veranda op liep. Daar bleef hij staan, en keek naar de limousine die voor de deur stond. Julie wist dat hij het vertikte om naar de auto te gaan, en dat hij zelfs niet bereid zou zijn om hen halverwege tegemoet te gaan, maar hij gaf ze een opening.

En ze gingen erop in.

Het achterportier van de auto zwaaide open, en een jongetje met een donkerblauw pak aan en een das om sprong eruit, wat later gevolgd door zijn moeder en zijn oom die naar het hek toe liepen. Het jongetje sprong de treden van de veranda op, bleef voor Zack staan, boog zijn hoofd naar achteren en bekeek Zacks gezicht. 'Ben jij echt mijn oom Zack?'

Zack keek omlaag naar het donkerharige kind, en glimlachte met tegenzin in het besef dat het kind een echte Stanhope was, en zo sprekend op hem leek dat het bijna griezelig was. 'Ja,' zei hij, in antwoord op de vraag van het jongetje. 'En wie ben jij?'

Het jongetje grinnikte. 'Ik ben Jamison Zachary Arthur Stanhope. Je kunt me Jamie noemen, dat doet iedereen. Mijn mammie heeft me Zachary genoemd, naar jou. En grootmoeder was daar verschrikkelijk boos om,' bekende hij.

Zack bukte zich en tilde het jochie in zijn armen. 'Dat wil ik best geloven,' zei hij op droge toon.

Julie sloeg de scène vanuit de deuropening gade. Ze hoorde Zack zachtjes zeggen: 'Dag, Elizabeth,' en ze zag, met tranen in de ogen, hoe zijn zus het tuinpad kwam op gerend en haar broer om de hals vloog. Zacks broer stak zijn hand uit, en keek hem met een onzeker gezicht aan. 'Ik zal het je niet kwalijk nemen als je mij de hand niet wilt schudden, Zack,' zei hij. 'Als de rollen omgekeerd waren, dan zou ik het ook niet doen.'

Zack nam zijn neefje en zijn huilende zus in zijn linkerarm, en gaf zijn broer een hand. Alex keek ernaar, nam de hand in de zijne en omhelsde zijn broer toen innig.

Jamie keek naar zijn moeder, naar zijn overgrootmoeder en toen naar Julie. 'Waarom huilen ze allemaal?' vroeg hij aan Zack.

'Omdat ze allergisch zijn,' loog Zack met een geruststellend glimlachje. 'Hoe oud ben je?'

Toen ze later die avond op Julie's veranda naar de sterrenhemel zaten te kijken en naar het koor van krekels luisterden, zei Julie zacht: 'Ik zal het missen, hier.'

'Ja, dat weet ik,' zei Zack. 'En ik ook.' In de afgelopen weken was hij twee keer voor zaken naar Californië geweest, en beide keren had hij zich er met een bijna jongensachtige gretigheid op verheugd om zo snel mogelijk weer in Keaton en bij Julie te zijn. Morgenochtend moest hij naar Austin voor een bespreking met de Overkoepelende Raad van het Gevangeniswezen, die overwoog om Wayne Hadley de straf te geven die hij verdiende. En overmorgen trouwde hij.

'Ik wou dat je morgen niet naar Austin hoefde.'

Hij drukte een kusje op haar kruin en trok haar tegen zich aan. 'Ik ook.'

'Doe je best om zo snel mogelijk terug te zijn.'

'Waarom?' vroeg hij plagend. 'Heb je soms nog meer familieleden van wie ik vervreemd ben geraakt voor me in petto?'

Ze keek vragend naar hem op. 'Heb je die dan?'

'Nee!' zei hij met klem. Hij zag dat het haar moeite kostte om te glimlachen, en hief haar kin op. 'Wat is er nu weer aan de hand?'

'Ik vind het niet fijn dat je iets moet doen dat met gevangenissen te maken heeft.'

Zack glimlachte geruststellend. 'Ik moet dit doen, maar je hoeft je helemaal geen zorgen te maken. En mochten ze me willen opsluiten, dan weet ik zeker dat het je wel zal lukken om me er tijdig voor ons huwelijk weer uit te krijgen.'

'Reken maar!' riep ze zo fel uit, dat Zack moest lachen.

'Morgenavond om zeven uur zie je me op school,' beloofde hij.

Hoofdstuk 85

De nostalgische geur van vingerverf en lijm drong Zacks neusgaten binnen toen hij langzaam de lege gang af liep naar het enige lokaal waar licht brandde. Toen hij dichterbij kwam kon hij vrouwen horen lachen, en hij bleef even vanaf de drempel staan kijken naar de kleine tafeltjes en stoeltjes waarvan er voor in het lokaal zeven bezet waren door Julie's volwassen leerlingen.

Julie stond tegen haar bureautje geleund. Ze was al aangekleed voor het diner dat op de repetitie van vanavond zou volgen. Ze had haar haren in een laag knotje gedaan, en zag er opvallend chic uit. Hij stond haar vol bewondering te observeren, toen ze opkeek en hem zag. 'Je bent precies op tijd,' zei ze tegen hem. Ze zette zich af tegen haar bureautje en keek hem glimlachend aan. 'We zijn klaar met de les van vanavond, en nu hebben we een soort van afscheidsfeestje en halen we herinneringen op.' Terwijl ze dat zei, wees ze op de cake en de plastic bekertjes op haar bureau, en stak vervolgens haar hand naar hem uit. Ze vlocht haar vingers door de zijne, trok hem dichterbij, en vertelde aan de vrouwen: 'Zack is gekomen omdat hij jullie dolgraag nog wilde ontmoeten voor we morgenavond vertrekken.' Zeven gezichten keken hem aan met elke reactie van verlegenheid tot ontzag. 'Pauline,' begon Julie, 'mag ik je voorstellen aan mijn verloofde. Zack, dit is Pauline Perkins –'

Het duurde niet lang voor Zack zich realiseerde dat Julie het zo deed voorkomen, alsof het voor hem een eer was dat hij kennis mocht maken met de vrouwen, en niet andersom. Dat deed ze door hem van elk van hen iets speciaals te vertellen, en Zack zag hoe ze zich langzaam maar zeker ontspanden.

Zack was diep onder de indruk van haar tact, en toen hij de laatste hand had geschud, ging hij naast Julie bij haar bureautje staan. Het moment van pijnlijke stilte werd opeens verbroken door een jonge vrouw van ergens in de twintig die een baby bij zich had. Julie had haar voorgesteld als Rosalie Silmet. 'Wilt u misschien... een plakje cake?' vroeg ze aarzelend.

'Ik zeg nooit nee tegen een stukje cake,' loog Zack, en glimlachte om haar op haar gemak te stellen. Hij draaide zich om naar het bureau, en sneed een plakje voor zichzelf af.

'Ik heb hem zelf gebakken,' merkte ze op.

Hij draaide zich met een plakje chocoladecake in zijn hand naar haar om, toen hij Julie haar, zonder geluid te maken, een enkel woordje toe zag fluisteren: 'Hoe?'

'Ik –' Ze rechtte haar magere schouders. 'Ik heb het recept gelézen!' verklaarde ze met zo veel trots dat Zack het er benauwd van kreeg. 'En Peggy heeft ons met de auto hiernaartoe gebracht,' voegde ze eraan toe, terwijl ze op de vrouw wees die Peggy Listrom heette. 'Op weg hiernaartoe heeft Peggy alle straatnaambordjes hardop voorgelezen.'

'Ach, dat interesseert hem toch niet,' zei Peggy, en werd vuurrood. 'Iedereen kan straatnaambordjes lezen.'

'Niet iedereen,' hoorde Zack zichzelf zeggen, want op dat moment wist hij dat hij er álles voor over zou hebben om ervoor te zorgen dat deze vrouwen, als ze zo naar huis gingen, zich heel bijzonder voelden. 'Julie heeft me verteld dat het bij haar ook heel lang geduurd heeft voor ze leerde lezen.'

'Heeft ze u dat echt verteld?' vroeg een van hen, die zich niet kon voorstellen dat Julie zoiets zou hebben durven bekennen.

Hij knikte. 'En ik heb heel veel bewondering voor haar, dat ze de moed heeft gehad om daar iets aan te doen.' Hij keek naar Peggy Listrom, en voegde er grijnzend aan toe: 'En als jij nu straks ook nog geleerd hebt om kaarten te lezen, zou je me dan de truc willen verklappen? Ik raak altijd meteen de weg kwijt zodra iemand maar een kaart voor mij openvouwt.'

Iemand giechelde, en hij voegde eraan toe: 'Wie heeft er voor de punch gezorgd?'

Een van de vrouwen stak een hand op. 'Ik.'

'En heb je het recept gelezen?'

Ze schudde haar hoofd op zo'n trotse manier, dat Zack er niets van begreep totdat ze eraan toevoegde: 'Het komt uit een blik. Ik heb het etiket gelezen. In de supermarkt. Het kostte één dollar en negenenzestig cent, dat heb ik ook gelezen.'

'Mag ik er een beetje van proeven?'

Ze knikte, en Zack voelde dezelfde ontroering toen ze wat van de rode drank in een plastic bekertje schonk. Hij was in gedachten zo met de vrouwen bezig, dat hij wat van de drank op de manchet van zijn overhemd morste. Rosalie Silmet sprong meteen op. 'Ik wijs u wel even waar de wc's zijn, dan kunt u er wat koud water op doen.'

'Graag,' zei hij, en was bang om haar te kwetsen door nee te zeggen. 'Ik denk dat ik vanavond een beetje zenuwachtig ben door jullie,' zei hij lachend. 'Ik ben bang dat Julie morgen niet met me wil trouwen als jullie mij niet aardig vinden,' voegde hij eraan toe terwijl hij Rosalie de gang op volgde, en toen er gelachen werd, had hij het gevoel alsof hij heel iets bijzonders had bereikt.

Toen hij terugkwam liep het feestje op zijn einde, en was iedereen bezorgd dat Julie te laat op hun trouwrepetitie zou zijn. 'Er is nog tijd genoeg,' zei ze, terwijl Zack een beetje afzijdig stond en van zijn punch nipte. Hij zag Rosalie Silmet opzij buigen, en Debby Sue Cassidy iets in het oor fluisteren. Ze schudde haar hoofd. Tot dusver had Julie's protégée amper nog een woord gezegd, en Zack vroeg zich af hoe het kwam dat ze zo van haar onder de indruk was. De anderen waren veel opener.

'Julie,' zei Rosalie, 'Debby Sue heeft een afscheidsgedicht voor je geschreven, maar nu wil ze het niet voorlezen.'

Zack begreep onmiddellijk dat dit de reden was waarom de vrouw nog zo goed als niets had gezegd.

'Toe, Debby,' zei Julie, 'zou je het me alsjeblieft willen voorlezen?'

'Het is niet erg goed,' verklaarde Debby wanhopig.

'Alsjeblieft.'

Met bevende handen pakte ze het velletje papier op dat ze voor zich op tafel had liggen. 'Het rijmt niet eens.'

'Gedichten hoeven niet te rijmen. Enkele van de mooiste gedichten ter wereld hebben geen rijm. Niemand heeft ooit nog een gedicht aan mij opgedragen,' voegde Julie eraan toe. 'Ik voel me reuze vereerd.'

Debby rechtte haar schouders. Met een angstige blik op Zack zei ze: 'Ik heb het "Dank zij Julie" genoemd.' Ze begon te lezen:

Vroeger schaamde ik mij
En nu ben ik trots.

Vroeger was de wereld donker
En nu is er licht.

Vroeger liep ik met gebogen hoofd
En nu loop ik fier rechtop.
Vroeger had ik dromen
Maar nu heb ik hóóp.

Dank zij Julie.

Zack keek haar met grote ogen aan. De simpele, veelzeggende woorden galmden na door zijn hoofd, de punch was halverwege zijn mond blijven steken. Hij zag Julie glimlachen en vragen of ze het gedicht mocht houden, en toen ze het had aangepakt, drukte ze het tegen haar borst, zoals ze in Mexico met zijn ring had gedaan. Het feestje was afgelopen. Hij nam met een toepasselijk woord voor ieder afscheid, en keek ze na toen ze het lokaal verlieten.

Terwijl Julie haar bureautje opruimde, slenterde hij naar het prikbord aan de muur, maar hij zag de kindertekeningen die eraan hingen nauwelijks. Hij moest maar steeds denken aan dat gedicht, aan de woorden die precies uitdrukten wat hij voor Julie voelde.
Een elastiekje vloog vlak langs zijn oor en sloeg zachtjes tegen het prikbord. Hij keek op in de veronderstelling dat er iets van het plafond was gevallen. Het tweede elastiekje suisde langs zijn slaap, en miste hem op een haar na. Hij draaide zich om en probeerde de diepe emoties die hij zojuist gevoeld had van zich af te schudden. Julie stond tegen haar bureau geleund met een volgend elastiekje in de aanslag. 'Leuk schot, Wyatt,' zei hij bij wijze van grapje.

'Ik heb les gehad van de allerbesten,' zei Julie met een glimlachje, maar ze had al lang gezien dat hij helemaal niet vrolijk was. 'Wat is er, meneer Benedict?' vroeg ze, nadat ze haar arm had laten zakken en het elastiekje op een boek schoot.

Haar koffertje stond gepakt op tafel, en Zack ging naar haar toe terwijl hij zich afvroeg hoe hij haar vraag het beste kon beantwoorden.

Ze wist kennelijk wat er was, want ze hield haar hoofd schuin, sloeg haar armen over elkaar, en vroeg onschuldig: 'En, wat vond je van mijn dames?'

'Ik – die Debby Sue van je, dat is een hoofdstuk apart. Ze zijn allemaal – niet wat ik verwacht had, beter kan ik het niet zeggen.'

'Als je een paar maanden geleden gekomen was, dan zouden ze hun mond niet hebben opengedaan.'

'Ze lijken nu toch redelijk veel zelfvertrouwen te hebben.'

'Vind je dat?' vroeg ze hem op een grappig, twijfelend toontje. 'Als ze van tevoren geweten zouden hebben dat je kwam, dan had ik ze nog met geen tien paarden hiernaartoe kunnen zeulen. De vrouw van de slager komt op de receptie, de ouders van al mijn leerlingen komen op de receptie, de vróuw van de koster van de kerk komt op de receptie. Maar het is mij niet gelukt om ook maar één van deze vrouwen ervan te overtuigen dat ik het echt fijn zou vinden als ze kwamen, en dat terwijl ik meer tijd aan hen heb besteed dan aan het merendeel van de anderen. Zo veel zelfvertrouwen hebben ze. Na mijn terugkeer uit Colorado heb ik van het geld dat ik in Amarillo gekregen had, speciaal testmateriaal gekocht om te kijken wat ze kunnen.'

'Hoe test je iemand die niet kan lezen?'

'Persoonlijk. Verbaal. Met het juiste materiaal is het een koud kunstje. En je noemt het geen test, want dat woord is dodelijk voor iemand die zo onzeker is. En weet je wat ik ontdekt heb?'

Hij schudde zijn hoofd. 'Ik ontdekte dat Debby al een derde-klas leesniveau had, en twee van de anderen zijn dyslectisch en kunnen daarom niet lezen. En weet je wat ze evenveel nodig hebben als ze het nodig hebben om te leren lezen?' Toen hij zijn hoofd schudde, zei ze vol gevoel: 'Míj. Ze hebben iemand nodig die om hen geeft. God, ze bloeien gewoonweg op met een andere vrouw die in hen gelooft en die bereid is om tijd aan hen te besteden. Het hoeft helemaal geen onderwijzeres te zijn – gewoon een andere vrouw is voldoende. De toekomst van dat kind van Rosalie hangt volledig af van de vraag of Katherine – die dit van mij overneemt – erin slaagt om Rosalie in zichzelf te laten blijven geloven en haar aan het oefenen weet te houden. Lukt haar dat niet, dan is dat kind haar levenlang aangewezen op de bijstand en op een leven in armoede, net zoals het haar moeder is vergaan. Gelukkig schijnt er – dat heb ik net een paar dagen geleden gehoord – een organisatie te zijn die zich landelijk bezighoudt met het onderwijs aan vrouwen die niet kunnen lezen.'

Terwijl hij zo naar haar stond te kijken en te luisteren, wist hij niet of hij moest aanbieden om zijn chequeboekje te trekken, of om een groepje vrouwen voor zijn rekening te nemen.

'Ik weet dat Rachel toen ze getrouwd was haar werk niet wilde opgeven, en nu moet ik – moet ik je vertellen dat ik in Californië door wil gaan met lesgeven. Aan volwassen vrouwen, niet aan kinderen. Ik wil me aansluiten bij die organisatie en wat voor die vrouwen dóen,' verklaarde ze vol vuur.

'En daarom wilde je dat ik vanavond zou komen,' zei hij op droge toon, terwijl hij bedacht hoe absurd de vergelijking was tussen Rachels onbeteugelde, egoïstische ambitie, en Julie's verlangen om haar eigen sekse te helpen.

Ze interpreteerde zijn toontje verkeerd en keek hem smekend aan. 'Ik kan deze vrouwen helpen, Zack, ik heb er een gave voor. En ik wíl ze helpen.'

Zack nam haar in zijn armen en drukte haar dicht tegen zich aan. 'De gave, dat ben je zelf,' fluisterde hij. 'Je hebt meer facetten dan de diamant die je draagt, en ik ben op allemaal even dol...'

Toen hij zijn hoofd ophief en zijn greep op haar verslapte, wreef ze haar vinger over de patroontjes van zijn zijden das en keek hem aarzelend aan. 'Debby staat op straat omdat het gezin waar ze al sinds haar zestiende voor werkt, gaat verhuizen. Ze is nog niet tot veel meer in staat dan het huishouden...'

Zack hief haar kin op en voldeed zonder aarzelen aan haar verzoek. 'Ik heb een heel groot huis.'

Hoofdstuk 86

'Weet je zeker dat ze zover zijn in de kerk?' vroeg Zack aan Matt Farrell terwijl hij de knoopjes in het overhemd van zijn smoking stak.

'Iedereen is klaar, behalve jij,' antwoordde Matt grinnikend.

Omdat hij de vorige avond aanwezig had moeten zijn op het diner na de repetitie en uit angst dat iemand hem zou horen niet vanuit het huis van Mathisons had kunnen bellen, had hij de laatste dingen moeten overlaten aan Matt en Meredith Farrell die gisteren gearriveerd waren en in Julie's huis hadden geslapen.

'Is iedereen uit Californië aangekomen?'

'Ze zitten allemaal in de kerk.'

'Heb je duidelijk tegen Meredith gezegd dat ze ervoor moet zorgen dat Julie niet de kerk in kijkt voordat ze het middenpad begint af te lopen?' vervolgde Zack, en ging voor de spiegel staan om zijn zwarte das om te doen. 'Ik wil niet dat ze van tevoren weet wie er is. Het moet een verrassing zijn.'

'Meredith en Katherine hebben Julie goed onder controle. Ze houden haar van seconde tot seconde in de gaten. Waarschijnlijk heeft ze nu al het gevoel dat ze aan haar vastgeplakt zitten, en vraagt ze zich af waarom.'

Zack trok zijn zwarte smokingjasje aan. 'Weet je heel zeker dat Barbra er is?'

'Ze is er, compleet met haar begeleider. Ik heb haar gisteravond nog in haar hotel in Dallas gebeld. Als het goed is dan staat ze nu in het koor en wacht tot ze kan beginnen.'

Zack wreef zijn wang om zich ervan te verzekeren dat hij echt goed glad geschoren was. 'Hoe laat is het?'

'Tien voor vier. Je hebt tien minuten om bij de kerk te komen. Ted Mathison is er al. En onderweg zal ik je nog een paar dingen bijbrengen die je gisteravond tijdens de repetitie had moeten leren.'

'Ik weet alles al. Ik ben al eens eerder getrouwd geweest, weet je nog?'

'Toch zijn er een aantal niet geringe verschillen,' merkte Matt grijnzend op.

'O, ja? Zoals?'
'De vorige keer was je een stuk rustiger, maar niet half zo geluk-kig.'

Er was nog een ander groot verschil tussen zijn vorige huwelijk en dit, wist Zack. Hij wist het al voordat hij voor zijn aanstaande schoonva-der stond in de met kaarsen verlichte kerk die prachtig versierd was met grote boeketten witte rozen die met witsatijnen linten gebonden waren. Ditmaal voelde hij een diep ontzag, een gevoel van innige vreugde toen hij voor het altaar op Julie stond te wachten. Hij zag Meredith over het middenpad naar zich toe komen, gevolgd door Katherine en Sara. Ze zagen er alle drie beeldschoon en sereen uit in hun appelgroene japonnen, net alsof zij, net als Zack zelf, duidelijk voelden dat het goed was wat er stond te gebeuren.

De orgelmuziek zwol aan, en Zack had het gevoel dat zijn hart zou barsten toen hij Julie zag.

In een golvende massa van geappliqueerde zijde en een lange sluier, zag hij de vrouw op zich toe komen die hij ontvoerd had, de vrouw met wie hij gelachen had en die hij bemind had. Haar gezichtje straalde in het licht van de kaarsen, en ze straalde de belofte uit van zijn ongeboren kinderen en een leven vervuld van alle vreugde die ze te schenken had. Dat alles zag hij, en hij zag haar grote ogen zetten toen Barbra Streisand haar stem verhief en het lied inzette dat Zack haar gevraagd had om te zingen wanneer Julie de kerk binnenkwam.

Long ago and far away, I dreamed a dream one day –
And now that dream is here before me.
Long the skies were overcast,
but now the clouds are passed –
You're here at last.

Chills run up en down my spine.
Aladdin's lamp is mine.
The dream I dreamed was not denied me.
Just one look and then I knew –
That all I longed for long ago was you.

Zack nam Julie's hand stevig in de zijne, en ze wendden zich tot het altaar.

Dominee Mathison glimlachte en hief het boek op dat hij in zijn handen hield. 'Lieve vrienden, wij hebben ons hier, in Gods huis ver-zameld...'

Voor in de kerk keek Matthew Farrell diep in de ogen van zijn vrouw, en Ted en Katherine Mathison wisselden een tedere glimlach.

Op een van de achterste rijen ging Herman Henkleman verzitten.

Hij schoof een stukje naar Flossie toe, pakte haar hand, en vlocht zijn vingers door de hare.

Willie Jenkins, die achter hen zat, zag het gebeuren, en gaf het meisje dat naast hem zat een porretje. Met zijn luide kraakstem fluisterde hij: 'Wedden dat Herman Henkleman zich niet aan dominee Mathisons belofte houdt? Hij is veel te oud om te wachten...'

Waarop het meisje zuinig reageerde: 'Hou je kop, Willie. Ik weet werkelijk niet waar je het over hebt.'

Willie, die zich niet uit het veld liet slaan, zei: 'Mijn oudste broer heeft me verteld dat ze moeten beloven dat ze elkaar tot de huwelijksnacht niet zullen kussen.'

'Getsie,' zei het meisje rillend, en schoof zo ver mogelijk van hem vandaan. 'Kussen!'

Hoofdstuk 87

De receptie in het park, waarvan Zack verwacht had dat het een nogal saaie gebeurtenis zou worden, bleek een schitterend feest te zijn. De bomen in het park waren versierd met honderden lichtjes, en feestelijk opgemaakte tafels konden het gewicht van de talloze, prachtige en verrukkelijke schotels maar nauwelijks dragen.

Zack, die met Matt Farrell een beetje opzij van de drukte stond, zag Harrison Ford met Julie dansen. Het volgende moment kwam Patrick Swayze naar Harrison toe, tikte hem op de schouder, en nam Julie van hem over. Zack glimlachte bij de herinnering aan Julie's geschrokken gezicht toen hij haar had voorgesteld aan bijna alle filmsterren van wie ze gezegd had dat het haar favorieten waren. Het had evenwel niet lang geduurd voor ze van de schrik bekomen was, en vanaf dat moment had ze haar beroemde gasten zo normaal en vriendelijk behandeld dat Zack alleen maar trots op haar kon zijn.

'Fantastische bruiloft, Zack,' zei Warren Beatty, die samen met zijn vrouw was gekomen. 'Het eten is verrukkelijk.'

Toen Warren en zijn vrouw na het maken van een praatje waren doorgelopen, keek Zack op zijn horloge, en van zijn horloge naar Julie. Ze was nog steeds met Swayze aan het dansen, en lachte nu om iets dat hij tegen hàar had gezegd.

'Ze heeft ze allemaal betoverd,' zei Matt met een goedkeurende grijns.

'Met name Swayze,' merkte Zack op. Hij zag hoe goed ze met hem danste en probeerde er niet op te letten dat ze wel heel dicht bij elkaar dansten.

Matt gaf hem een zetje en wees op Meredith. 'Moet je zien wat ik moet verduren. Dat is Costner met wie ze daar danst. Meredith,' zei hij, 'is een enorme fan van hem.'

'En omgekeerd, als je het mij vraagt. Gelukkig zijn Swayze en Costner allebei getrouwd,' voegde Zack er grijnzend aan toe. Hij zette het champagneglas op een tafel naast hem, en zei: 'Volgens mij is het nu wel laat genoeg om de laatste dans op te eisen en dan te vertrekken.'

'Heb je haast om aan je huwelijksreis te beginnen?'

'En wát voor een haast,' zei Zack lachend. Hij schudde Matts hand, maar bedankte hem niet voor alle jaren van trouwe vriendschap en alles wat hij voor hem had gedaan. Daarvoor was zijn dankbaarheid te groot, en beiden begrepen dat.

Nadat Zack naar de leider van het orkestje was gegaan om hem om een bepaald nummer te verzoeken, liep hij door naar zijn vrouw. Lachend verruilde ze Patrick Swayze's armen voor de zijne. 'Het werd hoog tijd dat je me kwam halen,' zei ze zacht.

'Klaar voor vertrek?' vroeg hij, toen het nummer dat het orkestje aan het spelen was, was afgelopen.

Julie snakte ernaar om te vertrekken en om alleen met hem te zijn. Ze knikte en wilde van de dansvloer lopen, maar hij hield haar vast en zei met schorre stem: 'Na het volgende nummer.'

'Welk nummer?' vroeg ze in stilte, maar hij glimlachte alleen maar, en toen zette het orkest het opzwepende ritme van zijn verzoeknummer in.

'Dit,' zei hij. '*Light my fire*, Julie,' zei hij met hese stem, en begon met haar te bewegen op het bekende lied van José Feliciano.

Julie was vrijwel op slag betoverd door zijn verliefde blik en uitnodigende glimlach. Zonder zich iets aan te trekken van de mensen om hen heen die naar hen keken, sloeg ze haar armen om zijn hals en drukte zich dicht tegen hem aan. Hij klemde zijn armen om haar middel, en trok haar nog wat dichter tegen zich aan. 'Dichterbij, Julie, nog dichterbij.'

Hoofdstuk 88

Julie keek vanaf de bank in de luxueuze cabine van het vliegtuig door het raampje naar de inktzwarte nacht. In de diepte zag ze van tijd tot tijd een enkel lichtje, maar verder was alles donker. Zack zat, met zijn voeten op de lage tafel en zijn smokingjasje open, tegenover haar. Hij maakte een volkomen tevreden en geduldige indruk. Me-

504

teen nadat ze van de receptie vertrokken waren, had hij haar meegenomen naar Matts gereedstaande vliegtuig, en hij had haar zelfs niet de tijd willen gunnen om iets anders aan te trekken. Nu ze echter op weg waren naar een bestemming waarvan hij haar de naam niet wilde noemen, bleek hij opeens geen haast meer te hebben om haar tot de zijne te maken. 'Ik schaam me dood, als ik zo de lobby van een hotel binnen moet lopen.'

'Echt, lieveling?'

Julie knikte, en wou dat hij haar iets anders liet aantrekken. 'Ik kan me zo verkleden, daar heb ik maar een paar minuutjes voor nodig.'

Hij schudde zijn hoofd. 'Ik wil dat we deze kleren aan hebben wanneer we aankomen.'

'Maar waarom dan?'

'Dat zul je wel zien,' zei hij, en stak zijn hand naar haar uit.

Ze ging naast hem zitten. 'Er zijn momenten,' zei ze met iets van ergernis, 'waarop je een volkomen raadsel voor me bent.'

Het duurde evenwel niet lang voor ze hem begreep. Ze begreep hem volkomen toen ze uit het vliegtuig stapte, het kleine vliegveld, de gereedstaande auto en de bergen zag. 'Colorado!' riep ze ademloos uit. 'We zijn in Colorado, niet?'

De rit naar het huis in de bergen was een bijzonder ingrijpende ervaring voor Julie. En dat was ook het moment waarop ze het huis binnenging, en de schitterende, vertrouwde kamers terugzag waar ze met Zack geknokt had, met hem gedanst had en verliefd op hem was geworden.

Terwijl hij de koffers binnenbracht en het vuur in de open haard aanstak, liep ze naar het raam en keek naar de plek waar hij zijn 'sneeuwmonster' had gebouwd.

Zack kwam achter haar staan, sloeg zijn armen om haar middel, trok haar tegen zich aan, en in het raam zag ze hun spiegelbeeld... een lange bruidegom met zijn bruid in zijn armen. Ze keken naar hun spiegelbeeld, en Zack zag dat haar ogen vochtig waren. 'Waarom huil je?' vroeg hij zacht, en drukte een kusje in haar nek.

Julie slikte en boog haar hoofd naar achteren. 'Daarom,' fluisterde ze met gebroken stem, en dacht aan alles wat hij met zoveel gevoel voor haar gedaan had. 'Je bent zo volmaakt.'

Zack trok haar beschermend wat dichter tegen zich aan. 'We zijn samen volmaakt,' fluisterde hij.

'Ik zal je gelukkig maken,' zei ze, met een stem die onvast was van de emotie. 'Dat zweer ik je.'

Haar man draaide haar in zijn armen naar zich toe, en hij keek haar glimlachend aan terwijl hij haar haren naar achteren streek. 'Je maakt me al gelukkig sinds de avond die we hier samen hebben doorgebracht, toen je op de bank zat en me vertelde waarom je niet van voetbal hield.'

Daar moest ze een beetje om lachen, maar ze zag het licht van het vuur weerkaatsen op de trouwring die hij nu om zijn linker ringvinger droeg, en nadat ze zijn hand tegen haar wang had gelegd, drukte ze er een kusje op. 'Ik hou van je, Zack,' fluisterde ze. 'Ik hou van de klank van je stem en de aanraking van je hand en de manier waarop je glimlacht. Ik wil je kinderen geven... en een leven vol vreugde... en ik wil mijzelf aan je geven.'

Het verlangen begon vurig door zijn aderen te kolken, en hij kuste haar. 'Ga met je man mee naar bed, vrouw.'

Man. Vrouw. Terwijl ze met hem naar de slaapkamer liep, galmden de zoete woorden na door haar hoofd. Ze namen bezit van haar hart toen ze in bed lagen en hij haar in zijn armen nam. Hij streelde en kuste haar met tederheid en gretigheid tegelijk, en zij beantwoordde zijn hartstocht met haar eigen passie. Toen hij haar ten slotte binnendrong, sloeg ze haar armen innig om hem heen, en fluisterde: 'Welkom thuis, Zack.'

Zack kreunde, en begon in haar te bewegen. Zijn vrouw volgde zijn bewegingen, en niet veel later volgde de allesoverrompelende climax.

Bevredigd, met de armen om elkaar heen geslagen, daalden ze langzaam af, terug naar de aarde, naar de realiteit, in hetzelfde bed waarin ze ooit eens niet aan de toekomst hadden durven denken. Zacks hand ging langzaam strelend over haar rug, en hij dacht aan de jaren die voor hem lagen met de vrouw die altijd van hem gehouden had, die hem vertrouwd had en die hem had leren vergeven. *Welkom thuis*, had ze gezegd.

Voor het eerst in zijn leven wist hij eindelijk hoe het voelde om een thuis en een familie te hebben. Julie was zijn thuis, zijn familie.

Epiloog

Te midden van talloze boeketten en rozen in alle kleuren van de regenboog, hield Julie haar pasgeboren kindje in de armen. Maar voor het eerst sinds de geboorte van hun zoon, nu twee dagen geleden, was haar aandacht niet uitsluitend gericht op het kleine, volmaakte wezentje dat zij en Zack samen gemaakt hadden.

Tot voor enkele minuten waren alle verpleegsters in haar kamer geweest om samen met haar naar de uitreiking van de Academy Awards te kijken, maar ze waren weggegaan omdat ze weer aan het werk moesten, en Julie was heimelijk blij dat ze weer alleen was. Nog even, en dan zou de onderscheiding voor de Beste Mannelijke Hoofdrol worden uitgereikt, en hoewel ze er zo goed als zeker van was dat Zack zou winnen, wilde ze het liefste niet dat er iemand bij was wanneer de winnaar werd uitgeroepen.

'Kijk, Nicky!' fluisterde ze, en draaide hem een stukje opzij opdat hij de televisie kon zien. 'Daar heb je je aanstaande peetouders, meneer en mevrouw Farrell. En je pappie staat vlak bij hen, hoewel hij deze keer toevallig niet in beeld was.'

Nicholas Alexander Benedict, die kennelijk meer honger had dan dat hij geïnteresseerd was in de televisie, begon te huilen, en Julie legde hem weer aan haar borst.

De eerste film die Zack na hun huwelijk gemaakt had, had niet alleen alle kassarecords gebroken, maar *Last Interlude* had ook een aantal nominaties voor een Academy Award gekregen. Zack had er al een in de wacht gesleept voor de Beste Regisseur, Sam Hudgins had gewonnen voor het beste camerawerk, en ook de mensen die voor de muziek en voor de visuele effecten hadden gezorgd, waren met een Oscar onderscheiden.

Julie vond oprecht dat dit Zacks avond was, en dat hij in alle glorie moest kunnen stralen, en dat wilde ze ook zo laten. Vanochtend had ze eindelijk een proefexemplaar ontvangen van het boek dat ze had geschreven om geld bijeen te brengen voor het alfabetiseringsproject waar ze zich zo met hart en ziel bij betrokken voelde. Hoewel ze het hem dolgraag wilde laten zien en zijn mening erover wilde horen, had ze Sally, die het boek in de loop van de dag naar het ziekenhuis had gebracht, laten beloven om er met geen woord tegen Zack over te reppen.

De namen van de genomineerden voor de Beste Scriptschrijver werden afgeroepen, en Julie beet op haar lip. Toen Peter Listerman als overwinnaar uit de bus kwam, lachte ze en zag hem het toneel op komen om de onderscheiding in ontvangst te nemen die hem als schrijver van *Interlude* toekwam. 'Nicky, kijk!' fluisterde ze blij.

'Daar heb je Pete, en hij heeft gewonnen! Je mag Pete wel heel erg dankbaar zijn,' zei ze plagend. 'Dankzij hem heb je de enige hoge kinderstoel ter wereld die eruitziet als een regisseursstoel met je naam op de rug.'

Pete was één van Julie's favorieten. Dat kwam gedeeltelijk doordat hij voor en tijdens het draaien van de film zo vaak bij hen thuis was geweest om met Zack aan het script te werken, maar ook omdat hij bezig was een soort van haat-liefderelatie met Debby Sue Cassidy op te bouwen. Zack was niet tevreden geweest over de afloop van de film, en Debby had Zack toegefluisterd dat zij een beter idee had. Zack had Pete met Debby's idee aan het werk gezet, en het was mede te danken aan de fantastische afloop van de film, dat *Interlude* nu zo veel onderscheidingen in de wacht sleepte.

Pete hield zijn dankspeech, en toen hij bijna klaar was, keek hij recht in de camera en besloot: 'En verder zou ik graag nog een woord van dank richten tot Debby Cassidy, wier bijdrage aan mijn werk van onschatbare waarde is geweest.'

'Pete, wat ben je toch een schat!' riep Julie uit, en drukte Nicky innig tegen zich aan.

Enkele minuten later hield Julie van spanning haar adem in, toen Robert Duval en Meryl Streep het toneel op kwamen om de namen voor te lezen van de acteurs die genomineerd waren voor de Beste Mannelijke Hoofdrol. 'Duimen, lieveling,' zei Julie.

'En de genomineerden zijn' – Meryl Streep keek op in de camera – 'Kevin Costner, voor *End of the Rainbow*.'

'Kurt Russell, voor *Shot in the Night*,' voegde Duval eraan toe.

'Zachary Benedict, voor *Last Interlude*,' zei Meryl Streep.

'Jack Nicholson, voor *The Peacemaker*,' besloot Duval.

Hij stak zijn hand uit voor de enveloppe, en Julie kreeg een vreemd, prikkelend gevoel achter in haar nek.

'En de Oscar gaat naar' – hij keek op het briefje in de enveloppe, en begon te grijnzen – 'Zachary Benedict voor *Last Interlude!*'

Het applaus barstte los en de mensen kwamen overeind voor een staande ovatie. De camera zoomde in op een lange, donkerharige man in smoking, die haastig het toneel op kwam. Duval boog zich naar voren, en voegde eraan toe: 'Matthew Farrell is hier om de onderscheiding voor Zack in ontvangst te nemen...'

En toen begreep Julie opeens wat de oorzaak was van dat vreemde, tintelende gevoel in haar nek...

Ze leunde achterover in de kussens, en zei glimlachend en zonder naar de deur te kijken: 'Je bent hier, is het niet?'

'Hoe raad je het zo,' antwoordde Zack plagend.

Ze keek opzij en zag hem, met zijn smokingjasje nonchalant over zijn schouder geslagen, en de Oscar voor Beste Regisseur in zijn hand, naar haar bed komen.

'Je zou daar moeten zijn, om je Oscar in ontvangst te nemen,' bracht Julie hem in herinnering, maar ze sloeg haar vrije arm om zijn brede schouders toen hij naast haar heup op de rand van het bed was gaan zitten. 'Gefeliciteerd, lieveling.'

Voorzichtig, om zijn slapende zoon niet wakker te maken, kuste Zack zijn vrouw op de mond, en toen op haar wang. 'Ik ben waar ik op dit moment het liefste ben,' fluisterde hij teder. 'Op de enige plek waar ik wil zijn.'

Ze liet haar vingertoppen teder strelend over zijn wang gaan. 'Nicky en ik zijn waanzinnig trots op je,' zei ze zacht, en Zack voelde de tranen in zijn ogen prikken toen hij naar haar stralende gezichtje keek, en naar zijn zoontje dat tegen haar borst aan lag. 'Hij slaapt,' zei hij, met een stem die schor was van de emotie. 'Zal ik hem in zijn wiegje leggen?'

'Je kunt het proberen,' zei Julie, en reikte hem het slapende kindje aan.

Nadat Zack zijn zoon in het wiegje had gelegd, schopte hij zijn zwarte lakschoenen uit, ging naast haar op het bed liggen en trok haar dicht tegen zich aan. 'Dank je voor mijn zoon,' fluisterde hij, en omdat hij zich vanavond zo waanzinnig emotioneel voelde, keek hij om zich heen naar iets wat hem afleiding zou kunnen bezorgen. Zijn blik viel op het boek dat op het nachtkastje lag, en hij pakte het op. 'Welk boek ben je aan het lezen?'

Julie's boek was helemaal haar eigen werk. Ze was, tijdens het schrijven en de voorbereidingen ervan, niet bereid geweest om hem met de details lastig te vallen. Daarbij was ze ook doodsbang geweest voor zijn kritiek. Maar nu was het moment van rekenschap daar, en ze haalde zenuwachtig adem. 'Dit is mijn boek, het is nog maar een proefexemplaar. Vers van de pers. Sally heeft het me vanmorgen gebracht.'

'Waarom heb je me daar helemaal niets van verteld!' riep hij uit, en pakte het op. 'Dit is toch reuze opwindend.'

'Omdat dit de dag van de Oscars was, en ik niet wilde dat het boek, of wat dan ook, je maar enigszins af zou leiden.'

Ontroerd door haar overbodige bezorgdheid, bekeek hij het boek van alle kanten. 'Prachtig,' zei hij, en liet zijn blik over de aantrekkelijke cover met een rozenmotief gaan.

'En wat vind je van de titel?'

Hij glimlachte, en las hem hardop voor: 'Je hebt het *Volmaakt* genoemd.'

Ze knikte.

'Goede titel,' zei hij grijnzend. 'Hoe ben je erop gekomen?'

'Dat was nog wel het meest gemakkelijke,' fluisterde ze, en keek hem aan. 'Het is ons verhaal. In werkelijkheid gaat het boek over ons.'

Zacks glimlach maakte plaats voor een uitdrukking van de tederheid die zijn hart deed zwellen. Hij trok haar in zijn armen en begroef
zijn gezicht in haar haren. Ze had achter hem gestaan toen de wereld
hem voor moordenaar had uitgemaakt, had van hem gehouden toen
hij haar niets te bieden had gehad, en had hem geleerd wat vergeven
was. Ze had hem toegejuicht bij zijn succes, hem gesteund toen hij
gelijk had, en zich koppig verzet wanneer hij het volgens haar bij het
verkeerde eind had. Ze had hem een nieuw leven geschonken, en
hem een nieuw doel en liefde en blijdschap geschonken. En toen had
ze hem zijn zoon gegeven.

Hij herinnerde zich de woorden van het gedicht dat Debby Sue
Cassidy voor haar had geschreven:

> *Vroeger schaamde ik mij*
> *En nu ben ik trots.*

> *Vroeger was de wereld donker*
> *En nu is er licht.*

> *Vroeger liep ik met gebogen hoofd*
> *En nu loop ik fier rechtop.*

> *Vroeger had ik dromen*
> *Maar nu heb ik hoop.*

> *Dank zij Julie.*

'Niet huilen, liefste,' fluisterde Julie, en verbaasde zich over de tranen die ze op zijn wang voelde. Ze legde haar hand in zijn nek, en zei
met onvaste stem: 'Je hebt mijn boek nog niet gelezen. Misschien valt
mijn werk wel mee, en ben ik een betere schrijfster dan je denkt.'

Haar woorden doorbraken het meest aangrijpende en ontroerende moment van zijn leven, en Zack schaterde het uit.

510